Inhalt

JUBILÄUMSBAND
HEYNE VERLAG

HEYNE
BÜCHER

In der selben Reihe erschienen außerdem
als Heyne-Taschenbuch

HEYNE JUBILÄUMS BAND

Deutsche
Erzähler
des 20. Jahrhunderts

Herausgegeben von
Günther Fetzer

WILHELM HEYNE VERLAG
MÜNCHEN

HEYNE JUBILÄUMSBÄNDE
Nr. 50/17

5. Auflage

Copyright © 1986 by Wilhelm Heyne Verlag GmbH & Co. KG, München
Copyright © der Einzelrechte: s. Die Autoren
Printed in Germany 1991
Umschlagfoto: Klaus Schmäh, München
Umschlaggestaltung: Atelier Ingrid Schütz, München
Gesamtherstellung: Ebner Ulm

ISBN 3-453-37017-1

Die mit einem Stern versehenen Titelformulierungen stammen vom
Herausgeber.

HUGO VON HOFMANNSTHAL

Reitergeschichte

Den 22. Juli 1848, vor 6 Uhr morgens, verließ ein Streifkommando, die zweite Eskadron von Wallmodenkürassieren, Rittmeister Baron Rofrano mit einhundertsieben Reitern, das Kasino San Alessandro und ritt gegen Mailand. Über der freien, glänzenden Landschaft lag eine unbeschreibliche Stille; von den Gipfeln der fernen Berge stiegen Morgenwolken wie stille Rauchwolken gegen den leuchtenden Himmel; der Mais stand regungslos und zwischen Baumgruppen, die aussahen wie gewaschen, glänzten Landhäuser und Kirchen her. Kaum hatte das Streifkommando die äußerste Vorpostenlinie der eigenen Armee etwa um eine Meile hinter sich gelassen, als zwischen den Maisfeldern Waffen aufblitzten und die Avantgarde feindliche Fußtruppen meldete. Die Schwadron formierte sich neben der Landstraße zur Attacke, wurde von eigentümlich lauten, fast miauenden Kugeln überschwirrt, attackierte querfeldein und trieb einen Trupp ungleichmäßig bewaffneter Menschen wie die Wachteln vor sich her. Es waren Leute der Legion Manaras, mit sonderbaren Kopfbedekkungen. Die Gefangenen wurden einem Korporal und acht Gemeinen übergeben und nach rückwärts geschickt. Vor einer schönen Villa, deren Zufahrt uralte Zypressen flankierten, meldete die Avantgarde verdächtige Gestalten. Der Wachtmeister Anton Lerch saß ab, nahm zwölf mit Karabinern bewaffnete Leute, umstellte die Fenster und nahm achtzehn Studenten der Pisaner Legion gefangen, wohlerzogene und hübsche junge Leute mit weißen Händen und halblangem Haar. Eine halbe Stunde später hob die Schwadron einen Mann auf, der in der Tracht eines Bergamasken vorüberging und durch sein allzu harmloses und unscheinbares Auftreten verdächtig wurde. Der Mann trug im Rockfutter eingenäht die wichtigsten Detailpläne, die Errichtung von Freikorps in den Giudikarien und deren Kooperation mit der piemontesischen Armee betreffend. Gegen 10 Uhr vormittags fiel dem Streifkommando eine Herde Vieh in die Hände. Unmittelbar nachher stellte sich ihm ein starker feindlicher Trupp entgegen und beschoß die Avantgarde von einer Friedhofsmauer aus. Der Tete-Zug des Leutnants Grafen Trautsohn übersprang die niedrige Mauer und hieb zwischen den Gräbern auf die ganz verwirrten Feindlichen ein, von denen ein großer Teil in die Kirche und von dort durch die Sakristeitür in ein dichtes Gehölz sich rettete. Die siebenundzwanzig neuen Gefangenen meldeten sich als neapolitanische Freischaren unter päpstlichen Offizieren. Die Schwadron hatte einen Toten. Einer das Gehölz umreitenden Rotte, bestehend aus dem Gefreiten Wotrubek und den Dragonern Holl und Haindl, fiel eine mit zwei Ackergäulen bespannte leichte Haubitze in die Hände, indem sie auf die Bedeckung einhieben und die Gäule am Kopfzeug packten und umwendeten. Der Gefreite Wotrubek wurde als leicht verwundet mit der Meldung der bestandenen Gefechte und anderer Glücksfälle ins Hauptquartier zurückgeschickt, die Gefangenen gleichfalls nach rückwärts transportiert, die Haubitze aber von der nach abgegebener Eskorte noch achtundsiebzig Reiter zählenden Eskadron mitgenommen.

Nachdem laut übereinstimmender Aussagen der verschiedenen Gefangenen die Stadt Mailand von den feindlichen sowohl regulären als irregulären Truppen vollständig verlassen, auch von allem Geschütz und Kriegsvorrat entblößt war, konnte der Rittmeister sich selbst und der Schwadron nicht versagen, in diese große und schöne, wehrlos daliegende Stadt einzureiten. Unter dem Geläute der Mittagsglocken, der Generalmarsch von den vier Trompeten hinaufgeschmettert in den stählern funkelnden Himmel, an tausend Fenstern hinklirrend und zurückgeblitzt auf achtundsiebzig Kürasse, achtundsiebzig aufgestemmte nackte Klingen; Straße rechts, Straße links wie ein aufgewühlter Ameisenhaufen sich füllend mit staunenden Gesichtern; fluchende und erbleichende Gestalten hinter Haustoren verschwindend, verschlafene Fenster aufgerissen von den entblößten Armen schöner Unbekannter; vorbei an Santa Babila, an San Fedele, an San Carlo, am weltberühmten marmornen Dom, an San Satiro, San Giorgio, San Lorenzo, San Eustorgio; deren uralte Erztore alle sich auftuend und unter Kerzenschein und Weihrauchqualm silberne Heilige und brokatgekleidete, strahlenäugige Frauen hervorwinkend; aus tausend Dachkammern, dunklen Torbogen, niedrigen Butiken Schüsse zu gewärtigen, und immer wieder nur halbwüchsige Mädchen und Buben, die weißen Zähne und dunklen Haare zeigend; vom trabenden Pferde herab funkelnden Auges auf alles dies hervorblickend aus einer Larve von blutgesprengtem Staub; zur Porta Venezia hinein, zur Porta Ticinese wieder hinaus: so ritt die schöne Schwadron durch Mailand.

Nicht weit vom letztgenannten Stadttor, wo sich ein mit hüb-

schen Platanen bewachsenes Glacis erstreckte, glaubte der Wachtmeister Anton Lerch am ebenerdigen Fenster eines neugebauten
hellgelben Hauses ein ihm bekanntes weibliches Gesicht zu sehen.
Neugierde bewog ihn, sich im Sattel umzuwenden, und da er
gleichzeitig aus einigen steifen Tritten seines Pferdes vermutete,
es hätte in eines der vorderen Eisen einen Straßenstein eingetreten, er auch an der Queue der Eskadron ritt und ohne Störung aus
dem Gliede konnte, so bewog ihn alles dies zusammen, abzusit-
zen, und zwar nachdem er gerade das Vorderteil seines Pferdes in
den Flur des betreffenden Hauses gelenkt hatte. Kaum hatte er hier
den zweiten weißgestiefelten Vorderfuß seines Braunen in die
Höhe gehoben, um den Huf zu prüfen, als wirklich eine aus dem
Innern des Hauses ganz vorne in den Flur mündende Zimmertür
aufging und in einem etwas zerstörten Morgenanzug eine üppige,
beinahe noch junge Frau sichtbar wurde, hinter ihr aber ein helles
Zimmer mit Gartenfenstern, worauf ein paar Töpfchen Basilika
und rote Pelargonien, ferner mit einem Mahagonischrank und
einer mythologischen Gruppe aus Biskuit dem Wachtmeister
zeigte, während seinem scharfen Blick noch gleichzeitig in einem
Pfeilerspiegel die Gegenwand des Zimmers sich verriet, ausgefüllt
von einem großen weißen Bette und einer Tapetentür, durch
welche sich ein beleibter, vollständig rasierter älterer Mann im
Augenblicke zurückzog.

Indem aber dem Wachtmeister der Name der Frau einfiel und
gleichzeitig eine Menge anderes: daß es die Witwe oder geschiedene Frau eines kroatischen Rechnungsunteroffiziers war, daß er mit
ihr vor neun oder zehn Jahren in Wien in Gesellschaft eines
anderen, ihres damaligen eigentlichen Liebhabers, einige Abende
und halbe Nächte verbracht hatte, suchte er nun mit den Augen
unter ihrer jetzigen Fülle die damalige üppig-magere Gestalt
wieder hervorzuziehen. Die Dastehende aber lächelte ihn in einer
halb geschmeichelten slawischen Weise an, die ihm das Blut in den
starken Hals und unter die Augen trieb, während eine gewisse
gezierte Manier, mit der sie ihn anredete, sowie auch der Morgenanzug und die Zimmereinrichtung ihn einschüchterten. Im Augenblick aber, während er mit etwas schwerfälligem Blick einer
großen Fliege nachsah, die über den Haarkamm der Frau lief, und
äußerlich auf nichts achtete, als wie er seine Hand, diese Fliege zu
scheuchen, sogleich auf den weißen, warm und kühlen Nacken
legen würde, erfüllte ihn das Bewußtsein der heute bestandenen
Gefechte und anderer Glücksfälle von oben bis unten, so daß er
ihren Kopf mit schwerer Hand nach vorwärts drückte und dazu

sagte: »Vuic« – diesen ihren Namen hatte er gewiß seit zehn Jahren nicht wieder in den Mund genommen und ihren Taufnamen vollständig vergessen –, »in acht Tagen rücken wir ein, und dann wird das da mein Quartier«, auf die halboffene Zimmertür deutend. Unter dem hörte er im Hause mehrfach Türen zuschlagen, fühlte sich von seinem Pferde, zuerst durch stummes Zerren am Zaum, dann, indem es laut den anderen nachwieherte, fortgedrängt, saß auf und trabte der Schwadron nach, ohne von der Vuic eine andere Antwort als ein verlegenes Lachen mit in den Nacken gezogenem Kopf mitzunehmen. Das ausgesprochene Wort aber machte seine Gewalt geltend. Seitwärts der Rottenkolonne, einen nicht mehr frischen Schritt reitend, unter der schweren metallischen Glut des Himmels, den Blick in der mitwandernden Staubwolke verfangen, lebte sich der Wachtmeister immer mehr in das Zimmer mit den Mahagonimöbeln und den Basilikumtöpfchen hinein und zugleich in eine Zivilatmosphäre, durch welche doch das Kriegsmäßige durchschimmerte, eine Atmosphäre von Behaglichkeit und angenehmer Gewalttätigkeit ohne Dienstverhältnis, eine Existenz in Hausschuhen, den Korb des Säbels durch die linke Tasche des Schlafrockes durchgesteckt. Der rasierte, beleibte Mann, der durch die Tapetentür verschwunden war, ein Mittelding zwischen Geistlichem und pensioniertem Kammerdiener, spielte darin eine bedeutende Rolle, fast mehr noch als das schöne breite Bett und die feine weiße Haut der Vuic. Der Rasierte nahm bald die Stelle eines vertraulich behandelten, etwas unterwürfigen Freundes ein, der Hoftratsch erzählte, Tabak und Kapaunen brachte, bald wurde er an die Wand gedrückt, mußte Schweigegelder zahlen, stand mit allen möglichen Umtrieben in Verbindung, war piemontesischer Vertrauter, päpstlicher Koch, Kuppler, Besitzer verdächtiger Häuser mit dunklen Gartensälen für politische Zusammenkünfte, und wuchs zu einer schwammigen Riesengestalt, der man an zwanzig Stellen Spundlöcher in den Leib schlagen und statt Blut Gold abzapfen konnte.

Dem Streifkommando begegnete in den Nachmittagsstunden nichts Neues, und die Träumereien des Wachtmeisters erfuhren keine Hemmungen. Aber in ihm war ein Durst nach unerwartetem Erwerb, nach Gratifikationen, nach plötzlich in die Tasche fallenden Dukaten rege geworden. Denn der Gedanke an das bevorstehende erste Eintreten in das Zimmer mit den Mahagonimöbeln war der Splitter im Fleisch, um den herum alles von Wünschen und Begierden schwäre.

Als nun gegen Abend das Streifkommando mit gefütterten und

halbwegs ausgerasteten Pferden in einem Bogen gegen Lodi und die Addabrücke vorzudringen suchte, wo denn doch Fühlung mit dem Feind sehr zu gewärtigen war, schien dem Wachtmeister ein von der Landstraße abliegendes Dorf, mit halbverfallenem Glokkenturm in einer dunkelnden Mulde gelagert, auf verlockende Weise verdächtig, so daß er, die Gemeinen Holl und Scarmolin zu sich winkend, mit diesen beiden vom Marsche der Eskadron seitlich abbog und in dem Dorfe geradezu einen feindlichen General mit geringer Bedeckung zu überraschen und anzugreifen oder anderswie ein ganz außerordentliches Prämium zu verdienen hoffte, so aufgeregt war seine Einbildung. Vor dem elenden, scheinbar verödeten Nest angelangt, befahl er dem Scarmolin links, dem Holl rechts die Häuser außen zu umreiten, während er selbst, Pistole in der Faust, die Straße durchzugaloppieren sich anschickte, bald aber, harte Steinplatten unter sich fühlend, auf welchen noch dazu irgendein glitschiges Fett ausgegossen war, sein Pferd in Schritt parieren mußte. Das Dorf blieb totenstill; kein Kind, kein Vogel, kein Lufthauch. Rechts und links standen schmutzige kleine Häuser, von deren Wänden der Mörtel abgefallen war; auf den nackten Ziegeln war hie und da etwas Häßliches mit Kohle gezeichnet; zwischen bloßgelegten Türpfosten ins Innere schauend, sah der Wachtmeister hie und da eine faule, halbnackte Gestalt auf einer Bettstatt lungern oder schleppend, wie mit ausgerenkten Hüften, durchs Zimmer gehen. Sein Pferd ging schwer und schob die Hinterbeine mühsam unter, wie wenn sie von Blei wären. Indem er sich umwendete und bückte, um nach dem rückwärtigen Eisen zu sehen, schlürften Schritte aus einem Hause, und da er sich aufrichtete, ging dicht vor seinem Pferde eine Frauensperson, deren Gesicht er nicht sehen konnte. Sie war nur halb angekleidet; ihr schmutziger, abgerissener Rock von geblümter Seide schleppte im Rinnsal, ihre nackten Füße staken in schmutzigen Pantoffeln; sie ging so dicht vor dem Pferde, daß der Hauch aus den Nüstern den fettig glänzenden Lockenbund bewegte, der ihr unter einem Strohhute in den entblößten Nacken hing, und doch ging sie nicht schneller und wich dem Reiter nicht aus. Unter einer Türschwelle zur Linken rollten zwei ineinander verbissene blutende Ratten in die Mitte der Straße, von denen die unterliegende so jämmerlich aufschrie, daß das Pferd des Wachtmeisters sich verhielt und mit schiefem Kopf und hörbarem Atem gegen den Boden stierte. Ein Schenkeldruck brachte es wieder vorwärts, und nun war die Frau in einem Hausflur verschwunden, ohne daß der Wachtmeister hatte ihr Gesicht sehen können. Aus dem nächsten Hause lief eilfertig mit gehobenem Kopfe ein Hund heraus, ließ einen Knochen in der Mitte der Straße fallen und versuchte ihn in einer Fuge des Pflasters zu verscharren. Es war eine weiße unreine Hündin mit hängenden Zitzen; mit teuflischer Hingabe scharrte sie, packte dann den Knochen mit den Zähnen und trug ihn ein Stück weiter. Indessen sie wieder zu scharren anfing, waren schon drei Hunde bei ihr; zwei waren sehr jung, mit weichen Knochen und schlaffer Haut; ohne zu bellen und ohne beißen zu können, zogen sie einander mit stumpfen Zähnen an den Lefzen. Der Hund, der zugleich mit ihnen gekommen war, war ein lichtgelbes Windspiel von so aufgeschwollenem Leib, daß es nur ganz langsam auf den vier dünnen Beinen sich weitertragen konnte. An dem dicken wie eine Trommel gespannten Leib erschien der Kopf viel zu klein; in den kleinen ruhelosen Augen war ein entsetzlicher Ausdruck von Schmerz und Beklemmung. Sogleich sprangen noch zwei Hunde hinzu: ein magerer, weißer von äußerst gieriger Häßlichkeit, dem schwarze Rinnen von den entzündeten Augen herunterliefen, und ein schlechter Dachshund auf hohen Beinen. Dieser hob seinen Kopf gegen den Wachtmeister und schaute ihn an. Er mußte sehr alt sein. Seine Augen waren unendlich müde und traurig. Die Hündin aber lief in blöder Hast vor dem Reiter hin und her; die beiden jungen schnappten lautlos mit ihrem weichen Maul nach den Fesseln des Pferdes, und das Windspiel schleppte seinen entsetzlichen Leib hart vor den Hufen. Der Braune konnte keinen Schritt mehr tun. Als aber der Wachtmeister seine Pistole auf eines der Tiere abdrücken wollte und die Pistole versagte, gab er dem Pferde beide Sporen und dröhnte über das Steinpflaster hin. Nach wenigen Sätzen aber mußte er das Pferd scharf parieren. Denn hier sperrte eine Kuh den Weg, die ein Bursche mit gespanntem Strick zur Schlachtbank zerrte. Die Kuh aber, von dem Dunst des Blutes und der an den Türpfosten genagelten frischen Haut eines schwarzen Kalbes zurückschaudernd, stemmte sich auf ihren Füßen, sog mit geblähten Nüstern den rötlichen Sonnendunst des Abends in sich und riß sich, bevor der Bursche sie mit Prügel und Strick hinüberbekam, mit kläglichen Augen noch ein Maulvoll von dem Heu ab, das der Wachtmeister vorne am Sattel befestigt hatte. Er hatte nun das letzte Haus des Dorfes hinter sich und konnte, zwischen zwei niedrigen, abgebröckelten Mauern reitend, jenseits einer alten einbogigen Steinbrücke über einen anscheinend trockenen Graben den weiteren Verlauf des Weges absehen, fühlte aber in der Gangart seines Pferdes eine so unbeschreibliche Schwere, ein solches Nichtvorwärtskommen, daß sich an seinem Blick jeder Fußbreit der Mauern rechts und links, ja jeder von den dort sitzenden Tausendfüßlern und Asseln mühselig vorbeischob, und ihm war, als hätte er eine unmeßbare Zeit mit dem Durchreiten des widerwärtigen Dorfes verbracht. Wie nun zugleich aus der Brust seines Pferdes ein schwerer röhrender Atem hervordrang, er dies ihm völlig ungewohnte Geräusch aber nicht sogleich richtig erkannte und die Ursache davon zuerst über und neben sich und schließlich in der Entfernung suchte, bemerkte er jenseits der Steinbrücke und beiläufig in gleicher Entfernung von dieser als wie er sich selbst befand, einen Reiter des eigenen Regiments auf sich zukommen, und zwar einen Wachtmeister, und zwar auf einem Braunen mit weißgestiefelten Vorderbeinen. Da er nun wohl wußte, daß sich in der ganzen Schwadron kein solches Pferd befand, ausgenommen dasjenige, auf welchem er selbst in diesem Augenblicke saß, er das Gesicht des anderen Reiters aber immer noch nicht erkennen konnte, so trieb er ungeduldig sein Pferd sogar mit den Sporen zu einem sehr lebhaften Trab an, worauf auch der andere sein Tempo ganz im gleichen Maße verbesserte, so daß nun nur mehr ein Steinwurf sie trennte, und nun, indem die beiden Pferde, jedes von seiner Seite her, im gleichen Augenblick, jedes mit dem gleichen weißgestiefelten Vorfuß die Brücke betraten, der Wachtmeister, mit stierem Blick in der Erscheinung sich selber erkennend, wie sinnlos sein Pferd zurückriß und die rechte Hand mit ausgespreizten Fingern gegen das Wesen vorstreckte, worauf die Gestalt, gleichfalls parierend und die Rechte erhebend, plötzlich nicht da war, die Gemeinen Holl und Scarmolin mit unbefangenen Gesichtern von rechts und links aus dem trockenen Graben auftauchten und gleichzeitig über die Hutweide her, stark und aus gar nicht großer Entfernung, die Trompeten der Eskadron ›Attakke‹ bliesen. Im stärksten Galopp eine Erdwelle hinansetzend, sah der Wachtmeister die Schwadron schon im Galopp auf ein Gehölz zu, aus welchem feindliche Reiter mit Piken eilfertig debouchierten; sah, indem er, die vier losen Zügel in der Linken versammelnd, den Handriemen um die Rechte schlang, den vierten Zug sich von der Schwadron ablösen und langsamer werden, war nun schon auf dröhnendem Boden, nun in starkem Staubgeruch, nun mitten im Feinde, hieb auf einen blauen Arm ein, der eine Pike führte, sah dicht neben sich das Gesicht des Rittmeisters mit weit aufgerissenen Augen und grimmig entblößten Zähnen, war dann plötzlich unter lauter feindlichen Gesichtern und fremden Farben eingekeilt, tauchte unter in lauter geschwungenen Klingen, stieß den nächsten in den Hals und vom Pferd herab, sah neben sich den Gemeinen Scarmolin mit lachendem Gesicht einem die Finger der Zügelhand ab – und tief in den Hals des Pferdes hineinhauen, fühlte die Mêlée sich lockern und war auf einmal allein, am Rand eines kleinen Baches, hinter einem feindlichen Offizier auf einem Eisenschimmel. Der Offizier wollte über den Bach; der Eisenschimmel versagte. Der Offizier riß ihn herum, wendete dem Wachtmeister ein junges, sehr bleiches Gesicht und die Mündung einer Pistole zu, als ihm ein Säbel in den Mund fuhr, in dessen kleiner Spitze die Wucht eines galoppierenden Pferdes zusammengedrängt war. Der Wachtmeister riß den Säbel zurück und erhaschte an der gleichen Stelle, wo die Finger des Herunterstürzenden ihn losgelassen hatten, den Stangenzügel des Eisenschimmels, der leicht und zierlich wie ein Reh die Füße über seinen sterbenden Herrn hinhob.

Als der Wachtmeister mit dem schönen Beutepferd zurückritt, warf die in schwerem Dunst untergehende Sonne eine ungeheure Röte über die Hutweide. Auch an solchen Stellen, wo gar keine Hufspuren waren, schienen ganze Lachen von Blut zu stehen. Ein roter Widerschein lag auf den weißen Uniformen und den lachenden Gesichtern, die Kürasse und Schabracken funkelten und glühten, und am stärksten drei kleine Feigenbäume, an deren weichen Blättern die Reiter lachend die Blutrinnen ihrer Säbel abgewischt hatten. Seitwärts der rotgefleckten Bäume hielt der Rittmeister und neben ihm der Eskadrontrompeter, der die wie in roten Saft getauchte Trompete an den Mund hob und Appell blies. Der Wachtmeister ritt von Zug zu Zug und sah, daß die Schwadron nicht einen Mann verloren und dafür neun Handpferde gewonnen hatte. Er ritt zum Rittmeister und meldete, immer den Eisenschimmel neben sich, der mit gehobenem Kopf tänzelte und Luft einzog, wie ein junges, schönes und eitles Pferd, das es war. Der Rittmeister hörte die Meldung nur zerstreut an. Er winkte den Leutnant Grafen Trautsohn zu sich, der dann sogleich absaß und mit sechs gleichfalls abgesessenen Kürassieren hinter der Front der Eskadron die erbeutete leichte Haubitze ausspannte, das Geschütz von den sechs Mannschaften zur Seite schleppen und in ein von dem Bach gebildetes kleines Sumpfwasser versenken ließ, hierauf wieder aufsaß und, nachdem er die nunmehr überflüssigen beiden Zuggäule mit der flachen Klinge fortgejagt hatte, stillschweigend seinen Platz vor dem ersten Zug wieder einnahm. Während dieser Zeit verhielt sich die in zwei Gliedern formierte Eskadron nicht eigentlich unruhig, es herrschte aber doch eine nicht ganz gewöhnliche Stimmung, durch die Erregung von vier an einem Tage glücklich bestandenen Gefechten erklärlich, die sich im leichten Ausbrechen halb unterdrückten Lachens sowie in halblauten untereinander gewechselten Zurufen äußerte. Auch standen die Pferde nicht ruhig, besonders diejenigen, zwischen denen fremde erbeutete Pferde eingeschoben waren. Nach solchen Glücksfällen schien allen der Aufstellungsraum zu eng, und solche Reiter und Sieger verlangten sich innerlich, nun im offenen Schwarm auf einen neuen Gegner loszugehen, einzuhauen und neue Beutepferde zu packen. In diesem Augenblicke ritt der Rittmeister Baron Rofrano dicht an die Front seiner Eskadron, und indem er von den etwas schläfrigen blauen Augen die großen Lider hob, kommandierte er vernehmlich, aber ohne seine Stimme zu erheben: »Handpferde auslassen!« Die Schwadron stand totenstill. Nur der Eisenschimmel neben dem Wachtmeister streckte den Hals und berührte mit seinen Nüstern fast die Stirne des Pferdes, auf welchem der Rittmeister saß. Der Rittmeister versorgte seinen Säbel, zog eine seiner Pistolen aus dem Halfter, und indem er mit dem Rücken der Zügelhand ein wenig Staub von dem blinkenden Lauf wegwischte, wiederholte er mit etwas lauterer Stimme sein Kommando und zählte gleich nachher »eins« und »zwei«. Nachdem er das ›zwei‹ gezählt hatte, heftete er seinen verschleierten Blick auf den Wachtmeister, der regungslos vor ihm im Sattel saß und ihm starr ins Gesicht sah. Während Anton Lerchs starr aushaltender Blick, in dem nur dann und wann etwas Gedrücktes, Hündisches aufflackerte und wieder verschwand, eine gewisse Art devoten, aus vieljährigem Dienstverhältnisse hervorgegangenen Zutrauens ausdrücken mochte, war sein Bewußtsein von der ungeheuren Gespanntheit dieses Augenblicks fast gar nicht erfüllt, sondern von vielfältigen Bildern einer fremdartigen Behaglichkeit ganz überschwemmt, und aus einer ihm selbst völlig unbekannten Tiefe seines Innern stieg ein bestialischer Zorn gegen den Menschen da vor ihm auf, der ihm das Pferd wegnehmen wollte, ein so entsetzlicher Zorn über das Gesicht, die Stimme, die Haltung und das ganze Dasein dieses Menschen, wie er nur durch jahrelanges enges Zusammenleben auf geheimnisvolle Weise entstehen kann. Ob aber in dem Rittmeister etwas Ähnliches vorging, oder ob sich ihm in diesem Augenblicke stummer Insubordination die ganze lautlos um sich greifende Gefährlichkeit kritischer Situationen zusammenzudrängen schien, bleibt im Zweifel: Er hob mit einer nachlässigen, beinahe gezierten Bewegung den Arm, und indem er, die Oberlippe verächtlich hinaufziehend, »drei« zählte, krachte auch schon der Schuß, und der Wachtmeister taumelte, in die Stirn getroffen, mit dem Oberleib auf den Hals seines Pferdes, dann zwischen dem Braunen und dem Eisenschimmel zu Boden. Er hatte aber noch nicht hingeschlagen, als auch schon sämtliche Chargen und Gemeinen sich ihrer Beutepferde mit einem Zügelriß oder Fußtritt entledigt hatten und der Rittmeister, seine Pistole ruhig versorgend, die von einem blitzähnlichen Schlag noch nachzuckende Schwadron dem in undeutlicher dämmernder Entfernung anscheinend sich ralliierenden Feinde aufs neue entgegenführen konnte. Der Feind nahm aber die neuerliche Attacke nicht an, und kurze Zeit nachher erreichte das Streifkommando unbehelligt die südliche Vorpostenaufstellung der eigenen Armee.

(entstanden 1899/1900)

RAINER MARIA RILKE

Die Turnstunde

In der Militärschule zu Sankt Severin. Turnsaal. Der Jahrgang steht
in den hellen Zwillichblusen, in zwei Reihen geordnet, unter den
großen Gaskronen. Der Turnlehrer, ein junger Offizier mit hartem
braunen Gesicht und höhnischen Augen, hat Freiübungen kom-
mandiert und verteilt nun die Riegen. »Erste Riege Reck, zweite
Riege Barren, dritte Riege Bock, vierte Riege Klettern! Abtreten!«
Und rasch, auf den leichten, mit Kolophonium isolierten Schuhen,
zerstreuen sich die Knaben. Einige bleiben mitten im Saale stehen,
zögernd, gleichsam unwillig. Es ist die vierte Riege, die schlechten
Turner, die keine Freude haben an der Bewegung bei den Geräten
und schon müde sind von den zwanzig Kniebeugen und ein wenig
verwirrt und atemlos.

Nur einer, der sonst der allerletzte blieb bei solchen Anlässen,
Karl Gruber, steht schon an den Kletterstangen, die in einer etwas
dämmerigen Ecke des Saales, hart vor den Nischen, in denen die
abgelegten Uniformröcke hängen, angebracht sind. Er hat die
nächste Stange erfaßt und zieht sie mit ungewöhnlicher Kraft
nach vorn, so daß sie frei an dem zur Übung geeigneten Platze
schwankt. Gruber läßt nicht einmal die Hände von ihr, er springt
auf und bleibt, ziemlich hoch, die Beine ganz unwillkürlich im
Kletterschluß verschränkt, den er sonst niemals begreifen konnte,
an der Stange hängen. So erwartet er die Riege und betrachtet – wie
es scheint – mit besonderem Vergnügen den erstaunten Ärger des
kleinen polnischen Unteroffiziers, der ihm zuruft, abzuspringen.
Aber Gruber ist diesmal sogar ungehorsam und Jastersky, der
blonde Unteroffizier, schreit endlich: »Also, entweder Sie kommen herunter oder Sie klettern hinauf, Gruber! Sonst melde ich
dem Herrn Oberlieutenant...« Und da beginnt Gruber, zu klettern, erst heftig mit Überstürzung, die Beine wenig aufziehend
und die Blicke aufwärts gerichtet, mit einer gewissen Angst das
unermeßliche Stück Stange abschätzend, das noch bevorsteht.
Dann verlangsamt sich seine Bewegung; und als ob er jeden Griff
genösse, wie etwas Neues, Angenehmes, zieht er sich höher, als
man gewöhnlich zu klettern pflegt. Er beachtet nicht die Aufregung des ohnehin gereizten Unteroffiziers, klettert und klettert

die Blicke immerfort aufwärts gerichtet, als hätte er einen Ausweg in der Decke des Saales entdeckt und strebte danach, ihn zu erreichen. Die ganze Riege folgt ihm mit den Augen. Und auch aus den anderen Riegen richtet man schon da und dort die Aufmerksamkeit auf den Kletterer, der sonst kaum das erste Drittel der Stange keuchend, mit rotem Gesicht und bösen Augen erklomm. »Bravo, Gruber!« ruft jemand aus der ersten Riege herüber. Da wenden viele ihre Blicke aufwärts, und es wird eine Weile still im Saal – aber gerade in diesem Augenblick, da alle Blicke an der Gestalt Grubers hängen, macht er hoch oben unter der Decke eine Bewegung, als wolle er sie abschütteln; und da ihm das offenbar nicht gelingt, bindet er alle diese Blicke oben an den nackten eisernen Haken und saust die glatte Stange herunter, so daß alle immer noch hinaufsehen, als er schon längst, schwindelnd und heiß, unten steht und mit seltsam glanzlosen Augen in seine glühenden Handflächen schaut. Da fragt ihn der eine oder der andere der ihm zunächst stehenden Kameraden, was denn heute in ihn gefahren sei. »Willst wohl in die erste Riege kommen?« Gruber lacht und scheint etwas antworten zu wollen, aber er überlegt es sich und senkt schnell die Augen. Und dann, als das Geräusch und Getöse wieder seinen Fortgang hat, zieht er sich leise in die Nische zurück, setzt sich nieder, schaut ängstlich um sich und holt Atem, zweimal rasch, und lacht wieder und will was sagen ... aber schon achtet niemand mehr seiner. Nur Jerome, der auch in der vierten Riege ist, sieht, daß er wieder seine Hände betrachtet, ganz darüber gebückt wie einer, der bei wenig Licht einen Brief entziffern will. Und er tritt nach einer Weile zu ihm hin und fragt: »Hast du dir weh getan?« Gruber erschrickt. »Was?« macht er mit seiner gewöhnlichen, in Speichel watenden Stimme. »Zeig mal!« Jerome nimmt die eine Hand Grubers und neigt sie gegen das Licht. Sie ist am Ballen ein wenig abgeschürft. »Weißt du, ich habe etwas dafür«, sagt Jerome, der immer Englisches Pflaster von zu Hause geschickt bekommt, »komm dann nachher zu mir.« Aber es ist, als hätte Gruber nicht gehört; er schaut geradeaus in den Saal hinein, aber so, als sähe er etwas Unbestimmtes, vielleicht nicht im Saal, draußen vielleicht, vor den Fenstern, obwohl es dunkel ist, spät und Herbst.

In diesem Augenblick schreit der Unteroffizier in seiner hochfahrenden Art: »Gruber!« Gruber bleibt unverändert, nur seine Füße, die vor ihm ausgestreckt sind, gleiten, steif und ungeschickt, ein wenig auf dem glatten Parkett vorwärts. »Gruber!« brüllt der Unteroffizier und die Stimme schlägt ihm über. Dann wartet er eine Weile und sagt rasch und heiser, ohne den Gerufenen anzusehen: »Sie melden sich nach der Stunde. Ich werde Ihnen schon ...« Und die Stunde geht weiter. »Gruber«, sagt Jerome und neigt sich zu dem Kameraden, der sich immer tiefer in die Nische zurücklehnt, »es war schon wieder an dir, zu klettern, auf dem Strick, geh mal, versuchs, sonst macht dir der Jastersky irgendeine Geschichte, weißt du ...« Gruber nickt. Aber statt aufzustehen, schließt er plötzlich die Augen und gleitet unter den Worten Jeromes durch, als ob eine Welle ihn trüge, fort, gleitet langsam und lautlos tiefer, tiefer, gleitet vom Sitz, und Jerome weiß erst, was geschieht, als er hört, wie der Kopf Grubers hart an das Holz des Sitzes prallt und dann vornüberfällt ... »Gruber!« ruft er heiser. Erst merkt es niemand. Und Jerome steht ratlos mit hängenden Händen und ruft: »Gruber, Gruber!« Es fällt ihm nicht ein, den anderen aufzurichten. Da erhält er einen Stoß, jemand sagt ihm: »Schaf«, ein anderer schiebt ihn fort, und er sieht, wie sie den Reglosen aufheben. Sie tragen ihn vorbei, irgendwohin, wahrscheinlich in die Kammer nebenan. Der Oberleutnant springt herzu. Er gibt mit harter, lauter Stimme sehr kurze Befehle. Sein Kommando schneidet das Summen der vielen schwatzenden Knaben scharf ab. Stille. Man sieht nur da und dort noch Bewegungen, ein Ausschwingen am Gerät, einen leisen Absprung, ein verspätetes Lachen von einem, der nicht weiß, um was es sich handelt. Dann hastige Fragen: »Was? Was? Wer? Der Gruber? Wo?« Und immer mehr Fragen. Dann sagt jemand laut: »Ohnmächtig.« Und der Zugführer Jastersky läuft mit rotem Kopf hinter dem Oberleutnant her und schreit mit seiner boshaften Stimme, zitternd vor Wut: »Ein Simulant, Herr Oberleutnant, ein Simulant!« Der Oberleutnant beachtet ihn gar nicht. Er sieht geradeaus, nagt an seinem Schnurrbart, wodurch das harte Kinn noch eckiger und energischer vortritt, und gibt von Zeit zu Zeit eine knappe Weisung. Vier Zöglinge, die Gruber tragen, und der Oberleutnant verschwinden in der Kammer. Gleich darauf kommern die vier Zöglinge zurück. Ein Diener läuft durch den Saal. Die vier werden groß angeschaut und mit Fragen bedrängt: »Wie sieht er aus? Was ist mit ihm ? Ist er schon zu sich gekommen?« Keiner von ihnen weiß eigentlich was. Und da ruft auch schon der Oberleutnant herein, das Turnen möge weitergehen, und übergibt dem Feldwebel Goldstein das Kommando. Also wird wieder geturnt, beim Barren, beim Reck, und die kleinen dicken Leute der dritten Riege kriechen mit weitgegrätschten Beinen über den hohen Bock. Aber doch sind alle Bewegungen anders als vorher;

als hätte ein Horchen sich über sie gelegt. Die Schwingungen am Reck brechen so plötzlich ab und am Barren werden nur lauter kleine Übungen gemacht. Die Stimmen sind weniger verworren und ihre Summe summt feiner, als ob alle immer nur ein Wort sagten: »*Ess, Ess, Ess*...« Der kleine schlaue Krix horcht inzwischen an der Kammertür. Der Unteroffizier der zweiten Riege jagt ihn davon, indem er zu einem Schlage auf seinen Hintern ausholt. Krix springt zurück, katzenhaft, mit hinterlistig blitzenden Augen. Er weiß schon genug. Und nach einer Weile, als ihn niemand betrachtet, gibt er dem Pawlowitsch weiter: »Der Regimentsarzt ist gekommen.« Nun, man kennt ja den Pawlowitsch; mit seiner ganzen Frechheit geht er, als hätte ihm irgendwer einen Befehl gegeben, quer durch den Saal von Riege zu Riege und sagt ziemlich laut: »*Der Regimentsarzt ist drin.*« Und es scheint, auch die Unteroffiziere interessieren sich für diese Nachricht. Immer häufiger wenden sich die Blicke nach der Tür, immer langsamer werden die Übungen; und ein Kleiner mit schwarzen Augen ist oben auf dem Bock hocken geblieben und starrt mit offenem Mund nach der Kammer. Etwas Lähmendes scheint in der Luft zu liegen. Die Stärksten bei der ersten Riege machen zwar noch einige Anstrengungen, gehen dagegen an, kreisen mit den Beinen; und Pombert, der kräftige Tiroler, biegt seinen Arm und betrachtet seine Muskeln, die sich durch den Zwillich hindurch breit und straff ausprägen. Ja, der kleine, gelenkige Baum schlägt sogar noch einige Armwellen – und plötzlich ist diese heftige Bewegung die einzige im ganzen Saal, ein großer flimmernder Kreis, der etwas Unheimliches hat inmitten der allgemeinen Ruhe. Und mit einem Ruck bringt sich der kleine Mensch zum Stehen, läßt sich einfach unwillig in die Knie fallen und macht ein Gesicht, als ob er alle verachte. Aber auch seine kleinen stumpfen Augen bleiben schließlich an der Kammertür hängen.

Jetzt hört man das Singen der Gasflammen und das Gehen der Wanduhr. Und dann schnarrt die Glocke, die das Stundenzeichen gibt. Fremd und eigentümlich ist heute ihr Ton; sie hört auch ganz unvermittelt auf, unterbricht sich mitten im Wort. Feldwebel Goldstein aber kennt seine Pflicht. Er ruft: »Antreten!« Kein Mensch hört ihn. Keiner kann sich erinnern, welchen Sinn dieses Wort besaß – vorher. Wann vorher? »Antreten!« krächzt der Feldwebel böse und gleich schreien jetzt die anderen Unteroffiziere ihm nach: »Antreten!« Und auch mancher von den Zöglingen sagt wie zu sich selbst, wie im Schlaf: »Antreten! Antreten!« Aber im Grunde wissen alle, daß sie noch etwas abwarten müssen. Und da geht auch schon die Kammertür auf; eine Weile nichts; dann tritt Oberlieutenant Wehl heraus und seine Augen sind groß und zornig und seine Schritte fest. Er marschiert wie beim Defilieren und sagt heiser: »Antreten!« Mit unbeschreiblicher Geschwindigkeit findet sich alles in Reihe und Glied. Keiner rührt sich. Als wenn ein Feldzeugmeister da wäre. Und jetzt das Kommando: »Achtung!« Pause und dann, trocken und hart: »Euer Kamerad Gruber ist soeben gestorben. Herzschlag. Abmarsch!« Pause.

Und erst nach einer Weile die Stimme des diensttuenden Zöglings, klein und leise: »Links um! Marschieren: Compagnie, Marsch!« Ohne Schritt und langsam wendet sich der Jahrgang zur Tür. Jerome als der letzte. Keiner sieht sich um. Die Luft aus dem Gang kommt, kalt und dumpfig, den Knaben entgegen. Einer meint, es rieche nach Karbol. Pombert macht laut einen gemeinen Witz in bezug auf den Gestank. Niemand lacht. Jerome fühlt sich plötzlich am Arm gefaßt, so angesprungen. Krix hängt daran. Seine Augen glänzen und seine Zähne schimmern, als ob er beißen wollte. »Ich hab' ihn gesehen«, flüstert er atemlos und preßt Jeromes Arm und ein Lachen ist innen in ihm und rüttelt ihn hin und her. Er kann kaum weiter: »Ganz nackt ist er und eingefallen und ganz lang. Und an den Fußsohlen ist er versiegelt ...«

Und dann kichert er, spitz und kitzlich, kichert und beißt sich in den Ärmel Jeromes hinein.

(1902)

Die Fremde

Als Albert um sechs Uhr früh erwachte, war das Bett neben ihm leer, und seine Frau war fort. Auf ihrem Nachttisch lag ein beschriebener Zettel. Albert langte nach ihm und las folgende Worte: »Mein lieber Freund, ich bin früher aufgewacht als du. Adieu. Ich gehe fort. Ob ich zurückkommen werde, weiß ich nicht. Leb wohl. Katharina.«

Albert ließ den Zettel auf die weiße Bettdecke sinken und schüttelte den Kopf. Ob sie nun heute wiederkam oder nicht – es war ja doch ziemlich gleichgültig. Er wunderte sich weder über Inhalt, noch über Ton des Briefes. Es war nur ein wenig früher gekommen, als er erwartet. Vierzehn Tage hatte das ganze Glück gewährt. Was lag daran? Er war bereit.

Langsam erhob er sich, warf den Schlafrock um, tat ein paar Schritte zum Fenster hin und öffnete es. Die Stadt Innsbruck lag in friedlich stillem Morgenschein zu seinen Füßen, und in der Ferne ragten unruhige Felsen in das blaue Licht. Albert kreuzte die Arme über der Brust und sah ins Freie. Ihm war sehr weh ums Herz. Er dachte, wie doch alle Voraussicht und selbst ein vorgefaßter Entschluß ein schweres Geschick nicht leichter, sondern nur mit besserer Haltung tragen ließen. Er zögerte eine Weile. Aber was sollte er jetzt noch abwarten? War es nicht das beste, gleich ein Ende zu machen? War nicht schon die Neugier, die ihn quälte, ein Verrat an seinen Vorsätzen? Sein Los mußte sich erfüllen. Entschieden war es doch schon gewesen, als er vor zwei Jahren beim Tanze das erstemal den kühlen Hauch der geheimnisvollen Lippen seine Wangen streifen fühlte.

Er erinnerte sich, wie er in jener Nacht mit seinem Freunde Vincenz nach Hause gegangen war. An alles mußte er denken, was ihm Vincenz damals erzählt hatte; und der zarte Ton früher Warnung klang ihm wieder im Ohr. Vincenz wußte mancherlei über Katharina und ihre Familie. Der Vater war als Oberst eines Artillerie-Regiments während des bosnischen Feldzuges in den Freiherrnstand erhoben worden und fiel durch die Kugel eines Insurgenten. Ihr Bruder war Kavallerie-Leutnant gewesen und hatte sein Erbteil rasch durchgebracht; später opferte die Mutter, um den Sohn vor dem Schlimmsten zu bewahren, ihr ganzes Vermögen auf; das half aber nicht für lange, und bald darauf erschoß sich der junge Offizier. Nun stellte der Baron Maaßburg, der als Bräutigam Katharinens galt, seine Besuche in dem Hause ein. Man brachte das nicht nur mit den nunmehr erklärt ärmlichen Verhältnissen der Familie in Zusammenhang, sondern auch mit einer merkwürdigen Szene, die sich während des Leichenbegängnisses zugetragen hatte. Katharina war einem ihr bis dahin ganz unbekannten Kameraden ihres Bruders schluchzend in die Arme gefallen, als wäre er ihr Freund oder Verlobter. Ein Jahr später wurde sie von einer heftigen Schwärmerei für den berühmten Orgelspieler Banetti erfaßt. Er verließ Wien, ohne daß sie ihn jemals gesprochen hatte. Eines Morgens erzählte sie ihrer Mutter den Traum, daß Banetti zu ihnen ins Zimmer getreten, auf dem Klavier eine Fuge von Bach gespielt, dann rücklings zu Boden gestürzt und tot dagelegen war, während sich die Decke öffnete und das Klavier in den Himmel schwebte. Am selben Tage traf die Nachricht ein, daß sich Banetti in einem kleinen lombardischen Dorf von der Kirchturmspitze in den Friedhof hinabgestürzt hatte und tot zu Füßen eines Kreuzes liegengeblieben war. Bald darauf begannen sich bei Katharinen die Anzeichen einer Gemütskrankheit zu zeigen, die sich allmählich bis zu tiefster Versunkenheit steigerte; nur der dringende Widerstand der Mutter und deren fester Glaube an die Genesung Katharinens hielt die Ärzte davon ab, das Mädchen in eine Anstalt zu bringen. Ein ganzes Jahr brachte Katharina tagsüber einsam und schweigend hin; aber nachts erhob sie sich zuweilen aus dem Bette und sang einfache Lieder wie in früherer Zeit. Allmählich, zum größten Staunen der Ärzte, erwachte Katharina aus ihrem Trübsinn. Sie schien dem Leben, ja der Freude wiedergegeben. Bald nahm sie Einladungen, zuerst nur in engere Zirkel an; der Bekanntenkreis breitete sich wieder aus, und als Albert sie auf dem Weißen-Kreuz-Balle kennenlernte, war sie ihm von einer solchen Ruhe des Gemütes erschienen, daß er den Erzählungen seines Freundes auf dem Heimweg nur zweifelnd zu folgen vermochte.

Albert von Webeling, der früher nicht sehr viel in der Welt verkehrt hatte, war durch den guten Namen seiner Familie, durch seine Stellung als Vize-Sekretär in einem Ministerium leicht in die Lage versetzt, in den Kreisen Katharinens Zutritt zu finden. Jede Begegnung vertiefte seine Neigung für sie. Katharina trug sich immer einfach, aber ihre hohe Gestalt und ganz besonders ihre einzige, ja königliche Weise, das Haupt zu neigen, wenn sie jemandem zuhörte, verlieh ihr eine Vornehmheit von ganz eigener Art. Sie sprach nicht viel, und ihre Augen pflegten oft, wenn sie in Gesellschaft war, wie in eine für die andern unzugängliche Ferne zu blicken. Die jüngeren Herren behandelte sie mit einiger Unachtsamkeit, lieber unterhielt sie sich mit reiferen Männern von Rang oder Ruf. Und, wieder ein Jahr, nachdem Albert sie kennengelernt hatte, verlobte sie das Gerücht mit dem Grafen Rummingshaus, der eben von einer Forschungsreise in Tibet und Turkestan heimgekehrt war. Damals wußte Albert, daß der Tag, an dem Katharina einem andern die Hand zur Ehe reichte, der letzte seines Lebens sein würde, und er, dessen Dasein bis zu seinem dreißigsten Jahr unbeirrt hingeflossen war, begriff mit einem Male alle Gefahren und allen Wahnsinn, in die heftige Leidenschaft den besonnensten Mann zu stürzen vermag. Von seiner Nichtigkeit Katharinen gegenüber war er völlig durchdrungen. Er hatte sein anständiges Auskommen und konnte als Junggeselle ein recht behagliches Leben führen, aber Reichtum hatte er von keiner Seite zu erwarten. Eine sichere, aber gewiß nicht bedeutende Laufbahn stand ihm bevor. Er kleidete sich mit großer Sorgfalt, ohne jemals wirklich elegant auszusehen, er redete nicht ohne Gewandtheit, hatte aber niemals irgend etwas Besonderes zu sagen, und er war stets gerne gesehen, ohne jemals aufzufallen. Und so fühlte er, daß ein Wesen, geheimnisvoll und gleichsam aus einer andern Welt wie Katharina, sich tief zu ihm herablassen müßte, wenn er sie gewinnen wollte, und daß sie jedenfalls von ihm verlangen durfte, ein unverdientes Glück teuer zu bezahlen. Da er sich aber zu jedem Opfer bereit wußte, schien er sich auch allmählich ihrer würdig zu werden. Eines Morgens erfuhr er, daß der Graf nach Galizien abgereist war, ohne sich erklärt zu haben; mit einer Entschlossenheit, die sonst seine Art nicht war, hielt er den rechten Augenblick für gekommen und begab sich zu Katharina.

Wie weit schien ihm nun jene Stunde zu liegen!

Er sah das Zimmer im Schottenhof vor sich, weitläufig und gewölbt, aber niedrig, mit alten, gut gehaltenen Möbeln, sah den vereinsamten dunkelroten Fauteuil am Fenster stehen, das offene Piano mit den aufgeschlagenen Noten, den runden Mahagonitisch, darauf das Album mit dem Perlmutterdeckel und die Visitkartenschale aus Alt-Meißner Porzellan. Und er erinnerte sich, wie er in den geräumigen Hof hinuntergeblickt hatte, durch den eben viele Leute von der Palmsonntagmesse aus der gegenüberliegenden Schottenkirche kamen. Während die Glocken läuteten, trat Katharina mit ihrer Mutter aus dem Nebenzimmer herein und war nicht so erstaunt über seinen Besuch, als er eigentlich erwartete. Sie hörte ihm freundlich zu und nahm seinen Antrag an, kaum in größerer Bewegung, als wenn er die Einladung zu einem Ball überbracht hätte. Die Mutter, immer mit dem verbindlichen Lächeln der Schwerhörigen, saß still in der Diwan-Ecke und führte ihren kleinen schwarzen Seidenfächer manchmal ans Ohr. Während des ganzen Gesprächs in dem kühlen, sonntagsstillen Zimmer hatte Albert die Empfindung, als wäre er in eine Gegend gekommen, über die durch lange Zeit heftige Stürme gejagt hätten, und die nun eine große Sehnsucht nach Ruhe atmete. Und als er später die graue Treppe hinunterschritt, ward ihm nicht die beseligende Empfindung eines erfüllten Wunsches, sondern nur das Bewußtsein, daß er in eine wohl wundersame, aber ungewisse und dunkle Epoche seines Lebens eingetreten war. Und wie er so durch den Sonntag spazierte, von Straße zu Straße, durch Gärten und Alleen, den Frühjahrshimmel über sich, an manchen fröhlichen und unbekümmerten Menschen vorbei, da fühlte er, daß er von nun an nicht mehr zu diesen gehörte, und daß über ihm ein Geschick anderer und besonderer Art zu walten begann.

Jeden Abend saß er nun oben in dem gewölbten Zimmer. Zuweilen sang Katharina mit einer angenehmen Stimme, aber beinahe völlig ausdruckslos, einfache, meist italienische Volkslieder, zu denen er sie auf dem Klavier begleitete. Nachher stand er oft mit ihr bis zum späten Abend am Fenster und sah in den stillen Hof hinab, wo die Bäume grünten und knospten. An schönen Nachmittagen traf er manchmal im Belvederegarten mit ihr zusammen; dort war sie meist schon lang gesessen und hatte den Kinderspielen zugesehen. Wenn sie ihn kommen sah, stand sie auf, und dann spazierten sie auf den besonnten Kieswegen auf und ab. Anfangs redete er manchmal von seiner früheren Existenz, von den Jugendjahren im Grazer Elternhaus, von der Studienzeit in Wien, von Sommerreisen, und er wunderte sich nur über die Schattenhaftigkeit, in der beim Versuch erinnernden Gestaltens ihm selbst sein bisheriges Leben erschien. Vielleicht lag es auch daran, daß Katharina allen diesen Dingen nicht das geringste Interesse entgegenbrachte. Seltsame Dinge ereigneten sich, die an sich ohne Bedeutung sein mochten, die aber jedenfalls ohne Erklärung blieben. So begegnete Albert eines Tages um die Mittagsstunde seiner Braut auf dem Stephansplatz in Gesellschaft eines in Trauer gekleideten, eleganten Herrn, den er früher nie gesehen hatte. Albert blieb stehen, aber Katharina grüßte kühl, und ohne sich um ihn zu kümmern, ging sie mit dem fremden

Herrn weiter. Albert folgte ihr eine Weile, der Herr stieg in einen Wagen, der an einer Straßenecke auf ihn wartete, und fuhr davon. Katharina ging nach Hause. Als Albert sie abends fragte, wer jener Herr gewesen wäre, sah sie ihn befremdet an, nannte einen ihm gänzlich unbekannten polnischen Namen und zog sich für den Rest des Abends auf ihr Zimmer zurück. Ein anderes Mal ließ sie abends lang vergeblich auf sich warten. Endlich erschien sie, als es zehn Uhr schlug, mit einem Strauß von Feldblumen in der Hand und erzählte, daß sie auf dem Lande gewesen und auf einer Wiese eingeschlafen sei. Die Blumen warf sie zum Fenster hinab. Einmal besuchte sie mit Albert das Künstlerhaus und stand lang mit ihm vor einem Bild, das eine einsame grüne Höhenlandschaft mit weißen Wolken drüber vorstellte. Ein paar Tage darauf sprach sie von dieser Gegend, als wäre sie in Wirklichkeit über diese Höhen gewandelt, und zwar als Kind in Gesellschaft ihres verstorbenen Bruders. Zuerst glaubte Albert, daß sie scherzte, allmählich aber merkte er, daß das Bild für sie in der Erinnerung gleichsam lebendig geworden war. Damals fühlte er, wie sich sein Staunen in ein schmerzliches Grauen zu verwandeln begann. Aber je unfaßlicher ihm ihr Wesen zu entgleiten schien, um so hoffnungslos dringender rief seine Sehnsucht nach ihr. Zuweilen gelang es ihm, sie von ihrer Jugend reden zu machen. Doch alles, was sie berichtete, Erzählungen wirklicher Geschehnisse und Geständnisse ferner Träumereien, schwebte wie im gleichen matten Schimmer vorüber, so daß Albert nicht wußte, was sich ihrem Gedächtnis lebendiger eingeprägt: jener Orgelspieler, der sich vom Kirchturm herabgestürzt hatte, der junge Herzog von Modena, der einmal im Prater an ihr vorübergeritten war, oder ein Van Dyckscher Jüngling, dessen Bildnis sie als junges Mädchen in der Liechtenstein-Galerie gesehen hatte. Und so dämmerte auch jetzt ihr Wesen hin, wie nach unbekannten oder ungewissen Zielen, und Albert ahnte, daß er nichts anderes für sie bedeutete als irgendeiner, dem sie in einer Gesellschaft zu einer Runde durch den Saal den Arm gereicht hätte. Und da ihm jede Kraft gebrach, sie aus ihrer verschwommenen Art des Daseins emporzuziehen, fühlte er endlich, wie ihn der verwirrende Hauch ihres Wesens zu betäuben und wie sich allmählich seine Weise zu denken, ja selbst zu handeln, aller durch das tägliche Leben gegebenen Notwendigkeit zu entäußern begann. Es fing damit an, daß er Einkäufe für den künftigen Hausstand machte, die seine Verhältnisse weit überstiegen. Dann schenkte er seiner Braut Schmuckgegenstände von beträchtlichem Wert. Und am Tage vor der Hochzeit kaufte er ein kleines Häuschen in einer Gartenvorstadt, das ihr auf einem Spaziergang gefallen hatte, und überbrachte ihr am selben Abend eine Schenkungsurkunde, durch die es in ihren alleinigen Besitz überging. Sie aber nahm alles mit der gleichen Freundlichkeit und Ruhe hin, wie früher den Antrag seiner Hand. Gewiß hielt sie ihn für reicher, als er war. Im Anfang hatte er natürlich daran gedacht, auch über seine Vermögensverhältnisse mit ihr zu reden. Er schob es von Tag zu Tag hinaus, da ihm die Worte versagten; aber endlich kam es dahin, daß er jede Aussprache über dergleichen Dinge für überflüssig hielt. Denn wenn sie über ihre Zukunft redete, so tat sie das nicht wie jemand, dem ein vorgezeichneter Weg ins Weite weist; vielmehr schienen ihr alle Möglichkeiten nach wie vor offenzustehen, und nichts in ihrem Verhalten deutete auf innere oder äußere Gebundenheit. So wußte Albert eines Tages, daß ihm ein unsicheres und kurzes Glück bevorstand, daß aber auch alles, was folgen könnte, wenn Katharina ihm einmal entschwunden war, jeglicher Bedeutung für ihn entbehrte. Denn ein Dasein ohne sie war für ihn vollkommen undenkbar geworden, und es war sein fester Entschluß, einfach die Welt zu verlassen, sobald ihm Katharina verloren war. In dieser Sicherheit fand er den einzigen, aber würdigen Halt während dieser wirren und sehnsuchtsvollen Zeit.

Am Morgen, da Albert Katharina zur Trauung abholte, war sie ihm gerade so fremd, als an dem Abend, da er sie kennengelernt hatte. Sie wurde die Seine ohne Leidenschaft und ohne Widerstreben. Sie reisten miteinander ins Gebirge. Durch sommerliche Täler fuhren sie, die sich weiteten und engten; ergingen sich an den milden Ufern heiter bewegter Seen und wandelten auf verlorenen Wegen durch den raunenden Wald. An manchen Fenstern standen sie, schauten hinab zu den stillen Straßen verzauberter Städte, sandten die Blicke weiter den Lauf geheimnisvoller Flüsse entlang, zu stummen Bergen hin, über denen blasse Wolken in Dunst zerflossen. Und sie redeten über die täglichen Dinge des Daseins wie andre junge Paare, spazierten Arm in Arm, verweilten vor Gebäuden und Schaufenstern, berieten sich, lächelten, stießen mit weingefüllten Gläsern an, sanken Wange an Wange in den Schlaf der Glücklichen. Manchmal aber ließ sie ihn allein, in einem matthellen Gasthofzimmer, darin alle Trauer der Fremde dämmerte, auf einer steinernen Gartenbank unter Menschen, die sich des duftenden Blütentags freuten, in einem hohen Saal vor dem gedunkelten Bild eines Landsknechts oder einer Madonna, und niemals wußte er in solcher Stunde, ob Katharina wiederkehren würde oder nicht. Denn unablässig und untrüglich in ihm wie der Schlag seines Herzens war das Gefühl, daß nichts sich geändert hatte seit dem ersten Tag, daß sie frei war wie je und er ihr völlig verfallen.

So kam es, daß ihr Verschwinden heute früh nach einer Hochzeitsreise von vierzehn Tagen, daß auch ihr seltsamer Brief ihn nur erschüttert hatte, ohne ihn eigentlich zu überraschen. Er hätte sie und sich zu erniedrigen geglaubt, wenn er geforscht hätte. Wer sie ihm genommen hatte, ob eine Laune, ob ein Traum, ob ein lebendiger Mensch, war ja völlig gleichgültig; er wußte nichts und brauchte nicht mehr zu wissen, als daß sie ihm nicht mehr gehörte. Vielleicht war es sogar gut, daß das Unvermeidliche so früh gekommen war. Sein Vermögen war durch den Kauf des Hauses auf das Geringste zusammengeschmolzen, und von seinem kleinen Gehalt konnten sie beide nicht leben. Mit ihr von Einschränkungen und von den gewöhnlichen Sorgen des Alltags zu reden, wäre ihm in jedem Fall unmöglich gewesen. Einen Moment fuhr es ihm durch den Sinn, von ihr Abschied zu nehmen. Sein Blick fiel auf die Bettdecke, wo der beschriebene Zettel lag. Der flüchtige Einfall kam ihm, auf die weiße Seite ein kurzes Wort der Erklärung hinzuschreiben. Aber in der deutlichen Empfindung, daß ein solches Wort für Katharina nicht das geringste Interesse haben könnte, stand er wieder davon ab. Er öffnete die Handtasche, steckte seinen kleinen Revolver zu sich und gedachte, irgendwo hinaus vor die Stadt zu wandern, um dort mit Anstand, und ohne jemanden zu stören, seine Tat zu verüben.

Ein Sommermorgen von dunkelblauer Klarheit und vorzeitiger Schwüle lag über der Stadt. Albert ging geradeaus fort. Er war noch nicht hundert Schritte weit vom Hotel entfernt, als er Katharinas Gestalt vor sich erblickte. Sie hielt ihren grauseidenen Sonnenschirm in der Hand und ging langsam des Weges. Die erste Regung Alberts war, in eine andere Straße abzubiegen; aber eine Macht, die heftiger war als alle seine Vorsätze und Überlegungen, drängte ihn, ihr zu folgen, um sich nun doch die Gewißheit zu verschaffen, der er vor einer Minute noch mit Gleichgültigkeit gegenüberzustehen geglaubt hatte. Er bekam sogar einige Angst, daß sie sich umwenden und ihn entdecken könnte. Sie nahm den Weg dem Hofgarten zu, er hielt sich in gemessener Entfernung. Jetzt war sie bei der Hofkirche angelangt, deren Tor offenstand. Sie trat ein. Albert folgte ihr nach einigen Augenblicken. Er blieb in der Nähe des Einganges im tiefsten Schatten stehen; er sah, wie Katharina langsam durch das Mittelschiff zwischen den dunklen Bildsäulen der Helden und Königinnen hindurchschritt. Plötzlich hielt sie inne. Albert entfernte sich von dem Platz, wo er bisher gewartet, und schlich in einem weiten Bogen hinter das Grabmal des Kaisers Maximilian, das gewaltig in der Mitte der Kirche ragte. Katharina stand regungslos vor der Statue des Theodorich. Die Linke auf den Degen gestützt, blickte der erzene Held wie aus ewigen Augen vor sich hin. Seine Haltung war von erhabener Müdigkeit, als sei er sich zugleich der Größe und der Zwecklosigkeit seiner Taten bewußt, und als ginge sein ganzer Stolz in Schwermut unter. Katharina stand vor der Bildsäule und starrte dem Gotenkönig ins Antlitz. Albert blieb einige Zeit in der Verborgenheit, dann wagte er sich vor. Sie hätte die Schritte hören müssen, aber sie wandte sich nicht um; wie gebannt blieb sie auf derselben Stelle. Leute kamen in die Kirche, Fremde mit roten Reisebüchern, man sprach neben ihr, hinter ihr, sie hörte nicht. Es wurde eine Weile stiller, Katharina stand wie früher, in ihrer Bewegungslosigkeit selber einer Bildsäule gleich. Eine neue Viertelstunde und wieder eine verging. Katharina rührte sich nicht.

Albert ging. Am Ausgang wandte er sich noch einmal um; da sah er, wie Katharina nahe an die Statue herangetreten war und mit ihren Lippen den erzenen Fuß berührte. Eilig entfernte sich Albert. Er lächelte. Ein Einfall kam ihm, der ihn mit einer Art von Rührung erfüllte und dessen er sich freute. Nun hatte er noch etwas für die Geliebte zu tun, bevor er dahinging. Er nahm den Weg zu einer Kunsthandlung in der Bahnhofstraße; dort fragte er, ob eine Bronzenachahmung des Theodorich in natürlicher Größe zu beschaffen sei. Ein Zufall wollte es, daß eine solche vor einem Monat fertig geworden war; der Besteller, ein Lord, war gestorben, und die Erben weigerten sich, das Kunstwerk zu übernehmen. Albert fragte nach dem Preis. Er entsprach ungefähr dem Rest seines Vermögens. Albert gab seine Wiener Adresse an und erteilte genaue Weisung, in welcher Art ein Vertrauensmann der Firma die Aufstellung im Garten des Häuschens besorgen sollte. Dann empfahl er sich, eilte durch die Stadt, nahm den Weg durch die Vorstadt Wilten gegen Igls zu, und im Wäldchen erschoß er sich, gerade als die Sonne Mittag zeigte.

Katharina kehrte erst einige Wochen nach diesem Vorfall nach Wien zurück. Indessen war Albert in der Grazer Familiengruft beigesetzt worden. Am Abend ihrer Ankunft stand Katharina eine geraume Weile im Garten vor der Bildsäule, die unter hohen Bäumen einen schönen Platz gefunden. Dann begab sie sich in ihr Zimmer und schrieb einen längeren Brief nach Verona postlagernd an Andrea Geraldini. So hatte sich nämlich ein Herr genannt, der ihr von der Hofkirche aus gefolgt war, als sie Theodorich den Großen verlassen hatte, und von dem sie ein Kind unter dem Herzen trug. Ob das auch der richtige Name des Herrn war, erfuhr sie nie; denn sie erhielt keine Antwort.

(1903)

STEFAN ZWEIG

Der Stern über dem Walde

Franz Carl Ginzkey
in herzlicher Gesinnung

Einmal, als sich der schlanke und sehr soignierte Kellner François
beim Servieren über die Schulter der schönen polnischen Gräfin
Ostrowska herabneigte, geschah etwas Seltsames. Nur eine Sekunde währte es und war kein Zucken und kein Erschrecken, keine
Regung und Bewegung. Und doch war es eine jener Sekunden, in
die tausende Stunden und Tage voll Jubel und Qual gebannt sind,
gleichwie der großen dunkelrauschenden Eichen wilde Wucht mit
all ihren wiegenden Zweigen und schaukelnden Kronen in einem
einzigen verflatternden Samenstäubchen geborgen ist. Nichts
Äußerliches geschah in dieser Sekunde. François, der geschmeidi-
ge Kellner des großen Rivierahotels, beugte sich tiefer hinab, um
die Platte dem suchenden Messer der Gräfin besser zurecht zu
legen. Doch sein Gesicht ruhte diesen Moment knapp über der
weichgelockten duftenden Welle ihres Hauptes, und als er instinktiv das devot gesenkte Auge aufschlug, sah sein taumelnder Blick,
in wie milder und weißleuchtender Linie ihr Nacken sich aus
dieser dunklen Flut in das dunkelrote bauschende Kleid verlor.
Wie Purpurflammen schlug es in ihm auf. Und leise klirrte das
Messer an die unmerklich erzitternde Platte. Obzwar er aber in
dieser Sekunde alle Folgenschwere dieser jähen Bezauberung
ahnte, meisterte er gewandt seine Erregung und bediente mit der
kühlen und ein wenig galanten Verve eines geschmackvollen
Garçons weiter. Er reichte die Platte mit geruhigem Gange dem
steten Tischgenossen der Gräfin, einem älteren, mit ruhiger Grazie
begabten Aristokraten, der mit fein akzentuierter Betonung und
einem kristallenen Französisch gleichgültige Dinge erzählte. Dann
trat er ohne Blick und Gebärde von dem Tisch zurück.

Diese Minuten waren der Beginn eines sehr seltsamen und
hingebungsvollen Verlorenseins, einer so taumelnden und trunkenen Empfindung, daß ihr das gewichtige und stolze Wort Liebe
beinahe übel ansteht. Es war jene hündisch treue und begehrungs-
lose Liebe, wie sie die Menschen sonst inmitten ihres Lebens gar

nicht kennen, wie sie nur ganz junge und ganz alte Leute haben. Eine Liebe ohne Besonnensein, die nicht denkt, sondern nur träumt. Er vergaß ganz jene ungerechte und doch unauslöschliche Mißachtung, die selbst kluge und bedächtige Leute gegen Menschen im Kellnerfracke bezeugen, er sann nicht nach Möglichkeiten und Zufällen, sondern nährte in seinem Blute diese seltsame Neigung, bis ihre geheime Innigkeit sich aller Bespottung und Bemänglung entrang. Seine Zärtlichkeit war nicht die der heimlich zwinkernden und lauernden Blicke, die jäh losbrechende Kühnheit verwegener Gebärden, die sinnlose Brünstigkeit lechzender Lippen und zitternder Hände, sie war ein stilles Mühen, ein Walten jener kleinen Dienste, die um so erhabener und heiliger in ihrer Demut sind, als sie wissend unbemerkt bleiben. Er strich nach dem Souper über die zerknüllte Tischtuchfalten vor ihrem Platze mit so zärtlichen und kosenden Fingern, wie man wohl liebe und weichruhende Frauenhände streichelt; er rückte alle Dinge ihrer Nähe in hingebungsvoller Symmetrie zusammen, als ob er sie zu einem Feste bereite. Die Gläser, die ihre Lippen berührt hatten, trug er sich sorgsam in sein enges dumpfes Dachlukenzimmer und ließ sie im perlenden Mondlicht nächtlich auffunkeln wie köstliches Geschmeide. Stets war er aus irgendeinem Winkel der geheime Behorcher ihres Schreitens und Wandelns. Er trank ihre Sprache so, wie man einen süßen und duftberauschenden Wein wollüstig auf der Zunge wiegt, und fing die einzelnen Worte und Befehle gierig wie Kinder den fliegenden Spielball. So trug seine trunkene Seele in sein armes und gleichgültiges Leben einen wechselnden und reichen Glanz. Nie kam ihm die weise Torheit, das ganze Ereignis in die kalten, vernichtenden Worte der Tatsächlichkeit zu kleiden, daß der armselige Kellner Fançois eine exotische, ewig unerreichbare Gräfin liebte. Denn er empfand sie gar nicht als Wirklichkeit, sondern als etwas sehr Hohes, sehr Fernes, das nur mehr mit seinem Abglanz des Lebens reichte. Er liebte den herrischen Stolz ihrer Befehle, den gebietenden Winkel ihrer schwarzen, sich fast berührenden Augenbrauen, die wilde Falte um den schmalen Mund, die sichere Grazie ihrer Gebärden. Unterwürfigkeit schien ihm Selbstverständlichkeit, und die demütigende Nähe niederen Dienstes empfand er als Glück, weil er ihr zu Danke so oft in den zauberischen Kreis treten durfte, der sie umfing.

So ward in dem Leben eines einfachen Menschen plötzlich ein Traum wach, gleich einer edlen und sorgfältig gezüchteten Gartenblüte, die an einer Straße blüht, wo sonst der Wanderstaub alle

Keime zertritt. Es war der Taumel eines schlichten Menschen. ein zauberischer und narkotischer Traum inmitten eines kalten, gleichtönigen Lebens. Und Träume solcher Menschen sind wie die ruderlosen Boote, die ziellos in schaukelnder Wollust auf stillen, spiegelnden Wassern treiben, bis plötzlich ihr Kiel mit jähem Ruck an ein unbekanntes Ufer stößt.

Die Wirklichkeit ist aber stärker und robuster als alle Träume. Eines Abends sagte ihm der feiste Waadtländer Portier im Vorübergehn: »Die Ostrowska fährt morgen mit dem Acht-Uhrzug.« Und dann noch ein paar andre gleichgültige Namen, die er überhörte. Denn ein wirres Brausen und Wirbeln war aus diesen Worten in seinem Hirne geworden. Ein paarmal fuhr er sich mechanisch mit den Fingern über die gepreßte Stirn, als wollte er eine drückende Schicht wegschieben, die dort lagerte und das Verständnis umdämmerte. Er machte ein paar Schritte; es war ein Taumeln. Unsicher und erschreckt glitt er an einem hohen goldgerahmten Spiegel vorbei, aus dem ihm ein fahles und fremdes Gesicht kreidig entgegenstarrte. Die Gedanken wollten nicht kommen, sie waren gleichsam festgemauert hinter einer dunklen nebligen Wand. Fast unbewußt tastete er am Geländer die breite Treppe in den umdämmerten Garten hinab, wo die hohen Pinien-Bäume einsam standen wie finstere Gedanken. Noch ein paar Schritte schwankte seine unruhige Gestalt, gleich dem niederen und taumelnden Flug eines großen dunklen Nachtvogels, dann sank er auf eine Bank, den Kopf an die kühle Lehne gepreßt. Es war ganz still dort. Rückwärts zwischen den runden Sträuchern funkelte das Meer. Weiche und zitternde Lichter glühten dort leise, und in der Stille verlor sich der eintönig murmelnde Singsang fernplätschernder Brandungsquellen.
Und plötzlich war alles klar, ganz klar. So schmerzklar, daß er fast ein Lächeln fand. Es war einfach alles zu Ende. Die Gräfin Ostrowska fährt nach Hause, und der Kellner François bleibt auf seinem Posten. War dies denn so seltsam? Gingen nicht alle die Fremden fort, die kamen, nach zwei, nach drei, nach vier Wochen? Wie töricht, das nicht überdacht zu haben. Es war ja alles so klar, zum Lachen, zum Weinen klar. Und die Gedanken schwirrten und schwirrten. Morgen abend, mit dem Acht-Uhrzug nach Warschau. Nach Warschau – Stunden und Stunden durch Wälder und Täler, über Hügel und Berge, über Steppen und Flüsse und durch brausende Städte. Warschau! Wie weit das war! Er konnte es sich gar nicht ausdenken, aber im tiefsten

fühlen, dieses stolze und drohende, harte und ferne Wort: Warschau. Und er...

Eine Sekunde flatterte noch eine kleine träumerische Hoffnung auf. Er konnte ja nachfahren. Und dort sich verdingen als Diener, als Schreiber, als Fuhrknecht, als Sklave; als frierender Bettler dort auf der Straße stehn, aber nur nicht so furchtbar ferne sein, den Atem derselben Stadt nur atmen, sie manchmal vielleicht vorüberbrausen sehen, nur ihren Schatten sehen, ihr Kleid und ihr dunkles Haar. Schon zuckten eilfertige Träumereien empor. Aber die Stunde war hart und unerbittlich. Er sah das Unerreichbare nackt und klar. Er rechnete: hundert oder zweihundert Francs Ersparnisse im besten Falle. Das reichte kaum die Hälfte des Weges. Und was dann? Wie durch einen zerrissenen Schleier sah er auf einmal sein Leben, fühlte, wie arm, wie kläglich, wie häßlich es jetzt werden mußte. Öde leere Kellnerjahre, zermartert von törichter Sehnsucht, diese Lächerlichkeit sollte seine Zukunft sein. Wie ein Schauder kam es über ihn. Und plötzlich liefen alle Gedankenketten stürmisch und unabwendbar zusammen. Es gab nur eine Möglichkeit. –

Leise schwankten die Wipfel in einer unmerklichen Brise. Eine finstere schwarze Nacht stand drohend vor ihm. Da erhob er sich sicher und gelassen von seiner Bank und schritt über den knirschenden Kies zu dem großen, in weißem Schweigen schlafenden Hause empor. Bei ihren Fenstern blieb er stehen. Sie waren blind und ohne ein funkelndes Lichterzeichen, daran sich träumerische Sehnsucht hätte entzünden können. Nun ging sein Blut in ruhigen Schlägen, und er schritt wie einer, den nichts mehr verwirrt und betrügt. In seinem Zimmer warf er sich ohne jede Erregung auf das Bett und schlief dumpfen traumlosen Schlaf bis zum rufenden Morgenzeichen.

Am nächsten Tage war sein Gebaren gänzlich in den Grenzen sorgfältig gezirkelter Überlegung und erzwungener Ruhe. Mit kühler Gleichgültigkeit erledigte er seine Pflichten, und seine Gebärden hatten eine so sichere und sorglose Gewalt, daß niemand hinter der trügerischen Maske den herben Entschluß hätte ahnen können. Kurz vor der Stunde des Diners eilte er mit seinen kleinen Ersparnissen in das vornehmste Blumengeschäft und kaufte erlesene Blumen, die ihn in ihrer farbigen Pracht wie Worte anmuteten: feuergolden glühende Tulpen, die wie eine Leidenschaft waren, weiße breitgekränzte Chrysanthemen, die wie lichte und exotische Träume anmuteten, schmale Orchideen, die schlanken Bilder der Sehnsucht und ein paar stolze betörende Rosen. Und dann erstand er eine prächtige Vase aus opalisierendem funkelndem Glase. Die paar Francs, die ihm noch blieben, schenkte er im Vorübergehen einem Bettelkinde mit rascher und sorgloser Gebärde. Und eilte zurück. Die Vase mit den Blumen stellte er mit wehmütiger Feierlichkeit vor das Kuvert der Gräfin, das er nun zum letzten Male mit einer voluptuösen und langsamen Peinlichkeit bereitete.

Dann kam das Diner. Er servierte wie immer: kühl, lautlos und geschickt, ohne aufzuschauen. Nur zum Ende umfing er ihre ganze biegsame, stolze Gestalt mit einem unendlichen Blicke, von dem sie nie wußte. Und nie erschien sie ihm so schön wie in diesem letzten wunschlosen Blick. Dann trat er ruhig, ohne Abschied und Gebärde vom Tische zurück und ging aus dem Saal. Wie ein Gast, vor dem sich die Bedienten beugen und neigen, schritt er durch die Gänge und über die vornehme Empfangstreppe hinab der Straße zu: man hätte fühlen müssen, daß er mit diesem Augenblick seine Vergangenheit verließ. Vor dem Hotel blieb er eine Sekunde unschlüssig stehen; dann wandte er sich den blinkenden Villen und breiten Gärten entlang einem Wege zu, weiter, immer weiter wandelnd in seinem nachdenklichen Promenadeschritt, ohne zu wissen, wohin.

Bis zum Abend irrte er so unstet in träumerischem Verlorensein. Er sann über nichts mehr nach. Nicht über Vergangenes und nicht über das Unabwendbare. Er spielte nicht mehr mit dem Todesgedanken, so wie man wohl noch in den letzten Augenblicken den funkelnden, mit tiefem Auge drohenden Revolver prüfend in der wägenden Hand hebt und wieder senkt. Längst hatte er sich das Urteil gesprochen. Nur Bilder kamen noch, in flüchtigem Fluge, gleich ziehenden Schwalben. Zuerst die Jugendtage bis zu einer verhängnisvollen Schulstunde, da ihn ein törichtes Abenteuer aus einer verführerisch wirkenden Zukunft jählings in das Gewirre der Welt stieß. Dann die rastlosen Fahrten, Mühen um den Taglohn, Versuche, die immer wieder mißglückten, bis die große finstere Welle, die man Schicksal nennt, seinen Stolz zerbrach und ihn an einen unwürdigen Posten warf. Viele farbige Erinnerungen wirbelten vorüber. Und schließlich glänzte noch die sanfte Spiegelung dieser letzten Tage aus den wachen Träumen; und jählings stießen sie wieder das dunkle Tor der Wirklichkeit auf, das er durchschreiten mußte. Er besann sich, daß er noch heute sterben wollte.

Eine Weile sann er über die vielen Wege nach, die zum Tode führen, und wägte ihre Bitterkeit und Behendigkeit gegeneinander ab. Bis ihn plötzlich ein Gedanke durchzuckte. Aus trüben Sinnen fiel ihm jäh ein finsteres Symbol ein: So wie sie unwissend und vernichtend über sein Schicksal hinweggebraust war, so sollte sie auch seinen Körper zermalmen. Sie selbst sollte es vollbringen. Sie selbst ihr Werk vollenden. Und nun hasteten die Gedanken mit unheimlicher Sicherheit. In einer knappen Stunde, um acht Uhr ging der Expreß ab, der sie ihm entführte. Dem wollte er sich unter die Räder werfen, sich zerstampfen lassen von der gleichen stürmenden Gewalt, die ihm die Frau seiner Träume entriß. Unter ihren Füßen wollte er verbluten. Die Gedanken stürmten und stürmten gleichsam jubelnd einander nach. Er wußte auch den Ort. Weiter oben am Waldhang, wo die rauschenden Wipfel den letzten Blick auf die nahe Bucht verdunkelten. Er sah auf die Uhr: fast schlugen die Sekunden und sein hämmerndes Blut den gleichen Takt. Es war schon Zeit, sich auf den Weg zu machen. Nun kam mit einem Male Elastizität und Zielsicherheit in seine schlaffen Schritte, jener harte eilige Takt, der das Träumen im Vorwärtswandeln ertötet. Unruhig stürmte er in die dämmernde Pracht des südlichen Abends der Stelle zu, wo zwischen den fernen bewaldeten Hügeln der Himmel eingebettet war als purpurner Streif. Und er eilte vorwärts, bis er an das Geleise kam, das mit seinen beiden silbernen Linien vor ihm aufglänzte und seinen Weg geleitete. Und sie führten ihn in gewundenem Zuge aufwärts durch die tiefen duftenden Tale, deren dunstige Schleier das matte Mondlicht durchsilberte, sie lenkten ihn im steigenden Gange in das Hügelland, wo man sah, wie ferne das weite nachtschwarze Meer mit seinen funkelnden Strandlichtern aufglänzte. Und sie zeigten ihm endlich den tiefen, unruhig rauschenden Wald, der das Geleise in seinen sinkenden Schatten begrub.

Es war schon spät, als er nun schweratmend am dunklen Hange des Waldes stand. Schauerlich und schwarz reihten sich die Bäume um ihn. Nur hoch oben in den durchschimmernden Kronen spann ein fahles zitterndes Mondlicht in den Zweigen, die stöhnten, wenn sie die leise Nachtbrise in die Arme nahm. Manchmal zuckten seltsame Rufe ferner Nachtvögel in diese dumpfe Stille. Die Gedanken erstarrten ihm ganz in dieser bangenden Einsamkeit. Er wartete nur, wartete und starrte, ob nicht unten an der Kurve der ersten ansteigenden Serpentine das rote Licht des Zuges auftauchen wollte. Manchmal sah er wieder nervös auf die Uhr und zählte die Sekunden. Dann horchte er wieder nach dem fernen Schrei der Lokomotive. Aber es war eine Täuschung. Ganz still wurde es wieder. Die Zeit schien erstarrt zu sein.

Endlich glänzte fern unten das Licht. Er fühlte in dieser Sekunde einen Stoß im Herzen, wußte aber nicht, ob es Furcht oder Jubel war. Mit jäher Gebärde warf er sich hin auf die Schienen. Zuerst fühlte er einen Augenblick nur die wohlige Kühle der Eisenstreifen an seiner Schläfe. Dann horchte er. Der Zug war noch weit. Minuten mochte es wohl dauern. Noch hörte man nichts, außer dem flüsternden Rauschen der Bäume im Wind. Wirr sprangen die Gedanken. Und plötzlich einer, der blieb und sich wie ein schmerzhafter Pfeil in sein Herz bohrte: daß er um ihretwillen starb und sie es nie ahnen würde. Daß nicht eine einzige leise Welle seines aufschäumenden Lebens die ihre berührt hatte. Daß sie nie wissen würde, daß ein fremdes Leben an ihrem gehangen, an ihrem zerschmettert sei.

Ganz leise keuchte von ferne durch die atemstille Luft der rhythmische Gang der steigenden Maschine. Aber der Gedanke brannte unvermindert weiter und folterte die letzten Minuten des Sterbenden. Näher und näher ratterte der Zug. Und da schlug er noch einmal die Augen auf. Über ihm war ein schweigender blauschwarzer Himmel und ein paar rauschende Kronen. Und über dem Walde ein weißer blinkender Stern. Ein einsamer Stern über dem Walde... Schon begannen die Schienen unter seinem Kopfe leise zu schwingen und zu singen. Aber der Gedanke brannte wie Feuer in seinem Herzen und in dem Blicke, der alle Glut und Verzweiflung seiner Liebe faßte. Alle Sehnsucht und diese letzte schmerzliche Frage fluteten über in den weißen leuchtenden Stern, der mild auf ihn niedersah. Näher und näher schmetterte der Zug. Und der Sterbende umfing noch einmal mit einem letzten unsagbaren Blick den funkelnden Stern, den Stern über dem Walde. Dann schloß er die Augen. Die Schienen zitterten und wankten, näher und näher stampfte der ratternde Gang des fliegenden Zuges, daß der Wald dröhnte wie von großen hämmernden Glocken. Die Erde schien zu taumeln. Noch ein betäubendes sausendes Schwirren, ein wirbelndes Getöse, dann ein schriller Pfiff, der ängstlich tierische Schrei der Dampfpfeife und das gelle Stöhnen einer vergeblichen Bremse...

Die schöne Gräfin Ostrowska hatte im Zug ein eigenes reserviertes Coupé. Seit der Abfahrt las sie einen französischen Roman, sanft gewiegt von der schaukelnden Bewegung des Wagens. Die Luft des engen Raumes war schwül und getränkt von dem drückenden Dufte vieler welkender Blumen. Schon nickten von den prächtigen Abschiedskörben die weißen Fliedertrauben müde herab wie überreife Früchte, erschlafft hingen die Blüten an den Stengeln, und die schweren und breiten Kelche der Rosen schienen zu welken in der heißen Wolke der berauschenden Düfte. Erstickende Schwüle wärmte diese schweren Duftwellen, die träge niederdrückten, selbst in der sausenden Eile des Zuges.

Plötzlich ließ sie mit matten Fingern das Buch sinken. Sie wußte selbst nicht, warum. Ein geheimes Gefühl war es, das sie aufriß. Sie fühlte einen dumpfen schmerzlichen Druck. Ein jäher, unverständlicher beklemmender Schmerz umpreßte ihr Herz. Sie glaubte ersticken zu müssen in dem schwülen betäubenden Dunst der Blumen. Und dieser ängstigende Schmerz wich nicht, sie fühlte jede Schwingung der sausenden Räder, das blinde Vorwärtsstampfen marterte sie unsäglich. Eine plötzliche Sehnsucht packte sie, den eilenden Schwung des Zuges hemmen zu können, ihn zurückzureißen von dem dunklen Schmerz, dem er entgegenstürmte. Nie hatte sie in ihrem Leben eine ähnliche Angst vor etwas Furchtbarem, Unsichtbarem, Grausamem ihr Herz umklemmen gefühlt, als in diesen Sekunden unverständlichen Schmerzes und unbegreiflicher Angst. Und immer wilder wurde dieses unsagbare Gefühl, immer enger der Druck um die Kehle. Wie ein Gebet stöhnte in ihr der Gedanke, daß der Zug anhalten möge.

Da plötzlich ein schriller Signalpfiff, der wilde warnende Schrei der Lokomotive und das klägliche knirschende Stöhnen der Bremse. Und verlangsamt der Rhythmus der fliegenden Räder, langsamer und langsamer, dann ein ratterndes Stammeln und ein stockender Stoß...

Mühsam tappt sie zum Fenster, um die kühle Luft zu trinken. Die Scheibe rasselt nieder. Draußen schwarze, stürmende Gestalten... fliegende Worte von wechselnden Stimmen: ein Selbstmörder... Unter den Rädern... Tot... Auf freiem Feld...

Sie zuckt zusammen. Instinktiv trifft ihr Blick den hohen schweigenden Himmel und drüben die schwarzen rauschenden Bäume. Und über ihnen ein einsamer Stern über dem Walde. Sie fühlt seinen Blick wie eine funkelnde Träne. Sie sieht ihn an und spürt jählings eine Traurigkeit, wie sie sie nie gekannt. Eine Traurigkeit voll Glut und Sehnsucht, wie sie in ihrem eigenen Leben nie war...

Langsam rattert der Zug weiter. Sie lehnt in der Ecke und spürt leise Tränen über die Wangen tropfen. Die dumpfe Angst ist gewichen, sie fühlt nur noch einen tiefen seltsamen Schmerz, dessen Spur sie vergebens nachsinnt. Einen Schmerz, wie ihn verschreckte Kinder haben, wenn sie in finsterer undurchdringlicher Nacht plötzlich erwachen und fühlen, daß sie ganz einsam sind ...

(1904)

THOMAS MANN

Schwere Stunde

Er stand vom Schreibtisch auf, von seiner kleinen, gebrechlichen Schreibkommode, stand auf wie ein Verzweifelter und ging mit hängendem Kopfe in den entgegengesetzten Winkel des Zimmers zum Ofen, der lang und schlank war wie eine Säule. Er legte die Hände an die Kacheln, aber sie waren fast ganz erkaltet, denn Mitternacht war lange vorbei, und so lehnte er, ohne die kleine Wohltat empfangen zu haben, die er suchte, den Rücken daran, zog hustend die Schöße seines Schlafrockes zusammen, aus dessen Brustaufschlägen das verwaschene Spitzenjabot heraushing, und schnob mühsam durch die Nase, um sich ein wenig Luft zu verschaffen; denn er hatte den Schnupfen wie gewöhnlich.

Das war ein besonderer und unheimlicher Schnupfen, der ihn fast nie völlig verließ. Seine Augenlider waren entflammt und die Ränder seiner Nasenlöcher ganz wund davon, und in Kopf und Gliedern lag dieser Schnupfen ihm wie eine schwere, schmerzliche Trunkenheit. Oder war an all der Schlaffheit und Schwere das leidige Zimmergewahrsam schuld, das der Arzt nun schon wieder seit Wochen über ihn verhängt hielt? Gott wußte, ob er wohl daran tat. Der ewige Katarrh und die Krämpfe in Brust und Unterleib mochten es nötig machen, und schlechtes Wetter war über Jena, seit Wochen, seit Wochen, das war richtig, ein miserables und hassenswertes Wetter, das man in allen Nerven spürte, wüst, finster und kalt, und der Dezemberwind heulte im Ofenrohr, verwahrlost und gottverlassen, daß es klang nach nächtiger Heide im Sturm und Irrsal und heillosem Gram der Seele. Aber gut war sie nicht, diese enge Gefangenschaft, nicht gut für die Gedanken und den Rhythmus des Blutes, aus dem die Gedanken kamen...

Das sechseckige Zimmer, kahl, nüchtern und unbequem, mit seiner geweißten Decke, unter der Tabaksrauch schwebte, seiner schräg karierten Tapete, auf der oval gerahmte Silhouetten hingen, und seinen vier, fünf dünnbeinigen Möbeln, lag im Lichte der beiden Kerzen, die zu Häupten des Manuskripts auf der Schreibkommode brannten. Rote Vorhänge hingen über den oberen Rahmen der Fenster, Fähnchen nur, symmetrisch geraffte Kattune; aber sie waren rot, von einem warmen, sonoren Rot, und er liebte sie und wollte sie niemals missen, weil sie etwas von Üppigkeit und Wollust in die unsinnlich-enthaltsame Dürftigkeit seines Zimmers brachten...

Er stand am Ofen und blickte mit einem raschen und schmerzlich angestrengten Blinzeln hinüber zu dem Werk, von dem er geflohen war, dieser Last, diesem Druck, dieser Gewissensqual, diesem Meer, das auszutrinken, dieser furchtbaren Aufgabe, die sein Stolz und sein Elend, sein Himmel und seine Verdammnis war. Es schleppte sich, es stockte, es stand – schon wieder, schon wieder! Das Wetter war schuld und sein Katarrh und seine Müdigkeit. Oder das Werk? Die Arbeit selbst? Die eine unglückselige und der Verzweiflung geweihte Empfängnis war?

Er war aufgestanden, um sich ein wenig Distanz davon zu verschaffen, denn oft bewirkte die räumliche Entfernung vom Manuskript, daß man Übersicht gewann, einen weiteren Blick über den Stoff, und Verfügungen zu treffen vermochte. Ja, es gab Fälle, wo das Erleichterungsgefühl, wenn man sich abwendete von der Stätte des Ringens, begeisternd wirkte. Und das war eine unschuldigere Begeisterung, als wenn man Likör nahm oder schwarzen, starken Kaffee... Die kleine Tasse stand auf dem Tischchen. Wenn sie ihm über das Hemmnis hülfe? Nein, nein, nicht mehr! Nicht der Arzt nur, auch ein zweiter noch, ein Ansehnlicherer, hatte ihm dergleichen behutsam widerraten: der andere, der dort, in Weimar, den er mit einer sehnsüchtigen Feindschaft liebte. Der war weise. Der wußte zu leben, zu schaffen; mißhandelte sich nicht; war voller Rücksicht gegen sich selbst...

Stille herrschte im Hause. Nur der Wind war hörbar, der die Schloßgasse hinuntersauste, und der Regen, wenn er prickelnd gegen die Fenster getrieben ward. Alles schlief, der Hauswirt und die Seinen, Lotte und die Kinder. Und er stand einsam wach am erkalteten Ofen und blinzelte gequält zu dem Werk hinüber, an das seine kranke Ungenügsamkeit ihn nicht glauben ließ... Sein weißer Hals ragte lang aus der Binde hervor, und zwischen den Schößen des Schlafrocks sah man seine nach innen gekrümmten Beine. Sein rotes Haar war aus der hohen und zarten Stirn zurückgestrichen, ließ blaß geäderte Buchten über den Schläfen frei und bedeckte die Ohren in dünnen Locken. An der Wurzel der großen, gebogenen Nase, die unvermittelt in eine weißliche Spitze endete, traten die starken Brauen, dunkler als das Haupthaar, nahe zusammen, was dem Blick der tiefliegenden, wunden Augen etwas tragisch Schauendes gab. Gezwungen, durch den

Mund zu atmen, öffnete er die dünnen Lippen, und seine Wangen, sommersprossig und von Stubenluft fahl, erschlafften und fielen ein . . .

Nein, es mißlang, und alles war vergebens! Die Armee! Die Armee hätte gezeigt werden müssen! Die Armee war die Basis von allem! Da sie nicht vors Auge gebracht werden konnte – war die ungeheure Kunst denkbar, sie der Einbildung aufzuzwingen? Und der Held war kein Held; er war unedel und kalt! Die Anlage war falsch, und die Sprache war falsch, und es war ein trockenes und schwungloses Kolleg in Historie, breit, nüchtern und für die Schaubühne verloren!

Gut, es war also aus. Eine Niederlage. Ein verfehltes Unternehmen. Bankerott. Er wollte es Körner schreiben, dem guten Körner, der an ihn glaubte, der in kindischem Vertrauen seinem Genius anhing. Er würde höhnen, flehen, poltern – der Freund; würde ihn an den Carlos gemahnen, der auch aus Zweifeln und Mühen und Wandlungen hervorgegangen und sich am Ende, nach aller Qual, als ein weithin Vortreffliches, eine ruhmvolle Tat erwiesen hat. Doch das war anders gewesen. Damals war er der Mann noch, eine Sache mit glücklicher Hand zu packen und sich den Sieg daraus zu gestalten. Skrupel und Kämpfe? O ja. Und krank war er gewesen, wohl kränker als jetzt, ein Darbender, Flüchtiger, mit der Welt Zerfallener, gedrückt und im Menschlichen bettelarm. Aber jung, ganz jung noch! Jedesmal, wie tief auch gebeugt, war sein Geist geschmeidig emporgeschnellt, und nach den Stunden des Harms waren die anderen des Glaubens und des inneren Triumphes gekommen. Die kamen nicht mehr, kamen kaum noch. Eine Nacht der flammenden Stimmung, da man auf einmal in einem genialisch leidenschaftlichen Lichte sah, was werden könnte, wenn man immer solcher Gnade genießen dürfte, mußte bezahlt werden mit einer Woche der Finsternis und der Lähmung. Müde war er, siebenunddreißig erst alt und schon am Ende. Der Glaube lebte nicht mehr, der an die Zukunft, der im Elend sein Stern gewesen. Und so war es, dies war die verzweifelte Wahrheit: Die Jahre der Not und der Nichtigkeit, die er für Leidens- und Prüfungsjahre gehalten, sie eigentlich waren reiche und fruchtbare Jahre gewesen; und nun, da ein wenig Glück sich herniedergelassen, da er aus dem Freibeutertum des Geistes in einige Rechtlichkeit und bürgerliche Verbindung eingetreten war, Amt und Ehren trug, Weib und Kinder besaß, nun war er erschöpft und fertig. Versagen und verzagen – das war's, was übrigblieb.

Er stöhnte, preßte die Hände vor die Augen und ging wie

gehetzt durch das Zimmer. Was er da eben gedacht, war so furchtbar, daß er nicht an der Stelle zu bleiben vermochte, wo ihm der Gedanke gekommen war. Er setzte sich auf einen Stuhl an der Wand, ließ die gefalteten Hände zwischen den Knien hängen und starrte trüb auf die Diele nieder.

Das Gewissen... Wie laut sein Gewissen schrie! Er hatte gesündigt, sich versündigt gegen sich selbst in all den Jahren, gegen das zarte Instrument seines Körpers. Die Ausschweifungen seines Jugendmutes, die durchwachten Nächte, die Tage in tabakrauchiger Stubenluft, übergeistig und des Leibes uneingedenk, die Rauschmittel, mit denen er sich zur Arbeit gestachelt – das rächte, rächte sich jetzt!

Und rächte es sich, so wollte er den Göttern trotzen, die Schuld schickten und dann Strafe verhängten. Er hatte gelebt, wie er leben mußte, er hatte nicht Zeit gehabt, weise, nicht Zeit, bedächtig zu sein. Hier, an dieser Stelle der Brust, wenn er atmete, hustete, gähnte, immer am selben Punkt dieser Schmerz, diese kleine, teuflische, stechende, bohrende Mahnung, die nicht schwieg, seitdem vor fünf Jahren in Erfurt das Katarrhfieber, jene hitzige Brustkrankheit, ihn angefallen – was wollte sie sagen? In Wahrheit, er wußte es nur zu gut, was sie meinte – mochte der Arzt sich stellen wie er konnte und wollte. Er hatte nicht Zeit, sich mit kluger Schonung zu begegnen, mit milder Sittlichkeit hauszuhalten. Was er tun wollte, mußte er bald tun, heute noch, schnell... Sittlichkeit? Aber wie kam es zuletzt, daß die Sünde gerade, die Hingabe an das Schädliche und Verzehrende ihn moralischer dünkte als alle Weisheit und kühle Zucht? Nicht sie, nicht die verächtliche Kunst des guten Gewissens waren das Sittliche, sondern der Kampf und die Not, die Leidenschaft und der Schmerz!

Der Schmerz... Wie das Wort ihm die Brust weitete! Er reckte sich auf, verschränkte die Arme; und sein Blick, unter den rötlichen, zusammenstehenden Brauen, beseelte sich mit schöner Klage. Man war noch nicht elend, ganz elend noch nicht, solange es möglich war, seinem Elend eine stolze und edle Benennung zu schenken. Eins war not: Der gute Mut, seinem Leben große und schöne Namen zu geben! Das Leid nicht auf Stubenluft und Konstipation zurückzuführen! Gesund genug sein, um pathetisch sein – um über das Körperliche hinwegsehen, hinwegfühlen zu können! Nur hierin naiv sein, wenn auch sonst wissend in allem! Glauben, an den Schmerz glauben können... Aber er glaubte ja an den Schmerz, so tief, so innig, daß etwas, was unter Schmerzen geschah, diesem Glauben zufolge weder nutzlos noch schlecht sein konnte. Sein Blick schwang sich zum Manuskript hinüber, und seine Arme verschränkten sich fester über der Brust ... Das Talent selbst – war es nicht Schmerz? Und wenn *das* dort, das unselige Werk, ihn leiden machte, war es nicht in der Ordnung so und fast schon ein gutes Zeichen? Es hatte noch niemals gesprudelt, und sein Mißtrauen würde erst eigentlich beginnen, wenn es das täte. Nur bei Stümpern und Dilettanten sprudelte es, bei den Schnellzufriedenen und Unwissenden, die nicht unter dem Druck und der Zucht des Talentes lebten. Denn das Talent, meine Herren und Damen dort unten, weithin im Parterre, das Talent ist nichts Leichtes, nichts Tändelndes, es ist nicht ohne weiteres ein Können. In der Wurzel ist es *Bedürfnis*, ein kritisches Wissen um das Ideal, eine Ungenügsamkeit, die sich ihr Können nicht ohne Qual erst schafft und steigert. Und den Größten, den Ungenügsamsten ist ihr Talent die schärfste Geißel ... Nicht klagen! Nicht prahlen! Bescheiden, geduldig denken von dem, was man trug! Und wenn nicht ein Tag in der Woche, nicht eine Stunde von Leiden frei war – was weiter? Die Lasten und Leistungen, die Anforderungen, Beschwerden, Strapazen gering achten, *klein* sehen, – das war's, was groß machte!

Er stand auf, zog die Dose und schnupfte gierig, warf dann die Hände auf den Rücken und schritt so heftig durch das Zimmer, daß die Flammen der Kerzen im Luftzuge flatterten ... Größe! Außerordentlichkeit! Welteroberung und Unsterblichkeit des Namens! Was galt alles Glück der ewig Unbekannten gegen dies Ziel? Gekannt sein – gekannt und geliebt von den Völkern der Erde! Schwatzet von Ichsucht, die ihr nichts wißt von der Süßigkeit dieses Traumes und Dranges! Ichsüchtig ist alles Außerordentliche, sofern es leidet. Mögt ihr selbst zusehen, spricht es, ihr Sendungslosen, die ihr's auf Erden so viel leichter habt! Und der Ehrgeiz spricht: Soll das Leiden umsonst gewesen sein? Groß muß es mich machen! ...

Die Flügel seiner großen Nase waren gespannt, sein Blick drohte und schweifte. Seine Rechte war heftig und tief in den Aufschlag seines Schlafrockes geschoben, während die Linke geballt herniederhing. Eine fliegende Röte war in seine hageren Wangen getreten, eine Lohe, emporgeschlagen aus der Glut seines Künstleregoismus, jener Leidenschaft für sein Ich, die unauslöschlich in seiner Tiefe brannte. Er kannte ihn wohl, den heimlichen Rausch dieser Liebe. Zuweilen brauchte er nur seine Hand zu betrachten, um von einer begeisterten Zärtlichkeit für sich selbst erfüllt zu werden, in deren Dienst er alles, was ihm an Waffen des Talentes und der

Kunst gegeben war, zu stellen beschloß. Er durfte es, nichts war unedel daran. Denn tiefer noch als diese Ichsucht lebte das Bewußtsein, sich dennoch bei alldem im Dienste vor irgend etwas Hohem, ohne Verdienst freilich, sondern unter einer Notwendigkeit, uneigennützig zu verzehren und aufzuopfern. Und dies war seine Eifersucht: daß niemand größer werde als er, der nicht auch tiefer als er um dieses Hohe gelitten.

Niemand!... Er blieb stehen, die Hand über den Augen, den Oberkörper halb seitwärts gewandt, ausweichend, fliehend. Aber er fühlte schon den Stachel dieses unvermeidlichen Gedankens in seinem Herzen, des Gedankens an ihn, den anderen, den Hellen, Tastseligen, Sinnlichen, Göttlich-Unbewußten, an *den* dort, in Weimar, den er mit einer sehnsüchtigen Feindschaft liebte... Und wieder, wie stets, in tiefer Unruhe, mit Hast und Eifer, fühlte er die Arbeit in sich beginnen, die diesem Gedanken folgte: das eigene Wesen und Künstlertum gegen das des anderen zu behaupten und abzugrenzen... War er denn größer? Worin? Warum? War es ein blutendes Trotzdem, wenn er siegte? Würde je sein Erliegen ein tragisches Schauspiel sein? Ein Gott, vielleicht, – ein Held war er nicht. Aber es war leichter, ein Gott zu sein als ein Held! – Leichter... Der andere hatte es leichter! Mit weiser und glücklicher Hand Erkennen und Schaffen zu scheiden, das mochte heiter und quallos und quellend fruchtbar machen. Aber war Schaffen göttlich, so war Erkenntnis Heldentum, und beides war der, ein Gott und ein Held, welcher erkennend schuf!

Der Wille zum Schweren... Ahnte man, wieviel Zucht und Selbstüberwindung ein Satz, ein strenger Gedanke ihn kostete? Denn zuletzt war er unwissend und wenig geschult, ein dumpfer und schwärmender Träumer. Es war schwerer, einen Brief des Julius zu schreiben, als die beste Szene zu machen – und war es nicht darum auch fast schon das Höhere? – Vom ersten rhythmischen Drange innerer Kunst nach Stoff, Materie, Möglichkeit des Ergusses – bis zum Gedanken, zum Bilde, zum Worte, zur Zeile: welch Ringen! welch Leidensweg! Wunder der Sehnsucht waren seine Werke, der Sehnsucht nach Form, Gestalt, Begrenzung, Körperlichkeit, der Sehnsucht hinüber in die klare Welt des anderen, der unmittelbar und mit göttlichem Mund die besonnten Dinge bei Namen nannte.

Dennoch, und jenem zum Trotz: Wer war ein Künstler, ein Dichter gleich ihm, ihm selbst? Wer schuf, wie er, aus dem Nichts, aus der eigenen Brust? War nicht als Musik, als reines Urbild des Seins ein Gedicht in seiner Seele geboren, lange bevor es sich

Gleichnis und Kleid aus der Welt der Erscheinungen lieh? Geschichte, Weltweisheit, Leidenschaft: Mittel und Vorwände, nicht mehr, für etwas, was wenig mit ihnen zu schaffen, was seine Heimat in orphischen Tiefen hatte. Worte, Begriffe: Tasten nur, die sein Künstlertum schlug, um ein verborgenes Saitenspiel klingen zu machen... Wußte man das? Sie priesen ihn sehr, die guten Leute, für die Kraft der Gesinnung, mit welcher er die oder jene Taste schlug. Und sein Lieblingswort, sein letztes Pathos, die große Glocke, mit der er zu den höchsten Festen der Seele rief, sie lockte viele herbei... Freiheit... Mehr und weniger, wahrhaftig, begriff er darunter als sie, wenn sie jubelten. Freiheit – was hieß das? Ein wenig Bürgerwürde doch nicht vor Fürstenthronen? Laßt ihr euch träumen, was alles ein Geist mit dem Worte zu meinen wagt? Freiheit wovon? Wovon zuletzt noch? Vielleicht sogar noch vom Glücke, vom Menschenglück, dieser seidenen Fessel, dieser weichen und holden Verpflichtung...

Vom Glück... Seine Lippen zuckten; es war, als kehrte sein Blick sich nach innen, und langsam ließ er das Gesicht in die Hände sinken... Er war im Nebenzimmer. Bläuliches Licht floß von der Ampel, und der geblümte Vorhang verhüllte in stillen Falten das Fenster. Er stand am Bette, beugte sich über das süße Haupt auf dem Kissen... Eine schwarze Locke ringelte sich über die Wange, die von der Blässe der Perlen schien, und die kindlichen Lippen waren im Schlummer geöffnet... Mein Weib! Geliebte! Folgtest du meiner Sehnsucht und tratest du zu mir, mein Glück zu sein? Du bist es, sei still! Und schlafe! Schlag jetzt nicht diese süßen, langschattenden Wimpern auf, um mich anzuschauen, so groß und dunkel, wie manchmal, als fragtest und suchtest du mich! Bei Gott, bei Gott, ich liebe dich sehr! Ich kann mein Gefühl nur zuweilen nicht finden, weil ich oft sehr müde vom Leiden bin und vom Ringen mit jener Aufgabe, welche mein Selbst mir stellt. Und ich darf nicht allzusehr dein, nie ganz in dir glücklich sein, um dessentwillen, was meine Sendung ist...

Er küßte sie, trennte sich von der leiblichen Wärme ihres Schlummers, sah um sich, kehrte zurück. Die Glocke mahnte ihn, wie weit schon die Nacht vorgeschritten, aber es war auch zugleich, als zeigte sie gütig das Ende einer schweren Stunde an. Er atmete auf, seine Lippen schlossen sich fest; er ging und ergriff die Feder... Nicht grübeln! Er war zu tief, um grübeln zu dürfen! Nicht ins Chaos hinabsteigen, sich wenigstens nicht dort aufhalten! Sondern aus dem Chaos, welches die Fülle ist, ans Licht emporheben, was fähig und reif ist, Form zu gewinnen. Nicht grübeln: Arbeiten! Begrenzen, ausschalten, gestalten, fertig werden...

Und es wurde fertig, das Leidenswerk. Es wurde vielleicht nicht gut, aber es wurde fertig. Und als es fertig war, siehe, da war es auch gut. Und aus seiner Seele, aus Musik und Idee, rangen sich neue Werke hervor, klingende und schimmernde Gebilde, die in heiliger Form die unendliche Heimat wunderbar ahnen ließen, wie in der Muschel das Meer saust, dem sie entfischt ist.

(1905)

LUDWIG THOMA

Die Vermählung

Ich muß noch die Hochzeit von meiner Schwester mit dem Professor Bindinger erzählen. Das war an einem Dienstag, und ich hatte den ganzen Tag frei. Ich kriegte einen neuen Anzug dazu und mußte schon in aller Frühe aufstehen, damit ich rechtzeitig fertig war. Denn es war eine furchtbare Aufregung daheim, und es ging immer Tür auf und Tür zu, und wenn es läutete, schrie meine Mutter: »Was ist denn, Kathi?« Und meine Schwester schrie: »Kathi! Kathi!« und die Kathi schrie: »Gleich! Gleich! Ich bin schon da«, und dann machte sie auf, und wenn es ein Mann war, der eine Schachtel brachte oder einen Brief, dann kreischten sie alle und warfen ihre Türen zu, denn sie waren noch nicht ganz angezogen.

Dann kam ein Diener und sagte, der erste Wagen mit den Kindern ist da, und es ging wieder los. Meine Mutter rief: »Bist du fertig, Ludwig?« und Marie schrie: »Aber so mach doch einmal!« Und ich war froh, wie ich drunten war.

Im Wagen saß die Tante Frieda mit ihren zwei Töchtern, der Anna und Elis. Sie hatten weiße Kleider an und Locken gebrannt, wie bei einer Firmung.

Die Tante fragte gleich: »Ist Mariechen recht selig? Das kann man sich denken, so einen hübschen Mann, und hätte kein Mensch gedacht, wo er doch dein Professor war!«

Ich wußte schon, daß die alte Katze immer etwas gegen uns hat und, wo sie kann, meiner Mutter einen Hieb gibt. Aber ich habe sie auch schon oft geärgert, und ich sagte jetzt zu der Anna, daß ihre Sommersprossen immer stärker werden.

Dann waren wir aber an der Kirche und gingen in die Sakristei, und die Tante mußte es hinunterschlucken und freundlich sein, weil sie der Herr Pfarrer anredete.

Jetzt kam ein Wagen, da war Onkel Franz drin mit Tante Gusti und ihrem Sohn Max, den ich nicht leiden kann. Onkel Franz ist der reichste in der Familie; er hat eine Buchdruckerei und ist sehr fromm, weil er eine katholische Zeitung hat. Wenn man zu ihm geht, kriegt man ein Heiligenbild, aber nie kein Geld oder zu essen. Er tut immer so, als ob er Lateinisch könnte; er war aber bloß in der deutschen Schule. Die Tante Gusti ist noch frömmer und sagt immer zu meiner Mutter, daß wir zu wenig in die Kirche gehen, und daher kommt das ganze Unglück mit mir.

Wie sie hereinkamen, sind sie zuerst auf den Pfarrer los, und dann hat Tante Gusti die Tante Frieda geküßt und Tante Frieda sagte: »Du hast ja heute deinen Granatschmuck an. Das können wir freilich nicht.«

Am meisten hat es mich gefreut, daß der Onkel Hans kam mit Tante Anna. Er ist Förster, und ich war schon in der Vakanz bei ihm. Er war lustig mit mir und hat immer gelacht, wenn ich ihm die Tante Frieda vormachte, die verdammte Wildkatze, sagte er. Heute hatte er einen Hemdkragen an und fuhr alle Augenblicke mit der Hand an seinen Hals. Ich glaube, er war verlegen, weil so viele Fremde dastanden, und ging immer in die Ecke.

Die Sakristei wurde immer voller. Von unserem Gymnasium kamen der Mathematikprofessor und der Schreiblehrer. Und dann die Verwandten vom Bindinger; zwei Schwestern von ihm und ein Bruder, der Turnlehrer an der Realschule ist und die Brust furchtbar heraussteckte. Mit den Herren fuhren immer junge Mädchen, die ich nicht kannte. Nur eine kannte ich, die Weinberger Rosa, eine gute Freundin von Marie.

Alle hatten Blumensträuße; die hielten sie sich immer vor das Gesicht und kicherten recht dumm, wenn es auch gar nichts zum Lachen gab.

Jetzt kam meine Mutter mit dem Onkel Pepi, der Zollrat ist, und gleich darauf der Bindinger und Marie und der Brautführer. Das war ein pensionierter Hauptmann und ein entfernter Verwandter vom Bindinger. Er hatte eine Uniform an mit Orden, und Tante Frieda sagte zu Tante Gusti: »Na, Gott sei Dank, daß sie einen Offizier aufgegabelt haben.«

Die Türe von der Sakristei wurde aufgemacht, und wir mußten in einem Zug in die Kirche.

Der Bindinger und Marie knieten in der Mitte vor dem Altar, und der Pfarrer kam heraus und hielt eine Rede und fragte sie, ob sie verheiratet sein wollen. Marie sagte ganz leise ja, aber der Bindinger sagte es mit einem furchtbaren Baß. Dann wurde eine Messe gelesen, die dauerte so lange, daß es mir fad wurde.

Ich schaute zum Onkel Hans hinüber, der von einem Bein auf das andere stand und in seinen Hut hineinsah und räusperte und sich am Kopf kratzte.

Dann sah er, daß ich ihn anschaute, und er blinzelte mit den Augen und deutete mit dem Daumen verstohlen auf die Tante Frieda hinüber. Und dann fletschte er mit den Zähnen, wie sie es immer machte. Ich konnte mich nicht mehr halten und mußte lachen. Der Bruder vom Bindinger klopfte mir auf die Schulter und sagte, ich solle mich anständiger betragen, und Tante Gusti stieß Tante Frieda an, daß sie zu mir herübersah, und dann schauten alle zwei ganz verzweifelt an die Decke und schüttelten ihre Köpfe.

Endlich war es aus, und wir zogen alle in die Sakristei. Da ging das Gratulieren an; die Herren drückten dem Bindinger die Hand, und die Tanten und die Mädchen küßten alle die Marie.

Und Tante Gusti und Tante Frieda gingen zu meiner Mutter, die daneben stand und weinte, und sagten, es ist ein glücklicher Tag für sie und alle.

Dann umarmten sie auch meine Mutter und küßten sie, und Onkel Hans, der neben mir stand, hielt seinen Hut vor und sagte: »Gib acht, Ludwig, daß sie deinen alte Mutter nicht beißen.«

Ich mußte nun auch zum Bindinger hin und gratulieren. Er sagte: »Ich danke dir und ich hoffe, daß du dich von jetzt ab gründlich bessern wirst.« Marie sagte nichts, aber sie gab mir einen herzhaften Kuß, und meine Mutter strich mir über den Kopf und sagte unter Tränen: »Gelt, Ludwig, das versprichst du mir, von heute ab wirst du ein anderer Mensch.«

Ich hätte beinahe weinen müssen, aber ich tat es nicht, weil Tante Frieda nahe dabei war und ihre grünen Augen auf mich hielt. Aber ich nahm mir fest vor, meiner lieben Mutter keinen Verdruß mehr zu machen.

Im Gasthaus zum Lamm war das Hochzeitsmahl. Ich saß zwischen Max und der Anna von Tante Frieda. Von meinem Platze aus sah ich Marie und den Bindinger; meine Mutter sah ich nicht, weil sie durch einen großen Blumenstrauß versteckt war. Zuerst gab es eine gute Suppe und dann einen großen Fisch.

Dazu kriegten wir Weißwein, und ich sagte zu Max, er soll probieren, wer es schneller austrinken könnte. Er tat es, aber ich wurde früher fertig, und der Kellner kam und schenkte uns noch mal ein. Da klopfte Onkel Pepi an sein Glas und hielt eine Rede, daß die Familie ein schönes Fest feiert, indem sie ein aufgeblühtes Mädchen aus ihrer Mitte einem wackeren Manne gab und mit ihm ein Band knüpft und die Versicherung hat, daß es zum Guten führt. Und er ließ den Bindinger und Marie hochleben. Ich schrie fest mit und probierte noch einmal mit Max, wer schneller fertig ist.

Er verlor wieder und kriegte einen roten Kopf, wie er ausgetrunken hatte. Dann gab es einen Braten mit Salat.

Auf einmal klopfte es wieder, und Onkel Franz stand auf. Er

sagte, daß eine Eheschließung sehr erhaben ist, wenn sie noch in der Kirche gemacht wird und ein Diener Gottes dabei ist.

Wenn aber die Kinder katholisch erzogen werden, ist es ein Verdienst der Eltern.

Darum, sagte er, nach dem jungen Ehepaar muß man an die Alten denken, besonders an die Frau, welche das Mädchen so trefflich erzogen hat; und er ließ meine Mutter leben.

Das freute mich furchtbar, und ich schrie recht laut und ging auch mit meinem Weinglas zu ihr hin. Sie war aufgestanden, und ihr gutes Gesicht war ganz rot, wie sie mit allen anstieß. Sie sagte immer: »Das hätte mein Mann noch erleben müssen«, und Onkel Hans stieß fest mit ihr an und sagte: »Ja, der müßte von Rechts wegen dasitzen, und du bist eine liebe alte Haut.« Dann trank er sein Glas auf einmal aus und schüttelte jedem die Hand, der an ihm vorbeikam, und sagte immer wieder: »Weiß der Teufel, der müßte dasitzen!«

Wir kriegten noch ein Brathuhn und Kuchen und Gefrorenes, und der Kellner ging herum und schenkte Champagner ein. Ich sagte zum Max: »Da ist es viel härter, auf einmal auszutrinken, weil es so beißt.« Er probierte es, und es ging auch, aber ich tat nicht mit, sondern ich setzte mich zum Onkel Hans hinüber.

Alle waren lustig, besonders die jungen Mädchen lachten recht laut und stießen immer wieder an. Aber Tante Frieda schaute herum und redete eifrig mit Tante Gusti. Ich hörte, wie sie sagte, daß man zu ihrer Zeit nicht so frei gewesen ist.

Und Tante Gusti sagte, die Hochzeit ist eigentlich ein bißchen verschwenderisch, aber die Schwägerin hat immer für ihre Kinder zu viel Aufwand gemacht.

Da klopfte es wieder, und Onkel Franz stand auf und sagte, daß sein Sohn Max zu Ehren seines verehrten Lehrers, des glücklichen Bräutigams, ein Gedicht vortragen wird.

Alles war still, und Max stand auf und probierte anzufangen. Aber er konnte nicht, weil er umfiel und käseweiß war.

Da gab es ein rechtes Geschrei, und Tante Gusti schrie immer: »Was hat das Kind?«

Die meisten lachten, weil sie sahen, daß es ein Rausch war, und Tante Frieda half mir, daß sie den Max in das Nebenzimmer brachten.

Sie legten ihn auf das Sofa, und es wurde ihm schlecht, und Tante Frieda blieb lange aus, weil sie ihr Kleid putzen mußte. Wie sie hereinkam, sagte sie zu mir, daß ihr Anna schon gesagt hat, daß ich schuld bin, aber niemand paßte auf, weil der Bindinger und Marie fortgingen.

Marie weinte auf einmal furchtbar und fiel immer wieder der Mutter um den Hals. Und der Bindinger stand daneben und machte ein Gesicht wie bei einem Begräbnis. Die Mutter sagte zu Marie: »Nun bist du ja glücklich, Kindchen! Nun hast du ja einen braven Mann.«

Und zum Bindinger sagte sie: »Du machst sie glücklich, gelt? Das versprichst du mir?«

Der Bindinger sagte: »Ja, ich will es mit Gott versuchen.«

Dann mußte Marie von den Tanten Abschied nehmen, und unsere Cousine Lottchen, die schon vierzig Jahre alt ist, aber keinen Mann hat, weinte am lautesten.

Endlich konnten sie gehen. Der Bindinger ging voran und Marie trocknete sich die Tränen und winkte meiner Mutter unter der Türe noch einmal zu.

»Da geht sie«, sagte meine Mutter ganz still für sich.

Und Lottchen stand neben ihr und sagte: »Ja, wie ein Lamm zur Schlachtbank.«

(1905)

PAUL HEYSE

Ein Ring

Wie bist du zu dem seltsamen Ringe gekommen, liebe Tante? Einen so massiven, mit großen schwarzen Buchstaben habe ich nie gesehen. Ist's ein Trauerring? Und was steht in der Inschrift?

Die kleine alte Frau, an die ich diese Fragen richtete, war eine ältere Schwester meiner Mutter, nur Tante Klärchen von uns genannt. Vor siebzehn Jahren hatte sie ihren Mann verloren, den Bankier Herz, dessen große, schwerfällige Figur mit dem feinen jüdischen Kopfe mir noch aus meiner frühesten Kinderzeit vor Augen steht, da meine Eltern, als ich zwei Jahre alt war, die Frankfurter Verwandten besucht hatten. Nun war diese Lieblingsschwester meiner Mutter nach einem glänzenden Leben an der Seite des wohlhabenden Gatten, dem sie schöne Töchter geboren, in eine unscheinbare Dunkelheit versunken, hatte aber ihre Wohnung an der ›Schönen Aussicht‹ behalten und sie nur selten verlassen, teils weil ihre äußere Lage ihr den früheren Aufwand nicht mehr gestattete und zunehmende Kränklichkeit sie oft ans Bett fesselte, teils weil sie in diesem Hause die freundliche Pflege und Gesellschaft ihres ältesten Bruders genoß, meines Onkels Louis Saaling und seiner Frau, von denen ich in meinen ›Jugenderinnerungen‹ ein Mehreres erzählt habe.

Als ich nun in meinem neunzehnten Jahre als fahrender Schüler von Bonn aus den Rhein hinauf wallfahrtete und einige Tage von meinem Onkel beherbergt wurde, ehe ich in die Schweiz weiterzog, faßte ich eine lebhafte Neigung zu dieser Tante Klärchen, die auch mich, schon um meiner Mutter willen, mit einer rührenden Zärtlichkeit ins Herz schloß.

Sie lag damals schon fest auf dem Krankenbette, das sie nicht mehr verlassen sollte. Aber wer von ihren Schmerzen nichts wußte und das feine, edelgebildete Gesichtchen unter dem kostbaren Spitzentuch betrachtete, noch von schwarzen, glänzenden Locken trotz ihrer sechzig Jahre eingefaßt, die Augen von einer seltsamen Onyxfarbe in dem bläulichen Weiß unter den breiten Lidern, dazu das Grübchen in der glatten linken Wange, das bei jedem Lächeln sich vertiefte – konnte sich nicht vorstellen, daß die Tage dieser lieblichen alten Frau gezählt sein sollten.

Klärchen hat immer einen ›Chain‹ gehabt, pflegte meine Mutter zu sagen – der jüdische Ausdruck für das, was wir mit den Franzosen Charme nennen. Diesem Zauber weiblicher Anmut, der aus dem ganzen Naturell der Tante hervorging und bis ins hohe Alter ihr treu blieb, konnte auch ich nicht widerstehen. Ich saß stundenlang an ihrem Bette und ließ mir von ihren Erlebnissen aus der Zeit, da sie mit meiner Mutter jung und lustig gewesen war, erzählen. Sie war nie witzig gewesen, wie ›Julchen‹, aber ein dankbares Publikum für den Humor der Schwester, und hatte eine Menge der drolligen Einfälle meiner Mutter im Gedächtnis behalten. Dagegen mußte ich ihr von meinem Studentenleben berichten, meine kleinen romantischen Abenteuer und Herzensangelegenheiten beichten, und da es kein Geheimnis war, daß ich Verse machte, ihr auch ein und das andere dieser jugendlichen Exerzitien vorlesen. Sie sagte mir nichts darüber, hörte aber mit zugedrückten Augen und einer träumerischen Miene zu, und als ich aufhörte, zog sie meinen Kopf an ihr Gesicht heran, küßte mich auf die Augen und sagte ganz leise: Ich danke dir, lieb Kind. Du bist ein gebenschter (gesegneter) Mensch.

Gewöhnlich ruhten ihre beiden kleinen Hände regungslos auf der grünseidenen Decke, die mit kostbaren Spitzen eingefaßt war. Die ungemein zarte Haut war bleich wie alter, weißer Atlas, der etwas vergilbt ist und seinen Glanz verloren hat, wie auch über ihrem Gesicht kein Schimmer von Röte lag. An beiden Händen aber blitzten die kostbarsten Ringe, zwischen deren Juwelen der dicke Trauerring sich wie ein schlichter Fremdling ausnahm, der sich in eine vornehme Gesellschaft verirrt hatte.

Als ich sie nach ihm fragte, hob die Tante sacht die linke Hand, die ihn trug, und hielt sie nahe vor die Augen, deren Sehkraft schon ein wenig geschwächt war.

Es ist auch ein Trauerring, sagte sie mit ihrer weichen Stimme, nachdem sie ihn eine Weile still betrachtet hatte. Der, von dem ich ihn habe, ist lange schon nicht mehr auf der Erde. Neben den anderen nimmt er sich nicht glänzend aus, und doch ist er mir der liebste von allen. Daß er so dick ist, kommt davon her, weil er eine kleine Haarlocke einschließt, die man sieht, wenn man die innere Kapsel öffnet. Ich habe es seit vielen Jahren nicht mehr getan, will's auch jetzt nicht, es greift mich zu sehr an. Die Emailinschrift aber kannst du selbst lesen.

Sie hielt mir den Ring wieder hin, und ich buchstabierte: Lebe wohl! Dann sank die Hand wieder auf die seidene Decke.

Wir schwiegen eine Weile.

Ich begriff, daß an dem Ringe ein Stück Leben hing, das ich nicht heraufbeschwören wollte, da es traurig war und ich die liebe Kranke schonen wollte. Ich war aber doch zu neugierig, um nicht auf Umwegen die Enthüllung des Geheimnisses zu versuchen, und so sagte ich nach einiger Zeit ganz unschuldig: Du mußt viele Anbeter gehabt haben, Tante, in deiner früheren Zeit, noch da du schon große Töchter hattest. Mutter hat mir gesagt, wenn du mit ihnen in einen Ballsaal getreten seiest, habe man dich für ihre älteste Schwester gehalten.

Sie nickte still vor sich hin.

Jawohl, lieb Kind, sagte sie, ich wußte das selbst, es wäre kindisch gewesen, mir's verleugnen zu wollen. Aber Anbeter, was man so nennt, die sich einbildeten, sie könnten sich Hoffnungen machen, in besondere Gunst bei mir zu kommen, die hatte ich eigentlich nicht. Es wußt's alle Welt, daß ich meinen Mann lieb hatte und in Ehren hielt, obgleich ich gar keine schwärmerische Neigung zu ihm fühlte, als ich mit siebzehn Jahren ihm angetraut wurde. Ich hatte ihn kaum sechsmal vorher gesehen, und schön war er ja nicht, und daß er mir immer treu bleiben würde, machte ich mir auch keine Hoffnung. Ich weiß auch nicht, wie's später damit stand, wollt's auch nicht wissen. Du weißt aber, bei uns Juden versteht sich's von selbst, daß die Frauen ihren Männern treu bleiben, und die etwa eine Ausnahme von der Regel machten, wurden nicht zum besten darum angesehen, selbst in der damaligen Zeit, wo die guten alten Sitten sehr ins Wackeln kamen.

Damals freilich kam's nicht gar selten vor, und gerade von den Reichsten und Schönsten erzählte man sich allerlei Skandale. Ich hörte nicht viel danach hin. Ich hatte meine Kinder, und viel Freude daran, auch an meinem Hause, wo damals ein groß Leben war, da all die fremden Gesandten beim Bundestage bei uns eingeführt waren.

Natürlich wurde auch mir die Cour gemacht, aber immer auf französisch, wobei man ja wußte, all die schönen Redensarten durfte man nicht au pied de la lettre nehmen. Ich konnt's um so leichter, weil Herz gar keine Ader von Eifersucht hatte, sondern nur schmunzelte, wenn man auch seine Frau noch schön fand, obwohl sie auf die Vierzig losging und drei große Töchter hatte, eine immer schöner als die andere. Die Adelheid heiratete denn auch bald den Rothschild, die Helene, die die hübscheste war, den Fénélon Salingnac, und die Marianne den Baron Haber. Da hatte ich mit den Ausstattungen, Hochzeiten und bald hernach auch mit Großmutterpflichten alle Hände voll zu tun und das Herz auch, denn daß es auch viel zu sorgen und zu seufzen gab, kannst du dir wohl denken, lieb Kind.

Einen wirklichen, richtigen ›Anbeter‹, wie du's meinst, hatt' ich aber doch.

Das war kein eleganter, galanter Herr, der mir auf französisch erklärte, daß er mich reizend, unwiderstehlich und grausam fand, sondern ein häßlicher, schüchterner alter Jude, der bei uns im Hause wohnte und mit zur Familie gehörte.

Alt war er nicht gerade, kaum fünfzig, aber er machte den Eindruck, als wäre er nie jung gewesen. Julchen sagte, er sehe aus ›wie alt gekauft‹. Er hieß deshalb nur der alte Ebi, war Buchhalter bei meinem Manne gewesen und hatte dann seinen Abschied nehmen müssen, weil er den Star auf dem linken Auge bekam und das gesunde rechte geschont werden mußte. Herz wollte ihn wegen seiner treuen Dienste mit einer reichlichen Pension entlassen, er bat aber, man solle ihm nur die Hälfte geben, ihm aber erlauben, im Hause zu bleiben, an das er sich einmal so gewöhnt habe, daß er draußen keinen frohen Tag leben werde. Herz lachte so mit seinem tiefen Baß und sagte: Das Haus, an das er gewöhnt ist, das bist du, Klärchen, denn der alte Bursche, das sieht ein Blinder, ist in dich verliebt. Obwohl er aber sonst meschugge ist, die Narrheit kann ich ihm ja nachempfinden – dabei küßte er mir die Hand – und darum will ich ihm, als Muster von nachsichtigem Ehemann, den Gefallen tun und er mag im Hause bleiben, bis er mal was ganz Verrücktes anstellt und dich durch seine Narrheit kompromittiert. Dann hat er sich's selbst zuzuschreiben, wenn wir geschiedene Leute sind.

Der Ebi aber nahm sich wohl in acht, irgend so was anzustellen, was mir auch nur unbequem gewesen wäre.

Er saß die meiste Zeit ganz still in seinem Stübchen, das wir ihm eingeräumt hatten, las durch eine große Brille in allerlei hebräischen Schriften, denn bevor er die Kaufmannschaft lernte, war er ein Bocher gewesen und wußte im Talmud Bescheid, und dazwischen schrieb er allerlei auf großen Bogen, was er niemand zeigte. Marianne behauptete, er mache Gedichte. Ich fürchtete, wenn ich ihn danach fragte, würde er sie mir zeigen wollen, und sie seien am Ende an mich gerichtet.

Übrigens machte er sich im Hause nützlich, wo er nur konnte, führte meinen Viktor spazieren, blieb, wenn die Töchter Musikstunden hatten, als Anstandswächter dabei und ließ sich zu jeder Kommission, die ihm einer auftrug, bereit finden, so daß wir ohne unseren alten Ebi ein paar Dienstboten mehr hätten halten müssen. Er aß nie mit uns, sondern in einem kleinen koscheren Gasthause, da er die Speisegesetze hielt, und nur zum Tee kam er manchmal, wo er dann immer sehr reinlich gekleidet erschien, in einem langen schwarzen Rock, der ein bißchen an den Kaftan oder Schubbiz erinnerte, wie ihn die richtigen polnischen Juden tragen, eine weiße Krawatte umgeknüpft, das Haar sorgfältig frisiert. Schön sah er dann erst recht nicht aus, eher komisch, aber bei alledem auch wieder ehrwürdig, mit der großen Nase in dem glattrasierten gelblichen Gesicht, dem feinen blassen Munde und den kleinen, tiefliegenden Augen, die aber, wenn er sich einmal in Eifer sprach, ganz merkwürdig leuchteten.

Man fühlte überhaupt, daß ein ganz eigener Geist in ihm steckte, der die Menschen gründlich durchschaute, und vor vielem, was der großen Menge imponiert, gar keinen Respekt hatte, am wenigsten vor dem goldenen Kalbe. So gesteh' ich auch, daß mir seine stumme Huldigung heimlich schmeichelte und ich jede Gelegenheit ergriff, mich gütig gegen ihn zu erweisen. Er nahm es als eine besondere Ehre auf, daß ich ihn bat, sich in mein Stammbuch einzuschreiben. Am anderen Tage brachte er mir's wieder, ich las, was er geschrieben, in seiner Gegenwart: »Werde, was du bist, dann bist du, was nötig ist.« Er war aber nicht zu bewegen, mir den Sinn, der mir dunkel blieb, zu erklären. Herz lachte wieder, da ich's ihm zeigte. Er sagte aber nur, es sei die feinste Schmeichelei, und ich würde eitel werden, wenn ich's verstünde.

Damals hatte ich eine Haushälterin, Mamsell Zipora, keine üble Person und nicht viel über vierzig, die sich in der Zeit, wo sie in unserm Dienste stand, auf rechtem oder unrechtem Wege ein ganz artiges Sümmchen erspart, auch eine Erbschaft zu erwarten hatte. Die hatte sich's in den Kopf gesetzt, den Ebi zu heiraten, und ich begünstigte ihr Projekt, da mir's doch unheimlich war, wenn die Augen meines Verehrers so schwärmerisch auf mich gerichtet waren, wie die Katholen (so sagte die Tante immer für die Katholiken) zu ihrer Gottesmutter aufblicken. Ebi aber blieb unerschütterlich. Wenn das gute Wesen ihre Karten gar zu offen vor ihn hinlegte, mit Schmeicheln und Streicheln und allerhand aufdringlichen Liebesdiensten wie ein Kätzchen um ihn herumstrich, zog er die dicken, schwarzen Brauen zusammen und sagte im Tone des tiefsten Abscheues: Ich bitt' Sie, Mamsell Zipora, kriechen Sie von mer runter!

Worauf die so schnöde Abgewiesene mit einem Ausrufe heftigster Kränkung fortrannte.

Ich machte ihm einmal Vorstellungen über seine Herzenskälte.

Er sah mich wehmütig an. Madame Herz, sagte er, verzeihen Sie, jeder Mensch hat sein Schicksal. Den meisten kommt's von bösen Menschen, ich hab' meine Not mit den guten – die mir nicht lassen meine Ruh'. Was ich lieb', das bekomme ich nicht, und was mich liebt, das mag ich nicht. Glauben Sie, Madame Herz: Wenn der Mensch ein Schlemihl ist, nimmt sich der Unglück en Kütsch und fahrt em nach.

Die Marianne, die ihn einmal in seinem Zimmer aufgesucht hatte mit irgendeinem Auftrage, erzählte mir sehr belustigt, sie habe ihn beim Schreiben an einem großen Hefte betroffen und wohl gesehen, daß es Verse seien mit dazwischengeschriebenen Namen, und habe ihn gefragt, was für ein Stück er dichte. Er habe es ihr aber nicht gestehen wollen.

Beim nächsten Begegnen fragt' ich ihn selbst darum. Da er mir nun nichts abschlagen konnte, gestand er mit einem schüchternen Erröten, es sei ein Trauerspiel, die Tochter Jephthas, das dichte er aber nicht, um es irgendeinem Theater anzubieten, da er wohl wisse, er verstehe sich nicht auf die richtige dramatische Kunst, sondern nur für sich, zu seinem eignen Vergnügen.

Das müssen Sie uns aber mitteilen, Ebi, sagt' ich. Wenn's fertig ist, müssen Sie mir's vorlesen. Versprechen Sie mir's!

Er errötete noch tiefer, verbeugte sich, ohne ein Wort zu sagen, und ich konnte nicht erkennen, ob meine Bitte ihm lieb oder leid sei. Auch vergaß ich sie selbst. Ich hatte es nur gesagt, um ihn damit zu erfreuen, daß ich mich für sein Tun und Treiben interessierte.

Die gute Tante schwieg eine Weile. Sie hatte den Kopf gegen das Kissen zurückgelegt und die schwarzen Augen still nach der Zimmerdecke hinaufgerichtet. Ich fragte sie, ob sie das Sprechen nicht zu sehr angreife. Sie möge mir das Übrige morgen oder ein andermal erzählen, wenn sie sich frischer fühle.

Nein, lieb Kind, sagte sie, ich fühle mich morgen nicht frischer als jetzt. Alte Leute werden überhaupt nur noch ein bißchen aufgefrischt, wenn sie an ihre jungen Tage denken. Aber gib mir das Fläschchen dort von dem Toilettentisch!

Ich reichte ihr das Kristallflacon mit dem silbernen Verschlusse, und sie goß von der Eau de Cologne über ihre Hände und hielt sie dann vors Gesicht. Meine Nase bleibt mir am längsten treu, lächelte sie. Die Zunge ist nicht mehr viel wert, Augen und Ohren lassen mich im Stich, aber an Blumenduft und feinem Parfüm erquick' ich mich noch.

Sie behielt das Fläschchen in der Hand und sah wieder auf den Ring herab.

Nun kommt erst die Geschichte, sagte sie. Ich hab' sie noch keinem Menschen erzählt, nicht mal meinem Mann. Du aber sollst sie hören, weil du ein gutes Kind bist und Schwester Julchen ähnlich siehst und schöne Verse machst. Also paß auf und hör auch, was ich verschweige.

Denn 's ist für eine alte Frau nicht leicht, so recht zu sagen, was sie viele Jahre auf dem Herzen gehabt hat und, obwohl's eine Schwäche war, nicht hat loswerden können. Aber du wirst es schon verstehen.

Also, vor etwa einundzwanzig Jahren war's, im Herbst, auf dem ersten Ball, mit dem die Saison wieder eröffnet wurde, im Bethmannschen Hause. Herzens waren natürlich eingeladen und erschienen en grande tenue, Mutter Klärchen und die drei großen Töchter, die jüngste allerdings erst sechzehnjährig. Und die Mädchen sahen wirklich wie die drei Grazien aus, das heißt, wenn deren Toilette nicht von Mutter Natur, sondern von einer Pariser Schneiderin besorgt worden wäre. Das Wort von drei Grazien aber mußt' ich an dem Abend wohl ein dutzendmal hören.

Wir waren natürlich in unserem Anzuge, wie immer, die einfachsten; Herz liebte es nicht, daß ich mich oder die Kinder ›putzte‹, da wir an Schmuck und anderem Luxus doch nicht mit den großen Häusern rivalisieren konnten. So hatte ich nur meine Perlen um den Hals und in den Ohren, die Mädchen nichts als frische Blumen, freilich von den zu dieser Jahreszeit teuersten, die weißen Tüllkleider nach der neuesten Mode, aber ohne kostbare Spitzen, ich in einer ganz hellen, pfirsichfarbenen Robe, ziemlich dekolletiert, wie man eben damals ging, und eine kleine Federagraffe im Haar. Ich wußte, es stand mir gut, doch war's schon längst mein Bestreben, mich zu eklipsieren, um meine Mädchen glänzen zu lassen.

Sie machten auch Sensation, als sie den Saal betraten, und hatten im Umsehen alle Tänze vergeben. Ich selbst gesellte mich zu ein paar älteren Damen, die mir allerlei Schönes über meine Kinder und auch über mich sagten, und ergab mich dann in das allgemeine Mutterschicksal, mich nur noch an fremdem Vergnügen zu amüsieren.

Das hatte ich aber schon zu oft getan, als daß mich's nicht bald ermüdet hätte, und da auch die Damen neben mir mich langweilten, versank ich endlich in eine Art Halbschlaf mit offenen

Augen, in dem nur die tanzenden Paare mit der lebhaften Musik wie Schatten, die man im Traum sieht, vorüberschwebten.

Auf einmal aber, in einer Tanzpause, weckte mich aus diesem Dämmerzustand eine bekannte Stimme, die des Grafen Fénélon, der mir einen Freund vorstellte, den Vicomte Gaston de – auch ein sehr aristokratischer Name –, der gestern in Frankfurt angekommen sei als Attaché bei der französischen Gesandtschaft und um die Ehre bitte – und so weiter.

Ich machte, ein wenig verwirrt, die Augen weit auf und sah einen jungen Herrn vor uns stehen, der auch einer geträumten Erscheinung ähnlicher sah als einem leibhaftigen Menschen. Denn so ein schönes, glänzendes Gesicht, mit so mädchenhaft zarten Zügen und doch ganz ernsthaften und feurigen Augen, eine so tadellose männliche Gestalt, dazu angezogen wie ein Gott, doch ohne Stutzerhaftigkeit, war mir noch nicht vorgekommen.

Ich will ihn dir nicht beschreiben. Du könntest dir doch keine Vorstellung von ihm machen.

Dazu seine Stimme, die durchs Ohr gleich ins Herz drang, obwohl sie gar nichts Insinuantes hatte, sondern ganz schlicht und treuherzig klang, und ein Französisch, wie man's nur in den besten Pariser Kreisen spricht.

Ich war so benommen von alldem, daß ich nicht imstande war, meinen usage du monde zu zeigen, auf den ich mir sonst was zugute tat. Als ich das merkte, wurde ich erst recht ungeschickt, stammelte mein sonst so geläufiges Französisch wie ein Schulkind heraus und dachte: Wenn er nur wieder ginge! Was soll er von dir denken? Im stillen lacht er über dich!

Es schien aber nicht, als ob ihm etwas Lächerliches an mir auffiel. Vielmehr unterhielt er mich auf die geistreichste Art und bat endlich, da ein Platz neben mir frei wurde, um die Erlaubnis, sich zu mir setzen zu dürfen. Fénélon hatte sich verabschiedet und ihm noch etwas zugeraunt. Ich glaubte gehört zu haben: Elle a quarante ans! Und er darauf, so daß ich's hören mußte: Mais elle est ravissante, mille fois plus belle ques ses filles! – was meine Verlegenheit natürlich noch steigerte, so sanft mir's einging.

Die Musik setzte wieder ein. Sie werden Pflichten gegen die jungen Damen haben, sagte ich, denen Sie eine alte Mama nicht abtrünnig machen darf. – Er habe sich für diesmal mit dieser corvée schon abgefunden; mit seinen dreißig Jahren könne man nicht verlangen, daß er einen ganzen Abend herumwirble –, wenn ich erlaubte, möchte er um die Ehre bitten, mich zu Tische zu führen.

Wie gern ich's erlaubte, kannst du denken.

Es war lange her, daß sich jemand ernstlich um mich bemüht hatte, meine Jugend lag weit hinter mir, nun war's, als stünde sie aus ihrem Grabe wieder auf, ich vergaß, daß ich erwachsene Töchter hatte und keine Ansprüche mehr auf eine Eroberung – und eine solche! – Es war wie ein Märchen!

Aber ich kannte ihn ja noch gar nicht. Er ist zehn Jahre jünger als du, dacht' ich. Eine Laune wird es von ihm sein, einmal einer femme de quarante ans so beflissen den Hof zu machen, als sei es ihm Ernst damit, vielleicht bloß um eine andere, mit der er gerade boudiert, zu kränken.

Morgen denkt er nicht mehr daran.

Gleichviel! Das Heute war reizend, und ich genoß es, ohne mir Sorgen darüber zu machen, daß es nur ein Traum sein könne. Ich merkte, daß ich zum erstenmal in meinem Leben erfuhr, was es heißt, sich verlieben, und zwar, was ich immer für eine Fabel gehalten hatte, so auf den ersten Blick, wie ein Blitz aus blauem Himmel. Ich erfuhr auch, daß Liebe blind macht. Wenigstens dachte ich während des ganzen Soupers und auch, als er nachher mir immer zur Seite blieb, keinen Augenblick daran, was man von unserem langen Tête-à-tête mitten in der großen Gesellschaft sagen würde, und erst als die Töchter beim Nachhausefahren mich mit diesem Verehrer neckten, kam ich ein wenig zur Besinnung.

Herz war nicht auf dem Ball gewesen. Bälle langweilten ihn, wir wechselten also ab, da auch ich wenig Vergnügen an der Rolle der Ballmutter fand, und so chaperonierte der Papa die Kinder bei anderen Gelegenheiten, wo ich dann zu Hause blieb.

Die Nacht schlief ich nur wenig. Ich war aber so voller Freude über das Erlebte, daß mich gar nicht danach verlangte, von mir selbst nichts mehr zu wissen. So muß einem ganz jungen Mädchen zumute sein nach seinem ersten Ball, wo sein Herzchen zum erstenmal gesprochen hat.

Er hatte um die Erlaubnis gebeten, sich meinem Manne vorzustellen. Daß er gleich am folgenden Tage davon Gebrauch machen würde, wagte ich kaum zu hoffen. Aber wirklich kam er gleich am nächsten Abend, wo wir en petit comité waren, und betrug sich so taktvoll Herz gegenüber, daß der die beste Meinung von ihm faßte und mir zu diesem Anbeter gratulierte. Die Adelheid hatte mich verpetzt, was er aber in seiner gewohnten Manier mit Lachen aufnahm.

Auch wie er nun immer öfter kam und sich als Hausfreund en titre bei uns etablierte, hatte mein Mann nicht das geringste dagegen einzuwenden.

Wir waren auch nie allein, eins oder das andere der Kinder war immer zugegen, mit einer Häkelarbeit oder am Klavier, und oft brachte er auch seinen Freund Fénélon mit, der sich damals eifrig um Helene bewarb. So zu vieren war mir's am liebsten. Jedes Paar gehörte sich dann allein an und hörte nicht nach dem anderen hin. Aber du mußt nicht glauben, daß wir dann zärtliche Gespräche führten. Nie hörte ich ein Wort von ihm, was nicht auch mein Mann hätte hören dürfen, und nur seine Augen und zuweilen sein Verstummen sagten mir alles, was in ihm vorging.

Auch brachte er zuweilen Bücher mit, die mir noch unbekannt waren, da ich ziemlich ungebildet war, und wir sprachen hernach darüber. Oder er las uns eine Racinesche Tragödie vor, was er ganz herrlich konnte, oder Gedichte von Viktor Hugo, der damals eben erst bekannt zu werden anfing.

In der Sprache der Dichter machte er mir die feurigsten Erklärungen, und an der Art, wie ich zuhörte, konnte er erraten, wie es um mein eigenes Herz stand.

In der Gesellschaft erzählte man sich, er sei in Paris als ein gefährlicher mangeur de coeurs bekannt gewesen, und man wunderte sich, daß er in Frankfurt gar keinen Abenteuern nachging. Daß er mein Haus so fleißig besuchte, erklärte man sich durch eine Verliebtheit in eine meiner Töchter. Die ehrbare ›alte‹ Madame Herz hatte niemand im Verdacht, dem leichtfertigen jungen Vogel die Flügel beschnitten zu haben.

So dauerte das den ganzen Winter. Es war die seligste Zeit meines Lebens.

Auch dadurch wurde das Glück nicht etwa getrübt, daß ich mir Vorwürfe gemacht hätte. Ich verstand nicht, daß es Sünde hätte sein können, das Liebenswürdige zu lieben und das Schöne schön zu finden. Meinen Pflichten als Gattin und Mutter wurde ich darum nicht untreu, wenn ich in dem Umgang mit diesem reizenden jungen Freunde mein Herz lebhafter schlagen fühlte. Ich wollte und hoffte auch wirklich nichts weiter, als daß es immer so fortgehen möchte, er einen Tag wie den andern über meine Schwelle treten, um sich dann zu mir zu setzen und eine Stunde lang ganz ernsthaft mit mir zu plaudern. Ich höre noch, wie er beim Eintreten sagte: Guten Tag, Madame Herz. Wie geht es Ihnen? Und dann beim Scheiden: Leben Sie wohl! Auf Wiedersehen!

Das waren die einzigen deutschen Sätze, die ich ihm beigebracht hatte, und die er mit so drolligem Akzent von sich gab, daß die unartigen Mädchen immer darüber lachten.

Und so ging der Winter hin. Keines von uns machte sich Gedanken über die Zukunft.

Ende März aber kam das Unglück.

Es war bei einem Diner im Hause Guaita, zu dem auch die Herren von der französischen Gesandtschaft geladen waren. Die Frau vom Hause, die mein Faible für ihn kannte, hatte ihm den Platz neben mir angewiesen. Ich erschrak aber heftig, als er mir den Arm bot, mich zu Tisch zu führen.

Denn er war totenblaß, und auf meine Frage, ob er sich krank fühle, schüttelte er nur stumm den Kopf. Erst als wir nebeneinander Platz genommen hatten, flüsterte er mir zu, er habe vor einer Stunde sein Todesurteil vernommen. Sein Chef habe ihm mitgeteilt, daß er, der Gesandte, nach Konstantinopel versetzt sei. Er, Gaston, müßte schon in der folgenden Nacht dorthin vorausreisen, um allerhand Präliminarien abzumachen und gewisse Weisungen für das Gesandtschaftshotel persönlich zu überbringen. Leider könne der Gesandte ihm nur vierundzwanzig Stunden bewilligen, um sich zur Abreise zu rüsten und sein Zelt in Frankfurt abzubrechen.

Du kannst denken, lieb Kind, wie diese Eröffnung auf mich wirkte. Ich war einer Ohnmacht nahe, und nur ein Glas Sherry, das Gaston mich auszutrinken nötigte, gab mir wieder ein wenig Contenance.

Aber der Rest des Diners verlief so traurig wie eine Henkersmahlzeit. Wir sprachen fast nicht miteinander und aßen kaum einen Bissen. Zuletzt kamen wir überein, daß er morgen noch einmal kommen sollte, um Abschied zu nehmen. Am nächsten Abend war eine Soiree, ich entsinne mich nicht, bei wem, nur daß schon ausgemacht war, Herz sollte diesmal die Mädchen hinbegleiten und ich zu Hause bleiben. Um halb neun fuhren sie zusammen fort.

Wenn Gaston um neun kam, traf er mich allein, und da er um zehn zu seinem Chef bestellt war, um noch Briefe und Depeschen in Empfang zu nehmen, blieb eine volle Stunde, die uns gehörte. Ich werde Ihnen Briefe an Wiener Damen mitgeben, mit denen ich befreundet bin: Frau Arnstein und Eskeles und die Baronin Pereira. Da Sie sich einige Zeit in der Kaiserstadt aufhalten sollen, kann Ihnen die Einführung bei diesen sehr angesehenen Damen vielleicht irgendwie nützlich sein, und jedenfalls wird es Ihnen wohltun, mit irgend jemand von Ihrer alten Frankfurter Freundin sprechen zu können.

So überstanden wir dies martervolle Diner. Aber die folgende Nacht und der Tag darauf vermehrten nur meinen Schmerz, der manchmal zu völliger Verzweiflung wurde. Jetzt erst kam mir so recht zum Bewußtsein, daß ich ihn liebte, immer geliebt hatte, und wie ich ihn liebte! Von ihm getrennt zu werden, stand mir vor Augen wie der schlimmste Tod, mein Leben hernach wie eine Wüste, in der nichts Grünes, Tröstliches für mich sprießen könnte!

Und so schrieb ich die Empfehlungsbriefe unter strömenden Tränen und erwartete die letzte Stunde wie eine zum Tode Verurteilte.

Um halb neun kam Herz mit den Kindern, mir gute Nacht zu sagen. Sie fanden mich blaß und angegriffen. Du hast Fieber, Frau, sagte Herz. Du mußt früh zu Bett gehen. – Freilich hatte ich den ganzen Tag wie im Fieber zugebracht, es brannte und glühte mir im Blut, wenn ich an den Abend dachte, an den Abgrund, in den mich's dann fortreißen konnte. Aber obwohl mir bei dem Gedanken schwindelte, fürchtete ich's doch nicht und sehnte es herbei. Mir war wie einem Fieberkranken, der am Rande eines tiefen Meeres hingeht. Bloß um sich endlich zu kühlen, möcht' er sich hineinstürzen, wenn ihm die Wellen auch über den Kopf zusammenschlügen, daß er in eine bodenlose Tiefe versänke.

Gleich nachdem die anderen fortgefahren waren – ich lag auf dem Sofa und zählte die Minuten –, da klopft's. Ich fahre auf und denke: Sollt' er's schon sein? – Ich hatte meiner Kammerjungfer gesagt, ich sei für niemand zu Hause, bloß wenn der Vicomte käme, der verreise, und ich hätte ihm noch Briefe mitzugeben. – Aber wie ich Herein! rufe und die Tür sich öffnet, wer tritt über die Schwelle? Der Ebi.

Sie haben mir erlaubt, Madame Herz, wenn ich mit dem Trauerspiel fertig wär', sollt' ich kommen und 's Ihnen vorlesen. Da Sie heute bleiben zu Haus, hab' ich mir gedacht –

Ich nickte bloß, und er kam herein. Ich fand nicht gleich einen Vorwand, ihn fortzuschicken, und dann dacht' ich: Laß ihn nur lesen, das hilft mir über die Pein der Erwartung hinweg, und wenn Gaston dann kommt, wird er von selbst wieder aufbrechen. Er bleibt ja nie, wenn ich Besuch habe.

Also setzte er sich auf ein Fauteuil neben das Sofa, schlug sein großes Heft auf und fing an zu lesen, wobei seine Stimme vor Aufregung zitterte und auch die Hände, die die Blätter umschlugen. Er las mit einer eintönigen, leisen Stimme, und zuweilen geriet er in einen singenden Ton, wie die Vorbeter im Tempel, die ich als Kind gehört hatte. Denn seit meiner Verheiratung war ich nicht mehr in die Synagoge gekommen.

Was er las, wußte ich nicht, auch nicht, ob es Verse waren oder überhaupt Sinn und Verstand hatte. Nur so viel wurde mir allmählich klar, daß es eine Liebesgeschichte war, die er zu der biblischen Historie hinzuerfunden hatte. Ein junger Ammoniter, der unter den Gefangenen mit Jephtha nach Hause gekommen war, hatte sich in die unglückliche Tochter verliebt, die nach dem übereilten Gelübde des Vaters sterben sollte, weil sie die erste gewesen war, die dem heimkehrenden Sieger aus seinem Hause entgegengekommen war. Auch das Mädchen hatte zu dem Jüngling eine Neigung gefaßt, obwohl er aus dem Stamm der Feinde ihres Volkes war und nicht zu dem Gott der Väter betete. Als er aber in sie drang, während der Todesfrist von zwei Monaten, die sie auf dem Berge zubrachte, um ihr verlorenes Leben zu beweinen, sich zu retten und mit ihm zu entfliehen, widerstand sie ihrem Herzen und blieb beharrlich dabei, sich zu opfern, da ihr Vater ›seinen Mund aufgetan habe gegen den Herrn‹, und sie sein Gelübde heilig halten müsse.

Das Beste an der Dichtung schien nur, soviel ich davon begriff, daß sie kurz war und viele Psalmenstellen und fromme Sprüche aus der Schrift enthielt, und so kam der Vorleser fast bis ans Ende, zu dem schwärmerischen Lobgesange der Jungfrau kurz vor ihrem Tode, als es wieder an die Tür klopfte. Und diesmal war er's.

Seine schönen Augen verfinsterten sich, als er den Alten bei mir fand. Auch brachte er nicht seine paar deutschen Redensarten vor, mit denen er mich sonst begrüßte, sondern sagte: »Bon soir, Madame! Vous allez bien? Mais vous n'êtes pas seule. Si je vous dérange —«

Ich faßte mich so gut ich konnte, stellte die Herren vor, wobei Gaston dem armen Ebi einen Blick zuwarf wie einem todeswürdigen Verbrecher, und sagte, unser alter Hausgenosse habe mir ein selbstverfaßtes Drama vorgelesen, wir seien eben zum Schlusse gelangt.

Ich dachte nicht anders, als daß der Alte nun gehen würde. Er sprach auch nicht Französisch, obwohl er es verstand. Er machte aber keine Miene, aufzubrechen, nur daß er seinen Platz mit einem anderen Sitz etwas weiter vertauschte.

Sie lesen mir den Schluß wohl ein andermal, Ebi, sagte ich. Das Stück ist sehr schön. Vielleicht kann es sogar aufgeführt werden.

Auch das half nicht. Er antwortete mit einer stummen Verbeugung, blieb dann aber stocksteif sitzen, das Heft auf den Knien, die Augen gegen das Teppichmuster gerichtet.

Ich dachte, er würde doch endlich merken, daß er zuviel sei, wenn ich gar keine Notiz mehr von ihm nähme und die Konversation französisch weiterginge. Also bat ich den Vicomte, Platz zu nehmen, fragte, wann er reiten würde – diese Nacht noch um Mitternacht –, ob er auch mit warmen Decken versorgt wäre – eine von mir müsse er durchaus mitnehmen – und sprach dann von den Briefen an die Wiener Damen, das gleichgültigste Geplauder von der Welt, während mir das Herz klopfte, als ob es aus der Brust springen wollte.

Und der Alte dabei immer regungslos wie eine Bildsäule!

Noch jetzt weiß ich nicht, warum ich's nicht über die Lippen brachte, zu sagen: Lassen Sie uns allein, Ebi. Ich habe dem Herrn Vicomte noch etwas unter vier Augen zu sagen. Aber ich wußte, bei den Worten würde ich rot werden, wie ein ertapptes Schulkind, und er würde mir meine sündhafte Leidenschaft am Gesicht ablesen.

So quälte ich mich, den Faden des Gesprächs fortzuspinnen, wobei Gaston mir wenig half. Denn er war dermaßen verzweifelt über sein Unglück, mich zum letztenmal nicht ohne Zeugen sehen zu können, daß ihn alle Geistesgegenwart verließ und er die sonderbarsten Antworten auf meine Fragen gab. Zuweilen sprang er auf, tat ein paar hastige Schritte durchs Zimmer, blieb vor der Uhr auf dem Kaminsims stehen und warf sich dann wieder in den Sessel, mit einem Seufzer, der einen Stein hätte erweichen können, an dem alten Cerberus aber ohne jeden Eindruck abglitt.

Je länger es dauerte, je mehr sank mir der Mut, je länger wurden auch die Pausen in unsrer Konversation. Endlich schlug die Uhr zehn. Da stand er auf, er konnte sich kaum auf den Knien halten. Es ist Zeit, stammelte er. Der Graf erwartet mich. Oh, Madame...

Die Stimme versagte ihm. Auch ich hatte mich erhoben, obwohl ich mich nur mit Mühe aufrecht erhielt. Ich begleite Sie noch hinaus, sagte ich, Herr Ebi wird mich einen Augenblick entschuldigen.

So ging ich ihm voran nach der Tür. Ah, Madame, j'ai la la mort au coeur. Vous quitter, sans vous dire – Oh si vous saviez – !

Je sais tout, mon ami, flüsterte ich, et croyez – moi, si vous souffrez – moi aussi, j'ai le coeur si plein – je suis au désespoir!

Damit öffnete ich die Tür und dachte, draußen – wenn auch nur auf kurze Minuten – würd' ich mich ihm an die Brust werfen und ihm sagen, was ich um ihn gelitten. Als ich aber hinaustrat, sah ich eine andere Feindin meines letzten schmerzlichen Glücks bei einer Lampe am Pfeilertischchen sitzen, eine Näharbeit in den Händen – Mamsell Zipora!

Ich habe nachher erfahren, meine Kammerjungfer hatte der tückischen Person, ohne sich was dabei zu denken, erzählt, ich erwartete heute abend den Vicomte, der Abschied zu nehmen komme. Das hatte die sich zunutze gemacht, um es dem Ebi, den sie immer noch zu fangen hoffte, schadenfroh beizubringen, die Frau, die er heimlich vergötterte, sei auch nicht besser als alle anderen, um sich und ihre Tugend dadurch in ein vorteilhaftes Licht zu setzen. Und der Ebi hatte sich von einer Eifersucht, die er sich selbst nicht eingestand, verleiten lassen, den Wächter zu machen und den Rivalen aus dem Felde zu schlagen.

Sie war von der Erinnerung an diese schmerzlichste Stunde ihres Lebens so erschüttert, daß sie lange nicht fortfahren konnte, sondern immer sich mit dem Kölnischen Wasser die Stirn benetzte und mit geschlossenen Augen dalag.

Endlich sagte sie: Wie ich den Weg in mein Zimmer zurückfand und bis zu dem Sofa gehen konnte, ist mir ein Rätsel. Ich fühlte mich wie vernichtet, was jetzt noch werden konnte, war mir unfaßbar, ich sank auf das Polster nieder, drückte mein Tuch gegen die Augen und brach in krankhaftes Schluchzen aus.

Daß Ebi im Zimmer war, hatte ich völlig vergessen.

Da hörte ich plötzlich seine Stimme, in dem feierlich singenden Tone, wie bei den Psalmenversen seines Trauerspieles: Madame Herz, ich habe Sie immer verehrt, heute bewundere ich Sie. Der Sieg, den Sie über sich selbst davongetragen, ist größer als der von Jephthas Tochter. Sagen Sie nicht, daß ich Ihnen dabei geholfen hab'. Wenn Sie nur gesagt hätten ein einzig Wort: Ebi, verlassen Sie mich, – so wahr Gott lebt – ich wäre gegangen, so sehr es mich hätt' geschmerzt, aber Sie wissen, ich bin Ihrem Wort gehorsam, wie ein Hündlein seinem Herrn. Daß Sie nicht gesagt haben das eine Wort, das macht Ihnen mehr Ehre als einem König, der große Länder erobert, oder einem gewappneten Mann, der allein ein ganzes Heer besiegt. Denn wie es im Prediger Salomonis heißt: Lieblich und schön sein ist nichts, aber ein Weib, das den Herrn fürchtet, das soll man loben, und in Jesus Sirach: Ein schönes Weib, das fromm bleibt, ist wie die helle Lampe auf dem heiligen Leuchter. Erlauben Sie, Madame Herz, daß ich den Saum küsse an Ihrem Gewande.

Ich fühlte dunkel, wie er es tat, und hörte, wie er dann das Zimmer verließ. Da brach es erst recht bei mir aus, und ich weinte und weinte – bis eine Ohnmacht sich meines armen gefolterten Herzens erbarmte.

Am folgenden Tage und auch den nächsten darauf konnte ich das Bett nicht verlassen. Es war keine Krankheit, meinte der Arzt, aber eine Erschöpfung all meiner Lebenskraft. Als ich wieder aufstehen konnte, dauerte es noch Wochen, bis ich den Anblick von Menschen ertragen konnte. Ebi und Mamsell Zipora durften mir nicht vor Augen kommen.

Dann erhielt ich von Konstantinopel aus seinen Ring und einen Brief dabei, voll schmerzlichster Geständnisse. Ich zeigte beides meinem Manne, ohne ein Wort dabei zu sagen, und er gab es mir ebenso schweigend zurück. Ich wußte, daß er ein zu kluger Kenner des weiblichen Herzens war, um es als eine Sünde anzusehen, wenn meines gegen das liebenswürdigste, was die Erde trug, schwach gewesen war.

Daß ich einen ganz ähnlichen Ring machen ließ mit der Inschrift: ›Pour toujours‹, sagte ich Herz nicht. Er hätte die Devise, die zweideutig war und ewige Liebe oder ewige Trennung bedeuten konnte, doch vielleicht in dem ersten Sinne verstanden. Zugleich schrieb ich ein paar Zeilen, die die Bitte enthielten, mir nicht wieder zu schreiben. Er erfüllte diesen Wunsch. Ich hörte nur selten einmal durch Dritte von ihm. Schon nach fünf Jahren kam die Nachricht von seinem Tode.

Das ist die Geschichte von diesem Ringe, die du hast wissen wollen, lieb Kind. Daß ich sie dir erzählt hab', mag dir beweisen, wie lieb du mir bist. Nicht einmal deine Mutter weiß das Genauere davon. Du magst es ihr einmal wiedererzählen. –

Ich war sehr ergriffen von dieser rührenden Geschichte und wußte nicht, was ich sagen sollte, meinen Anteil auszudrücken. Als der naive Jüngling, der ich war, sagte ich endlich das Ungeschickteste: So schmerzlich es dir sein muß, Tante, so oft du den Ring betrachtest, du kannst es wenigstens ohne Reue tun.

Sie sah still vor sich hin. O Kind, sagte sie leise, du bist noch jung. Du hast noch nicht erfahren, daß es manchmal am bittersten schmerzt, wenn man bereut, daß man nichts zu bereuen hat. Das sag aber nicht weiter!

Am folgenden Tag setzte ich meine Reise fort. Als ich einen Monat später wieder nach Frankfurt kam, fand ich die geliebte Tante nicht mehr unter den Lebenden. Der Onkel händigte mir eine kleine

Schachtel ein, die sie ihm für mich übergeben hatte, und deren Inhalt er nicht kannte. Der Ring lag darin und ein zärtliches Segenswort, das sie mit zitternder Hand noch auf ihrem Sterbebette geschrieben hatte.

Seitdem ist dies teure Andenken nicht von meiner Hand gekommen. Die Emailbuchstaben sind ausgewaschen, der Goldreif ist brüchig geworden, die kleine Hand, an der ich das Kleinod zuerst gesehen, ist längst vermodert, doch was mir der sanfte Mund vertraut, lebt unvergeßlich in meiner Erinnerung fort.

(1906)

JAKOB WASSERMANN

Nimführ und Willenius

Als Willenius seine erste Ausstellung im Propyläensaal veranstaltete, war er dem engen Kreis von Fachgenossen, die in der Stille das Urteil über einen Künstler prägen, längst kein Unbekannter mehr. Das Publikum blieb der neuen Größe gegenüber frostig, aber die vom Handwerk gerieten aus dem Häuschen, und in den Künstlerkneipen wurde von nichts anderem geredet. So hatte noch niemand einen Baum, eine Wiese, die Luft einer sommerlichen Mittagsstunde, den Schritt eines Säers, die Bewegung eines Holzhackers gesehen und gemalt. Man wußte nicht, was mehr zu bestaunen sei, die Leidenschaftlichkeit der Anschauung oder die asketische Strenge der Technik, die gestaltende Kraft, die alle Erscheinung auf einfachste Linien zurückführte, oder die Kühnheit, mit der ein hundertfältiges Spiel des Lichtes und der Reflexe von einer festen, ja starren Kontur bezwungen wurde.

Jahrelang gehörte Willenius zu den täglichen Stammgästen eines kleinen Kaffeehauses hinter der Akademie; er hockte meist allein in einem Winkel, entweder mit dem Skizzenbuch beschäftigt oder stumm vor sich hinbrütend, wobei er aus einer englischen Pfeife rauchte. Er war ein langer, magerer Mensch mit bartlosem Gesicht, in welchem ein dünner, greisenhafter Mund und schwarze, fast glanzlose Augen saßen. In seinen Manieren war etwas Geschraubtes, und er grüßte die flüchtigsten Bekannten mit einer feierlichen Grandezza, die halb komisch, halb rührend war und auf viel erlittenes Elend schließen ließ. Eines Tages war er verschwunden, und erst geraume Zeit nachher erfuhr man, daß er sich irgendwo auf dem flachem Lande niedergelassen habe. Dort lebte er mit den Bauern wie ein Bauer. Die Bedürfnisse dieses Mannes waren primitiv; er rechnete nicht darauf, mit seiner Arbeit mehr Geld zu verdienen, als man unbedingt braucht, um zu vegetieren, schon deswegen nicht, weil ihm seine Bilder kein Vollendetes waren; sie galten ihm nur als Merkzeichen auf den Beginn eines ungeheuren Wegs, als Ahnungen, Versprechungen, Versuche, Fragmente, Visionen.

Er achtete sich nicht; er liebte sich nicht; er war sich selber nichts. Er war ein Sklave, der Sklave eines Idols, eines Begriffs;

eines Dämons, der den Namen Kunst führt und der seine freien Triebe und Neigungen verschlang. Harmloser Genuß der Stunde, Atem und Herzschlag ohne die Tyrannei dieses Molochs war nicht zu denken, nicht einmal ein Traum, der sich seinem Bann entzog. Ein Impuls von geheimnisvollster Beschaffenheit, ohne Ruhmsucht, ohne Eitelkeit, ohne Hang nach äußeren Begünstigungen; eine ununterbrochene Kette von Leiden und Opfern, ein ununterbrochenes Bereitsein, eine beständige krampfhafte Spannung aller Nerven, das war die Existenz dieses Menschen.

Willenius malte seine Bilder nicht, er schleuderte sie aus sich heraus. Leichenblaß stand er vor der Staffelei; die Augen, gierig und angstvoll aufgerissen, erinnerten an die eines Sterbenden unterm Operationsmesser. Oft nahm er sich die Zeit nicht, die Farben auf die Palette zu bringen, sondern ließ sie aus der Tube gleich auf die Leinwand laufen, aus Furcht, daß die Lebendigkeit der innerlichen Vorstellung sich trüben könnte, bevor er den Ton getroffen, den er sah und fühlte. Dabei war er von geradezu fanatischer Ehrlichkeit gegen das Modell. Er hätte es vielleicht über sich gebracht, in eine Wohnung einzudringen und aus einem Schrank bares Geld zu stehlen; aber, abgeschreckt durch die Schwierigkeit der Zeichnung und Komposition, einem Weidenstrunk statt der vier Krümmungen, die er hatte, nur drei zu geben, das war unmöglich; und darin lag auch die Wurzel des blutigen Ringens, denn sein Instinkt sagte ihm, daß in der Kunst das Unscheinbare das Zeugende sei, und daß es ebensowohl das Zerstörende werden müsse, wenn es sich nicht an die Wahrheit der einmaligen Halluzination gebunden hielt. Entweder stimmte die Sache, oder sie stimmte nicht; dazwischen gab's nur eins, das Verworfenste von allem: den Dilettantismus.

Welche unsägliche Qual gewisse aufeinanderplatzende Valeurs von Brennendrot und Schmutzigbraun verursacht hatten, die nun so verwegen als selbstverständlich den tückisch verschleierten Halbtönen der Natur Einheit und Glaubhaftigkeit verliehen, davon begriffen diejenigen nichts, die von der Natur im Vorübergehen Kleinbild um Kleinbild empfingen und denen die sinnlose Zerstückelung als Reichtum erschien. Die nicht spürten, daß die sogenannte Natur ein Chaos ist, ein Sammelsurium, ein Wörterbuch, und daß jenes Schauen, welches dem Ungeformten eine Form abzwingt, der ungeistigen und toten Fülle durch Abbreviatur und Beseelung Leben schenkt, den Organismus tiefer und heißer in Anspruch nimmt als eine Liebesumarmung oder die Überwindung eines Feindes. Ja, Feind und Geliebte war die Natur;

Feind und Geliebte war, was Wirklichkeit hieß, voller Finten und Schliche und Beirrungen, lügnerisch, schmeichlerisch, verführerisch und letzten Endes unbesiegbar. Das Auge mußte sich bis ins Innerste der Dinge bohren, und es durfte nicht die Epidermis beschädigen, während er das Geschäft des Anatomen betrieb.

Als Willenius dreieinhalb Jahre in jener dörflichen Abgeschiedenheit gehaust hatte, beschloß er, wieder in die Stadt zu ziehen. Es hatte sich ein reicher Kunstfreund für seine Produkte interessiert, der Verkauf einiger Bilder sicherte ein mäßiges Auskommen, und er mietete ein geräumiges Atelier, wo er eine Anzahl seiner Studien auszuführen gedachte.

Es war im November. Schon in den ersten Tagen hörte Willenius von einer Ausstellung im Künstlerverein. Ein neuer Mann, Johannes Nimführ, hatte dort seine Arbeiten an die Öffentlichkeit gebracht. Man erzählte sich wunderliche Dinge von ihm; er habe acht Jahre lang auf einer Insel im Südmeer gelebt und mit den Eingeborenen wie mit seinesgleichen verkehrt; er sei unzugänglich wie der Dalai-Lama und nähre sich bloß von Brot und Äpfeln. Einige Leute wollten sich halbtot gelacht haben über die bengalische Kleckerei, wie sie es nannten, die Kritiker taten persönlich beleidigt, selbst die von der Zunft schnitten bedenkliche Gesichter und nur ein paar waghalsige Sonderlinge verkündeten ihre Begeisterung.

Eines Nachmittags begab sich Willenius hin, um die Bilder anzuschauen. Erst schritt er langsam von Leinwand zu Leinwand, dann blieb er mit hängenden Armen stehen, die Fäuste geballt, den Rücken gebeugt, den Kopf gierig vorgestreckt, die Lippe zitternd.

Es waren Landschaften. Das Meer und ein Fischerboot; südliches Meer, und am Strand nackte wilde Frauen; Frauen hingelagert auf ein Fell, am Stamm einer Palme lehnend, zu einem silbernen Fisch sich bückend; Wiese, Fels und Himmel simpler als ein Kind sie zeichnen würde; alles Leben in der Farbe; Licht, Bewegung, Umriß, Leib, Seele und Symbol, alles in der Farbe, keine Wirklichkeit mehr, nur Traum, und alle Wirklichkeit hineingeschlüpft in den Traum, so daß es ein Spiel schien, die Wiedergeburt einer Welt ohne Kleinlichkeit, eine Anschauung des Inner-Innersten, Zusammenfassung des Subtilsten, Stil ohne Manier, Erhabenheit ohne Finesse, die verwandelte und zur Ruhe gefrorene Natur, eine majestätische Synthese.

Und wie waren diese Dinge gemacht! Es war, um den Verstand zu verlieren. Nichts von Absicht auf Komposition und Wirkung, nirgends ein unreiner Strich, ein Überbleibsel der Hand; keine Aufdringlichkeit der Gegensätze, kein Schwindel und Notbehelf mit Punktation und Perspektive. Ja, es war hier ein einzigartiger und fast erschreckender Verzicht auf Hintergrund und Raumverhältnis geschehen, so daß der ungewohnte Blick es lächerlich finden konnte und nur der Unschuldige das Bild, schlechthin das Bild zu erfassen vermochte.

Willenius war wie von Krankheit befallen. Mehrere Nächte hindurch schlief er nicht. Er hatte nie den Wunsch gehabt, die Bekanntschaft irgendeines Menschen zu machen; Nimführ zu sehen und zu sprechen war jetzt sein ungestümstes Verlangen. Die Gelegenheit fand sich bald, da er täglich die Ausstellung besuchte. Nimführ, von einem jungen Maler auf Willenius aufmerksam gemacht, stellte sich ihm selbst vor. Er war ein hünenhaft gebauter Mann, sehnig wie ein Lastträger, mit langem, gelblichem Gesicht, starken hohen Backenknochen und schütterem Haarwuchs.

Sie gerieten in ein Gespräch, das um halb fünf Uhr nachmittags begann und um drei Uhr nachts in einer öden Vorstadtgasse endigte. Es war ein zehnstündiges Einanderbelauern und -aushorchen. Die Sicherheit des jüngeren Mannes beunruhigte Willenius; sein Urteil über andere Künstler kam aus den höchsten Regionen, wo nur die Eingeweihten sich durch Geheimzeichen verstehen. Er kannte Willenius' Arbeiten; daß er sie schätzte, eröffnete er nur mittelbar, indem er eine berühmte Größe, die von der Menge bewundert, selbst von Kennern gepriesen wurde, verachtend daneben aufstellte wie einen Harlekin neben ein Monument. Nichts kam der überlegenen Ruhe gleich, mit der er seinen eigenen Mißerfolg behandelte. »Die Menschen sind dem Künstler zu nichts nutze«, sagte er, »Kunst ist das Einsamste, was es auf Erden gibt, und wo sie verstanden wird, muß man ihr schon mißtrauen.«

Bald war es so weit, daß die beiden Männer Tag für Tag einander trafen. Den Silvesterabend verbrachte Nimführ in Willenius' Atelier, und als es zwölf Uhr schlug, trank er Brüderschaft mit ihm. Ein zweites Atelier war im selben Hause frei, Nimführ bezog es. Er habe noch zwei Jahre ausführender Arbeit vor sich, äußerte er, dann wolle er nach Mexiko reisen. Willenius, vielfach angeregt durch die abendlichen Unterhaltungen mit dem Freund, malte täglich acht bis neun Stunden. Nimführ warnte ihn vor einem Mißbrauch seiner Kräfte. »Neue Einflüsse wollen gären, ehe sie sich in Gestalt umsetzen«, meinte er, »wer zu schnell verdaut, zehrt ab.«

Willenius horchte auf. Neue Einflüsse? Was sollte das heißen? Stützbalken an einem baufälligen Haus? Er war empfindlich wie alle in sich selbst Verstrickten. Seine Liebe zu Nimführ, von Bewunderung und Ehrfurcht gezeugt und von jener nahrhaften Sachlichkeit getragen, die bloß unter Bauern und Künstlern existiert, vermischte sich mit Angst und Abwehr. Freilich war es anspornend, ihn zu beobachten, der so herrisch frei in seinem Bezirk waltete. Ihm waren Hand und Auge eins; was er schuf, löste sich souverän vom Material; was er schaute, war sein Eigentum. Willenius hingegen mußte die Erde erst in Stücke reißen, bevor sich ihm ein Ganzes gab; sein Schaffen war ein heimlicher Raub; er mußte die Natur überlisten, beschleichen und verraten, denn sie gewährte ihm von selber nichts, und vom Auge zur Hand war der Weg so weit wie vom Paradies zur Hölle.

Nimführ erblickte darin einen Krampf. Voll höchsten Respektes vor dem Können des Freundes glaubte er helfen zu müssen. »Du richtest dich zugrund, Menschenskind«, sagte er eines Tages, »du verbeißt dich in die Leinwand und läßt dich von ihr fortschleppen wie von einem Raubtier. Schließlich erliegt dir ja die Bestie immer wieder, das ist wahr, aber so kann man nicht leben, dabei muß man verbluten. Und das macht einen Kerl von Genie klein, wenn er an den Dingen verblutet, die er schafft. Füttern sollen uns die Sachen, fett machen sollen sie uns, reicher machen, unterkriegen müssen wir sie.« Willenius sah den Freund mit seinen dumpfen Augen von unten herauf an und erwiderte: »Wenn der Hund zwei Flügel hätte, wär er ein Vogel, immerhin ein wunderlicher Vogel, aber er könnte fliegen. Über fundamentale Gattungsverschiedenheiten zu rechten, ist müßig. Laß mich nur laufen, laß mir meinen mühseligen Weg, und sei du froh, daß du fliegst.«

Es ließ aber Nimführ nicht; er wollte diesen unterirdischen Schmied aus seiner drangvollen Enge befreien. Sie kamen in Streit über die pastose Manier, in der eine sonnengrell beschienene Ziegelwand gemalt war; über den Eigensinn, der sich in der Durchführung eines Wolkenkonturs gefiel; über das lärmende Nebeneinander von Farbenflecken auf einer Herbstlandschaft. Nimführ wollte dergleichen bescheidener haben, er wollte es maßvoller haben, kurzum, er wollte es anders haben. »Siehst du, Paul«, rief er einmal spät in der Nacht, »das Persönliche ist's, das uns Leuten, wie wir da sind, das Konzept verdirbt. Wir pressen uns jeden Gegenstand inbrünstig an die Brust, und vor lauter Verliebtheit vergessen wir die Haltung, die Götterhaltung, ohne die unser bestes Geschöpf keine bessere Rolle spielt als ein verzogenes Kind.«

Willenius runzelte die Stirn und schwieg. Haß zuckte in seinem Gesicht. Wer bist du und was wagst du? schien sein niederge-flammter Blick zu fragen. Stellst du ein Prinzip gegen meine Welt, so stell ich mich selbst gegen dein anmaßendes Verdikt. »Hast du dein Bild heute fertiggemacht?« erkundigte er sich nach einer Weile; »du wolltest es mir doch zeigen.«

Als Willenius am nächsten Vormittag das Bild sah, überlief ihn ein Schauder. Es war ein nackter Knabe, an einen Felsblock gekauert, weiter nichts. Der Knabe war häßlich, der Felsblock häßlich, doch das Ganze war wie die Seele eines Märchens, das enthüllte Geheimnis der Atlantis, ohne eine Spur des Pinsels hingehaucht. Willenius reichte Nimführ stumm die Hand. Nim-führ lächelte ein bißchen geschmeichelt, und wenn er lächelte, hatte er Ähnlichkeit mit einer alten Frau. Dieses Lächeln durch-bohrte Willenius wie ein Messer. Ihm war, als wolle Nimführ damit sagen: Überspring die Kluft von einem Stern zum andern, von dir zu mir geht doch kein Pfad.

So regte sich die brennendste Eifersucht, die je ein Bruderherz zerwühlt hat; Eifersucht – Wetteifersucht. Vielleicht ist schon im Mythos von Kain und Abel etwas von der Sehnsucht und dem Haß, dem Schmerz und der Liebe enthalten, aus denen sich die Eifer-sucht zwischen Künstlern nährt, von jener Qual hauptsächlich, die eher das eigene Ungenügen als das Verdienst des andern zerstö-rend fühlbar macht. Willenius spürte sich gewachsen, als er begriff, daß er aus dem Kreis des Versuchens und der Vorberei-tung treten müsse, daß er endlich ein Werk schuldig sei, obwohl er erkannte, daß man, um ein Werk zu geben, schamlos sein müsse, schamlos und kalt.

Als es Sommer wurde, fing er an. Der Vorwurf war folgender: ein reifes Kornfeld; ein glutblauer Himmel wie an einem Tag nach Gewittern; hinter dem in der Fülle schwankenden Getreide zieht sich das weiße Band einer niedrigen Mauer, und hinter der Mauer schreitet straff eine Magd mit einem Wasserkrug auf dem Haupt. Der Vordergrund wird durch ein Beet roten Mohns gebildet, das die ganze Breite des Feldes besäumt. Es waren Gegensätze von überraschender Verwegenheit, ein Fünfklang von Blau, Gold, Weiß, Braun und Purpur, der von allen unreinen Zwischentönen befreit war. Wochen und Wochen hindurch stand Willenius täg-lich von sechs Uhr morgens bis zwei Uhr nachmittags draußen und entwarf über dreißig Skizzen. Der Eindruck, den die zunehmende

Reife des Korns hervorrief, übertraf alle Erwartung und ließ frühere Entwürfe immer wieder verblassen. Wichtig war, den rasch abblühenden Mohn festzuhalten, der sich nur in einem genau fixierten Frühlicht so samtartig glänzend darbot, wie ihn das Bild verlangte. Von der ungeheuern Anstrengung des Körpers und Geistes erschöpft, wurde Willenius Ende September krank und mußte für dritthalb Monate jeder Arbeit entsagen. Kaum genesen und nicht gewarnt durch den Zusammenbruch, stürzte er sich neuerdings in fieberhafte Tätigkeit. Den Sommer mit Ungeduld erwartend, verbrachte er den Rest des Frühjahrs mit den Studien zu der weißen Mauer und zu der tragenden Frau, die sich immer bedeutungsvoller als ein ernstes Zeichen menschlichen Daseins über der farbenherrlichen Landschaft erhob.

Aber nicht mit Freude erfand, gestaltete Willenius auch hier. Obwohl er wußte, daß dieses Werk sein Gipfel war, und daß mit wirklichem Können in äußerster Sammlung und Vertiefung das Innerste geben Meisterschaft und Vollendung heißen durfte, so verfinsterte ihn doch das Ringen um etwas, das gleichsam von einem Menschen stammte und nicht von Gott. Ein mißlungener Strich, ein Quadratmillimeter unbeseelter Fläche beschwor Anfälle von Melancholie und verzweifelte Skrupel über Endgültigkeit und Notwendigkeit des Einzelnen und des Ganzen. Daran war er gewöhnt; es wäre ihm nicht als Verhängnis erschienen. Aber vordem hatte er kein anderes Tribunal gekannt als sein erbarmungsloses Auge, seinen feurigen und schmerzhaften Drang, das Höchste zu leisten, was ja schon ein Imperativ von quälender und rätselhafter Art ist, der alles private Wesen austilgt und den Menschen wie eine Magnetnadel unaufhörlich erschüttert sein und erzittern läßt. Nun war jedoch dieser Freund gekommen, dieser Feind; was sag ich, Freund, Feind – dieser Antipode, dieser Aneiferer, Anstachler, dieser Unnahbare, Ungenügsame; das verkörperte böse Gewissen.

Willenius fürchtete Nimführ, dessen Existenz ihn ein Racheakt des Schicksals gegen die seine dünkte; die Sphäre, in der Nimführ webte, hatte etwas Mysteriöses für ihn, durch ihre Helligkeit und Ruhe Verdächtiges. Trotzdem fühlte er sich als subalterner Geist darin, und wenn er sich nicht eine Kugel durch den Kopf schießen wollte, so mußte er lieben, bewundern – und kämpfen.

Was Nimführ betrifft, so wußte er nichts von der Aufgewühltheit seines Freundes. Hätte er darum gewußt, er hätte das Wesen

mit einem Achselzucken, einem verwunderten Sarkasmus abge-
tan. Ihm war die Kunst eine gerechte Mutter vieler Kinder.
Nebenbuhlerschaft war ihm unverständlich; wo er sie an andern
spürte, konnte er zugeknöpft werden wie ein Geheimrat. Nur
trübe gestimmt fand er sich bisweilen durch den Umgang mit
Willenius; dies schreckte ihn ab, denn sich vor allen niederschla-
genden und verzerrenden Einflüssen zu bewahren, war ein Gebot
des Instinkts bei ihm, der sich selber in der Stille durch das
Fegefeuer unreifer Zustände gerungen hatte.

Eines Nachmittags im Juli rief ihn Willenius in sein Atelier, wo
das nahezu fertige Bild auf der Staffelei stand, gut belichtet und
erstaunlich aus der Farblosigkeit des Raumes hervorbrennend.
Nimführ schaute und schaute; sehr ernst. Zweimal irrte sein Blick
zur Seite; er fing ihn wieder hinter verkniffenen Lidern. »Donner-
wetter, das ist eine Leistung«, sagte er endlich in einem fast
bestürzten Ton. Willenius atmete hoch auf; die Nässe schoß ihm in
die Augen, dieses Wort erlöste ihn.

Abermals betrachtete Nimführ das Bild, trat näher, schritt zurück, neigte den Kopf, faltete die Stirn, nickte, zog die Lippen
auseinander, lächelte, sagte »Teufel noch einmal«, drückte endlich
dem Freund warm die Hand und ging. Willenius wurde stutzig.
Warum geht er fort? dachte er voll Argwohn.

Am Abend kam Nimführ wie gewöhnlich herüber, stand wieder
lange vor dem Bild, sprach dann über gleichgültige Dinge, plötzlich aber, während er eine Zigarre anzündete, meinte er obenhin:
»Dein Mohn sieht gar nicht aus wie Mohn, sondern wie Blut.«
Willenius zuckte zusammen. »So?« sagte er kurz, »ich dächte
doch.« Und als Nimführ schwieg, fuhr er mit rauher Stimme fort:
»Rede nur von der Leber weg; du hast was gegen das Bild, ich hab's
gleich gemerkt.«

Nimführ schüttelte mit einer Miene den Kopf, als ob er sagen
wollte: Schwatzen hat keinen Zweck. So sehr er das Werk als Maler
anerkennen mußte, so sehr ging es ihm in der Wirkung wider das
Gefühl. Es war ihm zu nah und zu momentan, und weil seine
Fantasie nicht ins Spiel kommen konnte, schloß er, daß Willenius
keine Fantasie besitze und daß er diesen Mangel durch übergroße
Deutlichkeit und die gierige Preisgebung aller Kräfte unbewußt
verhülle. Er war des prostituierenden Treibens satt, denn alle und
alles um sich her sah er davon angefault. Er war es satt, die Grenzen
des Metiers verwischt zu sehen in diesen aus Verzweiflung, Mut
und Gewaltsamkeit erzeugten Produkten, in denen ganze Farben-
knoten zur Plastik drängten. Er wollte, er konnte sich nicht

erklären, aber Willenius bedurfte der Erklärung nicht, er empfand sie in seiner frierenden Brust. Er ahnte, was es heißen sollte: der Mohn sähe aus wie Blut.

Mit großen Schritten ging er unaufhörlich hin und her. Die nach vorn gebogene Gestalt schwankte auf den langen Beinen, die stumpfen Brombeeraugen irrten ruhelos hinter den Lidern. Aus geschnürter Kehle fing er an zu sprechen. Vorwurf war das erste; Trotz, Herausforderung, Verdächtigung folgten unerbittlich. Nimführ antwortete kühl. Er appellierte an die Sache und bat um Sachlichkeit. Willenius, der wie alle schüchternen und verschlossenen Menschen im Zorn jedes Maß und jeden Halt verlor, schrie: »Ich pfeife auf deine Sachlichkeit. Sachlich bin ich, wenn ich arbeite. Jetzt fordere ich Rechenschaft von dir als Person. Ich bin dir im Wege; gesch's, daß ich dir im Wege bin.« Da versetzte Nimführ mit furchtbarer Gelassenheit: »Wie kannst du mir im Wege sein, da ich deinen Weg für verderblich halte, verderblicher als die Wege der Stümper –?«

Willenius griff sich ans Herz. Das Herz stand ihm still. Er sah sich verloren, zum Schafott verdammt; ein Leben voller Mühsal, Kampf und Entbehrung wertlos geworden. Die Feuchtigkeit vertrocknete in seinem Gaumen; unsäglicher Haß lenkte seinen Arm, als er das scharfgeschliffene Messer packte, das zum Spreiselschnitzen diente, und das auf dem Tische lag; mit flackernden Blicken, geduckt, eilte er auf Nimführ los. Dieser wurde kreideweiß. Zuerst wich er zurück, dann umschloß er mit eiserner Faust das Handgelenk des Rasenden, wand ihm mit der Rechten das Messer aus den Fingern, schleuderte es in einen Winkel, hierauf ging er und machte die Türe nicht lauter zu als sonst.

Willenius schlich an die Wand und genau dort, wohin das Messer gefallen war, kauerte er sich nieder. Eine halbe Stunde mochte verflossen sein, und er hockte immer noch da, regungslos wie ein verendendes Tier. Auf einmal jedoch rangen sich aus dem Tumult seines Innern die gellenden Worte los: »Zum Malen braucht man keine Ohren«, und blitzschnell hob er das Messer auf und schnitt sich damit zuerst das rechte, dann das linke Ohr vom Haupt. Auf die Wundflächen legte er Watte und verband sich dann mit einem großen roten Tuch. Er setzte eine Mütze auf, verlöschte die Lampe und begab sich auf die Straße. Bis zum Morgengrauen irrte er planlos durch die Stadt, dann begab er sich wieder ins Atelier, nahm Bild, Kasten und Staffelei und machte sich auf den Weg hinaus, wo der Acker war mit der Mauer und dem Mohnfeld. Er stellte die Leinwand auf und verglich. Er trat ins reife Korn und schritt langsam im Kreis herum. Als er zurückkehrte, um zu malen, verlor er die Mütze. Die Sonne, die schon hochgestiegen war, brannte auf seinen Kopf. Er malte einen Leichnam in den roten Mohn hinein. Die Augen gingen ihm über; nein, nicht einen Leichnam, es war der Tod selbst, fahl, bleiern und fantastisch, der Tod in einem Purpurbett. Mit jedem Pinselstrich verdarb er das herrliche Bild mehr; er malte die Zerstörung seiner eigenen Seele, den Wahnsinn, das Ende. Noch einmal leuchtete in seinem Blick der tiefe und strömende Glanz, der den Künstler bei der Arbeit bisweilen einem betenden Kind ähnlich macht, dann brach er in ein weit schallendes Gelächter aus, das einige Landleute herbei-lockte. Diese führten ihn zur Stadt.

Ein paar Tage später besuchte ihn Nimführ in der Anstalt, in die er gebracht worden war. Welch ein Genie war das, dachte er schmerzlich versunken, als er in das kaum zu erkennende Antlitz des Freundes schaute. Willenius lag im Bett und rauchte seine Pfeife. Die Augen schienen Nimführ zurückzuweisen und nach ihm zu verlangen, sie schienen ihn zu grüßen wie zwei geheimnis-volle Flammen aus einem umwölkten Himmel.

»Wissen Sie etwas Näheres über den Anlaß, weshalb er sich so verstümmelt hat?« fragte der Arzt draußen.

Nimführ blickte zu Boden und erwiderte mit eigentümlicher Bitterkeit: »Dafür habe ich nur eine einzige Erklärung; er liebte die Kunst mit einer verbrecherischen Leidenschaft. Er liebte die Kunst und haßte seinen Körper. Er vergaß, daß man auch leben muß, wenn man schaffen will, leben, fühlen, träumen und gegen sich selbst barmherzig sein.«

Einen Monat darauf reiste Nimführ übers Meer, nach Ländern, wo es noch unschuldige Menschen und reine Farben gab.

(1910)

ALFRED DÖBLIN

Der Dritte

Der berühmte Frauenarzt Dr. William Converdon in Boston erließ am 14. April eine Annonce in den ›Täglichen Nachrichten‹, in der er eine Sekretärin suchte. Er war durch seine Wahl zum Vorsitzenden der Gesellschaft für Gynäkologie mit Schreibarbeit übermäßig belastet worden; seine bucklige Haushälterin, der er seine Bedrängnis mitteilte, entschied sich dafür, eine Dame zu suchen; diese sei billig, vor allem leichter zu entlassen.

Am 18. April stellte sie ihm zum Schluß seiner Sprechstunde zwei Damen vor. Converdon drehte sich teilnahmslos auf seinem Stuhl um, nahm mit Kopfnicken die leichte Verbeugung eines scharfzügigen, schwarzen, intelligenten Fräuleins entgegen, richtete länger seine grauen kalten Augen auf das blonde Mädchen neben ihr, die ihm mit Erröten ihre Zeugnisse reichte. Wie er dann mit der Hand über sein breites Kinn fuhr, entschied er sich, ohne die Papiere zu öffnen, für die blonde, schüchterne, vollwangige, weil sie schöne Flechten trug und es ihn beunruhigen würde, ihre Reize auf die Straße zu schicken, und weil er hoffen konnte, ihrer rasch überdrüssig zu werden.

Bei Beginn der Diktate am nächsten Morgen empfand der hagere Mann eine Störung seines Gedankengangs durch die Anwesenheit des Mädchens. Er zögerte daher, über den Läufer des Sprechzimmers hin und her gehend, nicht lange, hinter dem Sessel haltzumachen, auf dem sie saß, in blauem Kleid, den Kopf mit sauber gewundenen Flechten über das Pult gebeugt. Bei Betrachtung ihres Rückens blieb er an ihrem blonden Nacken hängen; so hob er denn langsam ihren weißen Stehkragen auf und küßte sie in den Spalt hinein zwischen Kleid und Kragen. Sie fuhr zurück, ihre Augen leuchteten auf; als er ihre hellen Nackenhaare durch seine Zähne zog, legte sie kichernd ihre heiße Wange nach rückwärts an seinen Kopf und dehnte sich auf dem Stuhl. Dann, als er mit seinen schmalen Lippen ihre Wangen abtastete, warf sie sich plötzlich vorn über die Schreibplatte, vergrub den Kopf in den Armen, schluchzte sehr leise eine kleine Weile, während er nachdenklich hinter ihr stand, das scharfe Gesicht gesenkt, die linke Hand am Kinn. Sie schüttelte sich noch einmal, wischte sich die Augen mit einem sehr dünnen Taschentuch, stand auf, wandte sich um und sah ihn aus geröteten Augen von unten an. Das blondhaarige Fräulein, sie hieß Mary Walter, legte dann ihren Kopf an seine weiße Weste und bot ihm zu seiner großen Überraschung den Mund. Er wollte erst mit der freien linken Hand in die Rocktasche fahren nach seinem Kneifer, um die Erscheinung aus der Nähe zu betrachten, küßte sie aber entschlossen und nannte sie vorsichtig ›liebes Fräulein Walter‹. Fräulein Walter setzte sich wieder auf ihren Sessel, er spazierte befriedigt über den Läufer, diktierte weiter. Er machte ihr am Ende der Arbeit, weil es ihm so einfiel, einige Liebeserklärungen, die sie erst gedankenlos mitstenographierte, dann aber beim Nennen ihres Namens verstand; sie spazierte Arm in Arm mit dem erschrockenen Mann über den Läufer; der beschäftigte Arzt freute sich aber herzlich über den raschen Ablauf des Vorgangs.

Er ging mit ihr ins Theater, speiste abends mit ihr zusammen, trieb dies ein paar Tage. Bis ihm nach genau einer Woche, als er bei Beendigung des Diktats auf seiner Chaiselongue saß und Fräulein Walter betrachtete, ein weiterer Gedanke kam. Sie band sich eben über ihren blauen Rock eine spitzenbesetzte weiße Schürze und sah dabei auf ihre weißen Tennisschuhe, als er um die Erlaubnis bat, die Schürze hinten zuzuknöpfen, und ihr bei dieser Tätigkeit dann mit stockender Stimme von hinten ins Ohr flüsterte, sie möchte heute ihr Nachtlager in seiner unmittelbaren Nähe aufschlagen. Sie betrachtete eine Weile ihre Fingerspitzen, löste sich mit einem Ruck von seinen Händen, stampfte mit dem Fuß auf, sagte zunächst leise: »Es geht nicht.« Er ebenso leise: »Warum« und duzte sie sofort in Vorbedacht der kommenden Situationen. Nun einfach darum nicht, weil sie doch zu Hause wohne. Es wurde nun noch die Depesche an die Mutter abgesandt, in der berichtet wurde, daß Fräulein Mary den Herrn Chef für einen Tag auf einer Reise begleiten müsse, die bucklige Haushälterin orientiert, welche ein hierfür seit langen Jahren benutztes Zimmer freundlich abstaubte; so daß Dr. Converdon seinem Plan entsprechend die fröhliche Nacht mit seiner Sekretärin verlebte.

Nur störte ihn im Verfolg seiner notwendigen Bemühungen an dem Fräulein mehreres, nämlich die große Energie ihres anfänglichen Widerstands, ihre auffallende Erregtheit während der ganzen Nacht, besonders aber der Befund einer unzweifelhaften Jungfräulichkeit. Über diesen Befund war Herr Dr. Converdon heimlich außerordentlich entrüstet. Er erhob sich sehr früh, machte dem Fräulein am Morgen vor der Waschschüssel laute Vorwürfe wegen ihres Lebenswandels; man sollte es nicht für möglich halten, wenn man sie betrachte mit ihren blonden Flechten; was wollte sie eigentlich von ihm; es zeuge von einer unglaublichen Unreife, von einem völligen Mißverstehen seiner Person; er wisse gar nicht, wie er über diesen Punkt ihrer Vergangenheit wegkommen solle. Sie weinte, im bloßen Hemd am Fenster sitzend, furchtbar, bettelte um Verzeihung; sie wisse ja selber nicht, wie es gekommen sei. Er diktierte ihr wütend stundenlang am Vormittag; diktierte, bis sie halb schlafend über den Tisch sank; war außer sich über die Roheit dieser anscheinend harmlosen Person.

Sofort wollte er sie vor die Tür setzen. Aber er überlegte sich, daß sie dann zu leichten Kaufs davonkäme. Es wäre ihr ein Vergnügen, jetzt zu entwischen nach diesem Verbrechen an seiner Seele. Er erklärte ihr abends, als sie zum Nachtessen erschien, daß er sie nunmehr fest engagiere, zunächst auf drei Monate; sie klatschte in die Hände; er verlangte dringend, daß sie einen förmlichen Vertrag, den er entworfen habe, unterschriebe. Sie unterschrieb ungelesen, hängte sich an seinen Hals. Er lächelte finster. Niemand erkannte den ernsten Mann tagelang in seiner explosiven Wut. Er mietete ihr schon nach einigen Tagen eine Wohnung in dem Nebenhause, entsetzte sie ihrer Stellung als Sekretärin, engagierte einen alten Bureaubeamten. Sie sollte als Gesellschaftsdame fungieren in seinem Hause. Sie hätte nichts weiter zu tun, als zugegen zu sein, wenn er es verlangte.

Sie stellte nun seine Möbel um, hing kleine Liebesbilder und Fähnchen auf, setzte sich allabendlich zu ihm an den Tisch. Er sprach tagelang mit ihr kein Wort, er duldete sie, gab ihr mit jeder Miene seine Verachtung zu erkennen. Eines Tages schwoll sein Gesicht, während sie ruhig aß, blaurot an, die Stirnader trat wie ein Bleistift hervor, seine Augen quollen heraus; er schlug mit der Faust neben sie auf die Platte: »Du hast hier nicht Abend für Abend an meinem Tisch zu sitzen. Dieser Stuhl hat frei zu sein an meinem Tische. Ich verbitte mir, daß irgend jemand auf diesem Stuhle sitzt.« »Aber Lorry, wo soll ich denn sitzen?« »Wo du willst, sollst du sitzen. Vor der Türe. Ich wünsche, daß dieser Platz frei bleibt.« Sie stand weinend auf: »So wünschst du, daß ich gehe?« »Daß du gehst? Das charakterisiert dich recht. Was willst du gehen? Warum? Wohin willst du gehen? Oh, ich kenne dich schon, du. Du willst gehen; das wolltest du schon lange. Aber du hast ohne meine Erlaubnis nicht das Zimmer zu verlassen. Du hast hier zu bleiben; ich sperre dich ein, bis du zahm und kirre bist – du Schamlose.« Der alten bucklichen Haushälterin aber trug er auf,

Fräulein Mary zu behandeln, als wäre sie die Tochter des Hauses, oder als wäre sie seine Frau, mit der allererdenklichsten Rücksicht und Zartheit; so verlangte er es.

Als der hagere Mann sich besänftigt hatte, ging er wieder mit dem blonden Fräulein spazieren auf den breiten Geschäftsstraßen Bostons; mit einer ernsten, bittenden Galanterie bewegte er sich um sie; öfter klagte eine verzweifelte, gequälte Demut aus seiner Stimme. Sie saßen einmal nebeneinander bei Sonnenuntergang am Fenster seines Sprechzimmers; da legte er überwältigt die kahle Stirn auf die runde Mädchenschulter. »Sieh, Mary, wie viele Straßen es gibt; drüben jenseits des Platzes fünf, über den Fluß weg hunderte im Arbeiterviertel. Hundert Häuser stehen in jeder Straße, und in jedem Haus wohnen so viele Männer, jüngere als ich, bessere als ich, schönere als ich. In jedem Stock, hinter jedem dieser Fenster. Sie haben an nichts zu denken, sie haben den ganzen lieben Tag ihre Gedanken frei, stell dir dies einmal vor. Und wie gerne würden sie dich lieben, mit deinen treuen Augen, deinen runden Armen. Dein Fleisch ist so fest, deine Brüste sind so straff, mit rosigen Spitzen; ach Gott, was hast du für ein weiches, glattes Fell, Mary – und dies alles mir, den es nicht beglückt, den es belastet und die Atemluft benimmt. Bitte frage mich jetzt nicht wieder, ob du gehen sollst. Was hilft das mir? Ich würde dir nachlaufen müssen und weinen. Ich wäre unsäglich froh, wenn du nicht wärest. Ich würde mich gerne bücken hier am Fenster, dich auf die Arme nehmen und wie einen Blumenregen auf das Pflaster streuen, drüben in die Fenster hinein und über mich in das Zimmer. Der Gedanke macht mich schmelzen. Aber jetzt faß mich nicht an, tröste mich gar nicht, laß meinen Kopf auf deiner Schulter liegen Mary, Mary.«

Das Mädchen umging ihn mit großer Vorsicht, sie bereitete ihm die Mahlzeiten, half ihm bei den Arbeiten mit Geduld und unendlichem Sanftsinn. Wenn er sie anbrüllte, sich mit den Händen gegen die Brust schlug, weil solch Verhängnis an ihn gekettet wäre, so schlich sie davon die Treppen hinunter, weinte zu Hause, kam nach ein paar Stunden wieder zurück und fragte ängstlich die Haushälterin, ob der Herr schon besser wäre. Und er zog sie schon auf dem Korridor an den Händen zu sich hinein, polterte mit mürrischem Gesicht über eine kindliche Neigung zu dramatischen Spannungen, über ihre unreale, idealistische Auffassung des Menschen.

Nun saß sie auf seinen Visiten im Wagen neben ihm, in einem mächtigen Florentiner Hut mit breiter blutigroter Schleife, deren Enden sie nach vorn um den Hals band. Wie seine Tochter saß sie auf dem Polster in feinem weißen Batistkleide neben dem hageren, glattrasierten Arzt, dessen hohe schmale Stirn, gerade Nase, tiefe Mundlinien in Marmor gehauen waren. Sein Schädel war kahl bis an den Wirbel; seine grauen durchdringenden Augen sahen gradeaus.

Ihre Lippen waren fein und keusch. Das reizte ihn tief, und er legte ihr die harte Hand auf den Mund in dem eiskalten Wunsch, mit einem schlanken Messer ihre Lippen zu umschneiden – dann wäre die ganze Keuschheit weg –, mit Porzellanglocken die demütige Sanftmut ihrer Augen zu verdecken; ihre welligen Haarflechten zu fassen, mit einem Ruck, mit einem langen skalpierenden Ruck vom Leibe abzuziehen das weiche schmeichelnde Fell, die weiße glatte Haut ganz und gar, daß sie daläge, Mary, vor ihm, zuckend rot, mit spielenden bloßen Muskeln, ein Präparat, ein krampfendes schnappendes Tier, Mary.

Er ließ sie ganz in seine Wohnung ziehen. Trotzdem sie im Gedränge der Straßen kaum einer beachtete, mußte sie dichte weiße Schleier tragen, und die kleine bucklige Frau begleitete sie. Der hagere Mann ging indessen heimlich des Nachts in die niedrigsten Quartiere der Vorstadt, lernte den verlorenen Geschöpfen ihre Obszönitäten und Verderbtheit ab. Das streng bewachte, stille, blauverhängte Zimmer Marys zitterte unter den Rasereien der beiden Menschen. Sie saß neben ihm, umschlang ihn, bedauerte ihn wegen seiner Wildheit, aber er sann verzweifelt, wie er sie ganz verwüsten könnte, daß nichts von ihr übrig blieb, rang die Hände, daß sie noch immer neben ihm saß, als wäre nichts geschehen, mit treuen blauen Augen, mit den schlicht gewundenen Flechten, mit der kindlichen Stimme – wie er nur eine Spur in ihr hinterlassen könne, eine einzige kleine Spur. Bis sie einmal leise weinte an seiner Brust und ihn fragte, ob er schlecht von ihr denke, weil sie jetzt so bestialisch zueinander seien; da tröstete er sie ingrimmig, sie solle nicht so outriert fragen.

Er erklärte ihr am Tage darauf, daß er sie zur Schauspielerin ausbilden lassen wolle. Sie gehörte allen Menschen; jeder könnte sie nehmen, sollte sie nehmen. Sie sei so schön; sie singe so rein; es sei eine Versäumnis, dies zwischen seinen vier Wänden verdorren zu lassen. Sie trat als Tänzerin in einem kleinen Varieté auf. Der Vorhang rauschte hoch, der hell beleuchtete Schädel des Arztes senkte sich – nun war er glücklich. Nun lag die Schönheit Marys auf allen Gesichtern im Saale; der breite Fleischermund neben ihm sog lüstern an ihrem süßen Lächeln, in die braunen Kalbsaugen der Dame neben ihm kam eine Starrheit, als die blonde Mary im Tanze die runden Linien ihrer Schenkel bog und streckte; ein

junger kräftiger Fant in der ersten Reihe biß sich mit dem Opern-
glas in ihre Brüste ein. Nun fiel sie wie ein Blumenregen über den
Raum. Er raste in seiner Equipage hochatmend und lachend weg,
ließ sie allein den Zuschauern. Er versteckte sich in seinem
Zimmer, schloß die Türe hinter sich ab; seine Haushälterin bediente ihn wie sonst in der guten Zeit allein, während die Stühle
leer herumstanden, kein Gedeck neben seinem lag und er am Ende
der Mahlzeit Tisch und Stühle umwarf und seine Beine vergnügt
auf dem Sofa ausstreckte.

Kaum aber war nach der unruhigen Nacht der Morgen gekommen, da stand der Herr vor dem Fenster seines Sprechzimmers, sah
die leere Straße herunter und streckte die Arme aus nach Mary, der
Dirne, dem niedrigen seelenlosen Geschöpf, nach der Mörderin,
dem Vampir. Keine Spinne konnte böser umgehen mit einer
Fliege, als dieses Wesen mit ihm. Alle Dinge hier im Zimmer
sprachen von der Pein, die sie ihm tausendmal bereitet hatte, von
der Mühe, die er mit ihr hatte; aber sie wälzte sich im warmen
Dreck. Keine Peitsche, sie zu schlagen! Wo steckte sie, wo steckte
sie, sein Besitz! Seine Hündin!

Gegen fünf Uhr nachmittags klingelte sie, lächelnd, freudig
erregt, im weißen Mädchenkleid, unter einem mächtigen Florentiner Hut, fiel ihm um den Hals und plapperte, wie glücklich sie sei,
wie gut sie gefallen habe, wie sie sich freue auf heute abend. Er
fragte nicht, wo sie heute nacht gewesen sei. Er nahm sie wie eine
Puppe in den Arm und fiel aufweinend über sie auf den Teppich
nieder. Er küßte sie auf den Mund und redete verwirrt. Er bettelte
mit heiserer Stimme, sie solle nicht mehr spielen, sie solle bei ihm
zu Hause bleiben. Sie könne ja gehen, wann sie wolle, aber sie
möchte bei ihm bleiben. Das Mädchen brach in ein furchtbares
Schluchzen aus, fragte, was ihm geschehen sei.

Sie zitterte, hob ihn auf, blickte den Mann an mit dem glühenden Gesicht, den triefenden Augen, den bebenden Lippen.

Am nächsten Vormittag fuhr er mit ihr auf das Standesamt, nach
ein paar Tagen zum zweiten Male; da waren sie getraut.

Sie hatten wenige glückliche Wochen in einem Seebade verlebt.
Da hörte sie eines Morgens, als sie sich zum Tennisspiel ankleide-
te, einen furchtbaren Schrei aus dem Nebenzimmer. Converdon
stand in bloßen Hemdsärmeln aufrecht mitten im Zimmer, in der
rechten Hand einen zerknitterten Brief. Er streckte die Arme nach
der Decke, schrie gell Marys Namen, stürzte auf den Teppich
nieder. Sie hob seinen heißen Kopf, er stammelte: »Es ist aus mit
mir.« Dann, als er sich beruhigt hatte, sagte er, sie möchte ihn

allein lassen, er hätte einen Nervenanfall gehabt. In dem zerknitterten Brief stand:

»Sehr geehrter Herr Doktor, Ihre Frau ist sehr schön. Ich werde
mich um sie bemühen. Es ist Ihnen, sehr geehrter Herr Doktor,
ebenso sicher wie mir selbst, daß ich Ihre Frau gewinnen werde. Es
wird mir schwierig, ja unmöglich sein, meine Bemühungen um
Ihre Frau durchzuführen, ohne daß Sie es merken. Ich bitte Sie
daher, erstens Kenntnis von meinem Plan zu nehmen; zweitens
angesichts des zweifellosen Resultats, keine Schwierigkeiten zu
machen. Ihnen selbst, sehr geehrter Herr Doktor, empfehle ich,
gedrängt von einem großen Wohlwollen für Sie, sich am fünfundzwanzigsten dieses Monats im Charlespark mit genauer Angabe
der Motive umzubringen. P.S. Ich besitze ein Automobil und stelle
Ihnen den Wagen zur Benützung bei der Regelung Ihrer Angelegenheiten zur Verfügung.
Paul Wheatstren, Parterregymnastiker.«

Dr. Converdon antwortete nach einer knappen Stunde Herrn Paul
Wheatstren, Parterregymnastiker. Er bestätigte den Empfang des
freundlichen Briefes vom Heutigen, dankte für die gütige Festset-
zung des Todes, bat um umgehende Zusendung des Automobils,
das er sachgemäß instandhalten werde.
   Die erste Fahrt, die Dr. Converdon mit dem Wagen machte, war
hinaus auf die Landvilla des Akrobaten, um mit ihm zu verabre-
den, daß von den kommenden Geschehnissen nichts zu Ohren
Marys gelangte. Wheatstren empfing ihn, ein untersetzter, breit-
schultriger Mann mit viereckigem geröteten Gesicht, Ende Dreißig, gewöhnliche Züge, aber klare, ruhige Augen. Er schüttelte
dem Doktor lachend die Hand, erklärte ihm, wie er sich freue,
seine schöne Frau kennengelernt zu haben und ihren ehrenwerten
Gatten. Er hoffe, mit Frau Mary glückliche Stunden zu verleben.
   Sie setzten sich bei einem Glas Wein hin. Wheatstren versäumte
nicht, nach dem ersten Glase schonend zu bemerken, daß an dem
baldigen Ableben seines Gastes die Dame nicht schuld sei, und er
auch nicht; vielmehr ergäbe sich das Ableben von selbst bei der
Sachlage, und so wäre es auch vernünftig, den Selbstmord am
fünfundzwanzigsten in voller Öffentlichkeit, wie jede andere
schickliche Handlung, zu vollziehen. Dr. Converdon trat bei dem
zweiten Glase mit gezogenem Revolver auf seinen erstaunten Wirt
zu und besprach mit ihm die Möglichkeit, ihm selbst eine Kugel in
das rechte Auge zu schießen, und zwar jetzt gleich; dies sei

vorteilhaft darum, weil jener keine Waffe trüge und er auf seinen Browning gut eingeschossen sei. Der andere bestätigte ohne Überlegung die Möglichkeit eines solchen Verlaufs, fügte aber mit überlegenem Lächeln hinzu, ohne sich auf seinem Sessel zu rühren, daß an der Sachlage dadurch nichts geändert würde. Es würde dann im nächsten Monat ein anderer Mann Frau Mary schön finden und Herrn Dr. Converdon davon benachrichtigen. Mit einem vorwurfsvollen Blick ging Herr Wheatstren auf den Arzt zu, der beschämt den Revolver sinken ließ. Er hätte Herrn Converdon geschrieben, weil er ihn für einen vernünftigen Mann hielte; es sei doch wirklich nicht ihre Sache, den Eintritt notwendiger Ereignisse zu verzögern. Er nahm gutmütig lachend dem Arzt den Revolver ab, klopfte ihm auf die Schulter; sie tranken nachdenklich weiter.

Zu Hause warf sich Herr Dr. Converdon in Frack, setzte einen Zylinder auf und fuhr in die Kirche. Er hörte aufmerksam die Predigt an, ließ sich am Schluß des Gottesdienstes beim Pfarrer anmelden. Diesem erklärte er den Sachverhalt, indem er sich auf einen Stuhl an der Türe setzte, stellte ihm die Frage: ob er als Seelenkenner glaube, daß sich das Motiv des am fünfundzwanzigsten statthabenden Selbstmordes beheben lasse. Er sei Frauenarzt und daher mit Psychologie nicht vertraut. Der Pfarrer, ein junger, tiefernster Mann mit einem Jesuitengesicht, durchsprach mit ihm aufmerksam die Angelegenheit. Er explizierte am Schluß: Es sei, wie man wenigstens seitens der Psychologie sagen könne, ein gewisses Dunkel und eine Borniertheit in dem Arzt vorhanden; diese, eine angeborene Eigenschaft, durch Erziehung und Lebensweise gepflegt, sei kaum mehr zu beheben. Die Situation sei erfreulich für die Frau Mary; ihn könne man nur trösten mit dem Hinweis auf die Belanglosigkeit seiner Existenz.

Damit war der beliebte Frauenarzt ganz ins klare gekommen. Er hatte noch zwei Wochen zu leben. In diesen folgenden Tagen kam nun, als er sich die Situation klar überlegte, eine völlig unbekannte Ruhe über ihn. Er ging mit einem Gefühl der Freude einher, daß jedem der Glanz seiner Augen auffiel. Mit einer tiefen Dankbarkeit behandelte er insbesondere seine junge Frau, fuhr in dem Automobil mit ihr spazieren ins Grüne, war ihr wirklich innig zugetan in dieser Zeit. Sie hatte ihm diese schönen, hoffnungsvollen Tage beschert; über ein paar Tage war er wieder allein. Wie einfach sich alle seelischen Lächerlichkeiten lösen lassen durch eine mechanische Bewegung, gemäß dem guten Rat dieses Parterregymnastikers Paul Wheatstren. Täglich besuchte er mit Frau Mary die Varietévorstellungen, in denen der treffliche Mann auftrat, wurde nicht müde, seine Gelenkigkeit zu loben, kaufte sich sein Bild und stellte es in seinem Schlafzimmer an sein Bett. Zwei Tage vor seinem Ableben besuchte er noch alle Bekannten der nächsten Umgebung und teilte ihnen seinen Plan mit; er ging in den Kaufmannsladen, in den Gemüsekeller, in die Budike. Er fügte hinzu, daß er angesichts des Vergnügens, sie zu verlassen, ihnen Legate in Form von je tausend Dollar aussetze; er werde ihnen auch eine Stunde vor seinem Verscheiden Telegramme mit den herzlichsten Flüchen schicken. Er beobachtete, daß diese Erklärung allseitig beifälliges Erstaunen hervorrief und daß man ihm dankbar die Hände küßte.

Am vierundzwanzigsten dekretierte er schriftlich, daß man ihn sorgfältig sezieren möchte. Am fünfundzwanzigsten morgens trennte er sich von seiner schönen Frau in unbändiger Freude; der ernste, kahlköpfige Arzt tanzte im Frack um sie herum, küßte sie und fand kein Ende, mit ihr zu lachen. Gegen zehn Uhr setzte er sich in das Automobil, gab die Telegramme auf, fuhr nach dem Charlespark, ließ den Wagen am Eingang des Parks warten, nachdem er einen Zettel hinterlassen hatte mit der Nachricht seines um halb elf stattfindenden Todes. Mitten im Gebüsch stehend, bemerkte er, daß er in seiner Freude den Revolver zu Hause gelassen hatte, und hängte sich daher nicht ohne Schwierigkeiten an seinem Schlips auf.

Die Autopsie des Verstorbenen war völlig ergebnislos.

Am Abend der am sechsundzwanzigsten vorgenommenen Leichenschau besuchte Herr Wheatstren die Witwe, teilte ihr mit, daß er, wie sie wisse, ein Freund des Verblichenen sei. Er wolle keine großen Reden führen, sondern ihr nur mitteilen, daß er einige glückliche Stunden mit ihr zu verleben gedenke. Er bitte sie, das Gedächtnis des Verblichenen zu ehren, denn nur in Rücksicht auf ihr gemeinsames Glück habe er sich am fünfundzwanzigsten an seinem Schlips aufgehängt. Die gebrochene blonde Frau vergoß reichlich Tränen, sagte, sie erkenne Dr. Converdon daran; er sei immer so gütig gegen sie gewesen. Es käme ihr zwar alles so rasch, aber das Leben sei wohl so. Sie fuhr mit ihm in dem Automobil in seine Landvilla und verlebte ihrerseits mit ihm glückliche Stunden. Er seinerseits fühlte sich bald abgestoßen durch die Routine der sanften blauäugigen Dame in den Vergnügungen des Genusses; er hatte gehofft, ihr selbst diese beizubringen. So übernahm er denn nach einer Woche die Verwaltung ihres Vermögens, fluchte auf die Heimtücke des Dr. Converdon und fragte sie nach ihrer Herkunft. Als der Parterregymnastiker erfuhr, daß sie zuerst als

Sekretärin bei Dr. Converdon beschäftigt war, bemerkte er, daß er keine Sekretärin brauche, er wisse als Akrobat wenigstens nicht, wozu. Er werde ihr Vermögen weiter gewissenhaft verwalten, ihr einen ausreichenden Zinsgenuß gewähren, aber sie scheine ihrer ganzen Anlage nach nicht für einen einzelnen Mann wie ihn geschaffen, auch wiesen die bezeigten Talente darauf hin. Und so empfahl er ihr dringend, ihre Begabung zu verwerten; auch das größte Kapital würde schließlich aufgezehrt. Sie verschloß sich seinen Darlegungen nicht. Und Herr Wheatstren führte die junge blonde Dame, die er auch heiratete, bald aus auf die Rennplätze, in die Theater; behandelte sie roh und mit Berechnung. Sie aber pries ihn auf Schritt und Tritt, weil er ihr das Höchste bot, was es auf Erden gäbe, nämlich erhebliche Abwechslung.

(1911)

Gehirne

Rönne, ein junger Arzt, der früher viel seziert hatte, fuhr im Sommer vorigen Jahres durch Süddeutschland dem Norden zu. Er hatte die letzten Monate tatenlos verbracht; er war zwei Jahre lang an einem pathologischen Institut angestellt gewesen, das bedeutet, es waren ungefähr zweitausend Leichen ohne Besinnen durch seine Hände gegangen, und das hatte ihn in einer merkwürdigen und ungeklärten Weise erschöpft.

Jetzt saß er auf einem Eckplatz und sah in die Fahrt: es geht also durch Weinland, besprach er sich, ziemlich flaches, vorbei an Scharlachfeldern, die rauchen von Mohn. Es ist nicht allzu heiß; ein Blau flutet durch den Himmel, feucht und aufgeweht von Ufern; an Rosen ist jedes Haus gelehnt, und manches ganz versunken. Ich will mir ein Buch kaufen und einen Stift; ich will mir jetzt möglichst vieles aufschreiben, damit nicht alles so herunterfließt. So viele Jahre lebte ich, und alles ist versunken. Als ich anfing, blieb es bei mir? Ich weiß es nicht mehr.

Dann lagen in vielen Tunneln die Augen auf dem Sprung, das Licht wieder aufzufangen; Männer arbeiteten im Heu; Brücken aus Holz, Brücken aus Stein; eine Stadt und ein Wagen über Berge vor ein Haus.

Veranden, Hallen und Remisen, auf der Höhe eines Gebirges, in einen Wald gebaut – hier wollte Rönne den Chefarzt ein paar Wochen vertreten. Das Leben ist so allmächtig, dachte er, diese Hand wird es nicht unterwühlen können, und sah seine Rechte an.

Im Gelände war niemand außer Angestellten und Kranken; die Anstalt lag hoch; Rönne war feierlich zumute; umleuchtet von seiner Einsamkeit besprach er mit den Schwestern die dienstlichen Angelegenheiten fern und kühl.

Er überließ ihnen alles zu tun: das Herumdrehen der Hebel, das Befestigen der Lampen, den Antrieb der Motore, mit einem Spiegel dies und jenes zu beleuchten – es tat ihm wohl, die Wissenschaft in eine Reihe von Handgriffen aufgelöst zu sehen, die gröberen eines Schmiedes, die feineren eines Uhrmachers wert. Dann nahm er selber seine Hände, führte sie über die Röntgenröhre, verschob das Quecksilber der Quarzlampe, erweiterte oder verengte einen Spalt, durch den Licht auf einen Rücken fiel, schob einen Trichter in ein Ohr, nahm Watte und ließ sie im Gehörgang liegen und vertiefte sich in den Folgen dieser Verrichtung bei dem Inhaber des Ohrs: wie sich Vorstellungen bildeten von Helfer, Heilung, guter Arzt von allgemeinem Zutrauen und Weltfreude, und wie sich die Entfernung von Flüssigkeiten in das Seelische verwob. Dann kam ein Unfall und er nahm ein Holzbrettchen mit Watte gepolstert, schob es unter den verletzten Finger, wickelte eine Stärkebinde herum und überdachte, wie dieser Finger durch den Sprung über einen Graben oder eine übersehene Wurzel, durch einen Übermut oder einen Leichtsinn, kurz, in wie tiefem Zusammenhange mit dem Lauf und dem Schicksal dieses Lebens er gebrochen schien, während er ihn jetzt versorgen mußte wie einen Fernen und Entlaufenen, und er horchte in die Tiefe, wie in dem Augenblick, wo der Schmerz einsetzte, eine fernere Stimme sich vernehmen ließe.

Es war in der Anstalt üblich, die Aussichtslosen unter Verschleierung dieses Tatbestandes in ihre Familien zu entlassen wegen der Schreibereien und des Schmutzes, den der Tod mit sich bringt. Auf einen solchen trat Rönne zu, besah ihn sich: die künstliche Öffnung an der Vorderseite, den durchgelegenen Rükken, dazwischen etwas mürbes Fleisch; beglückwünschte ihn zu der gelungenen Kur und sah ihm nach, wie er von dannen trottete. Er wird nun nach Hause gehen, dachte Rönne, die Schmerzen als eine lästige Begleiterscheinung der Genesung empfinden, unter den Begriff der Erneuerung treten, den Sohn anweisen, die Tochter heranbilden, den Bürger hochhalten, die Allgemeinvorstellung des Nachbars auf sich nehmen, bis die Nacht kommt mit dem Blut im Hals. Wer glaubt, daß man mit Worten lügen könne, könnte meinen, daß es hier geschähe. Aber wenn ich mit Worten lügen könnte, wäre ich wohl nicht hier. Überall, wohin ich sehe, bedarf es eines Wortes, um zu leben. Hätte ich doch gelogen, als ich zu diesem sagte: Glück auf!

Erschüttert saß er eines Morgens vor seinem Frühstückstisch; er fühlte so tief: der Chefarzt würde verreisen, ein Vertreter würde kommen, in dieser Stunde aus diesem Bette steigen und das Brötchen nehmen: man denkt, man ißt, und das Frühstück arbeitet an einem herum. Trotzdem verrichtete er weiter, was an Fragen und Befehlen zu verrichten war; klopfte mit einem Finger der rechten Hand auf einen der linken, dann stand eine Lunge darunter; trat an Betten: guten Morgen, was macht Ihr Leib? Aber es konnte jetzt hin und wieder vorkommen, daß er durch die

Hallen ging, ohne jeden einzelnen ordnungsgemäß zu befragen, sei es nach der Zahl seiner Hustenstöße, sei es nach der Wärme seines Darms. Wenn ich durch die Liegehallen gehe – dies beschäftigte ihn zu tief – in je zwei Augen falle ich, werde wahrgenommen und bedacht. Mit freundlichen und ernsten Gegenständen werde ich verbunden; vielleicht nimmt ein Haus mich auf, in das sie sich sehnen, vielleicht ein Stück Gerbholz, das sie einmal schmeckten. Und ich hatte auch einmal zwei Augen, die liefen rückwärts mit ihren Blicken; jawohl, ich war vorhanden: fraglos und gesammelt. Wo bin ich hingekommen? Wo bin ich? Ein kleines Flattern, ein Verwehn.

Er sann nach, wann es begonnen hätte, aber er wußte es nicht mehr: ich gehe durch eine Straße und sehe ein Haus und erinnere mich eines Schlosses, das ähnlich war in Florenz, aber sie streifen sich nur mit einem Schein und sind erloschen.

Es schwächt mich etwas nach oben. Ich habe keinen Halt mehr hinter den Augen. Der Raum wogt so endlos; einst floß er doch auf eine Stelle. Zerfallen ist die Rinde, die mich trug.

Oft, wenn er von solchen Gängen in sein Zimmer zurückgekehrt war, drehte er seine Hände hin und her und sah sie an. Und einmal beobachtete eine Schwester, wie er sie beroch oder vielmehr, wie er über sie herging, als prüfe er ihre Luft, und wie er dann die leicht gebeugten Handflächen, nach oben offen, an den kleinen Fingern zusammenlegte, um sie dann einander zu und ab zu bewegen, als bräche er eine große, weiche Frucht auf oder als böge er etwas auseinander. Sie erzählte es den anderen Schwestern; aber niemand wußte, was es zu bedeuten habe. Bis es sich ereignete, daß in der Anstalt ein größeres Tier geschlachtet wurde. Rönne kam scheinbar zufällig herbei, als der Kopf aufgeschlagen wurde, nahm den Inhalt in die Hände und bog die beiden Hälften auseinander. Da durchfuhr es die Schwester, daß dies die Bewegung gewesen sei, die sie auf dem Gang beobachtet hatte. Aber sie wußte keinen Zusammenhang herzustellen und vergaß es bald.

Rönne aber ging durch die Gärten. Es war Sommer; Otternzungen schaukelten das Himmelsblau, die Rosen blühten, süß geköpft. Er spürte den Drang der Erde: bis vor seine Sohlen, und das Schwellen der Gewalten: nicht mehr durch sein Blut. Vornehmlich aber ging er Wege, die im Schatten lagen und solche mit vielen Bänken; häufig mußte er ruhen vor der Hemmungslosigkeit des Lichtes, und preisgegeben fühlte er sich einem atemlosen Himmel.

Allmählich fing er an, seinen Dienst nur noch unregelmäßig zu versehen; namentlich aber, wenn er sich gesprächsweise zu dem

Verwalter oder der Oberin über irgendeinen Gegenstand äußern sollte, wenn er fühlte, jetzt sei es daran, eine Äußerung seinerseits dem in Frage stehenden Gegenstand zukommen zu lassen, brach er förmlich zusammen. Was solle man denn zu dem Geschehenen sagen? Geschähe es nicht so, geschähe es ein wenig anders. Leer würde die Stelle nicht bleiben. Er aber möchte nur leise vor sich hinsehen und in seinem Zimmer ruhn.

Wenn er aber lag, lag er nicht wie einer, der erst vor ein paar Wochen gekommen war, von einem See und über die Berge; sondern als wäre er mit der Stelle, auf der sein Leib jetzt lag, emporgewachsen und von den langen Jahren geschwächt; und etwas Steifes und Wächsernes war an ihm lang, wie abgenommen von den Leibern, die sein Umgang gewesen waren.

Auch in der Folgezeit beschäftigte er sich viel mit seinen Händen. Die Schwester, die ihn bediente, liebte ihn sehr; er sprach immer so flehentlich mit ihr, obschon sie nicht recht wußte, um was es ging. Oft fing er etwas höhnisch an: er kenne diese fremden Gebilde, seine Hände hätten sie gehalten. Aber gleich verfiel er wieder: sie lebten in Gesetzen, die nicht von uns seien und ihr Schicksal sei uns so fremd wie das eines Flusses, auf dem wir fahren. Und dann ganz erloschen, den Blick schon in einer Nacht: um zwölf chemische Einheiten handele es sich, die zusammengetreten wären nicht auf sein Geheiß, und die sich trennen würden, ohne ihn zu fragen. Wohin solle man sich dann sagen? Es wehe nur über sie hin.

Er sei keinem Ding mehr gegenüber; er habe keine Macht mehr über den Raum, äußerte er einmal; lag fast ununterbrochen und rührte sich kaum.

Er schloß sein Zimmer hinter sich ab, damit niemand auf ihn einstürmen könne; er wollte öffnen und gefaßt gegenüberstehn.

Anstaltswagen, ordnete er an, möchten auf der Landstraße hin und her fahren; er hatte beobachtet, es tat ihm wohl, Wagenrollen zu hören: das war so fern, das war wie früher, das ging in eine fremde Stadt.

Er lag immer in einer Stellung: steif auf dem Rücken. Er lag auf dem Rücken, in einem langen Stuhl, der Stuhl stand in einem geraden Zimmer, das Zimmer stand im Haus und das Haus auf einem Hügel. Außer ein paar Vögeln war er das höchste Tier. So trug ihn die Erde leise durch den Äther und ohne Erschüttern an allen Sternen vorbei.

Eines Abends ging er hinunter zu den Liegehallen; er blickte die Liegestühle entlang, wie sie alle still unter ihren Decken die

Genesung abwarteten; er sah sie an, wie sie dalagen: alle aus Heimaten, aus Schlaf voll Traum, aus Abendheimkehr, aus Gesängen von Vater und Sohn, zwischen Glück und Tod – er sah die Halle entlang und ging zurück.

Der Chefarzt wurde zurückgerufen; er war ein freundlicher Mann, er sagte, eine seiner Töchter sei erkrankt. Rönne aber sagte: Sehen Sie, in diesen meinen Händen hielt ich sie, hundert oder tausend Stück; manche waren weich, manche waren hart, alle sehr zerfließlich; Männer, Weiber, mürbe und voll Blut. Nun halte ich immer mein eigenes in meinen Händen und muß immer danach forschen, was mit mir möglich sei. Wenn die Geburtszange hier ein bißchen tiefer in die Schläfe gedrückt hätte...? Wenn man mich immer über eine bestimmte Stelle des Kopfes geschlagen hätte...? Was ist es denn mit den Gehirnen? Ich wollte immer auffliegen wie ein Vogel aus der Schlucht; nun lebe ich außen im Kristall. Aber nun geben Sie mir bitte den Weg frei, ich schwinge wieder – ich war so müde – auf Flügeln geht dieser Gang – mit meinem blauen Anemonenschwert – in Mittagsturz des Lichts – in Trümmern des Südens – in zerfallendem Gewölk – Zerstäubungen der Stirne – Entschweifungen der Schläfe.

(1914)

Luise

Ich war neunzehn Jahre alt und lebte als Handelsbeflissener zu
Z... Mein Kamerad Paul stellte mich seiner Freundin Rosa vor, die
mich ihrerseits wieder mit ihrer Freundin Luise bekannt machte,
was eine Güte war, die mich zur bescheidensten und artigsten
Aufführung verpflichtete. Ob ich dann aber auch wirklich immer
bescheiden und artig war, will und soll ich hier nicht näher
untersuchen. In bezug auf meinen Monatsgehalt von hundertfünf-
undzwanzig Franken hatte ich die Unverschämtheit, mir selbst
zuzurufen: »Ein so hohes Salär verdiene ich ja unter keinen
Umständen, ich Lümmel!« Ich zeichnete mich damals auf das
vorteil- oder unvorteilhafteste dadurch aus, daß ich vor mir selbst
eine überaus geringe, dagegen vor den meisten andern Leuten
eine übertrieben hohe Achtung hatte. In dieser Hinsicht ist man
mit neunzehn Jahren wahrhaft kühn. Ich erkühnte mich eines
schönen Tages, ich weiß nicht mehr genau um wieviel Uhr, Luise,
die ich im höchsten Grade verehrte, einen Brief zu schreiben, der,
soviel ich mich zu erinnern vermag, ungefähr mit folgenden
hübschen Worten begann: »Verehrte, liebe Frau, es ist das erstemal in meinem jungen, armen und vielleicht ganz unnützen
Leben, daß ich mich erdreiste, einer Frau zu schreiben, und es hat
Mühe, Überwindung und Mut gekostet, bis ich mich zu entschließen gewagt habe, die Anrede aufzusetzen, die niederschreiben zu
dürfen, mich schon an und für sich glücklich macht.« Luise besaß
die Freundlichkeit, den Brief-Erstling insofern zu beantworten, als
sie mir ihre Gedichtmanuskripte nebst einem Album mit der Bitte
zurückschickte, erstere mit meiner zierlichen Handschrift säuberlich in letzteres abzuschreiben. Gab es auf dieses Ersuchen hin auf
der Welt einen glücklicheren Menschen als den überglücklichen
Burschen, an den die Bitte und das Gesuch gerichtet wurden? Ich
schrieb mit feinster Schrift und klopfendem Herzen die schönsten
und liebenswürdigsten Verse ab und befand mich, während ich
das tat, wie im Himmel. Es braucht in der Tat wenig, um einen
jungen Kommis glücklich zu machen. Luise sagte mir im Verlauf
unseres Verkehres auf eine ernsthafte Art, daß sie Rauchen und
Biertrinken, die den männlichen Lebenswandel zu begleiten pfle-

gen, häßlich und abscheulich finde, und ich gab ihr vollkommen recht, denn ich bewunderte zum voraus alles, was sie sagte. Ich nahm mir so fest wie möglich vor, beide genannten Übel so sehr zu vermeiden wie zu verachten, tat gewissermaßen ein tiefinnerliches Gelübde, das zu allen Zeiten und bei jederlei Gelegenheit aufrecht zu halten ich jedoch keineswegs die nötige Kraft hatte, aber schon der bloße Versuch nur, folgsam und enthaltsam zu sein, machte mich glücklich. Ihr schönen dahingegangenen Zeiten, wie entzückt ihr mich!

›Neunzehn Jahre, und noch nichts für die Unsterblichkeit getan!‹ rief es in mir mit jugendheller und zugleich anklagender Stimme. Meine Lektüre waren Lenau, Heine, Börne und der edle Friedrich Schiller, welch letzteren ich übrigens nie aufhören werde im höchsten Sinn zu verehren. Da ich überzeugt, und von der Überzeugung so tief wie man nur sein kann durchdrungen war, daß es allerhöchste Zeit für mich sei, mich der Menschheit zu widmen, so schrieb ich einer angesehenen publizistischen Person, daß es mein glühender und brennender Wunsch sei, ihm und der Sache, als deren Vertreter und Abgesandter er mir erscheine, aufopferungsvoll und eifrig zu dienen. ›Jugendlicher und ungestümer Verehrer‹, schrieb mir der Mann ganz trocken zurück, ›es ist nicht so leicht, wie Sie sich zu denken scheinen, dort Dienste zu verrichten und Opfer zu bringen, wo doch Meyers Konversationslexikon wohl in allererster und schließlich auch in letzter Linie in Frage kommt. Daß Sie zu mir emporstaunen, begreife und billige ich, denn Sie haben durchaus Grund, mich für einen großen Mann zu halten.‹ Ich stutzte über dieses seltsame Schreiben. ›Dieser edle Verleugner alles Selbstischen, dieser Vertreter alles dessen, was uneigennützig und uneitel ist, muß ein sonderbarer Herr sein‹, sagte ich zu mir selber, und die Lust, mich für die hohen Ziele und Zwecke der Menschheit einzusetzen und abzumühen, nahm verblüffend schnell und stark ab, sank beträchtlich und verlor sichtlich an froher, frischer Farbe. Mit um so frecherem, froherem und frischerem Mut machte ich jetzt den kühnen und waghalsigen Versuch, in die gebildeten und vornehmen Gesellschaftskreise einzudringen, die ich bis dahin nur von weitem bewundert, bestaunt und angebetet hatte. Ich mietete bei der Frau Professor Krähenbühl ein Zimmer und lernte infolgedessen in recht kurzer Zeit die besten, gediegensten und höchsten Kreise, Zirkel und Verbände kennen, derart, daß mir Luise zeitweise ganz niedrig und sozusagen proletarisch erschien. Ich undankbares Ungeheuer! Aber der Glanz und die Herrlichkeit dauerten nicht lange; es wurde mir unter all dem feinen Benehmen und unter all den schönen geistvollen Redensarten und Gesprächen glücklicherweise rechtzeitig angst und bang, und daher bat ich Frau Professor Krähenbühl, mich um der Barmherzigkeit Gottes willen doch lieber wieder fortziehen und weiterschwenken lassen zu wollen, weil ich fürchten müsse, elendiglich umzukommen. Die Dame lächelte und sagte, sie bedaure aufs lebhafteste, tiefste und höchste meinen schleunigen Abgang, könne mich jedoch natürlich in meinen freien Entschließungen nicht hindern, sie wünsche mir selbstverständlich alles Gute und Schöne und freue sich unendlich, daß ich, wie es scheine, gesonnen sei, sie zu verlassen. Offenkundige, abscheuliche Ironie war das! Aber ich war nur von Herzen froh, daß ich das Weite suchen und auf und davon rennen durfte.

Ich kam nun in die Vorstadt zu Schreinersleuten. ›Wenn ich mich mit einiger Aufmerksamkeit vom Kopf bis zu den Füßen betrachte‹, redete ich mit mir selber, ›so muß mir unwillkürlich einleuchten, daß ich weit besser ins Arbeiterviertel als in die bessere Gesellschaft oder mit anderen Worten entschieden besser zu den armen Leuten als ins Villenquartier passe.‹ Wie ich mich erinnere, war ich herzlich froh, daß ich den Mut hatte, mir aufrichtig die Meinung zu sagen. Zu einer gesunden Einsicht zu gelangen ist für den äußern sowohl wie für den innern Menschen stets ein großer Vorteil, der mit Annehmlichkeiten verbunden ist. Bei meinen Schreinersleuten sah ich dann und wann im gegenüberliegenden Fenster einen armen Knaben, der auf unbegreiflich erschreckende Art Pfeife rauchte, was einen traurigen und entsetzlichen Anblick darbot. Des frühverdorbenen Knaben Mutter, oder was die Person sonst sein mochte, schlug, wie ich deutlich hörte und merkte, den Jungen täglich unbarmherzig, und das Fürchterliche bei der Kindesmißhandlung war die unnatürlich stumpfe Gelassenheit, womit das Kind sein elendes Schicksal hinnahm, daß es über die Schläge, die es erhielt, nicht einmal mehr weinte. Die Frau, die den Knaben schlug, und der Knabe, der gleich einem jugendlichen Gespenst regelmäßig, als wenn er ein alter Mann sei, zum Fenster hinausschaute und rauchte, seine frühe grauenvolle Fühllosigkeit, des Weibsbildes Grausamkeit, ihre leuchtendrote Nase, deren Aussehen auf ein abscheuliches Laster deutete: das alles ergab ein Bild, dessen rohe Häßlichkeit mich schaudern machte. Bei dieser Gelegenheit darf ich mir vielleicht erlauben, sehr ernsthaft zu bemerken, daß, wenn ich auch den schönen und fröhlichen Erinnerungen stets den Vorzug vor den traurigen und beweinenswürdigen gebe, ich dennoch aus Gradheit, Rechtlichkeit und Ehrlichkeit, Eigenschaften, die ich glücklicherweise nicht gänzlich entbehre, das Böse und Schlimme, das ich da und dort sah, nicht verschweigen darf, weil sonst die Ehre meiner Gedanken litte. Auch muß ich vorauszusetzen wagen dürfen, daß dem geneigten gütigen Leser der Schmerz und das Weh an Wichtigkeit nicht unter der Lust und unter dem Lächeln stehen. Im übrigen tu ich niemand irgend etwas zuleid, wenn ich das Leid eines Knaben schildere.

Beinahe habe ich nun den eigentlichen Gegenstand hintangestellt, zu dem ich zurückkehre, nämlich zu Luise. Ich verdanke dieser liebenswürdigen Frau, dieser ›Proletarierin‹ so viel, daß ich das mit einigen kurzen Sätzen werde auseinanderzusetzen haben. Was für ein freier, heller Kopf war sie, was für eine weite, freie gute Seele. Wenn ich an Luise denke, so steht kaum eine körperliche Gestalt, vielmehr nur etwas wie eine reine Menschenseele vor mir, und dies ist gewiß bedeutsam, da es sich um das Bildnis einer Frau handelt. Luise war schön, aber das zehntausendmal Schönere an ihr als ihre Schönheit waren offenbar ihre Eigenschaften. Ich bin kaum mehr in meinem nachherigen Leben wieder einer so heiteren und fröhlichen Frau begegnet. Sie besaß eine Vereinigung von Bildung und Heiterkeit, von Schönheit und Fröhlichkeit, von Lebensernst und Freundlichkeit, die ich, nach allem, was ich in der weiten Welt gesehen und erfahren habe, als köstlich und höchst selten bezeichnen muß. Wie manche mißmutige, verdrießliche und mißgünstige Frau habe ich kennengelernt! Von Luise strahlte eine immer gleichartige helle frische Munterkeit und Zufriedenheit aus. Ihr Verstand und ihre Schönheit waren gleich groß; ihr Geist und ihre Menschenfreundlichkeit gleich bedeutend. Wie oft kam es vor, daß ich Frauen sah, die hauptsächlich Geist besitzen, um sich selber und andere zu ärgern. Luise ärgerte sich nie! Ihre Schönheit, die an die mondscheinhafte Schönheit einer mittelalterlichen Madonna erinnerte, fand bei ihrer Besitzerin und Trägerin kaum irgendwelche kleine Beachtung. Ihr schönes Haar besaß mitunter einen gewissen leuchtendgoldenen Glanz. Güte und eine Welt von Hilfsbereitschaft lagen in ihren Augen, aber gelassene und sanfte Überlegenheit war ihr nicht minder eigen. Ich habe stolze und schöne Frauen gesehen, denen die Ängstlichkeit, daß ihre Schönheit verblassen und mithin ihr Stern sinken könnte, aus den Augen herausflackerte. An Luise habe ich nie so etwas gesehen. Ich sah bildhübsche Frauen auf den Wind und den Regen zornig werden, die es wagten, im Haarheiligtum einige Unordnung zu verursachen, und es mag vorgekommen sein, daß ich Gelegenheit hatte, Frauen vor Zorn über des weiblichen Nebenmenschen frische Reize mit den Zähnen klappern zu sehen. Man irrt sich vielleicht nicht allzusehr, aber man läßt es sicherlich an Höflichkeit und Artigkeit fehlen, wenn man zu sagen wagt, daß derartiger Frauen Äußeres auf der beständigen Pein beruht, die sie sich durch eine beklagenswerte fortwährende Unruhe wegen Mund, Wangen, Augen, Frisur und Gestalt bereiten. Es scheint, daß es zahlreiche Frauen gibt, die niemals über den kleinen, im Grunde doch recht ärmlichen Gedanken an ihre Erscheinung hinausgelangen und die, weil sie geplagte Sklavinnen sind, die vor der Peitsche der erbärmlichen Frage zittern: ›Wie sehe ich aus?‹ oder: ›Welchen Eindruck mache ich?‹ nicht fröhlich sein können.

Was Rosa betrifft, die ich am Anfang erwähnte, so muß ich mich, da ich sie in des werten Lesers Gesellschaft eingeführt habe, nun auch wenigstens insoweit um sie bekümmern, als ich sie nicht in irgendeinem Winkel sitzen lasse. Der ebenfalls anfänglich erwähnte Paul, ihr Freund und Vertrauter, ließ gegenüber der Freundin mit der Zeit deutliche Zeichen von Lieblosigkeit und Untreue merken, worüber Rosa ebensosehr weinte wie aufgebracht war, da sie die zunehmende Gleichgültigkeit und Sorglosigkeit des zärtlich Geliebten als tiefste Beleidigung empfinden mußte. Eines Tages, da ich mit ihr zu zweit in ihrem Zimmer saß, bat sie mich mit gleichsam finsterer Miene, d. h. ersuchte sie mich, noch besser: befahl sie mir mit kurzen Worten, ihr über Pauls Aufführung ehrlich und aufrichtig alles zu sagen, was ich wisse. »Er ist Ihr Kamerad«, fügte sie bei. Keinen Augenblick im Zweifel, was ich zu erwidern haben würde, bemerkte und erwiderte ich, daß ich eben deshalb, weil Paul mein Kamerad sei, eine Meinung über ihn zu haben mir soeben im stillen verboten habe. Indem ich ihr darlegen zu dürfen glaubte, daß solcherlei Hinterbringungen und Aufklärungen für Rosa nicht den mindesten Wert haben konnten, nahm ich mir die Freiheit, ihr auf eine sehr einfache Art begreiflich zu machen und so kurz wie möglich auseinanderzusetzen, daß die Eröffnung eines Informationsbüros den Absichten und dem Geschmack eines redlichen Mannes unter Umständen keineswegs entspreche. Sie rief aus: »Paul betrügt mich; Sie, Sie wissen etwas davon, wollen es mir aber nicht sagen. Sie sind abscheulich!« – Ich blieb ruhig sitzen, machte eine ganz heitere

Miene und antwortete keine Silbe, und nach einigen Minuten hatte ich die Ehre, die Genugtuung und das Vergnügen, mir von Rosa sagen zu lassen, daß ich im Recht sei. Sie gab mir die Hand und war mit mir zufrieden. Von Rosa ist im allgemeinen zu sagen, daß sie sich vermöge ihrer kätzchenhaften Geschmeidigkeit und Behendigkeit vorzüglich als Kammerzofe für eine große Dame oder als Tänzerin für die große Oper geeignet haben würde. Sie war sehr graziös, lebhaft und ungemein klug. Sie pflegte öfters mit Kastagnetten als verführerische Spanierin in ihrer Stube herumzutanzen. Auch als Schauspielerin würde sie sehr wahrscheinlich Erfolg gefunden haben. Noch lieber dachte ich sie mir als Hirtin, Schäferin oder Jägerin im Wald oder auf grüner freier Wiese im flatternden Fantasiekostüm. Sie besaß Witz, Anmut und Schelmerei und mahnte mit diesen Gaben an das Rokoko. Sie heiratete immerhin später einen Lehrer.

Zeitweise wohnten beide Freundinnen in einer gemeinsamen bescheidenen Wohnung, und sowohl Rosa wie Luise hatten mir die Erlaubnis gegeben, so oft vorbeizukommen und anzuklopfen als es mir Vergnügen machen könne, und da mir das Versprechen bei zwei muntern und gescheiten Frauen selbstverständlich die größte Freude machte, und mir außerdem die besondere Freude blühte, merken zu dürfen, daß ich willkommen und gern gesehen sei, so nützte ich obige Erlaubnis nach Herzenslust aus, und der Verkehr ist immer heiter, angenehm und ungezwungen geblieben. Luise war immer die Ruhe selber. Rosa konnte mitunter recht aufgebracht oder niedergeschlagen sein. Einmal hatte sie einen Mann von der Straßenbahn überfahren sehen. Über den bedauerlichen Vorfall gänzlich fassungslos sein und vor Erregung, Erschöpfung und Beelendung wegen des Gesehenen fast ohnmächtig zu werden, stand der Zarten und Leichtbeweglichen ganz und gar an. Luise war gewissermaßen die große, Rosa die empfindliche Seele. Wie froh war ich aber jedenfalls zu einer Zeit, da eine noch völlig unbekannte Welt sich vor den Augen des unerfahrenen jungen Mannes öffnete, die zu betreten und zu befahren er noch wesentlich zu ungeschickt und zu ungebildet sein mußte, über eine Bekanntschaft, die mir erlaubte, mich, indem ich fröhlich plauderte und Gesellschaft leistete, in vielerlei Dingen auf eine freie, wohltuende Art zu belehren. Mit einem erheiternden, belebenden Umgang waren Bildung und eifrige Erkundigung auf das Wünschenswerteste verbunden. Irgendeinen andern Dank als munteres Reden in ihrer Gegenwart wollten die liebenswürdigen

Frauen nicht von mir empfangen, daher waren mein junges dummes zufriedenes Gesicht und im übrigen meine noch ungeschliffenen Manieren der einzige Tribut, den ich zahlte. Heimatlichen Anschluß, Rat, Unterricht, gesellige Befriedigung, Verfeinerung, Förderung und Besserung genoß ich, wo ich nur die leichte Verpflichtung zu übernehmen hatte, kein ganz langweiliger, fader und trockener Mensch, sondern wenn irgendwie möglich das Gegenteil davon zu sein, einige passable Unterhaltungen einzufädeln, dann und wann hell und laut zu lachen, meine lieben wohlwollenden Freundinnen damit anzustecken, kluge und dumme Sachen sorglos durcheinander zu sagen, im großen und ganzen einigermaßen vernünftig und gescheit zu sein, mich vor allen Dingen von jeder mißmutigen Verfassung frei zu zeigen, etlichen Witz zu bekunden, guten Willen zu offenbaren, der noch immer nötig gewesen ist, wenn es gegolten hat, Zerstreuung oder Zeitvertreib zustande zu bringen und alles in allem den Damen zu beweisen, daß ich — noch ein junger Mensch sei. Luise! Ich brauche diesen Namen, der für mich die Bedeutung eines Denkmals hat, heute, wo so manches Jahr seither vergangen ist, nur leise auszusprechen, um mich ermutigt und in die freudigste Stimmung versetzt zu sehen. Wenn nach und nach dem Alternden vieles oder in Gottes Namen alles verlorengeht, wenn er ärmer und immer ärmer wird, alles Schöne und Gute ihm abbröckelt und zerbricht, unerbittliche Winde ihm die Hoffnungen rauben, wenn es ihm um Kopf und Herz herum kälter und kälter wird, langsam ihm, wie er fürchtet, die Lebensfreuden sterben, unangenehme frostige Voraussetzungen notwendigerweise zur Tatsache, zur vermutlich sehr düsteren und sehr unerfreulichen Wahrheit werden, so gehen ihm doch die Erinnerungen, so geht ihm doch wenigstens das immer wieder neue, frische, warme, junge Andenken an die dahingesunkenen und geschwundenen schönen Zeiten nicht verloren, und man darf sich nicht wundern, ihn dieses Andenken so eifrig und so aufmerksam pflegen zu sehen, denn das Andenken, das an und für sich schon schön ist, bereitet dem an frohen und schönen Stunden Armgewordenen andere, und vielleicht noch schönere, frohe und schöne Stunden. Er weiß, warum er sich so fleißig bemüht, die Zerstörung und Zertrümmerung seiner holdseligen, freudereichen Stadt Jerusalem zu verhüten; er weiß, warum er den lieben Garten der Erinnerungen so treulich und ausharrlich netzt, spritzt, hegt und pflegt und warum er sich zur emsigen Aufgabe macht, in die kalte nackte Gegenwart die blühendlebendige Vergangenheit zu pflanzen und zu setzen.

Luise, die die Tochter eines braven ländlichen Zimmermannes war, kam früh als Arbeitssuchende in die Stadt, wo sie bei einem Herrn Mortimer Stellung fand. Engelgleiche Schönheit, die sie war, sah sie bald ihren Chef zu ihren Füßen, der seine Arbeiterin und Untergebene leidenschaftlich liebte. Mit ihren wundervollen und seelenvollen Augen schaute sie den Mann sanft an, und lächelnd schenkte sie seinen heißen Beteuerungen Gehör. Der Umstand, daß sie ihrem Prinzipal und Brotherrn in bezug auf Witz, Intelligenz, Verstand, Geist und Geschmack in jeder Weise überlegen war, hinderte die edle schöne Seele keineswegs, sich zu unterwerfen, dem stürmisch-herrischen Begehren nachzugeben und all die Zumutungen eines starken Verlangens anzunehmen. Sie gab sich ihm hin, d. h. sie erlaubte ihm, zu tun, was ihn das Entzücken, das ihre Gegenwart ihm einflößte, tun hieß. Sie schauerte unter der Wirkung seiner Küsse. Da sie einmal den Einfall hatte, Magd, Knechtin und gehorsame Sklavin sein zu wollen, so war sie selig, und der Gedanke, auf schrankenlose Art ihrem Herrn dienlich und angenehm zu sein, beglückte sie durch seine Kühnheit bis ins Innerste ihres Wesens. War Herr Mortimer mittelmäßig begabt? Es scheint so. Er war schön und eitel. Über die starke Summe von Eigenliebe, nach welcher seine Person förmlich duftete, konnte niemand, der ihn auch nur flüchtig betrachtete, im Zweifel sein. Wir wollen im übrigen zu vermeiden suchen, ihn allzu hart zu beurteilen; denn damit täten wir ihm unrecht. Er gehörte aber immerhin scheinbar zu den Männern, die sich von ihrem erstaunlich hohen Wert vorteilhafterweise sattsam zu durchdringen wissen. Wir haben es jedoch hier mit einem Fehler oder Laster zu tun, das die Liebenden am Gegenstand ihrer Zärtlichkeit vielleicht über alles lieben. Wenn die schöne Proletarierin den reichen, stolzen, mächtigen Handelsherrn bei kühler Betrachtung durchaus nicht hoch geachtet haben würde, so ist zu sagen, daß sie ihn dafür um so mehr liebte. Liebe hat mit Wertschätzung und Achtung sehr wenig oder überhaupt nicht das geringste zu tun. Liebe stellt nicht Untersuchungen an, ob sich das Geliebte auch für die Hochachtung eigne. Falls ich mich nicht irre, so war Herr Mortimer etwas wie Freimaurer. Luise stellte mich ihm eines Tages vor, wir beide Männer redeten jedoch, soviel ich weiß, nur einige wenige und dazu sehr bedeutungslose und trockene Worte miteinander. Den Eindruck der Verstandesschärfe machte er mir so wenig wie den Eindruck der Härte. Ich hielt ihn, als ich ihn sah, sogleich für einen Wollüstling und Weichling, für eine gerne alles, was an Weiblichkeit und Gefälligkeit nur immer in ihre

Nähe käme, aufessende, aufbrauchende und schlingende Lebe-
und Genußmenschen-Natur. Man wird vielleicht finden, daß ich
Herrn Mortimer zu derb anfasse, und ich gestehe gern, daß dies
möglicherweise leider der Fall ist. Hierdurch würde ich nur mir
selber schaden. Gewissen Männern ist es beschieden, einen hohen
Wert insbesondere für Frauen zu haben; als Zeitgenossen und als
Mitmenschen besitzen sie jedoch manchmal, wie wenn die Vorse-
hung und der Himmel für eine gleichmäßige Verteilung der Gaben
sorgte, wenig oder nicht die leiseste Bedeutung, von Liebesdingen
abgesehen, sind sie belanglos, und als treibende Elemente in
Staats- oder Menschheitssachen fallen sie in keinerlei Betracht.
Genug! Luise, die Edle, war jedenfalls dieses scheinbar sehr
gewichtigen, ansehnlichen Mannes, imposanten Vertreters alles
Selbstgefälligen und Selbstbeweihräucherigen demütige Geliebte.
Mortimer war verheiratet. Luise ist aber meines Wissens mit Frau
Mortimer nie in irgendeine Berührung gekommen. Eine Beziehung oder einen Verkehr zwischen beiden Frauen hat es also nicht
gegeben, wozu ja auch ganz gewiß nicht der kleinste Anlaß
vorhanden war. Als Luise Mutter eines Knaben wurde, regte sich
die Löwin, die Heldin in ihr, und Mortimer erhielt den Abschied.
Sie sagte ihm bei Gelegenheit ganz still und voll unverkennbarer
Hoheit, von sanften, aber unerschütterlichen Entschlüssen erfüllt,
daß sie in Zukunft allein sein wolle, daß sie ihn nicht mehr zu
sehen begehre, daß sie den Wunsch habe, er möge ihr von nun an
fernbleiben, daß sie in ihrem Inneren mit dem Gewesenen und
Geschehenen gebrochen habe. Er bot ihr seine fernere materielle
Unterstützung an. »Nichts von dem! Geh!« sagte sie schneidend
und ruhig, wobei sie ihm Augen von Abweisung und Gleichgültigkeit zeigte. Sie schien ihn kaum noch mehr zu kennen, er war
ein Fremder für sie. Als er sie anflehte, Mitleid mit ihm zu haben,
bat sie ihn auf eine kalte und formelle Art, die ihn erschreckte, sich
entfernen zu wollen, worauf er ging.

Luise begann nun einen ebenso harten wie fröhlichen, freien,
unerschrockenen Kampf mit den Nöten und Bedürfnissen des
täglichen Lebens zu kämpfen. Wenn ich sie in ihrer sehr zweifel-
haften Lage sah, kam sie mir stets ebenso arm wie mutig und
ebenso bedürftig wie klug, tapfer und heiter vor. Ich habe sie in der
ärmsten Lage und in den kümmerlichsten Verhältnissen gesehen,
aber immer fand ich sie bereit, lebhaft zu reden, Anmut und Geist
zu zeigen und fröhlich und zuversichtlich zu lächeln. Immer blieb
sie die Ruhige und Gefaßte, und für kopfaufrichtende kleine

Lustigkeiten bewies sie ein immer gleich sich bleibendes reizendes, liebliches Verständnis. Eine solche Frau, solch ein wackerer Charakter von Frau durfte und mußte hindurchdringen. Sie siegte denn auch in der Tat im harten Kampf, trotzte allen feindseligen Stürmen und brach sich durch alle Schwierigkeiten Bahn. Im Krieg des täglichen Lebens wurde sie stark, und nie verlernte sie Lachen, Mitteilen und Menschenfreundlichkeit. Selber in hohem oder höchstem Grad arm, war sie andern Armen eine beständige treue Freundin. Als Proletarierin lebte sie unter Proletariern und Proletarierinnen. Sie schwang sich, so kann man sagen, zur geliebten und bewunderten Königin der Armen auf. Indem sie Menschen aufrichtete und tröstete, richtete sie auch sich selbst immer wieder von neuem auf, tröstete sich selbst, und von gänzlichem Mutsinkenlassen und Ermüden wußte Luise nichts. — Lebt sie noch? Und wenn ja, wo lebt sie? Ich sah sie schon lange, lange nicht mehr. Das Leben riß mich aus ihrer Nähe, aus der Gesellschaft der Vortrefflichen fort. Freilich möchte ich die Gute gern einmal noch wiedersehen, und es mag wohl auch eintreffen, daß ich sie wiedersehe. Ich ging auch schon früher zeitweise von ihr fort, aber ich erinnere mich, daß es mich immer wieder, wie zu einem schönen und glückverheißenden Stern, zu ihr zurückzog.

(1916)

HEINRICH MANN

Ehrenhandel

1

Als es zwei war und die Freunde alles, was Lukas Bols ihnen zu bieten hatte, mehrmals durchgekostet hatten, kamen sie unerwartet in Streit, niemand begriff warum. Siebert hatte unehrerbietig von einer Dame gesprochen, von der kein Mensch anders als unehrerbietig sprach. Er und Michelsen wurden handgemein. Michelsen spie auf einen Fleck am Boden, wo gerade Sieberts Gesicht lag. Die anderen behaupteten, Siebert sei beleidigt, und ruhten, mit der Hartnäckigkeit der getrunkenen Liköre, nicht eher, als bis er selbst es merkte. Beide Gegner zappelten und keiften vor Erbostheit, und die Bar war rasch geschlossen.

Draußen einigten sich, nach lebhaften Verhandlungen, die drei Unbeteiligten dahin, daß nur ein Duell die Ehre retten könne. Siebert und Michelsen wollten sofort aufeinander los. Nachdem sie getrennt waren, lehnte sich Max Wiese gegen ein Haus und philosophierte, unterbrochen vom Schluckauf. Keinem Kulturmenschen könne zugemutet werden, er solle einen anderen abstechen. Er behaupte daher, in Frage komme bei hochstehenden Individuen, wie Michelsen und Siebert, nur ein amerikanisches Duell.

Doktor Libbenow trat für die Romantik der blanken Waffe ein. Da er aber über den Rinnstein stolperte und umfiel, kam er nicht genug zur Geltung.

Im Café gingen sie alle hintereinander und gemessenen Schrittes auf das Billard zu. Leopold Wiese hatte das größte Schnupftuch und knüpfte es zu einem Sack, mit dem er selbst und Brand sich zu schaffen machten, indes Doktor Libbenow, auf sie gestützt, die Arme ausbreitete und immerfort nach Michelsen hinüberrief: »Nicht hersehen!« Siebert war einen Augenblick hinausgegangen. Als sie fertig waren, entfernte sich Brand, um ihn hereinzuholen, mußte aber melden, Siebert könne noch nicht. Michelsen rauchte, hielt sich sehr stramm und sah mit Anstrengung auf die Tür. Wie Siebert eintrat, ganz weiß, mit sauer verzogenem Mund und feuchten Spuren auf Gesicht und Kleid, musterte sein Gegner ihn höhnisch. Siebert erwiderte den Blick, so stolz er konnte, und rief nach einem Kognak. Dann ward ihm der Sack hingehalten, und mit der rechten Hand griff er hinein, während die andere das Gläschen an den Mund hob. Dann gewahrte er in Michelsens Hand eine helle Billardkugel und in seiner eigenen eine dunkle und hörte sich von Doktor Libbenow verkünden, das dunklere Los sei sein. Und dann trank er, froh, daß man ihn ließ, seinen Kognak.

2

Gegen Mittag saß Siebert auf seinem Bett und dachte über seine Kopfschmerzen nach. Als den Ort, wo er sie sich geholt haben müsse, brachte er Bols heraus, und plötzlich fiel ihm ein, daß er nicht mehr und nicht weniger als ein zum Tode Verurteilter sei. Er bekam einen Schreck und dachte fast gleichzeitig: ›Ach, Unsinn.‹ Darauf: ›Die anderen haben es sicher nur scherzhaft gemeint und es überdies schon vergessen.‹ Ganz fest stand dies nicht. ›Das Albernste ist der Anlaß, dieses kleine Ferkel von Melanie. Wie kommt Michelsen dazu, sich plötzlich für sie ins Zeug zu legen. So betrunken darf kein Mensch sein. Ich will ihn milde beschämen, indem ich ihn daran erinnere. Und wenn er trotzdem so tun will, als sei etwas Ernstes vorgefallen, dann muß man ihn eben aufgeben, dann ist er kein gebildeter Mensch. Aber zur Premiere heute abend kommt er hoffentlich. Die sechs Mark für das Billett muß er mir jedenfalls ersetzen.‹

In ziemlicher Unruhe ging Siebert aus. Er hatte das Bedürfnis, Michelsen zu sehen, vor allem einmal sein Gesicht zu sehen und dann ihn zu erforschen wegen der sechs Mark und des übrigen. Im Restaurant traf er ihn nicht mehr, obwohl es noch nicht ein Uhr war. Die anderen von gestern waren auch schon weg, was ihren Gewohnheiten durchaus entgegen ging; und so aufgeräumt Siebert sich den anwesenden Bekannten zeigte, insgeheim beklemmte ihn etwas, und er mußte sich fragen: ›Wenn die hier von der Geschichte wüßten, wie würden sie dann sein gegen mich? Ich bin doch in einer ganz eigenen Lage.‹

Sinnend begab er sich zu seinen Geschäften. Von weitem schien es ihm, als käme von Lietzmann Söhne Max Wiese heraus und verschwinde auffallend rasch. Es war nicht sicher; aber kurz danach war nicht zu verkennen, wie Brand, um Siebert zu umgehen, in die Passage einbog. Sieberts Beklemmung nahm zu. Er ging mehrmals an Michelsens Haus vorbei und betrat es schließlich, hinunterschluckend. Das erste, was er hörte, war Michelsens Stimme, drinnen am Telefon. Der Kommis dagegen sagte, der Herr sei nicht da. Siebert wollte ironisch lächeln; das Lächeln fühlte sich aber verzerrt an.

Draußen empfand er leichte Betäubung. ›Was dem Menschen alles zustoßen kann. Da soll sich noch einer auf die Polizei verlassen!‹ Instinktmäßig kehrte er in seine Wohnung zurück, und als er die Zimmertür zugezogen hatte, blieb er, den Hut auf dem Kopf, davor stehen und sagte laut: »Sind die denn sämtlich verrückt? Einen zu behandeln, als ob man in Wirklichkeit fertig wäre. Das ist doch ein Unfug!« Er ward jäh von Wut erfaßt und begann, in seinem stillen Gemach mit den Füßen zu trampeln, wie er tat, wenn er an der Börse verloren hatte.

Dieser Entladung folgte tiefe Niedergeschlagenheit. Es fiel ihm ein, Michelsen sei Vizefeldwebel. ›Das beeinflußt doch den Charakter. Mit so was geht man um und glaubt, es sei ein gebildeter Mensch, und dann ist es der reine Wilde. Wenn er wenigstens nicht so viele Zeugen hätte. Sonst könnte ich sagen, es sei alles nicht wahr, oder die dunkle Billardkugel habe nicht ich gezogen, sondern er. Ich hätte mich weigern sollen.‹

Er stöhnte lange über den unbegreiflichen Mangel an Geistesgegenwart, vermöge dessen er sich hergegeben hatte zu dem Duell. ›Nun verlangen sie, daß ich mich umbringe; und wenn ich mich drücken will, reden sie die Sache herum. Das geht nicht.‹ Er sah schon alle seine Freunde vor ihm ausreißen, die Bekannten, wo er eintrat, ihm den Rücken drehen und in einem Salon die Damen sich bei seinem Erscheinen etwas Spöttisches zutuscheln. Dieses letzte ertrug er nicht und lief händeringend durchs Zimmer. ›Dann muß es also sein! – Daß ich einmal so einen Entschluß fassen würde, dachte ich nicht. Aber sie wollen es nicht anders. Man lernt die Menschen kennen. Es macht ihnen Spaß, mich in den Tod zu treiben, das ist das Neueste. Komisch, es wird schon förmlich still um mich her.‹

Er begab sich vor den Spiegel und sah sich, tief mitleidig, das Opfer der Menschen darin an. Er hatte blanke, unschuldige Augen, die Kehle war ihm etwas zugeschnürt, und er lächelte sich verzichtend zu. ›Wirken muß es fein, besonders auf die Damen. So anständig benimmt sich nicht jeder. Morgen gehe ich zu Lietzmanns. Das letztemal hat die Vicki sich beim Kotillon über mich mokiert, weil ich etwas Naives gesagt hatte. Das Mädel soll schon merken, daß ich gar nicht so harmlos bin, sondern eine tragische Figur!‹

Er überlegte auch, was er am dritten Tag (denn drei Tage Frist schien ihm üblich) anfangen sollte. Vielleicht ein glänzendes Essen, ganz für sich allein. Da es auf eine Indigestion in seinem Fall nicht mehr ankam, konnte er endlich so viel Hummersalat und Chablis zu sich nehmen, wie er mochte. Die Gelegenheit war einzig. Er wies sie dennoch, der Vornehmheit seines Geschickes zuliebe, von sich. ›Das war kein schöner Einfall, Hugo. Ich will fast gar keinen Alkohol trinken, denn meine jetzige Blässe steht mir gut.‹

Er wählte eine zu ihr passende Krawatte und machte in einer offenen Droschke eine Fahrt durch die Stadt und vors Tor, um von der Welt Abschied zu nehmen. Die gutgehenden Fabriken draußen imponierten ihm nicht mehr so; die Hast des Lebens dort rührte ihn. Er gedachte Michelsens, und auch Michelsen rührte ihn.

Am Abend bei der Premiere – neben ihm blieb Michelsens Platz leer – erklärte er wiederholt, das Interesse an solcher Spielerei habe etwas Kindliches. Da er gedämpft sprach und ein eigen stilles Lächeln zeigte, fragte man ihn, ob er leidend sei. »Oh, das wird bald vorüber sein«, sagte er sanft.

In größerer Gesellschaft besuchte er nachher noch mehrere Lokale, blieb aber völlig nüchtern, überblickte mit der Weihe des Vollendeten den unedlen Zustand der Gefährten und lag schließlich, sich heiter bewundernd, auf seinem Lager, das ihm besonders rein vorkam.

Den ganzen nächsten Tag langweilte er sich. ›Man ist doch schon recht abgeschieden von den Menschen, innerlich.‹ Aber am Abend, wie er bei Lietzmanns eintrat, sah er Michelsen zusammenzucken. ›Er hat nicht gedacht, ich würde kommen. Für so stark hielt er mich nicht.‹ Brand, Max Wiese und Libbenow gaben ihm die Hand, machten dabei aber Bewegungen, als rängen sie sich los. Siebert sah ihnen, milde durchdringend, in die Augen. Als er wieder einmal einem Frager antwortete: »Oh, das wird bald ganz vorüber sein«, begegnete er aus nächster Nähe Michelsens Blick, und Michelsen wich betreten aus. Noch mehrmals traf er ihn an seinem Wege, und Michelsen horchte sichtlich auf das, was er sagte; auch auf das, was er zu Vicki Lietzmann sagte.

»Haben Sie schon mal daran gedacht, gnädiges Fräulein, daß eigentlich jedem Menschen ganz anders zumut ist oder wenigstens manchem? Und daß alle zu ganz verschiedenen Zeiten sterben müssen?«

»Sind Sie naiv!« bemerkte das junge Mädchen.

Siebert dachte: ›Arme kleine Gans. Michelsen lächelt nicht die Spur, er weiß, wie blödsinnig ernst die Sache ist.‹

Auch Frau Claire Fichte lächelte nicht. Sie sagte zu Siebert: »Sie sind tief. Oh, wie sehr vermißt man in all dem oberflächlichen Treiben die Tiefe.«

Und sie zog für Siebert ein Stühlchen dicht neben sich. Sie war eine gepflegte Dreißigerin und durchaus nicht für jeden zu haben. Siebert merkte bald mit Sorge, wie seine interessante Blässe verlorenging. Doch blieb Frau Fichte noch ebenso freundlich. Später – und nicht vom Wein berauscht, sondern von Frau Fichte – hielt er eine Rede, worin vorkam: »Es freue sich, wer noch atmet im rosigen Licht« und » Morituri te salutant«. Dabei sah er Frau Fichte an, die es nicht auf deutsch wußte und behaglich lächelte – und sodann Michelsen, der sein Glas umstieß.

Der dritte Tag brach herein, ›immerhin der schwierigste‹, dachte Siebert schon früh im Bett und spürte Kneifen im Unterleib. ›Aber gemacht wird es, und übrigens ist vorher noch manches andere zu erledigen.‹ Er blieb daheim und machte sein Testament. Dabei bemerkt man, wen man liebhat. Er gewahrte auf einmal in sich ein großes Wohlwollen für Michelsen. ›Armer Kerl, gestern hat er wirklich schlecht abgeschnitten. Die Todgeweihten sind eben feiner.‹ Er vermachte ihm ein Dutzend neuester Londoner Krawatten. ›Wenn ich eine chronische Krankheit hätte und erst in drei Monaten stürbe, könnte er sie nicht mehr tragen. Da ich aber schon heute abend –. So hat alles seine gute Seite.‹

Als das Letzte geordnet war, entstand die Frage: ›Soll ich erst noch etwas essen? Wozu? Wenn man aber doch Hunger hat!‹ Und er ward inne, daß er es vorziehe, noch oftmals gemütlich zu Abend zu essen. ›Als gesunder Mensch einfach um die Ecke gehen – das gibt's doch gar nicht. Ich habe übrigens kein Talent zu so etwas. Weiß ich, ob mein Revolver auch schießt? Wenn man ihn hier in der Stadt probieren will, wird man eingesteckt. Und wenn er losgeht, wie leicht kann man sich fürs ganze Leben unglücklich machen. Dabei war gestern der alte Lietzmann sehr nett, und Vickis schnippisches Wesen ist vielleicht auch bloß ein gutes Zeichen? Bei solchen Aussichten wäre man doch zu dumm. Überhaupt: wenn ich es ernstlich vorgehabt hätte, dann hätte ich viel mehr Angst haben müssen. Ich kenne mich doch. Die andern können es im Grund auch gar nicht von mir erwarten, oder sie sind naiv. Für Michelsen wäre es sogar riesig unangenehm. Er hat mehr Angst als ich! Das ist gewiß. Es schadet ihm aber nichts.‹

Und er beschloß, Michelsen noch ein wenig zu ängstigen dadurch, daß er sich tot stellte, ohne Spur verschwand. Freudig packte er seinen Koffer. Inzwischen kam ein Billett von Frau Claire Fichte, sie sei heute abend für ihn zu Hause. ›Sie hat es eilig‹, dachte er. ›Ich aber auch.‹ Er überlegte: ›Den Nachtzug erreiche ich trotzdem noch.‹ Und er ging hin. Beim Besteigen der Droschke sah er Michelsen in der Nähe seines Hauses umherstreichen; und als er, ein beglückter Mann, von Frau Fichte heimkehrte, machte Michelsen noch immer dieselben zwanzig Schritte. ›Er paßt wohl auf, ob er es knallen hört?‹ dachte Siebert, immerhin peinlich berührt. ›Kann einer so blutdürstig sein!‹ Er ließ sein Gepäck unten im Hause durch das Restaurant hindurchtragen, und dann benutzte er selbst den Seitenausgang des Gastzimmers. Bevor er abfuhr, lugte er um die Hausecke und stellte fest, daß Michelsen noch immer die große Tür im Auge hielt. In seinem Coupé bedachte Siebert, und rieb sich die Hände, wie sehr ihm sein Streich gelungen sei. ›Zunächst spinnt sich nur ein Stück Romantik um mich; Vicki wird noch bittere Tränen um mich weinen. Claire wird es, glaube ich, für sich behalten, daß sie mich lebendig gesehen hat. Wenn ich dann wiederkomme, habe ich alle hineingelegt, was erst recht Effekt macht; und wer es übelnehmen will und von mir verlangt, daß ich wirklich tot bin, dem darf ich wohl bemerken: Da lachen ja die Hühner!‹ Und mit stets neuer Befriedigung wiederholte er: ›Der arme, gute Michelsen!‹

3

Michelsen war von falscher Scham verhindert worden, seinem Gegner gleich am ersten Tage zu erklären, daß er ihn lieber dem Leben erhalten sehe. Als Vizefeldwebel erfüllte dieser Schritt ihn mit Bedenken. Als Mensch scheute er sich, größere Besorgnis zu verraten als das Opfer selbst und durch Gemüt aufzufallen. Er vermied, voller Verlegenheit, jede Begegnung und hoffte: ›Er wird doch selber Verstand genug haben.‹ Ganz sicher war dies nicht – und Warten und Zweifel hatten Michelsen bis zum Abend des zweiten Tages schon so erregt, daß Siebert, der still auf sein Ende Gefaßte, bei Lietzmanns alles für sich hatte. Der Erfolg Sieberts reizte Michelsen, und er gönnte ihm den bevorstehenden Selbstmord, ohne daß darum die Zeichen, die die Tat ankündigten, ihn weniger ängstigten. Am dritten Tag brach ein Magenkatarrh bei ihm aus, er fühlte sich unfähig zu Geschäften und erging sich in erbitterten, anklägerischen Selbstgesprächen, deren letztes Wort immer hieß: »So ein rücksichtsloser Mensch!« Während sein Opfer ihn zu lieben begann und ihm Krawatten vermachte, faßte Michelsen Haß auf Siebert und wünschte ihm, er möge unter ein Automobil kommen, damit er sich nicht mehr selbstmorden könne.

Dabei drängte es ihn diesen ganzen Tag an Plätze, wo er Siebert treffen, ihn noch glücklich am Leben treffen könnte. Statt seiner traf er Brand oder Doktor Libbenow oder Max Wiese und drückte sich eilig davon oder sah weg, damit sie fortschleichen könnten. Denn von den vier, die zu Anfang Siebert wie einen Ausgestoßenen behandelt hatten, ertrug jetzt keiner mehr die Nähe des anderen.

Auf den schlauesten Umwegen brachte Michelsen schließlich in Erfahrung, daß Siebert zu Hause geblieben sei. Von dem Augenblick ab wich er nicht mehr aus der Straße; der Drang, die Polizei anzurufen, verzehrte ihn; und jeder Glockenschlag, jedes Trambahnklingeln, jeder laute Ruf schreckte ihn auf: nun war es geschehen. Er sah auf einen Fleck im Pflaster starrend, Siebert unter chloroformgetränkter Maske liegen. Oder Siebert hing an der Zimmerdecke. Oder er hatte ein Dynamitkorn zerbissen und infolgedessen keinen Kopf mehr auf dem Rumpf. Als einmal Leute zusammenliefen, stürzte Michelsen, gepeitscht von Entsetzen, in den Kreis: er hatte am Boden Blut erblickt. Dann war es nur ein überfahrener Hund. Indes Michelsen so aus Ängsten in Beschämungen verfiel, vergnügte sich Siebert bei Frau Claire Fichte. Als er zurück und schon abgereist war, wagte sein Mörder es endlich, mit wankendem Herzen an seiner Tür zu schellen. Das Läutewerk rasselte überlaut, und niemand öffnete. Michelsen stand eine halbe Stunde im Dunkeln, und von fünf Minuten zu fünf Minuten schellte er. Der Schall der Klingel drang vielleicht bis in Sieberts Todesnöte, und Siebert konnte nicht mehr antworten. Aber allmählich mußte er tot sein. Und Michelsen stieg polternd und voll Angst, ertappt zu werden, die finsteren Treppen hinab.

Er irrte, überwach und durch kein Getränk zu betäuben, umher, solange noch ein Lokal offenstand. Nicht weniger als dreimal zog es ihn zu Bols, und er sagte sich, dies sei der Trieb des Verbrechers, an den Ort seiner Missetat zurückzukehren. Wie er endlich heimkam, fühlte die Bettlampe, die er anknipsen wollte, sich heiß an. Michelsen riß die Hand zurück und verharrte, mit einem Schauer auf dem Scheitel, im Dunkeln. Es lichtete sich ihm langsam ein wenig, und er sah eine zusammengebrochene Masse daliegen, gleich vor seinen Füßen. Siebert! In Michelsens eigener Wohnung hatte er es getan! Hals über Kopf knipste Michelsen die Lampe an, deren Birne völlig kalt war, und stellte fest, daß der Teppich leer sei.

›Der gemeine Mensch, jetzt macht er mich verrückt! Libbenow muß mich untersuchen!‹

(1917)

HERMANN HESSE

Wenn der Krieg noch fünf Jahre dauert

Im ›Regierungsblatt‹, der einzigen Zeitung, welche im Jahre 1925 noch im Königreich Sachsen erschien (einmal in der Woche), stand im Herbst 1925 einst folgender kleiner Artikel mit der etwas gesuchten Überschrift:

›Ein neuer Kaspar Hauser.‹

Im Vogtlande, in der Ronneburger Gegend, wurde kürzlich ein ebenso rätselhafter wie bedenklicher Fund gemacht, ein Fund, von dem sich erst zeigen muß, ob er nur als ein Kuriosum aufzufassen sei oder möglicherweise doch ein weitergreifendes Interesse habe.

Bei der ›amtlichen Abschaffung der nicht zivildienstfähigen Bevölkerung‹, die bei uns so wohlorganisiert und trotz unvermeidlicher Härten so human durchgeführt worden ist, kam in der Ronneburger Gegend einer der ja nicht allzu seltenen Fälle vor, in welchen eine Privatperson trotz erwiesener Unfähigkeit, dem Staate und Gemeinwohl irgendwie noch zu nützen, die ihr gesetzte Existenzzeit ganz wesentlich (es soll sich um Monate handeln) überschritt. Der Privatmann Philipp Gaßner, der in der Nähe eines Dorfes ein einsam gelegenes kleines Landhaus bewohnt, war schon vor Jahresfrist bei der Altersmusterung als unbrauchbar bezeichnet und in üblicher Weise durch staffelweise Herabsetzung seiner Rationen an seine Untertanenpflicht erinnert worden. Als nach Ablauf des letzten Termins weder sein Hingang gemeldet noch die kreisamtliche Chloroformstelle für ihn in Anspruch genommen worden war, begab sich der Unteroffizier Kille im Auftrag des Bezirkskommandos in die Wohnung des Gaßner, um ihn in der vorgeschriebenen Form unter Strafandrohung an die Erfüllung seiner Bürgerpflicht zu erinnern.

Obwohl nun diese Mahnung völlig ordnungsgemäß erfolgte, auch das übliche Angebot kostenloser Erleichterung nicht versäumt wurde, geriet dennoch Gaßner, ein Mann von bald siebzig Jahren, in eine außergewöhnliche Erregung und weigerte sich hartnäckig, dem Gesetz Folge zu leisten. Vergeblich stellte der Unteroffizier ihm vor, welchen Mangel an vaterländischer Gesinnung er damit bekunde und wie betrübend es sei, wenn ein alter, in bürgerlichen Ehren ergrauter Mann sich sperre, das notwendige Opfer zu bringen, zu welchem täglich die gesamte hoffnungsvolle Jungmannschaft an der Front bereit sei. Gaßner setzte sich, als er abgeführt werden sollte, sogar tätlich zur Wehr. Der Unteroffizier, dem schon die auffallende Körperkraft des seit Jahresfrist auf abnehmende Rationen gesetzten Mannes auffiel, schritt nun zu einer Haussuchung. Und da ergab sich das Unglaubliche: In einem gegen den Garten gehenden Zimmer des ersten Stockwerks wurde eine junge Mannsperson entdeckt, die der Alte seit Jahren bei sich verborgen hielt!

Der junge Mensch, sechsundzwanzig Jahre alt und kerngesund, entpuppte sich als Alois Gaßner, Sohn des Hausbesitzers. Auf welche Weise es dem durchtriebenen Alten gelungen ist, seinen Sohn jahrelang der Dienstpflicht zu entziehen und bei sich verborgen zu halten, bleibt noch aufzuklären; es dürfte sich dabei eine verbrecherische Urkundenfälschung mit Wahrscheinlichkeit ergeben. Die einsame Lage des Hauses, die Vermöglichkeit des Vaters und ein großer und sehr sorgfältig angebauter Hausgarten, aus dessen Erträgen die beiden vorzugsweise lebten, erklären immerhin einiges.

Was uns hier interessiert, ist nicht so sehr der ungewöhnliche Fall einer schweren Hinterziehung und Dienstpflichtverletzung als eine psychologische Merkwürdigkeit, welche dabei zutage kam und zur Zeit von Sachverständigen untersucht wird. Es ist kaum zu glauben, aber die bisher vorliegenden Berichte lassen keinen Zweifel. Man höre!

Alois Gaßner scheint, nach übereinstimmender Aussage aller Fachleute, geistig vollkommen normal zu sein. Er schreibt, liest und rechnet nicht nur gewandt, er ist sogar geistig hoch gebildet und hat mit Hilfe einer recht guten Privatbibliothek sich dem Studium der Philosophie gewidmet. Er hat eine Reihe von Arbeiten aus verschiedenen Gebieten der Philosophiegeschichte und der Erkenntnistheorie verfaßt, außerdem Gedichte und belletristische Versuche, welche alle zumindest ein klares Denken und einen geschulten Geist bekunden.

Aber dieser seltsame Verborgene zeigt in seinem geistigen und seelischen Leben eine äußerst merkwürdige Lücke – er weiß nichts vom Kriege! Er hat alle diese Jahre außerhalb der Welt gelebt, die uns alle umgibt! Wie er bürgerlich für die Welt nicht vorhanden war, so lebte er geistig außerhalb unserer Zeit und Welt, in Europa wohl der einzige erwachsene Mensch, der bei voller Zurechnungsfähigkeit doch ohne jedes Wissen von seiner Zeit, vom Weltkriege, von den Geschehnissen und Umwälzungen dieser zehn Jahre geblieben ist!

So möchten wir diesen eigentümlichen Philosophen mit jenem Kaspar Hauser vergleichen, welcher einst die ganze Jugend außerhalb der Menschen- und Tageswelt in einer einsamen Dämmerung verlebte!

Der verhältnismäßig einfache Fall des Vaters G. wird vermutlich nicht lange auf seine Aufklärung und Aburteilung warten lassen. Er hat sich eines schweren Vergehens schuldig gemacht und wird die Folgen davon zu tragen haben. Über die Schuld oder Schuldbeteiligung des Sohnes hingegen gehen die Ansichten weit auseinander. Zur Zeit weilt er noch in einer Heilanstalt zur Untersuchung. Das wenige, was er bis jetzt dort vom Weltlauf, vom Staat und seinen staatsbürgerlichen Verpflichtungen erfahren hat, erregte bei ihm zunächst lediglich eine kindliche und etwas ängstliche Verwunderung. Es ist deutlich erkennbar, daß er die Versuche, ihn in diese Zusammenhänge einzuführen, nur teilweise ernst nimmt, er scheint in ihnen Fiktionen zu sehen, mit welchen er in Beziehung auf seinen Geisteszustand auf die Probe gestellt werden soll. Fragen und Assoziationsversuche mit den häufigsten, jedem Kinde geläufigen politischen Schlagwörtern blieben ohne jedes Ergebnis.

Wie wir in letzter Stunde noch erfahren, hat sich die philosophische Fakultät der Universität Leipzig soeben des Falles angenommen. Die Studien und Arbeiten Gaßners sollen dort einer Prüfung unterzogen werden. Aber auch abgesehen vom Werte oder Unwerte dieser Arbeiten legt die Fakultät großen Wert darauf, den Mann kennenzulernen, ja ihn unter Umständen gewissermaßen zu erwerben, als einziges Exemplar einer Spezies von Mensch, welche nicht mehr auf Erden existiert. Dieser ›Vorkriegsmensch‹ soll einem gründlichen Studium unterzogen und womöglich der Wissenschaft erhalten werden.

(1918)

Barbara

Sie hieß Barbara. Klang ihr Name nicht wie Arbeit? Sie hatte eines jener Frauengesichter, die so aussehen, als wären sie nie jung gewesen. Man kann ihr Alter auch nicht mutmaßen. Es lag verwittert in den weißen Kissen und stach von diesen ab durch eine Art gelblichgrauer Sandsteinfärbung. Die grauen Augen flogen rastlos hin und her, wie Vögel, die sich in den Wust der Pölster verirrt; zuweilen aber kam eine Starrheit in diese Augen; sie blieben an einem dunklen Punkt oben an der weißen Zimmerdecke kleben, einem Loch oder an einer rastenden Fliege. Dann überdachte Barbara ihr Leben.

Barbara war 10 Jahre alt, als ihre Mutter starb. Der Vater war ein wohlhabender Kaufmann gewesen, aber er hatte angefangen zu spielen und hatte der Reihe nach Geld und Laden verloren; aber er saß weiter im Wirtshause und spielte. Er war lang und dürr und hielt die Hände krampfhaft in den Hosentaschen versenkt. Man wußte nicht: wollte er auf diese Art das noch übrige Geld festhalten oder es verhüten, daß jemand in seine Tasche greife und sich von deren Inhalt oder Leere überzeuge. Er liebte es, seine Bekannten zu überraschen, und wenn es seinen Partnern beim Kartenspiel schien, daß er schon alles verloren habe, zog er zur allgemeinen Verblüffung noch immer irgendeinen Wertgegenstand, einen Ring oder eine Berlocke, hervor und spielte weiter. Er starb schließlich in einer Nacht, ganz plötzlich, ohne Vorbereitung, als wollte er die Welt überraschen. Er fiel, wie ein leerer Sack, zu Boden und war tot. Aber die Hände hatte er noch immer in den Taschen, und die Leute hatten Mühe, sie ihm herauszuzerren. Erst damals sah man, daß die Taschen leer waren und daß er vermutlich nur deshalb gestorben war, weil er nichts mehr zu verspielen hatte...

Barbara war 16 Jahre alt. Sie kam zu einem Onkel, einem dicken Schweinehändler, dessen Hände wie die Pölsterchen ›Ruhe sanft‹ oder ›Nur ein halbes Stündchen‹ aussahen, die zu Dutzenden in seinem Salon herumlagen. Er tätschelte Barbara die Wange, und ihr schien es, als kröchen fünf kleine Ferkelchen über ihr Gesicht. Die Tante war eine große Person, dürr und mager wie eine

Klavierlehrerin. Sie hatte große, rollende Augen, die aus den Höhlen quollen, als wollten sie nicht im Kopfe sitzenbleiben, sondern rastlos spazierengehen. Sie waren grünlichhell, von jener unangenehmen Grüne, wie sie die ganz billigen Trinkgläser haben. Mit diesen Augen sah sie alles, was im Hause und im Herzen des Schweinehändlers vorging, über den sie übrigens eine unglaubliche Macht hatte. Sie beschäftigte Barbara, ›so gut es ging‹, aber es ging nicht immer gut. Barbara mußte sich sehr in acht nehmen, um nichts zu zerbrechen, denn die grünen Augen der Tante kamen gleich wie schwere Wasserwogen heran und rollten kalt über den heißen Kopf der Barbara.

Als Barbara 20 Jahre alt war, verlobte sie der Onkel mit einem seiner Freunde, einem starkknochigen Tischlermeister mit breiten, schwieligen Händen, die schwer und massiv waren wie Hobel. Er zerdrückte ihre Hand bei der Verlobung, daß es knackte und sie aus seiner mächtigen Faust mit Not ein Bündel lebloser Finger rettete. Dann gab er ihr einen kräftigen Kuß auf den Mund.

Die Hochzeit, die bald darauf stattfand, verlief regelrecht und vorschriftsmäßig mit weißem Kleide und grünen Myrten, einer kleinen, öligen Pfarrersrede und einem asthmatischen Toast des Schweinehändlers. Der glückliche Tischlermeister zerbrach ein paar der feinsten Weingläser, und die Augen der Schweinehändlerin rollten über seine starken Knochen, ohne ihm was anhaben zu können. Barbara saß da, als säße sie auf der Hochzeit einer Freundin. Sie wollte es gar nicht begreifen, daß sie Frau war. Aber sie begriff es schließlich doch. Als sie Mutter war, kümmerte sie sich mehr um ihren Jungen als um den Tischler, dem sie täglich in die Werkstätte sein Essen brachte. Sonst machte ihr der fremde Mann mit den starken Fäusten keine Umstände. Er schien von einer eichenhölzernen Gesundheit, roch immer nach frischen Hobelspänen und war schweigsam wie eine Ofenbank. Eines Tages fiel ihm in seiner Werkstätte ein schwerer Holzbalken auf den Kopf und tötete ihn auf der Stelle.

Barbara war 22 Jahre alt, nicht unhübsch zu nennen, sie war Meisterin, und es gab Gesellen, die nicht übel Lust hatten, Meister zu werden. Der Schweinehändler kam und ließ seine fünf Ferkel über die Wange Barbaras laufen, um sie zu trösten. Er hätte es gar zu gerne gesehen, wenn Barbara sich noch einmal verheiratet hätte. Sie aber verkaufte bei einer günstigen Gelegenheit ihre Werkstätte und wurde Heimarbeiterin. Sie stopfte Strümpfe, strickte wollene Halstücher und verdiente ihren Unterhalt für sich und ihr Kind.

Sie ging fast auf in der Liebe zu ihrem Knaben. Es war ein starker Junge, die groben Knochen hatte er von seinem Vater geerbt, aber er schrie nur zu gerne und strampelte mit seinen Gliedmaßen so heftig, daß die zusehende Barbara oft meinte, der Junge hätte mindestens ein Dutzend fetter Beinchen und Arme. Der Kleine war häßlich, von einer geradezu robusten Häßlichkeit. Aber Barbara sah nichts Unschönes an ihm. Sie war stolz und zufrieden und lobte seine guten geistigen und seelischen Qualitäten vor allen Nachbarinnen. Sie nähte Häubchen und bunte Bänder für das Kind und verbrachte ganze Sonntage damit, den Knaben herauszuputzen. Mit der Zeit aber reichte ihr Verdienst nicht aus, und sie mußte andere Einnahmequellen suchen. Da fand sich, daß sie eigentlich eine zu große Wohnung hatte. Und sie hängte eine Tafel an das Haustor, an der mit komischen, hilflosen Buchstaben, die jeden Augenblick vom Papier herunterzufallen und auf dem harten Pflaster zu zerbrechen drohten, geschrieben stand, daß in diesem Hause ein Zimmer zu vermieten wäre. Es kamen Mieter, fremde Menschen, die einen kalten Hauch mit sich in die Wohnung brachten, eine Zeitlang blieben und sich dann wieder von ihrem Schicksal hinausfegen ließen in eine andere Gegend. Dann kamen neue.

Aber eines Tages, es war Ende März, und von den Dächern tropfte es, kam er. Er hieß Peter Wendelin, war Schreiber bei einem Advokaten und hatte einen treuen Glanz in seinen goldbraunen Augen. Er machte keine Scherereien, packte gleich aus und blieb wohnen.

Er wohnte bis in den April hinein. Ging in der Früh aus und kam am Abend wieder. Aber eines Tages ging er überhaupt nicht aus. Seine Türe blieb zu. Barbara klopfte an und trat ein, da lag Herr Wendelin im Bette. Er war krank. Barbara brachte ihm ein Glas Milch, und in seine goldbraunen Augen kam ein warmer, sonniger Glanz.

Mit der Zeit entwickelte sich zwischen beiden eine Art Vertraulichkeit. Das Kind Barbaras war ein Thema, das sich nicht erschöpfen ließ. Aber man sprach auch natürlich von vielem andern. Vom Wetter und von den Ereignissen. Aber es war so, als steckte etwas ganz anderes hinter den gewöhnlichen Gesprächen und als wären die alltäglichen Worte nur Hüllen für etwas Außergewöhnliches, Wunderbares.

Es schien, als wäre Herr Wendelin eigentlich schon längst wieder gesund und arbeitsfähig und als läge er nur so zu seinem Privatvergnügen länger im Bett als notwendig. Schließlich mußte er doch aufstehen. An jenem Tage war es warm und sonnig, und in der Nähe war eine kleine Gartenanlage. Sie lag zwar staubig und trist zwischen den grauen Mauern, aber ihre Bäume hatten schon das erste Grün. Und wenn man die Häuser rings vergaß, konnte man für eine Weile meinen, in einem schönen, echten Park zu sitzen. Barbara ging zuweilen in jenen Park mit ihrem Kinde. Herr Wendelin ging mit. Es war ein Nachmittag, die junge Sonne küßte eine verstaubte Bank, und sie sprachen. Aber alle Worte waren wieder nur Hüllen, wenn sie abfielen, war nacktes Schweigen um die beiden, und im Schweigen zitterte der Frühling.

Aber einmal ergab es sich, daß Barbara Herrn Wendelin um eine Gefälligkeit bitten mußte. Es galt eine kleine Reparatur an dem Haken der alten Hängelampe, und Herr Wendelin stellte einen Stuhl auf den wackligen Tisch und stieg auf das bedenkliche Gerüst. Barbara stand unten und hielt den Tisch. Als Herr Wendelin fertig war, stützte er sich zufällig auf die Schulter der Barbara und sprang ab. Aber er stand schon lange unten und hatte festen Boden unter seinen Füßen, und er hielt immer noch ihre Schulter umfaßt. Sie wußten beide nicht, wie ihnen geschah, aber sie standen fest und rührten sich nicht und starrten nur einander an. So verweilten sie einige Sekunden. Jedes wollte sprechen, aber die Kehle war wie zugeschnürt, sie konnten kein Wort hervorbringen, und es war ihnen wie ein Traum, wenn man rufen will und doch nicht kann. Sie waren beide blaß. Endlich ermannte sich Wendelin. Er ergriff Barbaras Hand und würgte hervor: »Du!« »Ja!« sagte sie, und es war, als ob sie einander erst jetzt erkannt hätten, als wären sie auf einer Maskerade nur so nebeneinander hergegangen und hätten erst jetzt die Masken abgelegt.

Und nun kam es wie eine Erlösung über beide. »Wirklich? Barbara? Du?« stammelte Wendelin. Sie tat die Lippen auf, um »Ja« zu sagen, da polterte plötzlich der kleine Philipp von einem Stuhl herab und erhob ein jämmerliches Geschrei. Barbara mußte Wendelin stehenlassen, sie eilte zum Kinde und beruhigte es. Wendelin folgte ihr. Als der Kleine still war und nur noch ein restliches Glucksen durch das Zimmer flatterte, sagte Wendelin: »Ich hol' sie mir morgen! Leb wohl!« Er nahm seinen Hut und ging, aber um ihn war es wie Sonnenglanz, als er im Türrahmen stand und noch einmal auf Barbara zurückblickte.

Als Barbara allein war, brach sie in lautes Weinen aus. Die Tränen erleichterten sie, und es war ihr, als läge sie an einer warmen Brust. Sie ließ sich von dem Mitleid, das sie mit sich selbst hatte, streicheln. Es war ihr lange nicht so wohl gewesen, ihr war wie einem Kinde, das sich in einem Wald verirrt und nach langer Zeit wieder zu Hause angekommen war. So hatte sie lange im Walde des Lebens herumgeirrt, um jetzt erst nach Hause zu treffen. Aus einem Winkel der Stube kroch die Dämmerung hervor und wob Schleier um Schleier um alle Gegenstände. Auf der Straße ging der Abend herum und leuchtete mit einem Stern zum Fenster herein. Barbara saß noch immer da und seufzte still in sich hinein. Das Kind war in einem alten Lehnstuhl eingeschlummert. Es bewegte sich plötzlich im Schlafe, und das brachte Barbara zur Besinnung. Sie machte Licht, brachte das Kind zu Bett und setzte sich an den Tisch. Das helle, vernünftige Lampenlicht ließ sie klar und ruhig denken. Sie überdachte alles, ihr bisheriges Leben, sie sah ihre Mutter, ihren Vater, wie er hilflos am Boden lag, ihren Mann, den plumpen Tischler, sie dachte an ihren Onkel, und sie fühlte wieder seine fünf Ferkel.

Aber immer und immer wieder war Peter Wendelin da, mit dem sonnigen Glanz in seinen guten Augen. Gewiß würde sie morgen »Ja« sagen, der gute Mensch, wie lieb sie ihn hatte. Warum hatte sie ihm eigentlich nicht schon heute »Ja« gesagt? Aha! Das Kind! Plötzlich fühlte sie etwas wie Groll in sich aufsteigen. Es dauerte bloß den Bruchteil einer Sekunde, und sie hatte gleich darauf die Empfindung, als hätte sie ihr Kind ermordet. Sie stürzte zum Bett, um sich zu überzeugen, daß dem Kind kein Leid geschehen war. Sie beugte sich darüber und küßte es und bat es mit einem hilflosen Blick um Verzeihung. Nun dachte sie, wie doch jetzt alles so ganz anders werden müßte. Was geschah mit dem Kinde? Es bekam einen fremden Vater, würde er es liebhaben können? Und sie, sie selbst? Dann kamen andere Kinder, die sie mehr liebhaben würde. – War das möglich? Mehr lieb? Nein, sie blieb ihm treu, ihrem armen Kleinen. Plötzlich war es ihr, als würde sie morgen das arme, hilflose Kind verlassen, um in eine andere Welt zu gehen. Und der Kleine blieb zurück. – Nein, sie wird ja bleiben, und alles wird gut sein, sucht sie sich zu trösten. Aber immer wieder kommt diese Ahnung. Sie sieht es, ja, sie sieht es schon, wie sie den Kleinen hilflos läßt. Selbst wird sie gehen mit einem fremden Manne. Aber er war ja gar nicht fremd!

Auf einmal schreit der Kleine laut auf im Schlafe. »Mama! Mama!« lallt das Kind; sie läßt sich zu ihm nieder, und er streckt ihr die kleinen Händchen entgegen. Mama! Mama! es klingt wie ein Hilferuf. Ihr Kind! – So weint es, weil sie es verlassen will. Nein! Nein! Sie will ewig bei ihm bleiben.

Plötzlich ist ihr Entschluß reif. Sie kramt aus der Lade Schreibzeug und Papier und zeichnet mühevoll hinkende Buchstaben auf das Blatt. Sie ist nicht erregt, sie ist ganz ruhig, sie bemüht sich sogar, so schön als möglich zu schreiben. Dann hält sie den Brief vor sich und überliest ihn noch einmal.

›Es kann nicht sein. Wegen meines Kindes nicht!‹ Sie steckt das Blatt in einen Umschlag und schleicht sich leise in den Flur zu seiner Tür. Morgen würde er es finden.

Sie kehrt zurück, löscht die Lampe aus, aber sie kann keinen Schlaf finden, und sie sieht die ganze Nacht zum Fenster hinaus.

Am nächsten Tage zog Peter Wendelin aus. Er war müde und zerschlagen, als hätte er selbst alle seine Koffer geschleppt, und es war kein Glanz mehr in seinen braunen Augen. Barbara blieb den ganzen Tag über in ihrem Zimmer. Aber ehe Peter Wendelin entgültig fortging, kam er mit einem Sträußlein Waldblumen zurück und legte es stumm auf den Tisch der Barbara. Es lag ein verhaltenes Weinen in ihrer Stimme, und als sie ihm die Hand zum Abschied gab, zitterte sie ein wenig. Wendelin sah sich noch eine Weile im Zimmer um, und wieder kam ein goldener Glanz in seine Augen, dann ging er. Drüben im kleinen Park sang eine Amsel, Barbara saß still und lauschte. Draußen am Haustor flatterte wieder die Tafel mit der Wohnungsanzeige im Frühlingswind.

Mieter und Monde kamen und gingen, Philipp war groß und ging in die Schule. Er brachte gute Zeugnisse heim, und Barbara war stolz auf ihn. Sie bildete sich ein, aus ihrem Sohne müsse etwas Besonderes werden, und sie wollte alles anwenden, um ihn studieren zu lassen. Nach einem Jahre sollte es sich entscheiden, ob er Handwerker werden oder ins Gymnasium kommen sollte. Barbara wollte mit ihrem Kinde höher hinauf. Alle die Opfer sollten nicht umsonst gebracht sein.

Zuweilen dachte sie noch an Peter Wendelin. Sie hatte seine vergilbte Visitkarte, die vergessen an der Tür steckengeblieben war, und die Blumen, die er ihr zum Abschied gebracht hatte, in ihrem Gebetbuch sorgfältig aufbewahrt. Sie betete selten, aber an Sonntagen schlug sie die Stelle auf, wo die Karte und die Blumen lagen, und verweilte lange über den Erinnerungen.

Ihr Verdienst reichte nicht, und sie begann, vom kleinen Kapital zu zehren, das ihr vom Verkauf der Werkstätte geblieben war. Aber es konnte auf die Dauer nicht weitergehen, und sie sah sich nach neuen Verdienstmöglichkeiten um. Sie wurde Wäscherin. In der Früh ging sie aus, und in der Mittagsstunde schleppte sie einen schweren Pack schmutziger Wäsche heim. Sie stand halbe

Tage im Dunst der Waschküche, und es war, als ob der Dampf des Schmutzes sich auf ihrem Gesicht ablagerte.

Sie bekam eine fahle, sandsteinfarbene Haut, um die Augen zitterte ein engmaschiges Netz haarfeiner Falten. Die Arbeit verunstaltete ihren Leib, ihre Hände waren rissig, und die Haut faltete sich schlaff an den Fingerspitzen unter der Wirkung des heißen Wassers. Selbst wenn sie keinen Pack trug, ging sie gebückt. Die Arbeit lastete auf ihrem Rücken. Aber um den bittern Mund spielte ein Lächeln, sooft sie ihren Sohn ansah.

Nun hatte sie ihn glücklich ins Gymnasium hinüberbugsiert. Er lernte nicht leicht, aber er behielt alles, was er einmal gehört hatte, und seine Lehrer waren zufrieden. Jedes Zeugnis, das er nach Hause brachte, war für Barbara ein Fest, und sie versäumte es nicht, ihrem Sohn kleine Freuden zu bereiten. Extratouren gewissermaßen, die sie um große Opfer erkaufen mußte. Philipp ahnte das alles nicht, er war ein Dickhäuter. Er weinte selten, ging robust auf sein Ziel los und machte seine Aufgaben mit einer Art Aufwand von körperlicher Kraft, als hätte er ein Eichenbrett zu hobeln. Er war ganz seines Vaters Sohn, und er begriff seine Mutter gar nicht. Er sah sie arbeiten, aber das schien ihm selbstverständlich, er besaß nicht die Feinheit, um das Leid zu lesen, das in der Seele seiner Mutter lag und in jedem Opfer, das sie ihm brachte.

So schwammen die Jahre im Dunst der schmutzigen Wäsche. Allmählich kam eine Gleichgültigkeit in die Seele Barbaras, eine stumpfe Müdigkeit. Ihr Herz hatte nur noch einige seiner stillen Feste, zu denen die Erinnerung an Wendelin gehörte und ein Schulzeugnis Philipps. Ihre Gesundheit war stark angegriffen, sie mußte zeitweilig in ihrer Arbeit einhalten, der Rücken schmerzte gar sehr. Aber keine Klage kam über ihre Lippen. Und auch wenn sie gekommen wäre, an der Elefantenhaut Philipps wäre sie glatt abgeprallt.

Er mußte nun daran gehen, an einen Beruf zu denken. Zu einem weiteren Studium mangelte es an Geld, zu einer anständigen Stelle an Protektion. Philipp hatte keine besondere Vorliebe für einen Beruf, er hatte überhaupt keine Liebe. Am bequemsten war ihm noch die Theologie. Man konnte Aufnahme finden im Seminar und hatte vor sich ein behäbiges und unabhängiges Leben. So glitt er denn, als er das Gymnasium hinter sich hatte, in die Kutte der Religionswissenschaft. Er packte seine kleinen Habseligkeiten in einen kleinen Holzkoffer und übersiedelte in die engbrüstige Stube seiner Zukunft.

Seine Briefe waren selten und trocken wie Hobelspäne. Barbara las sie mühevoll und andächtig. Sie begann, häufiger in die Kirche zu gehen, nicht weil sie ein religiöses Verlangen danach verspürte, sondern um den Priester zu sehen und im Geiste ihren Sohn auf die Kanzel zu versetzen. Sie arbeitete noch immer viel, trotzdem sie es jetzt nicht nötig hatte, aber sie glich einem aufgezogenen Uhrwerk etwa, das nicht stehenbleiben kann, solange sich die Rädchen drehen. Doch ging es merklich abwärts mit ihr. Sie mußte sich hie und da ins Bett legen und etliche Tage liegen bleiben. Der Rücken schmerzte heftig, und ein trockenes Husten schüttelte ihren abgemagerten Körper. Bis eines Tages das Fieber dazu kam und sie ganz hilflos machte.

Sie lag eine Woche und zwei. Eine Nachbarin kam und half aus. Endlich entschloß sie sich, an Philipp zu schreiben. Sie konnte nicht mehr, sie mußte diktieren. Sie küßte den Brief verstohlen, als sie ihn zum Absenden übergab. Nach acht langen Tagen kam Philipp. Er war gesund, aber nicht frisch und steckte in einer blauen Kutte. Auf dem Kopfe trug er eine Art Zylinder. Er legte ihn sehr sanft aufs Bett, küßte seiner Mutter die Hand und zeigte nicht das mindeste Erschrecken. Er erzählte von seiner Promotion, zeigte sein Doktordiplom und stand selbst dabei so steif, daß er aussah wie die steife Papierrolle und seine Kutte mit dem Zylinder wie eine Blechkapsel. Er sprach von seinen Arbeiten, trotzdem Barbara nichts davon verstand. Zeitweilig verfiel er in einen näselnden, fetten Ton, den er seinen Lehrern abgelauscht und für seine Bedürfnisse zugeölt haben mochte. Als die Glocken zu läuten begannen, bekreuzigte er sich, holte ein Gebetbuch hervor und flüsterte lange mit einem andächtigen Ausdrucke im Gesicht.

Barbara lag da und staunte. Sie hatte sich das alles so ganz anders vorgestellt. Sie begann, von ihrer Sehnsucht zu sprechen und wie sie ihn vor ihrem Tode noch einmal hatte sehen wollen. Er hatte bloß das Wort ›Tod‹ gehört, und schon begann er, über das Jenseits zu sprechen und über den Lohn, der die Frommen im Himmel erwartete. Kein Schmerz lag in seiner Stimme, nur eine Art Wohlgefallen an sich selbst und die Freude darüber, daß er am Lager seiner todkranken Mutter zeigen konnte, was er gelernt hatte.

Über die kranke Barbara kam mit Gewalt das Verlangen, in ihrem Sohn ein bißchen Liebe wachzurufen. Sie fühlte, daß es das letzte Mal war, da sie sprechen konnte, und wie von selbst und als hauche ihr ein Geist die Worte ein, begann sie, langsam und zögernd von der einzigen Liebe ihres Lebens zu sprechen und von dem Opfer, das sie ihrem Kinde gebracht. Als sie zu Ende war, schwieg sie erschöpft, aber in ihrem Schweigen lag zitternde Erwartung. Ihr Sohn schwieg. So etwas begriff er nicht. Es rührte ihn nicht. Er blieb stumpf und steif und schwieg. Dann begann er, verstohlen zu gähnen, und sagte, er gehe für eine Weile weg, um sich ein bißchen zu stärken.

Barbara lag da und begriff gar nichts. Nur eine tiefe Wehmut bebte in ihr und der Schmerz um das verlorene Leben. Sie dachte an Peter Wendelin und lächelte müde. In ihrer Todesstunde wärmte sie noch der Glanz seiner goldbraunen Augen. Dann erschütterte sie ein starker Hustenanfall. Als er vorüber war, blieb sie bewußtlos liegen. Philipp kam zurück, sah den Zustand seiner Mutter und begann, krampfhaft zu beten. Er schickte um den Arzt und um den Priester. Beide kamen; die Nachbarinnen füllten das Zimmer mit ihrem Weinen. Inzwischen aber taumelte Barbara, unverstanden und verständnislos, hinüber in die Ewigkeit.

(1918)

RICARDA HUCH

Episode aus dem
Dreißigjährigen Kriege

Als die frühe Dämmerung des Spätherbsttages hereinbrach, ging
der Pfarrer mit raschen Schritten dem Bergwalde zu, an dessen
Ausläufer sein Dorf hingebaut war. Etwa hundert Schritt ging er
vom Wege waldeinwärts bis zu einer Birke, die wunderlich
zwischen lauter Buchen und Eichen stand, in ihrem Wuchse nach
oben gedrängt, so daß es schien, als recke sie die schlanken Arme
aus unleidlich umklammernder Not gegen den Himmel. Unter der
Birke kniete der Pfarrer nieder, schaute sich verstohlen um, ob er
allein sei, untersuchte den Boden, stutzte und begann dann mit
den Händen in der Erde zu wühlen. Nacheinander nahm er Steine
und abgebrochene Äste zu Hilfe, die er von seinem Platz aus
greifen konnte; aber nach minutenlanger Anstrengung hörte er auf
und warf sich stöhnend über die aufgeschüttete Erde. Kein Zweifel: der goldene Abendmahlskelch, den er an dieser Stelle vergraben hatte, als sie vor zwei Monaten aus dem Dorf flüchteten, war
nicht mehr da. Er hatte sofort bemerkt, daß der Fleck nicht so
aussah wie damals, als sie ihn mit einem kreuzweis gebogenen
Stäbchen bezeichnet hatten; aber er hatte sich zugeredet, daß
Wind und Wetter oder etwa ein Fuchs, der sich so weit vorgewagt
habe, daran Schuld trüge. Daß die Soldaten das Geheimnis erspäht
hätten, war ausgeschlossen; sollten sie etwa Zoll für Zoll den Wald
nach vergrabenen Schätzen durchwühlt haben? Nein, einer von
denen mußte es getan haben, die dabeigewesen waren und ihm
beigestanden hatten, der Schankwirt oder der Küster; dieser hatte
ihm das Loch zu graben geholfen, der andere hatte inzwischen
sein kleinstes Kind auf dem Arme gehalten, das bald darauf mit der
Mutter gestorben war. Der Küster war eines Tages, während sie
sich versteckt hielten, verschwunden, angeblich um aus irgendeiner Ansiedelung jenseit des Berges Brot herbeizuschaffen, und
war nicht zurückgekehrt. Das war verdächtig; aber am Schankwirt
fiel ihm auf, nun er darüber nachdachte, daß sein verwüstetes und
leergeraubtes Haus ihn so wenig traurig stimmte. Freilich war er
immer ein fröhlicher, zu Späßen aufgelegter Mann gewesen, ein
Freund der Kinder und auch der seinigen, und eben darum war es

ihm so schrecklich, daß er nun einen solchen Argwohn gegen ihn hegen mußte; indessen auch den Küster hatte er von jeher als guten und redlichen Mann hoch geschätzt, um wieviel mehr seit jenem Tage, wo er sich erboten hatte, den gefährlichen Gang zu wagen, und hatte ihn, da er nicht wiederkam, fast als einen Märtyrer beweint. Wie nun, wenn er damals an den bekannten Ort geschlichen wäre, den Becher ausgegraben, an einen reichen Offizier oder Händler verkauft und sich mit dem Erlös davongemacht hätte? Es schien ihm alles, alles aus und tot zu sein. Der Anblick des aus Trümmern rauchenden Dorfes und des Jammers seiner Gemeinde hatten ihn erschüttert; aber er hatte sich zusammennehmen können und mit dem goldenen Becher getröstet. Er hätte selbst nicht sagen können, ob deshalb, weil das heilige Gerät ihm wie eine Bürgschaft göttlicher Gnade vorkam oder weil es einen Wert vorstellte, der der ärgsten Not vielleicht steuern konnte; denn er glaubte, daß es vor Gott nicht als Entweihung gelten würde, wenn das heilige Gefäß das Leben des armen Volkes fristete. Sich dicht zusammenkrümmend, drückte er sich tief in die lockere Erde hinein, von der einzigen Sehnsucht durchdrungen, nie mehr aufstehen, niemanden mehr sehen zu müssen. Von den nassen Bäumen tropfte es kühl auf ihn herab, er fühlte es halb bewußt, als ob der Himmel ihn beweine. Plötzlich glaubte er vom Dorf her sich Schritte nähern zu hören, und ein unbeschreibliches Angstgefühl erfaßte ihn, sich wieder unter die armseligen Menschen mischen und die Last des Elends von einem Tage zum andern weiterwälzen zu sollen, und er griff unwillkürlich, indem er sich aufrichtete, nach seinem Halstuch, um zu prüfen, ob es als Strick zu gebrauchen sei. Schnell aber mußte es getan sein, eh' man ihn störte; indessen seine bebenden Finger hatten noch nichts zustande gebracht, als zwischen den Stämmen sein siebzehnjähriges Töchterchen hervortrat und ihn erschrocken aus hellen Kinderaugen ansah. Verwirrt sank er auf seinen Platz zurück, und nachdem eine Minute in bangem Schweigen verflossen war, fing er an von dem verschwundenen Becher zu sprechen, und daß das Herz ihm darüber gebrochen sei. »Als die Mutter und das Brüderchen starben«, sagte das Mädchen langsam, »brach es nicht, vielmehr verdoppelte es seine Liebe, damit ich aufhörte zu weinen.«

»Es ist leicht, um Tote zu trauern, denen wohler als uns ist«, sagte der Pfarrer, »wenn wir aber finden, daß diejenigen untreu und böse sind, denen wir zumeist vertrauten, das kehrt den Sinn um. Von grausamen Feinden, habgierigen Brüdern und schwachem Volke sind wir umringt; wohin wir auch wanderten in deutschen Landen, finden wir überall dasselbe Elend. Meine Brust ist so voll Asche wie mein unglückliches Vaterland; mir ekelt vor dem nächsten Tage.« Das Mädchen preßte die mageren Hände auf die Brust und starrte befremdet und fast zürnend auf den Vater.

»Es steht ja geschrieben«, sagte sie, »daß wir uns nicht auf Menschen, sondern auf Gott verlassen sollen; und wenn unsere Heimat auf Erden wankt, sollen wir uns der höheren erinnern, die uns niemand entreißen kann. Das Reich Gottes steht nicht auf ehernen Füßen und marmornen Säulen, es schwimmt in ewigem Licht und ist ganz erfüllt vom hochheiligen Wort des Herrn, das wie Harfen, Flöten und Pauken tönt. Da ist keine Not, kein Geschrei, kein Verrat, da schwebt die Mutter wie eine Flamme mit dem Brüderchen auf dem Arm, und wer weiß, vielleicht trägt sie den goldenen Kelch in der Hand und reicht ihn dir, wenn du kommst, und läßt dich das Wasser des Lebens daraus trinken.« Er geht am vollen Tisch um, dachte der Pfarrer, und rohe Soldatenmäuler besaufen sich daraus; aber er sprach es nicht aus, sondern sagte zögernd: »Wäre es denn zu verwundern, wenn ich aus diesem Jammer den Weg dorthin suchte?«

»Vater«, rief das Kind aus, »du? und die andern? Hast du vergessen, daß man das Reich Gottes nicht erobern kann wie ein Wallone oder Kroat, noch sich mit List einschleichen wie ein Dieb? Wer ausharrt bis in den Tod, auf den läßt es sich nieder unverhofft wie eine Taube und schwingt sich mit ihm in den gewaltigen Glanz zu den Füßen Gottes.«

Der Pfarrer schüttelte müde und trostlos den Kopf. Und wenn das alles, wollte er sagen, von Gott und Gottes Reich und Gottes Wort nur Geschwätz wäre, und es gäbe nichts als eitle, böse, falsche und alberne Menschen, die eine Weile sich aufblähen und umtreiben und dann hinfahren wie ein Dunst, der nichts Besseres wert ist? Allein er brachte nur die ersten Worte hervor; denn es kam ihm plötzlich frevelhaft vor, zu diesem Kinde so heillose Zweifel zu äußern. Sie jedoch mit ihrem ahnenden Herzen fühlte seine Gedanken, und ein Schauer überlief sie. Die Sonne war im Rücken des Dorfes untergegangen, und ein graugelbes Licht zuckte durch den Wald, als sie sich umsah. Das zerstörte Dorf lag im Zwielicht wie eine Grabstätte um einen Galgen. »Laß uns fort von hier«, sagte sie dringend, »an dieser Stelle geht der böse Feind um. Er flüstert verbotene Gedanken; vielleicht hat er auch jenem armen Manne die Lust nach dem goldenen Becher eingeflößt.« – »Er wird ihm ein Leben im Überfluß und Freude versprochen haben«, warf der Pfarrer hin, »und der Teufel hält Wort.«

Die Kleine richtete sich stolz auf, und ihre Hände ballten sich zusammen. »Vater«, sagte sie, »hast du mich nicht selbst gelehrt, daß der Teufel ein Lügner und das Wort Gottes Wahrheit ist? Leugnetest du es aber jetzt auch ab, so ist es doch so, wie es geschrieben steht. Die Menschen wissen nichts, und was sollte ich armes Kind wissen? Die Rache ist mein, spricht der Herr, eben darum, weil wir nichts wissen können, hat er sie sich vorbehalten. Vielleicht hat der Mann, der den Becher gestohlen hat, sich weniger versündigt als du mit deinem Unglauben. Ist dir nicht deine Gemeinde von Gott anvertraut, ein ganzes Volk, das sich auf deinen Rat und deine Hilfe und dein Beispiel verläßt? Sie sitzen in ihren leeren Häusern, ringen die Hände, leiden Hunger und können vor Kummer nicht einmal Schlaf für die Nacht finden.«

»Ich ging hierher, um den Becher zu holen und ihnen morgen Trost im Abendmahl zu spenden«, entschuldigte sich der Pfarrer, »ich bin nicht Gott, daß ich aus nichts etwas schaffen könnte.«

»Aber Gott kann es und tut es«, erwiderte das Kind, »für die, welche an ihn glauben. Tut er es aber nicht, so weiß er allein warum und öffnet seine Arme denen, die gut gekämpft haben.« Dem Pfarrer wurden die Augen naß. Er blickte auf sein Kind. Ja, ein Engel mußte es sein, den Gott ihm zur Rettung wunderbar gesandt hatte.

Hätte sein Mädchen sonst solche Worte gefunden und hätte es ihn so streng und liebevoll durchs Herz blicken können? Dennoch war es sein eigenes Kind, und im Bewußtsein, daß es weder für ihn noch für sie ziemlich wäre, wenn er vor ihr kniete, hielt er an sich, stand auf und sagte: »Laß uns heimgehen; du wirst müde sein, und wir wollen sehen, wie wir dir ein Bettlein herrichten.« Die Kleine ergriff die Hand des Vaters, küßte sie und zog ihn mit sich fort. »Ich habe schon für dich und mich ein Bett gemacht, daß du dich wundern wirst«, plauderte sie. »Und weißt du, was ich gefunden habe? Ein Nest voll Eier in dem Versteck, wo unser grauweißes Huhn zu legen pflegte. Glaubst du nicht, daß auch das eine oder andere von unsern Hühnern sich verborgen hat und wieder hervorkommt, wenn es merkt, daß die fremden Soldaten fort und wir wieder da sind? Vielleicht auch mein Kälbchen.« – »Wir hätten freilich jetzt kein Gras, um es zu weiden.« Rauchige Luft schlug ihnen entgegen, wie sie sich den Häusern näherten; kein Hund bellte, keine Kuh brüllte, Totenstille war weithin. Plötzlich wurde sie unterbrochen durch Gesang, der aus der kleinen plumpen, mit spitzem Turm in die Nacht schimmernden Kirche drang.

Christ, der am Kreuz der Marter hängt,
Faß hohen Mut: der dich erkor,
Gott lebt, der Tod und Hölle sprengt,
Er hat noch Großes mit dir vor.

Obwohl die Töne holperten wie ein Karren, der über gefrorene Furchen ächzt, erkannte der Pfarrer doch seinen Lieblingschoral und blieb unwillkürlich stehen, indem er ein Schluchzen in der Kehle erstickte. »Komm, Vater«, flüsterte die Kleine, »sie treffens nicht ohne dich«, und lachte. Gleich einem befreiten Vöglein aus dem Käfig schwang sich das zwitschernde Gelächter selig in die Luft. Eilig gingen sie Hand in Hand auf die tönende Kirche zu.

(1921)

KARL KRAUS

Die Grüßer

Es häufen sich die Fälle, daß Individuen behaupten, daß sie mich
›persönlich kennen‹ und indem sie ihr Ansehen bei den Leuten,
denen sie's erzählen, zu heben suchen, das meine herabsetzen.
Denn was sollen diese noch von mir halten, wenn ich jene
persönlich kenne? Sie selbst würden doch, wenn's wahr wäre,
allen Respekt vor mir verlieren. Weil sie diesen aber nicht haben,
und es ihnen eben nur darauf ankommt, mit einem Gott sei's
geklagt berühmten Menschen persönlich bekannt zu sein, welchem Zweck der Fritz Werner besser entgegenkommen würde, so
pflegen sie, um aller Welt und speziell ihren Begleitern den Beweis
der persönlichen Bekanntschaft zu liefern, auf offener, infolgedessen von mir immer mehr gemiedener Straße in zudringlicher
Weise zu grüßen, wobei meine Kurzsichtigkeit nicht als Gegenbe-
weis, sondern nur als Entschuldigung meiner Unhöflichkeit in
Betracht kommt. Selbst solche, die mich verachten und wenn sie
mir allein begegnen, wegsehen würden, grüßen vertraut, sobald
noch ein Zweiter, dem sie mit solcher Legitimierung aufwarten
wollen, mit ihnen geht. Sie wären natürlich ganz ebenso imstande,
wenn sie mich wirklich kennten, bloß zu grüßen, wenn wir uns
zeugenlos begegnen, und aus Furcht vor irgendeiner sozialen
Vergeltung wegzusehen, sobald einer dabei ist. Dann kommt es
wieder vor, daß Leute, die mich nicht persönlich kennen, in einem
Lokal, zu dessen Besuch mich das Leben zwingt, nachdem sie sich
beim Kellner erkundigt haben, ob ich es wirklich sei, förmliche
Purzelbäume vor mir schlagen, aber nicht etwa aus jener Vereh-
rung, die ich verabscheue, sondern nur um sich selbst zu beweisen, daß sie mich persönlich kennen. Auch sie müssen unbedankt
von hinnen ziehn. Der hauptsächlichste Grund, warum ich nicht
mehr ins Theater gehe – wichtiger noch als Selbstbewahrung vor
schauspielerischer Impotenz und als die Furcht, am Abend vor der
Arbeit schläfrig zu werden –, ist das Bedenken, mit so vielen
Leuten, die ich nicht persönlich kenne, ins Theater zu gehen. Denn
nicht nur, daß der Sitznachbar, feige die Gelegenheit vollkomme-
ner Wehrlosigkeit – Sperrsitz! erhaschend, plötzlich zu grüßen
beginnt; selbst wenn er's nicht tut, glaubt jeder – und keines

Wieners Phantasie reichte aus, sich die Sitznachbarschaft als Zufall vorzustellen –, der X. sei mit mir im Theater gewesen, was ihm entweder nützt oder schadet. Vor zwanzig Jahren hatte einer der wenigen anständigen Menschen der hiesigen Literatur das Pech, im Burgtheater neben mir zu sitzen; ich bat ihn, mit mir nicht zu sprechen, da die Kritik im Mittelgang es bemerken und ihm nach dem Leben trachten würde. Es geschah; denn, hieß es, der J. J. David sei ›mit ihm ins Theater gegangen‹. Die Wiener Personalnachricht war lange Zeit hindurch – neben Schönpflug – der tiefste Ausdruck dieses Lebens, das die falsche Perspektive des Zufalls zum Gesetz erhebt. Im Hotel zum König von Ungarn sind zum Beispiel gestern der Kommerzialrat Goldberger *und* die Gräfin Andrassy aus Budapest abgestiegen. Da bin ich vorsichtig. Muß ich einmal über die Straße, so sehe ich mich ganz genau um, wie der Mensch aussieht, neben dem ich zufällig gehe, denn die Leute zeigen mit Fingern auf einen, da können Ungenauigkeiten unterlaufen und ich will nicht, daß es immer wieder heißt, ich hätte einen Vollbart. Ein verstorbener Privatkauz, der mehr Witz hatte als ein Haufen von Wiener Librettisten, tröstete eine Dame, die sich über üble Nachrede beklagte, mit der Unabänderlichkeit dieses Wiener Verhängnisses: gehe er mit einer Frau auf der Ringstraße, so heiße es, er habe ein Verhältnis; gehe er mit einem Herrn auf der Ringstraße, so heiße es, er sei homosexuell; gehe er, um all dem zu entgehen, allein auf der Ringstraße, so heiße es, er sei ein Onanist. Aber das letztere wird niemandem in Wien nachgesagt werden, da doch immer eine Frau oder ein Mann in der Nähe ist, ›mit‹ denen man gesehen wird. Das Publikum verblödet von Jahr zu Jahr, und weil dieser Stadt das eigentliche Lebensmittel, die Ehre, längst vor allen andern ausgegangen ist und der schäbige Rest noch ans Ausland, von dem nichts hereinkommt, weggeworfen wurde, so ist das alles möglich. Ein Gang durch sie, nämlich durch die allerwertloseste, die innere, der Anblick dieser Graben- und Galgenbrut würde mir vor Ekel die Kehle würgen. Ich arbeite, vermutlich als einziger Mensch in Wien, wie eh und je die Nacht durch, oft bis in den Vormittag hinein, schlafe bis zum Abend und sehe jahraus, jahrein kaum mehr als drei, vier Menschen in dieser Stadt. Irgendwie erfahre ich aber doch, daß ich ›einflußreiche Beziehungen habe‹, daß ich auf der Redoute war, daß ich eine Premiere mitgemacht habe, daß ich verheiratet bin, daß ich Damen zum ›Tee‹ lade, daß ich mit dem Müller einmal intim war und daß ich nur, weil ich ihn einmal mit der Meier gesehen habe, das Blatt gewendet hat, daß mich der und jener persönlich kennt, also einen Umgang zu haben behauptet, den ich von ihm nehme. Ich muß nachdrücklich drauf aus sein, solche Zumutungen abzulehnen, weil sonst die notgedrungene Abweisung eines Verkehrs mit manchem würdigen grausame Ungerechtigkeit wäre. Ein für allemal bitte ich zu glauben, daß mich jene schlecht kennen, die da glauben, sie kennten mich gut, und die, die's ihnen glauben, nicht besser. Es ist jede solche Angabe erstunken und erlogen, und ich ermächtige jeden, jeden, der sie vorbringt, für einen Schwindler zu halten und ihm zu sagen, daß er mit der Fackel ausschließlich den Zusammenhang dieser einzigen Stelle habe, die sich ganz ausdrücklich auf ihn, gerade auf ihn und nur auf ihn bezieht. Damit hoffe ich dem Grüßerpack, das mit fremdem Ruhm schachert und mit einem, der mir so hassenswert dünkt wie jeder seiner Parasiten, das Handwerk gelegt zu haben. Denn wenn es eine Eigenschaft gibt, für die ich noch lange nicht berühmt genug bin, so ist es die meines Gedächtnisses, das nicht den Schatten des kleinsten Eindrucks seit meinem zweiten Lebensjahr, kein Geräusch, keinen Namen, keine Nase, keinen Schritt verloren hat und sich an jeden, den ich nicht kenne, ganz genau erinnert und ferner ebenso genau zu unterscheiden weiß zwischen solchen, die ich nicht kenne, weil ich nicht wollte, und jenen, die ich nicht kenne, weil ich nicht will.

(1921)

FRANZ KAFKA

Ein Hungerkünstler

In den letzten Jahrzehnten ist das Interesse an Hungerkünstlern sehr zurückgegangen. Während es sich früher gut lohnte, große derartige Vorführungen in eigener Regie zu veranstalten, ist dies heute völlig unmöglich. Es waren andere Zeiten. Damals beschäftigte sich die ganze Stadt mit dem Hungerkünstler; von Hungertag zu Hungertag stieg die Teilnahme; jeder wollte den Hungerkünstler zumindest einmal täglich sehn; an den späteren Tagen gab es Abonnenten, welche tagelang vor dem kleinen Gitterkäfig saßen; auch in der Nacht fanden Besichtigungen statt, zur Erhöhung der Wirkung bei Fackelschein; an schönen Tagen wurde der Käfig ins Freie getragen, und nun waren es besonders die Kinder, denen der Hungerkünstler gezeigt wurde; während er für die Erwachsenen oft nur ein Spaß war, an dem sie der Mode halber teilnahmen, sahen die Kinder staunend, mit offenem Mund, der Sicherheit halber einander bei der Hand haltend, zu, wie er bleich, im schwarzen Trikot, mit mächtig vortretenden Rippen, sogar einen Sessel verschmähend, auf hingestreutem Stroh saß, einmal höflich nickend, angestrengt lächelnd Fragen beantwortete, auch durch das Gitter den Arm streckte, um seine Magerkeit befühlen zu lassen, dann aber wieder ganz in sich selbst versank, um niemanden sich kümmerte, nicht einmal um den für ihn so wichtigen Schlag der Uhr, die das einzige Möbelstück des Käfigs war, sondern nur vor sich hinsah mit fast geschlossenen Augen und hie und da aus einem winzigen Gläschen Wasser nippte, um sich die Lippen zu feuchten.

Außer den wechselnden Zuschauern waren auch ständige, vom Publikum gewählte Wächter da, merkwürdigerweise gewöhnlich Fleischhauer, welche, immer drei gleichzeitig, die Aufgabe hatten, Tag und Nacht den Hungerkünstler zu beobachten, damit er nicht etwa auf irgendeine Weise doch Nahrung zu sich nehme. Es war das aber lediglich eine Formalität, eingeführt zur Beruhigung der Massen, denn die Eingeweihten wußten wohl, daß der Hungerkünstler während der Hungerzeit niemals, unter keinen Umständen, selbst unter Zwang nicht, auch das geringste nur gegessen hätte; die Ehre seiner Kunst verbot dies. Freilich, nicht jeder Wächter konnte das begreifen, es fanden sich manchmal nächtliche Wachgruppen, welche die Bewachung sehr lax durchführten, absichtlich in eine ferne Ecke sich zusammensetzten und dort sich ins Kartenspiel vertieften, in der offenbaren Absicht, dem Hungerkünstler eine kleine Erfrischung zu gönnen, die er ihrer Meinung nach aus irgendwelchen geheimen Vorräten hervorholen konnte. Nichts war dem Hungerkünstler quälender als solche Wächter; sie machten ihn trübselig; sie machten ihm das Hungern entsetzlich schwer; manchmal überwand er seine Schwäche und sang während dieser Wachzeit, solange er es nur aushielt, um den Leuten zu zeigen, wie ungerecht sie ihn verdächtigten. Doch half das wenig; sie wunderten sich dann nur über seine Geschicklichkeit, selbst während des Singens zu essen. Viel lieber waren ihm die Wächter, welche sich eng zum Gitter setzten, mit der trüben Nachtbeleuchtung des Saales sich nicht begnügten, sondern ihn mit den elektrischen Taschenlampen bestrahlten, die ihnen der Impresario zur Verfügung stellte. Das grelle Licht störte ihn gar nicht, schlafen konnte er ja überhaupt nicht, und ein wenig hindämmern konnte er immer, bei jeder Beleuchtung und zu jeder Stunde, auch im übervollen, lärmenden Saal. Er war sehr gerne bereit, mit solchen Wächtern die Nacht gänzlich ohne Schlaf zu verbringen; er war bereit, mit ihnen zu scherzen, ihnen Geschichten aus seinem Wanderleben zu erzählen, dann wieder ihre Erzählungen anzuhören, alles nur, um sie wach zu halten, um ihnen immer wieder zeigen zu können, daß er nichts Eßbares im Käfig hatte und daß er hungerte, wie keiner von ihnen es könnte. Am glücklichsten aber war er, wenn dann der Morgen kam und ihnen auf seine Rechnung ein überreiches Frühstück gebracht wurde, auf das sie sich warfen mit dem Appetit gesunder Männer nach einer mühevoll durchwachten Nacht. Es gab zwar sogar Leute, die in diesem Frühstück eine ungebührliche Beeinflussung der Wächter sehen wollten, aber das ging doch zu weit, und wenn man sie fragte, ob sie nur um der Sache willen ohne Frühstück die Nachtwache übernehmen wollten, verzogen sie sich, aber bei ihren Verdächtigungen blieben sie dennoch.

Dieses allerdings gehörte schon zu den vom Hungern überhaupt nicht zu trennenden Verdächtigungen. Niemand war ja imstande, alle Tage und Nächte beim Hungerkünstler ununterbrochen als Wächter zu verbringen, niemand also konnte aus eigener Anschauung wissen, ob wirklich ununterbrochen, fehlerlos gehungert worden war; nur der Hungerkünstler selbst konnte das wissen, nur er also gleichzeitig der von seinem Hungern vollkommen befriedigte Zuschauer sein. Er aber war wieder aus einem andern Grunde niemals befriedigt; vielleicht war er gar nicht vom Hunger so sehr abgemagert, daß manche zu ihrem Bedauern den Vorführungen fernbleiben mußten, weil sie seinen Anblick nicht ertrugen, sondern er war nur so abgemagert aus Unzufriedenheit mit sich selbst. Er allein nämlich wußte, auch kein Eingeweihter sonst wußte das, wie leicht das Hungern war. Es war die leichteste Sache von der Welt. Er verschwieg es auch nicht, aber man glaubte ihm nicht, hielt ihn günstigenfalls für bescheiden, meist aber für reklamesüchtig oder gar für einen Schwindler, dem das Hungern allerdings leicht war, weil er es sich leichtzumachen verstand, und der auch noch die Stirn hatte, es halb zu gestehn. Das alles mußte er hinnehmen, hatte sich auch im Laufe der Jahre daran gewöhnt, aber innerlich nagte diese Unbefriedigtheit immer an ihm, und noch niemals, nach einer Hungerperiode – dieses Zeugnis mußte man ihm ausstellen – hatte er freiwillig den Käfig verlassen. Als Höchstzeit für das Hungern hatte der Impresario vierzig Tage festgesetzt, darüber hinaus ließ er niemals hungern, auch in den Weltstädten nicht, und zwar aus gutem Grund. Vierzig Tage etwa konnte man erfahrungsgemäß durch allmählich sich steigernde Reklame das Interesse einer Stadt immer mehr aufstacheln, dann aber versagte das Publikum, eine wesentliche Abnahme des Zuspruchs war festzustellen; es bestanden natürlich in dieser Hinsicht kleine Unterschiede zwischen den Städten und Ländern, als Regel aber galt, daß vierzig Tage die Höchstzeit war. Dann also am vierzigsten Tage wurde die Tür des mit Blumen umkränzten Käfigs geöffnet, eine begeisterte Zuschauerschaft erfüllte das Amphitheater, eine Militärkapelle spielte, zwei Ärzte betraten den Käfig, um die nötigen Messungen am Hungerkünstler vorzunehmen, durch Megaphon wurden die Resultate dem Saale verkündet, und schließlich kamen zwei junge Damen, glücklich darüber, daß gerade sie ausgelost worden waren, und wollten den Hungerkünstler aus dem Käfig ein paar Stufen hinabführen, wo auf einem kleinen Tischchen eine sorgfältig ausgewählte Krankenmahlzeit serviert war. Und in diesem Augenblick wehrte sich der Hungerkünstler immer. Zwar legte er noch freiwillig seine Knochenarme in die hilfsbereit ausgestreckten Hände der zu ihm hinabgebeugten Damen, aber aufstehen wollte er nicht. Warum gerade nach vierzig Tagen aufhören? Er hätte es noch lange, unbeschränkt lange ausgehalten; warum gerade jetzt aufhören, wo er im besten, ja noch nicht einmal im besten Hungern war? Warum wollte man ihn des Ruhmes berauben, weiter zu hungern, nicht

nur der größte Hungerkünstler aller Zeiten zu werden, der er ja
wahrscheinlich schon war, aber auch noch sich selbst zu übertreffen bis ins Unbegreifliche, denn für seine Fähigkeit zu hungern
fühlte er keine Grenzen. Warum hatte diese Menge, die ihn so sehr
zu bewundern vorgab, so wenig Geduld mit ihm; wenn er es
aushielt, noch weiter zu hungern, warum wollte sie es nicht
aushalten? Auch war er müde, saß gut im Stroh und sollte sich nun
hoch und lang aufrichten und zu dem Essen gehn, das ihm schon
allein in der Vorstellung Übelkeiten verursachte, deren Äußerung
er nur mit Rücksicht auf die Damen mühselig unterdrückte. Und er
blickte empor in die Augen der scheinbar so freundlichen, in
Wirklichkeit so grausamen Damen und schüttelte den auf dem
schwachen Halse überschweren Kopf. Aber dann geschah, was
immer geschah. Der Impresario kam, hob stumm – die Musik
machte das Reden unmöglich – die Arme über dem Hungerkünstler, so, als lade er den Himmel ein, sich sein Werk hier auf dem
Stroh einmal anzusehn, diesen bedauernswerten Märtyrer, welcher der Hungerkünstler allerdings war, nur in ganz anderem
Sinn; faßte den Hungerkünstler um die dünne Taille, wobei er
durch übertriebene Vorsicht glaubhaft machen wollte, mit einem
wie gebrechlichen Ding er es hier zu tun habe; und übergab ihn –
nicht ohne ihn im geheimen ein wenig zu schütteln, so daß der
Hungerkünstler mit den Beinen und dem Oberkörper unbeherrscht hin und her schwankte – den inzwischen totenbleich
gewordenen Damen. Nun duldete der Hungerkünstler alles; der
Kopf lag auf der Brust, es war, als sei er hingerollt und halte sich
dort unerklärlich; der Leib war ausgehöhlt; die Beine drückten sich
im Selbsterhaltungstrieb fest in den Knien aneinander, scharrten
aber doch den Boden, so, als sei es nicht der wirkliche, den
wirklichen suchten sie erst; und die ganze, allerdings sehr kleine
Last des Körpers lag auf einer der Damen, welche hilfesuchend,
mit fliegendem Atem – so hatte sie sich dieses Ehrenamt nicht
vorgestellt – zuerst den Hals möglichst streckte, um wenigstens das
Gesicht vor der Berührung mit dem Hungerkünstler zu bewahren,
dann aber, da ihr dies nicht gelang und ihre glücklichere Gefährtin
nicht zu Hilfe kam, sondern sich damit begnügte, zitternd die
Hand des Hungerkünstlers, dieses kleinen Knochenbündels, vor
sich herzutragen, unter dem entzückten Gelächter des Saales in
Weinen ausbrach und von einem längst bereitgestellten Diener
abgelöst werden mußte. Dann kam das Essen, von dem der
Impresario dem Hungerkünstler während eines ohnmachtähnlichen Halbschlafs ein wenig einflößte, unter lustigem Plaudern, das

die Aufmerksamkeit vom Zustand des Hungerkünstlers ablenken sollte; dann wurde noch ein Trinkspruch auf das Publikum ausgebracht, welcher dem Impresario angeblich vom Hungerkünstler zugeflüstert worden war; das Orchester bekräftigte alles durch einen großen Tusch, man ging auseinander und niemand hatte das Recht, mit dem Gesehenen unzufrieden zu sein, niemand, nur der Hungerkünstler, immer nur er.

So lebte er mit regelmäßigen kleinen Ruhepausen viele Jahre, in scheinbarem Glanz, von der Welt geehrt, bei alledem aber meist in trüber Laune, die immer noch trüber wurde dadurch, daß niemand sie ernst zu nehmen verstand. Womit sollte man ihn auch trösten? Was blieb ihm zu wünschen übrig? Und wenn sich einmal ein Gutmütiger fand, der ihn bedauerte und ihm erklären wollte, daß seine Traurigkeit wahrscheinlich von dem Hungern käme, konnte es, besonders bei vorgeschrittener Hungerzeit, geschehn, daß der Hungerkünstler mit einem Wutausbruch antwortete und zum Schrecken aller wie ein Tier an dem Gitter zu rütteln begann. Doch hatte für solche Zustände der Impresario ein Strafmittel, das er gern anwandte. Er entschuldigte den Hungerkünstler vor versammeltem Publikum, gab zu, daß nur die durch das Hungern hervorgerufene, für satte Menschen nicht ohne weiteres begreifliche Reizbarkeit das Benehmen des Hungerkünstlers verzeihlich machen könne; kam dann im Zusammenhang damit auch auf die ebenso zu erklärende Behauptung des Hungerkünstlers zu sprechen, er könnte noch viel länger hungern, als er hungere; lobte das hohe Streben, den guten Willen, die große Selbstverleugnung, die gewiß auch in dieser Behauptung enthalten seien; suchte dann aber die Behauptung einfach genug durch Vorzeigen von Fotografien, die gleichzeitig verkauft wurden, zu widerlegen, denn auf den Bildern sah man den Hungerkünstler an einem vierzigsten Hungertag, im Bett, fast verlöscht vor Entkräftung. Diese dem Hungerkünstler zwar wohlbekannte, immer aber von neuem ihn entnervende Verdrehung der Wahrheit war ihm zu viel. Was die Folge der vorzeitigen Beendigung des Hungerns war, stellte man hier als die Ursache dar! Gegen diesen Unverstand, gegen diese Welt des Unverstandes zu kämpfen, war unmöglich. Noch hatte er immer wieder im gutem Glauben begierig am Gitter dem Impresario zugehört, beim Erscheinen der Fotografien aber ließ er das Gitter jedesmal los, sank mit Seufzen ins Stroh zurück, und das beruhigte Publikum konnte wieder herankommen und ihn besichtigen.

Wenn die Zeugen solcher Szenen ein paar Jahre später daran

zurückdachten, wurden sie sich oft selbst unverständlich. Denn inzwischen war jener erwähnte Umschwung eingetreten; fast plötzlich war das geschehen; es mochte tiefere Gründe haben, aber wem lag daran, sie aufzufinden; jedenfalls sah sich eines Tages der verwöhnte Hungerkünstler von der vergnügungssüchtigen Menge verlassen, die lieber zu anderen Schaustellungen strömte. Noch einmal jagte der Impresario mit ihm durch halb Europa, um zu sehn, ob sich nicht noch hie und da das alte Interesse wiederfände; alles vergeblich; wie in einem geheimen Einverständnis hatte sich überall geradezu eine Abneigung gegen das Schauhungern ausgebildet. Natürlich hatte das in Wirklichkeit nicht plötzlich so kommen können, und man erinnerte sich jetzt nachträglich an manche zu ihrer Zeit im Rausch der Erfolge nicht genügend beachtete, nicht genügend unterdrückte Vorboten, aber jetzt etwas dagegen zu unternehmen, war zu spät. Zwar war es sicher, daß einmal auch für das Hungern wieder die Zeit kommen werde, aber für die Lebenden war das kein Trost. Was sollte nun der Hungerkünstler tun? Der, welchen Tausende umjubelt hatten, konnte sich nicht in Schaubuden auf kleinen Jahrmärkten zeigen, und um einen andern Beruf zu ergreifen, war der Hungerkünstler nicht nur zu alt, sondern vor allem dem Hungern allzu fanatisch ergeben. So verabschiedete er denn den Impresario, den Genossen einer Laufbahn ohnegleichen, und ließ sich von einem großen Zirkus engagieren.

Ein großer Zirkus mit seiner Unzahl von einander immer wieder ausgleichenden und ergänzenden Menschen und Tieren und Apparaten kann jeden und zu jeder Zeit gebrauchen, auch einen Hungerkünstler, bei entsprechend bescheidenen Ansprüchen natürlich, und außerdem war es ja in diesem besonderen Fall nicht nur der Hungerkünstler selbst, der engagiert wurde, sondern auch sein alter berühmter Name, ja man konnte bei der Eigenart dieser im zunehmenden Alter nicht abnehmenden Kunst nicht einmal sagen, daß ein ausgedienter, nicht mehr auf der Höhe seines Könnens stehender Künstler sich in einen ruhigen Zirkusposten flüchten wolle, im Gegenteil, der Hungerkünstler versicherte, daß er, was durchaus glaubwürdig war, ebensogut hungere wie früher, ja er behauptete sogar, er werde, wenn man ihm seinen Willen lasse, und dies versprach man ihm ohne weiteres, eigentlich erst jetzt die Welt in berechtigtes Erstaunen setzen, eine Behauptung allerdings, die mit Rücksicht auf die Zeitstimmung, welche der Hungerkünstler im Eifer leicht vergaß, bei den Fachleuten nur ein Lächeln hervorrief.

Im Grunde aber verlor auch der Hungerkünstler den Blick für die wirklichen Verhältnisse nicht und nahm es als selbstverständlich hin, daß man ihn mit seinem Käfig nicht etwa als Glanznummer mitten in die Manege stellte, sondern draußen an einem im übrigen recht gut zugänglichen Ort in der Nähe der Stallungen unterbrachte. Große, bunt gemalte Aufschriften umrahmten den Käfig und verkündeten, was dort zu sehen war. Wenn das Publikum in den Pausen der Vorstellung zu den Ställen drängte, um die Tiere zu besichtigen, war es fast unvermeidlich, daß es beim Hungerkünstler vorüberkam und ein wenig dort haltmachte, man wäre vielleicht länger bei ihm geblieben, wenn nicht in dem schmalen Gang die Nachdrängenden, welche diesen Aufenthalt auf dem Weg zu den ersehnten Ställen nicht verstanden, eine längere ruhige Betrachtung unmöglich gemacht hätten. Dies war auch der Grund, warum der Hungerkünstler vor diesen Besuchs-zeiten, die er als seinen Lebenszweck natürlich herbeiwünschte, doch auch wieder zitterte. In der ersten Zeit hatte er die Vorstel-lungspausen kaum erwarten können; entzückt hatte er der sich heranwälzenden Menge entgegengesehn, bis er sich nur zu bald – auch die hartnäckigste, fast bewußte Selbsttäuschung hielt den Erfahrungen nicht stand – davon überzeugte, daß es zumeist der Absicht nach, immer wieder, ausnahmslos, lauter Stallbesucher waren. Und dieser Anblick von der Ferne blieb noch immer der schönste. Denn wenn sie bis zu ihm herangekommen waren, umtobte ihn sofort Geschrei und Schimpfen der ununterbrochen neu sich bildenden Parteien, jener, welche – sie wurde dem Hungerkünstler bald die peinlichere – ihn bequem ansehen wollte, nicht etwa aus Verständnis, sondern aus Laune und Trotz, und jener zweiten, die zunächst nur nach den Ställen verlangte. War der große Haufe vorüber, dann kamen die Nachzügler, und diese allerdings, denen es nicht mehr verwehrt war, stehenzubleiben, solange sie nur Lust hatten, eilten mit langen Schritten, fast ohne Seitenblick, vorüber, um rechtzeitig zu den Tieren zu kommen. Und es war kein allzu häufiger Glücksfall, daß ein Familienvater mit seinen Kindern kam, mit dem Finger auf den Hungerkünstler zeigte, ausführlich erklärte, um was es sich hier handelte, von früheren Jahren erzählte, wo er bei ähnlichen, aber unvergleichlich großartigeren Vorführungen gewesen war, und dann die Kinder, wegen ihrer ungenügenden Vorbereitung von Schule und Leben her, zwar immer noch verständnislos blieben – was war ihnen Hungern? – aber doch in dem Glanz ihrer forschenden Augen etwas von neuen, kommenden, gnädigeren Zeiten verrieten. Vielleicht, so sagte sich der Hungerkünstler dann manchmal, würde alles doch ein wenig besser werden, wenn sein Standort nicht gar so nahe bei den Ställen wäre. Den Leuten wurde dadurch die Wahl zu leicht gemacht, nicht zu reden davon, daß ihn die Ausdünstungen der Ställe, die Unruhe der Tiere in der Nacht, das Vorübertragen der rohen Fleischstücke für die Raubtiere, die Schreie bei der Fütterung sehr verletzten und dauernd bedrückten. Aber bei der Direktion vorstellig zu werden, wagte er nicht; immerhin verdankte er ja den Tieren die Menge der Besucher, unter denen sich hie und da auch ein für ihn Bestimmter finden konnte, und wer wußte, wohin man ihn verstecken würde, wenn er an seine Existenz erinnern wollte und damit auch daran, daß er, genaugenommen, nur ein Hindernis auf dem Weg zu den Ställen war.

Ein kleines Hindernis allerdings, ein immer kleiner werdendes Hindernis. Man gewöhnte sich an die Sonderbarkeit, in den heutigen Zeiten Aufmerksamkeit für einen Hungerkünstler beanspruchen zu wollen, und mit dieser Gewöhnung war das Urteil über ihn gesprochen. Er mochte so gut hungern, als er nur konnte, und er tat es, aber nichts konnte ihn mehr retten, man ging an ihm vorüber. Versuche, jemandem die Hungerkunst zu erklären! Wer es nicht fühlt, dem kann man es nicht begreiflich machen. Die schönen Aufschriften wurden schmutzig und unleserlich, man riß sie herunter, niemandem fiel es ein, sie zu ersetzen; das Täfelchen mit der Ziffer der abgeleisteten Hungertage, das in der ersten Zeit sorgfältig täglich erneuert worden war, blieb schon längst immer das gleiche, denn nach den ersten Wochen war das Personal selbst dieser kleinen Arbeit überdrüssig geworden; und so hungerte zwar der Hungerkünstler weiter, wie er es früher einmal erträumt hatte, und es gelang ihm ohne Mühe ganz so, wie er es damals vorausgesagt hatte, aber niemand zählte die Tage, niemand, nicht einmal der Hungerkünstler selbst wußte, wie groß die Leistung schon war, und sein Herz wurde schwer. Und wenn einmal in der Zeit ein Müßiggänger stehenblieb, sich über die alte Ziffer lustig machte und von Schwindel sprach, so war das in diesem Sinn die dümmste Lüge, welche Gleichgültigkeit und eingeborene Bösartigkeit erfinden konnten, denn nicht der Hungerkünstler betrog, er arbeitete ehrlich, aber die Welt betrog ihn um seinen Lohn.

Doch vergingen wieder viele Tage, und auch das nahm ein Ende. Einmal fiel einem Aufseher der Käfig auf, und er fragte die Diener, warum man hier diesen gut brauchbaren Käfig mit dem verfaulten Stroh drinnen unbenützt stehenlasse; niemand wußte es, bis sich einer mit Hilfe der Ziffertafel an den Hungerkünstler erinnerte. Man rührte mit Stangen das Stroh auf und fand den Hungerkünstler darin. »Du hungerst noch immer?« fragte der Aufseher, »wann wirst du denn endlich aufhören?« »Verzeiht mir alle«, flüsterte der Hungerkünstler; nur der Aufseher, der das Ohr ans Gitter hielt, verstand ihn. »Gewiß«, sagte der Aufseher und legte den Finger an die Stirn, um damit den Zustand des Hungerkünstlers dem Personal anzudeuten, »wir verzeihen dir.« »Immerfort wollte ich, daß ihr mein Hungern bewundert«, sagte der Hungerkünstler. »Wir bewundern es auch«, sagte der Aufseher entgegenkommend. »Ihr solltet es aber nicht bewundern«, sagte der Hungerkünstler. »Nun, dann bewundern wir es also nicht«, sagte der Aufseher, »warum sollen wir es denn nicht bewundern?« »Weil ich hungern muß, ich kann nicht anders«, sagte der Hungerkünstler. »Da sieh mal einer«, sagte der Aufseher, »warum kannst du denn nicht anders?« »Weil ich«, sagte der Hungerkünstler, hob das Köpfchen ein wenig und sprach mit wie zum Kuß gespitzten Lippen gerade in das Ohr des Aufsehers hinein, damit nichts verlorenginge, »weil ich nicht die Speise finden konnte, die mir schmeckt. Hätte ich sie gefunden, glaube mir, ich hätte kein Aufsehen gemacht und mich vollgegessen wie du und alle.« Das waren die letzten Worte, aber noch in seinen gebrochenen Augen war die feste, wenn auch nicht mehr stolze Überzeugung, daß er weiterhungere.

»Nun macht aber Ordnung!« sagte der Aufseher, und man begrub den Hungerkünstler samt dem Stroh. In den Käfig aber gab man einen jungen Panther. Es war eine, selbst dem stumpfsten Sinn, fühlbare Erholung, in dem so lange öden Käfig dieses wilde Tier sich herumwerfen zu sehn. Ihm fehlte nichts. Die Nahrung, die ihm schmeckte, brachten ihm ohne langes Nachdenken die Wächter; nicht einmal die Freiheit schien er zu vermissen; dieser edle, mit allem Nötigen bis knapp zum Zerreißen ausgestattete Körper schien auch die Freiheit mit sich herumzutragen; irgendwo im Gebiß schien sie zu stecken; und die Freude am Leben kam mit derart starker Glut aus seinem Rachen, daß es für die Zuschauer nicht leicht war, ihr standzuhalten. Aber sie überwanden sich, umdrängten den Käfig und wollten sich gar nicht fortrühren.

(1922)

WALTER SERNER

Ein Meisterstück

Madame Guercelles war eine jener Kokotten, die hübsch genug sind, um nicht die Straße machen zu müssen, und klug genug, um es verhindern zu können, für eine Kokotte gehalten zu werden. Da ihr zudem eine kleine Revenue, welche die Familie ihres toten Mannes ihr ausgesetzt hatte, die Möglichkeit bot, wenn es einmal nicht mehr anders ginge, als Kleinbürgerin zu leben, verfügte sie trotz ihrer großen Jugend über eine ganz außerordentliche Sicherheit.

Es war daher nicht verwunderlich, daß auch de Parno, ein Hoteldieb größten Stils, als er ihr in der Halle des Hotels Beau Rivage in Genf begegnete, nach eingehender Prüfung ihres dezenten Schmucks und ihrer restlichen Haltung, sie für eine vornehme Witwe hielt, die darauf aus ist, einen zweiten Gatten zu finden. Nach dieser Feststellung wäre sie für ihn erledigt gewesen, wenn er nicht eines Abends, gelegentlich einer zufälligen Begegnung im Korridor der zweiten Etage, eine Nervosität an ihr wahrgenommen hätte, welche seinem erfahrenen Auge verdächtig erschien.

Schnell huschte er in die Toilette, wartete, bis die Tür von Madame Guercelles Zimmer sich geschlossen hatte, und bezog hierauf seinen Beobachtungsposten, den er bereits seit Tagen innehatte, um die Gewohnheiten der Gräfin Banffy, auf deren höchst wertvollen Schmuck er es abgesehen hatte, zu studieren.

Nach etwa einer Viertelstunde verließ Madame Guercelles, einen braunen Regenmantel um die Schultern, ihr Zimmer, lief auf den Fußspitzen in schnellstem Tempo den Korridor entlang und verschwand geräuschlos hinter einer Tür, die augenscheinlich nur angelehnt war.

De Parno, der nicht ohne Interesse konstatiert hatte, daß Madame Guercelles Zimmer neben dem der Gräfin lag, merkte sich die Nummer der Tür, welche Madame Guercelles soeben aufgenommen hatte, und begab sich, überaus vergnügt, noch in die Halle, wo er sich unauffällig dem Portier näherte, um ihn in ein Gespräch zu ziehen. Alsbald wußte er, daß Madame Guercelles in dem Appartement des Konsuls a. D. Steffens aus Hamburg sich befand, eines eleganten alten Herrn, der ihm bereits des öfteren im Speisesaal aufgefallen war.

Diese Nacht schlief de Parno besonders vorzüglich, wie stets, wenn er eine sichere und überdies amüsante Sache vor sich hatte.

Am nächsten Nachmittag ließ er Madame Guercelles im Lesezimmer über seinen Stock stolpern und sprang ihr absichtlich so ungeschickt bei, daß sie zu Fall kam. Während er ihr half, sich aufzurichten, stammelte er eine Entschuldigung über die andere, bemühte sich mit Erfolg, zu erröten und überhaupt alle Merkmale schwerster innerer Verwirrung darzubieten, und ergriff das Händchen, welches ihm Madame Guercelles liebenswürdig lächelnd zum Dank entgegenstreckte, mit zitternder Beglücktheit.

Noch am selben Abend kamen sie, während man den Kaffee in der Halle nahm, ins Gespräch. De Parno gelang es mit größter Leichtigkeit, jugendlichste Verliebtheit zu heucheln, und nicht viel schwieriger war es ihm, seiner rasch und im richtigen Augenblick vorgebrachten Biographie Glauben zu sichern.

Madame Guercelles, welcher der schlanke dunkle, männliche Italiener über alles gefiel, betrachtete deshalb zum ersten Mal seit dem Tode ihres Gatten einen Mann nicht lediglich mit dem Kalkül der Kokotte, sondern mit jenem halbversponnenen Blick, hinter dem der Traumgeliebte der Backfischjahre seine Auferstehung feiert. Gleichwohl war sie zu klug, um dieser plötzlichen süßen Aufwallung zu erliegen. Sie schützte Müdigkeit vor und zog sich, nicht ohne eine Einladung zum Tee für den folgenden Tag anzunehmen, bestrickend lächelnd zurück.

De Parno folgte ihr sehr vorsichtig und sah wiederum, wie sie den Korridor entlanglief und im Zimmer des alten Konsul verschwand. Im Nu war er an der Tür ihres Zimmers, zog sie hinter sich zu und öffnete mit seinem Aluminium-Taschenbesteck die verschlossene innere Tür. Nachdem er, das elektrische Licht kurz an- und abdrehend, zu seinem größten Bedauern gesehen hatte, daß nach dem Zimmer der Gräfin keine Tür führte, trat er zur Rekognoszierung auf den Balkon, den er nach kurzer Zeit sehr zufriedengestellt verließ. Dann drehte er das Licht wieder an und setzte sich mitten ins Zimmer in ein Fauteuil.

Daselbst erblickte ihn, nach drei Stunden zurückkehrend, Madame Guercelles, wie er, mit allen Zeichen heftigster Erregung, ein Paar ihrer Seidenstrümpfe leidenschaftlich küßte.

Nachdem er sich vergewissert hatte, den gewünschten Eindruck hervorgebracht zu haben, sprang er entsetzt auf und warf sich, demütig um Verzeihung bettelnd, Madame Guercelles zu Füßen.

»Wie lange sind Sie schon hier?« hauchte sie, deren Eitelkeit mit ihrer Besorgnis kämpfte.

De Parno verkniff ein Lächeln. »Vielleicht fünf Minuten.«

Eine gewisse schmerzhafte Spannung auf Madame Guercelles puppenhaftem Gesicht ließ langsam nach. Sie trat, bereits wieder im Besitz ihrer vollen Sicherheit, von de Parno weg und setzte sich würdevoll auf einen Stuhl. »Stehen Sie auf!« befahl sie herrisch und fügte wie gequält hinzu: » Gott, wie konnten Sie nur! ... Aber welches Glück, daß ich noch nicht zu Bett war! ... Unbegreiflich, daß ich vergessen konnte, die Tür abzusperren.«

»Ich weiß selbst nicht, was da über mich gekommen ist«, stöhnte de Parno. »Aber es war stärker als ich. Ich mußte hinauf ... in Ihre Nähe ... Ich hielt es nicht länger aus ... Bitte glauben Sie nicht, daß ich eine schlechte Absicht hatte, Tiennette.«

»Tiennette?« In Madame Guercelles Augen dunkelte es drohend.

»Verzeihen Sie bitte ... Ich habe diesen Namen in Gedanken so oft geflüstert, daß ...«

»Wie, und Sie wußten auch meine Zimmernummer?«

»Ich habe Sie doch schon vom ersten Augenblick an ... Ich folge Ihnen ja bereits seit Tagen ...« De Parno spielte mit seinen Fingern wie ein ertappter Gymnasiast.

Auf Madame Guercelles Nase sprang eine kurze Angst auf: »Wenn er doch etwas beobachtet hätte?« Aber ein schneller Blick auf seine spielenden Finger beruhigte sie. »Gehen Sie jetzt!«

De Parno ging. Langsam. Stockend. Ungelenk.

An der Tür wandte er sich noch einmal um, die Lippen schmerzlich verzogen, in den Augen einen hündisch zärtlichen und zugleich wehmutsvollen Blick.

Das war zu viel für Madame Guercelles ohnehin tief aufgerührten Jugendträume. Sie erhob sich majestätisch, trat auf de Parno zu und reichte ihm ihr Händchen, das er stürmisch ergriff und, fast schluchzend vor Glück, mit heißen Küssen besäte.

Madame Guercelles, neuerlich im Bann jener süßen Aufwallung, erlag ihr nun. Sie hob de Parnos Kopf hoch, faßte ihn mit beiden Händen und zog seinen bebenden Mund langsam auf den ihren.

De Parno ließ sich, sehr behutsam abgestuft, in Glut geraten, packte Madame Guercelles immer fester, ächzte immer heftiger und gelangte ohne Schwierigkeiten auf den Punkt, wo er sich ohne Gefahr besinnungslos gebärden und zur Tat hinreißen lassen konnte.

Madame Guercelles ließ sie mit ausgezeichnet verstecktem Genuß an sich begehen...

Tags darauf erwartete de Parno sie an der Ecke der Rue du Mont Blanc und fuhr mit ihr in den Parc des Eaux-Vives zum Tee.

Als Madame Guercelles nach zwei Stunden allein in das Hotel zurückkehrte, war sie, was sie selbst sehr erstaunte, in de Parno sozusagen sterblich verliebt, ja kokettierte bereits in Ansehung der vornehmen Mailänder Familie, der er angehörte, und dem Vermögen, das er besaß, mit dem für sie nun wieder hold gewordenen Gedanken, sich zum zweiten Male zu verheiraten.

Am Abend, während sie an verschiedenen Tischen einander gegenübersaßen, stellte de Parno mit Befriedigung fest, daß der alte Konsul an Appetitlosigkeit litt und überhaupt allem Anschein nach mit einer schweren Verstimmung rang; und eine halbe Stunde später, daß die Gräfin Banffy zum Aufbruch drängte, um, was sie jeden zweiten Tag zu tun pflegte, den Kursaal zu besuchen.

Beim Kaffee in der Halle bestürmte er deshalb Madame Guercelles, ihn um zehn Uhr bei sich zu empfangen. Nach den obligaten, immer schwächer werdenden Weigerungen gab sie, verschämt das Köpfchen senkend, endlich nach und schritt eilig hinweg, als wollte sie so vermeiden, nicht schließlich doch noch anderen Sinnes zu werden.

De Parno lachte sich innerlich ins Fäustchen, ließ sich eine halbe Flasche Heidsick sec bringen und, nachdem sie geleert war, vom Groom Mantel und Hut aus seinem Zimmer holen. Hierauf schlenderte er, eine Zigarette lässig in den Fingern, aus dem Hotel.

Dicht neben dem Gartengitter blieb er jedoch stehen, wartete wenige Minuten und lugte dann vorsichtig nach dem Hoteleingang: niemand war zu sehen. Mit einigen raschen Schritten war er wieder an der Tür und huschte hinter einen Flügel. Hier wartete er, bis ein Kellner, der allein in der Halle an einer Säule lehnte, weggegangen war, rannte, von niemandem gesehen, auf die Treppe und gewann in vier Etappen, immer wieder vor erscheinendem Personal sich verbergend, Madame Guercelles Zimmer.

Nach einer halben Stunde wand sich diese in holdesten Entzückungen. »Silvio, fühlst du, daß ich dich mit dem Herzen liebe?« Sie war der Auffassung, mit dieser Frage de Parno in diesem Augenblick endgültig zu beseligen.

De Parno schloß, wie ins Innerste getroffen, die Augen und verharrte sekundenlang regungslos. Dann griff er, gleichsam um seiner übermenschlichen Erregung Herr zu werden, durch das Hemd hindurch sich auf die auf und nieder wogende Brust. Dies jedoch lediglich, um einen daselbst befindlichen Gegenstand, der an seinem Halse hing, loszulösen, zu öffnen und blitzschnell

Madame Guercelles auf Nase und Mund zu pressen. Es dauerte nur einige Sekunden, bis die Narkose ihre Wirkung getan hatte ...

De Parno kleidete sich hastig an, nahm Madame Guercelles Schmuck an sich und eilte auf den Balkon, von dem aus er mit einem kleinen, wenn auch nicht ganz ungefährlichen Sprung den Balkon des Nebenzimmers erreichte, dessen Tür zufälligerweise offenstand. Mit Hilfe seiner elektrischen Taschenlampe orientierte er sich und fand nach langem Suchen (er mußte zwei Handkoffer aufschneiden) die stählerne Schmuckkassette, die er mit einem von ihm selbst konstruierten Instrument erbrach. Hierauf befestigte er, irreführungshalber, ein gut eingeseiftes Seidenseil am Gitter des Balkons, tat, bevor er es auswarf, einen raschen Blick auf die leeren Tische der Terrasse und ließ die hirschledernen Handschuhe, welche er während des Arbeitens getragen hatte, auf dem Balkon liegen. Den Rückweg trat er durch das Zimmer der Gräfin an, dessen innere Tür er zweimal abschloß.

Ungesehen in der Halle angelangt, schlug er den Kragen hoch, schlich sich in das leere Lesezimmer und entfernte den Portier, von dem nicht zu erwarten war, daß er sein Pult so bald verlassen würde, dadurch, daß er eine fast mannshohe chinesische Vase mit einem Fußtritt von ihrem Sockel gegen die Wand stieß, an der sie krachend zertrümmerte. Der Portier rannte erschreckt herzu, de Parno im selben Augenblick aus dem Hotel.

Fünf Minuten später hatte er seine Beute einer hübschen Krankenschwester, welche auf der Hotelseite promenierte, zugesteckt, und nach weiteren fünf Minuten erschien er in einer Loge des Kursaals, trat während der folgenden Pause, um sich ein ganz besonders festes Alibi zu zimmern, der Gräfin Banffy im Vestibül auf die Schleppe, daß es nur so knatterte, und entschuldigte sich so devot, daß die Gräfin ihm mit bestem Willen nicht böse sein konnte ...

Um Mitternacht wurde der Diebstahl bemerkt. Der Verdacht fiel sofort auf Madame Guercelles, deren Beziehungen zu dem alten Konsul und zu einem gleichfalls im Hotel wohnenden jungen Franzosen dem Hotelpersonal nicht unbekannt geblieben waren. Da sie um elf Uhr vormittags noch nicht erschienen war, klopfte man und schloß, als keine Antwort erfolgte, die Tür auf.

Madame Guercelles, der ein Riechfläschchen unter die Nase gehalten wurde, fühlte sich nach einer Viertelstunde so weit wohl, daß sie den Zusammenhang zu begreifen begann. Sie hütete sich, zu sagen, was sie wußte, und verließ sich darauf, daß es, zudem angesichts ihres fehlenden Schmucks, schwer war, ihre Behauptung, sie müsse während des Schlafs narkotisiert worden sein, zu widerlegen.

In den Zimmern des alten Konsul und des jungen Franzosen wurden ebenfalls Durchsuchungen vorgenommen; die beiden Herren waren sehr erstaunt, als sie erfuhren, daß ihr zärtliches Geheimnis keines war.

De Parno, auf den nicht der kleinste Schatten eines Verdachtes gefallen war, lächelte leise, als er Madame Guercelles abends im Speisesaal gegenübersaß.

Aber auch Madame Guercelles lächelte. Sie hatte mit ihrem bescheidenen Schmuck nicht allzuviel eingebüßt, dafür aber eine Erfahrung gewonnen, die jeden Rückfall in Jugendträume ausschloß und ihr jene letzte Sicherheit gab, welchen allein die große Kokotte gewährleistet.

Später ging sie in der Halle, die Kaffeetasse in der Hand, an de Parno vorbei und zischte ihm schnell zu: »Das war ein Meisterstück.«

De Parno tat, als hätte er nichts gehört.

(1923)

ROBERT MUSIL

Die Portugiesin

Sie hießen in manchen Urkunden delle Catene und in anderen Herren von Ketten; sie waren aus dem Norden gekommen und hatten vor der Schwelle des Südens haltgemacht; sie gebrauchten ihre deutsche oder welsche Zugehörigkeit, wie es der Vorteil gebot, und fühlten sich nirgends hingehörend als zu sich.

Seitlich des großen, über den Brenner nach Italien führenden Wegs, zwischen Brixen und Trient, lag auf einer fast freistehenden lotrechten Wand ihre Burg; fünfhundert Fuß unter ihr tollte ein wilder kleiner Fluß so laut, daß man eine Kirchenglocke im selben Raum nicht gehört hätte, sobald man den Kopf aus dem Fenster bog. Kein Schall der Welt drang von außen in das Schloß der Catene, durch diese davorhängende Matte wilden Lärms hindurch; aber das gegen das Toben sich stemmende Auge fuhr ohne Hindernis durch diesen Widerstand und taumelte überrascht in die tiefe Rundheit des Ausblicks.

Als scharf und aufmerksam galten alle Herren von Ketten, und kein Vorteil entging ihnen in weitem Umkreis. Und bös wie Messer waren sie, die gleich tief schneiden. Sie wurden nie rot vor Zorn oder rosig vor Freude, sondern sie wurden dunkel im Zorn und in der Freude strahlten sie wie Gold, so schön und so selten. Sie sollen einander alle, wer immer sie im Lauf der Jahre und Jahrhunderte waren, auch noch darin geglichen haben, daß sie früh weiße Fäden in ihr braunes Haupt- und Barthaar bekamen und vor dem sechzigsten Jahr starben; auch darin, daß in ihren mittelgroßen, schlanken Körpern die ungeheure Kraft, die sie manchmal zeigten, gar nicht Platz und Ursprung zu haben, sondern aus ihren Augen und Stirnen zu kommen schien, doch war dies Gerede von eingeschüchterten Nachbarn und Knechten. Sie nahmen, was sie an sich bringen konnten, und gingen dabei redlich oder gewaltsam oder listig zu Werk, je wie es kam, aber stets ruhig und unabwendbar; ihr kurzes Leben war ohne Hast und endete rasch, ohne nachzulassen, wenn sie ihr Teil erfüllt hatten.

Es war Sitte im Geschlecht der Ketten, daß sie sich mit dem in ihrer Nähe ansässigen Adel nicht versippten; sie holten ihre Frauen von weit her und holten reiche Frauen, um durch nichts in der Wahl ihrer Bündnisse und Feindschaften beschränkt zu sein. Der Herr von Ketten, welcher die schöne Portugiesin vor zwölf Jahren geheiratet hatte, stand damals in seinem dreißigsten Jahr. Die Hochzeit fand in der Fremde statt, und die sehr junge Frau sah ihrer Niederkunft entgegen, als der schellenklingelnde Zug der Gefolgsleute und Knechte, Pferde, Dienerinnen, Saumtiere und Hunde die Grenze des Gebiets der Catene überschritt; die Zeit war wie ein einjähriger Hochzeitsflug vergangen. Denn alle Ketten waren glänzende Kavaliere, bloß zeigten sie es nur in dem einen Jahr ihres Lebens, wo sie freiten; ihre Frauen waren schön, weil sie schöne Söhne wollten, und es wäre ihnen anders nicht möglich gewesen, in der Fremde, wo sie nicht so viel galten wie daheim, solche Frauen zu gewinnen; sie wußten aber selbst nicht, zeigten sie sich in diesem einen Jahr so, wie sie wirklich waren, oder in all den andren. Ein Bote mit wichtiger Nachricht kam den Nahenden entgegen: noch waren die farbigen Gewänder und Federwimpel des Zugs wie ein großer Schmetterling, aber der Herr von Ketten hatte sich verändert. Er ritt, als er sie wieder eingeholt hatte, langsam neben seiner Frau weiter, als wollte er Eile für sich nicht gelten lassen, aber sein Gesicht war fremd geworden wie eine Wolkenwand. Als bei einer Biegung des Wegs plötzlich das Schloß vor ihnen auftauchte, nur noch eine Viertelstunde entfernt, brach er mit Anstrengung das Schweigen.

Er wollte, daß seine Frau umkehre und zurückreise. Der Zug hielt an. Die Portugiesin bat und bestand darauf, daß sie weiterritten; umzukehren war auch Zeit, nachdem man die Gründe gehört hatte.

Die Bischöfe von Trient waren mächtige Herren, und das Reichsgericht sprach ihnen zu Munde: seit des Urgroßvaters Zeit lagen die Ketten mit ihnen in Streit wegen Stücken Lands, und bald war es ein Rechtsstreit gewesen, bald waren aus Forderung und Widerstand blutige Schlägereien erwachsen, aber jedesmal waren es die Herren von Ketten gewesen, die der Überlegenheit des Gegners nachgeben mußten. Der Blick, dem sonst kein Vorteil entging, wartete hier vergeblich, ihn zu gewahren; aber der Vater überlieferte die Aufgabe dem Sohn, und ihr Stolz wartete in der Geschlechterfolge, ohne weich zu werden, weiter.

Es war dieser Herr von Ketten, dem sich der Vorteil darbot. Er erschrak darüber, daß er ihn beinahe versäumt hätte. Eine mächtige Partei im Adel lehnte sich gegen den Bischof auf, es war beschlossen worden, ihn zu überfallen und gefangenzunehmen, und der Ketten, als man vernommen hatte, daß er wiederkam, sollte ein Trumpf im Spiel sein. Ketten, seit Jahr und Tag abwesend, wußte nicht, wie es um die bischöfliche Kraft stand; aber das wußte er, daß es eine böse, jahrelange Probe von unsicherem Ausgang sein würde, und daß man sich nicht auf jeden bis zum bitteren Ende würde verlassen können, wenn es nicht gelang, Trient gleich anfangs zu überrumpeln. Er grollte seiner schönen Frau, weil sie ihn beinahe die Gelegenheit hatte verspielen lassen. So sehr gefiel sie ihm, der um einen Pferdehals zurück neben ihr ritt, wie immer; auch war sie ihm noch so geheimnisvoll wie die vielen Perlenketten, die sie besaß. Wie Erbsen hätte man solche Dinger zerdrücken können, wenn man sie in der hohlen, sehnengeflochtenen Hand wog, dachte er neben ihr reitend, aber sie lagen so unbegreiflich sicher darin. Nur war dieser Zauber von der neuen Nachricht beiseite geräumt worden wie die Mummenträume des Winters, wenn die knäbisch nackten ersten sonnenharten Tage wieder da sind. Gesattelte Jahre lagen vorauf, in denen Weib und Kind fremd verschwanden.

Aber die Pferde waren inzwischen an den Fuß der Wand gelangt, worauf die Burg stand, und die Portugiesin, als sie alles angehört hatte, erklärte noch einmal, daß sie bleiben wolle. Wild stieg das Schloß auf. Da und dort saßen an der Felsbrust verkümmerte Bäumchen wie einzelne Haare. Die Waldberge stürzten so auf und nieder, daß man diese Häßlichkeit einem, der nur die Meereswellen kannte, gar nicht hätte zu beschreiben vermögen. Voll kaltgewordener Würze war die Luft, und alles war so, als ritte man in einen großen zerborstenen Topf hinein, der eine fremde grüne Farbe enthielt. Aber in den Wäldern gab es den Hirsch, Bären, das Wildschwein, den Wolf und vielleicht das Einhorn. Weiter hinten hausten Steinböcke und Adler. Unergründete Schluchten boten den Drachen Aufenthalt. Wochenweit und -tief war der Wald, durch den nur die Wildfährten führten, und oben, wo das Gebirge ihm aufsaß, begann das Reich der Geister. Dämonen hausten dort mit dem Sturm und den Wolken; nie führte eines Christen Weg hinauf, und wann es aus Fürwitz geschehen war, hatte es Widerfahrnisse zur Folge, von denen die Mägde in den Winterstuben mit leiser Stimme berichteten, während die Knechte geschmeichelt schwiegen und die Schultern hochzogen, weil das Männerleben gefährlich ist und solche Abenteuer einem darin zustoßen können. Von allem, was sie gehört hatte, erschien es aber der Portugiesin als das Seltsamste: So wie noch keiner den Fuß des Regenbogens erreicht hat, sollte es auch noch nie einem gelungen sein, über die großen Steinmauern zu schauen; immer waren neue

Mauern dahinter; Mulden waren dazwischen gespannt wie Tücher voll Steinen, Sterne so groß wie ein Haus, und noch der feinste Schotter unter den Füßen nicht kleiner als ein Kopf; es war eine Welt, die eigentlich keine Welt war. Oft hatte sie sich in Träumen dieses Land, aus dem der Mann kam, den sie liebte, nach seinem eigenen Wesen vorgestellt und das Wesen dieses Mannes nach dem, was er ihr von seiner Heimat erzählte. Müde des pfaublauen Meers, hatte sie sich ein Land erwartet, das voll Unerwartetem war wie die Sehne eines gespannten Bogens; aber da sie das Geheimnis sah, fand sie es über alles Erwarten häßlich und mochte fliehn. Wie aus Hühnerställen zusammengefügt war die Burg. Stein auf Fels getürmt. Schwindelnde Wände, an denen der Moder wuchs. Morsches Holz oder rohfeuchte Stämme. Bauern- und Kriegsgerät, Stallketten und Wagenbäume. Aber da sie nun hier war, gehörte sie her, und vielleicht war das, was sie sah, gar nicht häßlich, sondern eine Schönheit wie die Sitten von Männern, an die man sich erst gewöhnen mußte.

Als der Herr von Ketten seine Frau den Berg hinaufreiten sah, mochte er sie nicht anhalten. Er dankte es ihr nicht, aber es war etwas, das weder seinen Willen überwand, noch ihm nachgab, sondern ausweichend ihn anderswohin lockte und ihn unbeholfen schweigend hinter ihr dreinreiten machte wie eine arme verlorene Seele.

Zwei Tage später saß er wieder im Sattel.

Und elf Jahre später tat er es noch. Der Handstreich gegen Trient, leichtfertig vorbereitet, war mißlungen, hatte der Rittermacht gleich im Anfang über ein Drittel ihres Gefolges gekostet und mehr als die Hälfte ihres Wagemuts. Der Herr von Ketten, am Rückzug verwundet, kehrte nicht gleich nach Hause zurück; zwei Tage lang lag er in einer Bauernhütte verborgen, dann ritt er auf die Schlösser und fachte den Widerstand an. Zu spät gekommen zur Vorberatung und Bereitung des Unternehmens, hing er nach dem Fehlschlag daran wie der Hund am Ohr des Bullen. Er stellte den Herrn vor, was ihrer wartete, wenn die bischöfliche Macht zum Gegenschlag kam, ehe ihre Reihen wieder geschlossen seien, trieb Säumige und Knausernde an, preßte Geld aus ihnen, zog Verstärkungen herbei, rüstete und ward zum Feldhauptmann des Adels gewählt. Seine Wunden bluteten anfangs noch so, daß er täglich zweimal die Tücher wechseln mußte; er wußte nicht, während er ritt und umsprach und für jede Woche, um die er zu spät zur Stelle gewesen war, einen Tag fernblieb, ob er dabei an die zauberhafte Portugiesin dachte, die sich ängstigen mußte.

Fünf Tage nach der Kunde von seiner Verwundung kam er erst zu ihr und blieb bloß einen Tag. Sie sah ihn an, ohne zu fragen, prüfend, wie man dem Flug eines Pfeils folgt, ob er treffen wird.

Er zog seine Leute herbei bis zum letzten erreichbaren Knaben, ließ die Burg in Verteidigungszustand setzen, ordnete und befahl. Knechtlärm, Pferdegewieher, Balkentragen, Eisen- und Steinklang war dieser Tag. In der Nacht ritt er weiter. Er war freundlich und zärtlich wie zu einem edlen Geschöpf, das man bewundert, aber sein Blick ging so gradaus wie aus einem Helm hervor, auch wenn er keinen trug. Als der Abschied kam, bat die Portugiesin, plötzlich von Weiblichkeit überwältigt, wenigstens jetzt seine Wunde waschen und ihr frischen Verband auflegen zu dürfen, aber er ließ es nicht zu; eiliger, als es nötig war, nahm er Abschied, lachte beim Abschied, und da lachte sie auch.

Die Art, wie der Gegner den Streit auskämpfte, war gewaltsam, wo sie es sein konnte, wie es dem harten, adeligen Mann entsprach, der das Bischofsgewand trug, aber sie war auch, wie es dieses frauenhafte Gewand ihn gelehrt haben mochte, nachgiebig, hinterhältig und zäh. Reichtum und ausgedehnter Besitz entfalteten langsam ihre Wirkung in stufenweisen, bis zum letzten Augenblick hinaus verzögerten Opfern, wenn Stellung und Einfluß nicht mehr ausreichten, um sich Helfer zu verbünden. Entscheidungen wich diese Kampfweise aus. Rollte sich ein, sobald sich der Widerstand zuspitzte; stieß nach, wo sie sein Erschlaffen erriet. So kam es, daß manchmal eine Burg berannt wurde, und wenn sie nicht rechtzeitig entsetzt werden konnte, unter blutigem Hinmorden fiel, manchmal aber auch durch Wochen Heerhaufen in den Ortschaften lagerten und nichts geschah, als daß den Bauern eine Kuh weggetrieben oder ein paar Hühner abgestochen wurden. Aus Wochen wurde Sommer und Winter, und aus Jahreszeiten wurden Jahre. Zwei Kräfte rangen miteinander, die eine wild und angriffslustig, aber zu schwach, die andre wie ein träger, weicher, aber grausam schwerer Körper, dem auch noch die Zeit ihr Gewicht lieh.

Der Herr von Ketten wußte das wohl. Er hatte Mühe, die verdrossene und geschwächte Ritterschaft davon abzuhalten, in einem plötzlich beschlossenen Angriff ihre letzte Kraft auszugeben. Er lauerte auf die Blöße, die Wendung, das Unwahrscheinliche, das nur noch der Zufall bringen konnte. Sein Vater hatte gewartet und sein Großvater. Und wenn man sehr lange wartet, kann auch das geschehn, was selten geschieht. Er wartete elf Jahre. Er ritt elf Jahre lang zwischen den Adelssitzen und den Kampfhaufen hin und her, um den Widerstand wachzuhalten, erwarb in hundert Scharmützeln immer von neuem den Ruf verwegener Tapferkeit, um den Vorwurf zaghafter Kriegführung von sich fernzuhalten, ließ es zeitweilig auch zu großen blutigen Treffen kommen, um den Zornmut der Genossen anzufachen, aber auch er wich ebensogut wie der Bischof einer Entscheidung aus. Er wurde oftmals leicht verwundet, aber er war nie länger als zweimal zwölf Stunden zu Hause. Schrammen und das umherziehende Leben bedeckten ihn mit ihrer Kruste. Er fürchtete sich wohl, länger zu Hause zu bleiben, wie sich ein Müder nicht setzen darf. Unruhige angehalfterte Pferde, Männerlachen, Fackellicht, die Säule eines Lagerfeuers wie ein Stamm aus Goldstaub zwischen grün aufschimmernden Waldbäumen, Regengeruch, Flüche, aufschneidende Ritter, Hunde, an Verwundeten schnuppernd, gehobene Weiberröcke und verschreckte Bauern waren seine Zerstreuung in diesen Jahren. Er blieb mitten drin schlank und fein. In sein braunes Haar begannen sich weiße Haare zu schleichen, sein Gesicht kannte kein Alter. Er mußte grobe Scherze erwidern und tat es wie ein Mann, aber seine Augen bewegten sich wenig dabei. Er wußte dreinzufahren wie ein Ochsenknecht, wo sich die Mannszucht lockerte; aber er schrie nicht, sein Wort war leis und kurz, die Soldaten fürchteten ihn, nie schien der Zorn ihn selbst zu ergreifen, aber er strahlte von ihm aus, und sein Gesicht wurde dunkel. Im Gefecht vergaß er sich; da ging alles diesen Weg gewaltiger, Wunden schlagender Gebärden aus ihm heraus, er wurde tanztrunken, bluttrunken, wußte nicht, was er tat, und tat immer das Rechte. Die Soldaten vergötterten ihn deshalb; es begann sich die Legende zu bilden, daß er sich aus Haß gegen den Bischof dem Teufel verschrieben habe und ihn heimlich besuche, der in Gestalt einer schönen fremden Frau auf seiner Burg weilte.

Der Herr von Ketten, als er das zum erstenmal hörte, wurde nicht unwillig, noch lachte er, aber er wurde ganz dunkelgolden vor Freude. Oft, wenn er am Lagerfeuer saß oder an einem offenen Bauernherd, und der durchstreifte Tag, so wie regensteifes Leder wieder weich wird, in der Wärme zerging, dachte er. Er dachte dann an den Bischof von Trient, der auf reinem Linnen lag, von gelehrten Klerikern umgeben, Maler in seinem Dienst, während er wie ein Wolf ihn umkreiste. Auch er konnte das haben. Einen Kaplan hatte er auf der Burg bestallt, damit für Unterhaltung des Geistes gesorgt sei, einen Schreiber zum Vorlesen, eine lustige Zofe; ein Koch wurde von weit her geholt, um von der Küche das Heimweh zu bannen, reisende Doktoren und Schüler fing man auf, um an ihrem Gespräch einige Tage der Zerstreuung zu gewinnen, kostbare Teppiche und Stoffe kamen, um mit ihnen die Wände zu bedecken; nur er hielt sich fern. Ein Jahr lang hatte er tolle Worte gesprochen, in der Fremde und auf der Reise, Spiel und Schmeichelei, – denn so wie jedes wohlgebaute Ding Geist hat, sei es Stahl oder starker Wein, ein Pferd oder ein Brunnenstrahl, hatten ihn auch die Catene; – aber seine Heimat lag damals fern, sein wahres Wesen war etwas, auf das man wochenlang zureiten konnte, ohne es zu erreichen. Auch jetzt sprach er noch zuweilen unüberlegte Worte, aber nur so lang, als die Pferde im Stall ruhten; er kam nachts und ritt am Morgen fort oder blieb vom Morgenläuten bis zum Ave. Er war vertraut wie ein Ding, das man schon lang an sich trägt. Wenn du lachst, lacht es auch hin und her, wenn du gehst, geht es mit, wenn deine Hand dich betastet, fühlst du es: aber wenn du es einmal hochhebst und ansiehst, schweigt es und sieht weg. Wäre er einmal länger geblieben, hätte er in Wahrheit sein müssen, wie er war. Aber er erinnerte sich, niemals gesagt zu haben, ich bin dies oder ich will jenes sein, sondern er hatte ihr von Jagd, Abenteuern und Dingen, die er tat, erzählt; und auch sie hatte nie, wie junge Menschen es sonst wohl zu tun pflegen, ihn gefragt, wie er über dies und jenes denke, oder davon gesprochen, wie sie sein möchte, wenn sie älter sei, sondern sie hatte sich schweigend geöffnet wie eine Rose, so lebhaft sie vordem gewesen war, und stand schon auf der Kirchentreppe reisefertig, wie auf einen Stein gestiegen, von dem man sich aufs Pferd schwingt, um zu jenem Leben zu reiten. Er kannte seine zwei Kinder kaum, die sie ihm geboren hatte, aber auch diese beiden Söhne liebten schon leidenschaftlich den fernen Vater, von dessen Ruhm ihre kleinen Ohren voll waren, seit sie hörten. Seltsam war die Erinnerung an den Abend, dem der zweite sein Leben dankte. Da war, als er kam, ein weiches hellgraues Kleid mit dunkelgrauen Blumen, der schwarze Zopf war zur Nacht geflochten, und die schöne Nase sprang scharf in das glatte Gelb eines beleuchteten Buchs mit geheimnisvollen Zeichnungen. Es war wie Zauberei. Ruhig saß, in ihrem reichen Gewand, mit dem Rock, der in unzähligen Faltenbächen herabfloß, die Gestalt, nur aus sich heraussteigend und in sich fallend; wie ein Brunnenstrahl; und kann ein Brunnenstrahl erlöst werden, außer durch Zauberei oder ein Wunder, und aus seinem sich selbst tragenden, schwankenden Dasein ganz heraustreten? Man mochte das Weib umarmen und plötzlich gegen den Schlag eines magischen Widerstands stoßen; es geschah nicht so; aber ist Zärtlichkeit nicht noch unheimlicher? Sie sah ihn an, der leise eingetreten war, wie man einen Mantel wiedererkennt, den man lang an sich getragen und lang nicht mehr gesehen hat, der etwas fremd bleibt und in den man hineinschlüpft.

Traulich erschienen ihm dagegen Kriegslist, politische Lüge, Zorn und Töten! Tat geschieht, weil andre Tat geschehn ist; der Bischof rechnet mit seinen Goldstücken, und der Feldhauptmann mit der Widerstandskraft des Adels; Befehlen ist klar; taghell, dingfest ist dieses Leben, der Stoß eines Speers unter den verschobenen Eisenkragen ist so einfach, wie wenn man mit dem Finger weist und sagen kann, das ist dies. Das andre aber ist fremd wie der Mond. Der Herr von Ketten liebte dieses andere heimlich. Er hatte keine Freude an Ordnung, Hausstand und wachsendem Reichtum. Und ob er gleich um fremdes Gut jahrelang stritt, sein Begehren griff nicht nach Frieden des Gewinns, sondern sehnte sich aus der Seele hinaus; in den Stirnen saß die Gewalt der Catene, bloß kamen stumme Taten aus den Stirnen. Wenn er morgens in den Sattel stieg, fühlte er jedesmal noch das Glück, nicht nachzugeben, die Seele seiner Seele; aber wenn er abends absaß, senkte sich nicht selten der mürrische Stumpfsinn alles durchlebten Übermaßes auf ihn, als hätte er einen Tag lang alle seine Kräfte angestrengt, um nicht ohne alle Anstrengung etwas Schönes zu sein, das er nicht nennen konnte. Der Bischof, der Schleicher, konnte zu Gott beten, wenn Ketten ihn bedrängte; Ketten konnte nur über blühende Saaten reiten, die widerspenstige Woge des Pferdes unter sich leben fühlen, Freundlichkeit mit Eisentritten herbeizaubern. Aber es tat ihm wohl, daß es dies gab. Daß man leben kann und sterben machen ohne das andre. Es leugnete und vertrieb etwas, das sich zum Feuer schlich, wenn man hineinstarrte, und fort war, so wie man sich, steif vom Träumen, aufrichtete und herumdrehte. Der Herr von Ketten spann zuweilen lange verschlungene Fäden, wenn er an den Bischof dachte, dem er das alles antat, und ihm war, als könnte nur ein Wunder es ordnen.

Seine Frau nahm den alten Knecht, welcher der Burg vorstand, und streifte mit ihm durch die Wälder, wenn sie nicht vor den Bildern in ihren Büchern saß. Wald öffnet sich, aber seine Seele weicht zurück; sie brach durch Holz, kletterte über Steine, sah Fährten und Tiere, aber sie brachte nicht mehr heim als diese kleinen Schrecknisse, überwundenen Schwierigkeiten und befriedigten Neugierden, die alle Spannung verloren, wenn man sie aus dem Wald heraustrug, und eben jenes grüne Spiegelbild, das sie schon nach den Erzählungen gekannt hatte, bevor sie ins Land gekommen war; sobald man nicht darauf eindrang, schloß es sich hinter dem Rücken wieder zusammen. Lässig gut hielt sie indessen Ordnung am Schloß. Ihre Söhne, von denen keiner das Meer gesehen hatte, waren das ihre Kinder? Junge Wölfe, schien ihr zuweilen, waren es. Einmal brachte man ihr einen jungen Wolf aus dem Wald. Auch ihn zog sie auf. Zwischen ihm und den großen Hunden herrschte unbehagliche Duldung, Gewährenlassen ohne Austausch von Zeichen. Wenn er über den Hof ging, standen sie auf und sah zu ihm herüber, aber sie bellten und knurrten nicht. Und er sah gradaus, wenn er auch hinüberschielte, und ging kaum ein wenig langsamer und steifer seines Wegs, um es sich nicht merken zu lassen. Er folgte überallhin der Herrin; ohne Zeichen der Liebe und der Vertrautheit; er sah sie mit seinen starken Augen oft an, aber sie sagten nichts. Sie liebte diesen Wolf, weil seine Sehnen, sein braunes Haar, die schweigende Wildheit und die Kraft der Augen sie an den Herrn von Ketten erinnerten.

Einmal kam der Augenblick, auf den man warten muß; der Bischof fiel in Krankheit und starb, das Kapitel war ohne Herrn. Ketten verkaufte, was beweglich war, nahm Pfänder auf liegenden Besitz und rüstete aus allen Mitteln ein kleines, ihm eigenes Heer: dann unterhandelte er. Vor die Wahl gestellt, den alten Streit gegen neu bewaffnete Kraft weiterführen zu müssen, ehe noch der kommende Herr sich entscheiden konnte, oder einen billigen Abschluß zu finden, entschied sich das Kapitel für dieses, und es konnte nicht anders geschehn, als daß der Ketten, der als letzter stark und drohend dastand, das meiste für sich einstrich, wofür sich das Domkapitel an Schwächeren und Zaghafteren schadlos hielt.

So hatte ein Ende gefunden, was nun schon in der vierten Erbfolge wie eine Zimmerwand gewesen war, die man jeden Morgen beim Frühbrot vor sich sieht und nicht sieht: mit einem Mal fehlte sie; bis hierher war alles gewesen wie im Leben aller Ketten, was noch zu tun blieb im Leben dieses Ketten, war runden und ordnen, ein Handwerker- und kein Herrenziel.

Da stach ihn, als er heimritt, eine Fliege.

Die Hand schwoll augenblicklich an, und er wurde sehr müde. Er kehrte in der Schenke eines elenden kleinen Dorfes ein, und während er hinter dem schmierigen Holztisch saß, überwältigte ihn Schlummer. Er legte sein Haupt in den Schmutz und als er gegen Abend erwachte, fieberte er. Er wäre trotzdem weitergeritten, wenn er Eile gehabt hätte; aber er hatte keine Eile. Als er am Morgen aufs Pferd steigen wollte, fiel er hin vor Schwäche. Arm und Schulter waren aufgequollen, er hatte sie in den Harnisch gepreßt und mußte sich wieder ausschnallen lassen; während er stand und es geschehen ließ, befiel ihn ein Schüttelfrost, wie er solchen noch nie gesehen; seine Muskeln zuckten und tanzten so, daß er die eine Hand nicht zur andern bringen konnte, und die halb aufgeschnallten Eisenteile klapperten wie eine losgerissene Dachrinne im Sturm. Er fühlte, daß das schwankhaft war, und lachte mit grimmigem Kopf über sein Geklapper; aber in den Beinen war er schwach wie ein Knabe. Er schickte einen Boten zu seiner Frau, andere nach einem Bader und zu einem berühmten Arzt.

Der Bader, der als erster zur Stelle war, verordnete heiße Umschläge von Heilkräutern und bat, schneiden zu dürfen. Ketten, der jetzt viel ungeduldiger war, nach Hause zu kommen, hieß ihn schneiden, bis er bald so viel neue Wunden davontrug, als er alte hatte. Seltsam waren diese Schmerzen, gegen die er sich nicht wehren durfte. Dann lag der Herr zwei Tage lang in den saugenden Kräuterverbänden, ließ sich vom Kopf bis zu den Füßen einwickeln und nach Hause schaffen; drei Tage dauerte dieser Marsch, aber die Gewaltkur, die ebensogut hätte zum Tod führen können, indem sie alle Verteidigungskräfte des Lebens verbrauchte, schien der Krankheit Einhalt getan zu haben: als sie am Ziel eintrafen, lag der Vergiftete in hitzigem Fieber, aber der Eiter hatte sich nicht mehr weiter ausgebreitet.

Dieses Fieber, wie eine weite brennende Grasfläche, dauerte Wochen. Der Kranke schmolz in seinem Feuer täglich mehr zusammen, aber auch die bösen Säfte schienen darin verzehrt und verdampft zu werden. Mehr wußte selbst der berühmte Arzt davon nicht zu sagen, und nur die Portugiesin brachte außerdem noch geheime Zeichen an Tür und Bett an. Als eines Tags vom Herrn von Ketten nicht mehr übrig war als eine Form voll weicher heißer Asche, sank plötzlich das Fieber um eine tiefe Stufe hinunter und glomm dort bloß noch sanft und ruhig.

Waren schon Schmerzen seltsam, gegen die man sich nicht wehrt, so hatte der Kranke das Spätere überhaupt nicht so durchlebt wie einer, der mitten darin ist. Er schlief viel und war auch mit offenen Augen abwesend; wenn aber sein Bewußtsein zurückkehrte, so war doch dieser willenlose, kindlich warme und ohnmächtige Körper nicht seiner, und diese von einem Hauch erregte schwache Seele seine auch nicht. Gewiß war er schon abgeschieden und wartete während dieser ganzen Zeit bloß irgendwo darauf, ob er noch einmal zurückkehren müsse. Er hatte nie gewußt, daß Sterben so friedlich sei; er war mit einem Teil seines Wesens vorangestorben und hatte sich aufgelöst wie ein Zug Wanderer: Während die Knochen noch im Bett lagen, und das Bett da war, seine Frau sich über ihn beugte, und er, aus Neugierde, zur Abwechslung, die Bewegungen in ihrem aufmerksamen Gesicht beobachtete, war alles, was er liebte, schon weit voran. Der Herr von Ketten und dessen mondnächtige Zauberin waren aus ihm herausgetreten und hatten sich sacht entfernt: er sah sie noch, er wußte, mit einigen großen Sprüngen würde er sie danach einholen, nur jetzt wußte er nicht, war er schon bei ihnen oder noch hier. Das alles lag in einer riesigen gütigen Hand, die so mild war wie eine Wiege und zugleich alles abwog, ohne aus der Entscheidung viel Wesens zu machen. Das mochte Gott sein. Er zweifelte nicht, es erregte ihn aber auch nicht; er wartete ab und antwortete auch nicht auf das Lächeln, das sich über ihn beugte, und die zärtlichen Worte.

Dann kam der Tag, wo er mit einemmal wußte, daß es der letzte sein würde, wenn er nicht allen Willen zusammennahm, um leben zu bleiben, und das war der Tag, an dessen Abend das Fieber sank.

Als er diese erste Stufe der Gesundung unter sich fühlte, ließ er sich täglich auf den kleinen grünen Fleck tragen, der die Felsnase überzog, die mauerlos in die Luft sprang. In seine Tücher gewikkelt, lag er dort in der Sonne. Schlief, wachte, wußte nicht, was von beidem er tat.

Einmal, als er aufwachte, stand der Wolf da. Er blickte ihm in die geschliffenen Augen und konnte sich nicht rühren. Er wußte nicht, wieviel Zeit verging, dann stand seine Frau neben ihm, den Wolf am Knie. Er schloß wieder die Augen, als wäre er gar nicht wach gewesen. Aber da er wieder in sein Bett getragen wurde, ließ er sich die Armbrust reichen. Er war so schwach, daß er sie nicht spannen konnte; er staunte. Er winkte den Knecht heran, gab ihm die Armbrust und befahl: der Wolf. Der Knecht zögerte, aber er wurde zornig wie ein Kind, und am Abend hing das Fell des Wolfes im Burghof. Als die Portugiesin es sah, und erst von den Knechten erfuhr, was geschehen war, blieb ihr das Blut in den Adern stehn. Sie trat an sein Bett. Da lag er bleich wie die Wand und sah ihr zum erstenmal wieder in die Augen. Sie lachte und sagte: Ich werde mir eine Haube aus dem Fell machen lassen und dir nachts das Blut aussaugen.

Dann schickte er den Kleriker weg, der früher einmal gesagt hatte: der Bischof kann zu Gott beten, das ist gefährlich für Euch, und später ihm immerzu die letzte Ölung gegeben hatte; aber das gelang nicht gleich, die Portugiesin legte sich ins Mittel und bat, den Kaplan noch zu dulden, bis er ein anderes Unterkommen fände. Der Herr von Ketten gab nach. Er war noch schwach und schlief noch immer viel auf dem Grasfleck in der Sonne. Als er wieder einmal dort erwachte, war der Jugendfreund da. Er stand neben der Portugiesin und war aus ihrer Heimat gekommen; hier im Norden sah er ihr ähnlich. Er grüßte mit edlem Anstand und sprach Worte, die nach dem Ausdruck seiner Miene voll großer Liebenswürdigkeit sein mußten, indes der Ketten wie ein Hund im Gras lag und sich schämte.

Überdies mochte das auch erst beim zweitenmal gewesen sein; er war noch manchmal abwesend. Er bemerkte auch spät erst, daß ihm seine Mütze zu groß geworden war. Die weiche Fellmütze, die immer etwas stramm gesessen hatte, sank bei einem leichten Zug bis ans Ohr herunter, das sie aufhielt. Sie waren selbdritt, und seine Frau sagte: »Gott, dein Kopf ist ja kleiner geworden!« – Sein erster Gedanke war, daß er sich vielleicht habe die Haare zu kurz scheren lassen, er wußte bloß im Augenblick nicht, wann; er fuhr heimlich mit der Hand hin, aber das Haar war länger, als es sein sollte, und ungepflegt, seit er krank war. So wird sich die Kappe geweitet haben, dachte er, aber sie war noch fast neu und wie sollte sie sich geweitet haben, während sie unbenützt in einer Truhe lag. So machte er einen Scherz daraus und meinte, daß wohl in vielen Jahren, wo er nur mit Kriegsknechten gelebt habe und nicht mit gebildeten Kavalieren, sein Schädel kleiner geworden sein möge. Er fühlte, wie plump ihm der Scherz vom Munde kam, und auch die Frage war damit nicht weggeschafft, denn kann ein Schädel kleiner werden? Die Kraft in den Adern kann nachlassen, das Fett unter der Kopfhaut kann im Fieber etwas zusammenschmelzen: aber was gibt das aus?! Nun tat er zuweilen, als ob er sich das Haar glatt striche, schützte auch vor, sich den Schweiß zu trocknen, oder trachtete, sich unbemerkt in den Schatten zurückzubeugen, und griff schnell, mit zwei Fingerspitzen wie mit einem Mauerzirkel, seinen Schädel ab, ein paarmal, mit verschiedenen Griffen: aber es blieb kein Zweifel, der Kopf war kleiner geworden, und wenn man ihn von innen, mit den Gedanken befühlte, so war er noch viel kleiner und wie zwei dünne aufeinandergeklappte Schälchen.

Man kann ja vieles nicht erklären, aber man trägt es nicht auf den Schultern und fühlt es nicht jedesmal, wenn man den Hals nach zwei Menschen wendet, die sprechen, während man zu schlafen scheint. Er hatte die fremde Sprache schon lang bis auf wenige Worte vergessen; aber einmal verstand er den Satz: »Du tust das nicht, was du willst, und tust das, was du nicht willst.« Der Ton schien eher zu drängen als zu scherzen; was mochte er meinen? Ein andermal beugte er sich weit aus dem Fenster hinaus, ins Rauschen des Flusses; er tat das jetzt oft wie ein Spiel: der Lärm, so wirr wie durcheinandergefegtes Heu, schloß das Ohr, und wenn man aus der Taubheit zurückkehrte, tauchte klein darin und fern das Gespräch der Frau mit dem andern auf; und es war ein lebhaftes Gespräch, ihre Seelen schienen sich wohl miteinander zu fühlen. Das drittemal lief er überhaupt nur den beiden nach, die abends noch in den Hof gingen; wenn sie an der Fackel oben auf der Freitreppe vorbeikamen, mußte ihr Schatten auf die Baumkronen fallen; er beugte sich rasch vor, als dies geschah, aber in den Blättern verschwammen die Schatten von selbst in einen. Zu jeder andren Zeit hätte er versucht, mit Pferd und Knechten sich das Gift aus dem Leib zu jagen oder es im Wein zu verbrennen. Aber der Kaplan und der Schreiber fraßen und tranken so, daß ihnen Wein und Speise bei den Mundwinkeln herausliefen, und der junge Ritter schwang ihnen lachend die Kanne zu, wie man Hunde aufeinanderhetzt. Der Wein ekelte Ketten, den die mit scholastischer Tünche überzogenen Lümmel soffen. Sie sprachen vom tausendjährigen Reich, von Doktorsfragen und Bettstrohgeschichten; deutsch und in Kirchenlatein. Ein durchreisender Humanist übersetzte, wo es fehlte, zwischen diesem Welsch und dem des Portugiesen; er hatte sich den Fuß verstaucht und heilte ihn hier kräftig aus. »Er ist vom Pferd gefallen, als ein Hase vorbeisprang«, gab der Schreiber zum besten. »Er hielt ihn für einen Lindwurm«, sagte mit unwilligem Spott der Herr von Ketten, der zögernd dabeistand. »Aber das Pferd doch auch!« brüllte der Burgkaplan, »sonst wäre es nicht so gesprungen: Also hat der Magister selbst für einen Roßverstand mehr Einsicht als der Herr!« Die Trunkenen lachten über den Herrn von Ketten. Der sah sie an, trat einen Schritt näher und schlug den Kaplan ins Gesicht. Das war ein runder junger Bauer, er wurde rot über den Kopf, aber dann ganz bleich, und blieb sitzen. Der junge Ritter stand lächelnd auf und ging die Freundin suchen. »Warum habt Ihr ihn nicht erdolcht?!« zischte der Hasen-Humanist auf, als sie allein waren. »Er ist ja stark wie zwei Stiere«, antwortete der Kaplan, »und auch ist die christliche Lehre wahrhaft geeignet, um in solchen Lagen Trost zu geben.« Aber in Wahrheit war der Herr von Ketten noch sehr schwach, und allzu langsam kehrte das Leben in ihn wieder; er konnte die zweite Stufe der Genesung nicht finden.

Der Fremde reiste nicht weiter, und seine Gespielin verstand schlecht die Andeutungen ihres Herrn. Seit elf Jahren hatte sie auf den Gatten gewartet, elf Jahre lang war er der Geliebte des Ruhms und der Fantasie gewesen, nun ging er in Haus und Hof umher und sah, von Krankheit zerschabt, recht gewöhnlich aus neben Jugend und höfischem Anstand. Sie machte sich nicht viel Gedanken darüber, aber sie war ein wenig müde dieses Lands geworden, das Unsagbares versprochen hatte, und mochte sich nicht überwinden, schon wegen eines schiefen Gesichts den Gespielen ziehen zu lassen, der den Duft der Heimat hatte und Gedanken, bei denen man lachen konnte. Sie hatte sich nichts vorzuwerfen; ein wenig oberflächlicher war sie seit Wochen, aber das tat wohl, und sie fühlte, ihr Antlitz glänzte jetzt manchmal wieder so wie vor Jahren. Eine Wahrsagerin, die er befragte, sagte dem Herrn von Ketten voraus: Ihr werdet nur gesund, wenn Ihr etwas vollbringt –, aber da er in sie drang, was das wäre, schwieg sie, suchte ihm zu entkommen und erklärte schließlich, daß sie es nicht finden könne.

Er hätte es immer verstanden, die Gastfreundschaft mit feinem Schnitt zu lösen, statt sie zu brechen, auch ist die Heiligkeit des Lebens und des Gastrechts für einen, der durch Jahre ungebetener Gast bei seinen Feinden war, kein unübersteigliches Hindernis, aber die Schwäche der Genesung machte ihn diesmal fast stolz darauf, unbeholfen zu sein; solche arglistige Klugheit erschien ihm nicht besser als die kindische Wortklugheit des Jungen. Seltsames widerfuhr ihm. In den Nebeln der Krankheit, die ihn umfangen hielten, erschien ihm die Gestalt seiner Frau weicher, als es hätte sein müssen; sie erschien ihm nicht anders als früher, wenn es ihn gewundert hatte, ihre Liebe zuweilen heftiger wiederzufinden als sonst, während doch in der Abwesenheit keine Ursache lag. Er hätte nicht einmal sagen können, ob er heiter oder traurig war; genauso wie in jenen Tagen der tiefen Todesnähe. Er konnte sich nicht rühren. Wenn er seiner Frau in die Augen sah, waren sie wie frisch geschliffen, sein eignes Bild lag obenauf, und sie ließ seinen Blick nicht ein. Ihm war zumut, es müßte ein Wunder geschehn, weil sonst nichts geschah, und man darf das Schicksal nicht reden heißen, wenn es schweigen will, sondern soll horchen, was kommen wird.

Eines Tags, als sie in Gesellschaft den Berg heraufkamen, war oben vor dem Tor die kleine Katze. Sie stand vor dem Tor, als wollte sie nicht nach Katzenart über die Mauer setzen, sondern nach Menschenart Einlaß, machte einen Buckel zum Willkommen und strich den ohne irgendeinen Grund über ihre Anwesenheit erstaunten großen Geschöpfen um Rock und Stiefel. Sie wurde eingelassen, aber es war gleich, als ob man einen Gast empfinge, und schon am nächsten Tag zeigte sich, daß man vielleicht ein kleines Kind aufgenommen hatte, aber nicht bloß eine Katze: solche Ansprüche stellte das zierliche Tier, das nicht den Vergnügungen in Kellern und Dachböden nachging, sondern keinen Augenblick aus der Gesellschaft der Menschen wich. Und es hatte die Gabe, ihre Zeit für sich zu beanspruchen, was recht unbegreiflich war, da es doch so viel andre, edlere Tiere am Schloß gab, und die Menschen auch mit sich selbst viel zu tun hatten; es schien geradezu davon zu kommen, daß sie die Augen zu Boden senken mußten, um dem kleinen Wesen zuzusehen, das sich ganz unauffällig benahm und um ein klein wenig stiller, ja man könnte fast sagen trauriger und nachdenklicher war, als einer jungen Katze zukam. Die spielte so, wie sie wissen mußte, daß Menschen es von jungen Katzen erwarten, kletterte auf den Schoß und gab sich sogar ersichtlich Mühe, freundlich mit den Menschen zu sein, aber man konnte fühlen, daß sie nicht ganz dabei war; und gerade dies, was zu einer gewöhnlichen jungen Katze fehlte, war wie ein zweites Wesen, ein Ab-Wesen oder ein stiller Heiligenschein, der sie umgab, ohne daß einer den Mut gefunden hätte, das auszusprechen. Die Portugiesin beugte sich zärtlich über das Geschöpfchen, das in ihrem Schoß am Rücken lag und mit den winzigen Krallen nach ihren tändelnden Fingern schlug wie ein Kind, der junge Freund beugte sich lachend und tief über Katze und Schoß, und Herr von Ketten erinnerte das zerstreute Spiel an seine halb überwundene Krankheit, als wäre die, samt ihrer Todessanftheit, in das Tierkörperchen verwandelt, nun nicht mehr bloß in ihm, sondern zwischen ihnen. Ein Knecht sagte: Die bekommt die Räude.

Herr von Ketten wunderte sich, weil er das nicht selbst erkannt hatte; der Knecht wiederholte: Sie muß man beizeiten erschlagen.

Die kleine Katze hatte inzwischen einen Namen aus einem der Märchenbücher erhalten. Sie war noch sanfter und duldsamer geworden. Jetzt konnte man auch schon bemerken, daß sie krank und fast leuchtend schwach wurde. Sie ruhte immer länger aus im Schoß von den Geschäften der Welt, und ihre kleinen Krallen hielten sich mit zärtlicher Angst fest. Sie begann jetzt auch einen um den andren anzusehn; den bleichen Ketten und den jungen Portugiesen, der vorgeneigt saß und den Blick von ihr nicht wendete, oder von dem Atmen des Schoßes, in dem sie lag. Sie sah sie an, als wollte sie um Vergebung dafür bitten, daß es häßlich sein werde, was sie in geheimer Vertretung für alle litt. Und dann begann ihr Martyrium.

Eines Nachts begann das Erbrechen, und sie erbrach bis zum Morgen; sie war ganz matt und wirr im wiederkehrenden Tageslicht, als hätte sie viele Schläge vor den Kopf erhalten. Aber vielleicht hatte man dem verhungerten armen Kätzchen bloß im Übereifer der Liebe zuviel zu fressen gegeben: doch im Schlafzimmer konnte sie danach nicht mehr bleiben und wurde zu den Burschen in die Hofkammer getan. Aber die Burschen klagten nach zwei Tagen, daß es nicht besser geworden sei, und wahrscheinlich hatten sie sie auch in der Nacht hinausgeworfen. Und sie brach jetzt nicht nur, sondern konnte auch den Stuhl nicht halten, und nichts war vor ihr sicher. Das war nun eine schwere Probe, zwischen einem kaum sichtbaren Heiligenschein und dem gräßlichen Schmutz, und es entstand der Beschluß – man hatte inzwischen erfahren, woher sie gekommen war, – sie dorthin zurücktragen zu lassen; es war ein Bauernhaus unten am Fluß, nahe dem Fuß des Berges. Man würde heute sagen, sie stellten sie ihrer Heimatgemeinde zurück und wollten weder etwas verantworten, noch sich lächerlich machen; aber das Gewissen drückte sie alle, und sie gaben Milch und ein wenig Fleisch mit und sogar Geld, damit die Bauersleute, wo Schmutz nicht soviel ausmachte, gut für sie sorgten. Die Dienstleute schüttelten dennoch die Köpfe über ihre Herrn.

Der Knecht, der die kleine Katze hinuntergetragen hatte, erzählte, daß sie ihm nachgelaufen war, als er zurückging, und daß er noch einmal hatte umkehren müssen: zwei Tage später war sie wieder oben am Schloß. Die Hunde wichen ihr aus, die Dienstleute trauten sich wegen der Herrschaft nicht, sie fortzujagen, und als sie sie erblickte, stand schweigend fest, daß jetzt niemand mehr ihr verweigern wollte, hier oben zu sterben. Sie war ganz abgemagert und glanzlos geworden, aber das ekelerregende Leiden schien sie überwunden zu haben und nahm bloß fast zusehends an Körperlichkeit ab. Es folgten zwei Tage, die verstärkt alles noch einmal enthielten, was bisher gewesen war: langsames, zärtliches Umhergehn in dem Obdach, wo man sie hegte; zerstreutes Lächeln mit den Pfoten, wenn sie nach einem Stückchen Papier schlug, das man vor ihr tanzen ließ; zuweilen ein leichtes Wanken vor Schwäche, obgleich vier Beine sie stützten, und am zweiten Tag fiel sie zuweilen auf die Seite. An einem Menschen würde man dieses Hinschwinden nicht so seltsam empfunden haben, aber an dem Tier war es wie eine Menschwerdung. Fast mit Ehrfurcht sahen sie ihr zu; keiner dieser drei Menschen in seiner besonderen Lage blieb von dem Gedanken verschont, daß es sein eigenes Schicksal sei, das in diese von Irdischen schon halb gelöste kleine Katze übergegangen war. Aber am dritten Tag begannen wieder das Erbrechen und die Unreinlichkeit. Der Knecht stand da, und wenn er sich auch nicht traute, es zu wiederholen, sagte doch sein Schweigen: man muß sie erschlagen. Der Portugiese senkte den Kopf wie bei einer Versuchung, dann sagte er zur Freundin: Es wird nicht anders gehn; ihm kam es selbst vor, als hätte er sich zu seinem eigenen Todesurteil bekannt. Und mit einemmal sahen alle den Herrn von Ketten an. Der war weiß wie die Wand geworden, stand auf und ging. Da sagte die Portugiesin zum Knecht: Nimm sie zu dir.

Der Knecht hatte die Kranke auf seine Kammer genommen, und am nächsten Tag war sie fort. Niemand frug. Alle wußten, daß er sie erschlagen hatte. Alle fühlten sich von einer unaussprechlichen Schuld bedrückt; es war etwas von ihnen gegangen. Nur die Kinder fühlten nichts und fanden es in Ordnung, daß der Knecht eine schmutzige Katze erschlug, mit der man nicht mehr spielen konnte. Aber die Hunde am Hof schnupperten zuweilen an einem Grasfleck, auf den die Sonne schien, steiften die Beine, sträubten das Fell und blickten schief zur Seite. In einem solchen Augenblick begegneten sich Herr von Ketten und die Portugiesin. Sie blieben beieinander stehn, sahn nach den Hunden hinüber und fanden kein Wort. Das Zeichen war dagewesen, aber wie war es zu deuten, und was sollte geschehn? Eine Kuppel von Stille war um die beiden.

Wenn sie ihn bis zum Abend nicht fortgeschickt hat, muß ich ihn töten, – dachte Herr von Ketten. Aber der Abend kam, und es hatte sich nichts ereignet. Das Vesperbrot war vorbei. Ketten saß ernst, von leichtem Fieber gewärmt. Er ging in den Hof, sich zu kühlen, er blieb lange aus. Er vermochte den Entschluß nicht zu finden, der ihm sein ganzes Dasein lang spielend leicht gewesen war. Pferde satteln, Harnisch anschnallen, ein Schwert ziehn, diese Musik seines Lebens war ihm mißtönend; Kampf erschien ihm wie eine sinnlose Bewegung, selbst der kurze Weg eines Messers war wie eine unendlich lange Straße, auf der man verdorrt. Aber auch Leiden war nicht seine Art; er fühlte, daß er nie wieder ganz genesen würde, wenn er sich dem nicht entriß. Und neben beidem gewann allmählich etwas anderes Raum: als Knabe hatte er immer die unersteigliche Felswand unter dem Schloß hinaufklettern wollen; es war ein unsinniger und selbstmörderischer Gedanke, aber er gewann dunkles Gefühl für sich wie ein Gottesurteil oder ein nahendes Wunder. Nicht er, sondern die kleine Katze aus dem Jenseits würde diesen Weg wiederkommen, schien ihm. Er schüttelte leise lachend den Kopf, um ihn auf den Schultern zu fühlen, aber dabei erkannte er sich schon weit unten auf dem steinigen Weg, der den Berg hinabführte.

Tief beim Fluß bog er ab; über Blöcke, zwischen denen das Wasser trieb, dann an Büschen hinauf in die Wand. Der Mond zeichnete mit Schattenpunkten die kleinen Vertiefungen, in welche Finger und Zehen hineingreifen konnten. Plötzlich brach ein Stein unter dem Fuß weg; der Ruck schoß in die Sehnen, dann ins Herz. Ketten horchte; es schien ohne Ende zu dauern, bevor der Stein ins Wasser schlug; er mußte mindestens ein Drittel der Wand schon unter sich haben. Da wachte er, so schien es deutlich, auf und wußte, was er getan hatte. Unten ankommen konnte nur ein Toter, und die Wand hinauf der Teufel. Er tastete suchend über sich. Bei jedem Griff hing das Leben in den zehn Riemchen der Fingersehnen; Schweiß trat aus der Stirn, Hitze flog im Körper, die Nerven wurden wie steinerne Fäden: aber, seltsam zu fühlen, begannen bei diesem Kampf mit dem Tod Kraft und Gesundheit in die Glieder zu fließen, als kehrten sie von außen wieder in den Körper zurück. Und das Unwahrscheinliche gelang; noch mußte oben einem Überhang nach der Seite ausgewichen sein, dann schlang sich der Arm in ein Fenster. Es wäre wohl anders, als bei diesem Fenster emporzutauchen, auch gar nicht möglich gewesen; aber er wußte, wo er war; er schwang sich hinein, saß auf der Brüstung und ließ die Beine ins Zimmer hängen. Mit der Kraft war die Wildheit wiedergekehrt. Er atmete sich aus. Seinen Dolch an der Seite hatte er nicht verloren. Es kam ihm vor, daß das Bett leer sei. Aber er wartete, bis sein Herz und seine Lungen völlig ruhig seien. Es kam ihm dabei immer deutlicher vor, daß er in dem Zimmer allein war. Er schlich zum Bett: es hatte in dieser Nacht niemand darin gelegen.

Der Herr von Ketten schlich durch Zimmer, Gänge, Türen, die keiner zum erstenmal findet, der nicht geführt ist, vor das Schlafgemach seiner Frau. Er lauschte und wartete, aber kein Flüstern verriet sich. Er glitt hinein; die Portugiesin atmete sanft im Schlaf; er bückte sich in dunkle Ecken, tastete an Wänden, und als er sich wieder aus dem Zimmer drückte, hätte er beinahe gesungen vor Freude, die an seinem Unglauben rüttelte. Er stöberte durch das Schloß, aber schon krachten die Dielen und Fliesen unter seinem Tritt, als suchte er eine freudige Überraschung. Im Hof rief ihn ein

Knecht an, wer er sei. Er fragte nach dem Gast. Fortgeritten, meldete der Knecht, wie der Mond heraufkam. Der Herr von Ketten setzte sich auf einen Stapel halbentrindeter Hölzer, und die Wache wunderte sich, wie lang er saß. Plötzlich packte ihn die Gewißheit an, wenn er jetzt das Zimmer der Portugiesin wieder betrete, werde sie nicht mehr dasein. Er pochte heftig und trat ein; die junge Frau fuhr auf, als hätte sie im Traum darauf gewartet, und sah ihn angekleidet vor sich stehn, so wie er fortgegangen war. Es war nichts bewiesen und nichts weggeschafft, aber sie fragte nicht, und er hätte nichts fragen können. Er zog den schweren Vorhang vom Fenster zurück, und der Vorhang des Brausens stieg auf, hinter dem alle Catene geboren wurden und starben.

»Wenn Gott Mensch werden konnte, kann er auch Katze werden«, sagte die Portugiesin, und er hätte ihr die Hand vor den Mund halten müssen, wegen der Gotteslästerung, aber sie wußten, kein Laut davon drang aus diesen Mauern hinaus.

(1924)

Unser Zirkus

Er war ein Staat im Staat; das ist nichts Auffallendes. Er wurde regiert. Auch das ist selbstverständlich. Er wurde regiert von der Frau Direktor. Uns schien das natürlich, denn ihr Regiment war unvergleichlich. Der Herr Direktor war nur Prinzgemahl. Sie ernährte uns eigentlich allesamt.

Sie war unmenschlich dick. Beim besten Willen ließ sich kein Liebhaber für sie auftreiben. Der Prinzgemahl wollte mit uns das Würfelspiel um sein Ehebett treiben. Wir streikten. Er drohte, uns auf die nackte Straße zu entlassen, ohne eine Brotrinde. Wir zogen den Hungertod vor. Bei soviel Heldentum durften wir im Amt bleiben.

Sie besaß ein schwarzseidenes Kleid mit Eiseneinlagen, in das zwängte sie sich zu jeder Vorstellung. Ihre Taille wurde dann so dünn, daß zwei Männer sie gerade umspannen konnten. Sie bekam etwas vom Mythos einer Diagonale. An ihren Endpunkten war das Fleisch trotz schwedischen Stahls nicht zu bändigen. Sie führte einen Trick vor, eben jenen, durch den wir alle unser Brot aßen. Wir besaßen acht Hengste und ebenso viele Stuten. Die waren aber keineswegs für die Hengste da. Die mußten vielmehr auf den Dörfern Sologastspiele geben. Man sieht, daß unser Unternehmen sorgfältig durchdacht war. Für uns blieb es freilich stets ein jämmerlicher Augenblick, wenn wir unsere Kunst an der Majestät abschätzen mußten, mit der sie, peitschenknallend, es dahin brachte, daß die sieben Hengste (der achte trat später in Erscheinung) sich aufrichteten, so daß jeder sich an ihrer Schönheit sattsehen konnte. Es waren alle prächtige Tiere. Stallburschen hatten wir denn auch stets übergenug, wenn sie auch fast alle irgendwo gestohlen oder ein Mädchen betrogen hatten.

Der Herr Direktor durfte allabendlich einen Zebuochsen mit gewaltiger Wamme, einem Euter gleich, vorführen, der auf Befehl niederkniete. Dabei blies die Kapelle einen Tusch. Einen Elefanten besaßen wir nicht. Der Prinzgemahl war in einen Frack gesteckt und stand den Rest des Abends mit blinkend weißem Gummikragen in der Nähe der Stalljungen, deren harmonische Glieder durch beschmutzte rote Röcke verhüllt wurden, die an Jahren die Burschen weit hinter sich ließen.

Der Ehe unseres Herrscherhauses war ein Geschwisterpaar entsprungen. Sozusagen. Der Sohn hieß mit Künstlernamen André. Er war Schlangenmensch von Beruf. Er trug einen Anzug aus rotem Samt. Er war gut gewachsen, er war hochmütig, er verstand sein Handwerk. Er arbeitete zusammen mit seiner Schwester. Sie tanzte, während er sich von hinten den Kopf vor den Bauch schob. Die beiden schliefen des Nachts in einer Wagenhälfte.

Aber es war nur halb so unsittlich, wie es hätte sein müssen, denn sie war nur seine Halbschwester. Und auch das nur halb. Ihre Mutter war eine Schulreiterin, die einzige unseres Instituts. Und wenn eine junge Reiterin sich auch benimmt, als ob sie verheiratet wäre – wer würde glauben, daß sie diesen Direktor einem halben Dutzend Stallburschen und einem ganzen männlichen Artisten vorgezogen hätte? In der Tat war sie die einzige, die das behauptete. – Unbestritten aber war ihr Erfolg, wenn sie des Abends nach dem Akt der Frau Direktor einen Vollbluthengst zu reiten hatte. Wir ordneten es als eines der sieben Weltwunder ein.

Vielleicht verstand die Matrone das Geschäft besser, als wir Taugenichtse es ahnten. Und Zirkusblut mußte auch unter ihrem Fett pulsen, sonst hätte sie wohl Pferde und uns an den ersten besten Trödler verkauft, samt Zelt mit Pauken und Trompeten, Zebuochsen und lebenden Bildern, und sich eine bequeme Zweizimmerwohnung gemietet.

Wir Artisten waren in gleicher Klasse mit den Stalljungen engagiert (die Musikkapelle war stets lokal) auf trocken Brot, Salz und Malzkaffee nebst Garantieschein, sicher vor den Zugriffen der Polizei zu sein. Darauf verstand sie sich. Wenn das Geschäft ging, gab es Bargeld und Schweinebraten. Dank ihrer Grundidee, gestützt durch gute Papiere der männlichen Rosse, waren die schlechten Zeiten dünner gesät als die guten.

Unter dem Troß des Personals gab es also keine Standesunterschiede. Doch: eine Ausnahme. Die Matrosin. Ihre Geburtsstadt war Marseille, ihren Geburtsnamen kannten wir nicht. Wir sagten ihr nach, daß sie einen Stammbaum habe wie die Pferde, und deren Adel war verbürgt. Sie trat mit ihrem Sohn auf, einem hübschen Knaben ohne Stammbaum. Er war stets fröhlich und einfältig, wir liebten ihn alle. Jedenfalls konnte er beweisen, daß sein Vater ein schöner Bursche gewesen war. Gibt es ein sichereres Dokument? – So gönnten wir ihm gern, daß er mit seiner Mama eine ganze Wagenhälfte bewohnen durfte. Ja, er besaß sein eigenes Bett. Und wenn sie des Abends eine Bambusstange senkrecht in den Hüften wiegte und er hinaufkletterte und oben den Stab sich gegen den Nabel setzte, der nach klassischer Regel Schwerpunkt und Goldenen Schnitt bezeichnete, und in dem Nabelgrübchen, das sicherlich eine Unze Rosenöl gefaßt hätte, den Leib drehte wie ein Rad in der Nabe und lachte und in die Hände klatschte und hinunterschrie: »Maman, ma chère – «, dann hatten wir die gottselige Predigt vor uns, die uns immer wieder begreifen machte, weshalb wir das Hundeleben so schön fanden wie den Garten Eden, nur daß wir an den Äpfeln der Erkenntnis uns den Magen übernommen.

Fünf waren unter uns, die hatten das Fliegen am Trapez gelernt. Es war keine Familie, obgleich sie so taten. Drei Männer und zwei Frauen, eine Gemeinschaft, die Bewunderungswürdiges leistete. Sie hätten in üppigeren Sold gehen können, aber es war ein Neger darunter. So fehlte es ihnen an einem Familiennamen.

Eine andere Gruppe, zwei Männer und vier Frauen, spielten allabendlich Ball mit Tellern, Weinflaschen, Tischen, Stühlen, Hüten, Leuchtern, Lampions – kurz, sie warfen durch die Luft, was nicht niet- und nagelfest war. Einer der Männer trat für Befestigung der Sitten ein und stand im Begriff, sich als Haremsvorsteher zu fühlen. Eines Nachts verprügelten ihn die Stallburschen. Am nächsten Morgen war er verschwunden. Vier Wochen später hatte ein Pferdejunge das Werfen mit den Gegenständen genügend begriffen, um als Ersatzmann eintreten zu können. Dann war da mein Genosse, Kollege, Mitarbeiter. Er war ungeheuer dumm. Und ich. Ich bin natürlich noch viel dümmer. Ich heiße ganz authentisch August. Über uns lachte man. Der Tölpel neben mir hieß Friedrich und schielte. Ein Zwischenakt hieß die Biene. In seinem Verlauf wurde mir Wasser ins Gesicht gespuckt. Zuerst hat es mich sehr gekränkt, öffentlich angespuckt zu werden. Ich tröstete mich damit, daß alle großen Künstler von der Öffentlichkeit angespuckt werden. Des Nachts schliefen wir in der zermürbten Wagenstadt, anzusehen wie ein geschlagenes Heer. Auf Strohsäcken, dicht gedrängt ohne Unterschied, ohne heiße Liebe, aber gut zueinander, vereint durch gleiches Schicksal.

Die Menschen nannten uns Zirkus. Der Direktor nannte uns Künstler. Wir pfiffen durch die Zähne und wußten nichts, als daß wir keusch waren wie die Vögel im Frühling.

(1927)

KURT TUCHOLSKY

Enthüllung

»Es gibt keinen Mädchenhandel«, sagt
Kurt Tucholsky. – Was hat er für ein
Interesse, die Mädchenhändler zu schüt-
zen?   Nationale Zeitungsnotiz

Frühmorgens, wenn, mit Verlaub zu sagen, die Hähne krähn,
springe ich fröhlich aus dem Bett, reibe mir den Beischlaf aus den
Augen, gürte meinen Galanteriedegen und – hei! – fort gehts,
meinem heimlichen Beruf entgegen, von dem niemand, niemand
nichts weiß. Rasch den Kuppelpelz umgelegt, und hinein in den
Rolls-Royce jüngerer Linie, der schon vor der Tür, abgezahlt bis
auf das linke Hinterrad, auf mich wartet. Fahr zu, Johann, und laß
die Pferdekräfte traben –!

Bei der Pariser Polizei bin ich als Schriftsteller gemeldet. In
Wirklichkeit habe ich, allein in Paris, fünf Häuser, mit zweihun-
dertachtundvierzig Insassinnen, zwölf Oberschwestern, einem
Generalkuppelwart, und alle sind Tag und Nacht geöffnet.

»Glückauf!« begrüßt mich der stattliche Pförtner der Zentrale in
der Rue Louletrou. Mit echt kapitalistischem Kopfnicken grüße ich
zurück und betrete die samtgeschwollenen Büroräume. »Was
Neues?« frage ich kurz. Herr Friedrich, der Direktor der Zuhaltei,
legt mir respektvoll in der Unterschriftsmappe die Post vor. Ich
durchfliege sie.

– ›Blondinenbaisse an der Mädchenhändlerbörse in Buenos
Aires‹ – ›. . . die von Ihnen vorgebrachte Reklamation leider nicht
anerkennen können, da der Schade auf dem Transport entstanden
ist, wir also keinerlei Haftung . . .‹ – ›. . . Ihnen meine so gut wie
neue, und nur von ersten Kavalieren getragene Kusine anzubieten,
die . . .‹ – ›. . . daher bestimmt mit einer Erhöhung des Grundtarifs
auf 1,84 Mark rechnen zu können uns in die sicherste Erwartung zu
setzen glauben zu müssen. Der Betriebsrat des Hauses ‚Chez
Neppine‘.‹

– »Sonst was?« frage ich Herrn Friedrich mit jenem leichten
Vibrieren in der Stimme, das andeutet, er zähle zwar zu den
höhern Beamten, das ihn aber nicht vergessen macht, daß auch er

nur ein Angestellter ist. Hier in diesem mächtigen Zimmer laufen die Fäden der großen Geschäfte zusammen: Umsatz in Nordafrika flau; Transitverkehr mit Australien überwiegend fest; der Konzern internationaler Mädchenhändler beschließt, die Abberufung des Sowjet-Gesandten aus Paris zu zwingen, da er sich in unzulässiger Weise gegen unsere Interessen ausgesprochen hat, ein kleiner Krieg zieht leise am Horizont auf, und wir werden gut an ihm verdienen... »Sonst nichts«, sagt Herr Friedrich.

Elastischen Schrittes begebe ich mich zur Einkaufsabteilung. Auf dem Korridor steht schon eine Schar Mädchenfänger, zum Ausrücken bereit, an der Tür.

Die Mannschaften tragen große Netze, mit denen sie in einsamen Gegenden, in Stadtparks und an leeren Kanalböschungen unschuldige Mädchen einfangen und mir hierher bringen; die Leute vom Salontrupp haben sich kleine schwarze Bärtchen geklebt, die ihnen ein verführerisches Aussehen verleihen: So schleichen sie sich in die feinen Familien ein und flüstern dort mit heißer Stimme den Haustöchtern verlockende Angebote in die Öhrchen; erst gestern war man auf diese Weise einer reichen Bankierstocher habhaft geworden, der wir eine Stellung als Dienstmädchen in Rio de Janeiro angeboten hatten. Ich musterte den Trupp, der militärisch grüßte. »Zweiter Stoßtrupp der Mädchenfänger zum Ausmarsch angetreten!« meldete der Führer. Ich winkte ab. Und trat in die Einkaufsabteilung.

Meine Augen sahen alles: da standen große Kisten, in denen lagen die chloroformierten Opfer der letzten Streifzüge, etliche hatte man bei der Lektüre des ›Zauberbergs‹ erwischt, und sie waren gar nicht gewahr geworden, daß man sie noch einmal eingeschläfert hatte... andere waren frisch aus dem Filmatelier oder bei der Konfektion weggefangen worden, und müde hatten sie sich gegen den überflüssigen Umzug gewehrt. In einer Ecke war die Arbitrage-Abteilung, dort wurden die Mädchen ausgetauscht, streng nach ihrem Wert: zwei kleine zu fünfzehn gegen eine große zu dreißig und so fort. Denn hier ist das, mit Verlaub zu sagen, Becken, in dem sich alle Vorräte sammeln: hier werden die Mädchen verteilt und repariert, von hier gehen die bemusterten Offerten heraus, die Mädchen auf Abzahlung und die gröberen Dessins für das Militär. So passen sich die Kollektionen jedem Land und jedem Kontinent an: die für die Vereinigten Staaten bestimmten Mädchen – Marke ›Petting‹ – sind garantiert sexuell unaufgeklärt und bleiben das auch ihr Leben lang. (Man beachte die Banderole.) Auch wurden hier unser

Patent-Präparat für einsame Farmer hergestellt: ›Das Weib in der Tube.‹

An der linken Glastür gabs Lärm. »Was ist –?« fragte ich. Der Rayonchef stürzte beflissen vor.

»Herr Präsident werden erstaunt sein, zu hören...«, sagte er, »daß wiederum, trotz aller Absperrungsmaßnahmen, zwei Damen zur freiwilligen Meldung gekommen sind. Sie begehren durchaus Aufnahme!« – »Um wen handelt es sich?« fragte ich. »Es sind vier!« meldete der Aufsichtsbeamte vom Dienst. »Es ist der gesamte Vorstand vom Reichsbund zur raschen Niederkämpfung des außerehelichen Geschlechtsverkehrs!« – »Sagen Sie den Damen«, befahl ich, »daß wir komplett sind!« Ein vierstimmiges Jammergeheul vor der Tür bewies, daß edlere Teile getroffen waren.

Brummend rollte mein Wagen mit mir davon.

Im ›Garten des Paradieses‹ war gerade großes Reinemachen. Wasser floß von den Wänden, Staubsauger sogen an den Türen, die laut polizeilicher Vorschrift die heißen Schreie der Lust zu ersticken hatten... Die Vertrauensdame, Frau Wedderbein, trat mir entgegen und grüßte mit erfahrener Verbindlichkeit. »Glück auf!« sagte sie. »Glück wieder runter!« sagte ich. Wir begaben uns ins Vorstandszimmer.

Alles in Ordnung.

Im Inventarbuch fehlte kein Bett und keine Rute; es war, wie der illustrierte Führer durch das ›Paradies‹ zeigte, für jeden Geschmack gesorgt, und auch der kleine Mann konnte hier nach den Mühen des Tages Begierden frönen, auf die er nach harter und ernster Berufsarbeit wohl Anspruch hatte. Sexuelle Traumen; Spiegelzimmer für minderbemittelte Ipsisten sowie Separatabteilungen für Fetische in allen Größen waren da: hier konnten die Leute einen schönen Stiefel lieben; prima Affekttaumel waren schon von acht Mark das Stück zu haben, und auch Fernbehandlung wurde gern übernommen. Wir standen durchaus auf der Höhe. Und während die Frau Vorstand mir eine Seite des Hauptbuches nach der andern aufblätterte und meine Augen mechanisch die Kolumnen musterten:

›...dasselbe mit ff. Ödipuskomplex... 12,6; M‹

da schweiften, mit Verlaub zu sagen, meine Gedanken zurück in die ferne Vergangenheit, in die Zeiten meines Anfangs.

's ist nun acht Jahre her, daß ich das erste Haus eröffnet habe: eine kleine kümmerliche Etage am Dönhoffplatz, und neben den stolzen Prachtbauten des Viertels konnte sich mein kleiner Betrieb gar nicht sehen lassen. Vier Damen beschäftigten wir damals – und wenn's sogar noch hoch herging, dann half wohl Stiefmütterchen in der Not mit aus, und ich saß an der Kasse und überzählte die Scheine. Und welcher Aufstieg seitdem!

Haus reiht sich heute an Haus, Werk an Werk; da rauchen die Schlote, da gellen die Sirenen, da richten sich riesige Schornsteine freudig zum Himmel empor und durch eine selbstverständlich horizontale Vertrustung ist es mir gelungen, den gesamten Mädchenhandelsmarkt zu kontrollieren. Medaillen prangen auf meinen Briefbogen; ich bin Hoflieferant, wenn auch ein aufrechter Republikaner, allerdings die guten Seiten des alten Regimes schätzend, aber natürlich durchaus verfassungstreu. Ein eignes Ressort ist damit befaßt, genau darauf zu achten, daß die Häuser – je nach der Kundschaft – auch die richtige Fahne heraushängen. Bei uns an der Gösch!

Ja, wenn ich so zurückdenke... Was hat allein die, mit Verlaub zu sagen, Revolution in Deutschland uns für Schwierigkeiten bereitet! Am idealsten ist die Sache in unserm ›Anschlußheim‹ gelöst: das hat eine doppelte Straßenfront, rechts flattert Schwarz-Weiß-Rot, und links weht, im jeweiligen Winde, Schwarz-Rot-Gold. Rechts ist alles volkhaft eingerichtet, wie es der echte deutsche Mann liebt: zierliche Girlanden ziehen sich durch echt deutsche Rheinzimmer, sinnige Plakate schmücken die Wände – ›Deutsche, vergewaltigt deutsche Mädchen!‹ – und deutscher Wein rollt durch deutsche Kehlen. Links hingegen können sich die Besucher an allen Freuden der Demokratie gütlich tun: kein Zimmer ohne Schaukel und ohne Filzpantoffel.

Befriedigt verließ ich den ›Garten des Paradieses‹ und begab mich zum Bijou meiner Betriebe: in den von mir gegründeten Kammerpuff. Mit dem hatte es eine eigne Bewandtnis.

Der ›Kampu‹, wie er in vertrauten Kreisen gern genannt wird, war errichtet worden, um auch den raffiniertesten Ansprüchen einer subtil empfindenden Kundschaft gerecht zu werden. Hier gab es sonderbare und seltsame Einrichtungen – ›Jedem das Seine‹ stand über der dekorativen Haustür – und da hatten wir als Attraktionen: ein Mitglied vom sozialdemokratischen Parteivorstand, das zugleich Pazifist war, es war äußerst zerbrechlich und wurde nur von weitem gezeigt, was vielen mit Recht genügte; einen deutschen Minister, der Deutsch konnte und es auch schrieb – ja, wir standen sogar im Begriff, uns einen Redakteur anzuschaffen, der bei seinem Verleger etwas durchsetzen konnte, aber bisher hatten wir noch keinen gefunden. In einem engen, vaterländisch ausgeschlagenen Raum konnte ein Richter Recht sprechen, und wo sollte er das auch sonst tun! Wir hatten einen lesbischen Regierungsrat und einen Major, der war Transvestit: er zog sich fortwährend sein Zivil aus und die lakaiserliche Uniform an; wir hatten Tauchermädchen, die stundenlang unter Wasser repunsieren konnten, und wir hatten Elefanten und Schaukelpferde, chinesische Enten und die Dolden edler Lilien. Das kostete nicht billig. »Bei Kisch!« rief ich aus, »so ein Haus macht uns keiner nach!«

Nur eins hatten wir nicht: es waren Staatsanwälte zu uns gekommen und wünschten die gleiche Sensation zu haben, die sie bei der Konfiskation unsittlicher Bücher empfänden; aber da hatte sich das ganze Personal einhellig geweigert: solchen Ansprüchen, sagte es, könne es nicht gerecht werden.

So ging ich von Zimmer zu Zimmer, umgeben von meinem Stab, den Hausvorständen, dem Betriebsleiter und den Anstaltsgeistlichen: von Moltke, Feldrabbiner; der Kaplan Eusebius Brenda, dessen Amt sich seit Generationen vom Vater auf den Sohn vererbt hatte; sodann der Superintendent D. Dr. Raucheysen, der neidete dem Juden die Schläue und dem Pfaffen die politische Macht und ersetzte, was ihm fehlte, durch rücksichtslose Würde. Das war der seelsorgerische Beistand, und wenn man genauer hinsah, konnte man die drei gar nicht voneinander unterscheiden.

Doch nun war es dämmrig geworden, und ich rollte in meinem Wagen mit Rückkupplung davon.

Durch dunkle Straßen kamen wir, vorbei an Fabriken, die ihren Menscheninhalt ausspien. Da bewegten sich die lebenden Maschinenarme, stießen, schoben sich im Gedränge um meinen Wagen – ausgemergelte Männer mit müden, stumpfen Gesichtern, Frauen mit schlaffen Brüsten; mir schien, als seien sie mir feindselig gesinnt, besondes die Weiber. Pfiffe... Und ich begriff gar nicht, wie diese Frauen jemals auf den Gedanken verfallen konnten, ihre schöne Arbeit aufzugeben und Anstellung in unseren Betrieben zu suchen. Hatten diese nicht alles, was ihr Herz begehrte? Eine geachtete ehrliche Arbeit? Und zehn Stunden dazu? Und einen Wochenlohn von achtzehn Mark fünfzig?

Ich hielt erst vor der ›Blauen Grotte‹, dem größten meiner Häuser, das gerade in vollem Betrieb war. Und voyeurte durch die Gucklöcher.

Da lagen sie.

Da lagen sie und lachten verschmitzt, als hätten sie dem lieben

Gott etwas abgeluchst, was ihnen eigentlich nicht zustände – viele hatten ernste und verbissene Gesichter, nie waren sie so außer sich, wie wenn sie in sich gingen. Die Kunden zerflossen irr, alle Temperamente waren vertreten, verliebt war keiner, alle eilig. Keine Geste war mir fremd – ich kannte sie, die Monomanen, die zutiefst im andern nur sich selbst spiegelten: Kasperlefiguren ihres Ich, das im Rhythmus des in sie gelegten Schicksals auf und ab zuckte. Herkömmlich ihre Individualität grade in dieser Stunde, traditionell ihre Besonderheit, in jeder Kabine wähnte sich einer Gott und war Serienartikel, Leben, das nur Wiederholungen kennt, weil in der Wiederholung das Leben ist – kleine mechanische Püppchen, zu meinem Vergnügen an einer Schnur aufgereiht... Ich auch? Ich auch.

Versonnen schritt ich auf die matt erleuchtete Straße, in der schwarz und drohend der Wagen stand. Der Chauffeur schlief. Da traten vier ältere Herren auf mich zu, feierlich, lüpften die Zylinder, und nannten leise, wie fragend, meinen Namen. »Gewiß...«, sagte ich.

Der Längste trat vor. Und sprach:

»Wir danken Ihnen im Namen der Sittlichkeitsvereine, daß Sie auf der Welt sind. Denn wären Sie nicht –: was sollten unsere Frauen tun? Wir sind alt, Herr Präsident; wir sind müde, Herr Präsident; wir sind ernste Geschäftsleute: wir wollen abends in Ruhe unsere Zeitung lesen und eine Zigarre rauchen. Durch die blauen Wölkchen der Havanna aber blicken unsre Frauen träumerisch ins Weite, weit fort vom Großreinemachen und der täglichen Wirtschaft; Sumatra erscheint und Celebes, wilde schwarze Männer zerren halb bekleidete weiße Mädchen ins Bordell, spitze Schreie steigen auf und gepeinigt sinken die armen Opfer der Wollust auf die harte Bettstatt ihrer Schande. Aber da naht der Retter. Die blauen Jungens unserer edeln Handelsmarine, unter Führung des Grafen Luckner, greifen mit kräftigen Fäusten ein, deutsche Hiebe hageln, der schurkische Mestize sinkt entseelt zu Boden, und stolz weht vom Heck des sittlich gereinigten Mädchens die Flagge Schwarz-Weiß-Rot!« Erschöpft schwieg der Sprecher. Der Nächstlängste fuhr fort:

»Und darum danken wir Ihnen! Denn jetzt haben unsere Frauen eine Beschäftigung – und eine, die sie, mit Verlaub zu sagen, befriedigt. Ja, sogar der Völkerbund bekämpft den Mädchenhandel – denn wer sollte die billige Nachtarbeit in den Fabriken tun, wenn Sie uns die Mädchen stehlen? Aber handeln Sie nur so fort – wir sind wie das Militär: ohne einen Feind müßten wir elend verkümmern. Ihr Gewerbe ist abscheulich – doch muß es sein: Sittliche Entrüstung führt unsre reinen Frauen zur selben Entspannung, die Sie mit fluchbeladener Sünde zu erreichen in der beneidenswerten Lage sind!

Und nun bitte ich um eine Karte Ihrer Häuser –!«

(1927)

CARL ZUCKMAYER

Die Geschichte von einer Entenjagd

In der Frühe kam Thomas zurück, mit kleinen leisen Ruderschlägen dem Ufer zusteuernd, machte sehr langsam das Boot fest,
schöpfte es noch aus, denn es zog bei jeder größeren Fahrt etwas
Wasser, und ging zur Hütte hinauf, aus der schon Rauch aufstieg:
Söri kochte Kaffee.

Er trat ein, die beiden großen Enten baumelten wie Skalpe an
seinem Gürtel, mit schwärzlich verklebten Augen, ein paar Tropfen geronnenen Blutes vorm Schnabel, an den Brustfedern, am
Hals. Er tat so, als habe er vergessen, daß die Enten an seinem
Gürtel hingen – er machte sich nichts wissen –, es schien ihm
selbstverständlich zu sein. Söri stieß einen kleinen hellen Schrei
aus. Sie hatte die Kaffeemühle zwischen den Knien und trug,
wahrhaftig, einen rotseidenen Morgenrock, das Haar hatte sie
schräg über ein Ohr gekämmt, so daß die andere Gesichtshälfte
groß, nackt und klar erschien wie der Spiegel des Fischsees
draußen. Und unter dem seidenen Morgenrock hatte sie hellgraue
Jagdbreeches an, aber rote Pantoffeln an den nackten Füßen; so
hockte sie auf einem Kistenstuhl in der groben, klotzigen Holzhüt-
te – die Kaffeemühle zwischen den Knien, im Herd krachte und
kratzte brennendes Kiefernholz –, lachte Thomas mit blanken
Zähnen an und wies auf die Enten, deren zusammengebundene
Füße, in der Todesstarre verkrallt, seine Windjacke kratzten.

Wieder kam ihm die Wut über seine Faulheit und seinen
Unverstand – zwei Monate schon im Nordland zu leben und nicht
Norwegisch zu können. Sein dummes Schulenglisch reichte kaum
aus, um von einem Tabak festzustellen, daß er gut sei. Nun band er
langsam und mit etwas klammen Fingern die toten Enten los, wog
sie spielend in der Hand und legte sie dann in ihren Schoß,
oberhalb der Kaffeemühle, wo die grauen Breeches unter dem
Schlafrock hervorschauten, wo die Schenkel einander leicht und
zart berühren würden, wenn sie nackt wären – das ging ihm dabei
durch den Sinn, während er wortlos die Kaffeemühle aus ihren
Knien zog und, rückwärts das Kreuz an den Tischrand lehnend, zu
mahlen begann. Mit den Fingerspitzen tastete sie über Rücken,
Bauch und Schwungfedern der Enten hin: die waren von baum-

und moosfarbenem Graugrün, seltsam mit rötlichem Braun unterlegt, schwärzlich gerillt, und das tiefe Blaugrün der Brust von wolkigen schmutzweißen Flaumwellen gesäumt. Söri betrachtete sie mit einer stillen, tierischen Aufmerksamkeit, ihre Wimpern, die viel dunkler waren als das Haar, ließen einen schmalen Schlitz der lichtgrünen Augen frei, sie lagen etwas schräg zur stumpfen Nase, der Mund, breit, mit dünnen, leicht aufwärts gebogenen Winkeln, von der Zungenspitze befeuchtet, stand ein wenig offen, ihre Haut war hell, ihr Gesicht zart und kräftig, mit einer leisen Andeutung der finnländischen Abkunft. Thomas mahlte Kaffee und war abwechselnd in den Anblick Söris und der Enten versunken.

Im Nebenraum, hinter der hängenden Zeltbahn, hustete Henrik, Söris Mann. Der Kaffee war fertig gemahlen. Thomas gab ihr die Mühle und nahm seine Enten zurück, hängte diese an einer Leiste des Fensters auf, während Söri den Kaffee aufgoß, dessen Geruch sich warm und kräftig im Raum verdickte. Jetzt trat Henrik heraus, in Hemd und Hose; sein breites, rundes Gesicht war von dunklen Bartstoppeln bedeckt und sah noch verschlafen aus. Er hatte am Abend vorher gefischt und war erst nach Mitternacht heimgekommen, gerade als Thomas in die weiße flirrende Nacht hinausging, um Enten zu schießen, deren beste Stunde die der ersten Sonnenstrahlen ist. »Kaffee, Kaffee!« rief Henrik und langte den Buttertopf vom Wandbrett. Dann sah er die Enten. »Hallo«, rief er, »holla, gute Jagd!« und hieb Thomas seine schwere Pratze auf die Schulter. Henrik hatte in Darmstadt Maschinenbau studiert, er sprach Deutsch, sogar die Mundart von Thomas' Heimatgegend. Beide betasteten sachlich und prüfend die toten Enten, nickten ernsthaft dazu und setzten sich dann zu Tische, Söri goß den Kaffee ein, sie schnitten mächtige Ranken von einem breiten Brotlaib, klatschten mit Lappenmessern Butter darauf und stocherten in den kalten Resten eines gebratenen Lachses herum, den Henrik zwei Tage vorher am Wasserfall gefangen hatte.

»Es ist Sonntag«, sagte Henrik plötzlich, »es wird gut sein, wenn wir uns rasieren. Wir kriegen Besuch.« Dann redete er norwegisch mit Söri, beide sahen Thomas an und lachten; der verstand kein Wort, sagte »all right« und lachte mit.

So etwa unterhielten sie sich bereits seit zwei Wochen, seit sie zu dritt auf Hallers einsamer Jagdhütte am Skjürvanten hausten, um Lachse zu fischen, Enten zu schießen, Schneehühner auszumachen. Es ging friedlich und geruhsam zu in ihrem Wigwam. Henrik flickte den ganzen Tag Netze, die ewig schadhaft waren, oder er hackte Holz, oder er entwirrte unwahrscheinlich verknotete Angelschnüre. Thomas trieb sich viel allein an den Seeufern oder mit dem Boot in abgelegenen Schilfbuchten herum, oder er schoß mit Rehposten nach einer birkenrindenen Scheibe, oder er kletterte auf einen der weglosen Berge, wo es viele Raubvögel gab, sogar Schnee-Eulen und Steinadler, und wo man im Hochmoor manchmal ein paar silbergrauen Rentieren begegnete, die sich von einer Lappenherde verlaufen hatten. Söri lag gewöhnlich in ihren Breeches und ihrer weichen Lederjacke in den Heidelbeeren und machte sich Mund, Hände und Kleider blau. Abends spielten sie ein Würfelspiel mit hölzernen Pferden, lachten furchtbar, wenn einer verkehrte Zahlen warf, und qualmten die Hütte voll.

Jetzt aber stand Thomas plötzlich auf, obwohl der Kaffee noch gar nicht ausgetrunken war, glotzte mit offenem Mund seine Enten an und spürte: ›Es geht nicht mehr so weiter.‹ Nichts hatte sich ereignet, nicht das geringste war passiert. Aber es ging nicht mehr so weiter. Nein, es ging nicht mehr.

Nämlich, wo Frauen rar sind, beginnen sie plötzlich eine Rolle zu spielen, die ihnen im allgemeinen Leben keineswegs zukommt. Nicht daß die Männer gleich wie Hirsche mit gesenkten Hörnern aufeinander losgingen; auch Haß, Mißtrauen, Eifersucht und Bosheit sind unter Kameraden nicht an der Tagesordnung. Hier war erst recht gar keine Rede von alledem. Nur: es beginnt sich unmerklich alles um die Frau zu drehen. Man macht sich zwar zur unausgesprochenen Vorschrift, im Sport, auf der Jagd, im Hüttenleben die Frau durchaus als gleichartiges Geschöpf zu behandeln, läßt alle überflüssige Galanterie beiseite, hilft ihr nicht beim Einsteigen ins Boot, trägt ihre Angel nicht, macht keine Versuche, sie zu unterhalten, wenn man sich lieber mit seiner Shagpfeife unterhält, und sieht behaglich zu, wenn sie die schlammbedeckten Wasserstiefel reinigt. Aber trotz alledem: plötzlich merkt man, daß sich alles um sie dreht. Ob man einen Lachs fischt, Enten schießt, das Boot abdichtet, einen Wurzelknorz zu Feuerholz zerhackt – jede Art von Leistung geschieht ihr zu Gefallen. Das ist ärgerlich, besonders wenn man sie noch nicht einmal etwa liebt. Wenn man noch nicht einmal den Gedanken erwägt, sie zu küssen, während ihr Mann seine Netze flickt. Wenn der Mann noch nicht einmal zögert, die halbe Nacht allein auf dem See herumzustreichen, während seine Frau schon im Bett liegt und, hinter einer gähnenden Zeltbahn hervor, Solveigs Sang pfeift. Kurzum: wenn sich gar nichts ereignet, und man läßt plötzlich seinen halbausgetrunkenen Kaffee stehen, dann geht es wirklich nicht so weiter.

Nun aber war Sonntag, und um die Mittagszeit standen Henrik, Thomas und Söri einträchtig am Ufer, sahen um die Waldkuppe herum, im dichtbesetzten Boot, ihren Besuch kommen, den Besitzer dieser Hütte, der mit seiner Familie vier Stunden über Land fuhr, um nach seinen Jagdgästen zu sehen, und dessen »Hallo« und »Huzza« von den Bergwänden ein ungewohntes Echo weckte. Haakon Haakonson, der zwei Stunden unterhalb des Sees, am Fluß, sein einsames Alphaus hatte, saß auf der Ruderbank, bärtig und ernst, mit bloßem Kopf. Haller selbst trug einen hellen Strohhut, seine Frau ein Lodencape, seine Schwägerin ein Sommerkleid, sein Sohn eine scharf blitzende Brille.

Während der langen norwegischen Begrüßungen betrachtete Thomas unausgesetzt den großen Strohkorb, den Haakon stöhnend aus dem Kahn hob: Flaschenhälse lugten heraus und verdeckte Töpfe standen darin, ein Steinkrug voll frischer Sahne, eine angebratene Rentierkeule, ein halber Hummer waren zu sehen, und er griff freudig zu beim Auspacken, Hinauftragen und Zubereiten all dieser Kostbarkeiten. Das war eine heitere Abwechslung, über die man vergaß, daß es nicht so weiterging – zwischendurch wurden die toten Enten wieder betastet, gewogen, bewundert. Als dann alle um den breiten hölzernen Tisch herumsaßen, kräftig zulangend, jeder ein großes Glas Rotwein vor sich, sagte Söri etwas und deutete lachend auf Thomas, worauf ihm alle zutranken, weil er die Enten erlegt hatte.

Satt und behaglich rauchend, saß er nach dem Essen vorm Bau. Mit Aquavit, Bordeaux, Hummer, Rentierfleisch und geschlagenem Rahm war die Empfindung, es ging nicht so weiter, tief in die unbewachten, gleichmäßig atmenden Abgründe seines Innern hinabgeglitten. Eine breite, gleichmäßig atmende Ruhe lag mit dem klaren Mittagslicht über der Landschaft: Baumkronen tranken Sonne, die Erde trank langsam das Wasser der trocknenden Regentümpel, und der Himmel trank in stillen Zügen den feuchten Dunst, der zögernd aus dem See stieg. In der Hütte drinnen lachte Söri mit den andern Frauen. Thomas hörte es nicht anders als das Lachen einer Taube im Wald, das ferne Gezeter eines Rohrspatzens, das Geräusch einer großen Libelle, deren gläserne Flügel im Vorbeistreichen wie trockenes Papier knisterten. ›Die Welt‹, spürte er, ›ist gut und schön gemacht, es lohnt sich, in ihr zu leben, ja, es verlohnt jede Mühe und Plage, jeden Schmerz und Schlag, vielleicht sogar am Ende den Tod. Nichts gibt es, was die Treue dieser Erde erschüttern könnte, wenn man sie einmal mit allen Kräften geliebt hat. Nichts gibt es, was die Gnade dieses Himmels trügen könnte, wen man sie einmal mit allen Fasern empfangen hat. Der Tod aber ist ohne Schrecken, wenn man bedenkt, er müsse genug haben, nachdem er mit allen Waffen des großen Krieges durch vier wehrlose Jahre hindurch nichts erreicht hat, als daß man ihm immer wieder um Haaresbreite entging – und wenn man hofft, sehr alt zu werden in Kraft, und dann zu sterben, wenn alles erfüllt und gerundet ist, an einem Tage wie diesem, mit einem letzten Strom Licht im Auge, an einem Tage wie diesem, wo das Versinken eines Leichnams im grünen See keinen Bruchteil der Lust und des Jubels der Schöpfung beschweren könnte. Solches spürend, schloß Thomas die Augen halb und sah gleichzeitig mit dem blauen Strahl zwischen dem Birkengelaub die schwarzgrüne Kuppel der Herbstnacht, das Verrosten metallischer Wolken an einem Winterabend, das reißende Schwarz eines stürmenden Gewitters, und hörte gleichzeitig mit dem leisen Geläute des Uferwassers die krachende Brandung an längst vergangenen Meerklippen, den Tropfengesang duftenden Sommerregens, das Knirschen verharschter Schneekrusten unterm Schuh. Die Gerüche des Waldbodens und des zarten Holzrauchs, der aus dem Hüttenrohr zitterte, verschwammen mit dem Geschmack von Gravens Tabak, dem Hauch von Lederzeug und dem Dunst des eigenen Körpers zu einer seligen Wolke von Gegenwart und traumzerlöster Erinnerung. Er saß lange, ohne zu denken, und dämmerte, glücklich ein- und ausatmend.

Da trat der alte Haller heraus. Den Strohhut im Genick, die Havanna im Mundwinkel, den steifen Kragen vorn am Hals geöffnet, die stark behaarten Fäuste in die Seite gestemmt, klein, gedrungen, breitbeinig, mit braunem, faltigem Gesicht und einer Fuchsnase, so stand er da, ein Selfmademan durch und durch, mit einem zugekniffenen, einem weit gesperrten Auge, so blickte er über Wald und See, im vollen Bewußtsein, alleiniger Besitzer der Fischereihoheit und des Jagdrechts in dieser Gegend zu sein. »Es gibt wieder Lommen dies Jahr«, sagte er, und Haakon, der abseits auf einem Baumstumpf hockte und aus einer Tonschüssel Grütze aß, nickte ernst und sorgenvoll. »Mehrere Paare«, sagte er, »und eine junge Brut.« – »Verdammte Fischräuber«, rief Haller, dann zwinkerte er mit seinen Fuchsaugen Thomas an: »Wie wär's – zwei Kronen pro Kopf!« Thomas lachte. »Heute noch?« fragte er. »Je schneller, desto besser«, sagte Haller. »Wenn wir abends wegfahren, will ich die Köpfe mitnehmen.« – »Well«, rief Thomas, den der Ehrgeiz packte (und der außerdem noch nicht wußte, woher er das

Reisegeld für die Heimfahrt im Herbst nehmen sollte). »Der Staat zahlt eine Krone fürs Stück. Ich setze zwei aus!« drängte Haller. Schon hatte Thomas das Gewehr in der Hand, steckte Patronen ein. »Hinter der Insel im Schilf müssen sie nisten«, meinte Haakon. »Ich weiß«, sagte Thomas, »ich bring sie auf.« Da streckte Henrik den Kopf zum Hüttenfenster heraus. »Schießen Sie?« rief er Thomas an, der schon zum Boot hinabschritt. Und gleich darauf: »Warten Sie ab. Meine Frau will mitfahren!« – »Well«, schrie Thomas, machte schon die Bootskette los. Und sah, wie Söri ihre Lederjacke locker um die Schultern warf, ihre Zigarette austrat und ihren kleinen grauen Filzhut aufsetzte. Dann fuhren sie zusammen hinaus, während der alte Haller und Henrik am Ufer standen, jeder einen Fernstecher in der Hand, um seine Jagd zu beobachten. Thomas ruderte, das Gewehr über die Schenkel gelegt, Söri saß ihm gegenüber, die Steuerleine in der Hand, die dunkelblonden Haare aus der Stirn gestrichen, mit einer weißen Bluse unter der Lederjacke und einem Blick voll tierischer Wachsamkeit, der abwechselnd sein Gesicht und sein Gewehr streifte.

Es gilt nun, die Mißgeschicke dieser Jagd zu verzeichnen, ohne nachträglichen Ärger, denn nicht alle Jagden dürfen glücklich sein, und die beste ist manchmal die, von der man ohne Beute heim-kehrt, aber mit einer neuen Erfahrung im Schädel, einem neuen Gefühl im Zwerchfell, einem neuen Antrieb im ganzen Leib. Lommen sind große Raubenten, die mit ihrem scharfen krummen Schnabel die stärksten Fische packen. Daher führen die Nordland-fischer einen Vernichtungskrieg gegen sie. Thomas hatte noch keine geschossen, da man sie nicht essen kann und da er nicht wußte, daß man ihre Skalpe prämiert.

Jetzt, als er sein Boot mit leisen Ruderschlägen um die Spitze der Insel trieb, die es den Fernstechern der Zuschauer entzog, ergriff ihn, der längst über die Zeit des Jagdfiebers hinaus war, eine leise Unruhe. Er wußte nicht recht, ob dies wegen des ungewohnten Wildes war, wegen der Prämie, oder weil es doch nicht so weiterging. Söri saß unbeweglich, und sie sprachen kein Wort. Plötzlich tippte sie ihn an und deutete über seine Schulter. Er fuhr herum: mitten auf dem See dunkle Punkte. Das mußten die Lommen sein, denn Wildenten waren um diese Zeit kaum zu vermuten. Sie bewegten sich ziemlich rasch auf das waldige Ufer zu.

Thomas wendete das Boot so hastig, daß er mit beiden Rudern krebste. Seine Unruhe begann ihn zu ärgern. Er zog gewaltig los, indem er Söri auf englisch zu erklären versuchte, daß er jenseits der Insel an Land wolle, über die Waldkuppe laufen, um so den Lommen vom Ufer aus schußnahe zu kommen. Die Fernstecher arbeiteten erregt. Man schien sein Manöver nicht zu verstehen, winkte hin und her. Er kümmerte sich nicht darum, hielt gerade aufs Land zu. Söri rang nach einem Wort, sagte es dann auf norwegisch, er verstand nicht, sie machte ein verzweifeltes Gesicht und unverständliche Zeichen. Er schüttelte den Kopf, legte den Finger auf den Mund, sah sie drohend an; sie schwieg, zuckte die Achseln. Da streifte die Bootsspitze Land, er stieg heraus, zum Glück erst mit einem Fuß, und sank sofort bis zur Hüfte ein.

Jetzt hatte Söri ihr Wort gefunden: »Swamp«, sagte sie, »very swamp«, aber es war zu spät. Thomas mußte sich mühsam wieder ins Boot ziehen. Sein rechtes Bein war bis hoch hinauf voll schwarzen Morasts, und das Wasser troff in seine Stiefel. Wütend stieß er das Boot wieder ab, während von der Fernstechergruppe ein deutlich hörbares Gelächter herüberwehte, und es war noch ein Glück, daß Söri nicht mitlachte, sondern ihn ernsthaft und aufmerksam ansah.

Als er um die Landzunge herumkam, stieß er mit seinem Boot fast auf die Lommen, die mit Schrei und knatterndem Flügelschlag hochgingen, Kurs quer über den See. Er riß das Gewehr hoch, zielte, drückte ab – das Ausbleiben des Schusses warf ihn fast um. Er hatte nicht geladen. Nun sah er Söri schon mit einem beinah haßerfüllten Blick an. Ohne weiteres trug sie die Schuld an alledem. Und es war ganz sonderbar, unglaublich fast, daß sie nicht lachte, sondern nach wie vor sein Gesicht, seine Hände und sein Gewehr mit ruhigen, aufmerksamen Augen streifte. Hastig, obwohl es zu spät war und seine Zweikronenköpfe bereits weit überm See verschwanden, lud er das Gewehr und hörte die Fernstechergruppe am Ufer, denen sein Nichtschießen unbegreiflich war, schreien und zetern. Er sandte ihnen einen empörten Blick, da sah er, daß sie immer in einer bestimmten Richtung winkten, immer ein bestimmtes Wort riefen. Jetzt war auch Söri aufmerksam geworden, faßte ihn am Arm und flüsterte aufgeregt: »Young lommers, young lommers!«

Wahrhaftig, in einiger Entfernung schwamm eine einzelne ausgewachsene Lomme in erregten Kreisen, tauchend, wieder hochschnellend, treibend, hastend, hetzend, in Todesangst, da sie das Boot zwischen sich und dem Ufer liegen und immer näher kommen sah.

Dicht um sie geschart schwamm die junge Brut. Die Mutter trieb, jagte, stieß, ihr langer Hals war flach übers Wasser weit vorgestreckt und wie von Verzweiflung gezerrt. Jetzt hatte Thomas sie schon beinahe erreicht, er ließ die Ruder streichen, hielt das Gewehr schußbereit und kniete im Boot.

Die Jungen tauchten unter, von der Mutter geführt. Gespannt starrte Thomas auf den Wasserspiegel. Da kam das erste hoch, es hatte die Richtung unter Wasser falsch bemessen, dicht beim Boot kam es herauf, gleich daneben ein zweites, ein drittes, gelbwollige, flaumige, kuglige Federbälle, die mit schwachen Schwimmfüßen das Wasser schlugen, traten, peitschten, und deren winzige Flügelstümpfe zuckten und zitterten. Deutlich sah man die krummen Raubschnäbel, die aus den verängstigten Kükengesichtern recht hilflos ragten, wie wenn man einem zweijährigen Kind ein Dolchmesser zwischen die Zähne gesteckt hätte.

Da: mit einem gewaltigen Schwung tauchte die Mutter auf, aus der Flut hochschnellend wie ein Torpedogeschoß, die Augen weit aufgerissen, in Angst und Sorge um ihre Jungen, doch die waren verschwunden, der breite Leib des Bootes hatte sich dazwischengeschoben, verdeckte sie ihrem Blick, lag drohend und würgend zwischen ihr und ihrem Leben, starrte sie kalt an mit dem grausamen Rohr des Gewehrs, dem sie jetzt ein unfehlbares Ziel bot.

Eine alte erfahrene Lomme weiß, was ein Boot ist. Was ein Jäger ist. Was ein Gewehr heißt. Sie weiß, daß es den sicheren Tod bedeutet, einem solchen Feind zu nahe zu kommen, und daß es kein Mittel gibt, ihn zu bekämpfen. Jetzt aber, als habe sie all das vergessen, als sei das Boot ein kleines, schwach bewehrtes Wassertier, oder als spüre sie in sich die Kraft, Wunder zu wirken, das Pharaonenheer ertrinken zu lassen, die Mauern von Jericho umzuhauchen, bäumte sie sich hoch auf überm Wasser, die Federn gesträubt, die Schwingen kampfmutig gespreizt, mit den scharfkralligen Füßen die Wellen schlagend, den Schnabel weit geöffnet zu wutheiserem Schrei, die Augen blutunterlaufen, grell funkelnd, von Haß und Verzweiflung – so ging sie das Boot an, das zwischen ihr und ihren Jungen lag, vorstoßend mit gerecktem Hals, und ergriff erst die Flucht, als Thomas mit dem Ruder nach ihr schlug. Da ging sie mit schwerem Leib und ermatteten Flügeln hoch, langsam in Kreisen abstreichend, und bot noch lange ein unfehlbares Ziel für des Jägers Gewehr. Der aber kniete noch immer und legte nicht an. Vom Ufer, wo die Fernstecher fuchtelten, wildes Geschrei. Jetzt war das erschöpfte Tier außer Schußweite. Die Jungen, von der Führerin verlassen, schwammen hilflos durcheinander und umkreisten das Boot, als suchten sie in ihm die Mutter, tauchten unter und kamen wieder hoch; mit zwei Schrotschüssen hätte man sie alle erledigt.

Vom Ufer schallten deutliche Rufe, schon schnappten die Stimmen über vor Eifer und Wut: »Feuern! Feuern!«

Aber Thomas schoß nicht.

Langsam, ohne ein Wort zu sagen, mit einem fast verbissenen Zug um den Mund, Söris Blick meidend, drehte er das Boot mit der Spitze zum Ufer, ruderte zurück. Wie er dann anlegte, das Gewehr an Land warf, die Bootskette um einen vorstehenden Wurzelast schlang und das Schöpfgefäß ergriff, überfielen sie ihn von obenher mit wüstem Geschrei und Geschimpfe. »Drei Kronen hätte ich für die Alte gezahlt«, schrie Haller, »vier Kronen! und für jedes Junge den Preis eines ausgewachsenen Lachses! Diese Fehljagd«, schrie er in einem für Thomas' Ohr widerwärtigen Gemisch von Deutsch, Englisch, Norwegisch – »kostet mich den halben Fischfang eines Sommers!« Auch Henrik schimpfte und fragte, der junge Haller, die Frauen, sogar Haakon Haakonson wiegte mißbilligend und betrübt den ernsthaft behaarten Schädel. Thomas drehte ihnen den Rücken zu im gleichmäßigen Auf und Nieder des Ausschöpfens, er vertiefte sich so in diese Arbeit, als sei sie das Wichtigste auf der Welt, und gab keine Antwort. Was sollte er auch sagen. Es war sinnlos. Völlig sinnlos. Ein Gefühl grenzenloser Vereinsamung stieg in ihm auf, während er das letzte Wasser aus dem Boden des Kahns kratzte. Kann man diesen Menschen, kann man den Menschen sagen, warum man etwas tut oder läßt? ›Nein‹, sagte er sich kurz, ›und nicht einmal stillschweigend Respekt vor unseren Handlungen können wir von denen verlangen, die nicht das gleiche verspüren wie wir.‹ Er sagte sich das nicht so genau, aber er wußte im Augenblick, als er das Schöpfgefäß zu Boden warf, den Rücken langsam gerade machte, seine Jacke zuknöpfte, an Land sprang (wobei ihm noch auffiel, wie grell sich das Licht im Wasser der tief in den schwarzen Moorgrund getretenen Fußstapfen spiegelte), er wußte in diesem Augenblick fürs ganze Leben, daß es am besten sei, fremde Leute, die etwas nicht begreifen, ganz einfach klipp und klar, ohne Umschweife oder Bedenken, anzulügen.

So kam es, daß er mitten in das allgemeine Gezeter hinein laut und vernehmlich sagte: »Was wollt ihr, es waren keine Lommen, es waren Enten!« Es entstand ein verblüfftes Stillschweigen über diese offensichtliche Lüge, und ihm schoß das Blut zu Kopf, da ihm jählings einfiel, daß er ja eine Zeugin habe, die ihn im nächsten Augenblick entlarven werde. »Enten?« schrie Haller plötzlich und seine Stimme kippte um vor Empörung. »Enten – um diese Zeit«, sagte Henrik achselzuckend. »Enten!« schrie alles durcheinander. – »Enten!« schrie Thomas aufstampfend, »Enten, Enten!« brüllte er in Hallers Gesicht. »Junge Enten, die man nicht schießen darf!« log er verzweifelt. – Da ertönte hinter ihm Söris Stimme, ruhig und gleichgültig fast, aber so, daß alle darauf hörten: »Ja – es waren Enten«, sagte sie. »Es waren keine Lommen, da hat er recht«, sagte sie.

Thomas drehte sich nicht um. Ihm war, als ginge ein heißer Strom über seinen Rücken. Langsam schritt er an der ganzen Gesellschaft vorbei, an der Hütte vorbei, am Holzstall vorbei und verschwand bergaufwärts im Wald. Man rief ihm nach, er hörte es nicht mehr. Feuchter Wacholder und Pilze rochen ihm entgegen. Irgendwo machte er halt, setzte sich auf einen vermoosten Felsblock und pfiff leise vor sich hin.

Als er zurückkam, war die Gesellschaft längst verschwunden. Die fahle Nordnacht machte den See schon matt und silbern. Henrik stieß gerade von Land, die frischgeflickten Netze im Boot, um sie weit drüben am Schilfufer auszulegen. Söri stand an eine Kiefer gelehnt und sah ihm nach. Thomas trat neben diese Kiefer, machte den Finger krumm und klopfte an, wie man an eine Zimmertür klopft. Söri schaute noch auf den See, wo gerade das Boot hinter der Insel verschwand. Thomas versenkte seinen Blick sehr tief in die Kiefernrinde: rötliche Schalen blätterten wie spröde Haut von der braunen rissigen Borke. Dazwischen das zarte Gewebe einer kleinen Spinne, die dürre Kruste einer leeren Schmetterlingspuppe, der schimmelgrüne Ansatz einer Flechte.

Sehr tief schaute er in die Rindenrisse dieser Kiefern, sehr dicht war sein Kopf bei ihr, und sie umhauchte ihn mit einem Geruch, die Kiefer, der zärtlich war und breit, lockend und von großer Wärme geschwellt. Jetzt strich eine Sumpfeule tief und nah vorüber, und beide folgten mit den Augen ihrem Fluge. Die Eule verschwand im Röhricht, dessen Halme sich lang und zitternd bewegten. Vereinzelt stiegen Blasen aus dem Schlamm des Uferwassers auf, da und dort sprang ein Fisch, die Nacht blieb warm und hell. Endlich sah sie ihn an. Mit unruhigen Mundwinkeln. Er,

Thomas, umfaßte ihr ganzes Gesicht mit großem, vollem Blick. Alle Unruhe war von ihm gewichen. Warm und stark rann es durch seinen Körper. Plötzlich faßte er ihre Hand und sagte: »Tak« – das fiel ihm ein. Ihre Augen lachten. »Es waren keine Enten«, sagte sie, »es waren Lommen.« – »Ja«, sagte er. »Aber ganz junge Lommen.« Sie nickte ernsthaft und gab keinen Laut, als er sie langsam an sich zog.

(1927)

Alter Mann am Stock

Einen heiteren Lebensabend hätten sie ihm gern verschafft! Der alte Mann, Herr Kräutel, zweiundsiebzig Jahre, lachte ein gurgelndes Gelächter tief hinten im Gaumen seines zahnarmen Mundes. Er saß an seinem Schreibtisch, die Drucksachen musternd, die ihm der Postbote heute durch den Zeitungsschlitz seiner Tür geworfen hatte. Briefe bekam er längst nicht mehr, um so besser, so brauchte er keine zu schreiben. Auch Besuche zu empfangen sah er keinen Anlaß, wahrhaftig nicht! Die einzigen Menschen, die sich um ihn kümmerten, waren des Morgens der Milchmann und dann eben der Briefträger, der nur hin und wieder etwas für ihn mitbrachte, obwohl er seine Gänge die Treppen des alten Hauses hinauf und wieder hinab nach den Regeln seines Dienstes strikt innehielt.

Herr Kräutel schüttelte die geschickt gedruckte Werbung, die ihm dieses höhnische Gelächter abgerungen hatte, vor seinen großen, aus magerem Gesicht quellenden Augen hin und her. Einen heiteren Lebensabend versprach ihm die Versicherungsgesellschaft, hier, heute vormittag, am 5. August, 10 Uhr früh! Aber das hatte man ihm auch vor vierzig Jahren versprochen, als er, halb um den wortgeläufigen Agenten loszuwerden, seine Police erwarb – er erinnerte sich seiner noch genau. Schwersinsky hatte der Gute geheißen. Fünfunddreißig Jahre lang, alle sechs Monate, hatte ihm Herr Schwersinsky und später dessen Erbe und Nachfolger Quittungen über gezahlte Beträge ausgestellt. Großzügig seine Versicherung zu erhöhen, war er ermuntert worden, als ihm mit neunundvierzig Jahren das Glück zustieß, noch einmal Vater zu werden. Auch dieser vernünftigen Forderung hatte er sich nicht entzogen. Und nun lag in seiner Schublade hier wohlverwahrt die Mitteilung dieser selben Gesellschaft – vor fünf Jahren mochte er sie bekommen haben –, daß ihm am heutigen Tage vertragsgemäß vierzigtausend Papiermark überwiesen würden, da er sich für den Erlebensfall und ein Alter von siebenundsechzig Jahren bei ihr eingekauft hatte.

Vierzigtausend Papiermark = zwei Dollar, nachdem er nach und nach an vierundvierzigtausend Goldmark im Verlauf seiner unermüdlichen Arbeitsjahre in den Spartopf dieser geschickten Gesellschaft gebuttert hatte.

Und jetzt wagte sie, wahrscheinlich mit den alten Kundenlisten arbeitend, ihn von neuem anzulocken bis zur nächsten Inflation! Er kicherte in sich hinein: diese nächste Geldentwertung würde er hoffentlich als Skelett erleben. Eintreten mußte sie ja, es war zu bequem für einen Staat, seine Schulden loszuwerden, für Versicherungsgesellschaften, wenig auszahlen zu brauchen, für Hypothekenschuldner, billig in den Besitz ihrer beliehenen Grundstükke zu kommen, kurz und gut, für alle Schlauen, leichter Hand Verpflichtungen loszuwerden, die auf den guten Glauben ehrlicher Menschen an die gesicherten Einrichtungen von Gemeinwesen und öffentlich nützlichen Gesellschaften gegründet waren.

Er schob den Stuhl mit einer rauhen Gebärde zurück und stampfte, auf seinen Stock gestützt, durch das Zimmer, geschüttelt von jenem Anfall herzklopfender Wut, der immer in ihm aufstieg, wenn durch irgendeinen Zufall der Gedanke an seine Verluste ihn überfiel.

Dieser Stock hatte einst unten eine Gummizwinge besessen; jetzt dämpfte den Aufstoß ein Flaschenkorken, den er auf der Straße gefunden – abends, im Dämmern, wenn er das Haus zu verlassen wagte, und den er in tagelanger, halb spielerischer, halb notwendiger Anstrengung am Holze befestigt hatte. Zeichnet Kriegsanleihe! Hatte es geheißen, und siehe da, er hatte gezeichnet. Dreißig Jahre als zuverlässiger Kaufmann in einem zuverlässigen Staatswesen, da wußte man den Wert von Staatspapieren richtig einzuschätzen und war mit dem Begriff der Mündelsicherheit wohl vertraut. Warum sollte er dem großen und allgemeinen Vater, dem Staat, die Erträgnisse dieser Arbeit nicht anvertrauen? Bums, da lagen sie. »Papiermark, guter Herr, Papiermark«, hatte ihm der Bankkassierer an seinem Unheilstage freundlich mitgeteilt, als er anfragen kam, was ihm wohl von seinem Gelde noch gehöre. »Jetzt schreiben wir Reichsmark, vorher schrieben wir Rentenmark. Papiermark – nur darauf können Sie noch Anspruch machen. Zahlen Sie Ihre Steuern damit, das wird das Beste sein.« Steuern zahlen! Er brauchte längst keine Steuern mehr zu zahlen, denn das Geschäft gehörte nicht mehr ihm.

Er blieb stehen, hielt sich an der Wand, die Hand aufs Herz gepreßt: hier bohrte der schlimmste Teil seiner Gedanken, dieser nun schon zehn Jahre herrschenden und nagenden Gedankenmäuse innerhalb seines Brustkorbes. Da lehnte er, wo früher das schöne schwarze Klavier die Tapete gedeckt hatte. Noch sah man den dunkleren Umriß auf dem verblichenen Rot des Zimmers. Hager, mit langer, gebogener Nase, das ganze Gesicht von grauen Stoppeln versilbert, die Haare, schütter und weiß, spärlich auf dem gelben Schädel, den dünnen Hals, aus einem schmutziggrauen Halstuch wachsend, Seide von einst, in einen Gehrock, schwarz, und gestreifte Hosen gehüllt, keuchte der lange gebückte Mann an der Wand seines Wohnraumes, um den Anfall von Erbitterung, von hoffnungsloser, ohnmächtiger Verzweiflung vorübergehen zu lassen. Sein Geschäft gehörte nicht einmal mehr dem Herrn Schwiegersohn. Auch von ihm hatte es nicht mehr gehalten werden können. Jetzt aber blühte es wieder, wie er wußte. Die Firma Siegfried Kräutel, Tuche en gros, konnte sich wieder sehen lassen. Aber ihre Erträge flossen der ›neuen Leitung‹ zu, die sie seinem Herrn Schwiegersohn, diesem Idioten, für billige Mark abgejagt hatte, nachdem sie ihn zum Konkurs gezwungen. Der Herr Schwiegersohn hatte gut daran getan, mit der Tochter und den Kindern zu verschwinden. Das war eine Bedingung der ›neuen Leitung‹ gewesen, deren Name ein jüdischer Mann nicht in den Mund nahm, nicht einmal in die Gedanken. ›Keine neue Firma der gleichen Branche innerhalb der nächsten fünf Jahre in Berlin aufzumachen‹ – diese Bedingung des Kaufvertrages bedeutete selbstverständlich Auswanderung, Abwanderung von Berlin. Und der Herr Schwiegersohn, in einer kleinen Stadt Pommerns quälte er sich jetzt in einem Geschäft, das er mit den paar tausend Mark gegründet hatte, die die Firma Siegfried Kräutel ihm eingebracht.

Schlecht verkauft, dachte der alte Mann, unfähiger Geschäftsmann. Seine Söhne hätten es besser verstanden. Aber wo steckten sie? Der Hugo moderte in einem kleinen Grab in Frankreich, zusammen mit sechsundzwanzig Deutschen, das mochte jetzt zwölf Jahre werden. Viel Platz würden sie alle miteinander nicht einnehmen, diese siebenundzwanzig Infanteristen des Regiments 48, dem beizutreten man den Sohn eines Tages, es war 1916, ehrenvoll aufgefordert hatte. In seinem Schreibtisch vergilbte langsam der Brief des Hauptmanns seiner Kompanie. Dieser Schreibtisch stellte, abgesehen von dem mageren und vernachlässigten Körper, den ganzen Rest des Lebens von Siegfried Kräutel dar.

Jeden Monat schickte ihm die Tochter Ella, das gute Kind, aus Pommern, was sie erübrigen konnte, bald Lebensmittel, bald 50 Mark. Er besaß noch einen Raum der Wohnung, hier in dieser alten Gegend Berlins, in der Nähe des Wallnertheaters, die einst wohlhabenden Kaufleuten als gute Gegend zum Wohnen gedient, damals, vor fünfundvierzig Jahren. Längst hatte ihm das Wohnungsamt die Küche und die meisten Zimmer abvermietet.

Am Abend, wenn es dämmerte, schlich er die zwei Treppen hinunter, in der Hand ein Hörrohr, das er sich aus einer spitz zulaufenden Papptüte selber gemacht hatte. Sie war bunt gewesen, nun war sie mit Tinte geschwärzt. Einen breiten Schlapphut auf dem Kopf und den schwarzen, einst mit Seide gefütterten Mantel sommers und winters über dem Gehrock, kannten ihn die Erwachsenen und Kinder des Viertels, dessen Bewohnerschaft längst gewechselt hatte. Keine Furcht, daß er viele seiner alten Bekannten treffen könnte! Und trotzdem wagte er sich nur in der Dämmerung hinaus, wenn der Laternenmann das gelbgrüne Licht in den Glaskäfigen oben an den gußeisernen Säulen entzündet hatte. Seine alten Bekannten! Wie viele hatten es besser als er, die wohnten in Weißensee neben seiner Frau, die bedauerlicherweise sich lange vor ihm davongemacht hatte, ins große Getto der Toten, wo wenig Raum war für die einzelnen, aber immerhin mehr als für seinen jüngeren Sohn in Frankreich. Der ältere ... Südafrika lag weit ab. Man fährt nach Südafrika viele Wochen mit dem Dampfschiff, der Eisenbahn; früher hätte er es auf dem Atlas finden können. Damals hatten ihn noch Briefe erreicht: ›Bald wird es mir bessergehen‹, schrieb er, ›dann laß ich Dich nachkommen‹, und manche Banknote ungemessenen Wertes, ein Pfund und wieder einmal ein Pfund, hatte in dem eingeschriebenen Brief den Weg zum Vater gefunden. Aber da der so lange nicht antwortete, nicht schrieb, wie sollte Julius Kräutel drüben in Johannisburg wissen, daß es noch einen lebenden Mann Siegfried Kräutel in Berlin O gab?

Er schlurfte in seinen alten Pantoffeln durchs Zimmer, quer über den großen Bezirk, den einst der Perserteppich gedeckt hatte, zum Bett, auf dessen Kante er sich niederließ. Er brauchte nicht zu ächzen, die Matratze tat es für ihn. Warum er seinem Sohn nicht mehr geschrieben hatte, fragte er sich, er wollte es doch sofort tun. Aber leider würde er die Adresse nicht mehr finden. Denn in früheren Jahren, als er noch wußte, in welcher Ecke welchen Schubes sie lag, hatte ihn die Erbitterung über die Welt so tief zerfressen, daß es ihm unmöglich war, Zeichen von sich zu geben, Geschriebenes hinauszuschicken. Zudem hatte ihm die Post den ersten Brief, mit Marken für mehrere tausend Mark beklebt, als viel zu gering frankiert zurückgegeben; einen neuen hatte er sich damals nicht leisten können. Seit seiner Krankheit aber, seit dieser häßlichen Erkältung, die er trotz allem überstanden, wußte er nicht mehr genau in seinen Fächern und Kästen Bescheid, und sooft er sich auch ans Suchen gemacht hatte, immer kam ihm irgendein Schriftstück in die Hand, das ihm einen neuen Anfall von Jammer und Wut zufügte, so daß er seinen ersten Vorsatz vergaß. Er vergaß sehr vieles und sehr schnell mit seinen zweiundsiebzig Jahren, alles, was nicht in der Vorzeit lag, in jener Epoche, bevor ihm der Hauptmann seines Jungen den ehrenvollen Brief geschrieben, bevor ihm der Staat seine Kriegsanleihen in Papiermark aufgelöst hatte – alles, was nicht in jener paradiesischen Welt beheimatet war, in der er einen pelzgefütterten Mantel und einen seidenen schwarzen Hut getragen hatte und der angesehene Chef einer Firma war, durch eigene Arbeit gegründet und emporgebracht. Früher hielt er auch Zeitungen; er las auch jetzt noch welche, aber nur die alten, die er auf den Bänken vergessen oder in den Papierkörben der Parks oder Straßen fand, oder die uralten aus der Kriegszeit, die er sich gesammelt hatte. Sie lagen in einem Stoß gelb und brüchig auf der Erde, dort, wo früher der Bücherschrank mit Glasscheiben und schönen Hölzern gestanden hatte. Den hatte er seiner armen Tochter mit nach Pommern geben müssen. Es wäre zweifellos von Vorteil gewesen, hätte er noch den regen Kopf seiner früheren Jahre besessen, um den Handelsteil des Tageblattes, die Bekanntmachungen der Regierung zu studieren und seine Bank zu ermuntern, sich ein wenig um diese Kriegsanleihe zu kümmern, die er noch besaß. Er wußte nicht, daß der Staat sie ihm aufwertete, daß er ein Winzigstel von dem zurückerhalten konnte, was er ihm einst guten Glaubens und auf dringliche Werbung hin geliehen hatte.

Siegfried Kräutel, ein altes Tier in seiner Höhle, in früheren Zonen lebend und auf den Tod wartend, der doch kommen mußte, war etwas reicher als er wußte – von seinem heutigen Zustand aus gesehen viel reicher. Da gab es Ansprüche auf eine Rente, die ihm zustand, weil er auf allgemeine Art die Versorgung seines Alters eingebüßt. Aber niemand konnte sich dafür einsetzen, niemand auch nur ihn belehren, seine Rechte anzumelden auf dies und jenes. Nur Steuern verlangte man von ihm, und da er sich nicht meldete und an seiner Wohnungstür längst der Name anderer Leute stand, des Schneiders Krawietz, des Zwangsmieters mit seiner Werkstatt, fand niemand diesen Mann Kräutel, der auch keine Steuern an die jüdische Gemeinde mehr bezahlte. Aber deren gab es leider viele in so geänderten Zeiten, und so ließ man auch dies auf sich beruhen. Er lebte von Brot und Milch – gesunde

Nahrung für alte Körper, die in der Zähigkeit ihrer Naturanlage Kraft finden, übrigzubleiben wie alte Bäume, mit besonders tief ins Erdreich gestreckten Wurzeln. Heute wollte er doch auf alle Fälle den Brief suchen, den er an seinen Sohn geschrieben hatte, denn jetzt waren wieder billige Marken im Schwange. Auf den Drucksachen, die er bekam, klebten ja braune 3-Pfennig-Marken mit dem Kopf des Schriftstellers Goethe oder grüne 8-Pfennig-Marken, auf denen das Gesicht des Komponisten Beethoven abgebildet war. Ein Brief nach Südafrika konnte doch jetzt nicht mehr Tausende von Mark kosten.

Früher, ja, da hatte er im Schauspielhaus ein Stück dieses Goethe gesehen, in dem ein alter Mann auf einer Heide stand, in Donner und Blitz, und seine Töchter verfluchte, die ihn ausgesperrt hatten, ohne Mittel, ohne Erbarmen; nur ein Narr war bei ihm geblieben. Und von Beethoven war in Konzerten der Philharmonie viel Musik aufgeführt worden. Ein Pianist, ein Adeliger, Herr v. Bülow, hatte Klavier gespielt und später dirigiert, und ein berühmter Professor mit einem Vornamen – Joachim, sieh da, er wußte ihn noch – hatte gegeigt. Den Brief wollte er wohl jetzt endlich finden.

Aber als er die Schublade öffnete, in der ein Durcheinander von aufgehobenen Schriftstücken und Drucksachen, alten Steuerveranlagungen, Geschäftsberichten, Bankauszügen zu ordnen gewesen wäre, vernahm er die Wohnungsklingel. Ganz von ferne, wie durch ein Wunder, hörte er ihr Läuten trotz der dicken Watte von Schwerhörigkeit, die seine Ohren erfüllte. Ein Arzt hätte ihm wahrscheinlich durch eine warmlösende Ausspülung des Gehörganges einen großen Teil seiner Hörfähigkeit zurückgegeben. Aber wer sollte diesen Arzt anleiten, den alten Mann Siegfried Kräutel, diesen verkrochenen Greis, in seinem Winkel aufzusuchen? Er schloß vorsichtig lauschend die Zimmertür nach dem Korridor auf, der durch eine Wand aus Draht und Gips in zwei sehr ungleiche Teile geteilt worden war: nochmals der Briefträger! Obwohl er heute früh dieses lustige Angebot der Lebensversicherung gebracht hatte, warf er ihm, er sollte dafür bedankt sein, jetzt, auf seinem zweiten Gange, schon wieder eine Botschaft des vor den Fenstern hinsausenden Lebens auf die Diele – aus jener Welt, in der Trambahnen liefen, die ihre Nummern kaum gewechselt hatten, durch die Lastautomobile und Autobusse schwer dröhnten und flinke, bunte Autos ihren Weg suchten. Da spielten Kinder, keiften Frauen Halbwüchsige an, die an den Ecken lungerten, und zwischen denen es nächtlich Keilereien gab, bis Schutzleute sich schlichtend einmischten, die erst grüne und jetzt schon wieder blaue Röcke trugen. Dies war die tagausfüllende Beschäftigung des Mannes Siegfried Kräutel, am Fenster zu stehen und zu sehen, was durch die beiden Straßen rollte, die stille und die laute, an deren Ecke er, einst wohlhabender Kaufmann, jetzt unbekanntes Höhlentier, wohnte. Tote Zeit, erloschnes Licht: an diesen ehemaligen Reichen wandte sich die neue Postsendung, auf die er jetzt mißtrauisch hinunterblickte, wie sie rechteckig dalag, auf dem dunklen Flurboden des dämmrigen Vorraumes hellgrau schimmernd. Eine freundliche und freiwillige Hilfskraft hatte, um Adressen für erfolgreichen Versand zu beschaffen, die Steuerlisten der jüdischen Gemeinde auf vermögende Männer und Frauen hin durchgesehen, im Auftrag erfahrener Werber – jene längst veraltete Liste, in der auch Siegfried Kräutel noch seinem früheren Wohlstande nach prangte. So kam es, daß er jetzt vor einer Schicksalswende stand, als er sich mühselig, steif im Kreuz, an seinem Stocke bückte. Weißer großer Briefumschlag, den man vorsichtig öffnen und zur Aufbewahrung von Salz verwenden mußte.

Ein gedrucktes Heft drehte er jetzt zwischen den Fingern, nachdem er die Tür wieder verschlossen hatte, an seiner Fensterecke, wo die drei großen, mit Zeitungspapier schlecht geputzten Fenster den einstigen Erker zeigten. Er setzte die Brille auf, die er zum Lesen brauchte, und deren linkes Glas durch einen Sprung auf harmlose Art zweigeteilt war. ›Bürgerlicher Hilfsbund‹ las er auf dieser Drucksache. Ein paar Hände streckten sich aus, gewillt, von großmütigen Herzen eine Gabe zu empfangen; und auf der vorderen Seite dieses Umschlages mahnte große Schrift, niemand sei Herr seines Schicksals. Er rückte den Schreibtischstuhl ins Helle und murmelte halblaut, die Lippen bewegend, acht Seiten Gedrucktes vor sich hin, aus dem in Gesprächsform hervorging, daß es viel Elend unter alten jüdischen Menschen gäbe und er, Siegfried Kräutel, aufgefordert wurde, zu helfen, Mitglied zu werden, Geld zu spenden. Als er zu Ende studiert hatte, nickte er höhnisch. Gewiß, dachte er, warum soll ich nicht geben? Natürlich werde ich mich nicht entziehen! Ich bin doch Siegfried Kräutel, eine Engrosfirma, ein Steuerzahler, ein geachteter Mensch, ein graues Haupt mit ehrenvollem Platz im Tempel! Eine gute Sache habe ich doch immer unterstützt, warum werde ich mich begeizen? Drei Briefmarken werde ich diesem Hilfsbund schicken, zusammen fünftausend Mark; er soll davon ein Haus bauen, er kann auch einem gelähmten Menschen einen Rollstuhl anschaffen, die Herren werden schon wissen, was sie mit fünftausend Mark in Briefmarken anfangen können! Und kichernd, erschöpft, die Hand aufs Herz gepreßt, wollte er die Drucksache zu den anderen legen, die er in zähem Spartrieb in der rechten Ecke des Schreibtisches anhäufte.

Und dann hauchte ihn ein Gedanke an, den er zuerst nicht aufkommen lassen wollte, der aber im Verlauf des Tages, den Mittag hindurch und im nachmittäglichen Verglühen der großen Hitze ihn nicht mehr losließ. Wenn sich schon Juden wieder um Juden kümmerten, warum nicht auch um ihn? Sollte nicht ein Versuch gemacht werden können, diesen Leuten beizubringen, daß er, Siegfried Kräutel, nun auf die Seite der Hilfsbedürftigen hinübergeglitten war? Diese Leute hier behaupteten, Besuche bei alten Menschen zu machen, um zu sehen, wie es ihnen gehe. Vielleicht kam dann auch ihn ein Mensch besuchen, um zu sehen, zu hören und festzustellen, daß es Verschiedenes von Siegfried Kräutel zu berichten gab? 5 Pfennige waren sehr viel Geld, 50 Milliarden glichen sie – von damals. Aber eine Postkarte schreiben, das dürfte doch nicht so schwer sein, selbst wenn die Tinte eingetrocknet war und erst mit einem bißchen Wasser und einem Streichhölzchen angerührt werden mußte.

Alte Leute fassen nicht sehr schnell Entschlüsse; noch langsamer führen sie sie aus. Aber bei seinem abendlichen Ausgang kaufte Herr Siegfried Kräutel außer einem Brot auch eine Stadtpostkarte, die er beim Bäcker zufällig in der Geldschublade liegen sah. Schwer kam er in dieser Nacht zu Schlaf. Lange formte er im Geiste wachliegend an den Sätzen, die er dieser Altershilfe zu schreiben gedachte. Und am anderen Morgen bedeckte er mit schräg dahin-wankenden Schriftzeichen erst ein leeres Blatt und dann Vorder- und Hinterseite seiner Karte, noch ungewiß, ob er damit seinem Dasein eine hellere Wendung gäbe. Und so erhielt den Tag danach die hilfswillige Einrichtung den folgenden Notruf: »Erhielt Ihr Geehrtes vom 4. 8. cr. und bitte ich, falls Ihr Anerbieten betr. Hilfe an alten isr. Leuten seriös ist, um Ihren gefl. Besuch. Anzutreffen 11–1. Hochachtungsvoll Siegfried Kräutel.« In den festeingefahre-nen Bahnen eines Geschäftsbriefes und seines Kauderwelsches gab hier ein nur noch schwach schlagendes Herz ein letztes oder erstes Stöhnen erstickend von sich – Laut einer verlorenen Genera-tion, der eine hündisch harte Zeit achtlos den Strick um die Gurgel gelegt hatte. Nun hoffte er hinaus in die Welt, die Welt der Autos und Trambahnen, der Leute und der Drucksachen, von denen manchmal eine durch Zufall in eine Greisenstube sich verflog...

Möglicherweise ward hier geholfen, gründlich und sachverständig – aber was geschah mit all denen, die nicht erreicht wurden vom Arm der Kameradschaft? Hunderte von verschämten Herzen darben; das Licht leuchtet keineswegs in die Finsternis, und das versteht sie sehr wohl zu nützen.

(1928)

HEIMITO VON DODERER

Im Irrgarten

Der Anfang des Prater-Ausfluges mit Pauline ließ sich gut an. René wußte in keiner Weise, woran er mit ihr eigentlich war, und manchmal schien es ihm, als sei es dieser jungen Frau wirklich um das Vergnügen des Karussellfahrens zu tun und als seien ihre gestrigen Äußerungen der Freude, bei dem Gedanken, wieder einmal in den Wiener ›Wurstelprater‹ zu kommen – auch Volksprater genannt – schlechthin ernst zu nehmen und nicht nur der Titel ihres Stelldicheins mit ihm. Als er auf der Rutschbahn ihre Wärme neben sich spürte und in den scharfen Kurven noch mehr von ihrer anmutigen Person, war es noch immer nicht möglich, aus den gröblichen Wirkungen der sogenannten Zentrifugalkraft eine vielleicht doch vorhandene persönliche Note herauszuspüren. Er vergaß zudem auch zeitweise ganz seiner eigenen Verliebtheit und tummelte sich fröhlich in einer jenen goldenen Schulpausen des Lebens, die, man möchte es kaum mehr glauben, dann und wann einmal wirklich entstehen, dadurch nämlich, daß etwa ein Lastzug mit Sorgen zufällig den Anschluß an einen Schnellzug der Unannehmlichkeiten, in welchen umzusteigen gewesen wäre, verpaßt.

Der Mai aber war, am hellichten Tage doch geheimnisvoll, hinter jedes neu entfaltete Blatt getreten, hatte eine grün-goldene Aura herumgezeichnet und das Getümmel der vielen Blätterschatten am sonnigen Boden durch kleine Windstöße lebhaft gemacht. Der Kies der Alleen wurde auf solche Weise gesprenkelt und ständig bewegt, als sei's eine Wasserfläche. Pauline wollte jetzt unbedingt ins Wachsfigurenkabinett gehen oder, wie man auch zu sagen pflegt, ›Panoptikum‹, sie versprach sich einen Hauptspaß von dieser Darbietung. René trat hinter ihr ein und nahm dabei einen kleinen raschen und beinahe wehmütigen Abschied von draußen. Denn hier war dieser Frühling abgestellt, als hätte man einen Schalter gedreht. Dafür erholte sich allerdings das schmerzhaft mit Licht überfüllte Auge in den gedämpften, stillen Räumen – es war ein Werktagsnachmittag, und sonst hier kaum ein Besucher außer den zweien. Was jedoch alsbald in Erscheinung trat, war weniger geeignet, Erholung zu bieten. Man wußte zwar, daß man sich im

Prater und in einer Schaubude befand: jedoch alle diese, teils frei, teils in Glaskasten aufgestellten Figuren traten doch mit dem Anspruche heran, ernst genommen zu werden und die persönliche Neugier des da und dort hin sich wendenden Blickes zog auch den mit Verstand begabten Besucher hinein in diesen Wust. Pauline schien die besseren Nerven zu haben, denn der in seinem Blute liegende und doch noch schwach atmende Zar Alexander der Zweite bildete für sie insofern einen Gegenstand der Unterhaltung, als sein Gesicht das eines gänzlich unbeteiligten Herrn mit goldenem Kragen war, der mit einer gewissen Indignation zu dem Schaukasten Nummer sechsundachtzig hinübersah: denn diese Vitrine enthielt tanzende Bajaderen in Originalkostümen. Daneben hatte sich das ›Mittelalter‹ mit zahlreichen Folterwerkzeugen ausgebreitet, und noch tiefer ging es in die Zeiten hinein, denn die Fortsetzung dieser Reihe bildeten Feuersteingeräte und Modelle von Pfahldörfern. René suchte an alledem vorbeizukommen, es gelang ihm auch, denn ihr Interesse hakte sich freilich nirgends fest. Diese Gleichgültigkeit empfand er merkwürdigerweise als ebenso unecht wie ihre Heiterkeit von vorhin.

Am Ende des Saales aber befand sich in Rot und Gold das Tor zum ›Spiegel-Irrgarten‹. Dieses Tor erschien René als willkommener Ausweg aus einer unerwünschten Vergnügung und zugleich als überraschend geschenkte Verheißung traulichen Alleinseins mit Pauline. Sie schritt auch sogleich hindurch und höchst angeregt zwischen den Spiegelwänden der Gänge weiter – das eigene Bild kam hier bei jeder Kreuzung gleich vier- und fünffach entgegen – während René ihr für solche Bereitwilligkeit rasch das ganze Wachsfigurenkabinett samt sämtlichen Zeitaltern, Originalkostümen und staubigen Gerüchen verzieh.

Zunächst kamen sie viermal zu der – wie sie glaubten – gleichen Stelle zurück, und als sie ein fünftes Mal, nun mit Absicht, dahingelangen wollten, wurden sie durch die immer gleichen Spiegelgänge und Kreuzungen woanders hingeführt, nämlich offenbar tiefer hinein und wohl in den Mittelpunkt der ganzen Anlage: denn hier gab es einen runden Raum mit roten Polsterbänken: Sie ließ sich vergnügt nieder, in jener übermütigen Weise, wie sich Schulmädchen rücklings in eine Bank fallen lassen, so daß beide Beine einen Augenblick lang in der Luft schwebten. René bemerkte scharfen Auges an der nächsten Eckleiste zwischen zwei Spiegeln einen elektrischen Druckknopf mit der Umschrift ›Zum Herbeirufen des Personals‹. Er setzte sich derart, daß sein Oberkörper diesen Knopf verdeckte.

Pauline begann sofort rasch und viel zu plaudern, und während er einmal leichthin und schnell ihr Händchen küßte, entrollte sich ein Rundblick auf den kleinen Kreis ihres täglichen Lebens. Dessen Schwerpunkt schien, wie bald sichtbar wurde, durchaus in ihrer Tugend zu liegen, die offenbar bei allen ihren Erlebnissen die Hauptrolle spielte, jedoch niemals wirklich gefährdet war, weil, wie sie betonte, gewöhnliche Menschen sich bei der Beurteilung ihrer Person immer täuschten. Und so schien auch, auf den ersten Eindruck hin zu schließen, Entrüstung die häufigste Regung ihrer Seele zu sein, und die Anlässe dazu boten sich ihr offenbar in größter Fülle. Kein Ausgang, ohne daß nicht jemand ihr ›nachgestiegen‹ wäre – wie man das, wohl in Gedanken an einen Hahn, benennt – kein Besuch eines Restaurants mit dem Gatten, ohne Angriffe auf ihre Ehe von irgendeinem Nachbartische aus. René stimmte erst beiläufig zu, mit der Bemerkung, er räume gern ein, daß alle Männer im Grunde ekelhaft seien. Dabei streichelte er ihren Arm und legte schließlich wie tröstend den seinen um ihre Mitte, was sie zuließ. Während sie nun, rasch und gleichmäßig sprechend, ein Erlebnis zu erzählen begann, das ihr schon seit Jahren die größte Belästigung bereite – ein Berufsgenosse ihres Gatten verfolge sie, natürlich ganz vergeblich und ohne jede Aussicht auf Erfolg, mit seiner Liebe – hauchte René die ersten zarten Küsse in ihr Genick und auf den Ausschnitt ihres Kleides. Als er sie aber auf den Mund küßte, nahm sie dies nur ganz rasch und zwischendurch hin, indem sie für einen Augenblick ihr Puppenköpfchen ruhig hielt, gerade so lange als nötig, um den Kuß in Empfang zu nehmen; und schon sprach sie mit der größten Lebhaftigkeit weiter. Dieser liebestolle Berufsgenosse des Gatten nämlich mußte ein wahres Wunder von einem Manne sein: nicht nur schön, reich und klug, ein erstklassiger Automobilist und Sportsmann überhaupt; sondern das merkwürdigste an ihm war seine ganz eigenartige und zweifellos bedeutende Persönlichkeit, die ihn trotz aller glänzenden Eigenschaften und seines Reichtums, zu einem einsamen und zurückgezogenen Leben veranlaßte. Für Frauen habe er sonst, so sagte sie, überhaupt kein Auge, obgleich er von jenen geradezu umschwärmt werde.

»Darin scheint er ja Ihnen gewissermaßen zu gleichen«, meinte René, der diesen langen Bericht über einen zwar herrlichen, aber für ihn im Augenblicke doch eher fernen Menschen gern unterbrochen hätte. Er war zudem bereits so weit gekommen, seine Ahnungen von der Rutschbahn her erfreulich bestätigt zu finden. Sie schien übrigens, ganz in der Trance ihrer Erzählungen befangen, seine Bemerkung gar nicht aufzufassen. Während sie halb auf

seinen Knien saß, ergänzte sie nun die Gestalt ihres Helden – von
dessen herrlich eingerichteter Villa und besonders seiner einzigar-
tig wertvollen Briefmarkensammlung sie schon erzählt hatte – sie
ergänzte also die Gestalt dieses Helden noch durch die Schilderung seines ungemein zartfühlenden und edlen Charakters. René
war nahe daran, sie zu fragen, warum sie dann eigentlich hier im
Prater auf seinen Knien sitze, aber er machte immerhin noch einen
tatkräftigen Versuch, von diesem Idealbild eines Mannes wegzu-
steuern, und wirklich gelang es ihm, wenigstens für eine Minute,
in ein schweigsames und herzhaftes gegenseitiges Abküssen zu
entkommen. Aber zwischen Lipp' und Kelchesrand begann sie
jetzt, und zwar sofort anschließend, mit dem eigentlichen Haupt-
teil ihrer Erzählung, nämlich mit der Geschichte der – freilich ganz
aussichtslosen – Verfolgungen, denen sie von seiten dieses Halb-
gottes seit Jahren ausgesetzt sei. Daß sie von René dabei allmählich
abgesetzt wurde, daß er aufstand, ihr den Blick auf den Taster
›Zum Herbeirufen des Personals‹ freigab, ja, daß er sie mit einem
geheuchelten »Nun, was ist denn *das* hier!?« auf diesen Taster
geradezu aufmerksam machte, hatte alles nur den Erfolg von
bestenfalls augenblickslangen kleinen Pausen.

Er aber kniete jetzt, zum Äußersten entschlossen, vor ihr nieder,
und seine zärtlichen Werbungen näherten sich entschieden einem
Höhepunkt. Jedoch Pauline, von ihrer eigenen Erzählung fortgeris-
sen, berichtete eben, wie es trotz ihrer Standhaftigkeit dahin
gekommen war, daß ihr Gatte einen gänzlich ungerechtfertigten
Verdacht faßte; nun ging sie zu der Schilderung einer Szene über,
die sich in einem Café zwischen ihrem Manne und dessen
erfolglosem Rivalen abgespielt hätte und die nur durch ihr ent-
schiedenes Dazwischentreten noch zum Guten gewendet worden
sei, wobei sich allerdings der Edelmut des unglücklich Liebenden
wahrhaft glorreich erwiesen habe. Renés Zärtlichkeiten hatten
indessen ihren Höhepunkt erreicht, von ihr zwar herzhaft, aber nur
gelegentlich und zwischendurch erwidert, und sogleich neuerlich
vom Heldenlied der unerschütterlichen Tugend überrauscht.

Er stand plötzlich auf, stellte sich neben den Druckknopf und
zählte im stillen bis dreißig. Sie war eben noch mit der Schilderung
eines erhabenen Charakters vollauf beschäftigt, als schrillend und
anhaltend die Alarmglocke ertönte, wie ein letzter, verzweifelter
Hilferuf. Alsbald hörte man die eilig herankommenden Schritte
eines Bedienten. Nun konnte René die Bestätigung dafür haben,
daß Entrüstung eine der hauptsächlichsten Regungen in Paulines
Seele war. Denn *diese* Entrüstung trat so offen in ihr Gesicht, daß,

nachdem das Paar aus diesem Irrgarten erlöst worden war, dem jungen Manne nichts anderes übrig blieb, als seine Dame zur Straßenbahn zu bringen. Dies geschah noch dazu unter beinahe gänzlichem Schweigen. René aber schien es, als hätte er nun den idealen Fall überhaupt für das Ende einer Liebesgeschichte erlebt: durch Druck auf einen Knopf.

(entstanden 1932)

HERMANN BROCH

Ein Abend Angst

Unter dem gestreiften Sonnensegel, das auch jetzt bei Nacht
ausgespannt ist, stehen die leichten Korbtische und die Korbstüh-
le. Zwischen den Häuserreihen, durch die jungbelaubten Kronen
der Alleen streicht der leise Nachtwind, man könnte meinen, der
käme vom Meer. Aber es ist wohl nur das feuchte Pflaster; der
Sprengwagen ist soeben durch die leere Straße gefahren. Ein paar
Ecken weiter liegt der Boulevard, von dort hört man das Hupen der
Autos.

Der junge Mann war vielleicht schon ein wenig angetrunken.
Ohne Hut, ohne Weste ist er die Straße heruntergekommen; er
hielt die Hände im Gürtel, damit der Rock weit aufklaffe und der
Wind möglichst bis zum Rücken gelange: das war wie ein lau-
kühles Bad.

Der Boden vor dem Café ist mit leicht stickig riechenden,
braunen Kokosmatten belegt. Ein wenig unsicher wand sich der
junge Mann zwischen den Korbstühlen hindurch, streifte da und
dort einen Gast, lächelte entschuldigend und gelangte zu der
offenstehenden Glastür.

Im Lokal war es womöglich noch kühler. Der junge Mann setzte
sich auf die Lederbank, die unter der Spiegelreihe die Wände
entlanglief, er setzte sich mit Bedacht der Türe gegenüber, damit er
die kleinen Windstöße sozusagen aus erster Hand in die Lunge
bekäme. Daß das Grammophon auf dem Bartisch gerade jetzt sein
Spiel abbrach, ein paar Augenblicke lang zischte es noch kreiselnd
und dann überließ es das Lokal seinen eigenen stillen Geräuschen
– das war unangenehm boshaft, und der junge Mann schaute auf
das blau-weiße Schachbrett des Marmorfußbodens. Ein Glas
dunkles Bier stand vor ihm, und die Bläschen des Schaumes
dehnten sich und zerplatzten.

Am Nebentisch, gleichfalls auf der Lederbank, saß jemand. Es
wurde ein Gespräch geführt. Aber der junge Mann war zu faul, den
Kopf hinzuwenden. Es waren eine fast knabenhafte männliche
Stimme und die Stimme einer Frau. Ein dickes und dunkles
Mädchen muß das sein, dachte der junge Mann, gutturaI-mütter-
lich ist sie. Aber jetzt sah er absichtlich nicht hin.

Die männliche Stimme sagte:

»Wieviel Geld brauchst du?«

Als Antwort kam ein guttural dunkles Lachen.

»So sag mir doch, wieviel du brauchst.« (Stimme eines gereizten Knaben.)

Wieder das dunkle Lachen. Der junge Mann denkt: Jetzt hat sie nach seiner Hand gegriffen. Sodann hört er:

»Woher hast du denn soviel Geld?... und selbst wenn du's hättest, von dir nähme ich es nicht.«

Der junge Mann schaut auf den Marmorfußboden. Reste von Sägespänhäufchen sind noch sichtbar, sie verdichten sich um die Grundplatten der gußeisernen Tischfüße zu kleinen Dünen.

Nach einer Weile denkt der junge Mann: Wahrscheinlich ist ihr mit hundert Franken geholfen; ich habe noch zweihundert, ich könnte ihr also hundert geben.

Dabei hat er das Gespräch daneben verloren. Jetzt hört er wieder hin. Die Knabenstimme sagt:

»Ich liebe dich ja.«

»Eben deshalb darfst du nicht von Geld sprechen.«

Der junge Mann denkt: Beide schicken sie ihre Stimmen aus, aus ihrer beider Münder kommt der Atem mit der Stimme, über ihren Tisch hin fließen Atem, fließen die Stimmen zusammen, sie vermählen sich, das ist das Wesen eines Liebesduetts.

Und richtig hört er wiederum:

»Ich liebe dich ja.«

Ganz leise kommt es zurück: »Oh, mein Kleiner.«

Jetzt küssen sie sich, denkt der junge Mann. Es ist gut, daß drüben kein Spiegel ist, sonst würde ich sie sehen.

»Noch einmal«, sagt die tiefe Stimme der Frau.

»Brauchst du das Ganze auf einmal?... in Raten könnte ich es schon aufbringen.«

»Lieber stürbe ich, als daß ich von dir Geld annähme.«

Hallo, denkt der junge Mann, das ist falsch; so spricht eine mütterliche Frau nicht, mit mir dürfte sie nicht so sprechen; sie will ihm das Geld doch wegnehmen. Und dann fiel ihm ein, daß man den Knaben vor dieser Frau schützen müsse. Aber weil er schon einiges getrunken hatte, vermochte er den Gedanken nicht weiter zu verfolgen; er hatte nun auch das Bier mit einem Zug geleert und fühlte sich ein wenig übel. Um die Magengegend fühlte er sich kalt, das Hemd klebte, und er holte tief Atem, um die vorherige Behaglichkeit wiederzugewinnen. Es wäre gut, eine mütterliche Frau an der Seite zu haben.

Wenn ich mich umbringe, dachte er plötzlich, so gehe ich mit gutem Beispiel voran und der Kleine ist von ihr befreit.

Hinter der Bar bewegte sich eine ältliche Person in einem nicht sehr reinen rosa Kleid. Wenn sie mit dem Kellner dort sprach, dann sah man ihr Profil und zwischen Ober- und Unterkiefer ergab sich ein Dreieck, das sich öffnete und schloß.

Ich bin froh, daß ich die Frau neben mir nicht sehen muß, dachte er, und dann halblaut sagte er unversehens:

»Man kann sich ruhig umbringen.«

Das hatte er gesagt, er war darüber selbst erschrocken, aber nun erwartete er, daß seine Stimme sich mit den Stimmen jener beiden verflechten werde, und er maß aus, an welchem Punkte der Luft vor ihm dies geschehen könnte, so etwa zwei Meter vor seinem Tisch mußten sich die Linien der Stimmen treffen. Jetzt wird es ein Trio, dachte er, und er horchte, wie sich die beiden dazu verhalten würden.

Aber sie hatten es wohl nicht beachtet, denn die Frau sagte halb spielerisch, halb ängstlich:

»Wenn er jetzt käme!«

»Er würde uns töten«, sagte die Knabenstimme, »aber er kommt nicht.« Die beiden reden Mist, dachte der junge Mann, jetzt ist mir wohler, ich will jetzt einen Schnaps, und als der herbeigerufene Kellner kam, sagte er etwas deutlicher als zuvor:

»Jetzt kommt er.«

Aber die beiden gaben wieder nicht darauf acht, obwohl sie es möglicherweise doch gehört hatten, denn nun sagte die Frau:

»Vielleicht wäre es doch besser, wegzugehen.«

»Ja«, sagte der junge Mann.

»Nein«, sagte daneben die Knabenstimme, »das wäre sinnlos . . . wir können ihn ebensowohl auf der Straße treffen.«

Dort stehen Polizisten, dachte der junge Mann, und laut setzte er hinzu:

»Und hier bin nur ich.«

Doch die Frau sagte:

»Auf der Straße kann man davonlaufen.«

Sie hat mich doch gehört, dachte der junge Mann, aber sie enttäuscht mich, eine mütterliche Frau läuft nicht davon. Jetzt habe ich wieder Durst, was könnte ich noch trinken? Milch? Kellner, noch ein Bock, wollte er sagen, aber es war, als müßte er seine Stimme aufsparen, und so wartete er vorderhand. Dagegen rief die Frau am Nebentisch den Kellner, und es war ein Beweis für die vollzogene Verflochtenheit der Stimmen, als sie nun verlangte:

»Eine heiße Milch.«

Ich sollte weggehen, sagte sich der junge Mann, ich werde immer tiefer in das Schicksal verflochten, es geht mich nichts an, ich bin allein, er aber wird uns alle töten.

Der Kellner hatte eine spiegelnde Glatze. Wenn er unbeschäftigt war, lehnte er an der Theke und die Kassiererin mit auf- und zuklappendem Gebiß sprach mit ihm. Es war gut, daß man nicht verstand, was ihre Stimmen redeten.

Knäuel der Stimmen, die sich ineinander verflechten, die einander verstehen und von denen doch eine jede allein bleibt.

Nun sagte die Knabenstimme am Nebentisch:

»Oh, wie ich dich liebe... wir werden uns immer verstehen.«

»Das ist meine Angelegenheit«, sagte der junge Mann, und er dachte: ich bin besoffen.

Die Frau aber hatte geantwortet:

»Wir lieben uns bis zum Tode.«

»Er wird schon kommen und schießen«, sagte der junge Mann und war sehr befriedigt, weil er den Reflex der Mittellampe auf der Glatze des Kellners entdeckt hatte.

»Ich werde dich schützen«, sagte es nebenan.

Das hätte nicht er, das hätte sie sagen müssen, dachte der junge Mann, so ein kleiner blonder Bursch kann niemanden schützen, ich werde ihm eine herunterhauen und zur Mutter nach Hause schicken; es ist lächerlich, so einen Jungen ermorden zu lassen.

»Wir werden uns an den Händen halten«, sagte nun die Frau.

Ein Mann war hereingekommen, ein etwas dicklicher Mann mit schwarzem Schnurrbart; ohne ins Lokal zu schauen, hatte er sich an die Bar gelehnt, die Zeitung aus der Tasche gezogen, und während sein Vermouth neben ihm stand, begann er zu lesen.

Der junge Mann dachte: sie sehen ihn nicht. Und laut sagte er:

»Jetzt ist er da.«

Und weil sich nichts rührte, und auch der Mann an der Bar sich nicht umdrehte, rief er überlaut:

»Kellner, noch ein Bock.«

Der Wind draußen war stärker geworden, die herabhängenden Zacken des Sonnendaches bewegten sich, und wer an den Korbtischen dort Zeitung las, mußte oftmals die Blätter mit einem kurzen, knisternden Schlag glätten.

Er hält die Zeitung verkehrt, dachte der junge Mann, aber das schien doch nicht zu stimmen, denn der Gast an der Theke unterhielt sich mit dem Fräulein offenbar über den Inhalt des Gelesenen; zumindest schlug er oftmals wie empört mit dem

Handrücken und mit den Fingerknöcheln gegen eine bestimmte Stelle des Blattes.

Er liest schon seinen eigenen Prozeß, dachte der junge Mann, und er ist darüber empört. Es ist sein gutes Recht, sie zu töten, uns alle zu töten. Und der junge Mann starrte auf die Stelle, an der sich seine Stimme mit deren der beiden verflochten hatte, verflochten, um sich immer wieder dort zu verflechten.

»Wir sind hier«, sagte er schließlich.

»Wenn ich das Geld aufbringe«, sagte die Frau, »... er ist käuflich.«

»Ich werde zahlen«, sagte der junge Mann, »ich...«, und er legte einen Hundertfrankenschein auf den Tisch.

Das Blut auf dem Marmorboden wird aufgewaschen und Säge-späne werden darüber gestreut werden.

»Ich will nicht, daß du Sorgen hast«, sagte die Knabenstimme, »ich...«

»Ich will zahlen«, sagte angeekelt der junge Mann und starrte auf den Punkt der Verflechtung in der Luft. »Hier«, rief er, erwartend, daß der Mann an der Bar sich endlich umdrehen und einen Schrei des Erkennens ausstoßen werde, einen Schrei, der mit den anderen Stimmen an diesem Punkt sich treffen werde.

Doch nichts geschah. Sogar der Kellner kam nicht, der war draußen auf der Terrasse beschäftigt, seine weiße Schürze wurde von der auffrischenden Brise hin und her geweht. Der Mensch an der Bar aber sprach ungerührt mit dem Fräulein weiter, der er das Zeitungsblatt hinübergereicht hatte.

Die Frau am Nebentisch sagte:

»Ich mache mir keine Sorgen, aber meine Füße und Hände sind schwer, wenn er käme, ich wäre wie gelähmt...«

»Man kann nicht fortgehen...«, sagte der junge Mann.

»Wir wollen heute nicht mehr daran denken« sagte die Knaben-stimme.

»Es nützt nichts...«, erwiderte der junge Mann, und er fühlte, daß sein Gesicht blaß war und wie der Schweiß auf seiner Stirne stand.

»Oh, mein süßer Freund...«, sagte nun leise die Frau.

Der junge Mann nickte. Nun nimmt sie Abschied. Der Mensch an der Bar hat nun auch wirklich den Revolver hervorgezogen und zeigt dem Kellner, wie die Waffe funktionieren wird. Die Sache mit der Zeitung war also Vorbereitung gewesen, eine sehr richtige Vorbereitung, warum soll nicht alles einmal verkehrt ablaufen?

Um den Kellner abzulenken, rief der junge Mann:

»Noch ein Bock«, und dabei schwenkte er die Hundertfrankennote, um sie dem Schützen zu zeigen. Aber der kehrte sich nicht daran, sondern schraubte an der Waffe weiter herum, um sie schußbereit zu machen.

Das Fräulein setzte eine Reihe Gläser auf den Bartisch, eine Kette von Gläsern, und immer, wenn sie eines hinstellte, klirrte es leise und klingend. Der Revolver knackte. Die Instrumente werden gestimmt, dachte der junge Mann, wenn alle Stimmen zusammenklingen, dann ist der Augenblick des Todes da.

»Schön ist heute die Nacht unter den Bäumen, unter den klingenden Sternen«, sagte die sanfte Stimme der Frau.

»Unter den klingenden Sternen des Todes«, sagte der junge Mann, und wußte nicht, ob er es gesagt hatte.

Die Knabenstimme aber sagte:

»In einer solchen Nacht könnte ich an deiner Brust sterben.«

»Ja«, sagte der junge Mann.

»Ja«, sagte die Frauenstimme ganz tief, »komm.«

Und nun bewegte sich der Mensch an der Bar, ganz ohne Eile und ganz langsam bewegte er sich. Er nahm erst das Zeitungsblatt aus den Händen der Kassiererin zurück, und nochmals schlug er bekräftigend auf die Stelle, die von seinem Prozeß berichtete. Hierauf wandte er sich langsam zum Lokal und sagte laut und deutlich:

»Die Exekution kann beginnen.«

Seine Stimme war weich und doch abgehackt. Sie trug bis zu dem Punkt der Verflechtung, bis zu diesem Punkt, auf den der junge Mann mit aller Anstrengung hinstarrte, und dort blieb sie hängen.

Der junge Mann aber sagte: »Nun ist die Kette geschlossen.«

Und wohl, weil es galt, die gebannten und gelähmten Blicke aller Anwesenden auf sich zu ziehen, hob der Mensch an der Bar mit großer runder Geste den Revolver, er hob ihn empor und dann verbarg er ihn hinter seinem Rücken. So kam er näher. Man hörte seinen Atem. Selbstverständlich ging er auf den Nebentisch los, ja das war selbstverständlich. Und weil nun der Augenblick der Katastrophe da war, weil die rücklaufende Zeit das Jetzt nun erreicht hatte, um an diesem Punkte des Todes zur Vergangenheit zu werden, da gestattete sich der junge Mann, den Traum aufzudecken, ehe er endgültig in ihn versinken sollte, und den daherkommenden Menschen verfolgend, blickte er zum Nebentisch.

Der Nebentisch war leer, das Paar war verschwunden. Und

gleichzeitig begann das Grammophon den ›Père de la Victoire‹ zu spielen.

Der Kellner war dem Menschen gefolgt. Der junge Mann hielt ihm den Hundertfrankenschein hin:

»Haben die Herrschaften, die hier saßen, gezahlt?«

Der Kellner sah ihn verständnislos an.

»Ich wollte nämlich auch für sie bezahlen.«

»Alles ist bezahlt, mein Herr«, sagte der Kellner.

Der Fremde sagte mit seiner weichen und eigentlich fettigen Stimme:

»Seien Sie doch nicht so ehrlich, mein Freund.«

Ich bin wirklich besoffen, dachte der junge Mann, zum Sterben besoffen.

Die Kassiererin begann nun die Gläserreihe zu reinigen. Sie nahm ein Glas nach dem andern, es klirrte klingend, und jedes Glas spiegelte die Lichter des Lokals. Doch der Wind draußen war abgeflaut.

(1933)

ERNST WEISS

Die Herznaht

Der Student der Medizin, Friedrich von B., ein hochgewachsener, hellblonder Mensch, leidenschaftlich in die ›große Chirurgie‹ verliebt, aber auch anderen Liebschaften keineswegs abgeneigt, unter denen eine gewisse Hildegard Anneliese eine große, wenn auch in letzter Zeit nicht immer erfreuliche Rolle gespielt hatte, wurde Anfang Dezember als unbezahlte Hilfskraft in die chirurgische Klinik des Geheimrats O., den seine Schüler wegen seines militärischen Auftretens und wegen seiner imponierenden Haltung den ›General‹ nannten, aufgenommen, wobei eine alte Korpsbruderschaft zwischen dem Universitätsprofessor und dem Vater des Studenten mitgeholfen hatte.

Friedrich von B. leistete, ohne vom Freunde seines Vaters anfangs einer besonderen Aufmerksamkeit gewürdigt zu werden, in der Hochschulklinik allerlei kleine, aber doch unentbehrliche und verantwortungsvolle Dienste: Narkosen, Verbände, kleine Eingriffe. Oft freilich stand er bloß müßig umher, eines Auftrags gewärtig oder er führte Patienten im Kolleg vor, das wochentäglich zwischen einviertel zehn und elf Uhr stattfand.

In einer dieser Vorlesungen, am siebzehnten Januar, hielt der Professor ein Kolleg über bösartige Geschwülste. Mit Stolz wies er seine Dauererfolge vor, Kranke, die er vor drei, vor fünf, ja sogar einen Kranken, den er zu Beginn seiner Lehr- und Operationszeit in der Stadt vor nicht weniger als siebeneinhalb Jahren operiert hatte und der, wie die übrigen, gesund und rückfallsfrei geblieben war. Die Operationen waren schwer gewesen, und daß die Heilung so lange angehalten hatte, war ein Triumph der Chirurgie, der Segen des frühzeitigen und radikalen Eingriffs.

Man hatte die alten Patienten von seiten der Universitätsklinik brieflich, unter Zusicherung eines Zuschusses zum Reisegeld, soweit sie aus der Provinz stammten, in die Klinik beordert.

Nun hockten sie auf einer Bank in dem breiten Korridor, der aus den Krankenräumen in den Hörsaal führte. Fünf Männer, drei Frauen, vier aus der Stadt, ebenso viele vom flachen Land. Obwohl der Oberarzt es ihnen untersagt hatte, von ihrer Krankheit zu sprechen (ein allgemeines Verbot für alle Kranken der Klinik), unterhielten sie sich nun schon eine Stunde ausschließlich darüber; einige von ihnen lüfteten die Hemden, um die Operationsnarben zu zeigen, andere zeigten bloß von außen die Lage und Länge der Hautschnitte an, wobei sie die Länge übertrieben. Stolz folgten sie dann dem Studenten in den Hörsaal, ihre Kleider glattstreichend, und eine der Frauen geriet in Schweiß, weil sie ihre Handschuhe in der Eile nicht schnell genug anzuziehen vermochte.

Der General schwelgte in chirurgischem Optimismus. Er verglich das Schicksal der Gesundgewordenen mit dem der anderen, an dem gleichen Leiden erkrankten Patienten, die längst in kühler Erde ruhten; währenddessen faßte er die Schultern der zarten ältlichen Patientin zwischen seine riesigen Arme und drehte die Frau wie ein Püppchen nach rechts und nach links, wandte sich aber sofort von der Frau ab, um den Studenten das Schema der Operation in einfachen Linien auf eine Tafel zu zeichnen, wobei er mit der Rechten die Kreide hielt, mit der Linken das Krankenblatt, in dem alle nötigen Daten genau verzeichnet waren und das ihm der Oberarzt zugereicht hatte. Dann entfaltete er in formvollendetem Vortrag die Fortschritte der Operationstechnik, beleuchtete kritisch die guten und schlechten Seiten jeder Methode, berechnete die Heilungsaussichten mit Hilfe einer sorgfältig geführten Statistik und vergaß dabei vollständig, daß die acht Menschen, die es anging, in dem Hörsaal standen, der übrigens gleichzeitig als Operationsraum diente.

Er war noch ganz in seine chirurgischen Betrachtungen versunken, als plötzlich sein alter Oberarzt, Professor E., in den Hörsaal stürzte und ihm aufgeregt etwas ins Ohr flüsterte. Die Erregung übertrug sich sofort auf den Chirurgen und zeigte sich in seinem wie von Bordeauxröte überströmten Gesicht, aus dem nur die alten Mensurnarben aus den Jünglingsjahren heller, kirschrot, hervorleuchteten. Eine steile Falte bildete sich als Zeichen scharfen Überlegens auf der Stirn des Generals, während der Oberarzt die acht Geheilten wie eine kleine Herde Geflügel aus dem Saal herausscheuchte.

Der Professor ließ sofort an seinem, nur für ihn bestimmten Waschtische das Wasser laufen, er drehte die Sanduhr, die auf einem Glasregal stand, herum. Der braune Sand begann zu rieseln, um zehn Minuten anzuzeigen: die vorgeschriebene Dauer der Händereinigung und persönlichen Antisepsis.

Der Student half dem General bei der ›Toilette‹, er band ihm, während der General abwechselnd weitersprach und sich wusch, eine große gelbe Schürze mit einer Messingkette um den stiernakkigen, wie das Gesicht bordeauxroten Hals. Der General trat, ohne hinzusehen, mit den Füßen in schwarze, bis über die Knöchel reichende Galoschen.

In einem Augenblick war aus dem akademischen Lehrer ein anderer Mensch geworden, anders war seine Stimme, seine Haltung, sein Blick. Er rieb mit seiner harten Bürste Finger, Handfläche und -rücken und den Unterarm bis zum Ellenbogen. Aus einem automatischen Behälter entnahm er durch Druck des Fußes Seife, und bald war der Arm mit weißem Seifenschaum umhüllt. Dann wieder wurde alles abgespült, die immer lebhafter rot gefärbte Haut wurde sichtbar, um von neuem im Seifenschaum zu verschwinden. Neben ihm die Helfer, ganz wie er.

Jetzt wandte sich der General dem Auditorium zu: »Ein glücklicher, leider seltener Zufall. Selbstmordversuch in der Nähe der Klinik. Eine junge Frau, ein junges Mädchen. Stich ins Herz. Voraussichtlich eine Herznaht. Zeitgemäße Operation. Unzeitgemäßes Selbstmordinstrument, ein altmodischer Federhalter mit einer ganz gemeinen Stahlfeder. Bürodame. Relativ günstig der Umstand, meine Herren, daß der ominöse Gegenstand in der Wunde geblieben ist und dadurch die Verblutung verhindert hat. Glück im Unglück.

Übrigens auch eine Leistung, mit einer so primitiven Waffe das Herz zu treffen. Die Methode, die Sie nun hoffentlich alle, auch die Herren in den obersten Sitzreihen (ich bitte nur dringend, ja nicht aufzustehen, der Staub ist schauerlich und höchst gefährlich), nun die Methode, die ich Ihnen zu demonstrieren hoffe, ist neu und bleibt eines der vielen, außerordentlich großen Verdienste des verstorbenen Professors Rehn in Frankfurt. Die erste Assistenz, wie gewohnt, Sie, Herr Oberarzt, die zweite Herr Glicker, und die dritte kommt an Herrn Schillerling, die Narkose könnten Sie übernehmen, der Herr Studiosus hier, einer von Ihren Kollegen, meine Herren, der schon ganz nett narkotisiert. Wir brauchen in solchen Fällen eine sehr ordentliche Narkose, wohlgemerkt: Überdrucknarkose, denn die Sache spielt sich doch innerhalb der Brusthöhle ab. Seit Jahren sind wir also nicht mehr wehrlos gegen Verletzungen des Herzens, seit Rehn können wir Stich- und sogar, wenn auch natürlich nur in den seltensten Fällen, Schußwunden des Herzens angehen; wir können alles Derartige angehen, vorausgesetzt, meine Herren, daß der Patient uns lebend auf den Tisch hier gebracht wird! Von fünf rechtzeitig operierten Fällen sind nicht weniger als drei geheilt. Zweifellos wäre auch seinerzeit der österreichische Erzherzog, der Thronfolger, nach seiner Herzverletzung in Sarajewo – nun, lassen wir dieses schmerzliche Kapitel! – Kochsalzapparat anheizen. Oberschwester, Nebennierenextrakt, Adrenalin, Lösung eins auf tausend, vorbereiten, ja, ich wollte nur sagen, es gibt Methoden gegen jede Art der Verletzung, nur gibt es noch keine Methoden gegen die Mörder. Man näht die Wunde, aber man heilt nicht das Herz. Pulskontrolle übernehme der Narkotiseur. Vergessen Sie nicht den Rippendilatator, überhaupt alle Knocheninstrumente. Die Indikationsstellung ist in solchen Fällen einfach, man geht an die Operation heran, sobald man die Patienten da hat. Die erste Hilfe ist entscheidend. Trotzdem keine Sekunde zu verlieren ist, wo haben Sie die Patientin, bringen Sie sie uns bald herein! Formalitäten und lange Schreibereien sind überflüssig, ich operiere auch ohne Einwilligung der in solchen Fällen oft benommenen Kranken oder ohne Einwilligung der Angehörigen, die keinen blauen Dunst haben, das ist egal, ran an den Feind, aber nur unter striktester Befolgung der Regeln der Keimfreiheit. Hier gibt es keinen Pardon, wir müssen und werden uns hier genau an die Regeln der Asepsis halten, denn wir stehen im Begriff, einen der empfindlichsten und allemal zu Eiterungen neigenden Teil des Körpers, nämlich die Brusthöhle und den Herzbeutel, zu öffnen. So, da ist sie. Vorwärts! Vorsicht! Zart!«

Der hochgewachsene, hellblonde, etwas leichtsinnige Student der Medizin, Friedrich von B., sah Hildegard Anneliese wieder, die in seiner jüngsten Vergangenheit eine große, wenn auch nicht immer erfreuliche Rolle gespielt hatte.

Die Instrumente wurden auf einigen elektrisch geheizten Öfchen ausgekocht. Dichter Dunst stieg von den Instrumentenkesselchen auf und verzog sich in dem amphitheatralischen Raum. Trotzdem es gegen Mittag ging, war der Hörsaal düster. »Licht!« sagte der General. Die Lampen, unmittelbar unter der Decke soffittenartig angebracht, zischten auf, und ein schattenloses, fast rein weißes Licht ergoß sich über den Operationstisch, den Professor und seine Helfer und über die untersten Sitzreihen der Hörer. Eine Uhr, deren Zifferblatt man bisher nur undeutlich gesehen hatte, zeigte jetzt 11 Uhr und nicht ganz zwei Minuten. Der General schwieg. Man hörte nur das Brodeln des Wassers, das silbrige Klirren der vom siedenden Wasser hin und her bewegten Instrumente und das raunende Atmen der Zuhörer.

Jetzt stöhnte die Selbstmörderin dumpf auf. Sie schrie nicht, sie hielt, wie es schien, den Atem zurück, da ihr jede Bewegung des Brustkastens Schmerzen verursachte. Die Studenten sahen vor sich unten in der Tiefe, von der Deckenlampe grell beleuchtet, das Gesicht von verwirrten, feuchten, dunkelblonden Haaren umgeben, quittengelb, die Oberlippe tief über die Unterlippe hinabgezogen, feucht. Die hellgrauen Augen waren zusammengekniffen, dann wieder aufgerissen, die Lider zitterten, und die Sterne der Augen wanderten ruhelos von einem Winkel des Auges zum anderen. Die Kleidung war am Oberkörper bereits mit der Schere durchschnitten, ein leichter Gazeschleier war über den Oberkörper gebreitet; an einer Stelle war er spitz abgehoben, und diese Stelle bewegte sich rhythmisch. Es herrschte Ruhe. Der General und die Assistenten hatten aufgehört, mit ihren Bürsten die Arme und Hände zu scheuern und blickten die Patientin an.

Es schien als wäre es tiefe Nacht. Stille. Bloß das Sausen des Wassers, das Brodeln des Instrumentenkessels, das Sausen des Lichts und das gedämpfte, bei jeder Ausatmung wiederholte Stöhnen.

Der General hatte der Oberschwester gewinkt. Diese entfernte sehr sanft, als fürchtete sie, ihrer Geschlechtsgenossin weh zu tun, den Gazeschleier mit einer sterilen Pinzette. Unter der linken Brust der Patientin sah man den Federhalter, er wippte mit jedem Herzschlag, als würde er von einer unsichtbaren Kraft zu einem Schattenstrich niedergedrückt, dann hob er sich wieder, als hätte er einen Haarstrich zu ziehen.

»Vor allem sehen Sie«, sagte der General, während er mit besonderer Intensität seine bereits krebsroten Arme von neuem mit der Bürste behandelte, »daß das Bewußtsein vollständig erhalten ist. Von dem in solchen Fällen nur zu verständlichen Schock abgesehen. Und keine Blutung. Die Blutung nach außen hat aufgehört. Sie wird wohl nur minimal gewesen sein.«

Er winkte den Studenten Friedrich von B. näher an die Leidende heran mit seinem muskulösen Männerarm, der im prallen Licht wie poliertes Metall glänzte.

»Vorwärts! Los! Narkose!«

Der Student zuckte die Achseln. Er zitterte vor Entsetzen am ganzen Körper und beherrschte sich nur unter Aufgebot aller Kräfte.

Zur Überdrucknarkose brauchte er einen besonderen Apparat, der längst hätte hier sein sollen. Aber er war wegen einer kleinen Reparatur in einen anderen Raum geschafft worden und jetzt, wo es auf jede Sekunde ankam, fehlte er, und niemand wagte es dem Chef zu sagen.

Große Trommeln aus Nickelblech mit Mänteln, Hauben, Tüchern, Handschuhen aus Gummi und Verbandmaterial wurden sehr schnell von den Schwestern geöffnet, weiße, viereckige Laken wurden von ihnen zu zweit herausgeholt, ausgebreitet, der Kranken untergelegt, wobei die Oberschwester mit äußerster Zartheit den Oberkörper des Mädchens aufrichtete. Der Unterkörper wurde dann mit Tüchern bedeckt, nur der Oberkörper und das mit jeder Sekunde fahler werdende Gesicht blieben frei. Die Hände wurden angeschnallt, über die Oberschenkel wurde ein breiter Gurt gezogen.

Neun Minuten waren an der Sanduhr abgelaufen. Aus dem siedenden Wasser wurden die knisternden großen Siebe mit den Instrumenten hervorgehoben. Dampf dunstete in gewaltigen Schwaden auf. Auf kleinen, fahrbaren Tischchen sonderte die Oberschwester mit flinken Bewegungen das metallene Gerät in systematisch geordnete Reihen, die gleichartigen Instrumente nebeneinander, die größeren nach rechts, die kleineren nach links. Scheren, gerade und gekrümmte, vierfingerige Haken, Knochenzangen, Gefäßklemmen, Pinzetten, Nadelhalter, Büchsen mit sichelförmigen Nadeln und solche mit geraden Nadeln, Seide und Catgutfäden auf gläserne Spulen aufgerollt, der Stärke nach geordnet.

Die Sanduhr war nahezu abgelaufen, der Student blickte sich im Saale um, und noch war der Narkoseapparat nicht da. Das Wasserrauschen verstummte jäh. »Jod!« sagte der Chirurg.

Jetzt erst, in der letzten Sekunde, rollte der Narkoseapparat herein, ein komplizierter Apparat. Die rostrote Bombe mit dem rostroten Hahn war die Sauerstoffbombe, die blaue Bombe mit dem blauen Hahn führte flüssige Luft und der grüne Hahn leitete den Narkosestoff zu. Blitzende Manometer, blanke, mit Flüssigkeit gefüllte Schaugläser zur Kontrolle jedes Atemzugs.

Der Student hielt, während dem Professor ein weißer Operationsmantel angezogen und ihm eine weiße Haube aufgestülpt wurde, dem jungen Mädchen die rötliche, dicht anschließende Gummimaske über Nase und Mund. Der Narkosestoff, mit Luft vermischt, rieselte durch ein durchsichtiges Glasgefäß in großen Perlen. »Tief atmen! Tief atmen!« sagte der Student mit tonloser Stimme zu dem Mädchen. Das Mädchen schüttelte stumm verbissen den Kopf. Sie stieß mit kraftlosen Bewegungen die Maske von sich fort, so gut sie es konnte. Die Maske kam ihr nach, aber das fahle Gesicht wand sich und suchte sich ihr zu entziehen. Sie riß den Mund auf, sie wollte schreien, sie wollte sich wehren. Sie wollte flüsternd bitten, sie spitzte den Mund. Aber kein Wort, nur immer das gleiche langgezogene, dumpfe Stöhnen entrang sich den völlig blutleeren, hautfarbenen Lippen.

»Jod!« wiederholte der General, während er Gummihandschuhe anzog. Metallisch bläuliches Braun bedeckte nun, mit einem breiten Stück Verbandstoff auf das Operationsfeld aufgetragen, die beiden Brüste, die Haut bis in die Gegend der Kehle nach oben, bis in die Nabelhöhe nach unten.

Mitten in dem braunen Feld wippte, aber müder schon, schneller und schwächer, wie kritzelnd, der Federstiel, getrieben vom ohnmächtig zitternden Herzen. Die bis jetzt noch deutliche Atmung wurde flacher. Die Augen waren nun weit geöffnet, sie irrten verzweifelt, aber klar, im großen Raume umher.

Unbegreiflich, daß ein so schwer verwundeter Mensch noch klar war, daß er wußte, was er tat, was er litt.

Schon zeigte sich bei dem General der eigentümliche, fast heitere, geradezu gelöste Ausdruck, der anzeigte, daß er den Gang der Operation mit allen möglichen Komplikationen bis in die Einzelheiten zu Ende überdacht hatte, so daß nur noch die technische Ausführung übrigblieb – aber warum war die Patientin noch wach? Ja, sie war fast lebhafter als vorher, und ihre Augen suchten und fanden endlich die Augen ihres früheren Geliebten.

Keine Sekunde zu verlieren, dachte der Student, es muß sein. Aber was sollte er ihr sagen, wie ihr alles begreiflich machen, wie sie zur Vernunft bringen, woran sie erinnern? Wer hat schuld? Wer macht es wieder gut? Zwei Minuten vor dem Tode? Elf Uhr, 12 Minuten.

»Und der Puls?« fragte der General.

Der Mediziner tastete an den schönen zarten Hals des Mädchens, dessen Konturen ihm vertraut waren aus lange versunkenen Zeiten. Er berührte weich mit den Spitzen des Zeige- und Mittelfingers die feuchte, weiche, lauwarme Haut.

»An der Halsschlagader nichts. Ich fühle an der Halsschlagader nichts.«

Aber das Mädchen hatte seine Hand gefühlt. Liebte sie ihn noch? Wollte sie wieder leben? Bereute sie? War sie noch die, die sie vor ein paar Minuten gewesen war?

Die Augenlider schlossen sich ihr mit einemmal, die langen Wimpern näherten sich und bildeten eine dichte, dunkelblonde, im prallen Licht fast messingfarbene Linie. Die Lippen öffneten sich zart. Man sah die milchweißen Zähne inmitten des blaß korallenroten Zahnfleisches. Sie atmete ihm entgegen, sie zog die

Ätherluft ein mit flachen, schnellen Atemzügen. Elf Uhr, 13 Minuten.

»Also dann los auf jeden Fall. Schläft sie? Nein, noch nicht? Egal. Leben Hauptsache. Narkose Nebensache. Krieg ist Krieg. Ran an den Feind. Kopf ganz tief lagern. Anämie des Gehirns vermeiden, Rückenmarkszentrum für Atmung und dergleichen vor allem versorgen, Halsmark. Das aus der Wunde ausfließende Blut drückt von außen auf das Herz und staut sich im Herzbeutel. Herztamponade nannte dies der geniale Ernst Bergmann. So, noch etwas tiefer, gut, genug.« Der Tisch hatte sich durch eine hydraulische Vorrichtung lautlos gesenkt. Der Student fühlte, wie der mit seidenweichen, feuchten Haaren bewachsene Kopf des Mädchens in seinen Schoß niedersank. Lebte sie noch? Litt sie? Sie stöhnte nicht mehr. Schlief sie? War sie wach? War sie tot?

»Also bitte!«

Aus einer kristallglänzenden Schale mit Alkohol hob der Oberarzt ein dünnes, wie eine Fischflosse weich geschweiftes Nickelmesserchen mit stählerner, bläulich funkelnder Schneide. Der General nahm es am oberen Ende, fast so wie ein Maler einen Pinsel und zeichnete mit der Schneide, als versuche er nur die Linienführung einer Arabeske, eine bogenförmige Linie, die auf der Mitte des Oberkörpers begann und die linke Brust an deren unterem Rande umkreiste. Die Linie war mit blassem hingehauchtem Rot gezogen. Kein richtiger Tropfen Blut. Die Assistenten faßten die Wundränder mit den Haken von rechts und links und zogen sie weit auseinander. Die Patientin stöhnte auf. Dann verstummte sie. Der Student gab Äther. Das Messer verschwand aus der Hand des Chirurgen, man sah nicht wie, und jetzt wechselten die Instrumente in seiner rechten Hand, große und kleine, scharfe und stumpfe, schneidende und lösende, zupackende und auslassende.

Die Hände des Chirurgen und die seiner Helfer staken in eng anliegenden, rötlichen Handschuhen aus dünnstem Gummi, die sich so dicht an die Finger anschmiegten, daß man die Konturen der Nägel hindurchtreten sah. Im Operationsfeld war nur die eine große langfingerige Hand des Generals mit ihren scheinbar lässigen und zufälligen, in Wirklichkeit aber genau präzisierten und methodischen Bewegungen sichtbar. Die anderen Hände waren mit dem Halten der Wundränder, mit dem Zureichen von Instrumenten oder Gazebäuschchen und mit allen möglichen unterstützenden Maßnahmen beschäftigt, die der General meist mit dem Blick dirigierte, nur die wichtigsten Kommandos mit seiner Stimme erteilend. Was er sagte, war mehr für die Hörer bestimmt, um ihnen den Gang seiner Operation verständlich zu machen.

»Sie sehen, es fließt fast kein Blut. Leider nicht. Der Blutdruck ist minimal. Vorsicht bei der Narkose. Lassen Sie sie lieber stöhnen, nur das Nötigste, nur daß sie uns nicht erwacht. Sie ist im Schock, wird kaum schmerzempfindlich sein. Hier, im Unterhautzellgewebe knisterte es, Luft dringt hervor, aus dem verletzten Brustraum hervorgepreßt. Was tun? Wir nehmen hier ein Stück des Brustbeins mit, hier klappen wir die Rippen auf. Wir machen ein Portal zum Herzen, eine Art Tür. Da müssen wir zwei, drei, ja gut vier Rippen durchtrennen unter Schonung der Knochenhaut, denn alles soll später wieder zusammenwachsen. Das geht ganz leicht. Wieder Luft. Beim Atmen saugt die Wunde Luft von außen ein. Nicht die Köpfe zu nahe daran! Kein Eiterkeim darf hinein. Geben Sie jetzt bei der Narkose mehr Druck! Nur eine Spur Äther und sehr viel Sauerstoff. Jetzt gehen wir an den Feind ran. Fassen das Selbstmordinstrument von außen mit einer Beißzange, halten Sie es einmal so fest. Und hier dringen wir ihm nach, das ist der Weg, den die Feder genommen hat, man sieht die Spuren von Tinte noch hier markiert. Jetzt mobilisieren wir es, drehen sie von außen ein wenig, gut! Ziehen Sie jetzt sachte daran, stärker, energischer, schön! Jetzt ist es raus. Gut, fort damit in die Sammlung. Richtiger Blödsinn, da nimmt der Mensch in der Verzweiflung, was er gerade bei der Hand hat. Und jetzt an die Rippen, paß mal auf, Rippenschere, ja, vorsichtig anlegen, erst den Finger darunter und jetzt drücke ich durch und jetzt kommt die nächste dran. Finger drunter und den ganzen Haut-Knochenlappen vorsichtig nach oben halten, ohne Gewalt. Ein, zwei, und noch eine, eins, zwei, zuck, zuck, los, aber nicht ausrutschen, ganz unverrückt den Lappen halten, verdammt noch mal, nur mit der Ruhe, so sachte, saachte, gut!«

Der Student von B. hielt seine Hand über den Mund des Mädchens, der Hauch des Atems war kaum zu spüren. »Maske nicht lüften! Überdruck muß bleiben. Sie atmet noch, fürchten Sie nur nichts, wir hier oben wissen es besser, wir sehen, wie die Lunge sich bläht, kontrollieren Sie die Narkose, wie es geht, so geht es. Achtung! Der Herzbeutel, hier! Vorwärts!

Scharfe Klemme. Klemme. Größere! Kleinere! Mittelgröße, passen Sie doch auf und drehen Sie das Ding ein wenig nach außen! Noch eine und noch eine und so weiter ohne langes Gerede! Hier ist die Wunde im Herzbeutel, zackig, zick-zack, so muß es hindurchgegangen sein, nicht ein einfacher Schnitt, selbstverständlich, denn der Herzbeutel hat sich im Augenblick der Verwundung gespannt, gedreht, wie bei jedem Herzschlag. Kropfsonde, wir wollen hinein, wir wollen tiefer und tiefer!«

Die Sonde, ein fingerartiges, längs geriefftes Instrument aus vernickeltem Stahl, schlüpfte glatt durch die Wunde in die blutige, dunkle Tiefe.

»So. Bitte halten Sie die Sonde unter. Darüber, bitte, jetzt die Schere, am besten eine gerade, ja und unten stützen, die Sonde genau unter die Schere halten. Ein Schnitt! So, gut. Und jetzt erst einmal klare Sicht! Alles voll Blutgerinnsel. Das muß fort! Wir räumen das aus. Leicht fortwischen, nicht am Herzbeutel reiben, das liebt er nicht. Jetzt haben wir klare Sicht, lange wird's nicht dauern, wir müssen die Wunde haben. Ohne Verzug! Gerade unter unsern Augen kann sie sein, muß aber nicht sein. Wo blutet es? Woher blutet es? Wie das schweißt! Tupfen Sie. Kopf weg, nur ich muß sehen, gehen Sie mir aus dem Weg! Tupfen Sie, nicht die Hand ran, nur mit der Pinzette tupfen, zarter, energisch, zart habe ich gesagt, zart und energisch zugleich und nicht reiben, nicht scheuern! Achtung! Noch! Bald wird's Tag! Wie ist es mit dem Puls? Ist was da? Nichts? Also dann Kochsalzlösung ran, soviel man schafft, Blut wäre besser, Bluttransfusion, dauert aber zu lange, wir müßten erst die Blutgruppe haben, dauert zu lange, in die große Ellbogenblutader Kochsalz hinein, soviel wie hineingeht, Lebensersatz, Blutillusion! Und einer der Herren stellt im Laboratorium die Blutgruppe fest, haben wir dann einen Blutspender da? Sie haben uns auch einmal Blut gegeben, Herr B., welche Blutgruppe haben Sie? Aufpassen, nur die nächsten hundert Sekunden! Ruhe! Los! Fixation des Herzens! Mit dem zappelnden Herzen kommen wir nie zurecht. Es muß festgehalten werden. Es muß heraus aus seinem Bau! Heraus, du Feigling! sage ich. Wir müssen es ganz festhalten und müssen es zugänglich haben, wenn wir es nähen wollen. Also Nähte her zur Fixation! Ja, so ein Faden ist das rechte. Dünne Seide, krumme Nadel, diese Größe wird recht sein, her damit, was soll das Getändel, nicht zu kurz einfädeln und gleich her mit dem Nadelhalter und Sie halten den Herzbeutel ab und Sie nehmen das Ende des Fadens auf, damit es nicht schleppt. Hier sehen Sie, steche ich in den seriösen Überzug des Herzens, linker Ventrikel, Spitze, ein, hier gleich wieder aus, jetzt haben wir eine Schlinge, die hält uns hier der Bruder da, und dasselbe noch einmal etwas weiter oben und etwas nach rechts zu und noch eine Schlinge nach der Seite zu, so sehen Sie, fasse ich die

Herzmuskulatur mit der Nadel, steche ein, ziehe durch, steche aus, Nadel fort, die Enden zusammen, und wir haben es geschafft. Den Faden angehängt und vorsichtig jetzt heraus mit dem Herzen aus der Höhle. Es blutet? Lassen Sie es bluten. Natürlich blutet es. Heben Sie an! Schneller, zarter, höher! Noch etwas vielleicht. Unverzagt, so zur Seite. An dieser Herzwand ist nichts. Da auch nichts. Also anders herum! Etwas heben bitte, und rechts herum! Unverrückt und wieder tupfen, ganz fein, ohne zu pressen. Halt! Halt! Hier ist es! Hier ist die Wunde! Finger in die Wunde, Sie Finger *an* die Wunde, sage ich. Halten Sie ganz zart die Wundränder zusammen, geben Sie mit der Hand dem Herzen nach, wenn es schlägt! So, gut. Aber wir möchten auch etwas sehen! Drücken Sie nicht. Genügt. Ist gut, ist recht. Also voran zur Herznaht! Diesselbe Seide wie vorher. Erste Naht, quer gefaßt. Wundrand links, Wundrand rechts, Faden heraus, Knoten geschürzt, Faden an Klemme angehängt und so gehalten. Stimmt. Die obersten Schichten fassend. Oberarzt, übernehmen Sie die Naht und halten Sie mir die Herzwand etwas entgegen, nein, etwas drehen nach rechts, und immer mitgehen mit den Bewegungen des Herzens. Gut. Zweite Naht. Zur Sicherheit etwas tiefer gefaßt. Rein, raus, Knoten geschürzt, langsam von beiden Seiten gleichmäßig zusammengezogen, und wieder angehängt. Die Blutung wird schwächer, aber noch ist es nicht genug! Regt sich etwas am Puls? Noch nicht? Und wie ist die Atmung? Elend? Nur mit der Ruhe. Weg mit der Hand. Dritte Naht. Gut ist. Blutung steht. Die Herzwunde ist geschlossen. Schere, die Fäden der drei Nähte abschneiden! Nicht zu kurz! Aber auch keinen Schwanz! Nein. Gut. Noch eine vierte? Nein, wird genügen. Laß sein. Die Naht ist solide genug, sie wird stehen auch dann, wenn der Blutdruck steigt und die Gefäße sich normaliter füllen. Puls? Nein? Kommt schon. Kommt schon! Lebt das Herz, lebt der Mensch. Sie sehen, der Herzmuskel erholt sich zusehends, die Schläge werden markanter, er zieht sich richtig zusammen und erschlafft richtig, nicht mehr das hysterische Gezitter und Geflimmer wie vorhin. Das war in extremis, kann man wohl sagen. So, geben Sie wacker Kochsalz in die Armvene, aber stören Sie uns hier oben nicht und kommen Sie uns mit dem Dreckzeug nicht zu nahe. Den Herzzügel nachlassen, die Fäden herausziehen, alles der Reihe nach. Sie sehen schon, wie der Herzmuskel an den drei Zügeln zerrt wie ein ungezogenes Füllen, er erstarkt uns unter der Hand. Gut, und der Puls? Kaum zu tasten. Wir werden schon helfen! Geben Sie uns jetzt das Adrenalin, wir schießen ihr die Spritze mit der Nebennierenlösung direkt ins Herz. Gut. Hat es. Nun?«

»Der Puls ist – da. Ich glaube.«

»Wir glauben es auch. Und die Atmung?«

Der Student sah in dem Schauglase des Narkoseapparats die Perlen der ausgeatmeten Luft silbrig in immer lebhafter werdendem Strom emporsteigen. »Geht gut«, sagte er.

»Jetzt Naht des Herzbeutels. Da nehmen wir Catgut. Am Herzen wagten wir es nicht. Seide ist sicherer. Aber der Herzbeutel hat nicht den gewaltigen Herzdruck auszuhalten. Wird gehen, wird sich machen. Jetzt die Rippen wieder zurück in die alte Lage, die Knochenhaut nähen wir mit ein paar Heftfäden in aller Eile. Ein Glasrohr unter die Haut. Hier, unten am tiefsten Ort. Muskel – Fascie-Schluß der Wunde, das ist: Hautnaht, feine Seide, nur ein paar Stiche. Narkose?«

»Lange schon fort.«

»Gut. Reinen Sauerstoff weiter, dreiundeinhalb Liter, vier Liter, für und für. Und Kampfer zur Sicherheit. Den Kopf auch oben im Krankenzimmer tief lagern. Die Bluttransfusion nur, wenn Bedarf. Eher ja als nein. Welche Blutgruppe? A? Und Sie, Herr B.?«

»Auch A.«

»Kann man gar nicht besser haben. Herr Oberarzt und Herr B. bleiben bei ihr. Wann haben wir begonnen?«

»Elf Uhr 13 Minuten.«

»Dauer der Operation: siebeneinhalb Minuten. Vor hundert Jahren konnte der Leibarzt Napoleons ein Bein in der gleichen Zeit in der Hüfte absetzen, mit Stumpf und Stiel, eingeschlossen Blutstillung, etc. Aber das waren andere Meister als wir. So, fassen Sie die Patientin recht vorsichtig an und heben Sie sie in das Bett, oder besser, lassen Sie mich das tun. So – so –. Sind Wärmflaschen da? Zudecken! Zudecken! Zudecken! Alles gut. Alles in Ordnung. Alles andere überlassen wir – dem Glück. Guten Morgen, meine Herren, guten Morgen.«

(1933)

ELIAS CANETTI

Der gute Vater

Die Wohnung des Hausbesorgers Benedikt Pfaff bestand aus einer mittelgroßen, dunklen Küche und einem kleinen, weißen Kabinett, in das man vom Hausflur aus zuerst gelangte. Ursprünglich schlief die Familie, die fünf Mitglieder zählte, im größeren Raum, Frau, Tochter und dreimal er selbst, er, der Polizeibeamte, er, der Ehemann, er, der Vater. Die Ehebetten waren, zu seiner häufigen Entrüstung, gleich groß. Dafür zwang er Tochter und Frau zusammen in einem zu schlafen, das andere gehörte ihm allein. Sich selbst legte er eine Roßhaarmatratze unter, nicht aus Verweichlichung, Langschläfer und Weiber haßte er, sondern aus Prinzip. Das Geld brachte *er* nach Hause. Die Reinigung sämtlicher Treppen oblag der Frau, das Aufsperren des Haustores, nachts, wenn jemand läutete, seit ihrem zehnten Lebensjahr der Tochter, damit sie die Feigheit verlerne. Was an Einnahmen für beiderlei Leistungen einging, behielt er, denn er war der Hausbesorger. Hie und da gestattete er ihnen, eine Kleinigkeit auswärts zu verdienen, durch Bedienung oder Waschen. So spürten sie wenigstens am eigenen Leib, wie hart ein Vater arbeiten muß, von dem die Familie lebt. Beim Essen nannte er sich einen Anhänger des Familienlebens, bei Nacht verhöhnte er die ältliche Frau. Sein Züchtigungsrecht übte er aus, sobald er aus dem Dienst kam. An der Tochter rieb er seine rothaarigen Fäuste mit wirklicher Liebe, von der Frau machte er weniger Gebrauch. Sein ganzes Geld ließ er zu Hause; es stimmte immer genau, auch ohne daß er nachzählte, denn als es einmal nicht gestimmt hatte, mußten Frau und Tochter auf der Straße übernachten. Alles in allem war er glücklich.

Damals wurde in dem weißen Kabinett gekocht, das auch als Küche gedacht war. Bei seinem anstrengenden Beruf, der unaufhörlichen Muskelbereitschaft, in der er die Tage und nachts seine Träume verbrachte, brauchte Benedikt Pfaff eine reichliche, nahrhafte, sorgfältige und servierte Kost. In dieser Hinsicht verstand er schon gar keinen Spaß, und wenn seine Frau es bis zu Prügeln brachte, so war sie selber schuld, was er bei der Tochter durchaus nicht behauptete. Mit den Jahren wuchs sein Hunger. Er fand das Kabinett für ein ausgiebiges Kochen zu klein und befahl die

Übersiedlung der Küche in das hintere Zimmer. Er stieß – ausnahmsweise – auf Widerstand, doch sein Wille war unüberwindlich. Seither hausten und schliefen alle drei im Kabinett, wo genau ein Bett Platz fand, und der größere Raum wurde fürs Kochen und Essen, fürs Prügeln und für die seltenen Besuche von Kollegen, denen es hier trotz dem reichlichen Essen nie geheuer war, reserviert. Bald nach dieser Veränderung starb die Frau, vor Überanstrengung. Sie kam der neuen Küche nicht nach; sie kochte dreimal soviel wie früher und magerte von Tag zu Tag ab. Sie schien sehr alt, man hielt sie für eine Siebzigerin. Die Wohnparteien, die den Hausbesorger fürchteten und haßten, bedauerten ihn doch in einem Punkt: sie fanden es grausam, daß der kraftstrotzende Mann mit seiner alten Frau leben müsse. In Wirklichkeit war sie um acht Jahre jünger als er und niemand wußte davon. Manchmal hatte sie sich so viel zum Kochen vorgenommen, daß sie längst nicht fertig war, als er heimkam. Oft wartete er volle fünf Minuten aufs Essen. Dann aber riß ihm die Geduld und er prügelte sie, noch bevor er satt war. Sie starb unter seinen Händen. Doch wäre sie in den nächsten Tagen bestimmt und von selbst eingegangen. Ein Mörder war er nicht. Auf dem Totenbett, das er ihr im größeren Raum bereitete, sah sie so krepiert aus, daß man sich vor den Kondolenzbesuchern schämte.

Am Tage nach der Beerdigung begann sein Wonnemond. Ungestörter als bisher verfuhr er mit der Tochter nach Belieben. Bevor er in den Dienst ging, sperrte er sie rückwärts ein, damit sie sich dem Kochen ausschließlicher hingebe. So freute sie sich auch, wenn er heimkam. »Was macht die Arrestantin?« brüllte er und drehte den Schlüssel im Schloß herum. Sie lachte übers bleiche Gesicht, weil sie jetzt für den nächsten Tag einkaufen ging. Das hatte er gern. Vor dem Einkaufen soll sie lachen, da erwischt sie besseres Fleisch. Ein schlechtes Stück Fleisch ist dasselbe wie ein Verbrechen. Blieb sie länger als eine halbe Stunde aus, so wurde er vor Hunger rabiat und trat sie bei ihrer Heimkehr mit Füßen. Da er davon nichts hatte, stieg seine Wut über den schlecht angetretenen Feierabend. Weinte sie sehr, so wurde er wieder gut und sein Programm nahm den normalen Verlauf. Lieber war es ihm, sie kam pünktlich. Von der halben Stunde stahl er ihr fünf Minuten. Kaum war sie weg, stellte er die Uhr um fünf Minuten vor, legte sie aufs Bett ins Kabinett und setzte sich in die neue Küche zum Herd, wo er an den Speisen roch, ohne einen Finger für sie zu rühren. Seine riesigen, dicken Ohren horchten auf den zerbrechlichen Schritt der Tochter. Sie ging unhörbar aus Angst, die halbe Stunde sei herum, und warf von der Tür einen verzweifelten Blick auf die Uhr. Manchmal gelang es ihr, sich ans Bett zu schleichen, trotz der Angst, die dieses Möbelstück ihr einflößte, und die Uhr mit raschem, scheuem Griff um mehrere Minuten zurückzustellen. Meist hatte er sie schon nach einem Schritt gehört, sie atmete zu laut, und überraschte sie auf halbem Wege, denn bis zum Bett waren es der Schritte zwei.

Sie versuchte an ihm vorbeizuschlüpfen und machte sich mit geschickter Hast am Herd zu schaffen. Sie dachte an einen schwächlichen, schmächtigen Verkäufer im Konsumverein, der ihr leiser ›Küß die Hand‹ sagte als den anderen Frauen und ihren schüchternen Blicken auswich. Um länger in einem Raum mit ihm zu stehen, ließ sie Frauen, die nach ihr an die Reihe kamen, unauffällig vor. Er war schwarz und schenkte ihr einmal, niemand stand mehr im Laden, eine Zigarette. Um diese wickelte sie ein rotes Seidenpapier, worauf sie mit beinahe unsichtbaren Buchstaben Datum und Stunde seiner Schenkung verzeichnete, und trug das leuchtende Päckchen an der einzigen Stelle ihres Körpers, um die sich der Vater nie bekümmerte, am Herzen unter der linken Brust. Vor Schlägen fürchtete sie sich mehr als vor Tritten: das lag sie beharrlich auf dem Bauch, der Zigarette geschah nichts; sonst griffen seine Fäuste überallhin, unter der Zigarette zitterte ihr Herz. Wenn er die zerdrückte, brachte sie sich um. Indessen hatte sie ihre Zigarette längst zu Staub geliebt, weil sie das Päckchen in den tagelangen Stunden ihrer Haft öffnete, besah, streichelte und küßte. Übrig blieb ein Häufchen Tabak, von dem nicht ein Stäubchen sich verlor.

Beim Essen dampfte der Mund des Vaters. Seine kauenden Kinnladen waren so unersättlich wie seine Arme. Sie stand, um seinen Teller rascher wieder zu füllen; der ihrige blieb leer. Auf einmal, fürchtete sie, wird er fragen, warum ich nichts esse. Seine Worte waren ihr noch schrecklicher als sein Treiben. Was er sprach, verstand sie erst, seit sie erwachsen war, sein Tun wirkte auf sie seit den ersten Augenblicken ihres Lebens. Ich hab' schon gegessen, Vater, wird sie antworten. Iß nur. Doch fragte er sie, in den langen Jahren ihrer Ehe, kein einziges Mal. Während er kaute, war er beschäftigt. Seine Augen hafteten am Teller, starr und verzückt. Mit der Abnahme des Haufens erlosch ihr Glanz. Seine Kaumuskeln ärgerten sich, man gab ihnen zu wenig Arbeit; sie drohten bald loszubrüllen. Wehe dem Teller, wenn er leer wurde! Das Messer hätte ihn zerschnitten, die Gabel durchbohrt, der Löffel zerschellt und die Stimme gesprengt. Aber dazu stand die

Tochter daneben. Sie beobachtete gespannt das Treiben auf seiner Stirn. Sobald zwischen den Brauen die erste Spur einer senkrechten Falte erschien, füllte sie nach, gleichgültig, wieviel noch auf dem Teller war. Denn je nach seiner Laune kündigte sich die Falte verschieden rasch an. Das hatte sie gelernt; anfangs, nach dem Tode der Mutter, machte sie es wie diese und richtete sich nach dem Teller. Da kam sie aber schlecht an, von einer Tochter verlangte er mehr. Bald kannte sie sich aus und las ihm die Launen von der Stirn ab. Es gab Tage, an denen er wortlos zu Ende aß. Wenn er fertig war, schmatzte er eine Weile weiter. Darauf horchte sie. Schmatzte er heftig und lang, so begann sie zu zittern, eine böse Nacht stand ihr bevor, und sie suchte ihn mit den zärtlichsten Worten zu einer weiten Portion zu überreden. Meist schmatzte er nur zufrieden und sagte:

»Der Mensch hat eine Leibesfrucht. Wer ist die Leibesfrucht? Die Arrestantin!«

Dabei wies er auf sie, statt des Zeigefingers verwandte er die geschlossene Faust. Ihre Lippen hatten ›die Arrestantin‹ lächelnd mitzuformen. Sie rückte weiter. Sein schwerer Stiefel schob sich ihr entgegen.

»Der Vater hat einen Anspruch...« »auf die Liebe seines Kindes.« Laut und gleichmäßig wie in der Schule ratschte sie seinen Satz zu Ende, doch war ihr sehr leise zumute.

»Zum Heiraten hat die Tochter...« – er streckte den Arm aus – »keine Zeit.«

»Das Futter gibt ihr...« »der gute Vater.«

»Die Männer wollen sie...« »gar nicht haben.«

»Was tut ein Mann mit dem...« »dummen Kind?«

»Jetzt wird sie der Vater gleich...« »verhaften.«

»Auf dem Vater seinem Schoß sitzt...« »die brave Tochter.«

»Ein Mensch ist müd von der...« »Polizei.«

»Wenn die Tochter nicht brav ist, bekommt sie...« »Schläge.«

»Der Vater weiß, warum er sie...« »schlägt.«

»Er tut der Tochter gar nicht...« »weh.«

»Dafür lernt sie, was sich beim...« »Vater gehört.«

Er hatte sie gepackt und auf seinen Schoß gezogen, mit der Rechten zwickte er sie in den Nacken, weil sie verhaftet war, mit der Linken stieß er sich die Rülpser aus dem Hals. Beides tat ihm wohl. Sie nahm ihren geringen Verstand zusammen, um seine Sätze richtig zu ergänzen und hütete sich zu weinen. Stundenlang liebkoste er sie. Er unterrichtete sie in selbst erfundenen Griffen, schob sie hin und her und bewies ihr, wie sie jeden Verbrecher durch einen saftigen Stoß in den Magen überwältigen könne, denn wem werde davon nicht schlecht?

Dieser Honigmond dauerte ein halbes Jahr. Eines Tages war der Vater pensioniert und ging nicht mehr in den Dienst. Er werde sich jetzt des Bettelunwesens im Hause annehmen. Das Guckloch in fünfzig Zentimeter Höhe war das Ergebnis mehrerer Tage Brütens. Bei den Proben wirkte die Tochter mit. Unzählige Male schritt sie vom Haustor bis zur Treppe und zurück. »Langsamer!« brüllte er, oder »Lauf!« Gleich darauf zwang er sie, in seine alten Hosen zu schlüpfen und ein männliches Subjekt zu spielen. Die Ohrfeigen, die er einem solchen zudachte, erhielt auch sie. Kaum hatte er durchs frisch gebohrte Guckloch seine eigenen Hosen erblickt, als er wütend aufsprang, die Tür aufriß und das Mädchen mit ein paar teuflischen Schlägen zu Boden streckte. »Denn«, entschuldigte er sich nachher bei ihr, als sei er ihr das erstemal zu nahe getreten, »das muß sein, weil du ein Element bist. Das Gesindel wird rasiert! Köpfen wär' gescheiter. Sie fallen zur Last. Das frißt sich in den Gefängnissen satt. Der Staat zahlt und darf bluten! Ich vertilge die Wanzen! Jetzt ist die Katze zu Hause. Die Mäuse gehören ins Loch! Ich bin der rote Kater. Ich freß sie tot! Ein Element muß das Zerquetschen spüren!«

Sie spürte es und freute sich auf ihre schöne Zukunft. Er wird sie nicht mehr einsperren, er wird ja zu Hause sein. Den ganzen Tag sieht er sie, beim Einkaufen darf sie länger wegbleiben, vierzig Minuten, fünfzig, eine ganze Stunde, nein, so lang nicht, sie geht in den Konsumverein, sie sucht sich die leeren Zeiten aus, sie muß sich für die Zigarette bedanken, vor drei Monaten und vier Tagen hat er sie ihr geschenkt, damals war sie aufgeregt, später standen soviel Leute drin, sie hat sich nie bedankt, was wird er sich von ihr denken, wenn er fragt, wie sie geschmeckt hat, sagt sie: gut, und der Vater hat sie ihr beinah weggenommen, er hat gesagt, es ist die feinste Sorte, die raucht er lieber selbst.

Zwar hat der Vater die Zigarette nie zu Gesicht bekommen; das macht nichts, sie will dem schwarzen Herrn Franz danken und ihm sagen, daß die Sorte fein war, der Vater kennt sich aus. Vielleicht bekommt sie wieder eine Zigarette. Die raucht sie gleich dort. Wenn jemand hereinkommt, dreht sie sich weg und wirft die Zigarette rasch über den Ladentisch. Er wird sie schon auslöschen, bevor ein Brand entsteht. Er ist geschickt. Im Sommer führt er die Filiale allein, da hat der Leiter Urlaub. Zwischen zwei und drei ist das Geschäft leer. Er muß aufpassen, daß ihn niemand sieht. Er hält ihr das Streichholz hin und die Zigarette brennt. Ich werd' Sie verbrennen, sagt sie, er fürchtet sich, so zart ist er, als Kind war er immer krank, sie weiß es. Sie sticht nach ihm, da hat sie ihn erwischt. Au, schreit er, meine Hand, das tut weh! Sie ruft: Aus Liebe, und rennt weg. In der Nacht kommt er sie entführen, der Vater schläft, es läutet, sie geht aufsperren. Sie nimmt das ganze Geld mit, übers Nachthemd wirft sie ihren eigenen Mantel, den sie nie tragen darf, nicht den alten des Vaters, da sieht sie wie eine Jungfrau aus, vor dem Haustor steht wer? Er. Eine Karosse mit vier schwarzen Rappen wartet. Er bietet ihr seine Hand. Mit der Linken hält er den Degen, er ist ein Kavalier und verbeugt sich. Er hat gebügelte Hosen an. »Ich bin gekommen«, sagt er. »Sie haben mich verbrannt. Ich bin der edle Ritter Franz.« Sie hat sich das immer gedacht. Für den Konsumverein war er zu schön, ein geheimer Ritter. Er bittet sie um die Erlaubnis, ihren Vater zu töten. Es geht um seine Ehre. »Nein, nein!« fleht sie, »er bringt Eure Hoheit um!« Er stößt sie beiseite, aus der Tasche reißt sie das viele Geld und hält es ihm hin, er blickte sie durchbohrend an, er will die Ehre. Auf einmal trennt er im Kabinett dem Vater das Haupt vom Rumpf. Sie weint vor Freude, wenn ihre arme Mutter das erlebt hätte, sie wär' heut noch am Leben. Herr Ritter Franz nimmt den roten Vaterkopf mit. Unterm Haustor sagt er: »Gnädiges Fräulein, heute haben Sie zum letztenmal aufgesperrt, ich entführe Sie heim.« Dann besteigt ihr kleiner Fuß die Karosse. Er hilft ihr hinauf. Sie darf drinnen sitzen, da ist viel Platz. »Sind Sie volljährig?« fragt er. »Zwanzig vorüber«, sagt sie, man sieht ihr die Zwanzig nicht an, sie war bis heut abend das Schoßkind ihres Vaters. (In Wirklichkeit ist sie sechzehn, wenn er nur nichts merkt.) Einen Mann will sie schon, damit sie von zu Hause wegkommt. Und der schöne schwarze Ritter steht mitten in der fahrenden Karosse auf und wirft sich ihr zu Füßen. Er heiratet sie, nur sie, sonst bricht ihm das tapfre Herz. Sie schämt sich und streichelt sein Haar, das ist schwarz. Er findet ihren Mantel schön. Sie wird ihn tragen bis zu ihrem Tod, er ist noch neu. »Wohin fahren wir?« fragt sie. Die Rappen stampfen und schnauben. Soviel Häuser gibt es in der Stadt. »Zur Mutter«, sagt er, »sie soll sich auch einmal freuen.« Auf dem Friedhof machen die Rappen halt, gleich vorn liegt die Mutter. Hier ist ihr Grabstein. Ritter Franz legt den Kopf des Vaters hin. Das ist sein Geschenk. »Hast du nichts für die Mutter?« fragt er, ach, wie sie sich schämt, wie sie sich schämt, er bringt ihrer Mutter was mit, und sie hat nichts. Da holt sie ein rotes Päckchen unterm Nachthemd heraus, eine Liebeszigarette liegt darin, und legt sie neben den roten Kopf. Die

Mutter freut sich über die glücklichen Kinder. Beide knien am Muttergrab nieder und bitten um ihren Segen.

Der Vater kniet vor seinem Guckloch, greift jeden Augenblick nach ihr, zerrt sie zu sich hinunter, hält ihren Kopf vor die Öffnung und fragt sie, ob sie was sieht. Von der langen Probe ist sie zerschlagen, der Hausflur flimmert vor ihrem Aug', auf alle Fälle sagt sie »ja«. »Was, ja!« brüllt der geköpfte Vater, er ist noch ganz lebendig. Heut nacht wird er staunen, wenn die Karosse vor der Tür steht. »Ja, ja!« Er äfft sie nach und verhöhnt sie. »Blind bist doch nicht. *Meine* Tochter blind! Jetzt frag' ich: Was siehst du?« So lange kniet sie, bis sie das Richtige findet. Er meint einen Fleck an der Mauer gegenüber.

Durch seine Erfindung lernt er die Welt neu sehen. An seinen Entdeckungen nimmt sie gezwungen teil. Sie hat zuwenig gelernt und weiß nichts. Bis er stirbt, so in vierzig Jahren, einmal stirbt der Mensch, fällt sie dem Staat zur Last. Dieses Verbrechen läßt er nicht auf sich sitzen. Sie muß was von der Polizei verstehen. So erklärt er ihr die Eigenschaften der Hausbewohner, macht sie auf die verschiedensten Röcke und Hosen aufmerksam und deren Bedeutung für die Kriminalität. Im Eifer seines Unterrichts läßt er zuweilen einen Bettler passieren und hält ihr dieses Opfer dann gehörig vor. Die Hausparteien, sagt er, sind bessere Menschen, aber Subjekte sind sie doch. Denn was geben sie ihm für den besonderen Schutz, den er dem Hause schenkt? Sie stecken die Früchte seines Schweißes ein. Statt sich zu bedanken, reden sie schlecht über ihn. Als ob er schon jemand umgebracht hätt'. Und warum arbeitet er umsonst? Er ist pensioniert und könnte herumliegen oder Weibern nachlaufen oder saufen gehn, er hat ein ganzes Leben gearbeitet und die Faulheit wäre jetzt sein gutes Recht. Aber er hat ein Gewissen. Erstens sagt er sich, besitzt er eine Tochter, für die er sorgen muß. Wer bringt das übers Herz, sie allein zu Hause zu lassen! Er bleibt bei ihr und sie bleibt bei ihm. Der gute Familienvater schließt das Kind an sein Herz. Ein halbes Jahr war sie immer allein, seit die Alte tot ist, er hat in den Dienst müssen, bei der Polizei ist das Leben streng. Zweitens zahlt ihm der Staat eine Pension. Der Staat *muß* sie zahlen, da gibt's keine Schwachheiten, und wenn alles zugrunde geht, die Pension zahlt er zuerst. *Ein* Mensch sagt sich: Ich hab' genug gearbeitet. Ein *anderer* ist dankbar für die Pension und arbeitet freiwillig. Das sind die besten Menschen! Sie fangen die Leut' ab, wo sie können, machen sie halb hin, weil ganz hin ist verboten, und der Staat hat weniger zu tun. Das nennt man eine Erleichterung, weil die Last von den Schultern genommen wird. Die Polizei muß zusammenhalten, die pensionierte auch, solche Gewissen dürfte man überhaupt nie pensionieren. Sie sind unersetzlich und sobald sie sterben, steht eine Lücke da.

Von Tag zu Tag lernte das Mädchen mehr. Sie mußte sich die Erfahrungen des Vaters einprägen und seinem Gedächtnis, falls es versagte, nachhelfen, denn wozu hat man eine Tochter, die den schönsten Teil der Pension verfrißt? Kam ein neuer Bettler, so hieß er sie rasch durchs Guckloch sehen und fragte sie nicht, ob sie den kenne, sondern: »Wann war der zum letztenmal da?« Fallen sind lehrreich, besonders für sie, die immer hereinfiel. War der Bettler erledigt, so wurde die genaue Strafe für ihre Nachlässigkeit festgesetzt und sofort exekutiert. Ohne die Prügelstrafe bringt es der Mensch zu nichts. Die Engländer sind ein kolossales Volk.

Nach und nach hatte Benedikt Pfaff seine Tochter so weit gebracht, daß sie ihn vertreten konnte. Von da ab nannte er sie Poli, was ein Ehrentitel war. Er drückte ihre Eignung zu seinem Berufe aus. Eigentlich hieß sie Anna; aber da ihm der Name nichts sagte, gebrauchte er ihn nie, er war ein Feind von Namen. Titel behagten ihm besser; auf solche, die er selbst verlieh, war er versessen. Mit der Mutter starb auch die Anna. Ein halbes Jahr lang hieß das Mädchen ›Du‹ oder ›die brave Tochter‹. Seit er sie zur Poli ernannt hatte, war er stolz auf sie. Die Weiber seien doch zu etwas gut, der Mann müsse es eben verstehen, lauter Polis aus ihnen zu machen.

Ihre neue Würde erforderte einen härteren Dienst. Den ganzen Tag saß oder kniete sie neben ihm auf dem Boden, bereit, ihn zu vertreten. Es kam vor, daß er auf Augenblicke verschwand; dann übernahm sie seinen Posten. Geriet ein Hausierer oder Bettler in ihr Blickfeld, so war es ihre Pflicht, den Betreffenden mit Gewalt oder List aufzuhalten, bis der Vater ihr das Scheißgefreß abnahm. Er beeilte sich sehr. Am liebsten machte er alles allein, es genügte ihm, wenn sie zusah. Seine Lebensweise erfüllte ihn immer mehr. Die Mahlzeiten verloren an Interesse für ihn, sein Hunger nahm ab. Nach einigen Monaten beschränkte sich die Bewegung und die Luft, die er sich machte, auf wenige Neulinge. Was da sonst noch bettelte, mied sein Haus wie die Hölle, sie wußten warum. Sein gefürchteter Magen, auf den er viel hielt, bescheidete sich. Die Kochzeit der Tochter wurde auf eine Stunde pro Tag festgesetzt. Der Aufenthalt im hinteren Raum war ihr nur so lange gestattet. Kartoffeln schälte sie an seiner Seite, neben ihm putzte sie das grüne Gemüse und während sie das Fleisch für sein Mittagessen weichschlug, klopfte er zum Vergnügen auf ihr herum. Sein Auge wußte nicht, was die Hand tat, es war starr und stier auf ein und aus gehende Beine gerichtet.

Fürs Einkaufen billigte er der Poli, da er nur halb soviel aß wie früher, eine Viertelstunde zu. Listig wie sie in der väterlichen Schule geworden war, verzichtete sie oft einen Tag auf den schwarzen Franz, blieb zu Hause und kassierte dann am nächsten zwei Viertelstunden ein. Allein traf sie den Ritter nie. Heimlich stammelte sie den Dank für die Zigarette. Vielleicht verstand er sie, er sah so rücksichtsvoll weg. Nachts blieb sie wach, wenn der Vater längst schlief. Doch er läutete nie, die Vorbereitungen dauerten so lang, ja, wenn sie ihn verbrannt hätte, da müßte er sich beeilen, immer drängten sich die Weiber im Konsumverein. Einmal wird sie, während er ihr den Zettel schreibt, rasch flüstern: »Danke, es muß keine Karosse sein, vergessen Sie den Degen nicht!«

Eines Tages standen die Weiber vor der Tür des Konsumvereins und redeten durcheinander. »Der Franz ist durchgebrannt!« »Schlechte Familie.« »Mit der vollen Kasse.« »Er hat einem nicht ins Gesicht können schauen.« »68 Schilling!« »Die Todesstrafe gehört wieder her!« »Mein Mann predigt das seit Jahren.« Zitternd stürzte sie in den Laden, der Leiter sagte gerade: »Die Polizei ist ihm auf der Spur.« Den Schaden trägt er, weil er ihn allein gelassen hat, vier Jahre steht der Schuft schon im Geschäft, wer hätte sich diesen Charakter gedacht, niemand hat was von seinen Plänen gemerkt, die Kasse war immer in Ordnung, vier Jahre, die Polizei hat eben telefoniert, bis um spätestens sechs sitzt er hinter Schloß und Riegel.

»Das ist nicht wahr!« rief Poli und begann plötzlich zu weinen. »Mein Vater ist selbst bei der Polizei!«

Man beachtete sie wenig, da man einen Geldverlust zu beklagen hatte. Sie lief weg und kam mit leerer Einkaufstasche nach Hause. Ohne den Vater zu begrüßen, sperrte sie sich in das Hinterzimmer ein. Er war beschäftigt und wartete eine Viertelstunde. Dann stand er auf und forderte sie heraus. Sie schwieg. »Poli!« brüllt er, »Poli!« Nichts rührte sich. Er versprach ihr Straflosigkeit, in der festen Absicht, sie dreiviertel tot zu prügeln, wenn sie muckste, auch ganz. Statt ihrer Antwort hörte er einen Fall. Zu seiner Wut sah er sich gezwungen, die eigene Tür aufzubrechen. »Im Namen des Gesetzes!« brüllte er, aus Gewohnheit. Das Mädchen lag stumm und regungslos vor dem Herd. Bevor er hinschlug, drehte er sie ein paarmal herum. Sie war ohnmächtig. Da erschrak er, sie war jung und er konnte sie gut leiden. Einige Male forderte er sie auf, zu sich zu kommen. Ihre Taubheit brachte ihn gegen seinen Willen auf. Immerhin wollte er an einer weniger empfindlichen Stelle beginnen. Als er diese suchte, fiel sein Blick auf die Einkaufstasche. Sie war leer. Jetzt wußte er alles. Sie hatte das Geld verloren. Er billigte ihre Angst. Für solche Späße war er nicht zu haben. Mit einer ganzen Zehnschillingnote hatte sie das Haus verlassen. Es wird doch nicht alles zum Teufel sein? Er durchsuchte sie gründlich. Zum erstenmal berührte er sie mit Fingern statt mit Fäusten. Er fand ein rotes Päckchen, das Zigarettenstaub enthielt. Er zerriß es und warf es in den Kehricht. Zuletzt öffnete er die Börse. Die Zehnschillingnote lag darin. Keine Ecke war abgefressen. Jetzt wußte er wieder nichts. Ratlos prügelte er sie ins Bewußtsein zurück. Als sie zu sich kam, schwitzte er, so vorsichtig hatte er geschlagen. Und dicke Tränen flossen ihm aus dem Mund.

»Poli!« brüllte er, »Poli, das Geld ist eh da!«

»Anna heiß' ich«, sagte sie kalt und streng.

Er wiederholte: »Poli!«, ihre Stimme berührte ihn nah, die flachen Hände ballten sich zu Fäusten, zärtliche Regungen überkamen ihn. »Was kriegt der gute Vater heut zu essen?« klagte er.

»Nichts.«

»Die Poli muß ihm was kochen.«

»Anna! Anna!« schrie das Mädchen.

Plötzlich schnellte sie hoch, gab ihm einen Stoß, der jeden anderen Vater umgeworfen hätte, auch er nahm ihn zur Kenntnis, lief ins Kabinett (die Verbindungstür war zersplittert, sie hätte ihn sonst eingesperrt), sprang, um größer zu werden als er, mit den Schuhen aufs Bett und schrie: »Dich kostet es den Kopf! Poli kommt von Polizei! Die Mutter kriegt deinen Kopf!«

Er verstand. Sie bedrohte ihn mit einer Anzeige. Seine Leibesfrucht wollte ihn verleumden. Für wen lebte er? Für wen war er ein solider Mensch geblieben? Da zog er an seinem Busen ein Schlangenelement heran. Sie gehörte aufs Schafott. *Er* richtete ihr die Erfindung ein, damit sie was lernt, jetzt, wo ihm die Welt und die Weiber offenstehen, *er* bleibt bei ihr, aus Erbarmen und weil er seelengut ist. Und *sie* will behaupten, daß er was Unrechtes tut! Das ist nicht seine Tochter! Die Alte hat ihn betrogen. Er war nicht dumm, wie er sie gezüchtigt hat. Ein Riecher war immer in seiner Nase. Sechzehn Jahre hat er sein Geld für eine falsche Tochter hinausgeworfen. Ein Haus kostet nicht mehr. Von Jahr zu Jahr wird die Menschheit schlechter. Bald wird man die Polizei abschaffen und die Verbrecher haben die Macht. Der Staat sagt: Ich zahl' die Pensionen nicht und die Welt geht unter! Der Mensch hat eine Natur. Der Verbrecher greift um sich und der Herrgott wird schauen!

Bis zum Herrgott verstieg er sich selten. Er hatte Respekt vor der allerhöchsten Stelle, die ihm zukam. Der Herrgott war mehr als ein Polizeipräsident. Um so mehr ergriff ihn die Gefahr, in der heute Gott selbst schwebte. Wohl nahm er seine Stieftochter vom Bett herunter und prügelte sie blutig. Aber eine rechte Freude spürte er nicht dabei. Er arbeitete mechanisch, was er sprach, war voller Wehmut und inniger Trauer. Seine Schläge widersprachen der Stimme. Zum Brüllen war ihm alle Lust vergangen. Irrtümlich erwähnte er einmal eine gewisse Poli. Seine Muskeln machten den Fehler sofort wieder gut. Der Name der Weibsperson, die er züchtigte, lautete auf Anna. Sie behauptete, mit einer Tochter von ihm identisch zu sein. Er schenkte ihr keinen Glauben. Die Haare fielen ihr aus und da sie sich wehrte, zerbrachen zwei Finger. Sie maulte von seinem Kopf wie ein ganz gemeiner Schlächter. Sie beschimpfte die Polizei. Man sah, wie die beste Erziehung gegen eine böse Anlage nicht aufkommt. Die Mutter war nichts wert. Sie war krank und arbeitsscheu. Er könnte jetzt die Tochter zur Mutter befördern, da gehörte sie hin. Aber er war nicht so. Er verzichtete und ging ins Gasthaus essen.

Von diesem Tag an waren sie sich nur noch Körper. Anna kochte und kaufte ein. Den Konsumverein mied sie. Sie wußte, daß der schwarze Franz eingesperrt war. Für sie hatte er gestohlen, aber er stellte sich ungeschickt an. Einem Ritter gelingt alles. Seit ihre Zigarette weg war, liebte sie ihn nicht mehr. Der Kopf des Vaters saß fester als je; seine Augen bettelten durchs Guckloch um Bettler. Sie bewies ihm ihre Verachtung, indem sie von der Existenz dieser Erfindung keine Notiz mehr nahm. Seine Schule schwänzte sie. Alle paar Tage floß ihm der Mund von neuen Beobachtungen über. Sie verrichtete ihre Arbeit, neben ihn gekauert, hörte still zu und schwieg. Das Guckloch interessierte sie nicht. Bot er ihr mit versöhnlicher Gebärde einen Blick, so schüttelte sie gleichgültig den Kopf. Mit den treuherzigen Gesprächen bei Tisch war es aus. Sie füllte ihren wie seinen Teller, setzte sich hin, aß, wenn auch wenig, und bediente ihn erst wieder, sobald sie sich selbst satt fühlte. Er behandelte sie genauso wie früher. Ihr Schrecken ging ihm ab. Er sagte sich unter seinen Schlägen, sie habe kein Gemüt mehr für ihn. Nach einigen Monaten kaufte er vier schöne Kanarienvögel. Drei waren Männchen; ihnen gegenüber hängte er das kleinere Bauer des Weibchens auf. Die drei sangen wie besessen. Auffällig lobte er sie. Sobald sie zu schlagen begannen, ließ er die

Klappe über sein Guckloch nieder, erhob sich und hörte sie stehend an. Seine Andacht erlaubte ihm nicht, am Schlusse der Werbung zu klatschen. Doch sagte er »Brav!« und wandte den bewundernden Blick von den Tierchen aufs Mädchen. Alles erhoffte er sich vom feurigen Werben der Kanarienmännchen. Auch ihr Schlag ging an Annas Ruhe spurlos vorüber.

Sie lebte noch mehrere Jahre als Dienstmädchen und Weib ihres Vaters. Er gedieh; seine Muskelkraft nahm eher zu als ab. Aber das wahre Glück war es nicht. Er sagte sich das täglich. Sogar beim Essen dachte er daran. Sie starb an der Schwindsucht, zur großen Verzweiflung der Kanarienvögel, die nur von ihr das Futter nahmen. Sie überstanden das Unglück. Benedikt Pfaff verkaufte die Küchenmöbel und ließ das Hinterzimmer zumauern. Vor den frischen, weißen Kalkbewurf stellte er einen Kasten. Er aß nie mehr zu Hause. Im Kabinett blieb er auf seinem Posten. Jede Erinnerung an den leeren Raum daneben mied er. Da drinnen vor dem Herd hatte er das Gemüt seiner Tochter verloren, er wußte noch heute nicht warum.

(1935)

FRANZ WERFEL

Par l'amour

Bertrand, ein Junggeselle, fuhr jeden Morgen zwischen zehn und elf von der verträumten Station Le Vesinet mit dem Vorortszug zum Bahnhof St. Lazare. Er fuhr in ›sein‹ Ministerium, wo er wie so mancher seiner literarischen Kollegen eine Sinekure innehatte; ein erstaunliches Fremdwort übrigens, dieses Ohnesorg, das aus dem Sprachschatz des glücklichen Frankreich noch immer nicht geschwunden ist. Bertrand pflegte sich während der täglichen Fahrzeiten gewöhnlich in seine Zeitung zu vertiefen, wobei ›vertiefen‹ einen übertriebenen Ausdruck für oberflächlich schläfriges Zeilenschlucken und Sogleich-Vergessen bedeutet. Der Junggeselle nämlich gehörte zu jenen Auserwählten und Unverwundbaren, denen die Zeit und die Zeitung nicht weh tun konnten, es sei denn durch allfällig unfreundliche Anmerkungen über eines seiner Geistesprodukte.

Auch heute, an einem blendenden Maitag, oberflächlich in die Zeitung vertieft, nahm Bertrand seine Umgebung ebensowenig zur Kenntnis wie sonst. So geschah es, daß er lange Zeit die herzbewegende Erscheinung gar nicht bemerkte, die auf einer der flüchtigen Haltestellen eingestiegen war und ihm gegenüber Platz genommen hatte. Als seine Augen dann plötzlich diese Erscheinung umfaßten, tat ihnen sogleich das Blick-Versäumnis der wenigen Minuten bitter leid. Es war eine Frau, nein, ein Mädchen, dem Anschein nach äußerst jung. Die überzarte Gestalt in eine Art Trauer oder Halbtrauer gekleidet, stach gegen die übrige leicht geschürzte Weiblichkeit ringsum ab, deren sommerlich nackte Arme und Waden das starke Tageslicht in dem Eisenbahnwagen durch ihr fröhliches Fleischeslicht zu vervielfältigen schien. Bertrands Gegenüber saß ganz regungslos da, von seiner Umgebung nicht nur durch das bißchen Zwischenraum getrennt, sondern durch ganze Zeitläufte, als der holde Revenant, als das reizende Gespenst irgendeines vergangenen Jahrzehnts, von den schwarzen Lackschuhen unten bis zum punktierten Hutschleier oben. Das Ensemble erweckte jedoch den Eindruck eines besonderen modischen Raffinements. Dieses wundersame Mädchenbild hielt den Kopf gesenkt. Bertrand konnte nichts vom Gesicht sehen. Der punktierte Hutschleier, der die geahnte Helligkeit des Antlitzes umkränzte, zitterte in der Vibration der Fahrt. Hie und da verriet er eine Locke braunen Haares. Die Schöne hielt den Kopf deshalb tief gesenkt, weil sie las und vermutlich ein wenig kurzsichtig war. Was sie las, schien in merkwürdiger Weise ihrem Kleid und Wesen angepaßt zu sein. Es war ein Romanheft, Großquart, doppelspaltig gedruckt. Bertrand wunderte sich darüber, daß dergleichen vergilbtes Lesefutter mit blaß bewegten Illustrationen mitten im Text noch immer verkauft werde, nicht anders wie in seiner Jugendzeit. Er bemühte sich, den Titel der Geschichte zu entziffern, die das Mädchen gegenüber so völlig gefangenhielt, daß es wie in einer Wolke von seliger Abwesenheit anwesend war. Doch es gelang ihm erst, als die Lesende, die letzten Zeilen der Spalte genießend, mit ihren matt leuchtenden Fingern im schwarzen Netzhandschuh das Blatt zögernd umwandte, als könne sie sich wie von dem gelesenen Leben nicht trennen.

Wie ein lichter Widerschein spiegelten sich die emsigen Zeilen des wahrscheinlich recht trüben ›Par l'amour‹ auf dem unsichtbaren Gesicht des Mädchens. Bertrand fühlte diesen Widerschein. Es war, als ob die verschiedenen Schattengrade eines bilderraschen Films über eine verborgene Leinwand liefen und man gewahre nichts andres als das Heller- und Dunklerwerden zwischen Reflektor und Bild: Vereinigungen und Abschiede, Küsse und Schüsse, Fluchten und Rettungen, und all das durch den gierigen Zeitraffer des lesenden Auges wunderbar beschleunigt. Ohne es zu sehen, sah Bertrand dieses ungeduldige Auge, wie es atemlos die Zeilen entlangwanderte, so innig, ja so inbrünstig, daß der ausgelesene, der abgeerntete Teil der Seite hinterher grau wurde und zu erlöschen schien. Mehr als die zeitfremde Schönheit, als die unbewußte Anmut der Erscheinung entzückte ihn dieses ganz und gar verlorene Lesen, diese bedingungslos saugende Kraft der Hingabe an ein Fantasiewerk in antiquiertem Format, von dem er selbst gewiß nicht zwanzig Zeilen würde herabwürgen können. Doch, was auch immer ›Par l'amour‹ erzählen mochte, erst heute, erst angesichts des Mädchens mit dem Romanheft, hatte Bertrand das leibhaftige Wunder des Lesens kennengelernt.

Der Junggeselle war vor wenigen Tagen vierundvierzig Jahre alt geworden. Mehr denn je den Abenteuern des Auges verfallen, und nicht nur denen des Auges, hatte sich in letzter Zeit eine neue schwermütige Ungeduld in sein Herz eingeschlichen. Wie lange noch wird der kleine Tod, der Tod im Tode auf sich warten lassen? Dieser ›kleine Tod‹ – ein halbwüchsiger, aber echtbürtiger Ver-

wandter des großen Todes – das war für Bertrand der gefürchtete
Augenblick, in welchem das Gegen-Lächeln der Frau aufhören
und ihr Auge ihn keiner Antwort mehr würdig finden würde.
Beim Anblick der leidenschaftlich Lesenden bedrängte ihn aber
nicht diese neue Unsicherheit des Endes, sondern die alte Unsicherheit des Anfangs, die fiebrische Scheu des Knaben, die er doch
schon in undenklicher Vergangenheit verloren zu haben glaubte.
Unterm Anhauch dieses errötenden Gefühls kannte er sich selbst
nicht mehr. Verlegen drückte er seinen Körper, der ihm plötzlich
unbequem war, in die Ecke, um der unberührten Erscheinung
nicht zu nah zu kommen. Sein ängstlich stockender Blick streichelte den punktierten Hutschleier, die geahnte Helligkeit des Gesichts, den langen untadligen Hals, dessen gelbliches Elfenbein in
den gleichfarbigen Spitzenkragen verfloß, die kindhafte Wölbung
der Brüste unter dem glänzenden Seidenschwarz; er tastete sich
weiter bis zu den matt leuchtenden Händen in Netzhandschuhen,
die den Roman ›Par l'amour‹ festhielten, und er gab seine Pilger-
fahrt nicht auf, bevor er die feinen Füße in Trauerstrümpfen aus
halbgeschlossenen Lidern geliebkost hatte, blinzelnd, als tue er
etwas Unerlaubtes.

Bertrand besaß keine Einbildungskraft, die sonst leicht in Gang
zu bringen war. An seinen Büchern arbeitete er sehr schwer. Man
wußte, daß er weit eher ein skrupelhafter Meister der Konstruktion
war als ein gesegneter Jünger der Eingebung und Fantasie. Ein
bohrender Trieb zur Rechenschaft stellte sich ihm wieder in den
Weg. Jetzt aber, während der Zug über die boots- und wimpelbun-
te Seine rauschte und das leise Parfüm seines Gegenübers ihn wie
ein verstohlener, aber unabweisbarer Bote anrührte, verließ, anrührte – jetzt überfiel Träumerei ohne Rechenschaft diesen kriti-
schen Geist. Konnte das Mädchen da, das er noch vor fünf Minuten
nicht gesehen hatte, diese zeitfremde Lieblichkeit inmitten offen
dargebotenen Weiberfleisches, diese in einen altertümlichen Roman Verlorene und Eingepuppte, konnte sie nicht die große
Wunder-Chance sein, vom Schicksal im letzten Augenblick ihm
zugesprochen, im Frühling vierundvierzig seines sich neigenden
Lebens?

Überflüssige Frage. Sie ist diese Chance. Seit gestern sind sie
verheiratet und nun auf der Reise in ihre ersten Ferien. Er wundert
sich nicht besonders, daß zwischen Jetzt und Jetzt das Jahr seiner
Werbung liegt, so inständig, so heiß, wie er sich's selbst nie
zugetraut hätte. Sie liest leidenschaftlich wie sie damals gelesen
hatte, als sie einander im Zuge nach St. Lazare das erste Mal

begegneten. Liest sie vielleicht jetzt eines seiner Bücher? Nein, nein! Sie soll durch keinen seiner gebosselten Sätze verwirrt werden. Hingegen hat er einen ganzen Nachmittag damit verbracht, auf dem rechten Seine-Ufer einen großen Stoß von mumifizierten Romanheften aufzutreiben, die den Vorzug haben, ›Par l'amour‹ zu gleichen. Und nun ist sie wieder verloren und verpuppt – zum Glück nicht in seine mühselig um die Wahrheit kämpfenden Stilkünste, sondern in diese spannend sentimentale Liebesgeschichte, die ihr unsichtbares Antlitz noch immer wie mit einer fernen Glut anhaucht. Bertrand erwägt ernsthaft, ob er das in sich überwinden könnte, was man ›literarisches Niveau‹ nennt, dieses sonderbare Geflecht aus Hochmut, Ehrfurcht, Snobismus, Wahrheitsdrang, Wirklichkeitsscheu und Resignation. Freilich, zu solcher kühnen Hoffnung versteigt er sich nicht, für seine Frau jemals ein ›Par l'amour‹ schreiben zu können. Doch vielleicht werden sie einander auf halbem Wege entgegenkommen dürfen, er als Schreibender und sie als Lesende. Bertrand rührt sich nicht, schließt die Augen. Er ist entschlossen, sein junges Weib nicht zu stören, und sollte es bis zum Ziel der Fahrt vom Hefte nicht aufschauen. Ist es nicht mehr als genug, dem späten Wunder so nahe zu sein, dieser unglaubhaften Erfüllung eines zerfahrenen und vergeudeten Junggesellenlebens? Er wird diesmal das eigenlebendige Bild der Frau vor sich selbst verteidigen, vor seiner männlichen Rücksichtslosigkeit, Gier, Sättigung und Fluchtbereitschaft. Demütig wird er mit geschlossenen Augen und mit geschlossenem Egoismus das Gottesgeschenk ihrer Existenz genießen, das mit ihm verbunden ist in seltsam luftiger Weise und doch ganz und gar. Deshalb hat er sie ja in edelster Selbstüberwindung bis zu dieser Stunde noch nicht berührt, nicht einmal mit dem Ferngefühl der Spitze seines Mittelfingers. Deshalb winkt er unausgesetzt begütigend seinen aufgeputschten Sinnen ab, die hinter den Gitterstäben seiner selbst meutern. Die Lesende soll nicht vorzeitig seine Geliebte sein, nicht einmal in der Vergewaltigung durch den Gedanken. Im Frühjahr vierundvierzig hat man es endlich, es war auch höchste Zeit, zur Meisterschaft der Liebesgeduld gebracht. Man hat sich ohne einen Schatten von Ironie oder Kritik dem Sippengesetz einer Familie unterworfen, deren labyrinthische Strengbürgerlichkeit in unserm Zeitalter stehn geblieben ist wie das kühle, ein wenig schon verschollene Haus, in dem sie wohnt. Statt des verstorbenen Vaters nimmt dessen vergrößerte Fotografie den leeren Ehrenplatz an der Familientafel ein. Die Argusaugen von zwanzig Onkeln und Tanten haben

Bertrand aufs Korn genommen und allerlei Hausgeistern hat er Prüfungsfragen aus dem vorigen Jahrhundert beantworten müssen, ehe man die Braut mit ihm ziehen ließ. Zuletzt wurde noch ein Hundertjähriger hereingeschoben, der älteste des Geschlechtes, der das Ehrenbändchen an seinem Krankenhemde trug. Er gab unter vielen Vorbehalten seinen miselsüchtigen Segen, der eher wie eine Verstoßungsformel klang.

Bertrand denkt sich dies alles nicht aus. Die Kraft seiner durch die dichte Nähe der Lesenden aufgewirbelten Träumerei ist so neuartig, so tief, daß keine richtigen Bilder seinen Geist durchziehen – das wäre nichts Besonderes –, vielmehr die beinahe schon bildlose Erinnerung an Bilder, an durchlebte Szenen, überwundene Schwierigkeiten, an lange Spaziergänge, Gespräche, Bekenntnisse – der füllige, duftende Nachklang dessen, was sich niemals begeben hat, nicht einmal im Traum des Träumers. Es ist ungefähr ähnlich, als wenn einen alten Bergsteiger bei bloßer Nennung eines Gipfelnamens die atemlose Erschöpfung des vollendeten Aufstiegs befiele.

Wahrhaftig, Bertrand spürte Herzklopfen. Der rebellierende Liebeswunsch in ihm hatte sich der Lesenden schon so tief eingelassen, daß er erschrak. Es wäre geradezu schmachvoll gewesen, so zu tun, als habe sich nichts ereignet. Schon bestand eine heimliche Pflicht, die ihn mit der ahnungslosen Geliebten verband. Die große letzte Chance: War nicht die überraschende Heftigkeit seines Gefühls der Ruf des Schicksals selbst? Er durfte sich beim Aussteigen nicht einfach wegstehlen wie ein banaler Liebesschwindler und die große letzte Chance seines Lebens verpassen.

Bertrand begann zu erwägen, wie er am feinsten und natürlichsten sich dem Mädchen nähern könnte. Ein Schweißtropfen trat auf seine Stirn. Trotz seines abenteuerreichen Lebens kostete es ihm schwere Selbstüberwindung, eine Frau anzusprechen. Er drehte den Kopf von der noch immer inbrünstig Lesenden zum Fenster ab. An einer trostlosen Mauer lief in großen schwarzen Lettern die Aufschrift: ›7 km bis zum Bahnhof St. Lazare.‹ Noch zehn Minuten. Ein Wort vielleicht über ›Par l'amour‹, ein lächelndes Wort über dieses Zauberwerk, welches so herrlich zu bannen versteht, daß man nichts hört und sieht und fühlt, auch nicht die Blicke der Bewunderung. Das mit den ›Blicken der Bewunderung‹ unterbleibt besser, beschloß das literarische Niveau in Bertrand, das sich nicht geschlagen gab. Seltsam gequält starrte er auf die verrauchten Feuermauern der Häuser, auf die häßliche Hinterseite von Paris. Plötzlich fiel ihm ein: Ich habe ihr Gesicht noch gar nicht gesehen. Und er wunderte sich sehr darüber, daß er dieses Gesicht, das er noch nicht gesehen hatte, schon so lange in sich trug und hegte und liebte.

Langsam wandte Bertrand seinen Blick. Die Lesende hatte zu lesen aufgehört. Das Heft mit ›Par l'amour‹ lag verbraucht, ausgesogen, erschlafft in ihrem Schoß. Das Gesicht, das er noch nicht gesehen hatte, sah ihn an, sehr aufmerksam, sehr offen. Es war ein junges Gesicht, wenn auch nicht achtzehnjährig, wie er geträumt hatte, so doch auch nicht mehr als fünfundzwanzig Jahre alt. Es war ein recht schönes Gesicht, wenn auch nicht die Schönheit, die Bertrand in seinem Gemüt gehegt hatte, ohne an ihr zu zweifeln. Und doch, seine Hände waren kalt von schwer beschreiblicher Ernüchterung. Wäre dieses Gesicht durch ein Feuermal entstellt gewesen, oder häßlich, oder auch nur mittelmäßig hübsch, der Junggeselle hätte die süße Liebesfantasie dieses Maitages zwischen Le Vesinet und Saint Lazare sofort vergessen und sich wieder oberflächlich in die Zeitung vertieft. Wäre dieses Gesicht dirnenhaft gewesen, der Junggeselle hätte, durch den nicht gerade originellen Widerspruch zwischen Lastermund und Trauerkleidung aufgereizt, ein praktisches Abenteuer in die Wege geleitet. Dieses Gesicht war aber weder mittelmäßig hübsch, noch auch lasterhaft. Es wurde von sehr dunklen, leuchtenden Augen beherrscht. Die Augen in diesem jungen Gesicht aber, sosehr sie auch leuchteten, waren böse und alt. Und sie waren (warum?) strafend auf Bertrand gerichtet. Er hielt ihren Blick aus, obgleich furchtsames Unbehagen ihn erfüllte. Schnellten die Augen dieser Frau das endgültige Urteil gegen ihn ab? War er anstatt der späten Chance seines Lebens dem ›kleinen Tode‹ in dieser tückisch Lesenden unversehens begegnet, ja, wirklich unversehens? Nein, eine andre Feindschaft traf ihn aus diesen dunklen Augen, die ätzten und stachen. In seiner Träumerei hatte er eines hellsüchtig herausgefühlt: den Widerwillen der Sippe, die sich in dem Mädchen verkörperte, gegen seinesgleichen. Bourgeoise Wespennatur, dachte er, voll berechnender Gewöhnlichkeit und gekränkter Selbstverkapselung. Selbst die ätherische Gestalt, vor zwei Sekunden herzbewegend, nahm plötzlich eine andere Bedeutung an. Sie war durchsichtig und feingliedrig, doch so wie Insekten es sind. Und diese Blicke waren wahrhaftig Insektenstiche mit Widerhaken. Das ganze Gift, das sie aus der sentimentalen Süßigkeit von ›Par l'amour‹ gesogen hatten, spritzten sie nun gegen ihn, den Gegner erkennend. Sie verteidigten ›Par l'amour‹ gegen seinen

Hochmut. Zwischen ihm und ›Par l'amour‹ war beim besten Willen kein Bund zu flechten. Der unbegreifliche Haß einer trauerbekleideten Abgeschlossenheit ballte sich in diesen unnachgiebigen Blicken zusammen, ein Haß, an dem die vielen Toten des Clans beteiligt waren, für die man jahraus, jahrein in Schwarz ging. Die strafenden Augen wandten sich von Bertrand nicht ab. Er hätte sich geschämt, ihnen zu weichen, und so hielt er mit einem mageren und hilflosen Lächeln stand. Es war eine vollkommene Niederlage. Ohne Zweifel hatte sich Bertrands zarte Liebes- und Ehefantasie in der Seele der Lesenden abgespiegelt und ihren höhnischen Widerstand hervorgerufen. Denn nicht nur in, sondern auch zwischen den Menschen geht zehntausendmal mehr vor als sie erahnen dürfen. Die großen dunklen Augen schonten den Durchschauten noch immer nicht. Sie erhoben die Anklage als alte Bekannte vor denen kein dunkler Winkel sicher ist. Sie nahmen nicht nur Rache an Bertrands eigensüchtiger Träumerei, sie gaben ihm plötzlich die ganze Zweifelhaftigkeit seiner Natur schmerzlich zu spüren.

Als einige Minuten später die liebliche Gestalt in gemilderter Trauer mitten im Gedränge des Bahnhofs Saint Lazare verschwunden war, dachte Bertrand: Ich habe mich verliebt, habe geheiratet, habe eine Ehe geführt und schließlich einen langwierigen Scheidungsprozeß verloren. Und während er die Treppe zur Metro hinabstieg, nahm es ihn wunder, daß er sich ausgesprochen erleichtert fühlte.

(1938)

BERTOLT BRECHT

Die unwürdige Greisin

Meine Großmutter war zweiundsiebzig Jahre alt, als mein Großvater starb. Er hatte eine kleine Lithographenanstalt in einem badischen Städtchen und arbeitete darin mit zwei, drei Gehilfen bis zu seinem Tod. Meine Großmutter besorgte ohne Magd den Haushalt, betreute das alte, wacklige Haus und kochte für die Mannsleute und Kinder.

Sie war eine kleine magere Frau mit lebhaften Eidechsenaugen, aber langsamer Sprechweise. Mit recht kärglichen Mitteln hatte sie fünf Kinder großgezogen – von den sieben, die sie geboren hatte. Davon war sie mit den Jahren kleiner geworden.

Von den Kindern gingen die zwei Mädchen nach Amerika, und zwei der Söhne zogen ebenfalls weg. Nur der Jüngste, der eine schwache Gesundheit hatte, blieb im Städtchen. Er wurde Buchdrucker und legte sich eine viel zu große Familie zu.

So war sie allein im Haus, als mein Großvater gestorben war.

Die Kinder schrieben sich Briefe über das Problem, was mit ihr zu geschehen hätte. Einer konnte ihr bei sich ein Heim anbieten, und der Buchdrucker wollte mit den Seinen zu ihr ins Haus ziehen. Aber die Greisin verhielt sich abweisend zu den Vorschlägen und wollte nur von jedem ihrer Kinder, das dazu imstande war, eine kleine geldliche Unterstützung annehmen. Die Lithographenanstalt, längst veraltet, brachte fast nichts beim Verkauf, und es waren auch Schulden da.

Die Kinder schrieben ihr, sie könne doch nicht ganz allein leben, aber als sie darauf überhaupt nicht einging, gaben sie nach und schickten ihr monatlich ein bißchen Geld. Schließlich, dachten sie, war ja der Buchdrucker im Städtchen geblieben.

Der Buchdrucker übernahm es auch, seinen Geschwistern mitunter über die Mutter zu berichten. Seine Briefe an meinen Vater und was dieser bei einem Besuch und nach dem Begräbnis meiner Großmutter zwei Jahre später erfuhr, geben mir ein Bild von dem, was in diesen zwei Jahren geschah.

Es scheint, daß der Buchdrucker von Anfang an enttäuscht war, daß meine Großmutter sich weigerte, ihn in das ziemlich große und nun leerstehende Haus aufzunehmen. Er wohnte mit vier

Kindern in drei Zimmern. Aber die Greisin hielt überhaupt nur eine sehr lose Verbindung mit ihm aufrecht. Sie lud die Kinder jeden Sonntagnachmittag zum Kaffee, das war eigentlich alles.

Sie besuchte ihren Sohn ein- oder zweimal in einem Vierteljahr und half der Schwiegertochter beim Beereneinkochen. Die junge Frau entnahm einigen ihrer Äußerungen, daß es ihr in der kleinen Wohnung des Buchdruckers zu eng war. Dieser konnte sich nicht enthalten, in seinem Bericht darüber ein Ausrufezeichen anzubringen.

Auf eine schriftliche Anfrage meines Vaters, was die alte Frau denn jetzt so mache, antwortete er ziemlich kurz, sie besuche das Kino.

Man muß verstehen, daß das nichts Gewöhnliches war, jedenfalls nicht in den Augen ihrer Kinder. Das Kino war vor dreißig Jahren noch nicht, was es heute ist. Es handelte sich um elende, schlecht gelüftete Lokale, oft in alten Kegelbahnen eingerichtet, mit schreienden Plakaten vor dem Eingang, auf denen Morde und Tragödien der Leidenschaft angezeigt waren. Eigentlich gingen nur Halbwüchsige hin oder, des Dunkels wegen, Liebespaare. Eine einzelne alte Frau mußte dort sicher auffallen.

Und so war noch eine andere Seite dieses Kinobesuches zu bedenken. Der Eintritt war gewiß billig, da aber das Vergnügen ungefähr unter den Schleckereien rangierte, bedeutete es ›hinausgeworfenes Geld‹. Und Geld hinauszuwerfen, war nicht respektabel.

Dazu kam, daß meine Großmutter nicht nur mit ihrem Sohn am Ort keinen regelmäßigen Verkehr pflegte, sondern auch sonst niemanden von ihren Bekannten besuchte oder einlud. Sie ging niemals zu den Kaffeegesellschaften des Städtchens. Dafür besuchte sie häufig die Werkstatt eines Flickschusters in einem armen und sogar etwas verrufenen Gäßchen, in der, besonders nachmittags, allerlei nicht besonders respektable Existenzen herumsaßen, stellungslose Kellnerinnen und Handwerksburschen. Der Flickschuster war ein Mann in mittleren Jahren, der in der ganzen Welt herumgekommen war, ohne es zu etwas gebracht zu haben. Es hieß auch, daß er trank. Er war jedenfalls kein Verkehr für meine Großmutter.

Der Buchdrucker deutete in einem Brief an, daß er seine Mutter darauf hingewiesen, aber einen recht kühlen Bescheid bekommen habe. »Er hat etwas gesehen«, war ihre Antwort, und das Gespräch war damit zu Ende. Es war nicht leicht, mit meiner Großmutter über Dinge zu reden, die sie nicht bereden wollte.

Etwa ein halbes Jahr nach dem Tod des Großvaters schrieb der Buchdrucker meinem Vater, daß die Mutter jetzt jeden zweiten Tag im Gasthof esse.

Was für ein Nachricht! Großmutter, die zeit ihres Lebens für ein Dutzend Menschen gekocht und immer nur die Reste aufgegessen hatte, aß jetzt im Gasthof! Was war in sie gefahren?

Bald darauf führte meinen Vater eine Geschäftsreise in die Nähe, und er besuchte seine Mutter.

Er traf sie im Begriffe, auszugehen. Sie nahm den Hut wieder ab und setzte ihm ein Glas Rotwein mit Zwieback vor. Sie schien ganz ausgeglichener Stimmung zu sein, weder besonders aufgekratzt noch besonders schweigsam. Sie erkundigte sich nach uns, allerdings nicht sehr eingehend, und wollte hauptsächlich wissen, ob es für die Kinder auch Kirschen gäbe. Da war sie ganz wie immer. Die Stube war natürlich peinlich sauber, und sie sah gesund aus.

Das einzige, was auf ihr neues Leben hindeutete, war, daß sie nicht mit meinem Vater auf den Gottesacker gehen wollte, das Grab ihres Mannes zu besuchen. »Du kannst allein hingehen«, sagte sie beiläufig, »es ist das dritte von links in der elften Reihe. Ich muß noch wohin.«

Der Buchdrucker erklärte nachher, daß sie wahrscheinlich zu ihrem Flickschuster mußte. Er klagte sehr.

»Ich sitze hier in diesen Löchern mit den Meinen und habe nur noch fünf Stunden Arbeit und schlecht bezahlte, dazu macht mir mein Asthma wieder zu schaffen, und das Haus in der Hauptstraße steht leer.«

Mein Vater hatte im Gasthof ein Zimmer genommen, aber erwartet, daß er zum Wohnen doch von seiner Mutter eingeladen werden würde, wenigstens pro forma, aber sie sprach nicht davon. Und sogar als das Haus voll gewesen war, hatte sie immer etwas dagegen gehabt, daß er nicht bei ihnen wohnte und dazu das Geld für das Hotel ausgab!

Aber sie schien mit ihrem Familienleben abgeschlossen zu haben und neue Wege zu gehen, jetzt, wo ihr Leben sich neigte. Mein Vater, der eine gute Portion Humor besaß, fand sie ›ganz munter‹ und sagte meinem Onkel, er solle die alte Frau machen lassen, was sie wolle.

Aber was wollte sie?

Das nächste, was berichtet wurde, war, daß sie eine Bregg bestellt hatte und nach einem Ausflugsort gefahren war, an einem gewöhnlichen Donnerstag. Eine Bregg war ein großes, hochrädriges

Pferdegefährt mit Plätzen für ganze Familien. Einige wenige Male, wenn wir Enkelkinder zu Besuch gekommen waren, hatte Großvater die Bregg gemietet. Großmutter war immer zu Hause geblieben. Sie hatte es mit einer wegwerfenden Handbewegung abgelehnt, mitzukommen.

Und nach der Bregg kam die Reise nach K., einer größeren Stadt, etwa zwei Eisenbahnstunden entfernt. Dort war ein Pferderennen, und zu dem Pferderennen fuhr meine Großmutter.

Der Buchdrucker war jetzt durch und durch alarmiert. Er wollte einen Arzt hinzugezogen haben. Mein Vater schüttelte den Kopf, als er den Brief las, lehnte aber die Hinzuziehung eines Arztes ab.

Nach K. war meine Großmutter nicht allein gefahren. Sie hatte ein junges Mädchen mitgenommen, eine halb Schwachsinnige, wie der Buchdrucker schrieb, das Küchenmädchen des Gasthofs, in dem die Greisin jeden zweiten Tag speiste.

Dieser ›Krüppel‹ spielte von jetzt ab eine Rolle.

Meine Großmutter schien einen Narren an ihr gefressen zu haben. Sie nahm sie mit ins Kino und zum Flickschuster, der sich übrigens als Sozialdemokrat herausgestellt hatte, und es ging das Gerücht, daß die beiden Frauen bei einem Glas Rotwein in der Küche Karten spielten.

›Sie hat dem Krüppel jetzt einen Hut gekauft mit Rosen drauf‹, schrieb der Buchdrucker verzweifelt. ›Und unsere Anna hat kein Kommunionkleid!‹

Die Briefe meines Onkels wurden ganz hysterisch, handelten nur von der ›unwürdigen Aufführung unserer lieben Mutter‹ und gaben sonst nichts mehr her. Das Weitere habe ich von meinem Vater.

Der Gastwirt hatte ihm mit Augenzwinkern zugeraunt: »Frau B. amüsiert sich ja jetzt, wie man hört.«

In Wirklichkeit lebte meine Großmutter auch die letzten Jahre keinesfalls üppig. Wenn sie nicht im Gasthof aß, nahm sie meist nur ein wenig Eierspeise zu sich, etwas Kaffee und vor allem ihren geliebten Zwieback. Dafür leistete sie sich einen billigen Rotwein, von dem sie zu allen Mahlzeiten ein kleines Glas trank. Das Haus hielt sie sehr rein, und nicht nur die Schlafstube und die Küche, die sie benutzte. Jedoch nahm sie darauf ohne Wissen ihrer Kinder eine Hypothek auf. Es kam niemals heraus, was sie mit dem Geld machte. Sie scheint es dem Flickschuster gegeben zu haben. Er zog nach ihrem Tod in eine andere Stadt und soll dort ein größeres Geschäft für Maßschuhe eröffnet haben.

Genau betrachtet lebte sie hintereinander zwei Leben. Das eine, erste, als Tochter, als Frau und als Mutter, und das zweite einfach als Frau B., eine alleinstehende Person ohne Verpflichtungen und mit bescheidenen, aber ausreichenden Mitteln. Das erste Leben dauerte etwa sechs Jahrzehnte, das zweite nicht mehr als zwei Jahre.

Mein Vater brachte in Erfahrung, daß sie im letzten halben Jahr sich gewisse Freiheiten gestattete, die normale Leute gar nicht kennen. So konnte sie im Sommer früh um drei Uhr aufstehen und durch die leeren Straßen des Städtchens spazieren, das sie so für sich ganz allein hatte. Und den Pfarrer, der sie besuchen kam, um der alten Frau in ihrer Vereinsamung Gesellschaft zu leisten, lud sie, wie allgemein behauptet wurde, ins Kino ein!

Sie war keineswegs vereinsamt. Bei dem Flickschuster verkehrten anscheinend lauter lustige Leute, und es wurde viel erzählt. Sie hatte dort immer eine Flasche ihres eigenen Rotweins stehen, und daraus trank sie ihr Gläschen, während die anderen erzählten und über die würdigen Autoritäten der Stadt loszogen. Dieser Rotwein blieb für sie reserviert, jedoch brachte sie mitunter der Gesellschaft stärkere Getränke mit.

Sie starb ganz unvermittelt, an einem Herbstnachmittag in ihrem Schlafzimmer, aber nicht im Bett, sondern auf dem Holzstuhl am Fenster. Sie hatte den ›Krüppel‹ für den Abend ins Kino eingeladen, und so war das Mädchen bei ihr, als sie starb. Sie war vierundsiebzig Jahre alt.

Ich habe eine Fotografie von ihr gesehen, die sie auf dem Totenbett zeigt und die für die Kinder angefertigt worden war.

Man sieht ein winziges Gesichtchen mit vielen Falten und einen schmallippigen, aber breiten Mund. Viel Kleines, aber nichts Kleinliches. Sie hatte die langen Jahre der Knechtschaft und die kurzen Jahre der Freiheit ausgekostet und das Brot des Lebens aufgezehrt bis auf den letzten Brosamen.

(entstanden 1939)

LION FEUCHTWANGER

Der Kellner Antonio

Meine Vortragsreise durch Amerika war anstrengend gewesen, ich
fühlte mich erschöpft und sehnte mich nach der ländlichen Stille
meines Hauses in Südfrankreich. Sowie meine Verpflichtungen in
den Staaten erledigt waren, nahm ich das erste Schiff und fuhr
hinüber.

Das Schiff war klein, aber bequemer, als ich erwartet hatte. Es
war schön, allein auf dem Promenadendeck herumzulaufen, es war
schön, ausgestreckt auf dem Deckstuhl zu liegen und den Wellen
zuzuschauen, es war schön, seine Mahlzeiten zu nehmen ohne die
Verpflichtung, mit tausend Leuten Gespräche zu führen.

Da war eine einzige dumme kleine Sache, die mich störte: der
Kellner, der mich bediente, war mir ein Ärgernis. Es war ein Mann
von etwa vierzig Jahren; auf seinem untersetzten Körper saß ein
großer Kopf, das schwarze Haar war tief in die niedrige, von
dicken Falten durchzogene Stirn hineingewachsen, das viereckige
Gesicht hatte etwas Flächiges, die Nase lag klein und eingedrückt
unter braunen, ausdrucksvoll mürrischen Augen. Er schien Spa-
nier oder Portugiese; jedenfalls kam er mit dem Englischen nicht
zurecht, mißverstand häufig auch eine deutliche Order und brachte etwas Falsches. Seine Bewegungen waren schwerfällig, der
massige Mensch war der Aufgabe, sich mit beladenem Tablett
durch den Speisesaal des schwankenden Schiffes zu schlängeln,
keineswegs gewachsen. Ich durfte von Glück sagen, wenn eine
Mahlzeit vorüberging, ohne daß er mir Speise oder Getränk über
den Anzug geschüttet hätte.

Die Gäste schimpften oder zuckten spöttisch resigniert die
Achsel über den linkischen Mann. Ich selber schwieg, doch ließ
wohl manchmal meine Miene einen kleinen Unmut sehen. Mit
dem Kellner zu rechten, hatte keinen Sinn. Zweifellos war er sich
dessen, was er angestellt hatte, in jedem einzelnen Fall deutlich
bewußt. Es erschien nämlich nach jedem Mißgeschick auf seinem
fleischigen, angestrengten, schwitzenden Gesicht ein verbissener
Zug anklägerischer Bitterkeit. Der ganze Mann hatte etwas Nach-
denkliches, besinnlich Kummervolles, was ihm die Ausübung
seines Berufes bestimmt nicht erleichterte. Auch schaute er einen

zuweilen prüfend an, mit einer Eindringlichkeit, dazu angetan, ein persönliches Verhältnis herzustellen zwischen dem Prüfenden und dem Betrachteten, ein Verhalten, das einem Kellner keineswegs angemessen war.

Dem Obersteward, einem energischen Mann, blieb selbstverständlich die Unfähigkeit seines Angestellten nicht verborgen. Er entschuldigte sich bei mir. Erklärte, er habe den Mann im letzten Augenblick einstellen müssen, ohne ihn prüfen zu können, und werde ihn entlassen, sowie man an Land komme. Nun hätte ich wohl unter andern Umständen etwas Besänftigendes erwidert: »Es ist nur halb so schlimm, sehen Sie doch noch eine Weile zu«, oder dergleichen. Aber da ich noch müde und durch die vorangegangenen Mühen überreizt war, hatten mich die Ungeschicklichkeiten des Mannes über Gebühr geärgert, und ich antwortete dem Obersteward trocken: »Daran tun Sie recht.«

Ob der Obersteward dem Kellner Antonio – er hatte mir seinen Namen genannt – von dieser Unterredung erzählte, habe ich nie erfahren. Doch war mir, als betrachte mich seit jenem Gespräch Antonio mit Kummer, Bitterkeit und Vorwurf, so, als ob mein kleinliches Verhalten ihn enttäuscht hätte. Schon vorher hatte ich manchmal das unbehagliche Gefühl gehabt, Antonio betrachte und behandle mich, als wäre er mir durch eine seltsame Zusammengehörigkeit verbunden. Jetzt verstärkte sich dieser Eindruck. Ich sagte mir, das sei reine Einbildung. Antonio sei mürrisch von Wesen, und sein Unmut richte sich gegen mich nicht mehr als gegen alle Welt. Ich sagte mir, lediglich mein Bedürfnis nach Romantik geheimnisse in sein Verhalten seltsame psychologische Hintergründe hinein. Doch diese Erwägung half mir nichts. Die sonderbare Feind-Freundschaft, die ich auf dem fleischigen, traurigen Gesicht des Kellners Antonio zu lesen glaubte, steckte mich immer tiefer an. Das Einfachste wäre gewesen, offen und geradezu mit dem Manne zu reden; aber das schien mir zu lächerlich. Statt dessen machte ich mir im stillen Vorwürfe, daß ich jene Äußerung gegen ihn getan hatte. Bestimmt wird er, erst entlassen, die Schuld an dieser seiner Entlassung mir zuschreiben. Zu Unrecht; denn seine Unfähigkeit lag offen zutage, und ich hätte, auch wenn ich noch so warm für ihn eingetreten wäre, den Entschluß des Oberstewards nicht ändern können. Allein, wenn mich auch mein Verstand freisprach, ein Tieferes in mir sprach mich schuldig. Der Anblick des schweren, kummervollen Mannes störte mir das Innere, ich hatte ein schlechtes Gewissen, mein Behagen an der ruhigen Fahrt war dahin.

Dann kam ich nach Hause, und in der Stille meines Zimmers, über meiner Arbeit, über meinen Büchern hatte ich bald den Kellner Antonio vergessen.

Einige Monate später riefen mich Geschäfte für ein paar Tage nach Paris. Dort, als ich vor einer roten Ampel wartete, daß sie grün werde und ich die Straße überqueren könne, gewahrte ich auf der rückwärtigen Plattform eines langsam vorbeifahrenden Omnibusses ein bekanntes, schweres, kummervoll besinnliches Gesicht. Zwei Sekunden mußte ich nachdenken, dann wußte ich, es war der Kellner Antonio.

Und auf einmal wieder wellten in mir mit der alten Heftigkeit die Gefühle, die mich während der Überfahrt bewegt hatten, die Ängste und kleinen, geheimen Lüste, welche der sonderbare Prozeß in mir aufgerührt hatte, den Antonio in seinem Innern gegen mich angestrengt. Die alten Gewissensbisse waren wieder da.

Ich sagte mir, Antonio habe das Erlebnis wahrscheinlich längst vergessen, wenn es überhaupt je eines für ihn gewesen sei. Ich sagte mir, er habe vermutlich eine bessere und ihm mehr gemäße Stellung gefunden. Ich sagte mir, ich sei ein Narr. Aber kein Einwand meines Hirnes kam auf gegen das Unbehagen meines innersten Innern.

Ich machte mühsam Antonios Adresse ausfindig und schrieb ihm, er solle kommen. Er erwiderte in umständlichem Französisch, die vorgeschlagene Zeit passe ihm nicht, er werde statt dessen zu einer andern, von ihm bezeichneten Stunde da sein. Ich hatte für diese Zeit eine nicht unwichtige Zusammenkunft angesetzt. Ich sagte ab und wartete auf den Kellner Antonio.

Und dann also stand er vor mir, schwer und mürrisch, und ich fragte mich, wozu eigentlich ich mir diese ungemütliche Zusammenkunft aufgehalst hätte. Antonio seinesteils schien gar nicht erstaunt, er schien eher darauf gewartet zu haben, daß ich ihn riefe. Nicht als ob er irgendwas dergleichen geäußert hätte. Doch der schwerfällige Mann besaß in höherem Grade als mancher große Schauspieler die Gabe, durch Haltung und Miene sein Wesen auszudrücken und sein Gefühl.

Da stand er also und schwieg, er sperrte sein viereckiges Gesicht mit der kleinen Nase und den braunen Augen und der tief verfältelten Stirn ausdrucksvoll zu. Ich mußte jedes Wort aus ihm herausziehen, und mehr als durch seine mangelnden Sprachkenntnisse war die Unterredung erschwert durch seine störrische Seele.

Ich fragte ihn schließlich geradezu, ob er mir irgendwelche Schuld beimesse an seiner Entlassung. Er sah mich finster an, verwundert über diese überflüssige Frage, und kaute in seiner maulfaulen Art heraus: »Natürlich.« Ich fragte ihn, ob er denn nicht glaube, er wäre auch ohne mich entlassen worden. Das sei wohl möglich, erwiderte er, doch die letzte und entscheidende Ursache seines bösen Schicksals sei ich. So haltlos dieser Anwurf war, ich sah sogleich, ich könnte ihm seinen Glauben nicht ausreden. Ich gab es auf.

Ob er denn viel verloren habe, fragte ich ihn; er sei doch wohl für den Beruf des Kellners nicht sehr geeignet. Darauf ging er nicht ein, vielmehr erwiderte er, er liebe diesen Beruf, und als ich ihn erstaunt und ungläubig anschaute, bequemte er sich zu erklären: »Sie als Schriftsteller müssen das doch verstehen. Ich bin interessiert an Menschen«, setzte er dunkel hinzu, als wäre das das Natürlichste von der Welt. »Man muß doch Brücken machen«, sagte er. Zuerst glaubte ich, ich hätte ihn infolge seines schlechten Französisch nicht verstanden, und: »Wie bitte?« fragte ich. Er aber sagte ein zweites Mal und unmißverständlich: »Man muß doch Brücken machen.« Da erkannte ich, daß ich mich damals auf dem Schiff nicht getäuscht hatte, und daß er wirklich glaubte an eine seltsame und einmalige Verbindung von ihm zu mir.

Im übrigen sah er schäbig aus, es ging ihm sichtlich nicht gut. Es ergab sich, daß er Türsteher war irgendwo in einem schlechten Nachtlokal auf dem Montmartre. Die Schuld an diesem Abstieg – das sagte zwar nicht sein Mund, wohl aber sein ganzes Gesicht – traf natürlich mich.

Ich habe kein übermäßig robustes Gewissen, allein auch kein übermäßig verzärteltes. Man soll einen Fallenden nicht auch noch stoßen, gewiß, und meine Äußerung damals vor dem Obersteward war vielleicht nicht sehr human gewesen: immerhin hatte sie keinen Schaden angerichtet, der Mann wäre auch ohne sie entlassen worden. Warum also ließ ich die alberne Anschuldigung des Menschen nicht auf sich beruhen? Ich werde mich nicht weiter mit ihm abgeben, sondern ihn einfach verabschieden.

Während ich so dachte, hörte ich mich sagen: »Passen Sie einmal auf, Antonio, ich könnte Sie allenfalls in meinem Hause beschäftigen. Sie wären da so etwas wie ein Butler; auch sonst gibt es in einem Haus, in das viele Besucher kommen, allerhand zu tun.« Was redete ich da für Unsinn? Das ganze Angebot war eine Riesendummheit. Was sollte ich mit dem unbequemen, ungeschickten Burschen anfangen? Warum gar sagte ich noch das von den ›vielen Besuchern‹? Wollte ich ihn locken? Ich konnte ihn doch nicht brauchen. Er wird nur herumstehen und mich stören.

Und trotzdem fühlte ich eine geheime Befriedigung, daß ich ihm das Angebot gemacht hatte, daß es entschieden war, und daß er von jetzt an in meiner Nähe sein wird. Die innere Verkettung, die er angedeutet, war nun einmal da.

Im übrigen kam es, wie es sich hatte voraussehen lassen. Es fand sich für Antonio in meinem Haus wenig Beschäftigung. Die meiste Zeit lungerte er herum. Dabei war er bestrebt, sich nützlich zu machen; ja, er bezeigte mir trotz seines maulfaulen, unwirschen Wesens eine gewisse Zuneigung. Freilich auch nahm er sich viel heraus. Er verhielt sich zu mir nicht wie ein Angestellter zu seinem Dienstgeber, sondern etwa so wie ein unzufriedener älterer Verwandter zu einem schwierigen jungen Menschen. Ohne daß er dies je hätte Wort werden lassen, war er offenbar überzeugt, in meinem Leben eine durch keinen andern zu ersetzende Rolle zu spielen.

Im Sommer ergossen sich Scharen von Freunden und Bekannten über die französische Südküste, und ich mußte wohl oder übel eine ausgedehnte Gastlichkeit entfalten. Nun gab es in dem sommerlichen Müßiggang meines kleinen Ortes viel Klatsch und viele Eifersüchteleien, und es war nicht immer leicht, die rechten Leute vorzulassen, die rechten Leute abzuweisen. Hierin bewies der sonst so schwerfällige Antonio klugen Takt. Er hielt Lästige fern, zog allzu Schüchterne heran und zeigte sich überhaupt für Dienste vertraulicher Natur gut verwendbar.

Nun tauchte gegen Ende des Sommers in meinem kleinen Orte eine Frau auf, der ich gelegentlich in Berlin, in Paris, in London begegnet war; niemals indes hatte ich ihr viel Aufmerksamkeit geschenkt. Jetzt, hier im Süden und im Sommer, verstand ich das nicht mehr. Clarissa erschien mir mit einemmal die begehrenswerteste aller Frauen.

Ich sah sie zuerst in einem der kleinen, bunten Cafés in dem schönen, lärmvollen Hafen. Sie war sehr umringt, ich hatte nicht viel Gelegenheit, mit ihr zu sprechen. Dann, ein zweites Mal, sah ich sie bei einem snobistisch primitiven Gartenfest; um offen zu sein, ich war hingekommen, weil ich gehofft hatte, sie zu sehen. Diesmal konnte ich mehr mit ihr reden. Sie war etwas gekränkt, daß ich sie früher nie beachtet hatte, sie kokettierte und hielt mich hin. Sie bedauerte spöttisch, daß jetzt, da ich Aug und Zeit für sie hätte, sie keine Zeit mehr für mich habe; denn schon nächste Woche werde sie abreisen.

Ich begriff ihre Haltung sehr wohl. Doch ich ließ mich nicht abschrecken und bat sie dringlich, mir in den Tagen, die ihr noch blieben, eine Zusammenkunft zu gewähren. Sie schlug es nicht ab, aber sie hatte angeblich den Kalender mit ihren Verabredungen nicht zur Hand und konnte oder wollte mir nicht Bescheid sagen, wann ich sie treffen könnte. Sie wohnte eine kleine Stunde entfernt vom Hafen, in den Bergen, in einem Hause, das ein Freund ihr überlassen, ohne Telefon. Daß ich auf gut Glück käme, sie zu besuchen, verbat sie sich. Schließlich vereinbarten wir, ich würde ihr einen Boten schicken, dem sie mitteilen sollte, wann sie Zeit für mich habe.

Das war ein Geschäft für Antonio. Allein ich mußte wahrnehmen, daß er, als ich ihm Clarissas Namen nannte, ein wenig zusammenzuckte. »Kennen Sie die Dame, Antonio?« fragte ich ihn. »Ich habe sie mehrmals im Ort gesehen,« antwortete er. Er bemühte sich, die gleichmütige Miene zu zeigen, die in solchen Fällen einem guten Diener angemessen ist, doch ich merkte, daß ihm Clarissa nicht gefiel. Ich schärfte ihm ein, daß mir an der Zusammenkunft liege, und trug ihm auf, jede Stunde anzunehmen, welche Clarissa ihm für mich vorschlage.

Als ich indes am Abend zurückkam und ich ihn begierig fragte, welche Zeit nun vereinbart sei, antwortete er auf seine mürrische Art, Clarissa habe sich noch nicht entschließen können, sie habe ihn für morgen ein zweites Mal bestellt. Das verdroß mich, aber ich verstand es, daß sie, nachdem ich sie so lange durch Gleichgültigkeit gekränkt hatte, mich jetzt ihre Macht spüren ließ.

Antonio ging also am nächsten Tag nochmals hin. Als er zurückkam, erklärte er, heute habe er die Dame überhaupt nicht zu Gesicht bekommen. Das Haus sei verschlossen gewesen, und Leute in der benachbarten Farm hätten ihm mitgeteilt, die Dame sei schon am frühen Morgen mit einer Freundin weggefahren, an die See, um zu baden. Er habe sich beschreiben lassen, wo sie zu baden pflege, habe sie aber nicht gefunden. Ich erwiderte nichts, aber ich verdüsterte mich. Das war der alte Antonio, ungeschickt, tölpelhaft. »Ich werde morgen selber hinauffahren«, sagte ich.

Allein am andern Tage zeigte sich, daß am Wagen irgend etwas beschädigt war, so daß ich nicht fahren konnte, und die beiden Taxis des kleinen Ortes waren unterwegs und nicht erreichbar. Nachdem mir Clarissa einen überraschenden Besuch verboten hatte, wäre es schon gewagt gewesen, hinaufzufahren; zu Fuß hinaufzugehen, verbot sich vollends; das hätte mein Verlangen, sie zu sehen, auf aufdringliche und taktisch unkluge Art unterstrichen. Es blieb mir nichts übrig, als nochmals Antonio zu schicken. Ich war nicht weiter überrascht, daß er auch diesmal unverrichteterdinge zurückkehrte.

Schließlich verließ Clarissa unsern kleinen Ort, ohne daß ich sie noch hatte sehen können. Es war Antonio, der es mir mitteilte, nicht ohne Schadenfreude. »Da haben Sie sich wieder einmal besonders bewährt, Antonio«, konnte ich mich nicht enthalten, ihm zu sagen.

Es kam selten vor, daß ich Antonio tadelte; es war zwecklos. Wenn es mir doch einmal unterlief, dann setzte er jene bekümmerte Miene auf, die ich vom Schiff her kannte. Diesmal indes tat er das nicht, viemehr sagte er: »Wenn ich es ernstlich gewollt hätte, dann wäre die Zusammenkunft zwischen Ihnen und Madame Clarissa zustande gekommen. Aber ich halte es für besser so.« Er sprach vor sich hin, in seiner maulfaulen Art, und schaute mich nicht an. »Was sagen Sie da?« fragte ich; ich glaubte, ich hätte falsch gehört oder sein ungefüges Französisch mißverstanden. »Ich halte es für besser so, wie es gekommen ist«, wiederholte er, und jetzt schaute er mich an.

Weder in seinem Blick noch in seinem Ton war Frechheit; was er sagte, klang eher wie eine kleine Mahnung, eine sachlich ernsthafte Konstatierung. Ich verspürte Verlangen, ihn aus dem Haus zu werfen; gleichzeitig aber hatte ich ein Gefühl, als müßte ich mich vor ihm rechtfertigen. Gerne hätte ich ihn gefragt, warum er's denn so für besser halte. Aber ich fragte nur umwegig: »Kennen Sie Madame Clarissa von früher?« »Nein«, antwortete ohne Zögern Antonio. »Wissen Sie etwas über sie?« fragte ich weiter. »Nein«, sagte Antonio. Ich zögerte einen Augenblick, dann, törichterweise, sagte ich spöttisch: »Dann haben Sie also wohl eine Brücke geschlagen.« »Es ist das Gegenteil«, erklärte sachlich und ungekränkt Antonio. »Aber ich habe sie gesehen.«

Ich sagte nichts mehr. Es war natürlich lächerlich, wenn Antonio einem Menschen Wesen und Vorleben vom Gesicht ablesen wollte. Dennoch rührte seine ruhige Art mich an.

Etwa zwei Monate später kam ein Brief von Clarissa. Sie machte mir Vorwürfe, daß ich nichts von mir hätte hören lassen. Sie sei jetzt in Paris, teilte sie mit, und sie fragte, wann ich wieder einmal hinkäme. Doch mein Verlangen nach ihr war schwächer geworden, ich stak mitten in einer Arbeit, auch wollte mir Antonios sonderbare Äußerung nicht aus dem Sinn. Ich erwiderte liebenswürdig und dilatorisch.

Während des Winters hörte ich über Clarissa von meinem

Freunde, dem Professor Robert. Robert war ein liebenswürdiger Enthusiast, immer ein wenig fantastisch, und er schrieb mir hingerissen über Clarissa.

Nun war jene Zeit voll von politischen Spannungen, und Robert war, wie ich selber, Untertan eines Staates, in welchem die Feinde der Freiheit und Anhänger der Gewalt an die Macht gelangt waren. Es waren Leute, die vor keinem Mittel zurückscheuten und ihre Gegner fanatisch haßten. Robert war ein ruhiger, harmloser Mensch, allein er war unvorsichtig und hatte aus seinen freiheitlichen Anschauungen niemals ein Hehl gemacht. Er war denn auch jenen Leuten verhaßt. Immerhin war ich aufs schmerzlichste überrascht, als ich lesen mußte, Robert sei wegen staatsfeindlicher Umtriebe verhaftet worden. Er war alles eher als radikal, und es war unglaubhaft, daß er, wie es in den Zeitungen hieß, eine ernsthafte revolutionäre Aktivität sollte entfaltet haben. Allein seine Gegner erklärten triumphierend, es hätten sich bei ihm Dokumente gefunden, die seine Schuld unwiderleglich erwiesen.

Ich erkundigte mich, was denn nun eigentlich an der ganzen Sache sei. Ein unbedingt glaubwürdiger gemeinsamer Freund berichtete mir, das Material, das Robert ins Verderben brachte, sei von Clarissa in sein Haus geschmuggelt worden.

Es war dies, wie sich später ergab, das dritte Mal, daß Clarissa dergleichen getan hatte.

(1940)

ANNA SEGHERS

Das Obdach

An einem Morgen im September 1940, als auf der Place de la Concorde in Paris die größte Hakenkreuzfahne der deutsch besetzten Länder wehte und die Schlangen vor den Läden so lang wie die Straßen selbst waren, erfuhr eine gewisse Luise Meunier, Frau eines Drehers, Mutter von drei Kindern, daß man in einem Geschäft im XIV. Arrondissement Eier kaufen könnte. Sie machte sich rasch auf, stand eine Stunde Schlange, bekam fünf Eier, für jedes Familienmitglied eins. Dabei war ihr eingefallen, daß hier in derselben Straße eine Schulfreundin lebte, Annette Villard, Hotelangestellte. Sie traf die Villard auch an, jedoch in einem für diese ruhige, ordentliche Person befremdlich erregten Zustand.

Die Villard erzählte, Fenster und Waschbecken scheuernd, wobei ihr die Meunier manchen Handgriff tat, daß gestern mittag die Gestapo einen Mieter verhaftet habe, der sich im Hotel als Elsässer eingetragen, jedoch, wie sich inzwischen herausgestellt hatte, aus einem deutschen Konzentrationslager vor einigen Jahren entflohen war. Der Mieter, erzählte die Villard, Scheiben reibend, sei in die Santé gebracht worden, von dort aus würde er bald nach Deutschland abtransportiert werden und wahrscheinlich an die Wand gestellt. Doch was ihr weit näher gehe als der Mieter, denn schließlich Mann sei Mann, Krieg sei Krieg, das sei der Sohn des Mieters. Der Deutsche habe nämlich ein Kind, einen Knaben von zwölf Jahren, der habe mit ihm das Zimmer geteilt, sei hier in die Schule gegangen, rede französisch wie sie selbst, die Mutter sei tot, die Verhältnisse seien undurchsichtig wie meistens bei den Fremden. Der Knabe habe, heimkommend von der Schule, die Verhaftung des Vaters stumm, ohne Tränen, zur Kenntnis genommen. Doch von dem Gestapooffizier aufgefordert, sein Zeug zusammenzupacken, damit er am nächsten Tag abgeholt werden könne und nach Deutschland zurückgebracht zu seinen Verwandten, da habe er plötzlich laut erwidert, er schmisse sich eher unter ein Auto, als daß er in diese Familie zurückkehre. Der Gestapooffizier habe ihm scharf erwidert, es drehe sich nicht darum, zurück oder nicht zurück, sondern zu den Verwandten zurück oder in die Korrektionsanstalt. – Der Knabe habe Vertrauen zu ihr, Annette, er habe sie in der Nacht um Hilfe gebeten, sie habe ihn auch frühmorgens weg in ein kleines Café gebracht, dessen Wirt ihr Freund sei. Da sitze er nun und warte. Sie habe geglaubt, es sei leicht, den Knaben unterzubringen, doch bisher habe sie immer nur nein gehört, die Furcht sei zu groß. Die eigene Wirtin fürchte sich sehr vor den Deutschen und sei erbost über die Flucht des Knaben.

Die Meunier hatte sich alles schweigend angehört; erst als die Villard fertig war, sagte sie: »Ich möchte gern einmal einen solchen Knaben sehen.« Worauf ihr die Villard das Café nannte und noch hinzufügte: »Du fürchtest dich doch nicht etwa, dem Jungen Wäsche zu bringen?«

Der Wirt des Cafés, bei dem sie sich durch einen Zettel der Villard auswies, führte sie in sein morgens geschlossenes Billard-zimmer. Da saß der Knabe und sah in den Hof. Der Knabe war so groß wie ihr ältester Sohn, er war auch ähnlich gekleidet, seine Augen waren grau, in seinen Zügen war nichts Besonderes, was ihn als den Sohn eines Fremden stempelte. Die Meunier erklärte, sie brächte ihm Wäsche. Er dankte nicht, er sah ihr nur plötzlich scharf ins Gesicht. Die Meunier war bisher eine Mutter gewesen wie alle Mütter: Schlange stehen, aus nichts etwas, aus etwas viel machen, Heimarbeit zu der Hausarbeit übernehmen, das alles war selbstverständlich. Jetzt, unter dem Blick des Jungen, wuchs mit gewaltigem Ruck das Maß des Selbstverständlichen, und mit dem Maß ihre Kraft. Sie sagte: »Sei heute abend um sieben im Café Biard an den Hallen.«

Sie machte sich eilig heim. Um weniges ansehnlich auf den Tisch zu bringen, braucht es lange Küche. Ihr Mann war schon da. Er hatte ein Kriegsjahr in der Maginotlinie gelegen, er war seit drei Wochen demobilisiert, vor einer Woche hatte sein Betrieb wieder aufgemacht, er war auf Halbtagsarbeit gesetzt, er verbrachte den größten Teil der Freizeit im Bistro, dann kam er wütend über sich selbst heim, weil er von den wenigen Sous noch welche im Bistro gelassen hatte. Die Frau, zu bewegt, um auf seine Miene zu achten, begann zugleich mit dem Eierschlagen ihren Bericht, der bei dem Mann vorbauen sollte. Doch wie sie auf dem Punkt angelangt war, der fremde Knabe sei aus dem Hotel gelaufen, er suche in Paris Schutz vor den Deutschen, unterbrach er sie folgendermaßen: »Deine Freundin Annette hat wirklich sehr dumm getan, einen solchen Unsinn zu unterstützen. Ich hätte an ihrer Stelle den Jungen eingesperrt. Der Deutsche soll selbst sehn, wie er mit seinen Landsleuten fertig wird ... Er hat selbst nicht für sein Kind gesorgt. Der Offizier hat also auch recht, wenn er das Kind nach

Hause schickt. Der Hitler hat nun einmal die Welt besetzt, da nützen keine Phrasen was dagegen.« Worauf die Frau schlau genug war, rasch etwas anderes zu erzählen. In ihrem Herzen sah sie zum erstenmal klar, was aus dem Mann geworden war, der früher bei jedem Streik, bei jeder Demonstration mitgemacht hatte und sich am 14. Juli stets so betragen, als wollte er ganz allein die Bastille noch einmal stürmen. Er glich aber jenem Riesen Christophorus in dem Märchen – ihm gleichen viele –, der immer zu dem übergeht, der ihm am stärksten scheint und sich als stärker erweist als sein jeweiliger Herr, so daß er zuletzt beim Teufel endet. Doch weder in der Natur der Frau noch in ihrem ausgefüllten Tag war Raum zum Trauern. Der Mann war nun einmal ihr Mann, sie war nun einmal die Frau, da war nun einmal der fremde Junge, der jetzt auf sie wartete. Sie lief daher abend in das Café bei den Hallen und sagte zu dem Kind: »Ich kann dich erst morgen zu mir nehmen.« Der Knabe sah sie wieder scharf an, er sagte: »Sie brauchen mich nicht zu nehmen, wenn Sie Angst haben.« Die Frau erwiderte trocken, es handle sich nur darum, einen Tag zu warten. Sie bat die Wirtin, das Kind eine Nacht zu behalten, es sei mit ihr verwandt. An dieser Bitte war nichts Besonderes, da Paris von Flüchtlingen wimmelte.

Am nächsten Tag erklärte sie ihrem Mann: »Ich habe meine Kusine Alice getroffen, ihr Mann ist in Pithiviers im Gefangenenlazarett, sie will ihn ein paar Tage besuchen. Sie hat mich gebeten, ihr Kind so lange aufzunehmen.« Der Mann, der Fremde in seinen vier Wänden nicht leiden konnte, erwiderte: »Daß ja kein Dauerzustand daraus wird.« Sie richtete also für den Knaben eine Matratze. Sie hatte ihn unterwegs gefragt: »Warum willst du eigentlich nicht zurück?« Er hatte geantwortet: »Sie können mich immer noch hierlassen, wenn Sie Angst haben. Zu meinen Verwandten werde ich doch nicht gehen. Mein Vater und meine Mutter wurden beide von Hitler verhaftet. Sie schrieben und druckten und verteilten Flugblätter. Meine Mutter starb. Sie sehen, mir fehlt ein Vorderzahn. Den hat man mir dort in der Schule ausgeschlagen, weil ich ihr Lied nicht mitsingen wollte. Auch meine Verwandten waren Nazis. Die quälten mich am meisten. Die beschimpften Vater und Mutter.« Die Frau hatte ihn darauf nur gebeten zu schweigen, dem Mann gegenüber, den Kindern, den Nachbarn.

Die Kinder konnten den fremden Knaben weder gut noch schlecht leiden. Er hielt sich abseits und lachte nicht. Der Mann konnte den Knaben sofort nicht leiden; er sagte, der Blick des Knaben mißfalle ihm. Er schalt seine Frau, die von der eigenen

Ration dem Knaben abgab, er schalt auch die Kusine, es sei eine Zumutung, anderen Kinder aufzuladen. Und solche Klagen pflegten bei ihm in Belehrungen überzugehen, der Krieg sei nun einmal verloren, die Deutschen hätten nun einmal das Land besetzt, die hätten aber Disziplin, die verstünden sich auf Ordnung. Als einmal der Junge die Milchkanne umstieß, sprang er los und schlug ihn. Die Frau wollte später den Jungen trösten, der aber sagte: »Noch besser hier als dort.«

»Ich möchte«, sagte der Mann, »einmal wieder ein richtiges Stück Käse zum Nachtisch haben.« Am Abend kam er ganz aufgeregt heim. »Stell dir vor, was ich gesehen habe. Ein riesiges deutsches Lastauto, ganz voll mit Käse. Die kaufen, was sie Lust haben. Die drucken Millionen und geben sie aus.«

Nach zwei, rei Wochen begab sich die Meunier zu ihrer Freundin Annette. Die war über den Besuch nicht erfreut, bedeutete ihr, sich in diesem Quartier nicht mehr blicken zu lassen, die Gestapo habe geflucht, gedroht. Sie habe sogar herausbekommen, in welchem Café der Knabe gewartet habe, auch daß ihn dort eine Frau besucht, daß beide den Ort zu verschiedenen Zeiten verlassen. – Auf ihrem Heimweg bedachte die Meunier noch einmal die Gefahr, in die sie sich und die Ihren brachte. Wie lange sie auch erwog, was sie ohne Erwägen in einem raschen Gefühl getan hatte, der Heimweg selbst bestätigte ihren Entschluß: die Schlangen vor den offenen Geschäften, die Läden vor den geschlossenen, das Hupen der deutschen Autos, die über die Boulevards sausten, und über den Toren die Hakenkreuze. So daß sie beim Eintritt in ihre Küche dem fremden Knaben in einem zweiten Willkomm übers Haar strich.

Der Mann aber fuhr sie an, sie hätte an diesem Kind einen Narren gefressen. Er selber ließ seine Mürrischkeit, da die eigenen Kinder ihn dauerten – alle Hoffnungen hatten sich plötzlich in eine klägliche Aussicht verwandelt auf eine trübe, unfreie Zukunft –, an dem Fremden aus. Da der Knabe zu vorsichtig war und zu schweigsam, um einen Anlaß zu geben, schlug er ihn ohne solchen, indem er behauptete, der Blick des Knaben sei frech. Er selber war um sein letztes Vergnügen gebracht worden. Er hatte noch immer den größten Teil seiner freien Zeit im Bistro verbracht, was ihn etwas erleichtert hatte. Jetzt war einem Schmied am Ende der Gasse die Schmiede von den Deutschen beschlagnahmt worden.

Die Gasse, bisher recht still und hakenkreuzfrei, fing plötzlich von deutschen Monteuren zu wimmeln an. Es stauten sich deut-

sche Wagen, die repariert werden sollten, und Nazisoldaten be-
setzten das Bistro und fühlten sich dort daheim. Der Mann der
Meunier konnte den Anblick nicht ertragen. Oft fand ihn die Frau
stumm vor dem Küchentisch. Sie fragte ihn einmal, als er fast eine
Stunde reglos gesessen hatte, den Kopf auf den Armen, mit offenen
Augen, woran er wohl eben gedacht habe. »An nichts und an alles.
Und außerdem noch an etwas ganz Abgelegenes. Ich habe soeben,
stell dir vor, an diesen Deutschen gedacht, von dem dir deine
Freundin Annette erzählt hat, ich weiß nicht, ob du dich noch
erinnerst, der Deutsche, der gegen Hitler war, der Deutsche, den
die Deutschen verhafteten. Ich möchte wohl wissen, was aus ihm
geworden ist. Aus ihm und seinem Sohn.« Die Meunier erwiderte:
»Ich habe kürzlich die Villard getroffen. Sie haben damals den
Deutschen in die Santé gebracht. Er ist inzwischen vielleicht schon
erschlagen worden. Das Kind ist verschwunden. Paris ist groß. Es
wird sicher ein Obdach gefunden haben.«
    Da niemand gern zwischen Nazisoldaten sein Glas austrank, zog
man oft mit ein paar Flaschen in Meuniers Küche, was ihnen früher
ungewohnt gewesen wäre und beinah zuwider. Die meisten
waren Meuniers Arbeitskollegen aus demselben Betrieb, man
sprach freiweg. Der Chef in dem Betrieb hatte sein Büro dem
deutschen Kommissar eingeräumt. Der ging und kam nach Belieben. Die deutschen Sachverständigen prüften, wogen, nahmen ab.
Man gab sich nicht einmal mehr Mühe, in den Büros der Verwaltung geheimzuhalten, für wen geschuftet wurde. Die Fertigteile
aus dem zusammengeraubten Metall wurden nach dem Osten
geschickt, um anderen Völkern die Gurgel abzudrehen. Das war
das Ende vom Lied, verkürzte Arbeitszeit, verkürzter Arbeitslohn,
Streikverbot. Die Meunier ließ ihre Läden herunter, man dämpfte
die Stimmen. Der fremde Junge senkte die Augen, als fürchte er
selbst, sein Blick sei so scharf, daß er sein Herz verraten könne. Er
war so bleich, so hager geworden, daß ihn der Meunier mürrisch
betrachtete und die Furcht äußerte, er möge von einer Krankheit
befallen sein und die eigenen Kinder noch anstecken. Die Meunier
hatte an sich selbst einen Brief geschrieben, in dem die Kusine bat,
den Knaben noch zu behalten, ihr Mann sei schwer krank, sie
ziehe vor, sich für eine Weile in seiner Nähe einzumieten. – »Die
macht sich's bequem mit ihrem Bengel«, sagte der Mann. Die
Meunier lobte eilig den Jungen, er sei sehr anstellig, er ginge schon
jeden Morgen um vier Uhr in die Hallen, zum Beispiel hätte er
heute dieses Stück Rindfleisch ohne Karten ergattert.
    Auf dem gleichen Hof mit den Meuniers wohnten zwei Schwe-

stern, die waren immer recht übel gewesen; jetzt gingen sie gern ins Bistro hinüber und hockten auf den Knien der deutschen Monteure. Der Polizist sah sich's an, dann nahm er die beiden Schwestern mit aufs Revier, sie heulten und sträubten sich, er ließ sie in die Kontrolliste eintragen. Die ganze Gasse freute sich sehr darüber, doch leider wurden die Schwestern jetzt noch viel übler, die deutschen Monteure gingen bei ihnen jetzt aus und ein, sie machten den Hof zu dem ihren, man hörte den Lärm in Meuniers Küche. Dem Meunier und seinen Gästen war es längst nicht mehr zum Lachen, der Meunier lobte jetzt nicht mehr die deutsche Ordnung, mit feiner, gewissenhafter, gründlicher Ordnung war ihm das Leben zerstört worden, im Betrieb und daheim, seine kleinen und großen Freuden, sein Wohlstand, seine Ehre, seine Ruhe, seine Nahrung, seine Luft.

Eines Tages fand sich der Meunier allein mit seiner Frau. Nach langem Schweigen brach es aus ihm heraus, er rief: »Sie haben die Macht, was willst du! Wie stark ist dieser Teufel! Wenn es nur auf der Welt einen gäbe, der stärker wäre als er! Wir aber, wir sind ohnmächtig. Wir machen den Mund auf, und sie schlagen uns tot. Aber der Deutsche, von dem dir einmal deine Annette erzählt hat, du hast ihn vielleicht vergessen, ich nicht. Er hat immerhin was riskiert. Und sein Sohn, alle Achtung! Deine Kusine mag sich selbst aus dem Dreck helfen mit ihrem Bengel. Das macht mich nicht warm. Den Sohn dieses Deutschen, den würde ich aufnehmen, der könnte mich warm machen. Ich würde ihn höher halten als meine eigenen Söhne, ich würde ihn besser füttern. Einen solchen Knaben bei sich zu beherbergen, und diese Banditen gehen aus und ein und ahnen nicht, was ich wage und was ich für einer bin und wen ich versteckt habe! Ich würde mit offenen Armen einen solchen Jungen aufnehmen.« Die Frau drehte sich weg und sagte: »Du hast ihn bereits aufgenommen.«

Ich habe diese Geschichte erzählen hören in meinem Hotel im XIV. Arrondissement von jener Annette, die dort ihren Dienst genommen hatte, weil es ihr auf der alten Stelle nicht mehr geheuer war.

(1941)

FRIEDRICH DÜRRENMATT

Das Bild des Sisyphos

Der Zufall hatte mich diesen Winter in ein Dorf der französischen Schweiz geführt, doch ist mir die einsame Zeit, die ich dort verlebte, nur traumartig in der Erinnerung geblieben. Ich sehe zwar deutlich die langgewellten weißen Hügel, aber die wenigen Hütten haben sich gespenstisch zu einem Genist von Treppen, Korridoren und unfreundlichen Räumen zusammengezogen, durch die ich aufgeregt hin und her eile. Nur ein Erlebnis dieser verlorenen Wochen blieb in meinem Geiste haften, wie uns etwa noch lange ein greller Fleck vor Augen schwebt, wenn wir unvermutet die Sonne sehen. Ich habe damals von einer winkligen Treppe aus, die sich irgendwo im Dunkel verlor, durch ein halbvereistes Fenster in eine hellerleuchtete Stube geschaut, wo sich alles deutlich, aber völlig lautlos abspielte. So blieb jede Einzelheit in meinem Sinne haften, und ich könnte die Farbe der Kleidungsstücke angeben, welche die Kinder damals getragen haben, besonders erinnere ich mich an eine feuerrote, mit Gold verstickte Jacke eines blonden Mädchens. Auf dem runden Tisch errichteten die Kinder ein großes Kartenhaus, und es war eigenartig, ihren überaus vorsichtigen Bewegungen zu folgen. Dann aber, als es vollendet stand, begannen sie das Gebäude zu vernichten. Sie zerstörten es jedoch nicht mit einer heftigen Bewegung, wie ich erwartet hatte, sondern, indem sie eine Karte sorgfältig von der andern nahmen, bis nach großer Mühe, die genau der Arbeit entsprach, mit der es gebaut wurde, das Kartenhaus verschwunden war. Das seltsame Geschehen erinnerte mich an den Untergang eines Menschen, der lange zuvor gelebt hatte. Indem ich nämlich aus dem Verborgenen nach den Kindern sah, war es, als ob hinter dem ruhigen Bilde, das sich mir in der Stube darbot, ein zweites hervorleuchten würde, dunkler und seltsamer als das erste, aber doch mit ihm verwandt, verschwommen zuerst, dann immer deutlicher, und wie ein Verstorbener durch geheimnisvolle Handlung beschworen wird, trat jener Unglückliche in mein Bewußtsein, an den zu denken ich so lange nicht gewagt hatte, durch das Spiel der Kinder hervorgerufen, aber nicht schreckhaft, sondern durch das Zwielicht der Erinnerung gedämpft, mit scharfen Umrissen jedoch, denn sein Wesen war mir auf einmal im Bilde offenbar. Wie der hereinbrechende Tag uns bisweilen zuerst die Linien des Horizontes, dann aber die einzelnen Dinge enthüllt, tauchten die verschiedenen Züge dieses Menschen in mir auf.

Auch wurden die dunklen Vermutungen in mir wach, die sich um seine Person gebildet hatten. So entsinne ich mich, daß mich damals die auf dem Tische liegenden Karten an das Gerücht gemahnten, das ihm eine geheime Leidenschaft zum Spiel nachsagte. Ich pflegte dies lange für eine Legende anzusehen, die sich um den absonderlichen Menschen gewoben hatte, wie vieles andere auch, ohne von der entsetzlichen Ironie zu ahnen, die ihn bestimmte. Mich hatte damals der Umstand getäuscht, daß er sich mit Dingen umgab, die nicht dem Augenblick unterworfen waren, doch hätten mich seine Worte warnen müssen, denn er liebte oft zu sagen, er verstehe mehr von der Kunst als wir alle, weil er dem Augenblick verfallen sei und sie darum so ruhig betrachten könne wie wir die Sterne. Dann scheint es mir heute wesentlich, daß mir selbst sein Name entfallen ist, doch glaube ich mich zu erinnern, daß ihn die Studenten den ›Rotmantel‹ nannten. Wie er zu diesem Namen gekommen sein mochte, wenn er ihn je führte, ist mir entschwunden, doch mag seine Vorliebe für die rote Farbe eine gewisse Rolle gespielt haben.

Wie es jedoch bei Menschen oft der Fall ist, die eine große Macht über andere besitzen, lag auch der seinen ein verstecktes Verbrechen zugrunde, dem er sein riesiges Vermögen verdankte, über das wir märchenhafte Dingen hörten. Solche Verbrechen werden selten aus eigener Schlechtigkeit heraus begangen, sie sind ein notwendiges Werkzeug dieser Menschen, mit derer Hilfe sie in die Gesellschaft einbrechen, die sich ihnen verschließt.

Das Verbrechen des ›Rotmantels‹ aber war seltsam, wie alles, was er unternahm, und auch die Art seltsam, wie er daran zugrunde ging, doch kann ich hier nicht verschweigen, daß es mir schwerfällt, die äußeren Ereignisse in meinem Geiste lückenlos herzustellen, die zu seinem Untergang führten. Es mag dies im Wesen der Erinnerung liegen, die uns Dinge, die wir in der Zeit erlebt haben, nun von außen und zeitlos vor Augen führt, so daß uns ein Gefühl der Unsicherheit befällt, da wir eine geheime Unstimmigkeit zwischen unserer Erinnerung und dem wirklich Gewesenen ahnen. Auch erinnern wir uns niemals an alle Episoden einer Handlung mit gleicher Deutlichkeit, einige verbergen sich in undurchdringbarem Dunkel, andere erstrahlen in äußerster Klarheit, daher pflegen wir uns oft in der Reihenfolge der einzelnen Momente zu irren, indem wir sie nach den Graden der Helligkeit einordnen und so von der Wirklichkeit unwillkürlich abweichen. So erscheint mir denn auch jene Nacht in einem gespensterhaften Licht, in der ich zum ersten Male die Gewalt des Mahlstromes spürte, der den ›Rotmantel‹ in den Abgrund reißen sollte.

Wir versammelten uns damals gegen Ende des Herbstes bei einem der reichsten und unglücklichsten Männer unserer Stadt, der erst vor wenigen Jahren in bitterster Armut gestorben ist. Ich erblicke mich deutlich, wie ich mit dem Arzt, der mich damals während meiner langen Krankheit pflegte, in ein kleines Nebengemach mit eigenartiger Wölbung trete, dessen Wände den Lärm des Festes zu einer geheimnisvollen Musik dämpften. Auch ist es mir, als hätten wir damals ein sehr umständliches Gespräch geführt, das dem Wesen meines Partners entsprach, worin ich bemüht war, einen ständig wiederkehrenden Einwand zu widerlegen, der aus einer merkwürdigen Behauptung bestand, die mir entfallen ist. Es war ein ermüdender Dialog, der sich in einem hoffnungslosen Zirkel bewegte. Wir schwiegen erst, als wir ein Bild erblickten, das in schwerem Rahmen an der Wand hing, in welchem ich auf einer kleinen Fläche den Namen des Niederländers Hieronymus Bosch las. Wir betrachteten mit großer Verwunderung das kleine Bild, das auf Holz gemalt war und die Hölle in ihren scheußlichsten und geheimsten Qualen darstellte, durch eine sonderbare Verteilung der roten Farbe beunruhigt. Ich glaubte in ein loderndes Feuermeer zu blicken, dessen Flammen immer neue zahllose Formen bildeten, und ich kam erst nach einiger Zeit den Gesetzen auf die Spur, die dem Bilde zugrunde liegen mochten. Vor allem erschreckte mich die Tatsache, daß mein Blick, durch Vorrichtungen des rätselhaften Malers gelenkt, immer wieder zu einem nackten Menschen zurückkehrte, der, fast verborgen durch das zahllose Volk der Gefolterten, einen ungeheuren Felsen einen Hügel hinaufwälzte, der drohend ganz im Hintergrund aus einem Meer von dunkelrotem Blut ragte. Es konnte nur Sisyphos darstellen, welcher der listigste der Menschen gewesen sein soll, wie uns überliefert ist. Ich erkannte, daß sich hier der Schwerpunkt des Bildes verbarg, um den sich alles wie um eine Sonne drehte. Gleichzeitig aber stieg in mir das Gefühl auf, das Bild des alten Meisters gebe das Schicksal des ›Rotmantels‹ wieder, in einer Bildschrift gleichsam, ohne daß ich sie damals aber hätte entziffern können. Es ist möglich, daß die roten Farbmassen des Bildes diesen Verdacht erweckten, der sich zur vollen Gewißheit steigerte, als der ›Rotmantel‹ das Gemach mit dem Gastgeber, einem Bankier, betrat. Sie kamen, ohne zu sprechen, nicht in Masken, wie die meisten, sondern in Abendkleidern, mit der vollendeten Gelassenheit zweier Weltmänner, aber ihre Augen blickten starr. Ich erkannte, daß sich zwischen den beiden etwas Entsetzliches vollzogen hatte, das sie zu Todfeinden machen mußte und durch einen mir unbekannten Grund mit dem Bilde verknüpft war.

Doch dauerte alles nur Augenblicke. Der Bankier schritt mit dem Arzt in den Saal zurück, und der ›Rotmantel‹ verwickelte mich in ein sonderbares und dunkles Gespräch über Sisyphos, das immer drohendere Gebiete erschloß, wohin der Geist sich nur ungern zu verirren pflegt; auch schien unter seinen Worten jener Fanatismus zu glühen, den wir bei Menschen antreffen, die entschlossen sind, ihrer Idee die Welt zu opfern. Obschon nur noch Teile unseres Gesprächs in meinem Gedächtnis haftenblieben, so erinnere ich mich doch, damals durch seine Worte überzeugt worden zu sein, daß ihn eine heftige und absonderliche Liebe zu diesem alten Bilde trieb, von dem er während der ganzen Unterhaltung kein Auge ließ. Nur noch ungenau entsinne ich mich einiger Andeutungen über geheimnisvolle Parallelen, die zwischen der Qual des Sisyphos und dem Wesen der Hölle zu vermuten seien. Dann sprach er spöttisch von der Ironie, die den Höllenqualen innewohne, welche die Schuld des Verdammten gleichsam parodiere, so daß dessen Qual auf eine entsetzliche Weise verdoppelt würde.

Der Rest des Gesprächs ist mir wie ein schwerer Traum entschwunden, auch weiß ich nicht mehr, wie wir uns trennten; vom Feste, das bis zum späten Morgen dauerte, sind mir nur einige koboldartige Masken in Schwarz und leuchtendem Gelb erinnerlich, die damals von Tänzerinnen getragen wurden.

Dann war es der Arzt, mit dem ich meiner Wohnung zuging, lange vor Ende des Festes, durch meine Krankheit zu frühem Aufbruch genötigt, durch den dichten Nebel hindurch, der manchmal weiß aufleuchtete; auch wurden die räumlichen Verhältnisse zerstört, und wir bewegten uns wie in einem Keller, in den wir heimlich gedrungen waren. Das Gefühl der unmittelbaren Gefahr wurde dadurch verstärkt, daß vor uns ständig der Umriß eines Mannes zu sehen war, den wir hartnäckig einzuholen versuchten, da wir in ihm den ›Rotmantel‹ vermuteten, für den der Arzt seit langem ein immer wachsendes Interesse zeigte. Unser Unternehmen scheiterte aber regelmäßig daran, daß sich die Gestalt anders verhielt, als wir in jedem Moment erwarteten, so daß wir immer auf eine unheimliche Weise getäuscht wurden. Indem wir so weitergingen und ängstlich nach dem Voranschreitenden spähten, der uns bald fast entschwunden, dann aber plötzlich wieder greifbar nahe war, begann der Arzt sehr leise vom ›Rotmantel‹ zu berichten, wie einer, der fürchtet, gehört zu werden. Die hauptsächlichsten Punkte seiner Darstellung entwickelten sich aus dem Umstand, daß der ›Rotmantel‹ mehrere Male versucht hatte, das Bild in seinen Besitz zu bringen, wie der Arzt erfahren hatte, aber stets am Bankier gescheitert war, der die größten Angebote von sich gewiesen hatte. Daran knüpfte der Arzt eine Vermutung, die er zuerst nicht näher begründete, indem er ausführte, der ›Rotmantel‹ werde zu jedem Mittel greifen und auch nicht vor einem Verbrechen zurückschrecken, das Bild des Sisyphos zu gewinnen. Ich suchte ihn zu beruhigen und erinnere mich, eine gewisse Verärgerung darüber empfunden zu haben, daß jedes Gespräch mit dem Arzt die gleiche Wendung ins Ungewisse nahm, da er nie auf reale Gegenstände hinwies, sondern stets in dunklen Vermutungen und Ahnungen wie auf Schleichwegen sich erging. Der Arzt, an den ich noch mit größter Dankbarkeit zurückdenke, war im Besitze einer virtuosen Fähigkeit, das Fragwürdige jeder Erscheinung aufzudecken, und er liebte es, die Dinge nur dann zu zeigen, wenn sie sich vor dem Abgrund bewegten. So entwaffnete er mich vor allem mit dem Argument, der ›Rotmantel‹ sei vor Jahren schon einmal im Besitze des Bildes gewesen, und er habe dieses für eine riesige Summe verkauft, nachdem er es bei einem Trödler für einige Geldstücke erworben habe, auch seien Gründe vorhanden, die dafür zu sprechen schienen, daß er vorher sehr arm gewesen sein müsse. Bevor ich mich in meine Wohnung zurückzog, bemerkte der Arzt, der mich bis zu meinem Haus begleitet hatte, mit einem Lachen, das mir heute mehr und mehr höhnisch erscheint, ich dürfe ein Gerücht nicht übersehen, das Anspruch darauf habe, einiges Licht in die dunkle Vergangenheit des ›Rotmantel‹ zu werfen. Es werde behauptet, dieser sei in seiner Jugend ein Kunstmaler von nicht unbedeutendem Talent gewesen, und es dürfte nicht ausgeschlossen sein, daß der Gewinn, den er mit dem alten Bilde erzielt habe, für ihn der Grund gewesen sei, die Kunst zu verlassen, es seien gewisse Anzeichen vorhanden, die eine solche Auffassung bestätigten.

So endete dieses Gespräch mit düsteren Vorzeichen, um so mehr, als eine ernstere Wendung der Krankheit mich längere Zeit auf mein Zimmer verwies. Ich schreibe es daher meiner damaligen streng abgeschlossenen Lebensweise zu, daß mir der grausame Kampf so lange verborgen blieb, der sich zwischen dem ›Rotmantel‹, der damals sein sechzigstes Lebensjahr erreicht hatte, und dem Bankier um den Besitz des Bildes abzuspielen begann. Auch schwieg der Arzt lange, mit der Absicht, mich nicht zu beunruhigen.

Es war ein Kampf zweier Gegner, die es lieben, im Verborgenen zu handeln, wo jede Willkür herrscht. Es war ein langes und vorsichtiges Ringen, fantastisch nur, weil es um den Besitz eines Bildes ging, in welchem mit den feinsten und verstecktesten Waffen gekämpft wurde, wo jeder Angriff und jeder Rückzug mit einer unendlichen Überlegung ausgeführt werden mußte, und jeder Schritt das Verderben bringen konnte, ein Kampf, der sich in Kontoren abspielen mochte, die in ewigem Zwielicht lagen, in den Vorzimmern der Departemente und schlechtgeheizten Büros, in Räumen, in denen man nur zu flüstern wagt, dort, wo sich jene Dinge abspielen, von denen wir nur hin und wieder unsichere Kunde erhalten, wie von allen Vorgängen, die unter der Oberfläche entschieden werden und die kaum das Antlitz jener bewegen, die an ihnen am tödlichsten beteiligt sind. Auch waren sie ebenbürtige Gegner, soweit wir die äußerste Entschlossenheit in Betracht ziehen, welche die Voraussetzung für die Form dieses Kampfes bildet, doch hatte der ›Rotmantel‹ den Vorteil des ersten Zuges, der unter solchen Konstellationen oft entscheidend zu sein pflegt. Auch fiel ihm in diesem gespenstischen Duell die Rolle des Angreifers zu, der Bankier hingegen sah sich stets in die Verteidigung gedrängt, auch dadurch im Nachteil, daß die Triebfeder seines Handelns in seiner Eitelkeit lag, die ihm verbot, vom Bild zu lassen und sich so zu retten, des ›Rotmantels‹ dämonische Gier nach dem Bilde aber entsprang einer dunklen Macht, die ihre Wurzel im Bösen selber hatte und daher mit ungebrochener Kraft zu handeln fähig war. So zog sich dieser Zweikampf eines Großindustriellen mit einer Großbank, der immer weitere Truste gegeneinanderhetzte und schließlich eine Wirtschaftskatastrophe nach sich zog, viele Jahre hindurch, gleich einer schleichenden Krankheit, die zum Tode führen mußte, hin, und lange blieb der Sieg ungewiß. Langsam aber brach das riesige Kapital des Bankiers zusammen, denn der ›Rotmantel‹ ging wie jene Schachspieler vor, welche die größten Verluste nicht scheuen, wenn sie dadurch in der Lage sind, einen winzigen Vorteil zu erreichen, und indem er sein ganzes Vermögen opferte, gelang es ihm, dasjenige des Bankiers zu vernichten und das Bild in seine Gewalt zu bringen.

Was er nun für Gründe gehabt hatte, sich an mich zu wenden, wage ich nicht zu vermuten, doch kann ich nicht sagen, daß mir seine Einladung unerwartet kam, ich nahm sie vielmehr wie etwas Unabänderliches hin.

Es war einer meiner letzten Gänge, die ich in unserer Stadt tat, kurz bevor ich sie verlassen mußte (unter Umständen, die ich später erzähle). Ich war durch lange Vorstadtstraßen gegangen, durch die Arbeiterviertel, die sich mir wie seltsam gezackte Urlandschaften darboten, mit tiefen Klüften und geometrischen Schatten, die scharf umgrenzt auf den Asphaltflächen lagen. Es war spät in der Nacht, nur noch einige Betrunkene torkelten, wilde Lieder brüllend, herum, und irgendwo gab es eine Schlägerei mit der Polizei. Dann erreichte ich sein Haus, unten am Fluß, von Ufergebüschen, Schrebergärten und in weitem ansteigendem Halbkreis von Mietshausblöcken umgeben, ein langgezogenes Gebäude, mit verschiedenen Dächern, ursprünglich aus vier zusammengebauten, ungleich hohen Häusern bestehend, deren Zwischenwände niedergerissen worden waren und deren Fenster im Mondlicht gleißten. Das Hauptportal war weit geöffnet, was mich beunruhigte, um so mehr, als ich über Haufen umgeworfener Kübelpflanzen steigen mußte, um es zu erreichen, doch fand ich im Innern vorerst noch nicht die Unordnung vor, die ich erwartet hatte. Ich schritt durch riesige Räume, nur vom Mond erhellt, der flackernd durch die Scheiben drang, ahnte an den Wänden Bilder von unermeßlichem Wert und roch den Duft seltener Blumen, doch erblickte ich überall durch die silberne Dämmerung die Zettel der Pfändungsbeamten, die an alle Gegenstände geklebt waren. Auch begriff ich, wie ich mich weitertastete – der elektrische Strom war abgestellt worden, denn mehrmals versuchte ich vergeblich, an den Schaltern Licht zu machen – das Wesen des Labyrinths, welches in seinen Eingeweiden den Augenblick des höchsten Entsetzens birgt, der durch eine allmähliche, gleichmäßige Steigerung der Angst beschworen wird und dann eintritt, wenn wir unmittelbar nach der jähen Biegung eines Ganges auf einen zottigen Minotaurus stoßen. Bald wurde jedoch das Weiterdringen schwieriger. Ich war in Teile des Gebäudes gelangt, welche nur kleine, vergitterte Fenster besaßen, die hochgelegen waren; dazu kam, daß die Teppiche hier aufgerollt und die Möbel verschoben waren. Ich wußte daher in dieser zunehmenden Unordnung bald nicht mehr, wo ich war. Es schien mir, daß ich mehrere Male in das gleiche Zimmer zurückkehrte. Ich begann, mich durch Schreie bemerkbar zu machen, doch antwortete niemand, nur einmal kam es mir vor, als sei von ferne ein Lachen zu hören. Endlich fand ich den Weg, wie ich eine Wendeltreppe emporgestiegen war. Ich trat nämlich in eine Art von Estrich, auf ein großes Tenn, wie ich mich zu erinnern glaube, mit Balken kreuz und quer, die das Dach stützten, mit verschiedenen Böden, die, da sie ungleich hoch waren, mit festgemachten eisernen Leitern miteinander verbunden waren. Auch hier hatte der Hausherr alles kostbar herrichten lassen und durch geschickte Vorrichtungen wohnlich gemacht, obgleich der Sinn eines solchen Estrichs nicht einzusehen war. Vom Hintergrunde nun, von einer Brandmauer her, flackerte ein roter Schein zu mir herüber. Ich stieg mühsam verschiedene Leitern hinauf und andere wieder hinunter. Fenster waren nirgends zu sehen, so daß außer dem Kaminfeuer kein Licht war; doch verhielt sich dieses unregelmäßig, bald flackerte es so stark auf, daß alle Gegenstände des Estrichs klar hervortraten, die Pfosten, Balken, Möbel, und wilde Schattenfiguren über die Wände und über das Dach tanzten, welches man von innen sah, bald erlosch es beinahe, so daß ich mich in tiefem Dunkel auf den Böden oder auf den Leitern irgendwo in dem unübersichtlichen Raume befand. Ich näherte mich dem Feuerschein immer mehr. Wie ich einen wirren Haufen umgestürzter Büchergestelle mit dicken Folianten überklettert hatte, erreichte ich den Kamin. An ihm saß ein alter, zusammengefallener Mann mit zerrissenen, schmutzigen Kleidern, die ihm viel zu weit waren, unrasiert, ein Clochard, wie es schien, den kahlen Schädel vom Lichte der Flamme beschienen, eine grauenerweckende Erscheinung, in welcher ich nur allmählich den ›Rotmantel‹ erkannte. Auf seinen Knien hielt er das Bild des Niederländers, auf welches er bewegungslos starrte und an dessen Rahmen ebenfalls ein Zettel klebte. Ich grüßte, und erst nach langem schaute er auf. Zuerst schien er mich nicht zu erkennen, auch wußte ich nicht, ob er betrunken war, denn am Boden lagen einige leere Flaschen herum. Endlich begann er zu reden, mit krächzender Stimme, doch ist mir entfallen, wovon er zuerst sprach. Es mögen höhnische

Worte gewesen sein, die er stammelte, welche seinen Untergang verkündeten, den Verlust seiner Güter, seiner Fabriken und seines Trusts, oder die Notwendigkeit, sein Haus und unsere Stadt zu verlassen. Doch was nun folgte, habe ich erst begriffen, als ich die Kinder in der Stube ihr Kartenhaus bauen und ebenso mühsam wieder zerstören sah. Er klopfte mit seiner mageren, alten Hand ungeduldig auf seinen rechten Schenkel. »Da sitze ich im schmutzigen Kleide meiner Jugend«, schrie er mit einem Male wütend, »im Kleide meiner Armut. Ich hasse dieses Kleid und diese Armut, ich hasse den Dreck, ich habe ihn verlassen, und nun bin ich wieder in diesen klebrigen Morast zurückgesunken«, und schleuderte eine Flasche gegen mich, die, weil ich auf die Seite trat, irgendwo hinter mir in der Tiefe zerschellte. Er wurde ruhiger und sah mich mit seltsamen, stechenden Augen an. »Kann man aus nichts etwas machen?« fragte er lauernd, worauf ich mißtrauisch den Kopf schüttelte. Er nickte traurig. »Du hast recht, Kerl«, sagte er, »du hast recht«, und riß das Bild aus dem Rahmen und warf es ins Feuer. »Was tun Sie«, rief ich entsetzt und sprang hinzu, um das Bild aus dem Feuer zu zerren, »Sie verbrennen den Bosch.« Er warf mich jedoch mit einer solchen Kraft zurück, die ich dem Alten nicht zugetraut hätte. »Das Bild ist nicht echt«, lachte er. »Das solltest du wissen, der Arzt weiß es schon lange, der weiß immer alles schon lange.« Der Kamin flammte gefährlich auf und übergoß uns mit seinem flackernden, tiefroten Schein. »Sie haben es selber gefälscht«, sagte ich leise, »und deshalb wollten Sie es wieder haben.« Er sah mich drohend an. »Um aus nichts etwas zu machen«, sagte er. »Mit dem Geld, welches ich mit diesem Bilde gewann, habe ich mein Vermögen gemacht, es war ein schönes Vermögen, ein stolzes Vermögen, und wenn dieses Bild wieder in meinen Besitz gekommen wäre, hätte ich aus nichts etwas geschaffen. Oh, eine genaue Rechnung in dieser jämmerlichen Welt.« Dann starrte er wieder ins Feuer, saß da in seinem zerschlissenen, schmutzigen Kleid, arm wie einst, sinnlos, ein grauer Bettler, unbeweglich, erloschen. »Aus nichts etwas«, flüsterte er, immer wieder, leise, kaum daß sich seine fahlen Lippen bewegten, unaufhörlich, wie das Ticken einer gespenstischen Uhr: »Aus nichts etwas. Aus nichts etwas.« Ich wandte mich traurig von ihm, tastete meinen Weg durch das gepfändete Haus zurück und achtete nicht darauf, wie ich auf die Straße kam, daß plötzlich von allen Seiten Menschen auf das Haus, welches ich verlassen hatte, zueilten, mit weitaufgerissenen Augen, in denen das Entsetzen stand, in die ich erst dann zu starren glaubte, als sich der Frost der

Scheibe zusammenzog, durch welche ich, Jahre später, nach den Kindern geschaut hatte, nach ihren Karten und ihren Händen auf dem runden Tisch, so daß nur noch der Fensterrahmen vor mir in der Dämmerung schwebte, der unbeweglich eine leere Fläche umschloß.

(1945)

Der Leutnant Yorck von Wartenburg

Im schwach erleuchteten Frühnebel des Augustmorgens sahen die zum Tode Verurteilten erblassend das Gestänge des Galgens inmitten der von Mauern umschirmten Sandfläche. Es waren einige jener Offiziere, die am 20. Juli des Jahres versucht hatten, die Diktatur, welche ihr Land seit langer Zeit in immer unerträglicher gewordene Fesseln geschlagen und es dazu schließlich in einen Vernichtungskampf gegen die ganze Welt gestoßen hatte, in jäh losbrechender und verzweifelt-ungläubiger Auflehnung zu stürzen. Einer der Verschworenen, Oberst Graf von Stauffenberg, hatte den Tyrannen selbst, der dem ganzen Regierungsgefüge den Namen gegeben, beseitigen wollen. Dies war mißlungen, der Aufstand in der Hauptstadt desgleichen, die Verschwörer, soweit sie nicht im Kampfe gefallen waren oder sich selbst entleibt hatten, standen bald vor dem grausamsten Werkzeug der Schreckensherrschaft, dem sogenannten Volksgerichtshof, dessen erbarmungslose und fanatische Richter sie allesamt zum Tode durch den Strang verurteilten.

Die acht Offiziere, die nach langen Tagen der Erniedrigung und unaussprechlicher Folter dem Tode entgegensahen, waren sehr verschieden in Rang und Alter. Der älteste, Feldmarschall, hatte hohen Ruhm gewonnen, als er die schlecht bewaffneten und von Verrat geschwächten französischen Armeen in einem wenige Wochen dauernden Feldzug niedergeworfen hatte. Vom General ging es weiter bis zum jüngsten hinab, dem in den Zwanzigern stehenden Leutnant Graf Yorck von Wartenburg, Träger eines der berühmtesten Namen deutscher Vergangenheit, der ein junger Mensch war mit braunem Haar und schönen, jetzt aber vor unterdrücktem Grauen gänzlich leeren Augen.

Yorck, der seit dem Augenblick, da er entwaffnet und den gefürchteten schwarzen Garden des Diktators überliefert worden war, sich in eine ihm ebenso bekannte wie bekämpfenswert erscheinende Apathie hatte sinken sehen, durch die er gleichsam mit dem Tode ins geheimste und innigste Einvernehmen trat, hatte seit einer Woche in schrecklichster quälender Ungeduld und unsinniger Hoffnung gelebt. Damals hatte er frühmorgens in seinem Brot einen Zettel gefunden, den er, am ganzen Körper geschüttelt, wieder und wieder gelesen hatte. »Kopf hoch! Wir holen Dich heraus! Wernicke wird den Wagen bereithalten.« Yorck hatte die Handschrift des Freiherrn v. H., eines Freundes seines Vaters, zu erkennen geglaubt. Die folgenden Tage und Nächte vergingen ihm schnell oder langsam, während er sich ausmalte, wie die Befreiung vonstatten gehen würde. Konnte es sich um eine Amnestie handeln? Kein Gedanke war unsinnig genug, um von vornherein verworfen zu werden. Der letzte Satz auf dem Zettel schien allerdings auf einen geplanten Handstreich hinzudeuten. In Yorcks fiebrigen Träumen hallte der Gang von Schüssen und eilenden Schritten wider.

All seine Hoffnungen endeten hier, fünfzig Schritt vor dem Galgen, der im gefährlichen Licht eines sich gelblich färbenden Nebels vor ihm aufragte. Seit der Minute, da er den zerdrückten Zettel mit trockenem Munde verschlungen hatte, empörte sich sein kaum fünfundzwanzigjähriges Leben, wie von einer seltsamen Speise erregt, gegen das ihm zugedachte Geschick. Aber vergeblich rief er in dieser Minute die vergangene Lethargie zurück.

Herkunft, Erziehung und das Erleben des Krieges hatten jeden dieser Männer mit dem Tode vertraut gemacht und ihnen eine von weit her auf sie überkommene Haltung aufgenötigt. Daß sie im feuchten und geradezu tückischen Licht dieses Morgens zögerten, erschauerten, war weniger dem Anblick des Galgens zuzuschreiben, der schrecklich genug war. Vielmehr erkannten sie alle gleichzeitig, daß die Henker furchtbare Rache an ihnen zu nehmen gedachten. Maschinen, deren Bedeutung sie mehr errieten als ganz begriffen, standen wartend unter dem Mordgerüst, und zwischen ihnen bewegten sich wie Marionetten Gestalten, die vor den schreckengeschlagenen Blicken der Verurteilten undeutlich wurden. Dem Generalobersten H. entfuhr ein Ausruf, den einer der begleitenden Henkersknechte mit einem Fluch und einem Kolbenstoß beantwortete. Man trieb sie auf die Maschinen zu, wo man ihnen einen Ring um den Hals legte, der durch Schrauben verengert und erweitert werden konnte. Ihr Tod sollte sich vertausendfachen und tausendmal die Luft und das Leben in ihre berstenden Lungen zurückströmen, ehe ihre Leichname am Galgen hängen würden.

Yorck fühlte sich in den Block gestoßen, und gleich darauf schloß sich der Ring um seine Kehle. Seine Augen sahen groß und erschrocken über den Hof hin, von dem sich der Nebel allmählich zu heben schien. Die Dinge traten in ihren Umrissen schärfer hervor, gleichzeitig aber schien das infernalische gelbrote Licht, das auf ihnen lag, stärker zu werden und ihnen eine neue geheimnisschwere Bedeutung zu verleihen. Er fühlte sein Bewußtsein unwiderstehlich von sich weg, an sich entlanggleiten wie Sog an den Schenkeln eines Schwimmers. Dann begann ein Schmerz an seinem Halse zu zerren, er konnte nicht mehr atmen, in seinen Ohren war ein unendliches Rauschen wie Brandung an der Küste. Er hörte sich selbst tief innen schreien vor Entsetzen, aber er fühlte nicht den Speichel, der ihm aus dem offenen Munde über das Kinn floß, noch vermochte er sein Antlitz zu sehen, das, furchtbar verfärbt, Zunge und nach oben gedrehte Augäpfel zeigte, während die Lippen stumm blieben. Die Verurteilten zuckten konvulsivisch in den Blöcken, hier und da kreischte eine Schraube, die sich lockerte, und dann kam das schluchzende Keuchen eines der Gefolterten, der wie wahnsinnig die Luft einzog.

Yorck taumelte blind und taub zwischen Vorhölle und Hölle hin und zurück. Mit dem zurückkehrenden Atem kam manchmal das Bewußtsein wieder, erschreckend klar, und ließ ihn die Süße dieser wenigen Sekunden fühlen, während deren die Luft ungehindert in seine Lungen zu dringen vermochte. Er spürte nicht, daß er weinte. Durch Tränen und Schweiß hindurch sah er von Zeit zu Zeit den Hof, über dem jetzt eine frühe Sonne hing. Die Sandfläche, auf die er starrte, verschob sich dann unversehens wie ein Objekt unter der Linse des Mikroskops, bis er einige Sandkörner zu erblicken glaubte, scharf und starr, in deren Facetten das Licht sich farbig brach.

Jedesmal aber kam das Rauschen der Brandung wieder, der Schmerz am Hals, die keuchende, berstende Atemnot, aus der schließlich die gelbroten Flammen der Vernichtung züngelten. Er wußte nicht, wie lange dies alles dauerte. Jahre konnten vergangen sein, seitdem er in diesem Block stand. Sein irres, sterbendes Bewußtsein sehnte sich immer nur nach den wenigen Sekunden, da die Schraube sich lockerte. In einem bestimmten Moment, als der Ring sich wieder schloß, aber das Atmen noch nicht völlig verweigerte, nahm sein schwindendes Bewußtsein eine Änderung wahr. Seine Augen waren geschlossen. Aber er spürte, daß ihm eine ungewöhnlich lange Zeit zum Atmen gegeben war. Eine Ewigkeit verstrich, ehe er wußte, daß sich die Schraube nicht gänzlich geschlossen hatte. Er war jetzt zu erschöpft, um die Augen zu öffnen. Durch das Rauschen der Brandung glaubte er neue, nie zuvor gehörte Laute zu vernehmen, ein flaches Hallen und Knirschen, unverständlich geschriene Worte dazwischen. Er erschrak bis ins tiefste, als dicht neben seinem Ohr eine Stimme heulte. Es war eine menschliche Stimme, wenn sie gleichwohl unmenschlich klang, aber er konnte noch immer nicht die Bedeutung der Worte erfassen, die jemand da schrie.

Als er mit großer Anstrengung die Augen geöffnet hatte – er fühlte eine maßlose, kaum zu überwindende Müdigkeit –, sah er, daß etwas in seiner Umgebung sich geändert hatte. – Auf der Sandfläche, in deren Mitte er stand, erblickte er einige liegende menschliche Gestalten, und nach einiger Zeit aufmerksamer Betrachtung legte er sich Rechenschaft darüber ab, daß es sich um Gefolgsmänner der Diktatur handelte. Er erkannte deutlich einzelne Uniformstücke an den reglos Daliegenden. Wenige Augenblicke später, während hinter und neben ihm noch Schüsse krachten – denn nichts anderes war jenes Hallen und Knirschen gewesen, das er in halber Ohnmacht vernommen hatte –, fühlte er sich ergriffen, aus dem Block befreit und halb getragen, halb geschleift zwischen zwei Männern, deren Gesichter er nicht zu erkennen vermochte. Der Weg über die Sandfläche schien ihm endlos, er blickte auf die Staubwölkchen, die sich unter seinen stolpernden und gleitenden Füßen erhoben, der Schmerz an seinem Hals brachte ihn einer Ohnmacht nahe, in seinen Schläfen klopfte schwer und träge das Blut, und zugleich horchte er auf die Stimmen, die, bald entfernter, bald näher, in befehlenden, abgerissenen, drohenden, doch immer unverständlichen Worten schrien und sprachen.

Neben sich hörte er auf einmal jemand deutlich: »Schnell, Herr Leutnant! Wir müssen es schaffen!« Die Stimme klang vertraut, und während er noch mit langsam erwachenden Sinnen um Erinnerung bemüht war, hatte man ihn durch ein Tor hindurchgezogen und quer über eine Straße in einen niedrigen, grauen, geschlossenen Wagen hinein, dessen Motor sogleich aufrauschte. Dann fühlte er sich weich und unwiderstehlich dahingetragen, in erneuter Gleichgültigkeit, die sich in seinen Sinnen dunkel ausbreitete wie Ringe in einem Gewässer. Von Zeit zu Zeit erwachend, erblickte er Landstraßen, Kiefernwälder, Bauern bei der Feldarbeit. Im gelben Nachmittagslicht sah er, daß der Wagen in einen schmalen Waldweg einfuhr, über Wurzeln und Steine hinschwankte und vor einem Forsthause hielt. Wernicke und die anderen führten den Leutnant sanft ins Haus hinein, wo man ihm Kaffee und einen Imbiß bereitete. Man richtete nur wenige Worte an ihn, und er war dankbar dafür. Er erhielt eine Uniform, die die Abzeichen eines höheren Ranges trug, sowie Papiere, die auf den Namen eines Majors B. vom . . . ten Artillerieregiment lauteten. In der Tasche des Waffenrocks fühlte er schwer den Kolben einer Pistole 08. Über den Tisch hinweg sah er plötzlich in einem kleinen Spiegel sein Gesicht und erschrak vor dem Abgrund in seinen Augen und dem dünnen, rätselhaften Lächeln, das seinen Mund verzog. Zutiefst gebannt, ruhte sein Blick im Glas, aber in dem schien es zu arbeiten, wie Wolken zog es drüber hin, und bald verblaßte und verschwamm alles vor seinen Augen, so daß er sich abwandte.

Im Wagen breitete Wernicke eine Decke über ihrer beider Knie, und einen Augenblick lang sah Yorck auf dem Schoß des Dieners den kalten, dunklen Stahl einer Maschinenpistole. Sie fuhren in den Abend hinein, Yorck fragte nicht, wohin. Er fühlte sich gestärkt, beruhigt, trotz der Schmerzen am Hals. Beinahe glücklich betrachtete er die Landschaft, in der die fruchttragenden Bäume bewegungslos in einen grünen und goldenen Himmel ragten, und versuchte nicht, Wegweiser oder Ortstafeln zu erkennen.

Allmählich sank die Nacht hernieder. Yorck fiel in einen leichten, fiebrigen Schlummer, in dem sanfte Worte und Gefechtslärm an sein Ohr drangen und Meerlandschaften, die schrecklichen Augen der Henker und Schatten auf kiesbestreuten Wegen vor seiner Stirn vorbeizogen. Etwas beunruhigte ihn wieder, bohrte in ihm, aber er konnte es nicht fassen, er fand kein Wort dafür, und er erwachte und fühlte kalten Schweiß auf der Stirn. Gerade waren sie durch ein Tor in einen Hof eingefahren, an dessen Rückseite die Fassade eines massigen Gebäudes aufragte. Licht fiel von einigen Fenstern auf die Freitreppe, vor der sie hielten. Yorck war wieder ganz wach und sann erregt nach, wann er schon einmal in diesem Hof gestanden hatte, als er am geöffneten Wagenschlag das Gesicht seines väterlichen Freundes, des Freiherrn v. H., erblickte. Eine unbeschreibliche Angst und Freude erfüllte ihn.

»Peter!« rief der Freiherr leise. »Willkommen in meinem Hause!« Er reichte ihm die Hand und fuhr fort: »Noch jemand ist hier, der dich erwartet«, und lächelte dem fragend zu ihm Aufblickenden gütig und verschlagen zu.

Auf den Arm des Freiherrn gestützt, stieg der Leutnant wie im Traum die Treppe empor. Ein Setter strich um seine Knie, die Ampel über der Pforte sah er durch den Nebel jäher Tränen. In einem Zimmer, das er wohl kannte, war ihm schon ein Lager bereitet, in tiefer, froher Benommenheit ging sein schweifender Blick über die Bilder an den Wänden, die Bücher, den schwarzen Stutzflügel, die Kerzen auf dem Tisch.

Ein Diener und Wernicke richteten die Tafel im Nebenzimmer.

Der Freiherr sprach leise zu ihnen und verließ den Raum. Yorck stand am Fenster, in dem er undeutlich sein Spiegelbild erblickte. Die Wärme in dem schmalen, langen Gemach schläferte ihn ein, er spürte schwer und schmerzend alle Glieder, und der Kragen seines Waffenrocks beengte qualvoll seinen Hals. Er wußte, daß er nun allein war. Er sah die Gesichter seiner Gefährten vor sich, scherzend, besorgt, schreckensstarr. Das Antlitz des Generalobersten B. tauchte vor ihm auf, mit geschlossenen Augen, wachsgelb, an die Stuhllehne vor dem Schreibtisch hingesunken, während in den Korridoren des Hauses in der Bendlerstraße noch eine verspätete Handgranate krachte. Er sah genau die Rauchringe einer verglimmenden Zigarette, den Blutfaden, der unter dem kurzgeschnittenen grauen Haar des Generalobersten hervortrat. Indem er in dumpfer Betäubung die Fäuste regierungstreuer Soldaten gegen sein Gesicht spürte, hatte er noch immer in das spitz werdende Antlitz des Generalobersten gesehen. Er merkte auf die unbestimmten, erstickten Geräusche des Hauses. Vor dem Fenster, das blind in die Nacht hinausstarrte, musterte er die verletzlichen Schläfen und seine Schultern, die in der Uniform nach unten fielen. Ohne daß er sich die Ereignisse der letzten Jahre im einzelnen ins Gedächtnis zurückgerufen hätte, fühlte er in dieser Stunde, daß eine Last von Zögern, Lähmung und Unklarheit auf seinem Herzen war und seine Kraft überkommen wollte.

Yorck, dies überdenkend, spürte noch den schrägen Blick eines barhäuptigen Franzosen unbestimmten Alters, den man an ihm vorbei mit sieben anderen zum Erschießen geführt hatte. Der Augusttag war blau gewesen. Yorcks Blicke glitten über die Wälder, die in der Ferne flimmerten. Er betrachtete den bestäubten Wegerich, der aus dem Pflaster der Dorfstraße wucherte. Er hörte Schritte und wußte, daß man sie in die Lichtung hinausbrachte. Aufschauend verlor er sich in die kühlen, hellen Augen eines der Gefangenen. Der Ausdruck des scharfen, leicht schielenden Blickes war jenseits aller Verzweiflung, unbeschreiblich versunken, wägend, erkennend. Nur wenige Sekunden hindurch hatten sich ihre Blicke gekreuzt – wie kam es, daß Yorck sich dieser Augen jetzt entsann? Es schien ihm auf einmal, daß er seit dieser Sekunde durchschaut war, daß er wie nackt war vor aller Welt. Er spürte keine Bewegung in sich, nur ein ermüdendes, ja zermalmendes Bewußtwerden, und, ohne sich zu rühren, sagte er zum Fenster hin: »So kann man nicht leben!«

Ein Seufzer schien ihm zu antworten. Er warf sich herum und sah Anna an der Tür stehen. Seine unvorsichtige Bewegung jagte ihm Wellen des Schmerzes durch Kopf und Nacken. Während er sich mit beiden Händen zum Halse griff, entsann er sich der Bemerkung des Freiherrn. Anna, kaum zwanzigjährig, war Yorcks Verlobte. Sie war von süßer und schwacher Schönheit. Mit einem von weit her kommenden Blick schaute er quer durchs Zimmer zu ihr hinüber.

»Peter!« sagte sie mühsam.

Er machte ein paar langsame Schritte. Er betrachtete sie aufmerksam. Dies war Anna, die seine Frau werden sollte. Er dachte mit einer Art düsterer Ungeduld an gewisse mißbilligende Andeutungen älterer Verwandter, wie seltsam es sei, daß ein Yorck von Wartenburg eine Bürgerliche zu ehelichen gedächte, und sei es auch die Tochter eines Konsistorialrates. Sie sah auf zu ihm, der immer noch kein Wort sprach. »Peter!« wiederholte sie. Ihre Augen füllten sich sogleich mit Tränen. Er entsann sich, daß er sie liebte, und küßte sie.

»Es ist alles gut!« sagte er und lauschte seiner Stimme nach, die viel zu laut klang.

»Alles!« fuhr er fort und wandte sich ab. Langsam ging er an den Wänden hin. »Sie kamen rechtzeitig.« Dabei fiel ihm ein, daß er nichts von seinen Gefährten wußte. Bisher war es ihm nicht in den Sinn gekommen, nach ihrem Geschick zu fragen. »Und die anderen?« fragte er, innehaltend. »Was ist aus den anderen geworden?« Sie sah ihn an. Offenbar verstand sie ihn nicht.

Die Tür öffnete sich. Der Freiherr trat ein, gefolgt von dem Diener, der die Tafel gerichtet hatte.

»Darf ich bitten?«

»Was ist mit den anderen?« fragte Yorck zu ihm hinüber.

Der Freiherr, im Begriffe, sich niederzusetzen, sah auf. Er antwortete ausweichend, undeutlich. Yorck fühlte die Schmerzen in seinem Hals auf einmal sehr heftig. Die Atmosphäre über dem Tisch schien sich zu verdichten, trübe und drohend brannten die Kerzen. Der Leutnant lauschte den Worten des Freiherrn, die er nicht verstand, aber etwas hemmte ihn, seine Frage zu wiederholen. Mit ungläubigen Augen, in denen sich plötzliches Grauen regte, sah er den basiliskenhaft gewordenen Blick des anderen. Die Gesichter seiner Gegenüber verzogen sich. Er mußte an ein Stück aus den ›Serapionsbrüdern‹ denken, wo ein Mensch plötzlich einem Fuchs und dann wieder einem Menschen ähnlich sieht. Er legte die Stirn in die Hände.

Als er wieder aufschaute, war der Spuk vorbei. Er mußte über sich lächeln. Sicherlich war seine Übermüdung zu entschuldigen.

Er sehnte sich plötzlich danach, allein zu sein, die Lichter zu löschen, traumlos zu schlafen.

Sie aßen schweigend. Der Diener räumte ab und brachte eine Flasche Kirsch. Anna saß regungslos vor einem Glas Wein, das sie kaum berührt hatte. Der Freiherr sprach in kurzen, bestimmten Worten über die militärische Lage, während er eine Zigarre anzündete.

»Wir haben zu spät gehandelt. Die Entschlossenheit, die unsere Namen auf bronzene Standbilder in den Stadtgärten und auf die Seiten der Schulbücher bringt, hat uns jedesmal verlassen, wenn wir sie am notwendigsten brauchten. Ich sage dir, Peter – überall erblicke ich Abgründe. Schon einmal habe ich gesehen, wie sie Knaben schlecht bewaffnet gegen Feuerschlünde schickten. Jeden Tag zerfällt eine Stadt. Und jeden Tag verdunkeln die Schatten von zweihundert Geiseln die im Mittagslicht weißen Mauern. Wer wird uns noch glauben, daß wir das nicht gewollt haben? Ich habe nachgedacht und bin zu Schlüssen gelangt, die dir und den anderen aus deinem Kreis vielleicht unannehmbar erscheinen werden. Wir waren stumpf...«

Yorck sah ihn an. Der Freiherr sprach nun halblaut, mit langen Pausen zwischen den Sätzen. Seine rechte Hand fuhr gleichmäßig nach rechts und links über das Tischtuch.

»Stumpf. Oder vielleicht feige. Unter uns gibt es allzu viele Feiglinge mit EK I und Ritterkreuz. Was uns fehlt, ist die Fähigkeit, die Frage neu zu stellen.«

Yorcks Gedanken irrten ab. Er sah sich über einen Feldweg reiten, im weißen Hemd, auf ›Apollon‹, dem ostpreußischen Hengst, der sich später in Karlshorst das Hüftgelenk zersplittert hatte und den man erschießen mußte. Wann war das doch? Er mußte damals sechzehn oder siebzehn Jahre alt gewesen sein. Wernicke folgte auf der grauen Stute, einen Schritt zurück. »Was war da gestern abend los, Wernicke? All die Leute vor den Remonteställen?« – »Nichts weiter, Herr Graf...« Die leichte Verlegenheit in Wernickes Stimme. Damals sagte er noch ›Herr Graf‹, später nannte er ihn ›Herr Leutnant‹. – »Immer heraus mit der Sprache.« Yorck ahmte die Sprechweise des Vaters nach. »Der Verwalter hatte den Folgmann entlassen.« – »Folgmann? Aha, ich weiß schon. Aber das ist doch wohl nicht alles?« Den Kopf halb zurückgewandt, spricht er in den dunkelglühenden Himmel hinein, der über Heide und braunen Roggenfeldern liegt. – »Den Folgmann haben sie geholt, Herr Graf. Er soll gehetzt haben.« – »So... Sieh einer an...« – Wie lange waren sie so geritten? Yorck

sieht starr zwischen den spielenden Ohren des Pferdes durch.
»Wernicke?« – »Herr Graf?« – »Was war eigentlich Ihr Vater?« –
»Mein Vater? Heuerling beim gnädigen Herrn, er starb schon
Anno dreizehn. Blutvergiftung. Die Mutter wohnt ja noch drüben
im Heidedorf. Die hält ihre Kate immer noch recht.«

Der Hengst strauchelt. Yorck zieht die Zügel an und wendet
sich im Sattel. »Was denken Sie von den Roten, Wernicke?
Sprechen Sie aufrichtig.« – »Aber, Herr Graf ... Herr Graf müssen
wissen, ich und die Politik...« – »Nein, Wernicke, das gilt
nicht... Ich hab' mal was darüber lesen, verstanden hab' ich's
nicht ganz... Man müßte mehr wissen, Wernicke, wirklich...« –
»Ja, Herr Graf, ich hab' noch nicht weiter über das Zeug nachgedacht. Achtzehn, als ich aus dem Felde kam, wählte ich sozialde-
mokratisch, das sag ich Herrn Graf ganz offen... Später hab' ich's
sein lassen, da wählte ich gar nicht mehr.« – »Sagen Sie, Wernicke, glauben Sie, daß das alles einen Sinn hat? Sie und ich...
Ich meine, wozu leben wir eigentlich?« – »Herr Graf stellen
schwierige Fragen... Ich bin man bloß ein ungebildeter Mann.
Man lebt, um zu arbeiten. Tut seine Pflicht, nicht?... Und außerdem ist das alles heutzutage ja sowieso verboten, ja...« – »Vor
vier Jahren, als wir in Berlin waren, Vater und ich, sahen wir
einen Kommunistenumzug... Arbeit und Brot! schrien sie immer. Und: Nieder mit den Kriegsbrandstiftern!... Das war so
komisch für mich. Vater schimpfte. Aber ich merkte doch, wie
elend die aussahen. Und so ernst...« – »Ja, Herr Graf, davon wird
es auch nicht besser.« – »Wer weiß... Man müßte mehr wissen,
Wernicke. Sprechen können mit jemand, der sich auskennt...«
Seine Augen sind verschleiert, die Reitgerte trifft den Stiefel. »Ich
bin müde, Wernicke. Also, zurück...«

Yorck sah nun wieder den Freiherrn vor sich, der immer noch
sprach. Anna sagte kein Wort, sie hielt den Kopf gesenkt. Mit
halbgeschlossenen Augen lauschte Yorck dem Reden seines
Freundes, das wie das Rauschen eines Gewässers an sein Ohr
drang.

»... die Frage neu stellen. Aber wer stellt sie neu? Bei uns hat
keiner den Mut. Oder fehlt es einfach an der Erkenntnis, sagen
wir, an der zur Erkenntnis notwendigen Geistesschärfe? Was wir
Mut nennen, ist vielleicht nur ein gewisses Quantum an Intelligenz. Ja, bei uns gab es die Suttner, Schönaich, Gerlach... Aber
ich kann den Krieg nicht einfach verwerfen...« Der Freiherr
stand auf. »Die anderen, Peter... Siehst du, die anderen, ich sage
es, weil ich es weiß... Die in Paris, London, Moskau: sie haben

recht mit ihrem Krieg...« Leise, mit gesenktem Haupt: »Weil wir mit dem unseren unrecht haben.«

Yorck hörte wieder kaum hin. Über seine Augen fiel Bild um Bild wie Falten eines Vorhanges, vage, wechselnd und bezaubernd wie karelisches Nordlicht. Musik tönte dazwischen. Woher kamen diese fernen Trompetenstöße? Leonoren-Ouvertüre. In einem unbegreiflichen goldenen Nebel sah er die Karyatiden der Berliner Philharmonie, die Leuchter...

Aber auf einmal war er in einem Zimmer. Zwei Männer saßen an einem Tisch. Von Kerzen tropft Wachs auf die ausgebreiteten Karten. Draußen knirscht der Frost in den ostpreußischen Wäldern. Alles das hatte er in Tagträumen schon hundertmal gesehen. Diebitsch beugt sich vor, seine Augen leuchteten, und er sagt (man hört die R rollen): »Ich beglückwünsche Ew. Exzellenz. Darf ich den Entschluß Ew. Exzellenz als den ersten Schritt zu einem Bündnis aller freiheitsliebenden Völker Europas werten?«

Der andere wendet sich um. Im Schein des Kaminfeuers, das sein offenes, nun fast lächelndes Gesicht beleuchtet, sieht man ihn nachdrücklich nicken. »Ja, Herr General.« – Diebitsch erhebt sich, seine Augen sind verzückt, er öffnet auf feierliche und ein wenig komische Weise die Arme: »Le nom du général Yorck sera désormais lié à la chute du sanglant Bonaparte. La liberté est en marche. Permettez, que je vous embrasse...«

Wieder die fernen Trompetenstöße. Oder war es der Beethovensche Yorckmarsch?

Aus seinen Träumen emportauchend, hörte er wie eine Antwort die Worte des Freiherrn: »*Sie* haben es gewagt. Sie gingen bis zum Letzten.«

Eine Pause. Yorck kämpfte gegen das Versinken, sein Hals schmerzte, er war unaussprechlich müde, doch zugleich wußte er, er würde nicht schlafen können.

Der Freiherr sagte: »Seydlitz.«

Yorck blieb stumm. Er lauschte begierig auf alle Laute, die an sein Ohr drangen: das schwere Atmen des Freiherrn, Schritte im Gang, die gedämpft näher kamen und vergingen, den gemächlichen, hohlen Schlag der Standuhr.

»Neu stellen, die Frage: das heißt, Vaterland, Pflicht, Ehre, Eid neu erleben, neu denken. Einmal diese verdammten Türen durchbrechen: Angst vor der Ahnung, dem Denkenmüssen, Furcht um die Privilegien... Ich las Michelet in diesen Wochen. Der vierte August, weißt du? Diese unerhörte, welterschütternde Nacht, die Grafen und Barone in Bürger eines Landes umbricht. Söhne einer

Nation, die sich zur ersten macht, weil sie für die Freiheit aller Nationen kämpft.«

Der Freiherr hatte sich halb erhoben. Yorck sah verwirrt ein unbekanntes Zucken auf seinem Gesicht.

»Das war Frankreich!... Und wir? Unser SS-Pöbel erschießt die Kinder von Charkow. Sie haben recht, wiederhole ich. Mit Reichstagsabgeordneten, Kommunisten sich an einen Tisch setzen... Wie weit mußte es erst kommen, daß unsereiner das natürlich fand. Ich habe sie sprechen hören. Still, hör zu...«

Der Freiherr stand auf, ging zum Apparat hinüber und suchte eine Station. Der Empfänger rauschte, dann kam plötzlich schwach und deutlich das Zeichen des Senders. Der Gott, der Eisen wachsen ließ. Yorck sah die Schule vor sich. Der wollte keine Knechte. Knechte... Man muß nachdenken. In Blut müssen wir waten bis an die Knöchel, um mit dem Denken zu beginnen.

»Sie stören wieder.« Aus dem Apparat drang Krachen und Heulen. Der Freiherr stellte ab und kam zurück. »Verzeih. Ich denke auch gar nicht an dich. Du mußt schlafen gehen. So bist du also in Sicherheit unter meinem Dache, Peter. Wer weiß, wie lange noch? Bald wirst du weiter müssen. Nun aber schlafe – und denk nicht an morgen. Gute Nacht.«

Er ging, Yorck die Hand drückend. Yorck ging durch die Verbindungstür in das ihm angewiesene Zimmer. Anna brachte ein leises »Gute Nacht« hervor, die ganze Mahlzeit über hatte sie geschwiegen. Yorck seufzte, entkleidete sich langsam, verriegelte die Tür und blies die Kerzen aus. Im Dunkel tastete er, sich erinnernd, noch nach der Pistole, entsicherte sie und legte sie auf einen Stuhl, den er ans Bett rückte. Yorck verbrachte die folgenden Tage auf dem Gut. Sein Zimmer verließ er kaum. Vor dem Feuer sitzend, ließ er seinen Blick über die Seiten des aufgeschlagenen Buches hinweg den Wäldern am Horizont entgegenfliegen. Manchmal blieb Anna bei ihm, er vermochte kaum zu ihr zu sprechen, nur ihre Hand hielt er lange in der seinen. Den Ausblick aus dem Fenster kannte er von seiner Knabenzeit her, unter dem wechselnden Tageslicht traten Stürme und Ahnungen von einst wieder mächtig in sein Herz ein. Über jene Höhen hinweg und durch die blauschattenden Wälder hindurch mußte man auf die breite Straße kommen, die durch die bienentönende Heide zum Meere zog. Er kannte sie besser als alles, was ›heute‹ hieß, inniger als das unsägliche Entsetzen, das ihm in den letzten Jahren so nahe gewesen war. Am Bahndamm wuchs immer noch der Ginster, unter dem er den ›Malte Laurids Brigge‹ gelesen hatte, während aus den vorbeidonnernden Zügen die schwarzen Gesichter der Heizer grüßten.

Am Waldrand abends begegnete man Unbekannten, die freundlich blickend stehenblieben und nach Neuigkeiten aus der Hauptstadt fragten. Die Dörfer lagen im Rauch des Abends, aus den offenen Türen duftete das neue Brot, im Schatten der Scheunen hämmerten die Knechte die Sensen für den morgigen Tag, und hinter den Gardinen lächelten scheu und verloren fremde Mädchen.

Dann kam man von den Straßen ab, ging nur noch auf Feldwegen, die immer heller und sandiger wurden, und als der Pfad einmal auf besondere Weise in den Horizont hinaufstieg, wußte man: das Meer, obwohl es noch nicht gleich das Meer war. Aber der Wind in den Wäldern roch anders, die ersten Dünen kamen auch bald, Brackwasser tauchte auf, und auf einmal mußte man stehenbleiben, lange, lange, und es war gut, daß man allein war. Aber es war überhaupt gut, allein am Meer zu sein, allein im ganz frühen Morgen, in dem die ersten Türme der Segelschiffe am Horizont standen, die See in ungeheuer alter, verschleierter Schönheit ruhte, allein im Mittag, wenn die letzten Badegäste über die splittrigen Laufstege zu ihren Hotels hinaufgestiegen waren, allein am späten Nachmittag, wenn ein feierlich scheidendes Licht die eisernen Verzierungen an den Landungsbrücken verzauberte und die ferne Musik von Kurkapellen ins Erhabene wuchs. Die tragische Gemessenheit des Meeres reinigte das eigene unwägbare Leid, das sonst den Knaben erschreckte und zur Klage trieb. Er empfand undeutlich dieses Leid als untersten Träger seiner Existenz und als Brücke zugleich zu jenem allgemeinen Leid, dessen bestimmte und ruhige Bejahung erst ihm seinen Platz in der Welt zuwies. Im Anblick des Meeres schien ihm die noch leise, aber gewisse Antwort auf die Frage nach dem Sinn des Lebens zu werden, dergestalt, daß er seine Einsamkeit in eine Vielzahl von Einsamkeiten gestellt und in ihr bewahrt zu wissen meinte.

Deutlich zogen die Bilder der Jugend an seiner Stirn vorbei: Ritte im klirrenden Wald, die Pferde straucheln auf dem abschüssigen Weg – plötzliches Weinen im Schoß der Mutter, die nicht fragte und alles wußte – Abende, an denen die Eltern fremd und schön in festlichen Kleidern den Knaben umarmten, während das Haus die Gäste erwartete. Im Musiksalon geht er am geöffneten Flügel vorbei, die Erzieherin bringt ihn in sein Zimmer, rasch versinkt er in Schlaf und erwacht plötzlich im Dunkel: niemals erhört, dringt süßeste Musik durch die Wände. Er weiß, sie spielen das Tschaikowski-Trio und jetzt Brahms, und in unendlicher Geborgenheit sinkt er zurück in den Traum, den noch Musik durchweht.

Und später sah er die drohende Schönheit der Städte, lauschte er dem rascheren Atem fremder Frauen, sprach die Nächte durch und hörte andere sprechen, und die Jugend wollte nie enden. Deutlicher verstand er, daß alles, was sich an ihm vollzog, ihn nur in der einen Richtung bestärken wollte: das Leben näher zu fühlen und dieses stärker Gefühlte ins Große, ja Unvergängliche zu steigern. Die Angst, mit der er in Wernickes Augen geblickt hatte, als er ihm einst auf dem Ritt jene Frage stellte, war nur die letzte Abwehr eines früheren Seins, das er von sich abfallen spürte wie eine verbrauchte Schale. »Ich habe nur ein Leben«, hörte er sich manchmal laut sagen, wenn er allein war. Er las Bücher und sprach Menschen, die er Kameraden und Eltern nicht zeigen durfte. Das Regime verachtete er zunächst stillschweigend in der Weise, die ihm Stand und Familie vorschrieb. Später erst, er war Leutnant und hatte zwei Feldzüge mitgemacht, begann er sich darüber zu verwundern, daß in all seine Überlegungen und in sein Drängen nach einem erfüllteren Leben der Gedanke an die politischen Zustände seines Landes kaum getreten war. Fast gleichzeitig fühlte er, daß er die Diktatur nicht länger aus den gleichen Gründen verachten konnte, sondern daß er sie neuer Erkenntnisse wegen haßte.

Am vierten oder fünften Tage seines Aufenthaltes teilte ihm der Freiherr mit, daß die Geheimpolizei mit ihren Nachforschungen in die Nähe des abseits gelegenen Gutes gelangt und seine schleunige Abreise geboten sei. Er fügte hinzu, daß alles getan worden wäre, um Yorck in endgültige Sicherheit zu bringen. An welchen Platz der Freiherr ihn zu senden gedenke, fragte Yorck ahnungsvoll, worauf jener erwiderte, es gäbe nur eine Rettung: die Durchquerung der deutschen Linien im Osten und die Flucht nach Rußland, wo der dem Tode Entronnene mit den aufständischen Generälen in Verbindung treten würde. Yorck fühlte sein Herz in Freude und Bedrängnis stürmisch schlagen, während er in ruhigen Worten dem Freunde dankte. Der Freiherr versicherte, alles sei aufs beste vorbereitet, die Abreise auf den kommenden Tag festgelegt, die Überquerung der Weichsel gesichert. Als einige Stunden darauf – es dämmerte schon – Anna bei ihm eintrat, schritt er ihr schnell entgegen, um sie von seiner Abreise zu unterrichten. Aber sie neigte das Haupt zum Zeichen, daß sie bereits wisse. Er führte sie zu einem Stuhl in der Nähe des

Fensters. »Ich vermute, es wird das Beste sein für dich«, sagte sie förmlich. Er sah, sich vorbeugend, ihre junge und etwas hinfällige Schönheit. Der Kontrast zwischen dunklem Haar und blaugrünen, sehr leuchtenden Augen, ihr durchsichtiger Teint hatten ihn eines Tages bezaubert, ihr etwas gedrücktes, ungesprächiges Wesen belebte immer von neuem seine Teilnahme. Er betrachtete ihre abfallenden Schultern, die schön gebildete Fläche von Wange und Schläfe und fühlte sich unbegreiflich gerührt. Wieder empfand er die leise, fremde Erregung und Niedergeschlagenheit bei dem Gedanken, dieses unbekannte und nie zu erreichende, ihn nie erreichende Wesen zu lieben.

Aber während er zu ihr sprach und ihr die Notwendigkeit seiner Flucht auseinandersetzte, fühlte er, daß sie ihm entglitt. Unwiderruflich, dachte er und wußte nicht, ob er es ausgesprochen hatte. Ihm war, als löse sich ihr Antlitz vor seinen Augen in einen weißen Schaum auf, zusehends vergingen ihre Züge, ohne daß er sie in seinem Innern wiedererstehen zu lassen vermochte. Vielleicht, dachte er, ist Anna nur die Verkörperung eines Lebens, von dem ich für immer Abschied nehmen muß. Entrinnen und wieder entrinnen – nur das ist die Zukunft: Verwandlung und Vergessen.

Er war nicht erstaunt, als er plötzlich ihre Stimme hörte, lauter und erregter, als er sie je zuvor vernommen hatte. Durch den Nebel erschienen ihm ihre Züge wieder deutlicher. Er mußte eine Weile warten, bis es ihm gelang, den Sinn ihrer Worte zu verstehen. »Geh nicht hinüber, Peter!« hörte er sie sagen. »Ich weiß, du wirst mir nicht zurückkehren ... Warum nicht für eine kurze Zeit nach O ...? Dort könntest du unerkannt bleiben, und du weißt, daß du dort sorgende Freunde hast.«

»Wie soll ich dir erklären ...« Er sprach sehr langsam, als erwäge er jedes Wort. »Nicht allein, daß die Straßen nach O ... gesperrt sind, wie die Kundschafter berichten ...« Er schwieg lange. »Mein Weg hinüber zu den andern ist vielleicht die letzte Möglichkeit ...«, sagte er zögernd. Er fühlte ihren verständnislos fragenden Blick. »Das erhöhte Leben«, setzte er mühsam hinzu. Ihr Blick wich nicht von ihm, und mit geschlossenen Augen und zu einem halben Lächeln schien er, während seine Hand sich abwehrend ausstreckte, seine Worte auslöschen zu wollen.

Er wußte auf einmal, daß er sie verzweifelt liebte und sie verlassen mußte und sie vielleicht nicht wiedersehen dürfte und sie nicht wiedersehen würde. Ihr Gesicht war zu ihm aufgehoben wie das eines Kindes, das begreifen möchte, und sein Blick, der in dieses Gesicht stürzte wie in einen Schacht, löste wie Schichten andere Gesichter unter ihm los, junge und sehr junge, lockende, fragende, wissende, gütige und gefährliche. In ihren schönen, schwachen, ergebenen Augen sah er es sich wie Verrat erheben, und zugleich empfand er ganz sicher, daß sie einem frühen Tode bestimmt war. Aber als er in leisem Grauen, angerührt vom Flügelschlag ahnender Offenbarung, zurücktrat, fand er wieder ihr ursprüngliches Antlitz, angstvoll und ohne Verständnis und voll eines Flehens, das ihm ein tiefes Erbarmen mit ihr eingab. Er drückte sie sanft auf den Sitz nieder, von dem sie sich erhoben hatte, dann kehrte er ans offene Fenster zurück, in das er sich setzte, ein Knie in den verschränkten Händen. Auf den golden strömenden Abend schauend, fühlte er eine starke, verzichtende Ruhe in sich, und sein rückwärts über die Schulter gewendetes Antlitz suchte die Wälder. Die ersten Sterne traten aus der verdunkelten Bläue hervor. Verse gingen ihm durch den Sinn:

> ... Bei meinem Saitenspiele
> Segnet der Sterne Heer
> Die ewigen Gefühle.
> Schlafe! Was willst du mehr?

Halblaut begann er das Gedicht zu sprechen. Eine süße und schmerzende Gewißheit sagte ihm, daß sich an ihm ein Unabwendbares vollziehe und daß die verhängte Zukunft das ihm Notwendige, das Befreiende bereithalte.

> ... Bannst du mich in diese Kühle,
> Gibst kaum im Traum Gehör ...

Als er aus seinen Gedanken zurückfand, war er allein, und das Zimmer lag völlig im Dunkel. Er läutete nach dem Diener, bat um Licht und ließ sich bei dem Freiherrn entschuldigen.

Am nächsten Tag, als das Gesinde beim Essen saß und der glühende Hof im blendenden Licht des Mittags erstarrte, fuhr Yorck ab, von Wernicke und einem Vertrauten des Freiherrn begleitet. Der Freiherr umarmte ihn stumm. Annas Hand lag einen Moment lang kühl und trocken an seinen Lippen.

Man hatte ihm neuerlich falsche Papiere mitgegeben. Auch die Abzeichen an seiner Uniform waren geändert worden. Sein Ausweis lautete diesmal auf den Namen eines Oberleutnant R. im Stab eines Armeekorps, der sich von einer Dienstreise nach Berlin zu seinem Standort im Abschnitt von Sandomierz zurückbegab. Desgleichen war ihr Wagen gewechselt worden. Sie fuhren den ganzen Tag und bis in die Nacht hinein, schliefen im Wagen, den sie in einem Gehölz versteckt hatten, und waren am nächsten Abend in der Nähe der Weichsel. Yorck kannte die Gegend nicht, in ruhiger Betäubung überließ er sich seinen Begleitern und stellte kaum Fragen. Gegen zehn Uhr abends hielten sie mit gelöschten Scheinwerfern an einer Waldlichtung, über die bald zwei Männer auf sie zuschritten. Die beiden, ein Unteroffizier und ein Oberfeldwebel, salutierten straff, ohne daß Yorck in seiner Ermüdung bei der gemurmelten Vorstellung ihre Namen verstand. Sie nahmen im Wagen Platz, der Unteroffizier am Steuer, und rollten noch einige Kilometer mit abgeblendeten Lichtern. Der Vollmond trat selten durch ein bewegtes Meer schwarzer Wolken. Hier und da blinkten Sterne hervor, um gleich wieder in der Schwärze zu verschwinden. Einige Panzer klirrten an ihnen vorbei, von einer Ambulanz gefolgt. In der Ferne hämmerten MGs (wie Spechte, mußte Yorck denken). Weit vorn stampfte russische Artillerie. Ab und zu erschien über fernen Baumwipfeln, die in der Nacht versanken, der Widerschein von Leuchtkugeln.

Sie bogen von der Straße ab, fuhren über holprige Wege. Einmal sah Yorck in der Schwärze Geschützrohre, hörte im Wind den gedehnten Schrei: »Battriee!« und zuckte gleich darauf unter dem Schlag der Abschüsse zusammen. Dann verließen sie den Wagen, Yorck verabschiedete sich von seinen Begleitern und tastete sich, vom Unteroffizier begleitet, das Ufer hinab. Im Dunkel fanden sie das Boot, stießen ab und hörten nach wenigen Minuten den Kiel auf Sand knirschen. Der Unteroffizier flüsterte Yorck einige Worte zu und verschwand mit seinem Boot. Yorck lauschte auf die schwachen Ruderschläge, stolperte hangaufwärts, glitt im nassen Lehm aus und stieß die Schulter an einem niederen Baum. Auf dem Kamm des Hügels stand er kurze Zeit still, ein starker Wind kam in Stößen aus dem Unbekannten und kühlte seine feuchte Stirn. Wie ein Schlafwandler schritt er in die Nacht hinein. Er achtete nicht auf den Weg und erstarrte erst, als er einen Anruf aus dem Dunkel vor sich vernahm: »Stoj!« Ein gedrungener Mann mit einer Maschinenpistole im Arm schritt auf ihn zu: »Kommandant!« sagte Yorck. Er mußte plötzlich lächeln.

Im Unterstand empfing ihn der Diensthabende. An der lehmverschmierten Uniform sah Yorck im Kerzenlicht eine Reihe von Auszeichnungen. Sie sprachen englisch miteinander. Der Russe ging ans Telefon. Yorck dämmerte auf einem Sitz dahin, bis ein Unteroffizier ihn in die zweite Stellung brachte. Nach kurzem Verhör wies man ihm einen Platz zu.

Die nächsten Tage vergingen mit Fahrt und Aufenthalt. Yorck fühlte sich befreit und ermüdet, eine merkwürdige Schlafsucht war in ihm. Mitten im Gespräch vergingen vor ihm die Gesichter, aber manchmal war er ganz wach, zitternd vor Erregung, als sollte sich ihm nun ein großes Geheimnis erschließen.

Das ungeheure Land glitt an ihm vorbei mit holpernden, staubbedeckten Straßen. Niedergebrannte Kollektivwirtschaften lagen am Wege. In den weißgelben Feldern ratterten die Mähdrescher. Ein nicht abreißender Strom von Panzern, Geschützen, Pontons flutete westwärts an ihnen vorüber. An den Dorfstraßen standen winkende Kinder. Durch zerstörte Städte fuhren sie, Yorck zwischen Schlaf und Wachen, bis er eines Nachmittags, aus schwerem Traum hochfahrend, das Wort »Moskwa« vernahm.

Yorck sah Straßen und Gebäude, die ihm von Abbildungen her wohlbekannt waren. In seine Benommenheit hefteten sich Bilder: Kopftücher in einer Gruppe von Frauen, der Eingang zu einer Station der Untergrundbahn, die Schlote eines Kraftwerks, die Rubinsterne auf den Türmen des Kreml, den er aus dem vorüberfliegenden Wagen erblickte. Er hatte seit langem keine so bewegte Stadt gesehen und erinnerte sich mit zornigem Lächeln der Zeitungsberichte, die behauptet hatten, die feindliche Hauptstadt sei durch die deutschen Flieger völlig zerstört worden. In einem Zimmer stand er dem General gegenüber, dessen Ahnherr einst die Schlachten des großen Friedrich geschlagen hatte. Er sah vertraute Uniformen, gespannte Gesichter, wurde Männern vorgestellt, deren Namen er insgeheim so manches Mal vernommen hatte; Männer einer Partei, die ihm von jeher als der Inbegriff des Vaterlandslosen, des Übels, des unter keinen Umständen Annehmbaren dargestellt worden waren. Tief angerührt hörte er diese Männer Dinge beim Namen nennen, die er nur zu ahnen gewagt hatte, in grenzenlosem Erstaunen begriff er, daß sie die ganzen Jahre hindurch um das gleiche gebangt hatten wie er selbst, nur war alles von ihnen schon ganz durchdacht und entschieden worden. Er dachte an sein Zögern, seine Zweifel und verstand sich kaum mehr. Sie lauschten seinem Bericht. Es fiel ihm schwer zu sprechen, Namen zu nennen, oftmals verwirrte sich wieder alles in ihm. Die Erschöpfung wollte nicht von ihm weichen, obwohl er froh war, unendlich erleichtert. Selten gedachte er seiner Flucht, mit Anstrengung entsann er sich manchmal Annas oder des Freiherrn. Aber die Zeit verwirrte sich ihm, er zählte nicht mehr die Tage, die Wochen, die Monate, und gelegentlich hätte es ihn nicht verwundert, zu erfahren, daß seit seiner

Ankunft ein ganzes Jahr verstrichen sei. Er fühlte sich von einer mächtigen Bewegung umgeben wie ein Träumender auf einer Barke. Aus dieser Bewegung leuchtete hier und da ein Antlitz hervor, ein Gespräch, eine Frage, eine Landschaft, in der er sich aufhielt. Manchmal, sich unvorsichtig umwendend, spürte er den Schmerz in seinem Hals, aber an die Umstände, unter denen er sich diese Schmerzen zugezogen hatte, erinnerte er sich nur nebelhaft und ungern.

Irgendeinmal wuchs die Bewegung um ihn ins unermeßliche. Nur allmählich teilte sich Yorck die ganze Erregung seiner Umgebung mit, und erst ungläubig, dann in erschütternder Freude, erfuhr er, die Heimat habe sich erhoben. Nach den eingetroffenen Meldungen zu urteilen, war der Aufstand gleichzeitig in fast allen Teilen des Reiches erfolgt und hatte die Unterstützung der verschiedensten Schichten der Bevölkerung. Arbeiter hatten, mit den aus dem Ausland verschleppten Arbeitssklaven verbündet, Hütten und Minen besetzt, im Odenwald und Spessart hatten sich die Bauern, mit Sensen und Hacken bewaffnet, auf die Städte in Marsch gesetzt, in der Hauptstadt war der Generalstreik erklärt und der Rundfunksender von den Aufständischen in Besitz genommen worden. Die Wehrmacht meuterte an verschiedenen Abschnitten der Front und erhob sich gegen die Prätorianergarden der Diktatur.

Das Haus hallte Tag und Nacht von eilenden Schritten und Gesprächen wider. Kurz darauf verkündeten die alliierten Oberbefehlshaber in einem gemeinsamen Aufruf an ihre Truppen den Beginn der allgemeinen Offensive an allen Fronten.

Nachts jagt Yorck mit mehreren Offizieren nach Westen. Auf den Straßen der Stadt wogen dunkel rufende Menschenmassen, während die Salven der Salutgeschütze sich vielstimmig an den Häuserwänden brechen.

Der nächste Morgen beleuchtet fahl die von jähen Regenstößen geschwärzten Vormarschwege. Durch die zerrissenen, von neuer Sonne beleuchteten Wolken ziehen Jagdgeschwader feindwärts. Links und rechts, über die abgeernteten Felder, preschen die Hundertschaften der Kosaken.

Yorck fühlte das Glück wie eine machtvolle Sicherheit. Die Müdigkeit, die nie ganz von ihm wich, trieb ihn zum Sprechen. Er wollte in diesen Stunden den anderen nahe sein, wie er das erfülltere Leben sich nahe fühlte. Sein Nachbar lächelte ihm zu. Yorck betrachtete neben seiner Wange die Fensterscheibe, an der Regentropfen sich sammelten und vom Winde weggerissen wurden.

»... und es ergreift ihr Schicksal den, der es leidet und zusieht...«, sagte er plötzlich laut. Der andere wendet sich zu ihm und beendet, in gedämpftem Ernste lächelnd: »...und ergreift den Völkern das Herz.«

Der Wagen macht eine jähe Schwenkung. Wohin? denkt Yorck, während eine unwiderstehliche Kraft ihn nach rechts drückt. Gibt es denn keinen Halt? Er fühlt einen schrecklichen, nicht enden-wollenden Sturz, der ihn blendet, der nicht aufhören will, ihn zu blenden...

Er war ganz wach, in dem letzten, furchtbaren Wachsein seines Lebens. Es war die weite Sandfläche, die er zuerst erkannte. Sie war nicht mehr rostrot, sondern von einem Grau, als ob es nie eine Sonne gegeben habe. So war er also nicht befreit worden, hatte nicht zu Anna und dem Freiherrn gesprochen, war nicht in das große Land entkommen, in dem man alles ganz verstanden hatte: Ehre, Treue, Pflicht, Heimat. So war er also nicht zurückgekehrt...

Yorck, an der Schwelle des Todes, fühlte keinen Schmerz und hatte keine Furcht mehr. Der Tod hatte ihn zu spät geweckt. Auf der mitleidlosen Fahlheit zu seinen Füßen schaukelten Schatten. Er war der letzte, den sie an den Galgen würden hissen müssen wie eine schwere, dunkle Fahne.

Mit einem unendlichen Blick maß er das Gelände. Gleich würde er den großen Schritt machen. Seitwärts schauend, gewahrte er die Hand seines Henkers, die an der Schraube lag. Wie unter einer Linse, noch einmal, hob sich die erbarmungslose Landschaft dieser Hand seinem Auge entgegen. Er sah die dunkle Behaarung wie gelichtetes Unterholz, die schmutzigen Gruben der Poren, die Schieferteiche der gebrochenen Nägel, Narben und Falten wie die Hieroglyphen der Verruchtheit und eines Lebens ohne Trost.

Aber nichts mehr erreichte ihn. Kein Schmerz war in ihm und keine Enttäuschung. Er war ganz allein, und auf die Hand, die nun die Schraube zu drehen begann, spiegelte sein ruhiger Blick den letzten Widerschein von Städten, Menschen, Gefühlen und Er-kenntnissen seines geträumten Lebens.

Nur der Tod des Trägers dieser Erzählung im August 1944 sowie auch sein Name entsprechen den Tatsachen. Alle weiteren Umstände und Personen, von denen hier berichtet wird, sind erfunden. – Es sei ausdrücklich vermerkt, daß diese Erzählung von einer Novelle des Amerikaners Ambrose Bierce angeregt wurde.

(1945)

ELISABETH LANGGÄSSER

Der Torso

Als die drei Männer mit ihrem Holzpflug aus der Blockhütte in das Freie kamen, merkte man erst, wie tüchtig sie zugerichtet waren. Vor allem das Gesicht des Japaners war vollkommen platt geschlagen, es glich einer scharf geräucherten Flunder mit runzeliger Haut. Auch Johnny hatte ganz ordentlich bei der Sache was abbekommen; er schleifte das linke Bein ziemlich deutlich unter dem Körper her, der linke Arm war gleichfalls gelähmt, und wenn er lachte, verzog sich der Mund zu einer Diagonale in seinem Vollmondgesicht. Habakuk war noch am besten erhalten, obwohl ihm eigentlich durch den Luftdruck am schlimmsten mitgespielt worden sein mußte, doch waren seine Verletzungen nicht äußerlicher Art: er würde wohl für die Zeit seines Lebens eine losgerissene Niere und Gallenstörungen haben.

Im übrigen waren alle drei froh, davongekommen zu sein. Evelyne, Johnnys Frau, meinte das übrigens auch. Freilich war ihre Stellung zwischen den übrig gebliebenen Männern noch ziemlich ungeklärt und jedenfalls ohne Vorbild – aber schon jetzt schien es ziemlich sicher, daß jeder von ihnen ein Recht auf sie hatte, von dem er übrigens noch nicht wußte, ob er Gebrauch davon machen würde, denn keiner hatte schon wieder Lust, sich zufällig zu vermehren. Weil Evelyne, wie sie behauptete, sich über alles erst klar werden mußte, war sie zu Hause geblieben. Johnny war einverstanden damit, denn sie störte ihn bloß beim Denken, und Denken – oder vielmehr Erfinden – war jetzt die Hauptarbeit, die er zu leisten hatte.

»Good bye, Evelyne!«

»Good bye. Kommt bald wieder, sonst wird das Irish-Stew kalt. Und gib schön acht auf ihn, Habakuk, wenn er wieder das Bein zu rasch vorwärts zieht und über die Pflugschar fällt.«

»Okay.« Und nun waren sie hier. Sie standen auf einer sandigen Fläche, die gegen den zweiten Abhang hin von Kiefern abgegrenzt wurde, und, wie Johnny behauptete, wie geschaffen für ihren Holzpflug war.

»Los, Habakuk, singe!« sagte er, während er den Japaner vor seine Erfindung spannte. Sie setzten sich alle drei in Bewegung, das neue Gestell, wie ein kleines Kind, das eben erst gehen gelernt hat, schwankte unsicher hin und her und holperte über jede Scholle, die es zur Seite legte. Johnny runzelte seine Stirn und dachte angestrengt nach. Er war durchaus noch nicht von der Sache und ihrer Leistung befriedigt, aber er wußte, es würde schon kommen, wie alles nach und nach kam. Darum war es vielleicht auch nicht richtig, von einer ›Erfindung‹ zu sprechen; man hätte ›Erinnerung‹ sagen müssen, denn Johnny und auch die beiden andern wußten natürlich genau, daß dies alles schon früher einmal vorhanden gewesen war – früher, vor dieser letzten und tollen Katastrophe, von der sie beim Sprechen zu sagen pflegten, daß sie wirklich ›ganz anständig‹ war. Jeder von ihnen hatte noch immer einen ziemlichen Vorstellungsschatz; einen Schatz von Gefühlen, Erinnerungen und genau begrenzten Kategorien, die er heraufholen mußte, um sie den anderen mitzuteilen; doch das Heraufholen war nicht leicht, weil ihre Seelen wie Siebe gelöchert worden waren und vieles unterwegs fallen ließen, bevor es ans Tageslicht kam. Am meisten hatte noch Habakuk von den früheren Zeiten behalten: sein Gehirn war auf Katastrophen trainiert, denn seine Vorfahren hießen Mendel, Baruch und Rubinstein. Auch der Japaner litt nicht zu sehr unter dem allgemeinen Kopf- und Erinnerungsschwund. Er war sogar ziemlich glücklich darüber, sich endlich wieder mit einem Tonkrug und einer Matte begnügen zu können, die er aus Schilfrohr geflochten hatte, denn seine Fähigkeit, sich Amerika anzugleichen, war überstrapaziert. Am ärgerlichsten war es für Johnny, welcher ein Mann des Fortschritts gewesen und jetzt auf den nackten Anfang zurückgeworfen war. Ihn peinigte vor allem ein Wort, das so ähnlich wie ›Ferrum‹ hieß; er fühlte, daß er am Ende nicht weiterkommen würde, wenn diese Sache ihm fehlte; doch gleichzeitig hatte er das verdammte und unangenehme Bewußtsein, daß es das Wort überhaupt nicht mehr gab, vielmehr die Sache nicht, die das Wort einmal bezeichnet hatte. Sie fehlte von jetzt ab, wie manches fehlte und nicht mehr zu beschaffen sein würde, weil es in seine Atome zerfallen oder verwandelt war...

Als der Pflug seine dritte Furche gezogen, und Habakuk bei der Stelle des einhundertzweiten Psalmes, wo des Menschen Tage mit Gras und er selbst mit einer Blume des Feldes verglichen wird, angelangt war, wußte Johnny schon ziemlich genau, was seiner Erfindung noch fehlte; nach der sechsten Furche blieb Johnny stehen und blickte nach der Sonne, die nun bedeutend niedriger stand als vor dem Beginn seiner Arbeit: die Erde mußte ›seit damals‹, wie die Männer in schweigender Übereinkunft sich zartfühlend auszudrücken pflegten, ihre Umdrehungsdauer bedeutend verkürzt und den Ablauf der Zeit, ohne Evelyne um ihre Meinung zu fragen, entsetzlich beschleunigt haben.

»Noch eine Furche, und dann ist Schluß!« rief Johnny den beiden anderen zu und setzte von neuem den Pflug auf die Erde; der Japaner ging vorwärts, und Habakuk sang den Psalm im Vesperton aus. In diesem Augenblick bockte die Pflugschar und stieß an etwas an; sie stieg wie ein scheuendes Pferd in die Höhe und legte sich seitwärts um. »Verflucht noch mal«, rief Johnny verärgert – dann gruben sie gemeinsam einen mächtigen Torso aus. »Was is'n das, Habakuk?« fragte Johnny. »Wo kommt dieser Kerl denn her?« Die letzte Frage war ganz idiotisch, denn damals waren die Dinge aus aller Welt durcheinandergewirbelt und irgendwo abgesetzt worden; auch Habakuks Wanderniere ging wahrscheinlich darauf zurück.

»Woher soll ich ihn kennen, Gott der Gerechte? Zwei Mark und fünfzig, kein Pfennig mehr, denn es ist bloß ein Gipsabguß«, erwiderte Habakuk.

Sie hockten jetzt um den Torso herum, der Japaner befühlte die Muskeln des kopf- und beinlosen Mannes; den Bizeps der beiden Oberarme und den mächtigen Brustkorb, die schöne flache und doch kräftige Bauchdecke, die sich zum Ansatz der Schenkel hin verjüngte. Endlich blickten die Männer einander prüfend an und dann wieder auf den Torso. »Ich finde, er sieht dir ähnlich, Johnny«, sagte Habakuk schließlich und fügte hinzu: »Ich meine das natürlich nicht deshalb, weil einiges an ihm fehlt.«

»Ich finde, er sieht uns allen ähnlich«, gab Johnny unbeleidigt zurück und starrte mit versunkenem Ausdruck auf den verstümmelten Mann. »Übrigens kommt es mir immer mehr vor, als ob ich ihm schon früher einmal begegnet wäre. Es wird wahrscheinlich im Omnibus von Cook gewesen sein. Die Stadt fing mit A an –«

»Akropolis«, sagte Habakuk wie aus der Pistole geschossen.

»Aber das war dann der richtige Mann und nicht sein Gipsabguß.«

»Ich find' auch den sehr hübsch«, meinte Johnny, von Andenkenwut gepackt. »Auf jeden Fall wird sich Evelyne freuen, denn er paßt auf ihr Vertiko. Oder will ihn ein anderer haben?«

Es stellte sich heraus, daß die andern den Mann nicht haben wollten – Habakuk nicht, weil ihm eine Kopie, wie er sagte, gegen den Strich ging; der Japaner nicht, weil er nicht wußte, wohin er ihn stellen sollte. Sie pflügten dann ihre letzte Furche und gruben noch etwas Zweites aus, das weniger wirkungsvoll war. Trotzdem freuten sich alle sehr, denn das Ding war aus Holz und war deshalb ganz unbeschädigt geblieben: ein Autoschild mit zwei gekreuzten Knochen und großer lateinischer Schrift.

»Kannst du lesen, Habakuk?« fragte Johnny. Habakuk meinte, das wäre gelacht, und buchstabierte den Text. »Achtung! Fahrt langsam an dieser Biegung! Der Tod ist dauerhaft.«

»Aha«, sagte Johnny erleichtert. »Jetzt wissen wir wenigstens wieder, wo wir eigentlich sind.«

(1947)

LUISE RINSER

Die kleine Frau Marbel

Frau Marbel war den ganzen Sommer über krank im Spital gelegen, und als sie zum erstenmal wieder das Mittagessen im Altersheim einnahm, in dem sie wohnte, war sie noch sehr schwach. Sie bemühte sich, es nicht zu zeigen. Sie saß ganz aufrecht am Tisch, obwohl ihre Knie zitterten, und sie gab ihrem Gesicht den Ausdruck höflicher Aufmerksamkeit, auch wenn ihr jedes laute Wort wehtat. Alles schwamm vor ihren Augen, die fleckigen Wachstuchtische, das große schwarze Kruzifix an der Wand, die zwei Dutzend verrunzelter Altweibergesichter, Schwester Martina in ihrer schneeweißen Flügelhaube und die gelben Kastanienwipfel vor dem offenen Fenster. Die Hand, die den Blechlöffel hielt, zitterte, und der Löffel klapperte am Tellerrand, so vorsichtig sie auch aß. Als sie schließlich ein paar Löffel Suppe verschüttet hatte, hörte sie auf zu essen und schaute verlegen in ihren Schoß. Eine sehr Alte neben ihr murmelte verwundert: »Sie ißt nicht«, und eine andere fragte lauernd: »Nun, schmeckt's nicht, Frau Marbel?« Die kleine Frau Marbel zuckte zusammen. »Doch, doch«, sagte sie, »aber ich bin schon satt.«

»Sie ist schon satt«, wiederholten sie reihum, und darauf brachen alle in lautes Gelächter aus. Während dieses Gelächters beugte sich eine Uralte, die neben Frau Marbel saß, zu ihr und flüsterte: »Geben Sie's mir.« Die kleine Frau Marbel schob ihr rasch den vollen Teller zu und nahm den leeren an sich. In diesem Augenblick verstummte das Gelächter, und eine Stimme rief: »Sie hat ihre Suppe verschenkt.«

Die Uralte hielt ihre Hand schützend vor ihren Teller und löffelte sie hastig aus, während sie boshaft und ängstlich um sich blickte. Eine Weile war es ganz still, so als horchten sie alle interessiert darauf, wie die Suppe vom Löffel geschlürft wurde und eifrig gluckernd durch den engen Hals der Uralten herunterrann.

Nach einer Weile sagte jemand: »Der nackte Unverstand. Wenn hier Essen verschenkt wird, so hat es nach Gerechtigkeit zu gehen.« Die andern nickten beifällig.

Die Uralte wischte sich den Mund mit dem Handrücken und

sagte eigensinnig: »Wer nicht ißt, stirbt.« – »Ja«, sagte jemand laut, »es gibt viele unnütze Esser in der Welt.«

Die kleine Frau Marbel wurde blaß und beugte sich über die Tischplatte. Aber niemand achtete auf sie. Alle schauten erbost auf die Uralte, die zäh, aufrecht und angriffslustig dasaß und mit ihrem zahnlosen Mund vor sich hinmahlte, bis sie schließlich sagte: »Jeder muß sehen, wie er am Leben bleibt. Lebendig ist lebendig, und tot ist tot.«

Dann kam Schwester Martina mit der Schüssel voll Kartoffelsalat, und alle verstummten. Frau Marbel aber stand auf. »Mir ist nicht gut«, sagte sie leise und ging rasch hinaus. Nach dem Nachmittagskaffee warf sie ihren taubengrauen Wollschal um und ging in den Garten. Als niemand in der Nähe war, schob sie sich rasch aus dem Tor. Draußen war eine lange Kastanienallee. Die kleine Frau Marbel schaute sich ängstlich nach allen Seiten um, denn es war ihr verboten, mehr als zehn oder zwölf Schritte zu gehen. Aber niemand kümmerte sich um sie. Der Weg an der Gartenmauer entlang war unendlich weit, aber schließlich kam sie doch dahin, wohin sie wollte: auf einen kleinen freien Platz vor einer alten Kirche. Sie lächelte den Kindern zu, die mit Stecken und Steinen nach den Kastanien warfen und sich mit Geschrei auf die grünen stacheligen Kugeln stürzten, die herunterprasselten. Sie setzte sich auf eine Bank, legte die Hände auf die Knie und ließ die Oktobersonne darauf scheinen. Manchmal fiel ein Kastanienblatt, spreizte im Fallen die gelbbraunen Finger und legte sich ergeben auf den Boden. Die kleine Frau Marbel schaute ihm nach, ohne den Kopf zu bewegen.

Später kam ein altes Ehepaar mit einem grauen Hund und dann ein einbeiniger Soldat in einer verwaschenen Uniform und zuletzt ein junger Mann mit einer schäbigen Aktenmappe. Es waren lauter schweigsame Leute, und selbst der graue Hund saß da und bewegte nichts als seine spitzen Ohren. Ein einziges Mal schnappte er nach einer Fliege, die vor seiner Schnauze herumtaumelte und ihn ärgerte.

Plötzlich rutschte der junge Mann von der Bank, fiel auf den Boden und blieb liegen, das Gesicht im Sand.

»Na, Kamerad«, sagte der Soldat ein wenig verlegen, »was machst du da für Scherze?« Er stieß ihn mit dem Krückstock an, schnaubte durch die Nase und sagte nichts als »tja«.

Der alte Mann fragte erschrocken: »Tot?«

»Nein«, sagte der Soldat, »bloß ohnmächtig.«

Die Kinder hörten auf, nach den Kastanien zu werfen, und

kamen neugierig näher. Der Soldat verscheuchte sie mit seiner Krücke und sagte: »Der erholt sich schon wieder. Laßt ihn in Ruhe.«

Die kleine Frau Marbel preßte die Hände auf den Mund und starrte auf den Ohnmächtigen. Ein paar Minuten später richtete er sich auf, strich sich die Haare aus dem Gesicht und sagte mißbilligend: »Na so was!« Dann wischte er seine Hände an der Hose ab, setzte sich wieder auf die Bank und lächelte die andern schüchtern an.

»Komisch«, sagte er, »das passiert mir jetzt das dritte Mal.«

Der Soldat kramte in seiner Tasche und zog ein Stück Brot heraus. »Da«, sagte er, »iß. Dann wird's dir besser.«

Der junge Mann sträubte sich ein wenig, dann nahm er es und aß ganz langsam Bissen um Bissen. Der Soldat schaute weg und zeichnete mit seinem Krückstock im Sand. Als der junge Mann das Brot aufgegessen hatte, zog er eine halbe Zigarette aus der Tasche und gab sie dem Soldaten, der sie ohne Umstände nahm und ansteckte.

»Ja, ja«, sagte er, als er zugleich mit dem jungen Mann aufstand, »der Hunger!« Dann gingen sie zusammen fort.

»Was hat er gesagt?« flüsterte Frau Marbel, obwohl sie es genau gehört hatte.

»Der Hunger ist es«, sagte der alte Mann und nickte eine Weile vor sich hin. Die kleine Frau Marbel stand plötzlich auf und ging fort. Die Sonne war unter eine Wolke gekrochen, und es war auf einmal kühl.

Als Frau Marbel ins Altersheim zurückkam, zitterten ihre Knie. Schwester Hortense, die Pförtnerin, sagte ärgerlich: »Wer hat Ihnen denn erlaubt auszugehen? Jetzt haben wir die Bescherung. Das hält doch so ein altes Herz nicht aus.« Sie griff nach Frau Marbels Puls.

Frau Marbel entzog ihr hastig die Hand. »Schwester«, sagte sie zögernd, »haben wir hier im Altersheim mehr zu essen als die andern draußen?«

»Warum?« fragte die Schwester. »Haben Sie Hunger?«

»Nein, nein«, sagte Frau Marbel und wiederholte hartnäckig ihre Frage.

»Ein bißchen mehr haben wir«, antwortete Schwester Hortense. »Ein Viertel Milch, wenn Sie über siebzig sind, und ab und zu kriegen wir von der Caritas was und so. Warum wollen Sie das denn wissen?«

Die kleine Frau Marbel preßte die Lippen aufeinander und

zuckte die Achseln. Dann sagte sie entschlossen: »Da draußen ist einer ohnmächtig geworden.«

»So?« sagte Schwester Hortense gleichmütig.

»Ja«, flüsterte Frau Marbel, »er ist vor Hunger ohnmächtig geworden.« Sie schaute die Schwester verwirrt an.

»Na ja«, sagte diese, »so junge Leut. Da kommt das schon vor. Aber da können wir auch nicht helfen, Mutter Marbel. Das ist die Weltpolitik.«

»Die Weltpolitik«, flüsterte Frau Marbel und nickte. Plötzlich warf sie ihren Kopf zurück. »Und warum läßt denn das die Weltpolitik zu, so was?«

Schwester Hortense lachte. »Da fragen Sie mich? Was weiß ich!?«

Frau Marbel zog die Stirn in Falten. »Ja, aber«, fuhr sie fast zornig fort, »warum kriegen wir hier herinnen mehr?«

»Weil alte Leut besser verpflegt werden müssen«, antwortete die Schwester. »Alte Leut und kleine Kinder. Die dazwischen, die bringen sich schon irgendwie fort.«

Die kleine Frau Marbel schaute sie mißtrauisch an. »Ja? Bringen die sich fort?«

Schwester Hortense zuckte ein wenig ungeduldig die Achseln. »Ja, aber«, fuhr Frau Marbel fort, »ist denn das richtig?«

»Was?« fragte die Schwester.

»Sehn Sie«, sagte Frau Marbel, »ich zum Beispiel. Ich bin unnütz. Ich eß und eß und . . .« Sie schwieg verwirrt.

»Ach, dummes Zeug«, sagte Schwester Hortense ärgerlich. »Sie haben sich Ihr Leben lang geplagt; fünf Kinder haben Sie großgezogen und ein Pflegekind. Seit wann wirft man so eine Frau zum alten Eisen? Und jetzt marsch ins Bett. Das kommt von der Schwäche, so dumme Gedanken. Temperatur haben Sie auch.«

Zum Abendessen brachte Frau Marbel eine kleine Blechdose mit. Da hinein legte sie die Hälfte von dem Würstchen, das in der dünnen Suppe schwamm, und dazu legte sie noch ein Stück Brot. Sie tat, als ob sie die Blicke der andern nicht sähe. Nach dem Abendessen zog sie ihren Mantel an, versteckte die Blechdose darunter und paßte einen Augenblick ab, in dem Schwester Hortense nicht an der Pforte war. Es war schon dämmerig, aber gerade noch hell genug, damit sie die Leute in der Kastanienallee sehen konnte. Zuerst kamen ein paar Arbeiter, die sich stritten. Dann kam ein halbwüchsiger Junge, der rauchte. Den mochte sie auch nicht ansprechen. Dann kam eine Weile gar niemand, und Frau Marbel trippelte nervös und fröstelnd in der Allee auf und ab.

Schließlich kam eine junge Frau, die schwanger war. Frau Marbel hielt ihr die offene Dose vors Gesicht. »Hier«, sagte sie schüchtern, »wenn Sie Hunger haben. Viel ist es nicht.«

Die junge Schwangere schaute neugierig in die Dose, dann lachte sie. »Nein, Mutterchen«, sagte sie gutmütig, »das essen Sie nur selber.«

Die kleine Frau Marbel schaute ihr enttäuscht nach. Dann kam ein Mann, der hinkte und viel hustete. Frau Marbel wagte es wieder. Aber er sagte nur kurz: »Jeder ist sich selbst der Nächste.«

Frau Marbel klappte die Dose zu. Dann drehte sie sich um und sagte laut: »Nein, nein!« Aber der Mann war schon verschwunden. Es begann neblig zu werden. Frau Marbel warf einen langen Blick die Allee hinunter, aber es kam niemand mehr. Da schlich sie traurig ins Haus.

Am nächsten Morgen gab es einen Becher Milch und drei kleine Roggenmehlsemmelchen. Sie ließ zwei davon in der Dose verschwinden und goß die Milch in ein Fläschchen. Um die andern kümmerte sie sich nicht mehr. Wenn man sie anredete, lächelte sie abwesend. Sie wußte, daß man sie für verrückt hielt.

Als die Sonne warm genug schien, ging sie fort, die Dose und das Milchfläschchen unterm Umschlagtuch verborgen. Sie trippelte durch die Kastanienallee und setzte sich auf die Bank vor der Kirche. Es dauerte nicht lange, da kamen die ersten Kinder zum Spielen. Frau Marbel zögerte ein wenig, dann rief sie ein paar von den kleinen mageren Burschen zu sich und zeigte ihnen die Schätze. Sie schauten neugierig in die Dose. Dann sagte der größere verlegen: »Danke, wir haben schon gefrühstückt.«

Der kleinere schaute verlangend auf das Würstchen. Frau Marbel sagte lockend: »Nimm's nur, Bübchen, nimm's.« Aber der größere zog den kleinen weg und sagte im Fortgehen: »Wir dürfen von fremden Leuten nichts annehmen.« Sie liefen weg und spielten am anderen Ende des Platzes, ohne sich um die alte Frau zu kümmern. Sie ließ die Dose offen neben sich stehen und verscheuchte die Fliegen, die sich darauf stürzen wollten.

Nach einiger Zeit kam der Soldat vom vergangenen Tag wieder. »Na, Großmutter«, sagte er fröhlich, »haben Sie sich das Frühstück mitgebracht?«

Frau Marbel schüttelte den Kopf und zupfte an ihrem Tuch. Plötzlich fragte sie: »Kennen Sie den jungen Mann, dem gestern das passiert ist, Sie wissen schon?«

»Nein«, sagte der Soldat, »den kenn ich nicht.«

Frau Marbel schaute ihn enttäuscht an, aber sie fragte hartnäkkig: »Man kann doch wohl seine Adresse erfahren?«

»Ich wüßte nicht, wie«, meinte der Soladt. »Solche wie den gibt's viele in der Stadt.«

Die kleine Frau Marbel rückte ein wenig von ihm ab. »Viele?« fragte sie. »Viele solche?« Dann stand sie auf und ging fort, so schnell sie konnte. Sie ging hinter die Kirche und läutete am Pfarrhof. Sie wurde in den Hausflur geführt, und dann kam der Pfarrer selbst. Frau Marbel schaute ihn bestürzt an und schwieg, so daß er verwirrt und leicht ärgerlich fragte: »Nun, was ist denn?«

»Ja, ich ... Sie müssen schon entschuldigen«, murmelte sie. »Ich hab' gemeint, hier wohnt unser evangelischer Pastor.«

»So«, sagte der Pfarrer seufzend, »der Herr Pastor, der wohnt dort drüben.« Er führte sie zur Haustür. Aber auf der Schwelle drehte sich Frau Marbel nochmals um und sagte entschlossen: »Aber es ist ja gleich. Ich kann das ja auch hier sagen. Ich brauch nämlich nur die Adresse von ganz armen Leuten, die Hunger leiden.«

»Soso«, sagte der Pfarrer und schaute auf sie herunter. »Aber wozu?«

Sie seufzte ungeduldig. »Weil ... ich hab' manchmal was zu essen übrig.«

»Das ist ja sehr schön«, sagte er nachsichtig, »aber Sie sehen nicht so aus, als ob Sie was entbehren könnten.«

Sie hob das Gesicht zu ihm auf und sagte eigensinnig: »Das kann ich ja wohl machen, wie ich will.«

»Ja, ja«, sagte er begütigend, »freilich, freilich. Aber vielleicht tun Sie gar kein gutes Werk, wenn Sie Ihrem eigenen Körper das wegnehmen, was er braucht.«

»Ach, Herr Pfarrer«, sagte sie, »wozu soll ich das da noch füttern?« Sie schaute an sich herunter wie an etwas Fremdem.

»Liebe Frau«, sagte der Pfarrer ernst, »der Körper gehört Gott. Wir haben kein Recht darüber. Wir müssen auf ihn achtgeben und ihn ernähren, weil er Gott gehört.«

Die kleine Frau Marbel warf gereizt den Kopf zurück und sagte laut: »Das kann ja jeder sagen, und dann kann er geizig sein, wie er will.« Sie erschrak über ihre eigenen Worte und schaute den Pfarrer bestürzt, aber tapfer an.

»Wie Sie meinen«, erwiderte er gekränkt. »Wenn Sie auf meinen Rat nicht hören wollen ...«

»Nein«, rief die kleine Frau Marbel zornig, »ich weiß schon, was recht ist.«

Sie lief eilig hinaus und murmelte noch lange heftig vor sich hin, während sie heimging.

Am Nachmittag war in der kleinen Blechdose neben dem Würstchen, dem Brot und den Semmelchen noch ein reifer Apfel. Diesmal ging Frau Marbel quer durch die Anlagen zum großen Kinderspielplatz. Sie breitete die Schätze auf einer Bank aus, auf einem weißen Taschentuch, und versteckte sich im Gebüsch. Aber die Kinder hatten ihr zugesehen, und als ein paar Vorwitzige sich der Bank näherten, riefen die andern: »Geht nicht hin, rührt's nicht an! Wer weiß, ist es verhext oder vergiftet.« Einer stieß den Fußball drauf, daß die Semmeln ins Gebüsch rollten und das Milchfläschchen auf dem Boden in Scherben zersprang. Die Milch bildete einen kleinen weißen Teich, der rasch im Sand versickerte. Die Kinder schauten hin und waren einen Augenblick still, dann wandten sie sich ab, spielten weiter und waren besonders laut.

Die kleine Frau Marbel schlüpfte aus dem Gebüsch, sammelte die Scherben und vergrub sie in einem Loch, das sie mit der Schuhspitze aufgescharrt hatte. Dann suchte sie die Semmelchen zusammen, legte sie in die Dose zurück und ging langsam heim.

Nach dem Abendessen trödelte sie so lange im Speisesaal herum, bis Schwester Martina fragte: »Was gibt's noch, Mutter Marbel? Haben Sie noch Hunger?«

Frau Marbel hob abwehrend beide Hände. »Gott, nein, Schwester.«

Schwester Martina räumte die Tische ab und ließ ihr Zeit. Frau Marbel stand am Fenster und sah hinaus, und ohne umzuschauen sagte sie: »Schwester, ist was an mir, ich meine was Unappetitliches oder so?«

Schwester Martina blieb erstaunt stehen. Frau Marbel drehte sich um und sagte fast drohend: »Sie müssen es mir unbedingt sagen, es ist wichtig für mich.«

»Ach wo«, sagte die Schwester verwundert, »Sie sind eine von den Saubersten im Haus. Nie ein Flecken auf dem Kleid und nie Trauerränder unter den Fingernägeln.« Sie lachte. »Wie kommen Sie denn überhaupt auf so was?«

Aber Frau Marbel gab keine Antwort. Nach einer Weile fragte sie lauernd: »Und wenn ich Ihnen ein Stück Brot gebe, das ich in meiner Hand gehabt habe, würden Sie es essen?« Schwester Martina schlug die Hände über dem Kopf zusammen: »Du lieber

Gott«, rief sie aus, »was ist denn in Sie gefahren? Natürlich würde ich es essen, wenn ich Hunger hätte, warum denn nicht?« Sie trug die Teller in die Küche. Als sie wiederkam, stand Frau Marbel immer noch da.

»Was noch?« fragte die Schwester geduldig.

»Wenn man so alt ist, daß man zu nichts mehr taugt, warum lebt man denn da noch?«

Schwester Martina ließ vor Erstaunen das Besteck fallen. »So eine Frage«, rief sie. »Weil kein Mensch weiß, ob er nicht doch was nütz ist, auch wenn er's nicht glaubt.« Kopfschüttelnd fügte sie hinzu: »Was Sie sich auch alles zusammendenken.«

Frau Marbel kaute an ihrer Oberlippe, dann sagte sie leise: »Aber es sagt's einem keiner...«

»Was sagt keiner?« fragte die Schwester. Aber Frau Marbel ging aus dem Speisesaal und in ihr Zimmer. Sie öffnete die Dose, roch an dem Würstchen, befühlte die Semmeln und stellte alles unter eine Glasglocke vor dem Fenster, damit es frisch bleibe.

Am nächsten Vormittag wartete sie ungeduldig, bis der Nebel fiel. Kaum war die Sonne durchgebrochen, ging sie fort. Sie kam bis in die Stadt. Es begegneten ihr viele Leute und viele Kinder, und schließlich kam ein kleines blasses Mädelchen mit einem größeren. Frau Marbel bot der Kleinen das Würstchen an. »Oh, Wurst«, sagte sie und griff danach. »Danke.« Sie hielt das Geschenk fest. Die Große schaute verlegen beiseite. Dann gingen sie rasch weiter.

Frau Marbel schaute ihnen nach, rot vor Glück und Freude. Da sah sie, wie die Große der Kleinen das Würstchen aus der Hand nahm und laut sagte: »Pfui, von einer fremden alten Frau. Wer weiß, wer sie ist. Wirf's weg, schnell, wirf's weg.« Die Kleine schaute erschrocken um und ließ das Würstchen rasch in den Rinnstein fallen.

Frau Marbel blickte zu Boden. Dann ging sie langsam weiter. Hinter einem Gebüsch in einem Höfchen ließ sie nacheinander die Semmelchen fallen, das Stück Brot, den Apfel und zuletzt die Dose. Dann ging sie heim.

Nach dem Mittagessen begann sie Papiere zu ordnen und ein paar Briefe, gelb vor Alter, zu verbrennen. Dann heftete sie mit Stecknadeln Zettelchen an alles, was im Zimmer war und ihr gehörte. »Für Schwester Martina«, stand an einem bunten gehäkelten Sofakissen, »für Schwester Hortense« an einem Klöppeldeckchen, »für Mutter Oberin« an einem Gobelinbild, das einen Schutzengel mit einem Kind darstellte, »für die Küchenmädchen«

an zwei Bildern vom Meer mit echten kleinen, rosaschimmernden Müschelchen eingerahmt, und an der lila Steppdecke auf ihrem Bett stand: »Für den, der mich findet.« Zuletzt schrieb sie auf ein Zettelchen: »Geld für die Beerdigung ist in der Tischschublade links. Ich will bloß ein Holzkreuz, keinen Grabstein. Ich wünsche Euch alles Gute.«

Den Brief ließ sie auf dem Tisch liegen und beschwerte ihn mit dem Zimmerschlüssel. Nach dem Nachmittagskaffee ging sie fort.

Es war ein warmer Oktobertag. In der Kastanienallee fielen die gelben Blätter, und in den Vorgärten blühten Astern. Als eine Elektrische kam, stieg Frau Marbel ein und fuhr bis zur Endstation, die schon weit außerhalb der Stadt lag. Aus der glatten schwarzen Asphaltstraße wurde bald eine gewöhnliche staubige Fahrstraße, die hügelauf und hügelab lief und schließlich ins ganz weite freie Land führte. An einer Stelle zweigte ein Feldsträßchen ab und lief einen Hügel hinauf. Frau Marbel war feucht vor Schweiß, als sie oben war. Tief unter ihr lag die Stadt. Man hörte nichts mehr von dort, kein Straßenbahngeklingel, kein Autohupen, nichts.

Die Schatten wurden lang und schmal, und schließlich ging die Sonne unter. Frau Marbel wanderte weiter. Es wurde dunkel, und der halbe Mond kam herauf. Sie schaute ihn lange an, zog den Wollschal enger um sich, nickte und ging weiter. Gegen Mitternacht kam sie durch ein Dorf. Ein paar Hunde bellten, waren aber bald wieder still. Sie ließ das Dorf hinter sich und kam wieder auf freies Feld.

Sie mußte immer langsamer und langsamer gehen, aber sie blieb nicht mehr stehen. Sie begegnete Rehen, die im Bodennebel grasten, als ob sie darin schwimmen würden, und einmal strich ein Fuchs dicht an ihr vorüber.

Sie kam von der Straße ab und fand den Weg nicht mehr. Da ging sie einfach weiter, immer über Wiesen und abgeerntete Felder. Es wurde Tag und wieder Nacht, und der Mond kam, ein wenig später als tags zuvor, und ein paar Stunden nach Mitternacht konnte Frau Marbel nicht mehr weiter. Sie sah sich um, nickte und sagte: »So. Hier also.« Dann schlief sie ein, und als sie die Augen aufschlug, war es heller Tag, und sie lag mitten unter vielem Lebendigen, das nach warmer, verfilzter Wolle roch und ein sanftes Geräusch von trippelnden Füßen und kauenden Mäulern machte.

Eine Schafherde weidete dicht um sie, und ein großer Hund

schnupperte an ihr, ohne Laut zu geben, das sah sie noch undeutlich; dann schloß sie die Augen.

Als der Schäfer sie fand, begann sie eben kalt zu werden. Er beugte sich über sie und rief: »He, Mutter, eingeschlafen?« Als sie sich nicht mehr rührte, schaute er in ihre halboffenen Augen. »Eine Tote«, sagte er zu seinen Schafen. Sie weideten ruhig weiter.

(1947)

WOLFDIETRICH SCHNURRE

Ausgeliefert

Furchtbar ist das mit mir. Immer habe ich das Gefühl, ich bin nur auf Urlaub zu Hause. Wenn es klingelt, bekomme ich Herzklopfen. Dauernd habe ich Angst, es könnte einer kommen, der mir die Abfahrt befiehlt oder mich verhaftet, weil das Datum gefälscht ist auf meinem Schein. Neulich mußte ich weg. Kartoffeln besorgen. Ich bin fast verrückt geworden während der Fahrt. Ich kann keinen Zug mehr sehen. Ich denke immer, ich sitze im Fronturlauber nach Lemberg. Diese Unrast macht einen kaputt. Ich zittre um jede Kleinigkeit. Ich bin unfähig, klare Entschlüsse zu fassen. Ich brauche Ewigkeiten, um mich zu etwas aufzuraffen. Die mich kennen, nennen das willensschwach. Bestimmt haben sie recht; aber hilft einem das?

Neuerdings zucke ich auch wieder vor Uniformen zusammen. Eine Weile war es weg; aber jetzt ist es wiedergekommen. Ich kann nichts dagegen tun. Denn das bin ich nicht selber, das ist der Muschkote in mir. Vor dem bin ich machtlos. Ja, er meldet sich wieder; er hat ausgeschlafen, er war gar nicht tot. Ich merke es, wenn ich mich unterhalte; wie er da beipflichtet; wie er sich da an die Wand drücken läßt. Ständig habe ich Minderwertigkeitskomplexe durch ihn. Er macht mich unfähig, im andern einen Gleichgestellten zu sehen. Es gibt keinen Gleichgestellten, es gibt nur Überlegene, Besserwisser und Vorgesetzte für ihn: Korporäle, Feldwebel, Offiziere. Vor denen preßt er die Hände an die Schenkel und schlägt die Hacken zusammen.

Ich bin kein Psychiater. Aber man will sich auch nicht aufgeben. Ich begehe infolgedessen das Dümmste, was man in so einem Fall nur tun kann; ich versuche mehr aus mir zu machen, als ich bin. Hinterher dann könnte ich mich ohrfeigen und sterbe beinah vor Scham. Das Ergebnis: Ich kapsle mich ab. Ich werde menschenscheu. Statt nun aber, wie es logisch wäre, mich selber zu hassen, hasse ich die andern; die »Kameraden« vor allem, die »Kumpel«, die ewigen »Du-Sager«.

Ich weiß, gerade in ihnen sehe ich mich selber. Ich rede mir zwar ein, ich will nicht an die Vergangenheit erinnert werden. Aber ich spüre: Dieser hohlwangige Stoppelbart, dieser zotenselige Einbeinige, dieser schweißstinkende Weißt-du-noch-Mann, sie sind ja auch alle in mir. Ihre Unsicherheit ist meine Verkommenheit. Ihre Erlebnisse sind meine Erlebnisse. Ich gehöre zu ihnen.

Aber ich *will* nicht zu ihnen gehören. Ich will wieder ›ich‹ und nicht dauernd ›wir‹ denken müssen. Ich will raus aus der Herde. Ich habe sie satt, die Kameradschaft der Unseligen. Ebenso wie ich die Heilgebliebenen satt habe, die Sicheren, vor deren Forschheit mein letzter Rest Selbstbewußtsein zur Farce gefriert.

Soweit mußte es kommen. Und wie habe ich mich früher danach gesehnt, wirklicher Menschenliebe teilhaft zu werden. Wie wollte ich im andern den Bruder, den Nächsten erblicken. Und jetzt? Wie soll man leben mit diesem chaotischen Haß, mit dieser verkarsteten Härte im Herzen? Ich verbreite nur Bedrückung um mich. Keiner Güte, keiner Freundlichkeit bin ich mehr fähig. Was ich anfasse, wird grau, was ich sage, klingt schrill. Ich bin ständig mit mir selber zerfallen.

Ja, wenn man ihn abwürgen könnte, den zählebigen Befehlsempfänger in einem. Aber das ist es ja: Er ist gefeit. Er hat hundert Gesichter. Eins demoliert man ihm; gleich grinst er mit einem Dutzend anderer. Ich erkenne sie wieder; oft genug haben sie sich im Krieg verzerrt. Und er versteht sie zu tragen, sie passen ihm alle: Er ist die Unsicherheit, er ist die Prahlsucht. Er ist die Verwahrlosung, er ist der Argwohn. Er ist die Zähigkeit, er ist die Schwäche. Er ist die Niedertracht, er ist die Feigheit. Unterwerfung, Befehlslust; Grausamkeit, Selbstmitleid; Knechtssinn und Herrenallüren – alles geht auf sein Konto.

Ich weiß das; ich spüre ja mein andres Ich noch; ich merke, wie es sich wehrt. Aber er hetzt es zu Tode, dieser Kasernenhofschinder, er schlägt mir's zusammen. Immer häufiger werden die Tage, an denen es zu schwach ist, um wieder auf die Beine zu kommen. Dann beherrscht nur er mich. Dann ist nichts als Chaos in mir; als Chaos und Sinnlosigkeit. Meine gefallenen Freunde, die mich manchmal besuchen, verscheuche ich dann. Ich schreie sie an. Ich meine sie nicht; ich meine mich in ihnen. Mich und den mir erspart gebliebenen Tod; diesen vor allem. Aber er schweigt. Er weiß, wie feige ich bin, und daß mir der Mut fehlt, um Selbstmord zu machen.

Kürzlich glaubte ich, ich wäre dem Muschkoten in mir entkommen. Ich machte einen Spaziergang. Wald, Kiefern; mal eine Lichtung, ein Kahlschlag. Eichelhäher schrien. Eine Zeitlang ging alles gut; es war beinah wie früher. Aber dann hörte der Wald auf; Wiesen begannen, endlos fast. Und da regte er sich, da wurde er wach: Ich fing an, den Horizont abzusuchen. Ich zählte die Bodenwellen. Ich registrierte Senken und Bachbetten. Ich taxierte plötzlich die Gegend ab nach der Möglichkeit, sich vor Panzern zu schützen. Aus mit der Schönheit der Landschaft. Kein Vogelruf mehr, kein Sonnenglast. Ich hatte Geländedienst; die Natur war mit meinen Ängsten im Bunde. Schon im Krieg, ich weiß. Aber ich dachte, sie würde sich meiner früheren Anteilnahme erinnern. Ich glaubte, wenigstens *sie* sei bereit, Frieden zu schließen, zumindest *sie* könne mich heilen. Das ist ein Wunschtraum gewesen; mein letzter.

Seither bin ich unleidlicher denn je. Denn ich weiß: Wer die Liebe nicht hat, hat auch das Leben nicht. Doch ich will es nicht wahrhaben, daß ich verloren bin. Und wenn ich es in den Gesichtern erkenne, schreie ich es nieder. Sie sollen lügen, ich will betrogen werden. Ich will, daß man meint, ich sei gut. Ich würde es nicht glauben; aber es hätte doch mal einer gesagt.

Ganz schlimm ist es in diesen Tagen geworden. Da kam noch das andere hinzu, das so viel Furchtbarere. Den schaftstiefligen Duckmäuser in mir, den kann ich benennen. Dies andre nicht. Es ist außer mir. Ungreifbar. Alldrohend. Allgegenwärtig. Es fängt an mit dem Schnee. Ich kann keinen Schnee mehr sehen. Ich kriege Zustände, wenn ich über einen freien schneebedeckten Platz muß. Über diesen Plätzen hängt der Himmel genauso bleiern wie über der russischen Steppe. Er staucht einen zusammen, dieser Schneehimmel; er lastet auf einem mit Zentnergewicht. Man darf nur das Lid heben, schon ist man dem Sog dieser Endlosigkeit da oben verfallen. Ich besitze keinen Hut. Niemand kann ich sagen, wie ich darunter leide. Was gäbe ich für einen Schirm über den Augen, für eine Krempe, die mich vor dieser Drohung erlöste.

Und dann dieser Nebel, dieser furchtbare Nebel jetzt immer, der einem selbst hier, zwischen den Häusern, jedes Gefühl der Geborgenheit nimmt. Nebel, das war das Schlimmste. Nicht wegen der Angst, plötzlich dicht vor sich einen die Maschinenpistole heben zu sehen. Sicher, diese Angst gab es auch. Aber da war noch die andre; die vor der lähmenden Macht des Alls, das einen im Nebel mit Polypenarmen hinaufsaugt. Das einen loslöst vom Festen und hochreißt ins Nichts. Dessen Stimme das Fauchen des Schneesturms im Drahtverhau, aber auch die unendliche Stille horizontweiter Ebenen ist.

Sicher, es gibt erleuchtete Fenster und Laternen jetzt nachts, tastende Autoscheinwerfer, helle Reklamen. Aber was nützt das. Wen die Verlorenheit erst einmal gepackt hat, den läßt sie auch zwischen Häusern nicht los. Ein einziger unvorsichtiger Blick aus dem Fenster, und sie steigt herein, lautlos, riesig, und schiebt die Wände an die Ränder der Welt. Da hilft kein Buch in den Schneenächten jetzt, kein Manuskript; diese lastende Grenzenlosigkeit hängt wie ein graubäuchiger Alp über einem.

Ich weiß nun nicht mehr, wie ich es länger ertragen soll. Ich möchte so gerne leben und teilhaben an der Zuversicht anderer. Ich bin kein Pessimist: ich habe früher auch manchmal gelacht. Und jetzt? Es ist sinnlos, Fragen zu stellen. Je krampfhafter ich mich an diese umdrohte Käfigexistenz klammre, desto mehr sterbe ich ab. Die Erinnerung höhlt mich aus. Die Furcht nimmt mir den Atem. Ich kann nicht mehr.

(1947)

Der Mann mit den Messern

Jupp hielt das Messer vorne an der Spitze der Schneide und ließ es lässig wippen, es war ein langes, dünngeschliffenes Brotmesser, und man sah, daß es scharf war. Mit einem plötzlichen Ruck warf er das Messer hoch, es schraubte sich mit einem propellerartigen Surren hinauf, während die blanke Schneide in einem Bündel letzter Sonnenstrahlen wie ein goldener Fisch flimmerte, schlug oben an, verlor seine Schwingung und sauste scharf und gerade auf Jupps Kopf hinunter; Jupp hatte blitzschnell einen Holzklotz auf seinen Kopf gelegt; das Messer pflanzte sich mit einem Ratsch fest und blieb dann schwankend haften. Jupp nahm den Klotz vom Kopf, löste das Messer und warf es mit einem ärgerlichen Zucken in die Tür, wo es in der Füllung nachzitterte, ehe es langsam auspendelte und zu Boden fiel...

»Zum Kotzen«, sagte Jupp leise. »Ich bin von der einleuchtenden Voraussetzung ausgegangen, daß die Leute, wenn sie an der Kasse ihr Geld bezahlt haben, am liebsten solche Nummern sehen, wo Gesundheit oder Leben auf dem Spiel stehen – genau wie im römischen Zirkus –, sie wollen wenigstens wissen, daß Blut fließen *könnte*, verstehst du?« Er hob das Messer auf und warf es mit einem knappen Schwingen des Armes in die oberste Fenstersprosse, so heftig, daß die Scheiben klirrten und aus dem bröckeligen Kitt zu fallen drohten. Dieser Wurf – sicher und herrisch – erinnerte mich an jene düsteren Stunden der Vergangenheit, wo er sein Taschenmesser die Bunkerpfosten hatte hinauf- und hinunterklettern lassen. »Ich will ja alles tun«, fuhr er fort, »um den Herrschaften einen Kitzel zu verschaffen. Ich will mir die Ohren abschneiden, aber es findet sich leider keiner, der sie mir wieder ankleben könnte. Komm mal mit.« Er riß die Tür auf, ließ mich vorgehen, und wir traten ins Treppenhaus, wo die Tapetenfetzen nur noch an jenen Stellen hafteten, wo man sie der Stärke des Leimes wegen nicht hatte abreißen können, um den Ofen mit ihnen anzuzünden. Dann durchschritten wir ein verkommenes Badezimmer und kamen auf eine Art Terrasse, deren Beton brüchig und von Moos bewachsen war.

Jupp deutete in die Luft.

»Die Sache wirkt natürlich besser, je höher das Messer fliegt. Aber ich brauch oben einen Widerstand, wo das Ding gegenschlägt und seinen Schwung verliert, damit es recht scharf und gerade heruntersaust auf meinen nutzlosen Schädel. Sieh mal.«

Er zeigte nach oben, wo das Eisenträgergerüst eines verfallenen Balkons in die Luft ragte.

»Hier habe ich trainiert. Ein ganzes Jahr. Paß auf!« Er ließ das Messer hochsausen, es stieg mit einer wunderbaren Regelmäßigkeit, es schien sanft und mühelos zu klettern wie ein Vogel, schlug dann gegen einen der Träger, raste mit einer atemberaubenden Schnelligkeit herunter und schlug heftig in den Holzklotz. Der Schlag allein mußte schwer zu ertragen sein. Jupp zuckte mit keiner Wimper. Das Messer hatte sich einige Zentimeter tief ins Holz gepflanzt.

»Das ist doch prachtvoll, Mensch«, rief ich, »das ist doch ganz toll, das müssen sie doch anerkennen, das ist doch eine Nummer!«

Jupp löste das Messer gleichgültig aus dem Holz, packte es am Griff und hieb in die Luft.

»Sie erkennen es ja an, sie geben mir zwölf Mark für den Abend, und ich darf zwischen größeren Nummern ein bißchen mit dem Messer spielen. Aber die Nummer ist zu schlicht. Ein Mann, ein Messer, ein Holzklotz, verstehst du? Ich müßte ein halbnacktes Weib haben, dem ich die Messer haarscharf an der Nase vorbeiflitzen lasse. Dann würden sie jubeln. Aber such solch ein Weib!«

Er ging voran, und wir traten in sein Zimmer zurück. Er legte das Messer vorsichtig auf den Tisch, den Holzklotz daneben und rieb sich die Hände. Dann setzten wir uns auf die Kiste neben dem Ofen und schwiegen. Ich nahm mein Brot aus der Tasche und fragte: »Darf ich dich einladen?«

»O gern, aber ich will Kaffee kochen. Dann gehst du mit und siehst dir meinen Auftritt an.«

Er legte Holz auf und setzte den Topf über die offene Feuerung. »Es ist zum Verzweifeln«, sagte er, »ich glaube, ich sehe zu ernst aus, vielleicht noch ein bißchen nach Feldwebel, was?«

»Unsinn, du bist ja nie ein Feldwebel gewesen. Lächelst du, wenn sie klatschen?«

»Klar – und ich verbeuge mich.«

»Ich könnt's nicht. Ich könnt nicht auf 'nem Friedhof lächeln.«

»Das ist ein großer Fehler, gerade auf 'nem Friedhof muß man lächeln.«

»Ich versteh dich nicht.«

»Weil sie ja nicht tot sind. Keiner ist tot, verstehst du?«

»Ich versteh schon, aber ich glaub's nicht.«

»Bist eben doch noch ein bißchen Oberleutnant. Na, das dauert eben länger, ist klar. Mein Gott, ich freu mich, wenn's ihnen Spaß macht. Sie sind erloschen, und ich kitzele sie ein bißchen und laß mir's bezahlen. Vielleicht wird einer, ein einziger, nach Hause gehen und mich nicht vergessen. ›Der mit dem Messer, verdammt, der hatte keine Angst, und ich hab' immer Angst, verdammt‹, wird er vielleicht sagen, denn sie haben alle immer Angst. Die schleppen die Angst hinter sich wie einen schweren Schatten, und ich freu mich, wenn sie's vergessen und ein bißchen lachen. Ist das kein Grund zum Lächeln?«

Ich schwieg und lauerte auf das Brodeln des Wassers. Jupp goß in dem braunen Blechtopf auf, und dann tranken wir abwechselnd aus dem braunen Blechtopf und aßen mein Brot dazu. Draußen begann es leise zu dämmern, und es floß wie eine sanfte graue Milch ins Zimmer.

»Was machst *du* eigentlich?« fragte Jupp mich.

»Nichts ... ich schlage mich durch.«

»Ein schwerer Beruf.«

»Ja – für das Brot habe ich hundert Steine suchen und klopfen müssen. Gelegenheitsarbeiter.«

»Hm ... hast du Lust, noch eins meiner Kunststücke zu sehen?«

Er stand auf, da ich nickte, knipste Licht an und ging zur Wand, wo er einen teppichartigen Behang beiseite schob; auf der rötlich getünchten Wand wurden die mit Kohle grob gezeichneten Umrisse eines Mannes sichtbar: eine sonderbare, beulenartige Erhöhung, dort, wo der Schädel sein mußte, sollte wohl einen Hut darstellen. Bei näherem Zusehen sah ich, daß er auf eine geschickt getarnte Tür gezeichnet war. Ich beobachtete gespannt, wie Jupp nun unter seiner kümmerlichen Liegestatt einen hübschen braunen Koffer hervorzog, den er auf den Tisch stellte. Bevor er ihn öffnete, kam er auf mich zu und legte vier Kippen vor mich hin. »Dreh zwei dünne davon«, sagte er.

Ich wechselte meinen Platz, so daß ich ihn sehen konnte und zugleich mehr von der milden Wärme des Ofens bestrahlt wurde. Während ich die Kippen behutsam öffnete, indem ich mein Brotpapier als Unterlage benutzte, hatte Jupp das Schloß des Koffers aufspringen lassen und ein seltsames Etui hervorgezogen; es war eines jener mit vielen Taschen benähten Stoffetuis, in denen unsere Mütter ihr Aussteuerbesteck aufzubewahren pflegten. Er knüpfte flink die Schnur auf, ließ das zusammengerollte Bündel über den Tisch aufgleiten, und es zeigte sich ein

Dutzend Messer mit hölzernen Griffen, die in der Zeit, wo unsere Mütter Walzer tanzten, ›Jagdbesteck‹ genannt worden waren.

Ich verteilte den gewonnenen Tabak gerecht auf zwei Blättchen und rollte die Zigaretten. »Hier«, sagte ich.

»Hier«, sagte auch Jupp und: »Danke.« Dann zeigte er mir das Etui ganz.

»Das ist das einzige, was ich vom Besitz meiner Eltern gerettet habe. Alles verbrannt, verschüttet, und der Rest gestohlen. Als ich elend und zerlumpt aus der Gefangenschaft kam, besaß ich nichts – bis eines Tages eine vornehme alte Dame, Bekannte meiner Mutter, mich ausfindig gemacht hatte und mir dieses hübsche kleine Köfferchen überbrachte. Wenige Tage bevor sie von den Bomben getötet wurde, hatte meine Mutter dieses kleine Ding bei ihr sichergestellt, und es war gerettet worden. Seltsam. Nicht wahr? Aber wir wissen ja, daß die Leute, wenn sie die Angst des Untergangs ergriffen hat, die merkwürdigsten Dinge zu retten versuchen. Nie das Notwendige. Ich besaß also jetzt immerhin den Inhalt dieses kleinen Koffers: den braunen Blechtopf, zwölf Gabeln, zwölf Messer und zwölf Löffel und das große Brotmesser. Ich verkaufte Löffel und Gabeln, lebte ein Jahr davon und trainierte mit den Messern, dreizehn Messern. Paß auf...«

Ich reichte ihm den Fidibus, an dem ich meine Zigarette entzündet hatte. Jupp klebte die Zigarette an seine Unterlippe, befestigte die Schnur des Etuis an einem Knopf seiner Jacke oben an der Schulter und ließ das Etui auf seinen Arm abrollen, den es wie ein merkwürdiger Kriegsschmuck bedeckte. Dann entnahm er mit einer unglaublichen Schnelligkeit die Messer dem Etui, und noch ehe ich mir über seine Handgriffe klargeworden war, warf er sie blitzschnell alle zwölf gegen den schattenhaften Mann an der Tür, der jenen grauenhaft schwankenden Gestalten ähnelte, die uns gegen Ende des Krieges als Vorboten des Untergangs von allen Plakatsäulen, aus allen möglichen Ecken entgegenschaukelten. Zwei Messer saßen im Hut des Mannes, je zwei über jeder Schulter, und die anderen zu je dreien an den hängenden Armen entlang...

»Toll«, rief ich. »Toll! Aber das ist doch eine Nummer, mit ein bißchen Untermalung.«

»Fehlt nur der Mann, besser noch das Weib. Ach«, er pflückte die Messer wieder aus der Tür und steckte sie sorgsam ins Etui zurück. »Es findet sich ja niemand. Die Weiber sind zu bange, und die Männer sind zu teuer. Ich kann's ja verstehen, ist ein gefährliches Stück.«

Er schleuderte nun die Messer wieder blitzschnell so, daß der ganze schwarze Mann mit einer genialen Symmetrie genau in zwei Hälften geteilt war. Das dreizehnte große Messer stak wie ein tödlicher Pfeil dort, wo das Herz des Mannes hätte sein müssen.

Jupp zog noch einmal an dem dünnen, mit Tabak gefüllten Papierröllchen und warf den spärlichen Rest hinter den Ofen.

»Komm«, sagte er, »ich glaub, wir müssen gehen.« Er steckte den Kopf zum Fenster raus, murmelte irgend etwas von ›verdammtem Regen‹ und sagte dann: »Es ist ein paar Minuten vor acht, um halb neun ist mein Auftritt.«

Während er die Messer wieder in den kleinen Lederkoffer packte, hielt ich mein Gesicht zum Fenster hinaus. Verfallene Villen schienen im Regen leise zu wimmern, und hinter einer Wand scheinbar schwankender Pappeln hörte ich das Kreischen der Straßenbahn. Aber ich konnte nirgendwo eine Uhr entdecken.

»Woher weißt du denn die Zeit?«

»Aus dem Gefühl – das gehört mit zu meinem Training.«

Ich blickte ihn verständnislos an. Er half erst mir in den Mantel und zog dann seine Windjacke über. Meine Schulter ist ein wenig gelähmt, und über einen beschränkten Radius hinaus kann ich die Arme nicht bewegen, es genügt gerade zum Steineklopfen. Wir setzten die Mützen auf und traten in den düsteren Flur, und ich war nun froh, irgendwo im Hause wenigstens Stimmen zu hören, Lachen und gedämpftes Gemurmel.

»Es ist so«, sagte Jupp im Hinuntersteigen, »ich habe mich bemüht, gewissen kosmischen Gesetzen auf die Spur zu kommen. So.« Er setzte den Koffer auf einen Treppenabsatz und streckte die Arme seitlich aus, wie auf manchen antiken Bildern Ikarus abgebildet ist, als er zum fliegenden Sprung ansetzt. Auf seinem nüchternen Gesicht erschien etwas seltsam Kühl-Träumerisches, etwas halb Besessenes und halb Kaltes, Magisches, das mich maßlos erschreckte. »So«, sagte er leise, »ich greife einfach hinein in die Atmosphäre, und ich spüre, wie meine Hände länger und länger werden und wie sie hinaufgreifen in einen Raum, in dem andere Gesetze gültig sind, sie stoßen durch eine Decke, und dort oben liegen seltsame, bezaubernde Spannungen, die ich greife, einfach greife... und dann zerre ich ihre Gesetze, packe sie, halb räuberisch, halb wollüstig, und nehme sie mit!« Seine Hände krampften sich, und er zog sie ganz nahe an den Leib. »Komm«, sagte er, und sein Gesicht war wieder nüchtern. Ich folgte ihm benommen...

Es war ein leiser, stetiger und kühler Regen draußen. Wir

klappten die Kragen hoch und zogen uns fröstelnd in uns selbst zurück. Der Nebel der Dämmerung strömte durch die Straßen, schon gefärbt mit der bläulichen Dunkelheit der Nacht. In manchen Kellern der zerstörten Villen brannte ein kümmerliches Licht unter dem überragenden schwarzen Gewicht einer riesigen Ruine. Unmerklich ging die Straße in einen schlammigen Feldweg über, wo links und rechts in der dichtgewordenen Dämmerung düstere Bretterbuden in den mageren Gärten zu schwimmen schienen wie drohende Dschunken auf einem seichten Flußarm. Dann kreuzten wir die Straßenbahn, tauchten unter in den engen Schächten der Vorstadt, wo zwischen Schutt- und Müllhalden einige Häuser im Schmutz übriggeblieben sind, bis wir plötzlich auf eine sehr belebte Straße stießen; ein Stück weit ließen wir uns vom Strom der Menge mittragen und bogen dann in die dunkle Quergasse, wo die grelle Lichtreklame der ›Sieben Mühlen‹ sich im glitzernden Asphalt spiegelte.

Das Portal zum Varieté war leer. Die Vorstellung hatte längst begonnen, und durch schäbigrote Portieren hindurch erreichte uns der summende Lärm der Menge.

Jupp zeigte lachend auf ein Foto in den Aushängekästen, wo er in einem Cowboykostüm zwischen zwei süß lächelnden Tänzerinnen hing, deren Brüste mit schillerndem Flitter bespannt waren.

›Der Mann mit den Messern‹ stand darunter.

»Komm«, sagte Jupp wieder, und ehe ich mich besonnen hatte, war ich in einen schlecht erkennbaren schmalen Eingang gezerrt. Wir erstiegen eine enge Wendeltreppe, die nur spärlich beleuchtet war und wo der Geruch von Schweiß und Schminke die Nähe der Bühne anzeigte. Jupp ging vor mir – und plötzlich blieb er in einer Biegung der Treppe stehen, packte mich an den Schultern, nachdem er wieder den Koffer abgesetzt hatte, und fragte mich leise: »Hast du Mut?«

Ich hatte diese Frage schon so lange erwartet, daß mich ihre Plötzlichkeit nun erschreckte. Ich mag nicht sehr mutig ausgesehen haben, als ich antwortete: »Den Mut der Verzweiflung.«

»Das ist der richtige«, rief er mit gepreßtem Lachen. »Nun?« Ich schwieg, und plötzlich traf uns eine Welle wilden Lachens, die aus dem engen Aufgang wie ein heftiger Strom auf uns zuschoß, so stark, daß ich erschrak und mich unwillkürlich fröstelnd schüttelte.

»Ich hab' Angst«, sagte ich leise.

»Hab' ich auch. Hast du kein Vertrauen zu mir?«

»Doch, gewiß... aber... komm«, sagte ich heiser, drängte ihn nach vorne und fügte hinzu: »Mir ist alles gleich.«

Wir kamen auf einen schmalen Flur, von dem links und rechts eine Menge roher Sperrholzkabinen abgeteilt waren; einige bunte Gestalten huschten umher, und durch einen Spalt zwischen kümmerlich aussehenden Kulissen sah ich auf der Bühne einen Clown, der sein Riesenmaul aufsperrte; wieder kam das wilde Lachen der Menge auf uns zu, aber Jupp zog mich in eine Tür und schloß hinter uns ab. Ich blickte mich um. Die Kabine war sehr eng und fast kahl. Ein Spiegel hing an der Wand, an einem einsamen Nagel war Jupps Cowboykostüm aufgehängt, und auf einem wackelig aussehenden Stuhl lag ein altes Kartenspiel. Jupp war von einer nervösen Hast; er nahm mir den nassen Mantel ab, knallte den Cowboyanzug auf den Stuhl, hängte meinen Mantel auf, dann seine Windjacke. Über die Wand der Kabine hinweg sah ich an einer rotbemalten dorischen Säule eine elektrische Uhr, die fünfundzwanzig Minuten nach acht zeigte. »Fünf Minuten«, murmelte Jupp, während er sein Kostüm überstreifte.

»Sollen wir eine Probe machen?«

In diesem Augenblick klopfte jemand an die Kabinentür und rief: »Fertigmachen!«

Jupp knöpfte seine Jacke zu und setzte einen Wildwesthut auf. Ich rief mit einem krampfhaften Lachen: »Willst du den zum Tode Verurteilten erst probeweise henken?«

Jupp ergriff den Koffer und zerrte mich hinaus. Draußen stand ein Mann mit einer Glatze, der den letzten Hantierungen des Clowns auf der Bühne zusah. Jupp flüsterte ihm irgend etwas ins Ohr, was ich nicht verstand, der Mann blickte erschreckt auf, sah mich an, sah Jupp an und schüttelte heftig den Kopf. Und wieder flüsterte Jupp auf ihn ein.

Mir war alles gleichgültig. Sollten sie mich lebendig aufspießen; ich hatte eine lahme Schulter, hatte eine dünne Zigarette geraucht, morgen sollte ich für fünfundsiebzig Steine dreiviertel Brot bekommen. Aber morgen ... Der Applaus schien die Kulissen umzuwehen. Der Clown torkelte mit müdem, verzerrtem Gesicht durch den Spalt zwischen den Kulissen auf uns zu, blieb einige Sekunden dort stehen mit einem griesgrämigen Gesicht und ging dann auf die Bühne zurück, wo er sich mit liebenswürdigem Lächeln verbeugte. Die Kapelle spielte einen Tusch. Jupp flüsterte immer noch auf den Mann mit der Glatze ein. Dreimal kam der Clown heraus, und dreimal ging er hinaus auf die Bühne und verbeugte sich lächelnd! Dann begann die Kapelle einen Marsch zu spielen, und Jupp ging mit forschen Schritten, sein Köfferchen in der Hand, auf die Bühne. Mattes Händeklatschen begrüßte ihn. Mit müden

Augen sah ich zu, wie Jupp die Karten an offenbar vorbereitete Nägel heftete und wie er dann die Karten der Reihe nach mit je einem Messer aufspießte, genau in der Mitte. Der Beifall wurde lebhafter, aber nicht zündend. Dann vollführte er unter leisem Trommelwirbel das Manöver mit dem großen Brotmesser und dem Holzklotz, und durch alle Gleichgültigkeit hindurch spürte ich, daß die Sache wirklich ein bißchen mager war. Drüben auf der anderen Seite der Bühne blickten ein paar dürftig bekleidete Mädchen zu... Und dann packte mich plötzlich der Mann mit der Glatze, schleifte mich auf die Bühne, begrüßte Jupp mit einem feierlichen Armschwenken und sagte mit einer erkünstelten Polizistenstimme: »Guten Abend, Herr Borgalewski.«

»Guten Abend, Herr Erdmenger«, sagte Jupp, ebenfalls in diesem feierlichen Ton.

»Ich bringe Ihnen hier einen Pferdedieb, einen ausgesprochenen Lumpen, Herr Borgalewski, den Sie mit Ihren sauberen Messern erst ein bißchen kitzeln müssen, ehe er gehängt wird... einen Lumpen...« Ich fand seine Stimme ausgesprochen lächerlich, kümmerlich künstlich, wie Papierblumen, und billigste Schminke. Ich warf einen Blick in den Zuschauerraum, und von diesem Augenblick an, vor diesem flimmernden, lüsternen, vieltausendköpfigen, gespannten Ungeheuer, das im Finstern wie zum Sprung dasaß, schaltete ich einfach ab.

Mir war alles scheißegal, das grelle Licht der Scheinwerfer blendete mich, und in meinem schäbigen Anzug mit den elenden Schuhen mag ich wohl recht nach Pferdedieb ausgesehen haben.

»Oh, lassen Sie ihn mir hier, Herr Erdmenger, ich werde mit dem Kerl schon fertig.«

»Gut, besorgen Sie's ihm und sparen Sie nicht mit den Messern.«

Jupp schnappte mich am Kragen, während Herr Erdmenger mit gespreizten Beinen grinsend die Bühne verließ. Von irgendwoher wurde ein Strick auf die Bühne geworfen, und dann fesselte mich Jupp an den Fuß einer dorischen Säule, hinter der eine blau angestrichene Kulissentür lehnte. Ich fühlte etwas wie einen Rausch der Gleichgültigkeit. Rechts von mir hörte ich das unheimliche, wimmelnde Geräusch des gespannten Publikums, und ich spürte, daß Jupp recht gehabt hatte, wenn er von seiner Blutgier sprach. Seine Lust zitterte in der süßen, fade riechenden Luft, und die Kapelle erhöhte mit ihrem sentimentalen Spannungstrommelwirbel, mit ihrer leisen Geilheit den Eindruck einer schauerlichen Tragikomödie, in der richtiges Blut fließen würde, bezahltes

Bühnenblut... Ich blickte starr geradeaus und ließ mich schlaff nach unten sacken, da mich die feste Schnürung des Strickes wirklich hielt. Die Kapelle wurde immer leiser, während Jupp sachlich seine Messer wieder aus den Karten zog und sie ins Etui steckte, wobei er mich mit melodramatischen Blicken musterte. Dann, als er alle Messer geborgen hatte, wandte er sich zum Publikum, und auch seine Stimme war ekelhaft geschminkt, als er nun sagte: »Ich werde Ihnen diesen Herrn mit Messern umkränzen, meine Herrschaften, aber Sie sollen sehen, daß ich nicht mit stumpfen Messern werfe...« Dann zog er einen Bindfaden aus der Tasche, nahm mit unheimlicher Ruhe ein Messer nach dem anderen aus dem Etui, berührte damit den Bindfaden, den er in zwölf Stücke zerschnitt; jedes Messer steckte er ins Etui zurück.

Währenddessen blickte ich weit über ihn hinweg, weit über die Kulissen, weit weg auch über die halbnackten Mädchen, wie mir schien, in ein anderes Leben...

Die Spannung der Zuschauer elektrisierte die Luft. Jupp kam auf mich zu, befestigte zum Schein den Strick noch einmal neu und flüsterte mir mit weicher Stimme zu: »Ganz, ganz still halten, und hab' Vertrauen, mein Lieber...«

Seine neuerliche Verzögerung hatte die Spannung fast zur Entladung gebracht, sie drohte ins Leere auszufließen, aber er griff plötzlich seitlich, ließ seine Hände ausschweben wie leise schwirrende Vögel, und in sein Gesicht kam jener Ausdruck magischer Sammlung, den ich auf der Treppe bewundert hatte. Gleichzeitig schien er mit dieser Zaubergeste auch die Zuschauer zu beschwören. Ich glaubte ein seltsam schauerliches Stöhnen zu hören, und ich begriff, daß das ein Warnsignal für mich war.

Ich holte meinen Blick aus der unendlichen Ferne zurück, blickte Jupp an, der mir jetzt so gerade gegenüberstand, daß unsere Augen in einer Linie lagen; dann hob er die Hand, griff langsam zum Etui, und ich begriff wieder, daß das ein Zeichen für mich war. Ich stand still, ganz still, und schloß die Augen... Es war ein herrliches Gefühl; es währte vielleicht zwei Sekunden, ich weiß es nicht. Während ich das leise Zischen der Messer hörte und den kurzen heftigen Luftzug, wenn sie neben mir in die Kulissentür schlugen, glaubte ich auf einem sehr schmalen Balken über einem unendlichen Abgrund zu gehen. Ich ging ganz sicher und fühlte doch alle Schauer der Gefahr... ich hatte Angst und doch die volle Gewißheit, nicht zu stürzen; ich zählte nicht, und doch öffnete ich die Augen in dem Augenblick, als das letzte Messer neben meiner rechten Hand in die Tür schoß... Ein stürmischer Beifall riß mich vollends hoch; ich schlug die Augen ganz auf und blickte in Jupps bleiches Gesicht, der auf mich zugestürzt war und nun mit nervösen Händen meinen Strick löste. Dann schleppte er mich in die Mitte der Bühne vorn an die Rampe; er verbeugte sich, und ich verbeugte mich; er deutete in dem anschwellenden Beifall auf mich und ich auf ihn; dann lächelte er mich an, ich lächelte ihn an, und wir verbeugten uns zusammen lächelnd vor dem Publikum.

In der Kabine sprachen wir beide kein Wort. Jupp warf das durchlöcherte Kartenspiel auf den Stuhl, nahm meinen Mantel vom Nagel und half mir, ihn anzuziehen. Dann hängte er sein Cowboykostüm wieder an den Nagel, zog seine Windjacke an, und wir setzten die Mützen auf. Als ich die Tür öffnete, stürzte uns der kleine Mann mit der Glatze entgegen und rief: »Gage erhöht auf vierzig Mark!« Er reichte Jupp ein paar Geldscheine. Da begriff ich, daß Jupp nun mein Chef war, und ich lächelte, und auch er blickte mich an und lächelte.

Jupp faßte meinen Arm, und wir gingen nebeneinander die schmale, spärlich beleuchtete Treppe hinunter, auf der es nach alter Schminke roch. Als wir das Portal erreicht hatten, sagte Jupp lachend: »Jetzt kaufen wir Zigaretten und Brot...«

Ich aber begriff erst eine Stunde später, daß ich nun einen richtigen Beruf hatte, einen Beruf, wo ich mich nur hinzustellen brauchte und ein bißchen zu träumen. Zwölf oder zwanzig Sekunden lang. Ich war der Mensch, auf den man mit Messern wirft...

(1948)

WOLFGANG BORCHERT

Im Mai, im Mai schrie der Kuckuck

Toll sind die Märzmorgen am Strom, man liegt noch im Halbschlaf, gegen vier so, und die Schiffsungetüme blasen ihr vitales
Saurier-Gestöhn unruhig über die Stadt hin, in den eisigrosigen
Frühnebel, den sonnenüberhauchten Silberdampf des atmenden
Flusses hinein, und in dem letzten Traum vor Tag, da träumt
man dann nicht mehr von hellbeinigen schlafwarmen Mädchen,
um vier so, im rosigen Frühnebel, im Geblase der Dampfer, in
ihrem großmäuligen Uu-Gebrüll, am Strom morgens, da träumt
man dann ganz andere Träume, nicht die von Schwarzbrot und
Kaffee und kaltem Schmorbraten, nicht die von stammelnden
strampelnden Mädchen, nein, dann träumt man die ganz anderen Träume, die ahnungsvollen, frühen, die letzten, die allgewal-
tigen, undeutbaren Träume, die träumt man an den tollen Märzmorgen am Strom, früh, um vier so...

Toll sind die Novembernächte in den vereinsamten mausgrau-
en Städten, wenn aus blauschwarzen Vorstadtfernen die Lokomotiven herüberschrein, angstvoll, hysterisch, kühn und aben-
teuerlich, in den ersten kaum begonnenen Schlaf hinein, Lokomotivenschrei, lang, sehnsüchtig, unfaßbar, davon zieht man die
Decke noch höher und drängt sich noch dichter an das nächtliche, zaubrische, heiße Tier, das Evelyn oder Hilde heißt, das in
solchen Nächten, voll November und Lokomotivenschrei, vor
Lust und Leid seine Sprache verliert, Tier wird, traumschweres,
zuckendes, unersättliches Novemberlokomotiventier, denn toll,
ach toll sind im November die Nächte.

Das sind die Märzmorgenschreie, die Saurierschreie der Schiffe im Strom, das sind die novembernächtigen Lokomotiven-
schreie über silbrigem Geleise durch angstblaue Wälder – aber
man kennt auch, man kennt auch die Klarinettenschreie an Sep-
temberabenden, die aus schnaps- und parfumstinkenden Bars
kommen, und die Aprilschreie der Katzen, die schaurigen, wol-
lüstigen, und die Julischreie der sechzehnjährigen Mädchen, die
über irgendein Brückengeländer rückwärts gebogen werden, bis
ihnen die Augen übergehen, die lüstern erschrockenen, und die
einsamen januareisigen Schreie der jungen Männer kennt man,

Genieschreie über verdorbenen Dramen und verkommenen Blumengedichten:

All dies Weltgeschrei, dies dunkelnächtige, von der Nacht benebelte, angeblaute, tintenfarbige, asternblütig blutige Geschrei, das kennt man, das erinnert man, das erträgt man wieder und wieder, und Jahr um Jahr, Tag um Tag, Nacht für Nacht.

Aber der Kuckuck, im Mai der Kuckuck, wer unter uns erträgt in den schwülen Mainächten, an den Maimittagen sein tolles träge erregtes Geschrei? Wer von uns hat sich je an den Mai mit seinem Kuckuck gewöhnt, welches Mädchen, welcher Mann? Jahr um Jahr wieder, Nacht für Nacht wieder, macht er die Mädchen, die gierig atmenden, und die Männer, die betäubten, macht er sie wild, der Kuckuck, der Kuckuck im Mai, dieser Maikuckuck. Auch im Mai schrein Lokomotiven und Schiffe und Katzen und Fraun und Klarinetten – sie schreien dich an, wenn du allein auf der Straße bist, dann, wenn es schon dunkelt, aber dann fällt noch der Kuckuck über dich her. Eisenbahnpfiff, Dampfergedröhn, Katzengejaul, Klarinettengemecker und Frauenschluchzen – aber der Kuckuck, der Kuckuck schreit wie ein Herz durch die Mainacht, wie ein pochendes lebendiges Herz, und wenn dich der Kuckucksschrei unvermutet überfällt in der Nacht, in der Mainacht, dann hilft kein Dampfer dir mehr und keine Lokomotive und kein Katzen- und Frauengetu und keine Klarinette. Der Kuckuck macht dich verrückt. Der Kuckuck lacht dich aus, wenn du fliehst. Wohin? lacht der Kuckuck, wohin denn im Mai? Und du stehst, von dem Kuckuck wild gemacht, mit all deinen Weltwünschen da, allein, ohne wohin, so allein, und dann haßt du den Mai, haßt ihn vor sehnsüchtiger Liebe, vor Weltschmerz, haßt ihn mit deiner ganzen Einsamkeit, haßt diesen Kuckuck im Mai, diesen...

...Und dann laufen wir mit unserem Kuckucksschicksal, ach, wir werden unser Kuckuckslos, dieses über uns verhängte Verhängnis nicht los, durch die tauigen Nächte. Schrei, Kuckuck, schrei deine Einsamkeit in den Maifrühling rein, schrei Kuckuck, brüderlicher Vogel, ausgesetzt, verstoßen, ich weiß, Bruder Kuckuck, all dein Geschrei ist Geschrei nach der Mutter, die dich den Mainächten auslieferte, als Fremdling unter Fremde verstieß, schrei, Kuckuck, schrei dein Herz den Sternen entgegen, Bruder Fremdling du, mutterlos, schrei... Schrei, Vogel Einsam, blamiere die Dichter, ihnen fehlt deine tolle Vokabel, und ihre Einsamkeitsnot wird Geschwätz, und nur wenn sie stumm bleiben, dann tun sie ihre größte Tat, Vogel Einsam, wenn dein Mutterschrei uns durch schlaflose Nächte jagt, dann tun wir unsere heldische Tat:

Die unsägliche Einsamkeit, diese eisige männliche, leben wir dann, leben wir ohne deine tolle Vokabel, Bruder Vogel, denn das Letzte, das Letzte geben die Worte nicht her.

Hingehen sollen die heroisch verstummten einsamen Dichter und lernen, wie man einen Schuh macht, einen Fisch fängt und ein Dach dichtet, denn ihr ganzes Getu ist Geschwätz, qualvoll, blutig verzweifelt, ist Geschwätz vor den Mainächten, vor dem Kukkucksschrei, vor den wahren Vokabeln der Welt. Denn wer unter uns, wer denn, ach, wer weiß einen Reim auf das Röcheln einer zerschossenen Lunge, einen Reim auf einen Hinrichtungsschrei, wer kennt das Versmaß, das rhythmische, für eine Vergewaltigung, wer weiß ein Versmaß für das Gebell der Maschinengewehre, eine Vokabel für den frisch verstummten Schrei eines toten Pferdeauges, in dem sich kein Himmel mehr spiegelt und nicht mal die brennenden Dörfer, welche Druckerei hat ein Zeichen für das Rostrot der Güterwagen, dieses Weltbrandrot, dieses angetrocknete blutigverkrustete Rot auf weißer menschlicher Haut? Geht nach Haus, Dichter, geht in die Wälder, fangt Fische, schlagt Holz und tut eure heroische Tat: Verschweigt! Verschweigt den Kuckucksschrei eures einsamen Herzens, denn es gibt keinen Reim und kein Versmaß dafür, und kein Drama, keine Ode und kein psychologischer Roman hält den Kuckucksschrei aus, und kein Lexikon und keine Druckerei hat Vokabel oder Zeichen für deine wortlose Weltwut, für deine Schmerzlust, für dein Liebesleid.

Denn wir sind wohl eingeschlafen unter dem Knistern geborstener Häuser (ach, Dichter, für das Seufzen sterbender Häuser fehlt dir jede Vokabel!), eingeschlafen sind wir unter dem Gebrüll der Granaten (welche Druckerei hat ein Zeichen für dieses metallische Geschrei?), und wir schliefen ein bei dem Gestöhn der Sträflinge und der vergewaltigten Mädchen (wer weiß einen Reim drauf, wer weiß den Rhythmus?) – aber hochgejagt wurden wir in den Mainächten von der stummen Qual unserer Fremdlingsherzen hier auf der Frühlingswelt, denn nur der Kuckuck, nur der Kukkuck weiß eine Vokabel für alle seine einsame mutterlose Not. Und uns bleibt allein die heroische Tat, die Abenteuertat: Unser einsames Schweigen. Denn für das grandiose Gebrüll dieser Welt und für ihre höllische Stille fehlen uns die armseligsten Vokabeln. Alles, was wir tun können, ist: Addieren, die Summe versammeln, aufzählen, notieren.

Aber diesen tollkühnen sinnlosen Mut zu einem Buch müssen wir haben! Wir wollen unsere Not notieren, mit zitternden Händen vielleicht, wir wollen sie in Stein, Tinte oder Noten vor uns hinstellen, in unerhörten Farben, in einmaliger Perspektive, addiert, zusammengezählt und angehäuft, und das gibt dann ein Buch von zweihundert Seiten. Aber es wird nicht mehr da drin stehn als ein paar Glossen, Anmerkungen, Notizen, spärlich erläutert, niemals erklärt, denn die zweihundert bedruckten Seiten sind nur ein Kommentar zu den zwanzigtausend unsichtbaren Seiten, zu den Sisyphusseiten, aus denen unser Leben besteht, für die wir Vokabel, Grammatik und Zeichen nicht kennen. Aber auf diesen zwanzigtausend unsichtbaren Seiten unseres Buches steht die groteske Ode, das lächerliche Epos, der nüchternste verwunschenste aller Romane: Unsere verrückte kugelige Welt, unser zuckendes Herz, unser Leben! Das ist das Buch unserer wahnsinnigen dreisten bangen Einsamkeit auf nachttoten Straßen.

Aber die abends in den erleuchteten gelbroten blechernen Straßenbahnen durch die steinerne Stadt fahren, die, die müssen doch glücklich sein. Denn sie wollen ja irgendwohin, sie kennen den Namen ihrer Station ganz genau, sie haben ihn schon genannt, mit der Lippenfaulheit von Leuten, denen nichts mehr passieren kann, ohne aufzusehn, sie wissen, wo ihre Haltestellte ist (sie haben es alle nicht weit) und sie wissen, daß die Bahn sie dahin bringt. Dafür haben sie schließlich bezahlt an den Staat, mit Steuern einige, einige mit einem amputierten Bein, und mit zwanzig Pfennig Fahrgeld. (Kriegsversehrte die Hälfte. Ein Einbeiniger fährt im Leben 7862mal mit der Straßenbahn für die Hälfte. Er spart 786,20. Sein Bein, es ist bei Smolensk längst verfault, war 786,20 wert. Immerhin.) Aber glücklich sind die in der Bahn. Sie müssen's doch sein. Sie haben weder Hunger noch Heimweh. Wie können sie Hunger oder Heimweh haben? Ihre Station steht schon fest und alle haben lederne Taschen bei sich, Pappkartons oder Körbe. Einige lesen auch. Faust, Filmillustrierte oder den Fahrschein, das siehst du ihnen nicht an. Sie sind gute Schauspieler. Sie sitzen da mit ihren erstarrten, plötzlich alt gewordenen Kindergesichtern, hilflos, wichtig, und spielen Erwachsene. Und die Neunjährigen glauben ihnen das. Aber am liebsten würden sie aus den Fahrscheinen kleine Kügelchen machen und sich damit werfen, heimlich. So glücklich sind sie, denn in den Körben und Taschen und Büchern, die die Leute abends in der Straßenbahn bei sich haben, da sind die Mittel drin gegen Heimweh und Hunger (und wenns eine Kippe ist, an der man sich satt kaut – und wenns ein Fahrschein ist, mit dem man flieht –). Die, die Körbe und Bücher bei sich haben, die in den Straßenbahnen abends, die müssen doch glücklich sein, denn sie sind ja geborgen zwischen ihren Nebenmännern, die Brillen, Husten oder bläuliche Nasen haben, und bei dem Schaffner, der eine amtliche Uniform an hat, unsaubere Fingernägel und einen goldenen Ehering, der mit den Fingernägeln wieder versöhnt, denn nur Junggesellenfingernägel sind unsympathisch, wenn sie unsauber sind. Ein verheirateter Straßenbahnschaffner hat womöglich einen kleinen Garten, einen Balkonkasten oder er bastelt für seine fünf Kinder Segelschiffe (ach, für sich baut er die, für seine heimlichen Reisen!). Die bei so einem Schaffner abends geborgen sind in der mäßig erleuchteten Bahn, denn die Lampen sind nicht zu hell und sind nicht zu triste, die müssen doch beruhigt und glücklich sein – kein Kuckucksschrei bricht aus ihren sparsamen billigen bitteren Mündern und kein Kuckucksschrei dringt von außen her durch die dicken glasigen Fenster. Sie sind ohne Bestürzung und wie geborgen, ach, wie unendlich geborgen, sind sie unter den soliden und etwas erblindeten Lampen des Straßenbahnwagens, unter den mittelmäßigen Gestirnen ihrer Alltage, diesen trübseligen Leuchten, die das Vaterland seinen Kindern in Behörden, Bahnhöfen, Bedürfnisanstalten (grünschirmig, spinnwebig) und Straßenbahnen spendiert. Und die altgewordenen albernen mürrischen Kinder in den Bahnen abends, unter behördlich angeordneten Lampen, die müssen doch glücklich sein, denn Angst (diese Maiangst, die Kuckucksangst), Angst können sie nicht haben: Sie haben doch Licht. Sie kennen den Kuckuck doch nicht. Sie sind beieinander, wenn was passiert (ein Mord, ein Zusammenstoß, ein Gewitter). Und sie wissen: wohin. Und sie sind in den gelbroten blechernen Straßenbahnen unter den Lampen bei Schaffner und Nachbar (und wenn er auch nach Hering aufstößt) mitten in der steinernen dunklen Abend-Stadt geborgen.

Nie wird die Welt über sie hereinbrechen wie über den, der allein auf der Straße steht: Ohne Lampe, ohne Station, ohne Nebenmann, hungrig, ohne Korb, ohne Buch, kuckucksüberschrien, voll Angst. Die so nackt und arm auf der Straße stehn, wenn die zigarettenrauchvollen Straßenbahnen vorbeiklingeln (schon das Klingeln jagt Heimweh und Angst in die düsteren Torwege zurück!) mit ihren beruhigenden Mittelmaßlampen darin und den beruhigten Gesichtern darunter, aufgehoben für zehntausend Alltage, die dann noch dastehn, wenn die Straßenbahn schon weit ab durch eine rostige Kurve heulkreischt, die – die gehören der Straße. Die Straße ist ihr Himmel, ihr andächtiges Schreiten, ihr toller Tanz, ihre Hölle, ihr Bett (mit Parkbänken und

Brückenbogen), ihre Mutter und ihr Mädchen. Diese grauharte Straße ist ihr staubiger schweigsam verläßlicher Kumpel, stur, treu, beständig. Diese verregnete sonnenbrennende sternüberstickte mondblanke windüberatmete Straße ist ihr Fluch und ihr Abendgebet (ist ihr Abendgebet, wenn eine Frau ein Glas Milch über hat – ist ihr Fluch, wenn die nächste Stadt, wenn die nächste Stadt vor der Nacht nicht mehr rankommt). Diese Straße ist ihre Verzagtheit und ihr abenteuerlicher Mut. Und wenn du an ihnen vorbeigehst, dann sehn sie dich an wie die Fürsten, diese Flickenkönige von Lumpens Gnaden, und mit zugebissenem Mund sagen sie ihren ganzen großen harten protzigen klotzigen Reichtum:

Die Straße gehört uns. Die Sterne über, die sonnenwarmen Steine unter uns. Der Singsangwind und der erdig riechende Regen. Die Straße gehört uns. Wir haben unser Herz, unsere Unschuld, unsere Mutter, das Haus und den Krieg verloren – aber die Straße, unsere Straße verlieren wir nie. Die gehört uns. Ihre Nacht unterm Großen Bär. Ihr Tag unter der gelben Sonne. Ihr singender klingender Regen: Dies alles: Dieser Sonnenregenwindgeruch, dieser feuchtgrasige, naßerdige, mädchenblumige, der so gut riecht wie sonst nichts auf der Welt: Diese Straße gehört uns. Mit ihren emaillierten Hebammenschildern und ligusternen Friedhöfen rechts und links, mit der vergessenen Dunstwelt Gestern, die hinter uns liegt, mit dem ungeahnten morgigen Dunstland da vor uns. Da stehn wir, dem Kuckuck ausgeliefert, dem Mai, mit verkniffenen Tränen, heroisch sentimental, mit ein bißchen Romantik betrogen, einsam, männlich, muttersehnsüchtig, großspurig, verloren. Verloren zwischen Dorf und Dorf. Vereinsamt in der millionenfenstrigen Stadt. Schrei, Vogel Einsam, schrei um Hilfe, schrei für uns mit, denn uns fehlen die letzten Vokabeln, der Reim fehlt uns und das Versmaß auf all unsere Not.

Aber manchmal, Vogel Einsam, manchmal, selten, seltsam und selten, wenn die gelbblühende Straßenbahn die Straße gnadenlos zurückgeschleudert hat in ihre schwarze Verlassenheit, dann manchmal, selten, seltsam und selten, dann bleibt manchmal in mancher Stadt (o so selten) doch noch ein Fenster da. Ein helles warmes verführerisches Viereck im steinern kalten Koloß, in der fürchterlichen Schwärze der Nacht: Ein Fenster.

Und dann geht alles ganz schnell. Ganz sachlich. Man notiert nur im Kopf: Das Fenster, die Frau, und die Mainacht. Das ist alles, wortlos, banal, verzweifelt. Man muß das wie einen Schnaps runterkippen, hastig, bitter, scharf, betäubend. Davor ist alles Geschwätz, alles. Denn dies ist das Leben: Das Fenster, die Frau und die Mainacht. Ein fleckiger Geldschein aufm Tisch, Schokolade oder n Stück Schmuck. Dann notiert man: Beine und Knie und Schenkel und Brüste und Blut. Kipp runter den Schnaps. Und morgen schreit wieder der Kuckuck. Alles andere ist rührseliges Geschwätz. Alles. Denn dies ist das Leben, für das es keine Vokabel gibt: heißes hektisches Getu. Kipp runter den Schnaps. Er verbrennt und berauscht. Auf dem Tisch liegt das Geld. Alles andere ist Geschwätz, denn morgen, schon morgen schreit wieder der Kuckuck. Heute abend nur diese kurze banale Notiz: Das Fenster, die Frau. Das genügt. Alles andere ist – um drei nachts beginnt wieder der Kuckuck. Wenn es graut. Aber heut abend ist erst mal ein Fenster da. Und eine Frau. Und eine Frau.

Im Parterre steht ein Fenster offen. Noch offen zur Nacht. Der Kuckuck schreit grün wie eine leere Flasche Gin in die seidige Jasminnacht der Vorstadtstraßen hinein. Ein Fenster steht noch offen. Ein Mann steht in der grüngeschrienen Kuckucksnacht, ein jasminüberfallener Mann mit Hunger und Heimweh nach einem offenen Fenster. Das Fenster ist offen. (O so selten!) Eine Frau lehnt da raus. Blaß. Blond. Hochbeinig vielleicht. Der Mann denkt: Hochbeinig vielleicht, sie ist so der Typ. Und sie spricht so wie alle Fraun, die abends am Fenster stehn. So tierwarm und halblaut. So unverschämt träge erregt wie der Kuckuck. So schwersüß wie der Jasmin. So dunkel wie die Stadt. So verrückt wie der Mai. Und sie spricht so gewerbsmäßig nächtlich. So molltönig grün wie eine ausgesoffene Flasche Gin. So unverblümt blumig. Und der Mann vor dem Fenster knarrt ungeliebt einsam wie das ausgedörrte Leder seines Stiefels:

Also nicht.
Ich hab doch gesagt –
Also nicht?
– – –
Und wenn ich das Brot geb?
– – –
Ohne Brot nicht, aber wenn ich das Brot nun geb, dann?
Ich hab doch gesagt, Junge –
Dann also ja?
Ja.
Also ja. Hm. Also.
Ich hab doch gesagt, Junge, wenn die Kinder uns hören, wachen sie auf. Und dann haben sie Hunger. Und wenn ich dann kein Brot für sie hab, schlafen sie nicht wieder ein. Dann weinen sie die ganze Nacht. Versteh doch.

Ich geb ja das Brot. Mach auf. Ich geb es. Hier ist es. Mach auf. Ich komm.

Die Frau macht die Tür auf, dann macht der Mann sie hinter sich zu. Unterm Arm hat er ein Brot. Die Frau macht das Fenster zu. Der Mann sieht an der Wand ein Bild. Zwei nackte Kinder sind da drauf mit Blumen. Das Bild hat einen breiten Rahmen aus Gold und ist sehr bunt. Besonders die Blumen. Aber die Kinder sind viel zu dick. Amor und Psyche heißt das Bild. Die Frau macht das Fenster zu. Dann die Gardine. Der Mann legt das Brot auf den Tisch. Die Frau kommt an den Tisch und nimmt das Brot. Überm Tisch hängt die Lampe. Der Mann sieht die Frau an und schiebt die Unterlippe vor, als ob er etwas probiert. Vierunddreißig, denkt er dann. Die Frau geht mit dem Brot zum Schrank. Was für ein Gesicht, denkt sie, was hat der für ein Gesicht. Dann kommt sie von dem Schrank zurück wieder an den Tisch. Ja, sagt sie. Sie sehen beide auf den Tisch. Der Mann fängt an, mit dem Zeigefinger die Brotkrümel vom Tisch zu knipsen. Ja, sagt er. Der Mann sieht an ihren Beinen hoch. Man sieht die Beine fast ganz. Die Frau hat nur einen dünnen durchsichtig hellblauen Unterrock an. Man sieht ihre Beine fast ganz. Dann sind keine Brotkrümel mehr auf dem Tisch. Darf ich meine Jacke ausziehen? sagt der Mann. Sie ist so blöde.

Ja, die Farbe, nicht?

Gefärbt.

Ach, gefärbt? Wie eine Bierflasche.

Bierflasche?

Ja, so grün.

Ach so, ja, so grün. Ich häng sie hier hin.

Richtig wie eine Bierflasche.

Na, dein Kleid ist aber auch –

Was denn?

Na, himmelblau.

Das ist nicht mein Kleid.

Ach so.

Aber schön, ja?

Ja –

Soll ich anbehalten?

Jaja. Natürlich.

Die Frau steht noch immer am Tisch. Sie weiß nicht, warum der Mann immer noch sitzt. Aber der Mann ist müde. Ja, sagt die Frau und sieht an sich runter. Da sieht der Mann sie an. Er sieht auch an ihr runter. Du, weißt du – sagt der Mann und sieht nach der Lampe.

Das ist doch selbstverständlich, sagt sie und macht das Licht aus. Der Mann bleibt im Dunkeln still auf seinem Stuhl sitzen. Sie geht dicht an ihm vorbei. Er fühlt einen warmen Lufthauch, wie sie an ihm vorbeigeht. Dicht geht sie an ihm vorbei. Er kann sie riechen. Er riecht sie. Er ist müde. Da sagt sie von drüben her (von weit weit her, denkt der Mann): Komm doch jetzt. Natürlich, sagt er und tut, als wenn er drauf gewartet hat. Er stößt gegen die Tür: Oh, der Tisch. Hier bin ich, sagt sie im Dunkeln. Aha. Er hört ihr Atmen ganz nah neben sich. Er streckt vorsichtig seine Hand aus. Sie hören sich beide atmen. Da trifft seine Hand auf etwas. Oh, sagt er, da bist du. Es ist ihre Hand. Ich hab im Dunkeln deine Hand gefunden, lacht er. Ich hab sie ja auch hingehalten, sagt sie leise. Da beißt sie ihn in den Finger. Sie zieht ihn runter. Er setzt sich hin. Sie lachen beide. Sie hört, daß er ganz schnell atmet. Er ist höchstens zwanzig, denkt sie, er hat Angst. Du alte Bierflasche, sagt sie. Sie nimmt seine Hand und tut sie auf ihre heiße nachtkühle Haut. Er fühlt, daß sie das himmelblaue Ding doch ausgezogen hat. Er fühlt ihre Brust. Er sagt großspurig ins Dunkle hinein (aber er ist ganz außer Atem): Du Milchflasche du. Du bist eine Milchflasche, weißt du das? Nein, sagt sie, das hab ich noch nie gewußt. Sie lachen beide. Er ist viel zu jung, denkt sie. Sie ist doch nur wie alle, denkt er. Er ist erschrocken vor ihrer nackten Haut. Er hält seine Hände ganz still. So ein Kind, denkt sie. So sind sie alle, denkt er, ja, alle sind sie so, alle. Er weiß nicht, was er mit seinen Händen tun soll auf ihrer Brust. Du frierst, glaub ich, sagt er, ich glaube, du frierst, wie? Mitten im Mai? lacht sie, mitten im Mai? Na ja, sagt er, immerhin, nachts. Aber im Mai, sagt sie, wir sind doch mitten im Mai. Man hört sogar den Kuckuck, sei mal still, hörst du, man hört sogar den Kuckuck, hör doch, atme doch nicht so laut, hör doch, hörst du, der Kuckuck. Immerzu. Eins zwei drei vier fünf – na? – na! – sechs sieben acht – hörst du? Da wieder – neun zehn elf – hör doch: Kuckuck Kuckuck Kuckuck Kuckuck – – – – Bierflasche du, alte Bierflasche, sagt die Frau leise. Sie sagt es verächtlich und mütterlich und leise. Denn der Mann schläft.

Morgen wird es. Es wird schon grau draußen vor den Gardinen. Es wird wohl bald vier sein. Und der Kuckuck ist schon wieder dabei. Die Frau liegt wach. Oben geht schon jemand. Eine Brotmaschine bumst drei- vier- fünfmal. Eine Wasserleitung. Dann den Flur, die Tür, die Treppen: Schritte. Der von oben muß um halb sechs auf der Werft sein. Halb fünf ist es wohl. Draußen ein Fahrrad. Hellgrau, beinah rosig schon. Hellgrau sickert langsam durch die Gardine vom Fenster her über den Tisch, die Stuhllehne, ein Stück Zimmerdecke, den Goldrahmen, Psyche, und eine Hand, die eine Faust macht. Morgens halb fünf im Hellgrau vor Tag noch macht einer im Schlaf eine Faust. Hellgrau sickert vom Fenster her durch die Gardine auf ein Gesicht, auf ein Stück Stirn, auf ein Ohr. Die Frau ist wach. Vielleicht schon lange. Sie bewegt sich nicht. Aber der Mann mit der Faust im Schlaf hat einen schweren Kopf. Der fiel gestern abend auf ihre Brust. Halb fünf ist es jetzt. Und der Mann liegt noch wie gestern abend. Ein magerer langer junger Mann mit einer Faust und einem schweren Kopf. Als die Frau seinen Kopf vorsichtig von sich wegrücken will, faßt sie in sein Gesicht. Es ist naß. Was hat der für ein Gesicht, denkt die Frau morgens vor Tag, die einen Mann auf sich liegen hat, der die ganze Nacht schlief, mit einer Faust, und jetzt ist sein Gesicht naß. Und was ist das für ein Gesicht jetzt im Hellgrau. Ein nasses langes armes wildes Gesicht. Ein sanftes Gesicht, einsam grau, schlecht und gut. Ein Gesicht. Die Frau zieht ihre Schulter langsam unter dem Kopf weg, bis er auf das Kissen sackt. Da sieht sie den Mund. Der Mund sieht sie an. Was ist das für ein Mund. Und der Mund sieht sie an. Sieht sie an, daß ihr die Augen verschwimmen.

Es ist das übliche, sagt der Mund, es ist gar nichts Besonderes, es ist nur das übliche. Du brauchst gar nicht so überlegen zu lächeln, so verächtlich mütterlich, hör auf damit, sag ich dir, hör damit auf, du, sonst – du, ich sag dir, ich hab alles gelernt, hör damit auf. Ich weiß, ich hätte über dich herfallen sollen gestern abend, dir die weißen Schultern zerbeißen und das weiche Fleisch hoch über den Knien, ich hätte dich fertigmachen sollen, bis du in der Ecke gelegen hättest und dann hättest du noch vor Schmerz gestöhnt: Mehr, Schätzchen, mehr. So dachtest du dir das doch. Oh, der ist noch jung, dachtest du gestern abend in deinem Fenster, der ist noch nicht so verbraucht wie die feigen alten Familienväter, die hier abends für eine Viertelstunde Don Juan markieren. Oh, dachtest du, da ist mal so ein junges Gemüse, der wirft dich mal so restlos um. Und dann kam ich rein. Du rochst nach Tier, aber ich war müde, weißt du, ich wollte nur erst mal ne Stunde die Beine lang machen. Du hättest deinen Unterrock anbehalten können. Die Nacht ist um. Du grinst, weil du dich schämst. Du verachtest mich. Du denkst wohl, ich wär noch kein Mann. Natürlich denkst du das, denn du machst nun ganz auf mütterlich. Du denkst, ich bin noch ein Junge. Du hast Mitleid mit mir, verächtliches mütterliches Mitleid, weil ich nicht über dich hergefallen bin. Aber ich bin ein Mann, verstehst du, ich bin schon lange ein Mann. Ich war nur müde gestern abend, sonst hätte ich dirs schon gezeigt, das kann ich dir sagen, denn ich bin schon lange ein Mann, sagt der Mund, verstehst du, längst schon. Denn ich hab schon Wodka getrunken, meine Liebe, richtigen russischen Wodka, 98prozentigen, meine Liebe, und ich habe Scheiße geschrien, weißt du, ein Gewehr hab ich gehabt und Scheiße hab ich geschrien und geschossen hab ich und ganz allein auf Horchposten gestanden und der Kompaniechef hat Du zu mir gesagt und Feldwebel Brand hat mit mir immer die Zigaretten getauscht, weil er so gern Kunsthonig wollte und dann hatte ich seine Zigaretten noch dazu, wenn du glaubst, ich wär noch ein Junge! Ich war schon, am Abend bevor es nach Rußland ging, bei einer Frau, längst schon, meine Liebe, bei einer Frau und über ne Stunde lang und heiser war die und teuer und ne richtige Frau war das, eine Erwachsene, meine Liebe, die hat nicht bei mir auf mütterlich gemacht, die hat mein Geld weggesteckt und hat gesagt: Na, wann gehts los, Schätzchen, gehts nach Rußland? Willst noch mal mit der deutschen Frau, gelt, Schätzchen? Schätzchen hat sie zu mir gesagt und hat mir den Kragen von der Uniform aufgeknöpft. Aber dann hat sie sich die ganze Zeit die Fransen von der Tischdecke um die Finger gewickelt und hat an die Wand gesehn. Hin und wieder hat sie Schätzchen gesagt, aber nachher ist sie sofort aufgestanden und hat sich gewaschen und an der Tür unten hat sie dann Tschüs gesagt. Das war alles. Im Nebenhaus sangen sie die Rosamunde und aus den andern Fenstern hingen auch überall welche raus und alle sagten sie Schätzchen. Alle sagten sie Schätzchen. Das war der Abschied von Deutschland. Aber das Schlimmste kam am anderen Morgen auf dem Bahnhof.

Die Frau macht die Augen zu. Denn der Mund, der wächst. Denn der Mund wird groß und grausam groß.

Es war das übliche, sagt der riesige Mund, es war gar nichts Besonderes. Es war nur das übliche. Ein Blei-Morgen. Eine Blei-Eisenbahn. Und Blei-Soldaten. Die Soldaten waren wir. Es war gar nichts Besonderes. Nur das übliche. Ein Bahnhof. Ein Güterzug. Und Gesichter. Das war alles.

Als wir dann in den Güterzug kletterten, sie stanken nach Vieh, die Waggons, die blutroten, da wurden unsere Väter laut und lustig mit ihren Blei-Gesichtern und sie haben verzweifelt ihre Hüte geschwenkt. Und unsere Mütter verwischten mit buntfarbigen Tüchern ihre maßlose Trauer: Verlier auch nicht die neuen Strümpfe, Karlheinz. Und Bräute waren da, denen taten noch die Münder weh von dem Abschied und die Brüste und die – – alles tat ihnen weh, und das Herz und die Lippen brannten noch und der Brand der Abschiedsnacht war noch nicht, oh noch lange nicht erloschen im Blei. Wir aber sangen so wunderwunderschön in Gottes weite Welt hinaus und grinsten und grölten, daß unsern Müttern die Herzen erfroren. Und dann wurde der Bahnhof – der wollte keine Knechte – dann wurden die Mütter – Säbel, Schwert und Spieß – die Mütter und Bräute immer winziger und Vaters Hut – daß er bestände bis aufs Blut – Vaters Hut machte noch lange: Machs gut, Karlheinz – bis in den Tod – machs gut, mein Junge – die Feeeheeede. Und unser Kompaniechef saß vorn im Waggon und schrieb auf den Meldeblock: Abfahrt 6 Uhr 23. Auf dem Küchenwagen schälten die Rekruten mit männlichen Gesichtern Kartoffeln. In einem Büro in der Bismarckstraße sagte Herr Dr. Sommer, Rechtsanwalt und Notar, diesen Morgen: Mein Füller ist kaputt. Es wird hohe Zeit, daß der Krieg zu Ende geht. Draußen vor der Stadt juchte eine Lokomotive. In den Waggons aber, in den dunklen Waggons, hatte man noch den Geruch von den brennenden Bräuten für sich, ganz im Dunkel für sich, aber keiner riskierte im Öllicht eine Träne. Keiner von uns. Wir sangen den trostlosen Männergesang von Madagaskar und die blutroten Waggons stanken nach Vieh, denn wir hatten Menschen an Bord. Ahoi, Kameraden, und keiner riskierte eine Träne, ahoi, kleines Mädel, täglich ging einer über Bord, und in den Kratern, da faulte die warmrote Himbeerlimonade, die einmalige Limonade, für die es keinen Ersatz gibt und die keiner bezahlen kann, nein, keiner. Und wenn uns die Angst den Schlamm schlucken ließ und uns hinwarf in den zerwühlten Schoß der mütterlichen Erde, dann fluchten wir in den Himmel, in den taubstummen Himmel: Und führe uns niemals in Fahnenflucht und vergib uns unsere MGs, vergib uns, aber keiner keiner war da, der uns vergab, es war keiner da. Und was dann kam, dafür gibts keine Vokabel, davor ist alles Geschwätz, denn wer weiß ein Versmaß für das blecherne Gemecker der Maschinengewehre und wer weiß einen Reim auf den Aufschrei eines achtzehnjährigen Mannes, der mit seinen Gedärmen in den Händen zwischen den Linien verwimmerte, wer denn, ach keiner!!!

Als wir an dem bleiernen Morgen den Bahnhof verließen und die winkenden Mütter winzig und winziger wurden, da haben wir großartig gesungen, denn der Krieg, der kam uns gerade recht. Und dann kam er. Dann war er da. Und vor ihm war alles Geschwätz. Keine Vokabel hielt ihm stand, dem brüllenden seuchigen kraftstrotzenden Tier, keine Vokabel. Was heißt denn la guerre oder the war oder Krieg? Armseliges Geschwätz, vor dem Tiergebrüll seiner glühenden Münder, der Kanonenmünder. Und

Verrat vor den glühenden Mündern der verratenen Helden. An das Metall, an den Phosphor, an den Hunger und Eissturm und Wüstensand erbärmlich verraten. Und nun sagen wir wieder the war und la guerre und der Krieg und kein Schauer ergreift uns, kein Schrei und kein Grausen. Heute sagen wir einfach wieder: C'etait la guerre – das war der Krieg. Mehr sagen wir heute nicht mehr, denn uns fehlen die Vokabeln, um nur eine Sekunde von ihm wiederzugeben, nur für eine Sekunde, und wir sagen einfach wieder: O ja, so war es. Denn alles andere ist nur Geschwätz, denn es gibt keine Vokabel, keinen Reim und kein Versmaß für ihn und keine Ode und kein Drama und keinen psychologischen Roman, die ihn ertragen, die nicht platzen vor seinem zinnoberroten Gebrüll. Und als wir die Anker lichteten, die Kaimauern knirschten vor Lust, um das Land, das dunkle Land Krieg anzusteuern, da haben wir tapfer gesungen, wir Männer, o so bereit waren wir und so haben wir gesungen, wir in den Viehwagen. Und auf den marschmusikenen Bahnhöfen jubelten sie uns in das dunkle dunkle Land Krieg. Und dann kam er. Dann war er da. Und dann, eh wir ihn begriffen, dann war er aus. Dazwischen liegt unser Leben. Und das sind zehntausend Jahre. Und jetzt ist er aus und wir werden auf den fauligen Planken der verlorenen Schiffe nachts heimlich verächtlich an die Küste von Land Frieden, dem unverständlichen Land, gespien. Und keiner keiner kann uns noch erkennen, uns zwanzigjährige Greise, so hat uns das Gebrüll verwüstet. Kennt uns noch jemand? Wo sind die, die uns jetzt noch kennen? Wo sind sie? Die Väter verstecken sich tief in ihr Gesicht und die Mütter, die siebentausendfünfhundertvierundachtzigmal ermordeten Mütter, ersticken an ihrer Hilflosigkeit vor der Qual unserer entfremdeten Herzen. Und die Bräute, die Bräute schnuppern erschreckt den Katastrophengeruch, der wie Angstschweiß aus unserer Haut bricht, nachts, in ihren Armen, und sie wittern den einsamen Metallgeschmack aus unsern verzweifelten Küssen und sie atmen erstarrt den marzipansüßen Blutdunst erschlagener Brüder aus unserm Haar und sie begreifen unsere bittere Zärtlichkeit nicht. Denn wir vergewaltigen in ihnen all unsere Not, denn wir morden sie jedwede Nacht, bis uns eine erlöst. Eine. Erlöst. Aber keiner erkennt uns. Und jetzt sind wir unterwegs zwischen den Dörfern. Ein Pumpengequietsch ist schon ein Fetzen Heimat. Und ein heiserer Hofhund. Und eine Magd, die guten Tag sagt. Und der Geruch von Himbeersaft aus einem Haus. (Unser Kompaniechef hatte plötzlich das ganze Gesicht voll Himbeersaft. Aus dem Mund kam der. Und darüber hat er sich so gewundert, daß seine Augen wie Fischaugen wurden: maßlos erstaunt und blöde. Unser Kompaniechef hat sich sehr über den Tod gewundert. Er konnte ihn gar nicht verstehn.) Aber der Himbeersaftduft in den Dörfern, das ist für uns schon ein Fetzen Zuhaus. Und die Magd mit den roten Armen. Und der heisere Hund. Ein Fetzen, ein kostbarer unersetzlicher Fetzen.

Und in den Städten sind wir nun. Häßlich, gierig, verloren. Und Fenster sind für uns selten, seltsam und selten. Aber sie sind doch, abends im Dunkeln, mit schlafwarmen Frauen, ein einmaliger himmlischer Fetzen für uns, o so selten. Und wir sind unterwegs nach der ungebauten neuen Stadt, in der uns alle Fenster gehören, und alle Frauen, und alles und alles und alles: Wir sind unterwegs nach unserer Stadt, nach der neuen Stadt, und unsere Herzen schreien nachts wie Lokomotiven vor Gier und vor Heimweh – wie Lokomotiven. Und alle Lokomotiven fahren nach der neuen Stadt. Und die neue Stadt, das ist die Stadt, in der die weisen Männer, die Lehrer und die Minister, nicht lügen, in der die Dichter sich von nichts anderem verführen lassen, als von der Vernunft ihres Herzens, das ist die Stadt, in der die Mütter nicht sterben und die Mädchen keine Syphilis haben, die Stadt, in der es keine Werkstätten für Prothesen und keine Rollstühle gibt, das ist die Stadt, in der der Regen Regen genannt wird und die Sonne Sonne, die Stadt, in der es keine Keller gibt, in denen blaßgesichtige Kinder nachts von Ratten angefressen werden, und in der es keine Dachböden gibt, in denen sich die Väter erhängen, weil die Frauen kein Brot auf den Tisch stellen können, das ist die Stadt, in der die Jünglinge nicht blind und nicht einarmig sind und in der es keine Generäle gibt, das ist die neue, die großartige Stadt, in der sich alle hören und sehn und in der alle verstehn: mon cœur, the night, your heart, the day, der Tag, die Nacht, das Herz.

Und nach der neuen Stadt, nach der Stadt aller Städte, sind wir voll Hunger unterwegs durch unsere einsamen Maikuckucksnächte, und wenn wir am Morgen erwachen und wissen, wir werden es furchtbar wissen, daß es die neue Stadt niemals gibt, o daß es die Stadt gar nicht gibt, dann werden wir wieder zehntausend Jahre älter sein und unser Morgen wird kalt und bitter sein, einsam, o einsam und nur die sehnsüchtigen Lokomotiven, die bleiben, die schluchzen weiter ihren fernsüchtigen Heimwehschrei in unseren qualvollen Schlaf, gierig, grausam, groß und erregt. Sie schrein weiter nachts vor Schmerz auf ihren einsamen kalten Gleisen. Aber sie fahrn nie mehr nach Rußland, nein, sie fahrn nie mehr nach Rußland, denn keine Lokomotive fährt mehr nach Rußland keine Lokomotive fährt mehr nach Rußland keine Lokomotive fährt mehr nach Rußla nach Rußla keine denn keine Lokomotive fährt mehr nach nach denn keine denn keine Lokomo keine Lokomo keine Lokomo kei – –

Im Hafen, vom Hafen her, uuht schon ein frühes Schiff. Eine Barkasse schreit schon erregt. Und ein Auto. Nebenan singt ein Mann beim Waschen: Komm, wir machen eine kleine Reise. Im anderen Zimmer fragt ein Kind schon. Warum uuht der Dampfer, warum schreit die Barkasse, warum das Auto, warum singt der Mann nebenan, und wonach wonach fragt das Kind?

Der Mann, der gestern abend mit dem Brot kam, der mit der Bierflaschenjacke, der grünen gefärbten, der in der Nacht eine Faust und ein nasses Gesicht hatte, der Mann macht die Augen auf. Die Frau sieht von seinem Mund weg. Und der Mund ist so arm und so klein und so voll bitterem Mut. Sie sehen sich an, ein Tier das andere, ein Gott den anderen, eine Welt die andere Welt. (Und dafür gibt es keine Vokabel.) Groß, gut, fremd, unendlich und warm und erstaunt sehn sie sich an, von jeher verwandt und verfeindet und unlöslich aneinander verloren.

Der Schluß ist dann so wie alle wirklichen Schlüsse im Leben: banal, wortlos, überwältigend. Die Tür ist da. Er steht schon draußen und riskiert den ersten Schritt noch nicht. (Denn der erste Schritt heißt: wiederum verloren.) Sie steht noch drinnen und kann die Tür noch nicht zuschlagen. (Denn jede zugeschlagene Tür heißt: wiederum verloren. Aber dann ist er plötzlich schon mehrere Schritte weit ab. Und es ist gut, daß er nichts mehr gesagt hat. Denn was, was hätte sie antworten sollen? Und dann ist er im Frühdunst (der vom Hafen aufkommt und nach Fisch und nach Teer riecht), im Frühdunst verschwunden. Und es ist so gut, daß er sich nicht mal mehr umgedreht hat. Das ist so gut. Denn was hätte sie tun sollen? Winken? Etwa winken?

(1948)

Liebe

Der Park war nicht sehr groß. Er zog sich am Ufer des Flusses hin. Das Laub spiegelte sich im Wasser. Ich saß auf einer Bank und sah einen Schirm an, der einige Schritte vor mir mitten auf dem Weg lag.

Es war Abend. Kein Mensch war in der Nähe. Ich sah den Schirm an und hatte gute Lust, ihn aufzuspannen und in den Fluß zu werfen. Vielleicht sah ihn ein eifriger Schutzmann im Fluß hingleiten, meldete dieses Anzeichen eines weiblichen Selbstmordes (es war ein Damenschirm), ein Reporter brachte eine Lokalnotiz, und ich fühlte mich schon, diesen knappen Bericht lesend, als anonymen Schöpfer eines Schicksals. Sicherlich wäre ich schließlich zu honett gewesen, diese Düpierung von Staat und Presse zu inszenieren, auch wenn der Auftritt eines Liebespaars solch leichtfertigen Entschluß nicht gestört hätte.

Das Paar kam rasch näher, er immer einen halben Schritt voraus, lang ausschreitend, sie, zierlich, mit vielen ungleichmäßigen und hastigen Schritten hintennach. Schon von weitem sahen sie den Schirm, gingen hin, er hob den Schirm auf. Ich war neugierig auf seine Geste, seine Worte, seine etwaige Verbeugung. Daran wollte ich gewissermaßen in einem Blick ihr ganzes Verhältnis oder die letzte Mondphase ablesen.

Ich lächelte vor Erwartung.

Da warf der Mann, plötzlich sein glattes Gesicht verzerrend, den Schirm heftig zu Boden, drehte sich um und ging hastig zum Ausgang des Parks, vom Fluß weg, zum Inneren der Stadt.

Sie, in einem kurzen Rock, bückte sich, so daß ich ihr Strumpfband sah, hob den Schirm auf, drückte ihn ans Herz, ballte die andere Hand, einen Moment nur, und folgte dem Mann. Im Nachblicken sah ich, daß sie sehr schöne Beine hatte.

Warum tat er das? fragte ich mich. Der Abend war so mild, der Schirm fast neu, das Mädchen hübsch, noch jung, warum war der fremde Mann so heftig? Ich dachte eine Weile über den Beruf des jungen Mannes nach. War er ein Bankbeamter? Dafür war seine Krawatte zu elegant. Ein mittlerer Staatsbeamter? Sein Benehmen war zu unbekümmert. Ich ließ die Frage ungelöst und ging der

Stadt zu. Es wurde langsam kühl und dunkel. Über dem Fluß lag noch eine zarte Helligkeit.

Drei Tage später sah ich in einem Café Chantant in der Vorstadt das Paar wieder. Ich erkannte beide sogleich. Sie saßen an einem Ecktisch, sie tranken Wein, tanzten zu den Rhythmen der Jazzband, sie lächelten einander schamlos ins nackte Gesicht, sie schienen füreinander gemacht, zueinander zu passen, einig mit sich, mit dem Fetzen Welt, den ihre stumpfen Sinne umfaßten; sicher gefiel ihnen die Musik, der saure Wein schmeckte ihnen, und sie hielten sich für begehrenswert.

Es gab mehr Paare ihrer Art im Lokal, man unterschied sie an der Farbe der weiblichen Toiletten und an der Größe, vielleicht gab es noch einige winzige Details, die unser geschulter Blick zwar aufnimmt, die wir aber kaum nennen können.

Ich tanzte nicht. Ich konnte keinen Spaß an dieser Zurschaustellung der volkstümlichen Belustigung Liebe finden und langweilte mich.

Ein Lärm schreckte mich auf. Man drängte sich um einen Ecktisch. Ich stand auf, gewahrte aber vorerst nur die Rücken des Publikums, dann eine sehr bleiche junge Dame, die, von zwei Kellnern geführt, in einen Nebenraum ging, auf ihrem Kleid waren Blutspritzer. Beim Nachblicken sah ich, daß sie sehr schöne Beine hatte. Es war mein Mädchen aus dem Park. Tobte der Jüngling wieder?

Ich rief den Kellner. Er erzählte ungefragt, ein fremder Herr (der Kellner wies ihn mir, es war der übliche Vorstadt-Dandy, wie aus Annoncen von Krawattenfabriken ausgeschnitten) habe dem Mädchen ein Billet-doux durch den Kellner gesandt, sie habe es angenommen und dem fremden Herrn über drei Tische hinweg zugelächelt, ihr Begleiter habe sie mit einem Tischmesser blind in den nackten Oberarm gestochen, es habe geblutet, doch könne die Verletzung nur leicht sein.

Ich zahlte (ich liebe solche rohen Szenen nicht) und ging. Wie langweilig, die Café-Chantant-Tragödien! Bekamen die armseligen Akteure ihre ewigen Rollen und das fade Spiel dieser faden Liebe nie satt? Ich ging zu jener Zeit mit einer Studentin der Medizin. Wir hatten uns von Anfang an mitgeteilt, daß wir modernen jungen Leute Sentimentalitäten und Trivialitäten haßten, daß Liebesgedichte samt den darin geschilderten seelischen Zuständen im vorigen Jahrhundert angebracht gewesen wären, daß im Zeitalter der Koedukation Gymnasiast und Gymnasiastin sich kaum Mühe gäben, ihre Verbindung zu verheimlichen.

Kurz, wir trieben das Notwendige mit Anstand und waren uns ziemlich sympathisch, soweit das eben zwischen Mann und Weib möglich ist.

Wie die meisten Mediziner interessierte sie sich für ihr Studium über Gebühr; sie sprach den ganzen Tag und halbe Nächte hindurch, sogar in naheliegenden Situationen von nichts als medizinischen Gegenständen, sie schleifte mich sogar in ihre Vorlesungen, Anatomien und Kliniken. Mir gefiel das gar nicht. Aber was sollte ich tun? Ich ging mit.

Eines Montags nahm mich meine leidenschaftliche Studentin wieder einmal in die Klinik mit. Es lag ein, wie sie sagte, interessanter Fall vor, eine vorgeschrittene Blutvergiftung; dem Patienten, der eine geringfügige Stichwunde im Oberarm vernachlässigt hatte, mußte der Arm abgenommen werden. Der bekannte Chirurg P. schnitt selber; es lohnte die Mühe, zuzusehen.

Ich hatte mich kaum gesetzt, einige Grüße mit flüchtig Bekannten gewechselt und den widerlichen Klinikgeruch beinahe verwunden, da entschloß ich mich, ungern, auf den Patienten zu blicken, und glaubte, mein Schirmmädchen vom Park und vom Café zu erkennen.

Es war eigentlich schwer zu sagen, worauf ich diese Meinung hätte stützen mögen; man sah kaum mehr als Fleisch, Blut, Linnen, Krankenschwestern, Messer, Säge... Mir jedenfalls wurde übel, ich verließ rasch den Operationssaal.

Vor der Tür stieß ich auf einen heftig schluchzenden, schluckenden und sich schneuzenden Mann. Es war (natürlich) der Tolle, der Schirmwerfer, der Messerstecher. Mich widerte sein Anblick an.

»Fassen Sie sich doch, Mensch! Was heulen Sie so?« schrie ich. Und antwortete mir nicht der Kerl schluchzend, stotternd und wahrlich blöden Gesichts: »Ich... liebe... sie... so sehr...«?

Ich mußte auflachen und ging.

Es kam mir schon beinahe selbstverständlich vor, daß mir meine Studentin nach ein paar Tagen, im Bett, mitteilte, daß das Mädchen von neulich, diese interessante Blutvergiftung, ich erinnere mich wohl noch, also gestorben sei, die Operation war zu spät erfolgt, aber, und das sei ja schließlich die Hauptsache und weshalb sie mir das Ganze erzähle, die Operation als solche sei ausgezeichnet verlaufen, sie sei gefilmt worden, es wäre ein glänzender Lehrfilm.

Ich bat sie, mich schlafen zu lassen, worauf sie pikiert schien, dreimal ›Gute Nacht‹ sagte, und dann (und das kränkte mich) noch vor mir einschlief.

Aber daß ich, ein ruhiger Mensch, der sich aus Prinzip (und ich gehorche meinen Prinzipien) nicht in fremder Leute Angelegenheiten einmischt, beinahe einen Streit angezettelt hätte, auf offener Straße, oder vielmehr in jenem Park am Fluß, der doch auch ein öffentlicher Ort ist, das beunruhigte mich tief, so daß ich meine Angelegenheiten ordnete, die Stadt verließ und für einige Wochen aufs Land ging.

Die Sache in diesem Park war aber folgende. Ich ging an einem heißen Nachmittag mit einem Buch in der Hand, es war, wenn ich nicht irre, ein russischer Roman. Ich war fest entschlossen, ihn nicht zu lesen, und wollte mich auf meine Lieblingsbank setzen und auf den Fluß blicken oder auf die Wolken darüber, vielleicht auch ins Grün der Bäume, kurz, ich wollte mich an der Sonne freuen und am angenehmen Tag, da sah ich schon vor der letzten Wegbiegung, daß meine Bank besetzt war.

Ein Liebespaar saß da.

Ich war gleich verstimmt, weil ich mir jetzt eine andere Bank suchen mußte und auch weil das Pärchen, anscheinend sehr verliebt, am hellen Tag innig koste, küßte, schnäbelte, streichelte, als ob beide die Besitzer dieses Parks oder Urwaldbewohner wären. Mich empörte diese Schamlosigkeit. Ich beschloß, zu stören. Ich trat näher. Das Mädchen war blutjung, sechzehn Jahre alt, höchstens siebzehn. Der Mann ging ziemlich intim mit diesem Kind um, in aller Öffentlichkeit!

Ich stand schon ganz nahe, da gewahrten sie mich erst, so beschäftigt waren sie. Sie blickten auf, das Mädchen, und auch der Mann blickte auf – er war es, der Bursche (weder Bankbeamter noch Staatsbeamter, aber was war er von Beruf?), der Schirmakrobat, der Eifersuchtsheld, der ›Mörder‹, das war er ja wohl, wenn man an die Konsequenzen seiner Tat dachte. Und kaum zehn Tage nach seines Opfers Tod saß er mitten im Licht der Sonne auf meiner Bank und karessierte eine andere.

Ich konnte mich nicht zurückhalten.

»Skandal!« zischte ich. Im ersten Moment mich anglotzend, wollte er im zweiten sich auf mich werfen, wurde aber von der aufschreienden Minderjährigen (das war sie ja wohl) zurückgehalten, warf mir einen Wutblick zu, schien mich plötzlich wiederzuerkennen, wurde ganz grün im Gesicht vor lauter Blutleere, sah mich finster an, murmelte etwas, es klang wie ein Fluch oder eine Beschwörung, wandte sich mit der ihm eigenen Plötzlichkeit um und schritt, ohne sich um das Mädchen zu kümmern, weit ausholend der Stadt zu.

Das Mädchen warf mir einen vorwurfsvollen Blick zu und trippelte zierlich und eilig dem Manne nach, ihn »Edgar!« rufend, ohne daß jener sich umwandte. Im Nachblicken gewahrte ich, daß sie sehr schöne Beine hatte.

Als das Paar verschwunden war, ging ich zur Bank, um mich nun darauf zu setzen. Neben der grüngestrichenen Bank lag, lilafarben, ein seidener Damenschirm.

Hastig ging ich davon.

(1948)

MAX FRISCH

Skizze

Heinrich Gottlieb Schinz, Rechtsanwalt, Vater von vier gesunden Kindern, deren ältestes sich bald verheiratet, ist sechsundfünfzig Jahre alt, als ihm eines Tages, wie er es nennt, der Geist begegnet... Schinz, wie der Name schon sagt, ist Sohn aus gutem Haus; das Verlangen, dem Geist zu begegnen, hat er schon als Jüngling; er spielt Klavier und macht mehrere Reisen als Student. Paris, Rom, Florenz, Sizilien. Später London, Berlin, München, wo er ein Jahr verbringt. Er schwankt zwischen Kunstgeschichte und Naturwissenschaft; sein Beruf als Rechtsanwalt, teilweise eine Entscheidung seines Vaters, der ebenfalls ein namhafter Rechtsanwalt gewesen ist, bringt ihm bald die üblichen Erfolge, Ehe und Ehrenämter, darunter auch solche von wirklicher, von mehr als gesellschaftlicher Bedeutung: Winterhilfe, Denkmalpflege, Umschulung für Flüchtlinge, Kunstverein und so weiter... Seine Begegnung mit dem Geist ist keineswegs unbemerkt geblieben, einige Wochen gehört sie sogar zum Gespräch in den Straßenbahnen; die Außenwelt, sofern man eine mittelgroße Stadt so bezeichnen will, sieht es allerdings als klinischen Fall, rätselhaft auch so, aufsehenerregend auch so, erschütternd auch so, aber für die Außenwelt ohne jede Folge.

Eines Sonntagmorgens, es schneit, ist Schinz, wie er das seit Jahren zu tun pflegt, in den Wald gegangen, begleitet von seinem Hund, gesundheitshalber. Aufgewachsen in dieser Gegend, wo schon das großväterliche Haus gestanden hat, kennt er den Wald wie sein Leben. Auch der Hund kennt ihn; eine Dogge. Sein Erstaunen, als die vertraute Lichtung sich nicht einstellt, ist nicht gering, aber durchaus gelassen. Eine Weile bleibt er einfach stehen, ebenso der Hund mit schwitzender Zunge; es schneit, aber nicht so mächtig, daß Schinz deswegen den Weg verfehlt hat. Der Weg ist durchaus sichtbar, nur die Lichtung nicht. Die Dogge muß sich gedulden, bis Schinz sich ein Zigarillo angezündet hat; wie er das gerne macht in Augenblicken, wo er nicht weiter weiß, sei es als Rechtsanwalt oder früher als Major. Ein Zigarillo gibt Ruhe. Es ist jederzeit möglich, daß Bäume verschwinden, ganze Gruppen, ein halber Wald, aber daß eine Lichtung verschwindet, ist nicht anzunehmen. Das kommt, sagt sich Schinz, allenfalls in der Poesie vor; wenn ein Dichter dartun möchte, daß auf märchenhafte Weise viel Zeit vergangen ist oder etwas dieser Art. Schinz ist belesen. Weitergehend, um die Dogge nicht länger warten zu lassen, denkt er so das eine und andere, sein Zigarillo rauchend; irgendwann wird die verdammte Lichtung schon kommen. Auch er hat sich einmal in der Poesie versucht; kein Grund, deswegen zu lächeln. Wie gesagt: das Verlangen, dem Geist zu begegnen, hat er schon als Jüngling gekannt. Dann die Zeit mit der Naturwissenschaft; eine schöne Zeit, Schinz denkt gerne daran, Mikroskop und so. Das eine und andere ist auch geblieben, nicht bloß gewisse Kenntnisse, die etwas verwischt sein mögen, aber eine gewisse Art, den Kindern zu zeigen, wie das Holz aussieht unter der Lupe, und zu erklären, wieso das Wasser von den Wurzeln emporsteigt in die Zweige. Doch all dies hören die Kinder jetzt in der Schule; Schinz hat die Lupe, auch wenn er allein ist. Und dann die Kunstgeschichte bei Wölfflin; damals in München. Auch eine gute Zeit, Schinz denkt gerne daran; im Kunstverein ist er zuweilen der einzige, der nicht faselt; das hat ihm der alte Wölfflin mit einer einzigen Blamage beigebracht, und kurz darauf hat er auch die Kunstgeschichte verlassen. Das eine und andere ist dennoch geblieben; Dürer und so. Die Welt, wenn man eine mittelgroße Stadt so bezeichnen will, hat wohl nicht unrecht, wenn sie Heinrich Gottlieb Schinz als einen geistigen Menschen betrachtet: obschon er seinerseits, das ist bemerkenswert, nie von Geist redet; er meidet dieses Wort, als hasse er es, umgeht es auf alle Arten, oft auf sehr witzige Art, als wäre es etwas Unanständiges, mindestens ist er in seiner Gegend sehr zurückhaltend, im Grunde nicht ohne Ahnung, daß der Geist, der wirkliche, etwas durchaus Fürchterliches ist, etwas Erdbebenhaftes, das man nicht rufen soll, etwas Katastrophales, das alles Vorhandene über den Haufen wirft, etwas Tödliches, wenn man ihm nicht durch außerordentliche Gaben gewachsen ist –.

Die Lichtung ist nicht gekommen.

Fünf Uhr abends, und Schinz ist zum Mittagessen erwartet worden, dämmert es, daß man bald überhaupt nichts mehr sieht. Schinz sitzt auf einem gefällten Stamm, froh, Spuren menschlicher Arbeit zu sehen; ein gewisses Bangen hat ihn doch beschlichen. Vor ihm die Dogge, keuchend, irgendwie entsetzt und verwirrt. Wie die Hunde vor einem Erdbeben! denkt Schinz. Zigarillos hat er keine mehr. Es schneit ohne Unterlaß. Stille; das Keuchen der

Dogge, das nur dazu da ist, daß die Stille zwischen den Stämmen noch dichter wird. Einmal fällt Schnee von einer Tanne, ganz in der Nähe, aber lautlos. So muß es sein, wenn man taub ist. Dann macht Schinz, was bei belesenen Leute vorkommt: er leistet sich den Witz, seine Lage literarisch zu sehen; die Dämmerung, die unfaßbare Zeit, die Stille zwischen den Stämmen, die Dogge, das alles ist sehr poetisch, irgendwie bekannt, und auch die Angst, plötzlich taub zu sein, ist nicht ohne Hintergründiges. Schinz ist sehr bewußt; er pfeift nicht, aber der kleine Witz, seine Lage literarisch zu nehmen, ist nichts anderes, als wenn ein Junge in den Keller gehen muß und dazu pfeift. Auch das ist ihm bewußt. Er schlägt den nassen Schnee von seinem Hut, entschlossen, aufzustehen und weiterzugehen. Wohin? Die Dogge sieht, wie der Herr einen gebrochenen Ast nimmt, einen Knebel; sie winselt vor Hoffnung, der Herr werde ihn werfen, sie läuft umsonst. Einmal, ganz unwillkürlich, schlägt er mit dem Knebel gegen einen Stamm. Nicht aus Angst, taub zu sein! Nur so. Wie es hallt: dumpf, fast ohne Ton, obschon er immer kräftiger schlägt, bis der Knebel zerbricht. Einen Ton, der wirklich trägt, hat es nicht gegeben. Das macht natürlich der Schnee. Alles wie Watte. Wieso sollte ein Mensch plötzlich taub werden? Er nimmt die Dogge an die Leine. Es gibt nichts als Gehen. Und vor allem sagt sich Schinz: Nicht sich selber verrückt machen. Das hat schon gar keinen Sinn. Jeder Wald hat irgendwo ein Ende! Und im übrigen sind sie immer noch auf einem Weg, Schinz und die Dogge, deren Knurren ihm anzeigt, daß jemand kommt. Von hinten. Nur jetzt nicht denken: Das ist der Geist. Die Dogge bellt, so daß er die Leine schon kräftiger fassen muß. Ein Mann im Lodenmantel, vielleicht ein Förster, ein Holzfäller, ein Naturfreund und Sonntagsgänger, der die Menge meidet, überholt ihn –

»Erlauben Sie«, sagt Schinz –

Obschon ihm der Schweiß auf der Stirn steht, ist er ganz ruhig, froh, seine eigene Stimme zu hören, die nach dem Weg in die Stadt fragt; dabei muß er die bellende Dogge halten, ist nicht imstande, den Fremden näher anzusehen.

»Sie haben sich verirrt?«

»Ja«, lacht Schinz, »das ist mir in meinem Leben noch nicht vorgekommen –.«

Schinz hört selber, wie ungeheuerlich das tönt: ein Mensch, der sich in seinem Leben noch nie verirrt habe! und fügt hinzu:

»Dabei kenne ich diesen Wald wie mich selbst.«

Die Dogge kann sich nicht beruhigen.

»Wo wollen Sie denn hin?«

»In die Stadt«, sagt Schinz: »wo ich herkomme –.«

Der Förster betrachtet die Dogge.

»Wo ich herkomme«, sagte Schinz noch einmal: »Bevor es Nacht ist.«

Die Dogge, springend wie gegen einen Einbrecher, reißt ihn fast um, so daß Schinz kaum zum vernünftigen Sprechen kommt. Sie benimmt sich wirklich wie ein Biest, die verdammte Dogge, dann merkt man erst, was für ein Riesentier das ist. Zum Glück zeigt der Förster keine Angst, nur Interesse. Im übrigen, was den Weg in die Stadt betrifft, sagt der Förster, was Schinz sich selber hätte sagen können:

»Warum gehen Sie nicht einfach zurück?«

»Auf dem gleichen Weg –?«

Eigentlich wahr, denkt Schinz.

»Oder wenn Sie mit mir kommen wollen, ich weiß ja nicht, in der Strecke kommt es aufs gleiche heraus – so oder so...«

Schinz muß sich entscheiden.

»Sehr freundlich von Ihnen –.«

»Wie Sie wollen.«

Unterwegs, Schinz hat sich für das Vorwärts entschieden, ist die Dogge wieder ganz manierlich. Der Mann ist wirklich ein Förster. Sie sprechen über Doggen. Alles ganz alltäglich; warum sollte es anders sein! Natürlich reden sie nicht immerzu. Es gibt solche Holzwege, die im Kreis herumführen, um den Wald zu erschließen. Schinz ist zum Umsinken müde, aber zufrieden, auf Stunden kommt es ihm nicht mehr an, wenn er nur in die Stadt kommt. Das Literarische, das Hintergründige in dem Gedanken, daß er auf einem anderen Weg in die Stadt zurückkomme, Gedanken, die er in schweigsamen Viertelstunden vornimmt, das alles hat wenig Bestand, sobald der Mann im Lodenmantel, der im Dunkeln immer unsichtbarer wird, seinen Mund aufmacht; er redet wirklich nicht wie ein Geist. Einmal flucht er auf den Staat, obschon er bei diesem angestellt ist; Ärgerliches mit einem Konsortium. Es schneit immer noch. Ein andermal plaudern sie über Zellulose, wobei Schinz einige naturwissenschaftliche Kenntnisse verrät, die den Förster auf falsche Vermutungen bringen, so, daß Schinz sich genötigt fühlt, seinen wirklichen Beruf zu nennen.

»Rechtsanwalt sind Sie?«

»Ja.«

»Hm.«

»Warum nicht?«

Der Förster erzählt ihm einen Fall: so und so, etwas umständlich erzählt, so daß Schinz hin und wieder versucht, nach Art von Fachleuten einzugreifen, um allzu Bekanntes abzukürzen. Ein Fall wie tausend Fälle. Der Förster läßt sich seine umständliche Darstellung aber nicht nehmen.

»Nein«, widerspricht er: »Der Mann hat nicht gestohlen, das sage ich nicht, der Mann war in schwerer Not, denn eines Tages –«

»Und dann hat er gestohlen.«

»Nein.«

»Aber Sie sagen doch –«

»Nein«, wiederholt er mit der zähen Beharrlichkeit gewisser einfacher Leute, die keine Nerven haben und etwas langsam denken: »Ich sage, der Mann war in schwerer Not, denn eines Tages –«

Schinz ist nicht an seinem Schreibtisch, sondern im Wald; er hat keine andere Wahl, als zuzuhören, seine große Dogge an der Leine. Kein Telefon, das ihr Gespräch unterbricht, keine Mamsell, die hereinkommt und dem Doktor einen deutlichen Vorwand bringt, um aufzustehen, nichts von alledem; Schinz muß zuhören. Von städtischen Lichtern ist noch immer nichts zu sehen. Der Fall ist nicht blöd, zugegeben, aber keineswegs ungewöhnlich, und es ist für Schinz nicht einzusehen, warum er alles in solcher Umständlichkeit anzuhören hat. Hin und wieder, wenn sie vor einer Gabelung ihres Weges stehen, verstummt das Gespräch; Schinz ist sich bewußt, daß er den Förster braucht. Mindestens bis zu den ersten Laternen. Es bleibt ihm nichts, als die Geschichte weiter anzuhören. Nicht daß der Mann keinen fachmännischen Einwand duldete! Schinz kann jederzeit sagen, wie er die Sache ansieht; der Förster fällt ihm nicht in die Rede, aber auch nicht aus der eigenen heraus.

»Verstehe!« sagt er nicht unhöflich: »Aber so war es nicht, das können Sie natürlich nicht wissen; eines Tages nämlich –«

Einmal sagt Schinz:

»Sie entschuldigen!«

Er kann nicht mehr anders, muß auf die Seite treten, wo er an einem Stamm etwas verrichtet. Die Dogge schnuppert, der Förster wartet, der Schnee fällt lautlos zwischen den Stämmen.

»Ich komme nach!« ruft Schinz.

Stille... Um die Pause zu verlängern, bringt er nicht nur seine Kleider in Ordnung, gelassener als sonst, er nimmt den Hut, um den Schnee abzuschütteln, sogar den Mantel, den er zum selben Zweck auszieht. Er sucht in sämtlichen Taschen, ob er nicht doch ein Zigarillo findet. Umsonst. Endlich wieder in Ordnung, bewußtermaßen mit einem neuen Gespräch gewappnet, stapft er auf den Weg zurück; der Schnee ist schon tief, die Hosenstöße platschnaß.

»Da sind Sie ja!« sagt Schinz erleichtert und aufgeräumt: »Als wir Buben waren, wissen Sie, da haben wir in diesem Wald einmal Räuber gespielt; da ist mir doch einmal das Folgende passiert –«

Der Förster hört zu.

»Im Hemd!« schließt der Erzähler: »Im Hemd stand ich da, sage und schreibe, und so mußte ich zurück in die Stadt.«

Sie lachen.

»Dieser Förster«, sagt Schinz nach einigen Schritten: »Vielleicht waren Sie das!«

»Vielleicht.«

Schweigen.

»Und dann«, sagt die Stimme des Försters: »dann ging diese Geschichte natürlich weiter; wie gesagt, der Mann war in schwerer Not, er hatte keine Wahl, wie Sie selber zugeben, eines Tages hat er das Fahrrad gestohlen, und jetzt ging es natürlich los, eines Tages werde ich als Zeuge gerufen –«

Das ist von Schinz der letzte Versuch gewesen, dieser Geschichte mit dem Fahrrad auszuweichen. Eine kleine, aber umständliche, eine alltägliche, eine verzwackte, aber wirkliche Geschichte... Es ist, als sie endlich zu den ersten Laternen kommen, beinahe Mitternacht. In der Stadt ist der Schnee nicht geblieben, lauter Nässe, die Flocken sinken aus den städtischen Bogenlampen, eine Limousine fährt durch spritzende Tümpel, kein Mensch, zum Glück gibt es noch eine Straßenbahn, eine letzte, so daß Schinz, was der Förster hoffentlich begreift, sich nicht lange verabschieden kann. Hinein mit dem Hund! Drinnen grüßt Schinz mit dem triefenden Hut, ohne den Förster im Dunkeln zu sehen –.

»So ein Wetter!« sagt er.

Der Schaffner gibt keine Antwort, nur zwei Karten, eine für Schinz und eine für den Riesenhund, der auf der Plattform steht, dieweil Schinz sich gerne gesetzt hat... Im Licht ist alles wie nie gewesen!...

Natürlich hat Schinz keine Schlüssel, wenn er mit dem Hund einen Morgenbummel macht. Aber Bimba, versteht sich, hat ohnehin nicht geschlafen; sie ist außer sich.

»Nicht einmal ein Anruf!« sagt sie.

Sein einziger Wunsch: ins Badezimmer, bevor sie fragt, wo er gewesen sei. Sie wird es nicht glauben. Er gähnt; etwas mehr als unwillkürlich; um nicht sprechen zu müssen.

»Wo bist du denn gewesen?«

Keine Antwort; er zieht die Schuhe aus, im Grunde zufrieden, daß er wieder zu Hause ist, ärgerlich nur, um jetzt nicht gefragt zu werden. Umsonst! Bimba kennt ihn, weiß, daß er keine Auskunft geben will; kein Gespräch, sondern ein heißes Bad. Bimba läßt es einlaufen, ihrerseits ärgerlich, immerhin holt sie ein frisches Frottiertuch, legt es wortlos hin, ärgerlich über solchen Männerkniff: Ich habe Ärger, laßt mich in Ruhe! Auch der Hund, der im Office frißt, trieft vor Nässe. Die Kinder schlafen bereits, ebenso das Dienstmädchen.

»Wieso willst du nichts essen?« sagt Bimba: »Ich mache einen Tee, Eier, kaltes Fleisch ist auch noch da –.«

»Danke.«

Bimba sieht ihn an.

»Gottlieb, was ist mit dir?«

»Nichts«, sagt er: »Müde –.«

Das Bad ist voll.

»Danke«, sagt er –

Einmal gibt sie ihm einen Kuß, um zu wissen, ob er getrunken hat. Keine Spur. Schinz gibt den Kuß zurück, um endlich baden zu dürfen.

»Du hast ja Fieber!«

»Unsinn«, sagt er.

»Bestimmt hast du Fieber!«

»Komm«, sagt er: »Laß mich –.«

»Warum kannst du nicht sagen, wo du den ganzen Tag gewesen bist? Verstehe ich nicht. Nicht einmal ein Anruf! Ich sitze den ganzen Tag, rege mich auf wie eine Irrsinnige – und du kommst um Mitternacht, wo wir seit dem Mittagessen warten, und sagst nicht einmal, wo du gewesen bist.«

»Im Wald!« schreit er.

Türe zu! . . . Hoffentlich sind die Kinder nicht erwacht, es ist sehr unbeherrscht gewesen, sehr unschinzisch. Dreiviertel Stunden dauert das Bad. Als Schinz herauskommt, rosig und wie neugeboren, sitzt Bimba mit verheulten Augen. »Was ist denn los?«

»Rühr mich nicht an!« sagt sie.

Bald zwei Uhr; es wäre wunderbar, jetzt schlafen zu können, wenn Bimba nicht weinen würde. Eine Frau von vierundvierzig Jahren, Mutter von vier gesunden Kindern, deren ältestes demnächst heiraten wird, schluchzt mit zitternden Schultern! Nur weil der Gatte sich erlaubt hat, einen Sonntag lang sich im Wald zu verirren.

»Bimba«, sagt er – und streicht ihr immer noch schönes Haar: »Morgen ist Montag!«

»Bitte, geh schlafen.«

»Ich bin wirklich im Wald gewesen –«

»Wenn das wieder losgeht!« weint sie.

»Was?«

»Warum lügst du?« sagt sie plötzlich ohne Tränen: »Wenn es ein Frauenzimmer ist, warum sagst du es nicht?«

Pause.

»Es ist kein Frauenzimmer.«

Pause.

»Und wenn!« schreit er plötzlich: »Ich habe gelogen, ja, ich habe gelogen! Ein Leben lang habe ich gelogen –«

Bimba versteht kein Wort, eine Viertelstunde geht er hin und her, Heinrich Gottlieb Schinz, der nicht getrunken hat, das weiß sie; hin und her, schreiend, um so lauter schreiend, je mehr sie ihn dämpfen will, Dinge redend, die keinen Sinn haben, die alles auf den Kopf stellen, aber wirklich alles, kein Glaube bleibt an seinem gewohnten Ort, kein Wort, das gestern noch gegolten, ein Leben lang gegolten hat – Vielleicht hat er wirklich Fieber . . . Anders kann Bimba es nicht erklären, sein wirres Geschrei, Bimba sagt fast nichts; nur einmal:

»Gottlieb, ich bin nicht taub.«

Bimba hat ihn noch nie so erlebt.

Am andern Morgen, wie gesagt, es ist Montag, Arbeitstag, die Kinder müssen ins Gymnasium, frühstücken im Stehen, die Mappe unter dem Arm, obschon Schinz diese Schlamperei nicht haben will – am andern Morgen, als Schinz und seine Bimba zusammen frühstücken, scheint alles wieder in Ordnung; kein Wort über die nächtliche Szene; Bimba im Morgenrock, der ihr besonders schmeichelt, röstet die Brote wie immer am Montag, wenn das frische Brot noch nicht da ist; Schinz überfliegt die Morgenzeitung, indem er es ganz seinen Händen überläßt, das Ei zu köpfen, kurzum, die Gewöhnung: – alle Worte stehen wieder an ihrem Ort . . . Von Fieber kann nicht die Rede sein, Schinz hat sich gemessen.

»Gott sei Dank«, sagt Bimba: »Du hättest dich zu Tode erkälten können.«

Sie glaubt jetzt an den Wald.

»Jedenfalls werden wir dich am Nachmittag wieder messen!« meint sie: »Die Anita hat eine wirkliche Erkältung erwischt.«

(Anita heißt die Dogge.)

Der Montag vergeht wie gewöhnlich, die laufenden Geschäfte bringen nichts Besonderes, Schinz fühlt sich durchaus in Ordnung, so daß sie die Karten für den ›Rosenkavalier‹ nicht zurückgeben. Nach dem Theater, alles wie gewohnt, trinken sie ein Glas Wein; Bimba im schwarzen Pelz. Sie ist besonders zärtlich zu ihm, unwillkürlich, etwa wie zu einem Kranken. Schinz merkt es mehr als sie: etwas Behütendes, etwas auch von einer Mutter, welche die Leute nicht will merken lassen, daß ihr Kind ein fallendes Weh hat. Da er sich tadellos fühlt, kränkt es ihn nicht; immerhin bemerkt er es, hofft, sie werde diese etwas rührende Art bald wieder verlieren. Nicht Bimbas eigentliche Art! Doch sagen will er nichts. Mein Liebes, müßte er etwa sagen, ich bin nicht verrückt! Draußen auf der Straße kauft Schinz eine Zeitung, alles wie gewohnt; als er zum Wagen zurückkommt, sitzt Bimba bereits am Steuer. Sie möchte wieder einmal fahren! Schinz schweigt.

»Sonst verlerne ich es«, sagt sie.

Auf der Heimfahrt redet Schinz kein einziges Wort, das ist selten bei ihm, aber auch schon dagewesen. Immerhin sagt Bimba:

»Was ist mit dir, Gottlieb?«

»Was soll denn sein?«

»Bist so still!«

»Nichts«, sagt er: »Müde –.«

»Die Steinhofer war doch herrlich!«

»Sehr.«

»Sie ist reifer geworden«, sagt Bimba: »Oder findest du nicht?«

Keine Antwort.

»Ich fand sie herrlich.«

Wenn das so weitergeht, denkt Schinz, wird es eine Hölle. Wenn was weitergeht? Das weiß er nicht. Aber eine Hölle; das ist sicher... Er schließt die Garage, während Bimba, obschon es regnet, auf der Treppe wartet.

»Geh doch schon!« ruft er.

Sie wartet. Er, plötzlich am Rande seiner Beherrschung, reißt nochmals die Garage auf, macht Licht, öffnet den Wagen.

»Was ist denn los?« ruft Bimba.

Schinz hat die Zeitung vergessen.

»Geh schon!« ruft er –

Aber Bimba wartet, sie ist sogar einige Stufen heruntergekommen, als habe sie Angst, Schinz könnte den Wagen nehmen und nochmals wegfahren. In den Wald, zu der Geliebten in den Wald! denkt er, läßt sich außerordentlich Zeit, bis er die Garage wieder geschlossen hat. Sie wartet wie eine Krankenwärterin! denkt er...

Das ist der Montag gewesen.

Ebenso der Dienstag, der Mittwoch, der Donnerstag... am Donnerstag hat Schinz einen neuen Fall, einen ziemlich gewöhnlichen: Anklage auf Diebstahl. Nicht Diebstahl eines Fahrrades! Auch Schinz hat sogleich daran gedacht, etwas literarisch wie er nun einmal ist; überrascht hätte es ihn nicht, wenn es die Geschichte gewesen wäre, die der Förster so umständlich erzählt hat. Aber so ist das Leben ja nicht, so witzig, so vorlaut. Gestohlen wurde nicht ein Fahrrad, sondern ein Wagen, ein Citroën. Schinz hört sich die Geschichte an, eine umständliche, aber alltägliche, eine verzwackte, aber wirkliche Geschichte. Er ist bereit, die Sache zu führen, wie er es von jeher getan hat, nämlich gewissenhaft; er tut nichts anderes als sonst; er sucht das Recht; er stellt die Sache hin, wie er sie sieht – und der Skandal ist da!

(Sein erster Skandal.)

Heinrich Gottlieb Schinz, Rechtsanwalt, Sohn eines namhaften Rechtsanwaltes, ein bekannter und überall geschätzter Mann in einer mittelgroßen Stadt, Vater von vier gesunden Kindern, die das Gymnasium besuchen oder bereits überstanden haben, Heinrich Gottlieb Schinz steht im Gericht, dem er drei Jahrzehnte lang alle Ehre gemacht hat, und sagt:

»Nein! Der Mann hat nicht gestohlen, nicht mehr gestohlen als der Herr, dem dieser Wagen gehört, der Mann war in schwerer Not, denn eines Tages –«

»Nein! Der Mann hat nicht gestohlen –.«

Es ist später ein geflügeltes Wort geworden, das einzige, das Schinz auf dieser Erde hinterlassen hat... Andere Witze, die man zur Zeit dieses ersten kleinen Skandales hören kann, sind nicht überpersönlich genug, um die Zeit zu überdauern; einer davon geht so:

»Wissen Sie das Neueste?«

»Was denn?«

»Schinz ist nicht mehr Rechtsanwalt.«

»Sondern?«

»Linksanwalt.«

Darüber hat mehr als einer gelacht, sogar Schinz – nur Bimba nicht, die das Ganze durch einen Anruf erfahren hat; etwa in dem

Ton: Was ist los mit Ihrem verehrten Herrn Gemahl? Nicht umsonst ist Bimba auf alles gefaßt gewesen. Seit dem nächtlichen Ausbruch an jenem Sonntag. Die Nachricht empfindet sie fast wie eine Entspannung. Wenn es nur das ist! Peinlich genug, da es natürlich in der Zeitung steht. Schinz liest es beim Frühstück, nicht gleichgültig, aber auch nicht erregt.

»Das stimmt nicht«, sagt er nur.

Ein sehr gemeiner Bericht.

»Ich werde ihnen sofort schreiben«, sagt er, indem er seine Hauszeitung hinlegt und sich Kaffee eingießt: »Das müssen sie richtigstellen.«

Nach zwei Tagen kommt seine Einsendung zurück, was ihn ordentlich betrifft. Wieder beim Frühstück. Bimba ist noch im Badezimmer, als er die Post bekommt. Er steckt das Kuvert in die Tasche seines Morgenrockes, bevor Bimba kommt.

»Weißt du«, sagt Bimba: »Du solltest doch zu einem Arzt gehen –.«

Doch! sagt sie; weil sie im stillen schon seit Wochen daran gedacht hat. Schinz merkt mehr als sie. Und was sie gedacht hat: Nervenarzt. O ja! Um nicht zu sagen: Irrenarzt... Er löffelt sein Ei; eine halbe Stunde später erbricht er es wieder, tut aber alles, daß Bimba es nicht merkt.

»Wo gehst du hin?«

Keine Antwort.

An diesem Morgen geht Schinz zu seinem Freund, der allerdings nicht vom Fach ist, aber ein wirklicher Freund, eigentlich der einzige, wenn auch die Freundschaft etwas einseitig ist; für Schinz bedeutet sie mehr als für den andern. Er ist Musiker. Ein lieber Mensch, der etwas gerne recht gibt. Schinz weiß: Es heißt nicht viel, wenn Alexis dir recht gibt! Es heißt, daß er eine Sympathie zu dir hat. Aber darum geht es jetzt nicht. Alexis ist Emigrant, das ist wichtig; ein Fremdling. Als Zeuge ohne volles Gewicht; er hat sich halt daran gewöhnt. Alexis ist froh, wenn er geduldet ist; er liebt es nicht, sich einzumischen. Aber ein feiner Mensch, einer von den wenigen. Für Schinz würde es sich nur darum handeln, daß Alexis die beiden Texte liest, den Bericht in der Zeitung und seine eigene Einsendung. Um dann zu sagen, ob er die Einsendung richtig findet oder verfehlt, anmaßend, übertrieben. Nur keine Übertreibung!

»Ich brauche deinen Rat.«

Alexis liegt noch im Bett.

»Ich habe einen kleinen Skandal –.«

»Ich weiß.«

»Nun ist folgendes –«

Telefon, Alexis nimmt es ab. Schinz wartet, erhebt sich etwas unrastig, tritt ans Fenster, um eine Zigarette zu rauchen... Bimba will wissen, ob ihr Mann vielleicht bei Alexis ist – Eine Minute später, ohne seine Sache vorzubringen, ist Schinz wieder gegangen, unhaltbar wie ein launischer Junge; ein Mann von sechsundfünfzig Jahren, Doktor Schinz, Rechtsanwalt, Vorstand des Kunstvereins.

Alexis ruft Bimba an:

»Was habt ihr denn?« fragt er.

Bimba weint...

So geht das weiter, alles etwas komisch, etwas kleinlich, etwas übertrieben. Schinz ist auf die Zeitung gegangen; man kennt sich gesellschaftlich, und die Leute müssen ihn empfangen, tun es auch, alles nicht unfreundlich, aber es gelingt ihnen nicht, Schinz zu überzeugen, daß seine Einsendung, um nur davon zu reden, unmöglich ist.

»Nein! Der Mann hat nicht gestohlen –.«

Die Herren sehen einander nur an, schweigen, wie die arme Bimba geschwiegen hat, als Schinz damals hin und her gegangen ist, Dinge redend, die alles auf den Kopf stellen, aber wirklich alles, kein Glaube bleibt an seinem gewohnten Ort, kein Wort, das ein Leben lang gegolten hat...

»Gut«, sagt der Schriftleiter: »Bleiben wir bei der Sache! Sie beharren also darauf, daß wir Ihre Einsendung veröffentlichen –«

»Ja.«

»Herr Doktor«, sagt der Herr: »Darauf kann ich Ihnen nur eines sagen: ich bin bereit, aber ich warne Sie.«

Schinz, von dem zweifellos menschlichen Ton berührt, hat seine Einsendung nochmals zur Hand genommen, obschon er ihren Text nachgerade kennt. Der Herr hält es für seine menschliche Pflicht, Schinz zu warnen; er wiederholt das noch einige Male. Schinz will natürlich nicht starrsinnig sein. Eine Pose des Mutes? Der Herr hält es gar nicht für Mut, wenn Schinz daran festhält, sondern für Irrsinn; er sagt es gelinder: Fauxpas. Auch Schinz hält es nicht für Mut; die Einsendung sagt wirklich nichts, was ihm nicht selbstverständlich ist. Nicht so: Euch will ich es einmal sagen, ich, Heinrich Gottlieb Schinz! Sondern ganz simpel: Warum soll ich verschweigen, was ich finde? Als einer von Mut redete, hat es ihm fast Angst gemacht; aber er kann nichts Mutiges daran finden.

»Wie Sie wollen«, sagt der Herr –

Seine Einsendung bleibt also da.

»Und ohne jeden Strich?«

»Ja«, sagt Schinz: »Es sind ja kaum anderthalb Seiten –.«

Schinz, seine Mappe in der linken Hand, hat sich verabschiedet, wie er es gewohnt ist, höflich, Auge in Auge; sie schauen ihn an wie einen, der an die Front geht... Am andern Morgen, wie er wieder beim Frühstück sitzt, ist die Einsendung erschienen. Oben auf der zweiten Seite, sehr sichtbar, versehen mit einem kurzen Nachwörtlein, worin die Schriftleitung, wie sie behauptet, es dem Leser überläßt, seine Meinung über einen solchen Rechtsanwalt zu bilden.

Das ist das erste, was Schinz überfliegt. Dann liest er den eigenen Text, etwas bange, ob sie wirklich nichts verstümmelt haben. Das nicht; aber es ist, als würden die Lettern, gewohnt das genaue Gegenteil auszusagen, sich weigern, seinen Sinn wiederzugeben. Zum ersten Male, Schinz erbleicht von Zeile zu Zeile, zum allerersten Male merkt er, daß etwas geschehen ist, daß er sich verwandelt hat, daß das Selbstverständliche, was er zu sagen hat, im Widerspruch steht zu aller Umgebung, in einem endgültigen und unversöhnbaren Widerspruch. Darum die Warnung? Jetzt erst, gleichsam erwachend, bemerkt er auch den Titel, den sie darüber gesetzt haben:

›Nein! Der Mann hat nicht gestohlen...‹

In diesem Augenblick weiß Schinz, daß er erledigt ist; allermindestens als Rechtsanwalt; allermindestens in dieser Stadt.

Der Rest ist wie ein böser Traum. Er ist bald erzählt, glaube ich, die Entscheidung ist gefallen damals im Wald, als er mit dem Förster gegangen ist, vorwärts statt rückwärts. Er kam aus seiner Stadt, er wollte in seine Stadt. Die Dogge, die schöne Anita, ist kurz darauf eingegangen; jeder Hund geht einmal ein; Schinz hat sich sehr gewehrt, diesem natürlichen Hundetod irgend etwas beizumessen, aber betroffen hat es ihn doch; es ist ihm, als habe er seinen letzten Zeugen verloren, seinen letzten Begleiter; eines Tages sieht Schinz sich an der Grenze, allein, anders als früher, wenn er nach Paris gereist ist, nach Rom, nach Florenz, nach London, nach München; ohne Gepäck, ziemlich unrasiert steht er in einem kleinen kahlen Raum, wo er sich ausziehen muß, ausziehen bis aufs Hemd – Schinz zögert, als könne er es nicht glauben, aber der Kommissar wiederholt es:

»Bis aufs Hemd.«

Jede Tasche wird untersucht, nicht grob, aber unbarmherzig.

Schinz hat keine Ahnung, was sie suchen. Er ist nicht über einen Bach geschwommen, nicht über nächtliche Äcker gekrochen; er ist mit der Bahn gefahren. Ohne Gepäck. Vielleicht hat das ihn verdächtig gemacht. Sein Paß ist gültig, auch wenn man ihn gegen das grellste Licht hält. Waffen hat er nicht, auch keine Goldbarren, nicht einmal Schriftstücke, nichts, was aus seinen Unterhosen herausfällt. Aber verdächtig ist verdächtig. Schinz versucht, ruhig zu sein, nichts zu sagen. Die andern, die ihn betasten, sagen ebenfalls nichts. Körper eines älteren Mannes, das ist alles, was sie finden. Auch zwischen den Schuhsohlen, die trotz seiner ehrenwörtlichen Versicherung aufgetrennt worden sind, ist nichts. Schinz kann sich wieder ankleiden. Der Kommissar, seinen Paß in der Hand, verläßt die kahle Zelle; der Gendarm bleibt. Durch einen Türspalt sieht Schinz, wie die anderen Reisenden eben ihre geprüften oder ungeprüften Koffer wieder verschließen, Herren und Damen, Pelze, Hutschachteln, die Träger nehmen die bunten Colis.

»Wenn Sie so freundlich wären«, sagt Schinz, »die Türe zu schließen –.«

Der Gendarm gibt ihr einen Fußtritt.

»Nur die Ruhe!« sagt er: »Den Zug bekommen Sie sowieso nicht mehr.«

»Wieso nicht?«

Der Gendarm trägt ein Gewehr.

»Wieso nicht?« fragt Schinz –

Der Gendarm könnte sein Sohn sein.

»Fertig?«

Das fragt nicht der Gendarm, sondern ein dritter, der die Tür wieder geöffnet hat, um sie wieder nicht ganz zu schließen; herein und hinaus – Fertig? nichts weiter als das: Fertig?... Schinz bemüht sich, nicht zu hassen; das ist ihr Dienst, sagt er sich, ein widerlicher Dienst, mitten in der Nacht eine Uniform anziehen und auf die verspäteten Züge warten, Leute sehen, die ans Meer fahren oder ins Gebirge, Leute untersuchen, die daran schuld sind, daß man solchen Dienst überhaupt machen muß. Schinz bemüht sich, seine mißhandelten Schuhe anzuziehen und nicht zu hassen. Ein älterer Mann wie er, im Augenblick nicht gerade gepflegt, Hosen mit Hosenträgern, Hemd ohne Kragen, dazu das grünliche Licht, Schinz begreift, daß er hier nicht die Formen erwarten kann, welche die Herren auf der Zeitung noch gewahrt haben, bevor sie den Titel wählten:

›Nein! Der Mann hat nicht gestohlen...‹

Man wird sehr rasch bekannt.

»Nehmen Sie Platz«, sagt der Kommissar, als Schinz, seinen Mantel auf dem Arm, vor dem Tisch steht und wieder eine Krawatte trägt: »Bitte, nehmen Sie Platz.«

Schinz bleibt stehen.

»Ich möchte Sie darauf aufmerksam machen«, sagt er, »daß mein Zug in vier Minuten weiterfährt.«

»Das geht mich nichts an.«

Pause.

»Meinetwegen bleiben Sie stehen.«

Schinz setzt sich, es hat keinen Sinn, die Leute vor den Kopf zu stoßen; das ist ihr Dienst, ein widerlicher Dienst.

»Schinz, Heinrich Gottlieb –.«

»Ja.«

»Doktor jur.«

»Ja.«

»Rechtsanwalt –.«

»Ja«, sagt Schinz; es fehlt jetzt nur noch, denkt er, daß der Hornochse mir vorliest, wieviel Zentimeter ich habe.

»Geboren –«

»Ja!«

Draußen hört man das Gepaff der Lokomotive, bereit, jeden Augenblick abzufahren; Schinz beißt auf die Lippen, der Hornochse blättert im Paß, als hätte er noch keinen gesehen.

»Wo fahren Sie hin?«

»Hinaus«, sagt Schinz.

»Ich frage, wo Sie hinfahren.«

»Ich sage: Hinaus.«

Pause.

»Ich frage Sie zum letzten Mal.«

Schinz hat Mühe, nicht zu hassen, alle zu hassen in diesem Einzigen, der da hockt, seinen Paß in der Hand, zu hassen, zu hassen... Nicht die Nerven verlieren! denkt er: Ich muß hinaus, ich muß, ich kann es nicht aushalten, Unrecht zu sehen und zu schweigen, Zeitungen zu lesen, die das Gegenteil sagen, Menschen zu suchen, die mich wie einen armen Kranken behandeln, wie ein Kind mit einem fallenden Weh, zu fühlen, wie sie Angst haben vor meinem nächsten Fauxpas, diese mütterliche Sorge, ich könnte unseren Wagen auf ein Trottoir fahren, diesen freundschaftlichen Rat, ich solle nicht so viel rauchen und mich nicht in eine Sache hineinsteigern, das Schweigen, wenn ich mich erkläre, die unausgesprochene Hoffnung, daß ich endlich zu einem Ner venarzt gehe, ich halte es nicht mehr aus, ich muß hinaus! – und noch ist der Zug nicht abgefahren, die paffende Lokomotive, die zum Platzen voll Dampf ist...

»Wo fahren Sie hin?«

»Das geht Sie einen Dreck an!«

Schinz ist aufgesprungen.

»Bitte«, sagt der Kommissar –

»Das geht Sie einen Dreck!« schreit Schinz: »Das geht Sie einen Dreck an!«

Schreien ist so unschinzisch, er merkt es jedesmal, bereut es jedesmal, nicht weil der Hornochse ihn jetzt strafen wird, bereut es, weil es ihm nicht liegt... Gottlieb, hat Bimba damals gesagt, ich bin nicht taub – Und ob sie taub sind! Alle sind sie taub! Sie hören, daß man schreit, aber nicht, was man schreit. Das ist es! Natürlich sind sie taub, sonst würden sie sich selber nicht aushalten, sie würden eingehen wie die Dogge, weil sie es gehört haben und nicht sagen können, wie die Dogge! denkt er, während der Kommissar sich ebenfalls erhebt und trocken lächelt:

»Bitte. Sie können gehen.«

Den Paß hat er in die Schublade geworfen, die Schublade schließt er ab, den Schlüssel steckt er in die hintere Hosentasche, die Fülle seines Arsches zeigend – Schinz hat begriffen, nimmt seinen Mantel, geht hinaus, doch kommt er nicht weit, bis der junge Gendarm ihn einholt.

»Sie sollen zurückkommen.«

»Warum?«

»Sie sollen zurückkommen.«

Schinz geht zurück; der Kommissar steht, eine Pfeife anzündend, so daß er eine Weile nicht sprechen kann; dann sagt er:

»Schließen Sie die Türe wie ein anständiger Mensch, Herr Doktor.«

Schinz schluckt. Der Kommissar raucht, bereits anderweitig beschäftigt. Schinz schließt die Türe wie ein anständiger Mensch...

Drei Uhr morgens, es regnet wieder in Strömen, geht er schwarz über die Grenze, Heinrich Gottlieb Schinz, Rechtsanwalt, ein Mann ohne Papiere.

Bimba weint.

Die Kinder schämen sich im Gymnasium.

Einige Nächte sieht sich Schinz, wie er in Stadeln übernachtet, nie ganz schlafend, wachsam, solange er sich im Grenzgebiet befindet. So ungefähr, denkt er, ist Alexis über unsere Grenze gekommen, der Emigrant, der als Zeuge kein volles Gewicht hat; man ist sehr rasch ein Emigrant. Man ist ansässig, wie man ansässiger nicht sein kann, hat einen Stammbaum und ein Haus; plötzlich ist man ein Emigrant. Das ist schon öfter vorgekommen! Man sieht die Dinge etwas anders, als die andern sie lehren; man kann nichts dafür, daß die Zeitungen das Gegenteil schreiben ... Eines Tages melden sie, daß Schinz geschnappt worden ist, nämlich auf der andern Seite. Er soll, wie der behördliche Ausdruck lautet, abgeschoben werden. Abgeschoben! Für die Familie ein nicht ausdenkbarer Schlag. Nur Bimba hält sich großartig; sie ist alt geworden, hat fast keinen Umgang. Nicht daß die Menschen sie meiden! So sind die Menschen ja auch wieder nicht; nur Bimba hält sie nicht aus, nicht einmal ihr Schweigen. Sie verteidigt nicht alles, was Schinz gesagt und getan hat; etwa sein lächerlicher Zank mit der Zeitung; aber der Fall mit dem Wagen, ja, das findet auch Bimba, daß der Mann, je öfter sie darüber nachdenkt, und zwar allein, nicht gestohlen hat. Komisch, wie anders man sieht, wenn einmal der gewohnte Umgang etwas nachläßt! Und wie er nachläßt, wenn man anders sieht; das ist dann nicht mehr komisch, Bimba ist sehr alt geworden. –

Wieder sitzt da ein Kommissar:

»Schinz, Heinrich Gottlieb –?«

Schinz schweigt.

»Doktor jur.«

Schinz schweigt.

»Rechtsanwalt!« sagt der Kommissar, der diesmal keinen Paß hält, sondern einen Steckbrief, und fährt fort: »Warum leben Sie unter einem falschen Namen?«

Schinz schweigt.

»Sie haben die Grenze schwarz überschritten. Ihr eigenes Land hat Ihnen die Papiere entzogen –«

»Das ist nicht wahr!«

»Sie haben also die Grenze nicht überschritten?« sagt der Kommissar nicht ohne Stolz auf die zwingende Führung des Verhörs: »Sie befinden sich also nicht in diesem Land?«

»Man hat mir keine Papiere entzogen.«

»Wieso haben Sie denn keine?«

Schinz, sich fürs erste mit einem kurzen hämischen Lachen begnügend, nimmt ein Taschentuch heraus, ein sehr ungewaschenes, wie es bei einem Schinz höchstens noch in der Bubenzeit hat vorkommen können, grau und verwurstelt, feucht, widerlich; dann sagt er:

»Das ist eine lange Geschichte —«
Bald erinnert er sich selber nicht mehr!

»Damit geben Sie also zu«, sagt der Kommissar, »daß Sie nicht Bernauer heißen, sondern Schinz — Heinrich Gottlieb, Rechtsanwalt?«

»Ja.«

Schinz schneuzt sich; es brauchte keine spiegelnde Fensterscheibe, damit er weiß, wie er aussieht! Kein Geld für frische Hemden, einige Nächte in den Wartesälen dritter Klasse, Verlust der Bügelfalten, einige Nächte im Freien, kein warmes Wasser. Seife von öffentlichen Aborten, ein Mantel, der sozusagen zu deiner Wohnung geworden ist, und das Kostüm eines Verdächtigen ist da.

Verlasse dich nicht auf dein Gesicht, auf die Züge deines Gesichtes! Vergiß den Rosenkavalier, vergiß den Kunstverein, vergiß die Denkmalpflege; Kenntnisse dienen nur noch dazu, dich restlos verdächtig zu machen. Ein Mann wie du, der ein Haus hat und einen Wagen, warum hast du deine Stadt verlassen? Warum hast du es nötig, Bernauer zu heißen?... Das Protokoll, das erste von vielen kommenden, kannst du unterzeichnen, wenn es fertig ist; es sind da noch einige Fragen.

»Herr Doktor«, sagt der Kommissar, das noch bescheidene Dossier öffnend, und sein Ton, wenn er Doktor sagt, ist nicht etwa höhnisch, sondern durchaus achtungsvoll, da der gewöhnliche Landstreicher nun entlarvt ist als ernsthafter Fund: »Sie haben Verbindungen zu einem gewissen Becker?«

Schinz stutzt.

»Becker, Alexis, Emigrant.«

Schinz schweigt.

»Ja oder nein?«

Schinz schweigt.

»Bitte«, lächelt der Kommissar: »Vielleicht erinnern Sie sich, wenn ich Ihnen das Bild zeige —.«

Schinz hat das Gefühl, rot zu werden.

»Das Bild ist allerdings alt«, sagt der Kommissar: »Ihr Freund trägt keinen Schnurrbart mehr, soviel wir wissen.«

Schinz schweigt.

»Ich will Sie nicht überrumpeln, Herr Doktor, Sie werden Zeit genug haben, sich alles zu überlegen«, sagt der Kommissar mit dem fast kollegialen Ton von Todfeinden, die ihre Spielregeln kennen: »Ferner kennen Sie sehr wahrscheinlich einen gewissen Marini...«

»Marini?«

»Francesco Marini.«

»Nein –«

»Oder Stepanow.«

»Stepanow?«

»Ossip Stepanow.«

»Nein!«

»Oder Espinel.«

»Nein!« sagt Schinz.

»Roderigo Espinel.«

»Nein!« sagt Schinz.

»Seine Namen tun nichts zur Sache«, sagt der Kommissar: »Aber wenn Sie ihn kennen, erinnern Sie sich an sein Gesicht – ein sehr markantes Gesicht, das hat noch keiner vergessen, der ihn einmal gesehen hat.«

Und damit gibt er das Foto:

»Ein fertiger Christuskopf!«

Schinz erbleicht...

»Sie erinnern sich, Herr Doktor?«

Schinz hält das Foto: der Förster, der Lodenmantel – Man will mich wahnsinnig machen, denkt er, man will mich wahnsinnig machen! – Er steht in dem Lodenmantel, ein Förster am Sonntag, der sich vor seine Stämme stellt und eine Aufnahme machen läßt, etwas verlegen, ein schlechtes Foto, aber deutlich, ein dilettantisches Foto. Schinz legt es auf den Tisch zurück, unwillkürlich und etwas rasch, so, als verbrenne es seine Finger oder als wäre es schwer wie ein Stein...

Der Kommissar hat sich unterdessen eine Zigarette genommen, zündet an; jetzt sagt er:

»Kennen Sie den Menschen?«

Die Zelle, die Schinz bekommt, ist ganz ordentlich. Sie hat sogar Sonne, ein etwas hochgelegenes Fenster, so daß man nichts von der Welt sieht, nur einen Kamin, nämlich wenn Schinz auf seiner Pritsche steht. Die Pritsche ist hart, aber sauber, nicht unwürdig. Drei Uhr mittags verschwindet die Sonne; kurz danach hört man eine Turmuhr. Schinz findet es schon viel, daß er nicht gegen eine Mauer sieht, womöglich noch eine Schattenmauer, sondern gegen den Himmel. Seine Zelle ist offenbar im obersten Stockwerk; jedenfalls hört man oft das Geflatter der Tauben, hin und wieder schwirrt eine vor dem Gitter vorbei. Manchmal ist Schinz ganz heiter: Man muß halt nicht über die Grenze schleichen! sagt er sich. Die Zelle ist klein; es erinnert ihn an das bekannte Kloster in

Fiesole. Überhaupt die Erinnerungen! Seine erste Angst, als er an dieser Stelle sitzt: Jetzt nicht den Glauben an deine Unschuld verlieren! Das Foto mit dem Förster, sagt er sich, ist eine Hysterie gewesen; er hat es ja kaum wirklich betrachtet; er ist erschrocken und hat es weggelegt. Erschrocken über einen Lodenmantel, wie es Tausende gibt! Das Gesicht, sagt Schinz sich mit Recht, hat er damals gar nicht so deutlich gesehen; es war ja schon Dämmerung, dann sogar Nacht. Laß dich nicht irrsinnig machen! Und wenn schon, denkt er ein anderes Mal, wenn er es wirklich gewesen wäre: was habe ich verbrochen? Ich habe ihn gesehen, gut, ich habe mit ihm geplaudert, gut, vor allem hat er geplaudert. Was weiter? sagt Schinz, indem er plötzlich in seinem Hin und Her wieder stehenbleibt: Was geht dieser Marini mich an oder dieser Stepanow oder wie er heißt? Dann legt er sich auf die Pritsche: Man will mich irrsinnig machen, sagt er sich ziemlich gelassen, man will mich irrsinnig machen. Draußen hört man das Gackern von Hühnern. Irgendwie schön. Ein Fenster voll Himmel; das Gitter davor ist nicht so schlimm; Schinz hat ja keine Absicht, hinunterzuspringen in den Tod oder hinauszufliegen über die Kamine. Einmal, denkt er, wird ein Gericht stattfinden. Hin und wieder hört man auch das Hupen von Wagen, aber ziemlich ferne; jenseits von Bäumen, jenseits eines Hofes oder so. Das ganze Gebäude, wer weiß, war vielleicht einmal ein Kloster; Schinz hat auf seinen Reisen so viele alte Klöster besucht, sich manchmal vorzustellen versucht: Wenn du in einer solchen Zelle leben müßtest? und dann ist Bimba gekommen, begeistert von einem Kreuzgang, man ist hinuntergegangen, hat Fresken bewundert, langsam ist man hinausgegangen, Sonne auf einer Piazza, gegenüber ein kleines Ristorante. Die Fresken: Sebastiano mit den Pfeilen im Leib, ein Kindermord zu Bethlehem, ein Christophorus, die drei bekannten Kreuze auf Golgatha, viel bittere Geschichten, aber schön. Wölfflin fällt ihm ein! Und so weiter. Zum Glück sind die Kinder schon groß. Manchmal steht Schinz einfach an der Wand, die Arme an der Wand, den Kopf in den Armen, so daß er nichts sieht; mit offenen Augen. Der Himmel ist zum Verzweifeln. Schlafen geht nicht. Träume machen alles so maßlos. Einmal wird das Essen kommen. Dann wird es sich zeigen! ob es Gendarmen sind oder Wärterinnen, Gefängnis oder Irrenhaus. Das ist seine einzige Angst. Wenn du nirgends auf der Welt ein voller Zeuge mehr bist. Als sie kommen, die Schritte, nimmt er den Kopf nicht von der Wand; die Türe geht auf, Schinz bleibt so, die Türe geht zu. Schinz schaut: ein Geschirr ist da, ein blechernes, aber sauber, Kartoffelsuppe und Brot, ein etwas komisches Gefäß mit frischem Wasser... Wochen wie Jahre, Jahre wie Wochen, Verhöre, die sich wörtlich wiederholen, Namen, die Schinz nicht kennt, hin und wieder ist er durchdrungen vom Bewußtsein, daß alles nur ein Traum ist, aber das ändert nichts daran; sooft er erwacht, sieht er das Gitter vor dem Himmel, und jeden Morgen, wenn es grau wird, hört er, wie die Hähne krähen –.

Endlich ist es soweit.

Eines Tages sieht sich Schinz, wie er es von Bildern kennt, in Hemd und Hose und mit einem kleinen Strick um die Handgelenke. Er ist nicht allein. Sie stehen in einem Schulhaushof, Kies, die Kastanien blühen mit weißen und roten Kerzen. Stunden ohne Ahnung. Die Soldaten, die sie bewachen, tragen eine Uniform, die Schinz noch nie gesehen hat; die Historie, scheint es, hat sich wieder einmal gewendet, die Mützen sind anders, der Schnitt der Hosen, anders ist auch die Art, das Gewehr zu tragen. Es ist schon ziemlich hell, aber vor Sonnenaufgang. Was Schinz, übrigens der einzige Deutschsprechende in seiner Gruppe, mehr beschäftigt als die unbekannten Uniformen, ist der kleine Hühnerhof des Hauswartes, wo er zum ersten Male die beiden bekannten Hähne sieht, die er jeden Morgen gehört hat! noch haben sie nicht gekräht...

Auf der Treppe der Turnhalle erscheint ein Mann ohne Uniform, ein ziemlich junger Bursche, der eine Armbinde trägt; eine Liste verlesend:

»Stepanow, Ossip.«

»Hier.«

»Becker, Alexis.«

»Hier.«

»Schinz, Heinrich Gottlieb.«

»Hier.«

Die übrigen blicken auf den Kies. Je ein Soldat führt die eben Gerufenen aus ihrer Gruppe. Hinüber in die Turnhalle, die immer noch, obschon es tagt, hell erleuchtet ist. Natürlich wird nicht gekreuzigt, sondern erhängt. Die Vorrichtung ist lächerlich einfach, fast schulbubenhaft; drei Ringseile sind heruntergelassen, daran je ein ziemlich dünner Strick mit einer Schlaufe. Darunter je ein flüchtig genagelter Holzblock mit drei Stufen. Schinz denkt: Das kann aber nicht euer Ernst sein! ohne sich jedoch eine Hoffnung zu machen, daß es deswegen nicht stattfinden werde. Auch darüber ist Schinz sich klar, daß er nie mehr erfahren wird, worin sein Verbrechen eigentlich bestanden hat. Irgendwie spielt es wirklich keine Rolle; so weit ist er schon gekommen. Wieder vergeht eine Weile. Die drei Gerufenen sind so gestellt, daß sie sich den Rücken zuwenden, einander nicht sprechen und nicht sehen können. Schinz sieht einen Tisch, gemacht aus zwei Hürden und einem Brett, darauf ein Eisenstab, zwei Handschuhe, wie die Schweißer sie haben, drei kleine Schnappzangen, ein Bunsenbrenner, ein vielfach verglühter Draht, das genügt, damit läßt sich foltern, soviel man nur will. Eine Uniform spricht mit einer Art von Arzt, der mehrmals die Achseln zuckt. Dann, da die beiden offenbar zu keinem Ende kommen, wendet sich die Uniform, drei Fotos in der Hand; jeder wird nochmals mit seinem Foto verglichen. Dann kommt der junge Bursche mit der Armbinde, weist ihnen die Plätze an. Links Becker, Stepanow in der Mitte, rechts Schinz. Die Schlaufe sollen sie sich selber um den Hals legen – es ist wirklich der Förster. Er sagt:

»Warum haben Sie mich verraten?«

Schinz hat keine Stimme.

»Warum haben Sie mich verraten?«

Der Förster hilft ihm, vorwurfslos, so wie er dem armen Becker schon geholfen hat, so, als wäre er schon unzählige Male gehängt worden, er selber. Schinz schaut ihn an und sagt:

»Ich verstehe kein Wort.«

Der Förster lächelt.

»Ich habe Sie nicht angesprochen, Herr Doktor, Sie haben mich angesprochen, Sie haben mich nach dem Weg gefragt –.«

»Nein«, sagt Schinz.

»Tragen wir es.«

Da, sein Christus-Gesicht vor Augen, kann Schinz es nicht ertragen, schreit, als könne er daran erwachen, schreit, wie ein Mensch nur schreien kann, schreit:

»Nein! Nein! Nein!«

Das ist das letzte Mal gewesen, daß Schinz seine eigene Stimme gehört hat - - - Erwacht, schweißüberströmt, die eigene Hand an seinem Hals, der unversehrt ist, merkt er es nicht sogleich, Bimba streicht ihm die Stirne, Bimba ist alt, Bimba lächelt, der Arzt steht am Fußende des Bettes, Bimba bewegt die Lippen, aber sie sagt kein Wort, auch der Arzt bewegt die Lippen, aber niemand sagt ein Wort. Schinz ist taub. Als er es weiß, schließt er die Augen; als müßte, wenn er sie dann abermals aufmacht, alles verändert sein. Nichts ist verändert, sie bewegen die Lippen. Als er es sagen will, daß er sie nicht mehr hören kann, merkt er, daß er auch stumm ist.

Schinz hat nach diesem Ereignis noch sieben Jahre gelebt, ohne seine Vaterstadt zu verlassen. Mit dreiundsechzig Jahren stirbt er eines natürlichen Todes. Und nicht ohne Ansehen. Sein sonderbarer Fauxpas ist zwar nicht vergessen worden, aber verziehen; man hat den taubstummen Herrn auch auf der Straße immer zuvorkommend begrüßt; die Außenwelt, ausgenommen Bimba, hat das Ganze, wie schon gesagt, durchaus als einen klinischen Fall betrachtet, aufsehenerregend auch so, erschütternd auch so, aber für die Außenwelt ohne jede Folge.

(1949)

WERNER BERGENGRUEN

Der Schlafwandler

Ein Witwer von Laudenau, dessen einziger Sohn noch zu klein war, als daß er in der Wirtschaft hätte mit Hand anlegen können, mußte seiner ungünstigen Umstände halber seine geringen Akker- und Wiesenstücke verpachten und zu seinem Kummer Wegearbeiten gegen Tagelohn übernehmen. Eines Spätherbstabends hatte er an einem Wege, der oberhalb des Rodenstein durch den Wald geführt werden sollte, bis nach Dunkelwerden gearbeitet, und es war schon heller Mondschein, als er auf dem Heimwege an der Ruine vorbei durch jene Waldstelle kam, die man noch heutigen Tages an den niedrigen Mauertrümmern als den ehemaligen Zwinger erkennt. Da sah er im welken Buchenlaub eine verreckte Katze liegen, ein schwarzes Tier von ungewöhnlicher Größe. Er hatte es nicht sehr eilig, in sein armseliges Haus zu gelangen, und so blieb er stehen und betrachtete sich eine Weile den toten Körper mit dem glänzenden Fell. In seiner unfrohen und müßigen Feierabendlaune kam ihn eine sonderbare Lust an, nachdem er den Tag über um Geld und zu einem bestimmten Ende geschafft hatte, nun eine Arbeit zu verrichten, die zu nichts nütze war, die niemand ihm aufgetragen hatte und die ihm auch keinen Lohn brachte, und er beschloß, die Katze zu begraben. Sein Arbeitszeug hatte er bei sich, und so räumte er das Laub weg und machte sich daran, ein Loch auszuheben. Als er meinte, nun sei es tief genug, und schon innehalten wollte, da stieß sein Spaten klirrend auf etwas Festes. Er grub weiter und förderte zuletzt nicht ohne Mühe einen eisernen Kasten von beträchtlichem Gewicht zutage.

Nun kam ihm alles in den Sinn, was er von den alten Schätzen der Rodensteiner Herren hatte erzählen hören, und indes die Hände ihm vor Erregung beben wollten, mühte er sich, den verschlossenen Kasten zu öffnen. Endlich gewahrte er, daß die Bandklammern vom Rost zerfressen waren, und nun gelang es ihm rasch, sie mit kräftigen Spatenhieben vollends zu zertrümmern und den Deckel zu heben. Allein was er drinnen erblickte, das war weder Gold noch Silber, sondern ein Gewimmel von allerlei Tieren, Asseln, Raupen und jungen Blindschleichen. Der

Mann fluchte, sagte sich, so müsse es ihm immer ergehen, scharrte die Katze ein, ließ den Kasten stehen und ging seines Weges.

Nicht weit von Laudenau holte er den Totengräber ein; der war ein alter Mann und kannte manche Heimlichkeiten, aber er liebte es auch, die Leute zu foppen, und sie wußten nie recht, wessen sie sich von ihm zu versehen hatten. Beide gingen nun ein Stück miteinander, und der Bauer erzählte mißmutig dem Totengräber, was ihm begegnet war. Der blieb stehen und lächelte spöttisch.

»Du warst voreilig und hast sehr unrecht getan«, sagte er. »Der Kasten war gewiß von dem Rodensteiner Schatz. Du hättest ihn heimtragen sollen, und alles Gewürm hätte sich in Gold verwandelt.«

»Ich laufe zurück!« schrie der Bauer und wollte sich auf den Weg machen, aber der Totengräber hielt ihn an.

»Merke: du darfst den Kasten nicht in den bloßen Händen tragen, er muß in ein ungebrauchtes, fehlerloses Tuch von weißem Leinen geschlagen werden. Aber es muß geschehen, solange der Mond noch auf die Stelle scheint, sonst ist aller Zauber hin und der Kasten wieder versunken.«

»Das kann nur noch eine kleine Viertelstunde sein«, meinte der Bauer bekümmert. »Wo nehme ich ein solches Tuch her?«

»Gib acht, was ich dir sage. Ich habe dir die Frau in die Erde graben müssen und möchte dir gern einen besseren Dienst erweisen. Begleite mich nach Hause, ich will dir ein Tuch geben, wie du es brauchst.«

»Es wird zu spät, es wird zu spät, laß uns laufen!« trieb der Bauer.

Sie liefen, aber den Totengräber wollten die Beine nicht mehr tragen.

»Laufe, laufe, ich will dir die Hälfte geben!«

»Ich bin ein alter Mann und habe zu leben, gib mir ein Zwölftel, und ich bin zufrieden.«

Der Bauer nahm den Alten auf den Rücken und rannte aus Leibeskräften. Nun waren sie am Ziel, sie traten hastig ins Haus, der Alte sperrte die Lade auf, nahm ein weißes Tuch heraus, der Bauer riß es ihm aus den Händen und stürzte davon.

Sein eigenes Haus lag am Wege, er sah es, und sein Herz, das zum Springen pochte, wollte plötzlich stillstehen. Denn hoch oben auf dem Dachfirst stand im hellen Mondschein sein Sohn, die Arme ausgebreitet, bleich wie das Tuch, das der Vater in der schweißnassen Hand hielt. Und das Gesicht zum Monde gewendet, begann er nun langsam den First entlangzugehen. Würde er haltmachen, wo der First ein Ende hatte? Unten stand eine steinerne Bank, in der Nähe lief die Mauer vorbei. Der Vater dachte an Bank und Mauer, an Sturz und Aufprall, er wollte dem Sohn seine Warnung zurufen und weiterlaufen, aber dann fuhr es ihm durch den Sinn, daß man Mondwandler nicht rufen darf, ohne sie in tödliche Gefahr zu bringen. Er schwankte einen Augenblick und dachte, daß er noch nie einen härteren durchlebt habe. Dann lief er in den leeren Stall, zog die Leiter hervor, lehnte sie an die Hauswand und klomm in die Höhe wie eine Katze, kroch über das Dach, packte den Knaben und trug ihn hinunter. Schon im Absteigen hatte er ihn wachgerüttelt, jetzt stellte er ihn auf die Füße und stürzte weiter. In den Ohren brauste es ihm, als brandeten alle Meere der Welt um ihn her.

Nun keuchte er bergan, nun glitt das mondbeschienene Gemäuer weiß an ihm vorüber, nun war er am Ziel: aber da lag die Gegend des Zwingers bereits stumpf und schwarz vor ihm und von allem Mondschein verlassen. Er stieß einen Fluch aus, er rannte ins Dunkel, lief gegen Baumstämme, griff und tastete um sich, schlug Feuer. Da war die Stelle, an der er die Katze verscharrt hatte. Der Kasten war verschwunden. Der Bauer ließ sich ins Laub fallen, schrie, schlug um sich und biß in die Erde.

Am nächsten Abend, als der Zwinger wieder im hellsten Mondlicht stand, war er abermals zur Stelle. Mehrere Stunden lang durchwühlte er den Boden mit Spaten und Hacke, aber er grub nichts aus als die tote Katze, die ihn aus verglasten Augen gleichmütig anstarrte.

Endlich ging er heim, und als er sich seinem Hause näherte, da sah er auf dem Dachfirst wiederum den Sohn stehen, um dessen willen ihm der Rodensteiner Schatz und alle bessere Zukunft entgangen war. Des Mannes Augen wurden wild und stier, ihm war, als wollte etwas Glühendes ihm von innen her die Brust zerreißen, er reckte sich in den Schultern und rief hart und scharf: »Adam!«

Der Knabe auf dem Dache ließ einen gepreßten Schrei ungemessenen Schreckens hören, warf die Arme in die Höhe und streckte das rechte Bein von sich. Einen Augenblick stand so, schräg geneigt und nur auf ein Bein gestützt, sein kohlschwarzer Umriß scharf gegen die silberne Mondscheibe. Dann stürzte er.

Der Bauer blieb stehen, bedachte sich eine Weile, ging dann langsam hinzu und gewahrte, daß sein Sohn den Hals gebrochen hatte.

(1950)

ALFRED ANDERSCH

Die Letzten vom ›Schwarzen Mann‹

Der Schmuggler Karl Roland, ursprünglich Student der Philosophie an der Universität Königsberg in Ostpreußen, bis er 1939 zur Infanterie eingezogen wurde, stapfte den zerfurchten Karrenweg von dem Dorfe Brandscheid zum Wald hinauf, über die Ginsterhänge hinweg. Er wußte, daß Lisa ihm nachblickte, von ihres Onkels Haus aus, wo sie zu Besuch war, aber er drehte sich nicht um.

»Da geh' ich nicht mit hinauf«, hatte sie zu ihm gesagt, als er sie aufgefordert hatte, ihn zu begleiten. »Es ist mir zu unheimlich dort oben.«

Es ging auf acht Uhr, an einem Abend im Juli, und hinter der belgischen Grenze war der Himmel ein riesiger Goldschild. Roland schnürte wie ein Fuchs über die Straße, die von Bleialf nach Prüm führte. Auf der anderen Seite strich er eine schmale Straße entlang, an deren Beginn merkwürdigerweise kein Wegweiser angebracht war.

Er hatte noch den Geschmack des hundsgemeinen Tresterschnapses auf der Zunge, den ihm der Wirt in Brandscheid eingeschenkt hatte, bei dem er den Kaffee losgeworden war. Eine dreckige, düstere Eifelwirtschaft, und sie betrogen ihn natürlich, so nah an der Grenze. Wenn er weiter landein ginge, bekäme er sicher mehr für den Kaffee.

»Was tun Sie denn immer da oben?« hatte der Wirt mißtrauisch gefragt und mit dem Daumen eine Bewegung zur Decke des Schankraums gemacht, als meinte er die und nicht die Wälder auf dem Kamm der Schnee-Eifel. »Schauerliche Gegend, puh!« Und er verschwappte etwas von dem Schnaps, den er Roland eingoß.

»Da oben bin ich am sichersten«, hatte Roland geantwortet und den Wirt angesehen. Er wußte, daß sie seinen Blick nicht mochten, daß sie ihn nicht ertragen konnten und Roland zum Teufel wünschten, wenn er seine Geschäfte erledigt hatte. Sein Blick, das wußte er, kam aus einer Ferne, die sie nicht einmal ahnten.

»Was tust du überhaupt immer in diesem furchtbaren Wald?« wollte auch Lisa wissen. Sie hatte ein helles Sommerkleid an, auf das große Blumen gedruckt waren, und schob den Wagen, in dem sich ihr Kind befand, durch das Dorf. Sie war wirklich ein elegantes Mädchen, mit einem prachtvollen Damengesicht unter dunklen Haaren, und eine wahre Erholung, wenn man gezwungen war, in der Eifel zu leben.

»Ich wohne da«, pflegte Roland ganz wahrheitsgemäß zu antworten, wenn er mit ihr auf den Ginsterhängen oder Feldwegen spazierenging. »Ich wohne in einem Bunker«, erklärte er ihr. »Sie sind zwar alle gesprengt, aber es gibt da immer noch Kasematten, in denen man ganz gut wohnen kann. Ich habe ein Feldbett drin und einen Tisch und Borde, auf denen meine Sachen stehen. An der Wand hängen sogar zwei Bilder – eine Ansicht von Königsberg und ein Foto von Rita Hayworth, das ich in einer alten Nummer von ›Life‹ gefunden habe. Es ist wirklich ganz gemütlich. Und dort findet mich niemand.«

Das Sträßchen trat aus einer Schonung heraus, und dann begann der Wald. Die Fichten standen dunkel um den Horizont, und davor breitete sich die Fläche mit den Stümpfen der abgeschossenen Bäume. Jedesmal, wenn Roland sie wiedersah, erinnerte er sich an den rauschenden Aufschlag der Granaten, unter dem sie geknickt waren. Die Straße führte oben auf den Kamm hinauf, und von dort aus hatte man einen endlosen Blick über einen Ozean von flachen Tälern und Wäldern, die aus dem Westen herandrängten, von St. Vith und Malmédy. Ein ziemlich geographisches Gefühl. Roland liebte Grenzen, weil an ihnen die Länder unsicher wurden. Sie verloren sich in Wäldern, zerfransten sich in Karrenwegen, die plötzlich aufhörten, in Radspuren, in Fußpfaden, unterm hohen gelben Gras, das niemand schnitt, in Sümpfen, Ödhängen, Wacholder, verrufenen Gehöften, Einsamkeit, Verrat und Bussardschrei. Schnee-Eifel hieß das, Ardennen, Hohes Venn...

Es wurde dunkler, aber man konnte noch gut sehen. Überall die Felder aus toten Baumstümpfen und an der Straße die in die Luft ragenden Betonplatten der gesprengten Bunker, beinbleich, knochenbleich... es war wirklich kein Revier für Lisa, überlegte Roland, sie würde sich fürchten. Übrigens ging sie mit ihm nur am Tage spazieren. Sowie sich die erste Dunkelheit in das Licht mischte, trennte sie sich unter irgendeinem Vorwand von ihm. Sie hatte Angst, er spürte es. Alle hatten Angst vor ihm. Sogar der Herr Pfarrer von Brandscheid hatte Angst, obwohl Roland ihm die Wahrheit gesagt hatte.

Heute nacht hatte er nichts vor. Überhaupt begann der Schmuggel ihn zu langweilen. Er kannte den Weg über Ormont zu dem Wirtshaus in Losheim schon auswendig. In Losheim, auf der belgischen Seite, packte er den Rucksack mit Kaffee voll und schob los, nach Brandscheid oder Hallschlag, Winterspelt oder Kronenburg, wo er für die Ware so viel einhandelte, daß er sich wieder vierzehn Tage auf die faule Haut legen konnte. Er aß noch immer gerne und hatte sich angewöhnt, ein wenig zu trinken. So kaufte er feine Delikatessen in Büchsen und ließ sich von dem Händler in Kronenburg, auch im Hinblick auf Mike, Whisky und Gin besorgen. Der Herr Pfarrer von Brandscheid bestellte für ihn Bücher, meistens Neuerscheinungen, von denen Roland aus der Zeitung erfuhr.

Aber im Grunde hing ihm alles zum Halse heraus. Es war langweilig, weil er dabei nicht die geringste Gefahr lief. Er tauchte in den Dörfern auf wie ein Schatten. Die Grenzer hatten es längst aufgegeben, ihn schnappen zu wollen. Sie wußten auch, daß er irgendwo auf der Schnee-Eifel verschwand, aber das Gebiet war so groß, und eigentlich war es kein Schmugglerstützpunkt. Man wußte nicht, wo noch vermint war. Und auch den Polizisten war es einfach zu unheimlich dort oben.

Wenn Lisa wüßte, daß es gar keine Gefahr mit ihm hatte, dachte Roland. Er würde direkt in Verlegenheit geraten, wenn sie seinen Flirt einmal ernst nähme. Seinetwegen brauchte sie keine Angst um ihre Ehe zu haben. Er hatte nur gehofft, sie würde ihn einmal nach dort oben begleiten und dann versuchen, ihm zu helfen. In jenen alten Sagen, die Fälle wie den seinen behandelten, wurde ja behauptet, daß die reine Liebe eines Mädchens einen Geist, der nicht zur Ruhe kommen konnte, zu erlösen vermochte. Romantische Idee! Jungfrau war sie sowieso nicht. Na, sie reiste ja bald wieder ab. Schade. Ob er es ihr vorher sagte, was mit ihm los war? Unsinn. Nicht einmal der Herr Pfarrer von Brandscheid glaubte es ja.

Die Straße näherte sich dem Waldstück, das ›Schwarzer Mann‹ hieß. Von hier waren es zwei Stunden bis nach Brandscheid im Süden und wieder zwei Stunden bis zum Forsthaus Schneifel im Norden. Dazwischen gab es keine menschliche Behausung. Die Bunker wurden immer mächtiger, und zwischen den Baumstümpfen standen jetzt auch hohe Skelette von Bäumen bleich in der Dunkelheit. Das letzte Licht spiegelte sich in den tiefen Pfützen auf der Straße. Auf einem Kreuz hing ein Stahlhelm, und darunter stand: ›Unbekannter Soldat‹. Roland wußte, daß das nur einer aus seiner Einheit sein konnte, und ging im Geiste jedesmal die Liste durch, wenn er an dem Kreuz vorbeikam.

Er hörte Schritte und sah, wie sich Mike aus der Dämmerung löste und auf ihn zukam.

»Hello, Charlie!« sagte Mike nachlässig und fragte: »Hast du alles?«

»Mhm«, sagte Roland. »Hab' auch Whisky mitgebracht.«

Eigentlich ging er nur noch Mike zuliebe los. Mike hatte in den fünf Jahren seit dem Februar 1945 ganz gut Deutsch gelernt, aber mit seinem amerikanischen Akzent wäre er doch aufgefallen, wenn er sich in die Dörfer gewagt hätte. Er hatte zu jenem Combat-Team von Bradleys Armee gehört, das den ›Schwarzen Mann‹ die ganze Rundstedt-Offensive hindurch gehalten hatte. »Fein!« sagte Mike. »Hast du sonst was erreicht?« Roland schüttelte den Kopf. Er dachte an sein Gespräch mit dem Herrn Pfarrer von Brandscheid.

»Erlösen Sie uns, Herr Pfarrer!« hatte er zu dem geistlichen Herrn gesagt, wie stets, wenn er ihn besuchte. Aber der wurde immer wütend, wenn Roland nur davon anfing. »Sie sind ja verrückt«, sagte er. »Lassen Sie mich mit Ihren Halluzinationen zufrieden! – Alle, die zu lange da oben sind, schnappen einfach über«, setzte er brummend hinzu. »Warum melden Sie die Sache nicht nach oben?« Roland trieb ihn in die Enge. »Fragen Sie doch einmal beim Erzbischöflichen Ordinariat in Trier an!« Der geistliche Herr hatte, wie stets, abgewinkt. »Das ist nicht meine Sache. Ich bete nach jeder Messe für Sie drei Vaterunser. Das ist das einzige, was ich für Sie tun kann.«

So zog sich der Herr Pfarrer von Brandscheid aus der Affäre. Er war schon ein alter Herr, und er vermutete nicht zu Unrecht, daß man ihn sofort pensionieren würde, wenn er mit Rolands Geschichte nach Trier ging. Aber er hatte auch Angst gehabt. Roland hatte die flackernde Angst in seinen Augen gesehen.

Er spürte Mikes Hoffnungslosigkeit. Sie verließen zusammen die Straße und schritten über das sumpfige Gelände. In den Bombentrichtern stand das Wasser. An den Rändern der Trichter wuchs das Wollgras; es schimmerte phosphoreszierend in der Dunkelheit. Das Schild mit der Aufschrift ›Vorsicht, Minen!‹ und dem französischen Wort ›Danger‹ war längst umgesunken und verging im fauligen Grund. Über das tote Baumfeld gingen sie auf die schwarze Mauer des Waldes zu. Der Nachthimmel über ihnen war bleigrau, denn von Belgien her hatte sich Gewölk vor den Mond geschoben.

Unter den Fichten am Waldrand stießen sie auf das erste Skelett. Der Schädel schimmerte aus dem Moosgrund zu ihnen empor. Die Uniform war ganz zerfallen. Roland kniete nieder und befühlte das

Eiserne Kreuz, das längst verrostet war. Unter dem Schädel fand er das in Wachstuch geschlagene Soldbuch und blätterte darin. Er hatte es selbst in das Tuch eingefaltet, damit man den Gefallenen identifizieren konnte, wenn man ihn fand. Er ließ die Taschenlampe aufblinken und besah zum tausendsten Male sein eigenes Gesicht. So hatte er vor zwölf Jahren ausgesehen, als man ihn eingezogen hatte. ›Karl Roland‹ stand darunter und in der Spalte Zivilberuf: ›Student‹.

Er löschte die Lampe und erhob sich. Schweigend und düster stand Mike neben ihm und starrte in das Fichtendunkel hinein. Dort drinnen lag Mike.

»Er will uns also nicht begraben lassen?« fragte Mike aus seinem finsteren Brüten heraus zu Roland. Roland zuckte mit den Achseln. »Er hält uns wohl für harmlose Irre«, antwortete er. »Und vielleicht hat er Angst. Sicherlich hat er Angst.«

Als sie den Bunker erreichten, sagte er zu Mike: »Sie glauben alle nicht mehr an Geister.«

Wie in beinahe jeder Nacht spielten sie auch in dieser ein paar Stunden Siebzehn und Vier und tranken Whisky in kleinen Schlucken, ehe sie zu Bett gingen.

(1951)

OSKAR MARIA GRAF

Das Hochzeitsgeschenk

Beim Moser in Tiefenbach geht es seit Urgroßvaterszeiten brauchmäßig zu. Brauchmäßig, aber ungemein knauserig. Das weiß man in der ganzen umfänglichen Pfarrei. Geld und Sach', das sind für einen Moserischen heilige Dinge. Etwas davon herzugeben faßt man als Dummheit und Leichtsinn auf.

Mitunter aber gibt es doch Bräuche, wobei man etwas ›spenden‹ muß. Zum Beispiel, wenn ein naher Verwandter oder Nachbar Hochzeit hat. Solche Anlässe sind dem Moser grundzuwider. Da geht er mit einem verdrossenen Gesicht herum. Er überlegt hart und verbittert, wie er am billigsten wegkommt, und erst nach Wochen kommt er wieder einigermaßen ins Gleichgewicht. Zu solchen Zeiten wird er sogar mit einem Male ganz modern und schimpft aus sich heraus: »So was sollt scho lang abgeschafft werdn! Heutzutag hat man nichts mehr zum Herschenken!« Die Zenzl, seine Bäuerin, gibt ihm vollauf recht. Aber, meint sie: »Mein Gott, was will man macha! Brauch is Brauch.«

An den Gesichtern der heranwachsenden Kinder – des Bartl und der Liesl – sieht man, daß sie haargenau so denken wie Vater und Mutter. Nehmen – ja, aber was hergeben – pfui Teufel! Es läßt sich also denken, wie grantig der Moser war, als die Hochzeit vom Beigeordneten Georg Windel, seinem honorigen Nachbarn, herannahte. Der Windel, gut in den Fünfzigern schon, baumstark und gesund um und um, war seit vier Jahren Witwer und hätte eigentlich, nach der Meinung vom Moser, das neuerliche Heiraten am allerwenigsten notwendig gehabt. Seine drei Kinder waren schon lang soweit, daß sie ihm jeden Dienstboten ersparten. Er lebte gut mit ihnen zusammen, der Hof war imstand und fast schuldenfrei.

»Hätt er's allein nicht viel schöner, der Kindskopf, der?« raunzte der Moser und setzte die Zukünftige vom Windel, die Remeisl-Marie von Torfen, in jeder Hinsicht herab. Vielleicht auch deswegen, weil allseits bekannt war, daß sie einen schönen Batzen Geld mitbrachte.

»Hmhm«, stimmte die Moserin zu, und unglücklicherweise erinnerte sie daran, daß man um ein Hochzeitsgeschenk nicht recht herumkomme. Da zerrann dem Moser das Gesicht wie kochender Leim. »Dös a noch!« knurrte er und brachte vor lauter Ärger kaum den Brotbrocken, an dem er kaute, hinunter. »Was gibt man jetzt da?« fragte seine Bäuerin.

Mißgünstig fingen sie zu überlegen an.

Der Bartl meinte, ob er vielleicht etliche Fotografierrahmen mit der Laubsäge machen solle, so was sei am billigsten. Die Liesl setzte dazu: »Ja, und vielleicht könnt man etliche Heiligenbilder beim Buchbinder in Loffelfing kaufen und gleich in die Rahmen hineintun.«

Hingegen der Moser äußerte noch verdrossener, daß sicher jeder recht protzen wird mit seinem Hochzeitsgeschenk und sich in weiß Gott was für unnütze Kosten stürzen. »Und so kann unsereins auch net hintenstehn!« schloß er vergrämt. Kurzum, man kam zu keinem Ende. Nach was aussehen mußte das Hochzeitsgeschenk, und kosten sollte es wenig. Endlich kam der Moserin die beste Idee. Nämlich droben in der Ehekammer hingen zwei große, noch sehr gut erhaltene Hinterglasbilder. ›Die heilige Maria‹ und ›Der schmerzhafte Jesus‹. Und richtig: die schenkten sie dem Nachbarn. Sie lagen alsdann unter den vielen Geschenken auf dem Hochzeitstisch vom Windel beim ›Postbräu‹ im Saal.

Ein Beigeordneter, der, wenn es sein muß, den Bürgermeister vertreten kann, ist eine gewichtige Persönlichkeit. Und zu jetziger Zeit gar, wo es heißt, die Demokratie muß in Schwung kommen. Deshalb kam auch der neugebackene Bezirksamtmann Dr. Simon Schmalinger von Loffelfing höchstpersönlich zur Hochzeit. Er tat sehr leutselig, und das wurde recht beifällig aufgenommen. Er schritt den großen, weißgedeckten Geschenktisch ab und blieb auf einmal ganz entzückt stehen, so entzückt, daß es allen auffiel. »Hm, das ist ja ganz was Fabelhaftes, Herr Windel«, sagte er und griff nach den zwei wunderschönen Hinterglasbildern. »Das sind ja wahre Kostbarkeiten. Der Spender muß einen ganz großen Kunstverstand haben. Direkt verlieben könnt' ich mich in die Bilder. Auf der Stelle würd' ich sie kaufen, wenn sie zu haben wären!«

Die umstehenden Bauern staunten stumm. Die zwei Moser-Eheleute aber glotzten. »So, von Ihrem Nachbarn Moser haben Sie das schöne Geschenk? Respekt, Respekt!« hörten sie den Bezirksamtmann sagen, und ehe sie sich besinnen konnten, wandte sich der hohe Herr an sie. »Herr Moser, bravo! Die Bilder sind ganz große Seltenheiten... Ich sammle seit Jahren solche echte Volkskunst. Wenn ich die zwei prachtvollen Stücke gesehen hätte und sie wären Ihnen feil gewesen« – er stockte und fragte interessierter:

»Sagen Sie, haben Sie vielleicht noch so schöne Stücke? Hundert Mark für eins zahl' ich gern.« Dem Moser und der Moserin blieb schier die Luft weg.

»Sie haben noch?« fragte der hohe Herr drängender. Aber der ganz und gar zerschmetterte Moser konnte nur noch den massigen Kopf schütteln.

»Schade, sehr schade!« meinte der Bezirksamtmann und wandte sich wieder an den Windel.

»Wos, hundert Mark für so a Bildl will er gebn?« raunte der Moser totgiftig heraus und musterte seine Bäuerin mörderisch. »Und so was schenkst du einfach her?« Er war ganz blaß und wußte kaum mehr aus und ein.

»Girgl!« sagte er alsdann zum Windel und zupfte ihn am Arm: »Girgl, i gib dir wos anders. Ganz gewiß!« Und schon griff er nach den Bildern. Aber der kreuzfidele Hochzeiter lachte bloß und hielt ihn zurück. »Na, na, liaba Peter! Dös gibt's net! Gschenkt ist gschenkt!« Alle, die herumstanden, lachten schadenfroh, was den Moser ganz grimmig machte. Grob drängte er sich an den Tisch und erwischte den Rahmen von der ›Heiligen Maria‹. Resolut klemmte er das Bild unter den Arm, so fest, daß es knackte. Der Windel riß daran. Blindwütig wehrte sich der Moser, und da zerbrach das schöne Glas. »Um Gottes willen!« plärrte die Moserin.

»Aber, aber!« rief der Bezirksamtmann. Doch es war schon zu spät. Im Nu gab es eine Rauferei. Schleunigst machte sich der Bezirksamtmann davon. Im Saal vom ›Postbräu‹ blieb kein Stuhl mehr ganz, und zuletzt wußte keiner mehr, gegen wen er raufte.

Fast drei Wochen ging der Moser mit einem geschwollenen Kopf herum, und es läßt sich denken, daß er seitdem mit dem Windel verfeindet ist. Seine Bäuerin kann er auch nicht mehr leiden, und oft muß sie hören: »Ja du! Du ruinierst mich noch faktisch, du leichtsinniges Weibsbild! Zwoahundert Mark wirfst einfach beim Fenster naus!« Jeder Humor ist ihm vergangen, dem Moser. Bloß wenn er manchmal durchs Fenster auf das Windelhaus lugt, raunzt er etwas schadenfroh: »Aber erwischt hot er dö Bildl doch net. Grad recht gschieht ihm. Z'letzt hat er nur Glosscherben ghabt!«

(1951)

ILSE AICHINGER

Spiegelgeschichte

Wenn einer dein Bett aus dem Saal schiebt, wenn du siehst, daß der Himmel grün wird, und wenn du dem Vikar die Leichenrede ersparen willst, so ist es Zeit für dich, aufzustehen, leise, wie Kinder aufstehen, wenn am Morgen Licht durch die Läden schimmert, heimlich, daß es die Schwester nicht sieht – und schnell!

Aber da hat er schon begonnen, der Vikar, da hörst du seine Stimme, jung und eifrig und unaufhaltsam, da hörst du ihn schon reden. Laß es geschehen! Laß seine guten Worte untertauchen in dem blinden Regen. Dein Grab ist offen. Laß seine schnelle Zuversicht erst hilflos werden, daß ihr geholfen wird. Wenn du ihn läßt, wird er am Ende nicht mehr wissen, ob er schon begonnen hat. Und weil er es nicht weiß, gibt er den Trägern das Zeichen. Und die Träger fragen nicht viel und holen deinen Sarg wieder herauf. Und sie nehmen den Kranz vom Deckel und geben ihn dem jungen Mann zurück, der mit gesenktem Kopf am Rand des Grabes steht. Der junge Mann nimmt seinen Kranz und streicht verloren alle Bänder glatt, er hebt für einen Augenblick die Stirne, und da wirft ihm der Regen ein paar Tränen über die Wangen. Dann bewegt sich der Zug die Mauern entlang wieder zurück. Die Kerzen in der kleinen häßlichen Kapelle werden noch einmal angezündet, und der Vikar sagt die Totengebete, damit du leben kannst. Er schüttelt dem jungen Mann heftig die Hand und wünscht ihm vor Verlegenheit viel Glück. Es ist sein erstes Begräbnis, und er errötet bis zum Hals hinunter. Und ehe er sich verbessern kann, ist auch der junge Mann verschwunden. Was bleibt jetzt zu tun? Wenn einer einem Trauernden viel Glück gewünscht hat, bleibt ihm nichts übrig, als den Toten wieder heimzuschicken.

Gleich darauf fährt der Wagen mit deinem Sarg die lange Straße wieder hinauf. Links und rechts sind Häuser, und an allen Fenstern stehen gelbe Narzissen, wie sie ja auch in alle Kränze gewunden sind, dagegen ist nichts zu machen. Kinder pressen ihre Gesichter an die verschlossenen Scheiben, es regnet, aber eins davon wird trotzdem aus der Haustür laufen. Es hängt sich hinten an den Leichenwagen, wird abgeworfen und bleibt zurück. Das

Kind legt beide Hände über die Augen und schaut euch böse nach. Wo soll denn eins sich aufschwingen, solang es auf der Friedhofstraße wohnt?

Dein Wagen wartet auf der Kreuzung auf das grüne Licht. Es regnet schwächer. Die Tropfen tanzen auf dem Wagendach. Das Heu riecht aus der Ferne. Die Straßen sind frisch getauft, und der Himmel legt seine Hand auf alle Dächer. Dein Wagen fährt aus reiner Höflichkeit ein Stück neben der Trambahn her. Zwei kleine Buben am Straßenrand wetten um die Ehre. Aber der auf die Trambahn gesetzt hat, wird verlieren. Du hättest ihn warnen können, aber um dieser Ehre willen ist noch keiner aus dem Sarg gestiegen.

Sei geduldig. Es ist ja Frühsommer. Da reicht der Morgen noch lange in die Nacht hinein. Ihr kommt zurecht. Bevor es dunkel wird und alle Kinder von den Straßenrändern verschwunden sind, biegt auch der Wagen schon in den Spitalshof ein, ein Streifen Mond fällt zugleich in die Einfahrt. Gleich kommen die Männer und heben deinen Sarg vom Leichenwagen. Und der Leichenwagen fährt fröhlich nach Hause.

Sie tragen deinen Sarg durch die zweite Einfahrt über den Hof in die Leichenhalle. Dort wartet der leere Sockel schwarz und schief erhöht, und sie setzen den Sarg darauf und öffnen ihn wieder, und einer von ihnen flucht, weil die Nägel zu fest eingeschlagen sind. Diese verdammte Gründlichkeit!

Gleich darauf kommt auch der junge Mann und bringt den Kranz zurück, es war schon hohe Zeit. Die Männer ordnen die Schleifen und legen ihn vorne hin, da kannst du ruhig sein, der Kranz liegt gut. Bis morgen sind die welken Blüten frisch und schließen sich zu Knospen. Die Nacht über bleibst du allein, das Kreuz zwischen den Händen, und auch den Tag über wirst du viel Ruhe haben. Du wirst es später lange nicht mehr fertig bringen, so still zu liegen.

Am nächsten Tag kommt der junge Mann wieder. Und weil der Regen ihm keine Tränen gibt, starrt er ins Leere und dreht die Mütze zwischen seinen Fingern. Erst bevor sie den Sarg wieder auf das Brett heben, schlägt er die Hände vor das Gesicht. Er weint. Du bleibst nicht länger in der Leichenhalle. Warum weint er? Der Sargdeckel liegt nur mehr lose, und es ist heller Morgen. Die Spatzen schreien fröhlich. Sie wissen nicht, daß es verboten ist, die Toten zu erwecken. Der junge Mann geht vor deinem Sarg her, als stünden Gläser zwischen seinen Schritten. Der Wind ist kühl und verspielt, ein unmündiges Kind.

Sie tragen dich ins Haus und die Stiegen hinauf. Du wirst aus dem Sarg gehoben. Dein Bett ist frisch gerichtet. Der junge Mann starrt durch das Fenster in den Hof hinunter, da paaren sich zwei Tauben und gurren laut, geekelt wendet er sich ab.

Und da haben sie dich schon in das Bett zurückgelegt. Und sie haben dir das Tuch wieder um den Mund gebunden, und das Tuch macht dich so fremd. Der Mann beginnt zu schreien und wirft sich über dich. Sie führen ihn sachte weg. »Bewahret Ruhe!« steht an den Wänden, die Krankenhäuser sind zur Zeit überfüllt, die Toten dürfen nicht zu früh erwachen.

Vom Hafen heulen die Schiffe. Zur Abfahrt oder zur Ankunft? Wer soll das wissen? Still! Bewahret Ruhe! Erweckt die Toten nicht, bevor es Zeit ist, die Toten haben einen leisen Schlaf. Doch die Schiffe heulen weiter. Und ein wenig später werden sie dir das Tuch vom Kopf nehmen müssen, ob sie es wollen oder nicht. Und sie werden dich waschen und deine Hemden wechseln, und einer von ihnen wird sich schnell über dein Herz beugen, schnell, solange du noch tot bist. Es ist nicht mehr viel Zeit, und daran sind die Schiffe schuld. Der Morgen wird schon dunkler. Sie öffnen deine Augen und die funkeln weiß. Sie sagen jetzt auch nichts mehr davon, daß du friedlich aussiehst, dem Himmel sei Dank dafür, es erstirbt ihnen im Mund. Warte noch! Gleich sind sie gegangen. Keiner will Zeuge sein, denn dafür wird man heute noch verbrannt.

Sie lassen dich allein. So allein lassen sie dich, daß du die Augen aufschlägst und den grünen Himmel siehst, so allein lassen sie dich, daß du zu atmen beginnst, schwer und röchelnd und tief, rasselnd wie eine Ankerkette, wenn sie sich löst. Du bäumst dich auf und schreist nach deiner Mutter. Wie grün der Himmel ist!

»Die Fieberträume lassen nach«, sagt eine Stimme hinter dir, »der Todeskampf beginnt!«

Ach die! Was wissen die?

Geh jetzt! Jetzt ist der Augenblick! Alle sind weggerufen. Geh, eh sie wiederkommen und eh ihr Flüstern wieder laut wird, geh die Stiegen hinunter, an dem Pförtner vorbei, durch den Morgen, der Nacht wird. Die Vögel schreien in der Finsternis, als hätten deine Schmerzen zu jubeln begonnen. Geh nach Hause! Und leg dich in dein eigenes Bett zurück, auch wenn es in den Fugen kracht und noch zerwühlt ist. Da wirst du schneller gesund! Da tobst du nur drei Tage lang gegen dich und du trinkst dich satt am grünen Himmel, da stößt du nur drei Tage lang die Suppe weg, die dir die Frau von oben bringt, am vierten nimmst du sie.

Und am siebenten, der Tag der Ruhe ist, am siebenten gehst du weg. Die Schmerzen jagen dich, den Weg wirst du ja finden. Erst links, dann rechts und wieder links, quer durch die Hafengassen, die so elend sind, daß sie nicht anders können, als zum Meer zu führen. Wenn nur der junge Mann in deiner Nähe wäre, aber der junge Mann ist nicht bei dir, im Sarg warst du viel schöner. Doch jetzt ist dein Gesicht verzerrt von Schmerzen, die Schmerzen haben zu jubeln aufgehört. Und jetzt steht der Schweiß wieder auf deiner Stirne, den ganzen Weg lang, nein, im Sarg, da warst du viel schöner!

Die Kinder spielen mit den Kugeln am Weg. Du läufst in sie hinein, du läufst, als liefest du mit dem Rücken nach vorn, und keines ist dein Kind. Wie soll denn auch eines davon dein Kind sein, wenn du zur Alten gehst, die bei der Kneipe wohnt? Das weiß der ganze Hafen, wovon die Alte ihren Schnaps bezahlt.

Sie steht schon an der Tür. Die Tür ist offen, und sie streckt dir ihre Hand entgegen, die ist schmutzig. Alles ist dort schmutzig. Am Kamin stehen die gelben Blumen, und das sind dieselben, die sie in Kränze winden, das sind schon wieder dieselben. Und die Alte ist viel zu freundlich. Und die Treppen knarren auch hier. Und die Schiffe heulen, wohin du immer gehst, die heulen überall. Und die Schmerzen schütteln dich, aber du darfst nicht schreien. Die Schiffe dürfen heulen, aber du darfst nicht schreien. Gib der Alten das Geld für den Schnaps! Wenn du ihr erst das Geld gegeben hast, hält sie dir deinen Mund mit beiden Händen zu. Die ist ganz nüchtern von dem vielen Schnaps, die Alte. Die träumt nicht von den Ungeborenen. Die unschuldigen Kinder wagen's nicht, sie bei den Heiligen zu verklagen, und die schuldigen wagen's auch nicht. Aber du – du wagst es!

»Mach mir mein Kind wieder lebendig!«

Das hat noch keine von der Alten verlangt. Aber du verlangst es. Der Spiegel gibt dir Kraft. Der blinde Spiegel mit den Fliegenflekken läßt dich verlangen, was noch keine verlangt hat.

»Mach es lebendig, sonst stoß ich deine gelben Blumen um, sonst kratz ich dir die Augen aus, sonst reiß ich deine Fenster auf und schrei über die Gasse, damit sie hören, was sie wissen, ich schrei – –«

Und da erschrickt die Alte. Und in dem großen Schrecken, in dem blinden Spiegel erfüllt sie deine Bitte. Sie weiß nicht, was sie tut, doch in dem blinden Spiegel gelingt es ihr. Die Angst wird furchtbar, und die Schmerzen beginnen endlich wieder zu jubeln. Und eh du schreist, weißt du das Wiegenlied: Schlaf, Kindlein, schlaf! Und eh du schreist, stürzt dich der Spiegel die finsteren Treppen wieder hinab und läßt dich gehen, laufen läßt er dich. Lauf nicht zu schnell.

Heb lieber deinen Blick vom Boden auf, sonst könnt' es sein, daß du da drunten an den Planken um den leeren Bauplatz in einen Mann hineinläufst, in einen jungen Mann, der seine Mütze dreht. Daran erkennst du ihn. Das ist derselbe, der zuletzt an deinem Sarg die Mütze gedreht hat, da ist er schon wieder! Da steht er, als wäre er nie weggewesen, da lehnt er an den Planken. Du fällst in seine Arme. Er hat schon wieder keine Tränen, gib ihm von deinen. Und nimm Abschied, eh du dich an seinem Arm hängst. Nimm von ihm Abschied! Du wirst es nicht vergessen; wenn er es auch vergißt: Am Anfang nimmt man Abschied. Ehe man miteinander weitergeht, muß man sich an den Planken um den leeren Bauplatz für immer trennen. Dann geht ihr weiter. Es gibt da einen Weg, der an den Kohlenlagern vorbei zur See führt. Ihr schweigt. Du wartest auf das erste Wort, du läßt es ihm, damit dir nicht das letzte bleibt. Was wird er sagen? Schnell, eh ihr an der See seid, die unvorsichtig macht! Was sagt er? Was ist das erste Wort? Kann es denn so schwer sein, daß es ihn stammeln läßt, daß es ihn zwingt, den Blick zu senken? Oder sind es die Kohlenberge, die über die Planken ragen und ihm Schatten unter die Augen werfen und ihn mit ihrer Schwärze blenden? Das erste Wort – jetzt hat er es gesagt: es ist der Name einer Gasse. So heißt die Gasse, in der die Alte wohnt. Kann denn das sein? Bevor er weiß, daß du das Kind erwartest, nennt er dir schon die Alte, bevor er sagt, daß er dich liebt, nennt er die Alte. Sei ruhig! Er weiß nicht, daß du bei der Alten schon gewesen bist, er kann es auch nicht wissen, er weiß nichts von dem Spiegel. Aber kaum hat er's gesagt, hat er es auch vergessen. Im Spiegel sagt man alles, daß es vergessen sei. Und kaum hast du gesagt, daß du das Kind erwartest, hast du es auch verschwiegen. Der Spiegel spiegelt alles. Die Kohlenberge weichen hinter euch zurück, da seid ihr an der See und seht die weißen Boote wie Fragen an der Grenze eures Blicks, seid still, die See nimmt euch die Antwort aus dem Mund, die See verschlingt, was ihr noch sagen wolltet.

Von da ab geht ihr viele Male den Strand hinauf, als ob ihr ihn hinabgingt, nach Hause, als ob ihr wegliebt, und weg, als gingt ihr heim.

Was flüstern die in ihren hellen Hauben? »Das ist der Todeskampf!« Die laßt nur reden.

so393 Eines Tages wird der Himmel blaß genug sein, so blaß, daß seine Blässe glänzen wird. Gibt es denn einen anderen Glanz als den der letzten Blässe?

An diesem Tag spiegelt der blinde Spiegel das verdammte Haus. Verdammt nennen die Leute ein Haus, das abgerissen wird, verdammt nennen sie das, sie wissen es nicht besser. Es soll euch nicht erschrecken. Der Himmel ist jetzt blaß genug. Und wie der Himmel in der Blässe erwartet auch das Haus am Ende der Verdammung die Seligkeit. Vom vielen Lachen kommen leicht die Tränen. Du hast genug geweint. Nimm deinen Kranz zurück. Jetzt wirst du auch die Zöpfe bald wieder lösen dürfen. Alles ist im Spiegel. Und hinter allem, was ihr tut, liegt grün die See. Wenn ihr das Haus verlaßt, liegt sie vor euch. Wenn ihr durch die eingesunkenen Fenster wieder aussteigt, habt ihr vergessen.

Im Spiegel tut man alles, daß es vergeben sei.

Von da ab drängt er dich, mit ihm hineinzugehen. Aber in dem Eifer entfernt ihr euch davon und biegt vom Strand ab. Ihr wendet euch nicht um. Und das verdammte Haus bleibt hinter euch zurück. Ihr geht den Fluß hinauf, und euer eigenes Fieber fließt euch entgegen, es fließt an euch vorbei. Gleich läßt sein Drängen nach. Und in demselben Augenblick bist du nicht mehr bereit, ihr werdet scheuer. Das ist die Ebbe, die die See von allen Küsten wegzieht. Sogar die Flüsse sinken zur Zeit der Ebbe. Und drüben auf der anderen Seite lösen die Wipfel endlich die Krone ab. Weiße Schindeldächer schlafen darunter.

Gib acht, jetzt beginnt er bald von der Zukunft zu reden, von den vielen Kindern und vom langen Leben, und seine Wangen brennen vor Eifer. Sie zünden auch die deinen an. Ihr werdet streiten, ob ihr Söhne oder Töchter wollt, und du willst lieber Söhne. Und er wollte sein Dach lieber mit Ziegeln decken, und du willst lieber – – – aber da seid ihr den Fluß schon viel zu weit hinauf gegangen. Der Schrecken packt euch. Die Schindeldächer auf der anderen Seite sind verschwunden, da drüben sind nur mehr Auen und feuchte Wiesen. Und hier? Gebt auf den Weg acht. Es dämmert – so nüchtern, wie es nur am Morgen dämmert. Die Zukunft ist vorbei. Die Zukunft ist ein Weg am Fluß, der in die Auen mündet. Geht zurück!

Was soll jetzt werden?

Drei Tage später wagt er nicht mehr, den Arm um deine Schultern zu legen. Wieder drei Tage später fragt er dich, wie du heißt, und du fragst ihn. Nun wißt ihr voneinander nicht einmal mehr den Namen. Und ihr fragt auch nicht mehr. Es ist schöner so. Seid ihr nicht zum Geheimnis geworden?

Jetzt geht ihr endlich wieder schweigend nebeneinander her. Wenn er dich jetzt noch etwas fragt, so fragt er, ob es regnen wird. Wer kann das wissen? Ihr werdet immer fremder. Von der Zukunft habt ihr schon lange zu reden aufgehört. Ihr seht euch nur mehr selten, aber noch immer seid ihr einander nicht fremd genug. Wartet, seid geduldig. Eines Tages wird es so weit sein. Eines Tages ist er dir so fremd, daß du ihn auf einer finsteren Gasse vor einem offenen Tor zu lieben beginnst. Alles will seine Zeit. Jetzt ist sie da.

»Es dauert nicht mehr lang«, sagen die hinter dir, »es geht zu Ende!«

Was wissen die? Beginnt nicht jetzt erst alles?

Ein Tag wird kommen, da siehst du ihn zum erstenmal. Und er sieht dich. Zum erstenmal, das heißt: Nie wieder. Aber erschreckt nicht! Ihr müßt nicht voneinander Abschied nehmen, das habt ihr längst getan. Wie gut es ist, daß ihr es schon getan habt!

Es wird ein Herbsttag sein, voller Erwartung darauf, daß alle Früchte wieder Blüten werden, wie er schon ist, der Herbst, mit diesem hellen Rauch und mit den Schatten, die wie Splitter zwischen den Schritten liegen, daß du die Füße daran zerschneiden könntest, daß du darüberfällst, wenn du um Äpfel auf den Markt geschickt bist, du fällst vor Hoffnung und vor Fröhlichkeit. Ein junger Mann kommt dir zu Hilfe. Er hat die Jacke nur lose umgeworfen und lächelt und dreht die Mütze und weiß kein Wort zu sagen. Aber ihr seid sehr fröhlich in diesem letzten Licht. Du dankst ihm und wirfst ein wenig den Kopf zurück, und da lösen sich die aufgesteckten Zöpfe und fallen herab. »Ach«, sagt er, »gehst du nicht noch zur Schule?« Er dreht sich um und geht und pfeift ein Lied. So trennt ihr euch, ohne einander nur noch einmal anzuschauen, ganz ohne Schmerz und ohne es zu wissen, daß ihr euch trennt. Jetzt darfst du wieder mit deinen kleinen Brüdern spielen, und du darfst mit ihnen den Fluß entlanggehen, den Weg am Fluß unter den Erlen, und drüben sind die weißen Schindeldächer wie immer zwischen den Wipfeln. Was bringt die Zukunft? Keine Söhne. Brüder hat sie dir gebracht, Zöpfe, um sie tanzen zu lassen, Bälle, um zu fliegen. Sei ihr nicht böse, es ist das Beste, was sie hat. Die Schule kann beginnen.

Noch bist du wenig groß, noch mußt du auf dem Schulweg während der großen Pause in Reihen gehen und flüstern und erröten und durch die Finger lachen. Aber warte noch ein Jahr, und du darfst wieder über die Schnüre springen und nach den Zweigen haschen, die über die Mauern hängen. Die fremden Sprachen hast du schon gelernt, doch so leicht bleibt es nicht. Deine eigene Sprache ist viel schwerer. Noch schwerer wird es sein, lesen und schreiben zu lernen, doch am schwersten ist es, alles zu vergessen. Und wenn du bei der ersten Prüfung alles wissen mußtest, so darfst du doch am Ende nichts mehr wissen. Wirst du das bestehen? Wirst du still genug sein? Wenn du genug Furcht hast, um den Mund nicht aufzutun, wird alles gut.

Du hängst den blauen Hut, den alle Schulkinder tragen, wieder auf den Nagel und verläßt die Schule. Es ist wieder Herbst. Die Blüten sind lange schon zu Knospen geworden, die Knospen zu nichts und nichts wieder zu Früchten. Überall gehen kleine Kinder nach Hause, die ihre Prüfung bestanden haben, wie du. Ihr alle wißt nichts mehr. Du gehst nach Hause, dein Vater erwartet dich, und die kleinen Brüder schreien so laut sie können und zerren an deinem Haar. Du bringst sie zur Ruhe und tröstest deinen Vater.

Bald kommt der Sommer mit den langen Tagen. Bald stirbt deine Mutter. Du und dein Vater, ihr beide holt sie vom Friedhof ab. Drei Tage liegt sie noch zwischen den knisternden Kerzen, wie damals du. Blas alle Kerzen aus, eh sie erwacht! Aber sie riecht das Wachs und hebt sich auf die Arme und klagt leise über die Verschwendung. Dann steht sie auf und wechselt ihre Kleider.

Es ist gut, daß deine Mutter gestorben ist, denn länger hättest du es mit den kleinen Brüdern allein nicht machen können. Doch jetzt ist sie da. Jetzt besorgt sie alles und lehrt dich auch das Spielen noch viel besser, man kann es nie genug gut können. Es ist keine leichte Kunst. Aber das schwerste ist es noch immer nicht.

Das schwerste bleibt es doch, das Sprechen zu vergessen und das Gehen zu verlernen, hilflos zu stammeln und auf dem Boden zu kriechen, um zuletzt in Windeln gewickelt zu werden. Das schwerste bleibt es, alle Zärtlichkeiten zu ertragen und nur mehr zu schauen. Sei geduldig! Bald ist alles gut. Gott weiß den Tag, an dem du schwach genug bist.

Es ist der Tag deiner Geburt. Du kommst zur Welt und schlägst die Augen auf und schließt sie wieder vor dem starken Licht. Das Licht wärmt dir die Glieder, du regst dich in der Sonne, du bist da, du lebst. Dein Vater beugt sich über dich.

»Es ist zu Ende –« sagen die hinter dir, »sie ist tot!«
Still! Laß sie reden!

(1952)

WOLFGANG HILDESHEIMER

Das Atelierfest

Seit einiger Zeit findet in dem Atelier neben meiner Wohnung ein rauschendes Fest statt. Ich habe mich an diesen Umstand gewöhnt, und das Rauschen stört mich gewöhnlich nicht mehr. Aber manchmal, da gibt es Höhepunkte, da tobt es, und ich sehe mich veranlaßt, beim Hauswirt Beschwerde einzulegen. Nachdem ich das mehrmals getan hatte, kam er eines Abends, um sich selbst von dem Lärm zu überzeugen. Aber wie es eben so ist – zu diesem Zeitpunkt hatte eine ruhige Periode eingesetzt, und die Folge war, daß der Hauswirt meine Klage als unberechtigt zurückwies. Ich hoffte, ihn vielleicht auf optischem Wege von dem unhaltbaren Zustand überzeugen zu können: Zu diesem Zweck öffnete ich den Kleiderschrank und ließ ihn durch eine Ritze in der Rückwand einen Blick auf das Fest werfen. Denn hinter dem Schrank befindet sich ein Loch in der Mauer von der Größe eines Bullauges in einer Kabine zweiter Klasse. Er sah eine Weile hindurch, aber alles, was er von sich gab, als er aus dem Schrank stieg, war ein Grunzen der Kenntnisnahme. Dann ging er, und als ich einige Stunden später – als es nämlich wieder tobte – durch das Loch sah, war der Hauswirt ein überzeugter Teilnehmer des Atelierfestes.

Ein wenig verstört ging ich im Wohnzimmer auf und ab, aber wie immer bei solchen Anlässen erschwerte mir die strenge, unverrückbare Anordnung der Gegenstände meinen Pendelweg. Schon bei leichtem Anstoß klirrte das Bleikristall in den Regalen, der Teakholztisch wackelte, obgleich ich dauernd Zigarettenschachteln unter die Füße lege, und die leichtfüßige finnische Vase kippt bei geringster Gelegenheit um, als sei das ihre Funktion. Schließlich blieb ich vor dem Druck von Picassos ›Blauer Jugend‹ stehen. Wie großartig, dachte ich, sind doch diese originalgetreuen Wiedergaben, wie raffiniert die moderne Reproduktionstechnik. Auf diese und ähnliche Art werden nämlich nach solchen Ärgernissen meine Gedanken in andere Bahnen geleitet, und besänftigt, wenn nicht gar geläutert, gehe ich dann zum Kühlschrank, um ein Glas kalten Pfefferminztee zu genießen, ein vorzügliches Getränk für solche Zustände: Jeder kleine Schluck bestätigt, daß ich im Kampf gegen die Auflehnung wieder einmal den Sieg davongetragen habe. Danach lege ich gewöhnlich, wenn auch nicht immer, eine Patience.

Denn in dieser Wohnung, die ich schon lange als meine eigene betrachte, scheinen sich die Bräuche durch meine Übernahme nicht geändert zu haben. Sie haften an Einrichtung und Ausstattung. Die Atmosphäre bedingt die Handlungen der Bewohner, und oft habe ich gar das Gefühl, ich müsse in irgendein sachliches Büro gehen, jedoch die Ausführung dieses Gedankens scheitert an meiner mangelnden Entschlußkraft; zudem weiß ich nicht, welcher Art das Büro sei. Aber es ist schließlich noch nicht aller Tage Abend, wie ich oft – wenn auch vielleicht nicht ganz richtig – zu mir selber sage.

Immer seltener schaue ich durch das Loch. Ich bemerke, daß der Menschenbestand drüben wechselt. Gäste, die am Anfang dabei waren, sind inzwischen gegangen, andere dafür gekommen. Manche scheinen sich sogar verdoppelt zu haben, wie zum Beispiel der Dichter Benrath, den ich ständig an zwei Stellen zu gleicher Zeit zu sehen vermeine: eine seltsame, beinahe tendenziöse Augentäuschung! Ich bemerke, daß Gerda Stoehr sich die Haare gefärbt hat – vielleicht mit Farben, die ehemals mir gehörten; ich erkenne die Halldorff, die ich zum letztenmal vor acht Jahren als Maria Stuart gesehen habe (übrigens ein unvergeßlicher Eindruck!), Frau von Hergenrath ist gegangen – vielleicht ist sie inzwischen gestorben? –, aber der Glaser, ja, der ist immer noch – und war auch die ganze Zeit – dabei.

Er war dabei an jenem Nachmittag, als das Atelier noch mir gehörte, jenem denkwürdigen Nachmittag, als ich nach einer langen, unfruchtbaren Periode wieder anfangen wollte, zu malen. Er wechselte einige zerbrochene Fensterscheiben aus und hämmerte leise vor sich hin. Meine Frau lag im Nebenzimmer und schlief; draußen regnete es: Die Stimmung ist mir noch gegenwärtig. Im Vorgefühl, nun nach Wochen des Suchens einer Eingebung auf der Spur zu sein, mischte ich vergnügt die Farben und erfreute mich am würzigen Durft der Emulsionen.

Der Glaser glaste still und schwieg: Er würde nicht stören, so dachte ich. Aber als ich die Leinwand auf die Staffelei stellte, sagte er: »Ich male auch.« – »So«, sagte ich kühl, vielleicht habe ich auch »ach« gesagt, jedenfalls war mein Kommentar einsilbig.

»Ja«, fuhr er dennoch ermuntert fort, »Bergmotive in Wasserfarben. Aber nicht so modern wie diese Sachen, wo man nicht weiß, was oben oder unten ist. Ich male, was ich sehe.« Er sprach mit der aggressiven Autorität des Amateurs. »Kennen Sie den Land-schaftsmaler Linnertsrieder? Ich male so wie der.«

Ich sagte, daß ich diesen Landschaftsmaler nicht kenne, und beschloß, nun doch mit dem Beginn der Arbeit zu warten, bis der Glaser sich entfernt habe. Denn ich kannte diesen schmalen Stimmungsgrat: wenn ich meiner Reizbarkeit freie Bahn ließe, würde sofort die Konzeption meines Bildes ins Wanken geraten. Ich setzte mich in einen Sessel, zündete mir eine Zigarette an und versuchte, den kommenden Schaffensakt vor mir herzuschieben.

Aber bevor der Glaser mit seiner Arbeit fertig war, kam Frau von Hergenrath. Ich hörte auf zu schieben und unterdrückte einen Atemstoß der Resignation. Es galt, Ruhe zu bewahren: Sie war eine Mäzenin, die Wesentliches zu meinem Lebensunterhalt beitrug. Denn die Kunst geht nach Brot, wie jedermann, der nichts davon versteht, oft und gern versichern wird.

»Ich komme«, sagte die Gute, »um mich nach Ihnen umzuse-hen.« Dabei sah sie sich um, als suche sie mich zwischen den Bildern. »Ich höre, Sie gehen durch eine unfruchtbare Periode.«

Ich war nun wahrhaftig nicht geneigt, mich mit Frau von Hergenrath über die Tücken meiner Muse zu unterhalten. Daher versicherte ich ihr, das Gegenteil sei der Fall, ich erfreue mich voller Schaffenskraft, wobei ich mit vitaler Geste auf die umherste-henden Bilder als Zeugen wies. Sie waren zwar alt, und Frau von Hergenrath hatte sie alle bereits mehrere Male gesehen, aber ich konnte mich auf ihr mangelhaftes Gedächtnis verlassen. In der Tat erkannte sie die Bilder nicht und ging mit frischer, unsachlicher Kritik daran, indem sie mehr als einmal das Gegenteil dessen äußerte, was ich als ihre frühere Meinung in Erinnerung hatte. Etwas gequält, wie immer bei solchen Anlässen, hörte ich ihr zu. Aber wenigstens war der Glaser verstummt. Er hatte schweigend das Hämmern wieder aufgenommen. Ich stellte fest, daß der Regen nachgelassen hatte. Die Zeit stand still.

Dieser einschläfernde Nachmittag nahm eine jähe Wendung, als Engelhardt plötzlich ins Zimmer stürzte, Engelhardt, der unaus-stehliche Gesellschafter mit seiner tödlichen Herzlichkeit, dem man aber nicht böse sein darf, denn wie reifer Camembert ist er unter seiner unangenehmen Schale weich, was ihn letzten Endes noch unausstehlicher macht. Das auch noch! Ich zuckte zusammen bei dem Gedanken an den Schulterschlag, den er mir gleich geben würde. Er küßte Frau von Hergenrath die Hand, stürzte sich dann auf mich und schlug zu. Dabei rief er zuerst etwas mit »alter Knabe« und fragte dann: »Was macht die Kunst?«

»Na ja! Es geht«, sagte ich. Die Antwort auf solche Fragen variierte ich von Fall zu Fall nur gering. Es war mir niemals gelungen, eine Entgegnung zu finden, die zugleich kurz und erschöpfend ist, und es war auch nicht nötig, denn die Fragesteller schienen stets mit diesen vagen Worten zufrieden zu sein.

»Ich sehe«, fuhr dieser Mensch fort, indem er sich Frau von Hergenrath bei der Besichtigung einiger besonders schwacher Frühwerke anschloß, »die Muse küßt dich unentwegt. Das wollen wir begießen.« Er zog eine Flasche Kognak aus der Rocktasche. In seiner Fähigkeit, sein einziges Ziel im Leben – die sogenannte Hochstimmung – zu verwirklichen, war er wahrhaftig beneidenswert. »Ein begabter Hund, was?« fragte er Frau von Hergenrath. Er meinte mich. Ich war damit beschäftigt, Gläser zu holen, sah daher nicht, ob er sie dabei – wie es seine Art war – in die Seite puffte.

Hier stieß meine Frau zu uns. Das Geräusch des Entkorkens weckt sie immer, weckt sie selbst auf einige Entfernung, es wirkt, wo Küchenwecker versagen. Sie wandelte auf uns zu und begrüßte uns verhalten. Ich hatte das Gefühl, daß sie außer mir niemanden so recht erkannte: Es wurde ihr immer ein wenig schwer, sich nach dem Mittagsschlaf im Leben zurechtzufinden, aber nach einigen Glas Schnaps gewann sie ihre – oft eigenwillige – Perspektive wieder. Engelhardt reichte ihr ein großzügiges Maß. Dann wollte er Frau von Hergenrath einschenken; sie aber legte ihre flache Hand auf das Glas und sagte, sie trinke niemals um diese Zeit. Diese Feststellung enthielt natürlich eine Spitze, auf mich gerichtet: Ein Mäzenat, dessen Nutznießer am hellichten Tag außerkünstlerischer Tätigkeit nachgehe, sei zu überprüfen! Aber diese Feinheit nahm Engelhardt nicht wahr. Unter Anwendung seiner spaßigen Überredungskunst gelang es ihm, sie zu einem sogenannten halben Gläschen zu bewegen. Damit war die Basis zur Überschreitung ihrer Vorsätze geschaffen, und hiernach sprach sie, wie man sagt, dem Kognak eifrig zu.

Leider gelang es mir nicht, Engelhardt daran zu hindern, auch dem Glaser einen Schluck anzubieten. Dieser hatte bis dahin sinnlos vor sich hingehämmert, obgleich er längst mit seiner Arbeit fertig sein mußte. Es gefiel ihm hier. Auf Engelhardts Aufforderung hin kam er nun zum Tisch, sagte: »Ich bin so frei«, und kippte sich – man kann es nicht anders ausdrücken – die Flüssigkeit in den Hals. »Ich male auch«, sagte er daraufhin zu Engelhardt, gleichsam um die Aufnahme in unseren Kreis als gerechtfertigt erscheinen zu lassen. »Wer malt nicht?« fragte dieser albern, aber damit konnte der Glaser nichts anfangen und verwikkelte meine Frau in ein – freilich einseitiges – Gespräch über Kunst.

So saßen wir denn, als sich die Tür öffnete und ein mir fremdes Paar – vermutlich ein Ehepaar – eintrat. Da meine Frau über dem Getränk ihre Pflichten als Gastgeberin vergessen hatte, stand ich auf und begrüßte die beiden so freundlich, wie es mir unter den Umständen gegeben war. Der Mann stellte sich vor – den Namen verstand ich nicht; ich habe beim Vorstellen noch niemals einen Namen verstanden; denn jeder Name trifft mich unvorbereitet – und sagte, er käme mit einer Empfehlung von Hébertin in Paris. »Aha, Hébertin«, sagte ich und nickte, als sei mir die mit ihm verbrachte Periode meines Lebens gegenwärtig; dabei hatte ich noch nie von ihm gehört. Ich stellte das Paar meiner Frau und den anderen vor, indem ich einige Vokale murmelte, die ich in ihrem Namen gehört zu haben glaubte, und betonte dabei die Empfehlung von Hébertin, aber dieser schien bei niemandem eine Gedankenverbindung hervorzurufen. Meine Frau holte Gläser, Engelhardt zog eine zweite Flasche aus einer anderen Rocktasche, und schon war das Paar mit von der Partie.

Irgendwie war die Situation außer Kontrolle geraten. Erstens beunruhigte mich der Anblick dieses Glasers; er hatte seine Hand auf Frau von Hergenraths Arm gelegt und erklärte ihr soeben, daß er das male, was er sehe, aber sie hörte nicht zu, sondern trällerte leise. Zweitens hatte mich ein Gefühl hilfloser Melancholie ergriffen. Die Vision des geplanten Bildes war in sich zusammengestürzt, die Muse verhüllten Gesichtes geflohen; sie hatte nichts zurückgelassen als einen tantalisierenden Terpentinduft. Ich sah auf das unbekannte Paar. Beide rauchten Zigarre. Sie schienen sich wohl zu fühlen. Die Frau erzählte soeben meiner Frau, daß Hébertin in die Rue Marbeau gezogen sei und immer noch – leider – seiner alten Angewohnheit fröne. Dem Mienenspiel der Frau nach zu urteilen, mußte es sich um etwas Schlimmeres als Rauschgift handeln.

Inzwischen hatte Engelhardt, der Herr der Situation, noch mehrere Leute angerufen – er selbst nannte diesen Akt: ›Zusammentrommeln‹ – und ihnen erklärt, bei mir sei ein Fest im Gange. Er forderte sie auf, zu kommen und Freunde, Verwandte, vor allem aber Flaschen möglichst potenten Inhalts mitzubringen. Nur mit Mühe gelang es mir, den Glaser davon abzuhalten, das gleiche zu tun. Ich klopfte ihm freundschaftlich auf die Schulter und erklärte ihm, daß, wenn zu viele Leute kämen, man gegenseitig nichts mehr voneinander habe; denn das Wesentliche jeder Geselligkeit

sei doch schließlich das ›Gespräch‹. Überraschenderweise leuchtete ihm das ein.

Zuerst kam Gerda Stoehr, flankiert von zwei älteren Herren,
untadelig, mit Stil, geborene Beschützer, beide. Befremdet sahen
sie sich um. Aber als ihr wuscheliger Schützling meine Frau in
Kindersprache begrüßte, lächelten sie einander bestätigend zu,
und der Prozeß des Auftauens begann, der nun vor nichts und
niemandem mehr haltmachte.

Und dann brach der laute Schwarm der Gäste herein, jeder mit
einer oder mehreren Flaschen beladen. Einige unter ihnen kannte
ich, so zum Beispiel Vera Erbsam, eine intime Busenfeindin
meiner Frau, die mir immer Augen gemacht hat, bis ich ihr eines
Tages erzählte, daß mein Vater eine Dampfbäckerei in Dobritz-
burg betriebe; seitdem sah sie mich nur noch argwöhnisch an.
Trotzdem war sie gekommen und hatte einen jungen Mann
mitgebracht, den ich ebenfalls oberflächlich kannte, einen Asses-
sor oder Referendar, wenn das nicht überhaupt das gleiche ist. Er
sah aus wie ein Bräutigam, vermutlich war er der ihre. Dann war da
ein Filmschauspielerehepaar rätselhafter Herkunft, sie hießen de
Pollani, aber wohl nicht wirklich, waren wohl in Wirklichkeit auch
kein Ehepaar. Ich hatte die Frau einmal gemalt, bei welcher
Gelegenheit sie ihre Sonnenbrille abgenommen hatte. Ich hörte
Engelhardt, der inzwischen die Rolle des Gastgebers übernommen
hatte, Frau de Pollani mit ›Darling‹ anreden, womit er das Panora-
ma der Welten, auf deren Boden er sich mit Sicherheit bewegte, um
einen weiteren Ausschnitt vergrößerte.

Es ist unnötig, hier weiter auf andere Gäste als Individuen
einzugehen. Um der Stimmung gerecht zu werden, genügt es, zu
sagen, daß noch vor Anbruch der Nacht der Gästekörper eine
homogene Masse war, in welcher dauernd nüchterne Neuankömmlinge untertauchten, um beinahe sofort Glieder der Allge-
meinheit zu werden. »Das ganze Leben müßte ein Atelierfest
sein«, hörte ich nicht weit von mir einen jungen Kollegen sagen.
»Das ganze Leben ist ein Atelierfest«, sagte der Bärtige neben ihm.
Er war Kunstkritiker. Mir fiel ein, daß ich ihn diesen Abend zum
Essen eingeladen hatte, aber er schien sich mit der veränderten
Situation abgefunden zu haben. Er stand da, lächelte versonnen in
sein Glas und tippte dauernd mit der Schuhspitze an den fetten
Schmitt-Holweg, der kolossal und trunken am Boden lag. Er war
Bildhauer, trug seine Berufung mit schmerzlicher Erbitterung, der
er lallend Ausdruck verlieh, und sah aus, als habe Rabelais ihn im
Rausch erfunden.

Kurz vor Mitternacht wurde ich an die Wand gedrückt, und zwar mit dem Gesicht zur Mauer. Ein bacchantischer Zug wälzte sich an mir vorbei und machte es mir unmöglich, vermittels einer halben Drehung mich wenigstens auf meine eigenen Bilder setzen zu können. In dieser verzweifelten Lage entdeckte ich einen Hammer in der Tasche meines Nebenmannes. Es war der Glaser. Ich rief: »Gestatten Sie einen Augenblick« – obgleich Höflichkeit hier völlig fehl am Platz war; denn man konnte sich kaum noch verständlich machen –, nahm ihm den Hammer aus der Tasche und begann damit die Wand aufzuhauen.

Da ich hinten nicht weit ausholen durfte, um die Gäste nicht zu gefährden, war diese Arbeit anstrengend und ging recht langsam von der Hand. Zuerst bröckelte der Putz in kleinen Scheiben ab, dann lockerte sich der Beton, der als Kies und Sand abfiel und bald mir zu Füßen einen Haufen bildete. Die Gesellschaft hinter mir schien einen Höhepunkt erreicht zu haben, aber es kümmerte mich nicht. Aus der Ecke an der anderen Seite hörte ich durch den trunkenen Lärm eine Frauenstimme ein anstößiges Lied singen. Unter gewöhnlichen Umständen wäre mir das wegen Frau von Hergenrath peinlich gewesen, aber nun, da ich im Begriff war, aus dem Atelier zu schlüpfen, war es mir gleichgültig. Übrigens erkannte ich auch bald, daß es Frau von Hergenrath war, die sang: Offensichtlich besaß sie Eigenschaften, von denen ich nichts geahnt hatte, da sie wohl auch einer gewissen Entfesselung bedurften, um voll hervortreten zu können.

Das Loch wuchs. Nach einiger Zeit stieß ich auf der anderen Seite durch und konnte mit Hilfe des einbrechenden Lichtkegels die Lage im Schlafzimmer meiner Nachbarn überblicken. Sie hießen Gießlich, heißen wohl immer noch so und sind auch in gewissem Sinne wieder meine Nachbarn. Es waren modern einge-stellte, dabei rechtschaffene Leute, aber diese letztere Eigenschaft hat sich nun wohl ein wenig geändert – und zwar zugunsten der ersten Eigenschaft –, und ich will meine Schuld daran nicht leugnen.

Beide hatten sich in den Betten aufgerichtet, schalteten das Licht an und begrüßten mich erstaunt, aber nicht unfreundlich; ja, ich muß sagen, sie legten eine gewisse liebevolle Nachsicht zur Schau, wie sie Künstler nur selten von seiten bürgerlicher Mitmenschen erfahren, vor allem in solch ungewöhnlichen Situationen. Viel-leicht waren sie sich beim Erwachen sofort ihrer Modernität bewußt geworden. Ich grüßte aus Verlegenheit zunächst nur kurz und hämmerte weiter, bis die Öffnung die Ausmaße erreicht hatte, die sie auch jetzt noch hat. Dann fragte ich etwas unbeholfen: »Darf ich näher treten?« und schob mich, ohne die Antwort abzuwarten, hindurch.

Nachdem ich mir mit der Hand den Betonstaub von den Schultern gebürstet hatte, um diesen nächtlichen Auftritt nicht allzu improvisiert erscheinen zu lassen, sagte ich: »Bitte, entschuldigen Sie die Störung zu so später Stunde; aber ich bin gekommen, um Sie zu einem Atelierfest einzuladen, das heute nacht bei mir stattfindet.« Pause. »Es geht sehr lustig zu.«

Die Gießlichs sahen einander an, eine Reaktion, der ich mit Erleichterung entnahm, daß meine Einladung als Gegenstand der Erörterung gelten durfte. Ich wollte sofort wieder einhaken, aber da sagte Herr Gießlich mit einem, wie mir schien, etwas süßlichen Lächeln, daß er mir zwar für die freundliche Einladung danke, aber daß ein Ehepaar in ihren Jahren, wenn auch modern eingestellt, doch wohl kaum mehr so recht in eine Versammlung von Menschen gehöre, deren gemeinsame Lebensaufgabe – nämlich die Kunst – auch ein gemeinsames Schicksal bedinge, welches sie – die Gießlichs – nun einmal nicht teilen. Aber gerade, sagte ich, Künstler haben ja eben die Eigenschaft, jeden Außenstehenden sogleich spüren zu lassen, daß er bei ihnen zu Hause sei; außerdem gäbe es bei mir da drüben eine bunte Mischung von Gästen, von adeligen Mäzenen bis zu einfachen Handwerkern. Ich entfaltete zum erstenmal in dieser Nacht eine gewaltige Beredsamkeit, mit der ich auch schließlich die Gießlichs für das Fest zu erwärmen vermochte, ja, es gelang mir sogar, sie zu überreden, sich nicht erst anzuziehen und in Nachtgewändern hinüberzuschlüpfen, indem ich sagte, drüben seien alle recht leicht bekleidet. Das war zwar eine Lüge, aber ich verspürte das wachsende Bedürfnis, nun endlich allein zu sein.

Sie standen von ihren Betten auf. Herr Gießlich hatte einen gestreiften Pyjama an, sie trug ein Nachthemd. Er half ihr in den Morgenrock wie in einen Abendmantel und lief, nun schon ungeduldig, auf und ab, während sie sich vor ihrem Toilettenspiegel das Haar kämmte. Es war mir also tatsächlich gelungen, in ihnen Feuer und Flamme zu entfachen; nachträglich fragte ich mich, welche der Verlockungen wohl den Ausschlag gegeben hatte: die menschenfreundlichen Eigenschaften der Künstler? Oder die Gegenwart adliger Mäzene? Wenn ich durch das Loch schaue, denke ich allerdings, daß es wohl doch die Sache mit der leichten Bekleidung war, die in erschreckendem Maße zur Wahrheit wird.

Zuerst zwängte sich Herr Gießlich durch das Loch. Er muß drüben sofort festen Fuß gefaßt haben; denn er reichte von dort galant seiner Frau die Hand, als helfe er ihr, die hohen Stufen einer Droschke zu erklimmen. Ich mußte an meiner Seite zupacken; denn Frau Gießlichs Umfang war beträchtlich, ist es übrigens heute noch. Aber auch sie hatte sicheren Boden erreicht. Ich war allein.

Unter einigem Kraftaufwand schob ich den schweren Kleiderschrank vor das Loch, wo er heute noch steht. Nun wurde es wesentlich ruhiger; denn die Kleider im Schrank dämpften den Schall. Zudem war vielleicht auch Ermattung auf dem Fest eingetreten, eine ruhigere Periode zwischen zwei Höhepunkten.

Erschöpft ließ ich mich auf eines der beiden Betten sinken und versuchte meine Situation zu überdenken, aber ich war zu müde und kam über die Verarbeitung unmittelbarer Eindrücke nicht mehr hinaus, hatte schließlich auch einen anstrengenden Abend hinter mir. Von weitem hörte ich das Pfeifen einer Lokomotive, und ich weiß noch, daß ich froh war, nun über dem Rauschen des Festes nebenan – im Augenblick schien es nicht mehr als ein Summen – andere Geräusche wahrnehmen zu können. Durch die Vorhänge sah ich, daß es heller wurde, also die Tageszeit anbrach, zu der ich, wenn ich wach bin, einer langen Bahn von Bildern, von Erinnerungen bis zu trüben Ahnungen entlanggleite. Dazwischen hörte ich das Krähen eines Hahnes; die einzige Funktion des Federviehs, die ihm Anspruch auf poetische Verarbeitung gibt, dachte ich und merkte, daß, wie so oft in ungewohnten Lagen, meine Gedanken sich selbständig machten. Darauf schlief ich ein. Am späten Nachmittag erwachte ich. Ich sah durch das Loch. Da war das Fest noch in vollem Gange, und ich wußte, daß es nun für immer weitergehen würde.

(1952)

ERNST JÜNGER

Die Eberjagd

Die Schützen hatten sich längs der Schneise aufgestellt. Der Fichtenschlag stand hinter ihnen mit schwarzen Zacken; die Zweige berührten noch den Grund. Vergilbtes Waldgras war in sie eingeflochten und hielt sie am Boden fest. Das machte den Eindruck, als ob dunkle Zelte aufgeschlagen wären, Herbergen gegen Sturm und Kälte im tief verschneiten Land. Ein Gürtel von fahlem Schilf verriet den Graben, der unter dem Schnee verborgen war.

Das Waldstück grenzte an das Fürstliche. Es war im Sommer schwül und stickig, und Schwärme von Bremsen zogen die Lichtungen entlang. Im Herbst, wenn die Gespinste flogen, bedeckten Legionen von Pilzen den moosigen Grund. Die Beeren glänzten wie Korallen auf den Kahlschlägen.

Es hatte eben erst zu schneien aufgehört. Die Luft war köstlich, als ob die Flocken sie gefiltert hätten; sie atmete sich leichter und trug den Ton weithin, so daß man unwillkürlich flüsterte. Die frische Decke schien jede Vorstellung des Weißen zu übertreffen; man ahnte herrliche, doch unberührbare Geheimnisse.

Die besten Plätze waren dort, wo eine Schonung an die Schneise stieß. Kaum ragten die grünen Spitzen aus dem Schnee hervor. Hier war das Schußfeld ideal. Richard stand neben dem Eleven Breyer in einem Querschlag, auf dem sich die Zweige fast berührten, so daß kaum Ausblick war. Es war ein schlechter Platz, ein Stand für Anfänger. Doch war die Erwartung so stark geworden, daß er nicht mehr an Einzelheiten dachte, ja daß sogar sein Kummer sich auflöste. Er hatte bis zuletzt gehofft, daß der Vater ihm eine Büchse geben würde; das war die Erfüllung, auf die sein Dichten und Trachten gerichtet war. Er kannte keinen heißeren, keinen zwingenderen Wunsch. Er träumte von dem blauen Stahl der Waffe, von ihrer Nußbaumschäftung, von den Stecheichenblättern, die in das Metall graviert waren. Wie leicht sie war, wie handlich, und wunderbarer als alle Spielzeuge. Im Dunkel ihres Laufes glänzten die Züge in silberner Spirale auf. Wenn man sie spannte, gab sie ein trockenes Knacken von sich, als ergriffe die Zuverlässigkeit selbst das Wort, um das Herz zu erfreuen. Man konnte den Abzug durch einen Stecher verfeinern – dann war es, als ob ein Gedanke den Schuß entzündete. Daß dieses Kleinod, dieses Wunder, zugleich das Schicksal, den Tod in sich beschloß: das freilich ging über die Fantasie hinaus. Richard fühlte, daß in ihrem Besitze eine Ergänzung für ihn verborgen lag, eine vollkommene Veränderung. Bevor er einschlief, sah er sich zuweilen mit ihr nach Art der Wachträume im Walde – nicht etwa, um zu schießen, nein, nur um wie mit einer Geliebten mit ihr im Grünen sich zu ergehen. Es kam ihm dabei ein Wahrspruch in den Sinn, den er auf einem alten Zechkrug gelesen hatte, aus dem der Vater zuweilen einschenkte:

> Ich und du, wir beide
> Sind uns genug zur Freude.

Auch wenn ihm die Augen zugefallen waren, spannen sich die Bilder fort. Sie führten manchmal selbst zu Beängstigungen: er hatte die Waffe gespannt und wollte schießen, doch verhinderte ein böser Zauber, daß sie Feuer gab. Sein ganzer Wille heftete sich dann daran, doch seltsam, je mehr, je heftiger er ihn spannte, desto gründlicher verweigerte die Büchse ihm den Dienst. Er wollte schreien, doch die Stimme versagte ihm. Dann fuhr er aus dem Alpdruck auf. Wie glücklich war er, wenn er erkannte, daß ihn ein Traum genarrt hatte.

Am sechzehnten Geburtstag sollte ihm das Wunder zufallen. Es wurde ihm nicht leicht, sich zu gedulden, wenn er Jägerburschen oder Eleven wie diesen Breyer sah, der knapp zwei Jahre älter und kaum größer als Richard war. Jetzt aber war es so still und klar im Walde, daß dieses Zehrende und Drängende in ihm erlosch. Die Welt war feierlich verhüllt.

Ein feines Zirpen durchzog das Tannicht und entfernte sich. Das waren die Goldhähnchen, die winzigen Gelbschöpfe; sie fühlten sich in den dunklen Schlägen wohl, in denen sie die Zapfen abkleibten. Dann hallte vom Rand des Forstes ein Hornruf durch die weiße Welt. Das Herz begann zu klopfen; die Jagd ging an.

Von fern her kam Unruhe in den Dickichten auf. Im Maß, in dem sie sich verstärkte, nahm auch der Herzschlag zu. Die Treiber brachen in schweren Lederschürzen durch das Gezweig und klopften mit dem Axtholz an die Stämme; dazwischen hörte man ihre Rufe: »hurr-hurr, hurr-hurr, hurr-hurr«. Zuerst klang dieses Treiben fern und heiter, dann wurden die Stimmen gröber, gefährlicher. Sie klangen nach Pfeifenrauch, nach Obstbrand, nach Wirtshaushändeln und drängten sich in das Geheimnis des Waldes ein.

Jetzt hörte man das Rauschen und Rufen ganz in der Nähe, und dann ein Rascheln, das sich unterschied. Ein Schatten durchfuhr das Röhricht und wechselte in die andere Deckung, genau zwischen Richard und dem Eleven hindurch. Obwohl er wie ein Traumbild über die Blöße huschte, erfaßte Richard im Fluge die Einzelheiten: die Treiber hatten einen starken Keiler aus dem Lager aufgescheucht. Er sah ihn in einem Sprunge, wie von der Sehne geschossen, über den Weg fliegen. Das Vorderteil mit der mächtigen Brust lief keilförmig nach hinten zu. Die starken Rückenborsten, die der Weidmann Federn nennt, waren zum Kamm gesträubt. Richard hatte den Eindruck, daß ihn die kleinen Augen streiften; vor ihnen leuchteten die starken, gekrümmten Gewehre auf. Auch sah er die gebleckten Haderer, die dem Haupte den Ausdruck wütender Verachtung mitteilten. Das Wesen hatte etwas Wildes und Dunkelstruppiges, aber es war auch Röte, wie vom Feuer, dabei. Der dunkle Rüssel war absonderlich gebogen, ja fast geschraubt; er ließ den Ekel ahnen, mit dem dieser Freiherr die Nähe der menschlichen Verfolger und ihre Witterung empfand. Im Augenblick, in dem er die beiden wahrnahm, ließ er ein Schnarchen hören, doch wich er nicht aus der Bahn.

Im Nu war dieses Bild vorüber, doch prägte es sich mit traumhafter Schärfe ein. Der Eindruck blieb Richard für immer haften: Die Witterung von Macht und Schrecken, doch auch von Herrlichkeit. Er fühlte, daß er in den Knien wankte und daß er den Mund geöffnet hatte, doch brachte er keinen Laut hervor.

Genau so schien es den Eleven zu verstören; er war ganz blaß geworden und stierte dem Eber mit aufgesperrten Augen nach. Fast hätte das Untier ihn gestreift. Schon war es wieder im Grün verschwunden, als er die Büchse hochriß und ihm eine Kugel nachwarf, dorthin, wo noch die Zweige zitterten.

Im engen Dickicht dröhnte der Schuß betäubend wie ein Paukenschlag. Die beiden jungen Leute starrten sich wortlos an. Zwischen den Fichten haftete die strenge, rauschige Witterung des Keilers, sie mischte sich mit dem Geruch des Harzes und dem Pulverdunst, der sich verbreitete. Ein zweiter Hornruf ertönte; er blies das Treiben ab. Man hatte nur diesen einen Schuß gehört.

Dann kam Moosbrugger, der Förster, von der Schneise her gelaufen, dem das Jagdhorn am grünen Bande flatterte. Die Nase glühte ihm wie ein Karfunkel, und er mußte erst Atem schöpfen, ehe er zu fluchen begann. Er prüfte die Fährte und sah zu seinem

Ärger, daß die Sau nicht, wie erwartet, über die Schneise flüchtig geworden war, sondern hier am entlegenen Ort. Nun hatten der Graf und seine Gäste das Nachsehen gehabt. Das kränkte Moosbrugger persönlich, und Richard hatte den Eindruck, daß es ihm schwerfiel, den jungen Schützen nicht zu ohrfeigen. Wenn es sich um einen seiner Jägerburschen gehandelt hätte, dann hätte er es wohl getan. So begnügte er sich, die Zähne zu fletschen und den Eleven zu fragen:

»Wissen Sie, was Sie jetzt gemacht haben?«

Und als der Gefragte verlegen die Achseln zuckte:

»Ich will es Ihnen sagen: ein leeres Rohr haben Sie gemacht.«

Dabei stieß er ein teuflisches Lachen aus und wandte sich von neuem der Fährte zu. Richard fühlte sich nun ganz zufrieden mit der Rolle des Zuschauers, die er gespielt hatte. Der unglückliche Eleve hatte einen roten Kopf bekommen; es schien ihm unbehaglich in seiner Haut zu sein. Er murrte vor sich hin.

»Dem hats noch keiner recht gemacht. Wenn ich nicht geschossen hätte, würde er auch geraunzt haben.«

Er war indessen schuldbewußt. Erst hatte er sich durch das Grobschwein erschrecken lassen und dann ein Loch in die Luft gesengt. Mit gleicher Inbrunst, wie er bei sich gehofft hatte, daß die Sau an ihm vorüberwechseln möge, verwünschte er nun, daß sie ihm in die Quere gekommen war. Schon sah er den Waldgrafen und hinter ihm die Jagdgesellschaft von der Schneise her auf sich zuschreiten. Seine Verwirrung war so stark, daß sie sich auf Richard übertrug. Bei alledem war es noch günstig, daß der fürchterliche Moosbrugger im Gebüsch verschwunden war.

Im Augenblick, in dem der Jagdherr sie erreichte, erscholl die mächtige Stimme des Försters aus dem Dichicht:

»Sau tot! Sau tot!«

Dann blies er die Jagd aus, daß es weithin den Forst durchdrang. Die ganze Gesellschaft mit den Treibern folgte dem Hornruf und trat auf eine Lichtung, die hinter dem Fichtengürtel lag. Dort stand Moosbrugger neben dem Keiler, der im Neuschnee verendet war. Er war jetzt im vollen Triumph darüber, daß die Jagd gut ausgegangen war, und meldete dem Grafen noch einmal, während ein schreckliches Lachen sein Gesicht von einem Ohre bis zum anderen spaltete. Er hatte es natürlich gleich gewußt – nur zwei, drei Schnitthaare und Lungenschweiß – zum Teufel, die jungen Leute hatten bei ihm gelernt.

Alle umstanden nun im Oval die Beute, die Schützen mit umgehängter Büchse, die Treiber mit geschulterter Axt. Der Keiler lag auf dem weißen Bett wie schlafend, die kleinen Augen blickten die Bezwinger halb spöttisch an. Die Männer bewunderten das mächtige Haupt, das wie auf einem Kissen lag. Die scharfen Gewehre schimmerten in grimmiger Krümmung wie altes Elfenbein. Dort, wo der breite Hals ansetzte, starrten die Läufe, die Moosbrugger die Vorderhämmer nannte, steif in die Luft. Das dunkelborstige Vlies war rostig durchschossen, nur über den Rücken zog sich ein reinschwarzes Band. Immer noch breitete sich, an den Rändern verblassend, ein großer Blutfleck aus.

Bei diesem Anblick empfand Richard ein Bangen; fast schien es ihm unziemlich, daß sich hier die Augen an dem Erlegten weideten. Nie hatte ihn eine Hand berührt. Nun, nach dem ersten Staunen, packte man ihn an den Tellern und Läufen und wendete ihn hin und her. Der Knabe suchte sich gegen das Gefühl zu wehren, das in ihm aufstieg: daß ihm in diesem Augenblick der Eber näher, verwandter als seine Hetzer und Jäger war.

Nachdem sie die Beute bewundert und betastet hatten, entsannen sie sich des glücklichen Schützen, der sie gestreckt hatte. Der Graf brach einen Fichtenzweig, den er in den Anschuß tauchte, dann präsentierte er auf dem Kolben des Gewehres den blutbetauchten Bruch, während Moosbrugger Halali blies. Der junge Mann stand mit bescheidenem Stolz in ihrer Mitte und heftete das Reis an seinen Hut. Die Augen ruhten mit Wohlwollen auf ihm. Bei Hofe, im Krieg und unter Jägern schätzt man den glücklichen Zufall und rechnet ihn dem Manne zu. Das leitet eine Laufbahn günstig ein.

Sie ließen nun eine runde, mit Obstwasser gefüllte Flasche kreisen, aus welcher der Graf den ersten Schluck nahm und die er dann, nachdem er sich geschüttelt hatte, als Nächstem dem Eleven gab. Sie suchten jetzt alle mit ihm ein Wort zu wechseln, und er durfte nicht müde werden, zu berichten, wie ihm der Keiler begegnet war. Wirklich ein Kernschuß, das mußte der Neid zugeben. Er schilderte, wie er die Sau vernommen hatte und wie sie auf ihn zugesprungen war. Auch wie er nicht voll Blatt getroffen hatte, sondern etwas dahinter, weil sie im spitzen Winkel im Tann verschwunden war. Er hatte sie aber deutlich zeichnen gesehen. Moosbrugger lobte ihn über den grünen Klee.

Nur Richard war befangen, er hielt sich für den einzigen, der dem Vorgang nicht gewachsen war. Er hörte mit Erstaunen, daß Breyer ihn ganz anders wahrgenommen hatte, und mußte es glauben, denn dafür zeugte der Keiler, der vor ihm lag. Er lernte hier zum ersten Male, daß Tatsachen die Umstände verändern, die zu ihnen führten – das rüttelte an seiner idealen Welt. Das grobe Geschrei der Jäger bedrückte ihn. Und wieder schien ihm, daß ihnen der Eber hoch überlegen war.

Moosbrugger zog bedächtig sein Messer aus der Scheide und prüfte die Schärfe, indem er es über den Daumen strich. Man durfte selbst bei strengem Frost den Keiler nicht in der Schwarte lassen, dafür war er zu hitzig im Geblüt. Die Miene des Jägers wurde nun ganz altertümlich, durchleuchtet von einer Art von feierlichem Grinsen, das die tief eingegerbten Falten senkrecht zog. Er kniete sich auf einen Hinterlauf des Keilers und packte mit der Linken den anderen. Dann ritzte er die gespannte Decke mit der Schärfe an und schlitzte sie bis zum Brustbein auf. Zunächst entfernte er zwei Gebilde, die spiegelblauen Gänseeiern glichen, und warf sie, während die Treiber beifällig lachten, hinter sich:

»Die holt sich der Fuchs zum Nachtessen.«

Dann fuhr er behutsam einem Strange nach. Der scharfe Dunst, der das Tier umschwelte, wurde nun beizend; die Männer traten fluchend zurück. Moosbrugger wühlte mit beiden Händen in der Bauchhöhle und fuhr in den Brustkorb hinein, zog rotes und blaues Gescheide heraus, die edlen Eingeweide absondernd. Das Herz war vom Geschoß zerrissen; der Eber hatte mit dieser Wunde noch an neunzig Fluchten gemacht. Ein Jägerbursche schnitt den Pansen auf, um ihn im Schnee zu waschen; er war prall mit geschroteten Bucheckern gefüllt. Bald hatte sich der geschändete Leib in eine rote Wanne umgewandelt, aus der noch immer das Blut in die Frostluft emporrauchte.

Moosbrugger umschnürte den Oberkiefer hinter den Hauern mit einer Schlinge; die Treiber spannten sich davor und schleiften den borstigen Rumpf davon. Die Jäger entzündeten die Pfeifen und schlossen sich, behaglich plaudernd, dem Zuge an. Die Jagd war aus.

Das war der erste Abend, an dem Richard einschlief, ohne an das Gewehr gedacht zu haben; dafür trat nun der Eber in seinen Traum.

(1952)

SIEGFRIED LENZ

Ein Haus aus lauter Liebe

Sie hatten einen Auftrag für mich und schickten mich raus in die sehr feine Vorstadt am Strom. Ich war zu früh da, und ich ging um das Haus herum, ging die Sandstraße neben dem hüfthohen Zaun entlang. Es war sehr still, nicht einmal vom Strom her waren die tiefen, tröstlichen Geräusche der Dampfersirenen zu hören, und ich ging langsam und sah auf das Haus. Es war ein neues, strohgedecktes Haus, die kleinen Fenster zur Straßenseite hin waren vergittert, sie sahen feindselig aus wie Schießscharten, und keins der Fenster war erleuchtet. Ich ging einmal um das Haus herum, streifte am Zaun entlang, erschrak über das Geräusch und lauschte, und jetzt flammte ein Licht über der großen Terrasse auf, die ganze Südseite des Hauses wurde hell, auch im Gras blitzten zwei Scheinwerfer auf, leuchteten scharf und schräg in das Laub der Buchen hinauf, und das Haus lag nun da unter dem milden, rötlichen Licht, das aus den Buchen zurückfiel, still und friedlich.

Es war so still, daß ich den Summer hörte, als ich den Knopf drückte, und dann das Knacken in der Sprechanlage und plötzlich und erschreckend neben mir die Stimme, eine ruhige, gütige Stimme. »Kommen Sie«, sagte die gütige Stimme, »kommen Sie, wir warten schon«, und ich ging durch das Tor und hinauf zum Haus. Ich wollte noch einmal an der Tür klingeln, aber jetzt wurde sie mir geöffnet, tat sich leise auf, und ich hörte die gütige Stimme flüstern, flüsternde Begrüßung, dann trat ich ein, und wir gingen leise ins Kaminzimmer.

»Bitte setzen Sie sich«, sagte der Mann mit der gütigen Stimme, »nur zu, bitte, Sie sind jetzt hier zu Hause.«

Es war ein untersetzter, fleischiger Mann; sein Gesicht war leicht gedunsen, und er lächelte freundlich und nahm mir den Mantel ab und die Mappe mit den Kolleghehften. Dann kam er zurück, spreizte die kurzen, fleischigen Finger, nickte mir zu, nickte sehr sanft und sagte: »Es fällt uns schwer. Es fällt uns so schwer, daß ich schon absagen wollte. Wir bringen es nicht übers Herz, die Kinder abends allein zu lassen, aber ich konnte diesmal auch nicht absagen.«

»Ich werde schon achtgeben auf sie«, sagte ich.

»Sicher werden Sie achtgeben«, sagte er, »ich habe volles Vertrauen zu Ihnen.«

»Ich mache es nicht zum erstenmal«, sagte ich.

»Ich weiß«, sagte der Mann, »ich weiß es wohl; das Studentenwerk hat Sie besonders empfohlen. Man hat Sie sehr gelobt.« Er goß uns zwei Martini ein, und wir tranken, und während ich das Glas absetzte, spürte ich, wie ich erschauerte, aber ich wußte nicht wovor: sein Gesicht war freundlich, und er lächelte und sagte: »Vielleicht komme ich früher zurück; es ist ein Jubiläum, zu dem wir fahren müssen, ich will sehen, daß ich früher zurückkomme. Die Unruhe wird mich nicht bleiben lassen.«

»Es sind nur ein paar Stunden«, sagte ich.

»Das ist lange genug«, sagte er. »Ich kann von den Kindern einfach nicht getrennt sein, ich denke immer an sie, auch in der Fabrik denke ich an sie. Wir leben nur für unsere Kinder, wir kennen nichts anderes, meiner Frau geht es genauso. Aber Sie werden gut achtgeben auf sie, ich habe volles Vertrauen zu Ihnen, und vielleicht komme ich früher zurück.«

»Ich habe mich eingerichtet«, sagte ich, »ich habe meine Kolleghefte mitgebracht, und von mir aus können Sie länger bleiben.«

Er erhob sich, kippte den Rest des Martini sehr schnell hinunter, schaute zur Uhr und wischte sich mit dem Handrücken über den Mund. Sein Handrücken war breit und behaart, ich sah es, als er mir die Hand auf den Arm legte, als er mich freundlich anblickte und mit gütiger Stimme sagte: »Sie schlafen schon in ihrem kleinen, weißen Bett. Maria ist zuerst eingeschlafen, es ist ein Wunder, daß sie zuerst eingeschlafen ist; aber ich darf jetzt nicht hinaufgehen an ihr kleines Bett, jetzt nicht, denn ich könnte mich nicht mehr trennen. Sie sollen wissen, was wir Ihnen anvertrauen, was wir in Ihre Hände legen – Sie sollen wissen, daß Sie achtgeben auf unsere ganze Liebe.«

Er gab mir seine Hand, eine warme, fleischige Hand, und ich glaubte auch im sanften Druck dieser Hand seine Trauer über die Trennung zu verspüren, den inständigen Schmerz, der ihn jetzt schon ergriffen hatte. In seinem Gesicht zuckte es bis hinauf zu den Augen, zuckte durch sein trauriges Lächeln hindurch, durch die Gedunsenheit und Güte. Und dann erklang ein kleiner Schritt hinter uns, hart und schurfend, kam eine Treppe herab, kam näher, und setzte aus, und das Gesicht des Mannes entspannte sich, als der Schritt aussetzte, wurde weich und ruhig: »Ich habe volles Vertrauen zu Ihnen.«

Wir wandten uns zur gleichen Zeit um, und als ich sie erblickte, wußte ich sofort, daß ich sie bereits gesehen hatte, oder doch jemanden, der so aussah wie sie: blond und schmalstirnig und sehr jung; auch den breiten, übergeschminkten Mund hatte ich in Erinnerung und das schmale, schwarze Kreuz, das sie am Hals trug. Sie nickte flüchtig zu mir herüber, flüchtigen Dank für mein Erscheinen; sie stand reglos und ungeduldig da, ein Cape in der Hand, darunter baumelnd eine Tasche, und der untersetzte Mann mit der gütigen Stimme nahm seinen bereitgelegten Mantel auf, winkte mir zu, winkte mit der Hand seinen Kummer und sein Vertrauen zu mir herüber und ging. Die sehr junge Frau drehte ihm den kräftigen Rücken zu, stumme Aufforderung, er nahm das Cape, legte es um ihre Schultern, und jetzt erklang der harte, schurfende Schritt, entfernte sich, wurde noch einmal klar, als sie über die Steinplatten der Terrasse gingen, und verlor sich auf dem Sandweg.

Ich sah durch das Fenster, erkannte, wie zwei Autoscheinwerfer aufflammten, deren Licht drüben in den Zaun fiel, ich hörte den Motor anspringen, sah die Scheinwerfer wandern, kreisend am Zaun entlang nach der Ausfahrt suchen, und nun blieben sie stehen. Der Mann stieg aus und kam zurück, entschuldigte seine Rückkehr durch gütiges Lächeln, mit seiner Trauer über die Trennung, und er schrieb eine Telefonnummer auf einen Kalenderblock, riß das Blatt ab, legte es vor mich hin und beschwerte es mit einem Zinnkrug. »Falls doch etwas passiert«, sagte er, »falls. Sie schlafen zwar fest in ihrem kleinen, weißen Bett, es besteht kein Grund, daß sie aufwachen, alles nur für den Fall ... Sie brauchen nur diese Nummer zu wählen. Sie sollen wissen, was wir Ihnen anvertrauen.« Er entschuldigte sich abermals, lauschte zur Treppe hinauf und ging.

Ich wartete, ich saß da und wartete, daß sie noch einmal zurückkämen, aber die Scheinwerfer tauchten nicht mehr auf; vor mir lag die Telefonnummer, unterstrichen und eingekastelt auf dem Blatt, mit dem fleckigen Zinnkrug beschwert. Ich starrte auf die Telefonnummer – ›falls doch etwas passiert, falls‹ –, ich zog das Blatt hervor, legte es auf die äußerste Tischkante, dann kramte ich die Hefte aus der Mappe hervor, schichtete sie auf – ›Sie wissen, was wir Ihnen anvertrauen‹ – und versuchte zu lesen. Ich blätterte in den Kollegnotizen: Stichworte, in Eile abgenommene Jahreszahlen, zusammenhanglose Wendungen, und immer wieder Ausrufungszeichen, immer wieder – welchen Sinn hatten sie noch? Nichts wurde deutlich, kein Zusammenhang entstand; ich empfand zum erstenmal die Sinnlosigkeit des Mitschreibens in der

Vorlesung, all die verlorene, fleißige Gläubigkeit, mit der ich die Hefte vollgeschrieben hatte.

Drüben am Fenster ging das Telefon. Ich erschrak und sprang auf und nahm den Hörer ab; ich führte ihn langsam zum Ohr, wartete, unterdrückte den Atem, und jetzt hörte ich eine Männerstimme, keine gütige Stimme, sondern knapp, vorwurfsvoll: »Milly, wo warst du, Milly? Warum hast du nicht angerufen, Milly? Hörst du, Milly?« Und nun schwieg die Stimme, und ich war dran. Ich sagte nur »Verzeihung«, ich konnte nicht mehr sagen als dies eine Wort, aber es genügte: ein schmerzhaftes Knacken erfolgte, die Leitung war tot, und ich ließ den Hörer sinken. Doch nun, da ich ihren Namen kannte, wußte ich auch, wo ich sie gesehen hatte: ich hatte sie beim Friseur gesehen, in einem der fettigen, zerlesenen Magazine, unter dem Schnappen der Schere und dem einschläfernden Wohlgeruch, Milly: kräftig, blond und schmalstirnig, und ein neues Versprechen für den Film.

Die Buchenscheite im Kamin knisterten, und der zuckende Schein des Feuers lief über den Fries auf dem Kaminsims, lief über den grob geschnitzten Leidensmann und seine grob geschnitzten Jünger, die ausdrucksvoll in die Zeit lauschten mit herabhängenden, resignierten Händen. Ich steckte mir eine Zigarette an und ging zu meinen Heften zurück; ich schloß die Hefte und legte sie auf einen Stapel und beobachtete das Telefon; gleich, dachte ich, würde er anrufen, der Mann mit der gütigen Stimme, gleich würde er in freundlicher Besorgnis fragen, ob die Kinder noch schliefen, seine einzige Liebe; wenn er am Ort des Jubiläums ist, dachte ich, wird er anrufen. Und während ich das dachte, erklang ein Kratzen an der Tür oben, hinter der Balustrade, und dann hörte das Kratzen auf, der Drücker bewegte sich, ging heftig auf und nieder, so, als versuchte jemand, die Tür gewaltsam zu öffnen; aber anscheinend mußte sie verschlossen sein, denn so heftig auch am Drücker gerüttelt wurde, die Tür öffnete sich nicht.

Ich drückte die Zigarette aus, stand da und sah zur Tür hinauf, und auf einmal drang ein Klageton zu mir herab, ein flehender, unverständlicher Ruf, und wieder war es still – als ob der, der sich hinter der Tür bemerkbar zu machen versuchte, seiner Klage nachlauschte, darauf hoffte, daß sie ein Ziel traf. Ich rührte mich nicht und wartete; die Klage hatte mich nicht zu betreffen, ich war da, um die Kinder zu hüten; aber jetzt begann ein Trommeln gegen die Tür, verzweifelt und unregelmäßig, ein Körper warf sich mit dumpfem Aufprall gegen das Holz, stemmte, keuchte, Versuch auf Versuch, in panischer Auflehnung. Ich stieg langsam die geschwungene Treppe hinauf bis zur Tür, ich blieb vor der Tür stehen und entdeckte den Schlüssel, der aufsteckte, und ich horchte auf die furchtbare Anstrengung auf der andern Seite. Nun mußte er sich abgefunden haben drüben, ich vernahm seine klagende Kapitulation, den schnellen Atem seiner Erschöpfung, er war fertig, er gab auf.

In diesem Augenblick drehte ich den Schlüssel herum. Ich schloß auf, ohne die Tür zu öffnen; ich beobachtete den Drücker, aber es dauerte lange, bis er sich bewegte, und als er niedergedrückt wurde, geschah es behutsam, prüfend, fast mißtrauisch. Ich wich zurück bis zur Balustrade, die Tür öffnete sich, und ein alter Mann steckte seinen Kopf heraus. Er hatte ein unrasiertes Gesicht, dünnes Haar, gerötete Augen, und er lächelte ein verworrenes, ungezieltes Lächeln, das Lächeln der Säufer. Überraschung lag auf seinem Gesicht, ungläubige Freude darüber, daß die Tür offen war; er drückte sich ganz heraus, lachte stoßweise und kam mit ausgestreckten Händen auf mich zu.

»Danke«, sagte er, »vielen Dank.«

Er steckte sich sein grobes Leinenhemd in die Hose, horchte den Gang hinab, wo die Kinder schliefen, und machte eine Geste der Selbstberuhigung. »Sie schlafen«, sagte er, »sie sind nicht aufgewacht.« Dann stieg er vor mir die Treppe hinab, Schritt für Schritt, hielt seine Hände über das Kaminfeuer, streckte sie ganz aus, so daß ich das tätowierte Bild eines Segelschiffes über dem Gelenk erkennen konnte, und während er nun seine Hände zu reiben begann, sagte er: »Sie sind von Bord, sie sind beide weggefahren, ich habe es vom Fenster gesehen.«

Er richtete sich wieder auf, sah sich prüfend um, als wollte er feststellen, was sich verändert habe, seit er zum letzten Mal hier unten war, prüfte die Gardinen, das Kaminbesteck und die Lampen, bis er auf einem kleinen Tisch die Martiniflasche entdeckte und die beiden Gläser. Ohne den Inhalt zu prüfen, entkorkte er die Flasche, stieß den Flaschenhals nacheinander in die Gläser und schenkte ein.

»Soll ich ein neues Glas holen?« sagte ich.

»Laß man«, sagte er, »das Glas hier ist gut. Daraus hat nur mein Sohn getrunken. Ich brauche kein neues Glas.«

Er forderte mich auf, mit ihm zu trinken, kippte den Martini in einem Zug runter und füllte gleich wieder nach.

»Jetzt mach ich Landurlaub«, sagte er, »jetzt sind sie beide weg, und da kann ich Urlaub machen. Wenn sie da sind, darf ich mich nicht zeigen an Deck. Trink aus, Junge, trink.« Er stürzte das zweite

Glas runter, füllte gleich wieder nach und kam auf mich zu und lächelte.

»Dank für den Urlaub, Junge«, sagte er. »Sie lassen mich sonst nicht von Bord, mein Sohn nicht, seine Frau nicht, keiner läßt mich raus. Ich habe einen tüchtigen Sohn, er ist mehr geworden als ich, er hat eine eigene Fabrik, und ich bin nur Vollmatrose gewesen. Darum lassen sie mich nicht raus, Junge, darum haben sie mir Landverbot gegeben. Sie haben Angst, sie haben eine verfluchte Angst, daß mich jemand sehen könnte, und wenn sie Besuch haben, schieben sie mir eine Flasche rein. Und ich kann nicht mehr viel vertragen.«

»Darf ich Ihnen eine Zigarette geben?« sagte ich.

»Laß man«, sagte er und winkte ab.

Der Alte setzte sich hin, hielt das Glas zitternd mit beiden Händen vor der Brust, zog es in kleinen Kreisen unter seinem gesenkten Gesicht vorbei, und dabei brummelte und summte er in sanfter Blödheit vor sich hin. Nach einer Weile hob er den Kopf, blickte mich versonnen über den Glasrand an und trank mir zu. »Trink aus, Junge, trink«, und er legte seinen Kopf so weit nach hinten, daß ich fürchtete, er werde umkippen; aber gegen alle Schwerkraft pendelte sein Oberkörper wieder nach vorn, fing sich, balancierte sich aus.

Das Telefon schreckte uns auf; wir sprangen hoch, der Alte an mir vorbei zum Treppenabsatz, zutiefst erschrocken, mit seinen Armen in der Luft rudernd, bis er auf das Geländer schlug und sich festklammern konnte.

Ich nahm den Hörer ab, ich glaubte zu wissen, wer diesmal anrief, doch ich täuschte mich: es war Milly, die sich meldete, die mit sehr ruhiger Stimme und nebenhin fragte: »Ist mein Mann schon da?«

»Nein«, sagte ich, »nein, er ist noch nicht da.«

»Er wird gleich da sein, er ist schon unterwegs. Wurde angerufen?«

»Ja«, sagte ich.

»Danke.«

Ich wollte etwas sagen, aber sie hatte aufgelegt, und während ich auf den Hörer in meiner Hand blickte, schwenkten zwei Scheinwerfer in jähem Bogen auf die Einfahrt zu, schwenkten über die Zimmerdecke und kreisend an der Wand entlang: das Auto kam den Sandweg herauf. Auch der Alte hatte das Auto gesehen, er mußte auch begriffen haben, was am Telefon gesagt worden war, denn als ich den Kopf nach ihm wandte, stand er bereits oben vor seinem Zimmer und machte mir eilige Zeichen. Ich lief die Treppe hinauf und wußte, daß ich es seinetwegen tat. »Zuschließen«, sagte er hastig, »sperr mich ein, Junge, schließ zu.« Und er ergriff meine Hand und drückte sie fest, und dieser Dank war aufrichtig. Ich drehte den Schlüssel um, ging hinab und setzte mich an den Tisch, auf dem meine Hefte lagen. Ich schlug ein Heft auf und versuchte zu lesen, als ich schon die Schritte auf den Steinplatten der Terrasse hörte.

Er kam zurück, vorzeitig; von Ungeduld und Liebe gedrängt, kam er viel früher zurück, als ich angenommen hatte, und bevor er noch bei mir war, hörte ich die gütige Stimme fragen: »Waren sie alle brav?« Und ohne meine Antwort abzuwarten, schlich er, mit Schal und Mantel, nach oben. Ich hörte ein Schloß klicken, hörte es nach einer Weile wieder, und jetzt kam er den Gang herab, überwältigt von Glück, kam am Zimmer des Alten vorbei und über die Treppe zu mir. Er legte die kurze, fleischige Hand auf meinen Arm, seufzte inständig vor Freude und sagte: »Sie schlafen in ihrem kleinen Bett«, und als Höflichkeit mir gegenüber: »Sie waren doch alle brav, meine Lieben?«

»Ja«, sagte ich, »sie waren alle brav.«

(1952)

MARTIN WALSER

Templones Ende

Herr Templone war nicht der Mann, der auf das erste beste
Geflüster hin seine Villa verkauft und das schattige, in den Wald
hineingebaute Villenviertel verlassen hätte, um irgendwo in der
Stadt drin in einem hundertfenstrigen Mietshaus Unterschlupf zu
suchen. Ja, wenn eine ganz neue und giftige Insektenart in Bernau
eingefallen wäre, wenn sich in dem moosigen Waldboden, auf
dem das Viertel gebaut war, eine erdzerwühlende böse Tierart
niedergelassen hätte, die alle Wurzeln vernichten, die Häuser
unterhöhlen und dadurch zum Einsturz bringen konnte, wenn es
Gründe dieser Art gewesen wären, hätte Herr Templone, der sein
Vermögen durch Grundstücksspekulationen erworben hatte,
wahrscheinlich auch an Verkauf gedacht. Aber vielleicht hätte er
sogar dann noch den Kampf aufgenommen, um dem Ungeziefer
Herr zu werden, hätte versucht, seinen Besitz gegen diesen Angriff
aus dem Boden und von den Bäumen her zu verteidigen.

Die Gefahren, die das Villenviertel zur Zeit zu bedrohen schienen, waren anderer Art, vielleicht waren sie schlimmer als die
giftigste Insektensorte, vielleicht waren sie viel, viel harmloser;
daß man das nicht so recht wußte, war vielleicht sogar das
Schlimmste.

Als Herr Templone vor dem Krieg seinen Besitz in Bernau
erworben hatte, konnte er das Gefühl haben, einen sehr glücklichen Kauf getan zu haben. Mit den Nachbarn hatten er und seine
Tochter Klara in bestem Einvernehmen gelebt. Man hatte Feste
gefeiert, hatte sich regelmäßig besucht, ohne die Gesellschaftlich-
keit zu übertreiben. Nach dem Kriege aber wechselten viele
Häuser ihre Besitzer, und die Mauern zwischen den einzelnen
Grundstücken schienen von Jahr zu Jahr höher zu wachsen, und
was hinter den Mauern der Nachbarn geschah, wußte Templone
nicht mehr. Er vermutete, daß die neuen Besitzer, die sich nach
dem Krieg in das Viertel eingekauft hatten, die da und dort alte
Nachbarschaften durch ihre Neubauten und ihre Käufe getrennt
und zerstört hatten, untereinander einen regen gesellschaftlichen
Verkehr unterhielten; sie feierten mehr Feste als er und seine
Bekannten früher gefeiert hatten.

Und glichen sie einander nicht, als wären sie alle untereinander verwandt? Oder gehörten sie gar einer Sekte an, einer Sekte, die den Plan gefaßt hatte, ganz Bernau für ihre Mitglieder zu erobern?

Je mehr Herr Templone vereinsamte, desto schärfer beobachtete er. Oft lag er Abende lang hinter seinen Mauern und lauschte hinüber in die fremden Gärten und versuchte zu verstehen, was dort gesprochen wurde, warum dort so grell und so laut gelacht wurde. Daß nämlich sehr laut gelacht, aber nur sehr leise gesprochen wurde, das bestärkte Herrn Templone in seinen Ahnungen, daß sich etwas vorbereitete, was gegen ihn gerichtet war, gegen alle Besitzer, die noch aus der Zeit vor dem Kriege übriggeblieben waren. Templone beschloß, seine Tochter, sich und seinen Besitz zu verteidigen. Zuerst versuchte er, die Altansässigen zu einigen: jeder sollte mit seiner Unterschrift schwarz auf weiß versprechen, seinen Besitz nicht ohne Einwilligung der anderen zu verkaufen, kein Fremder sollte sich ohne die Genehmigung aller Ansässigen ins Viertel einkaufen dürfen. Aber die Zeiten nach dem Krieg waren so verwirrt und so voller unvorhersehbarer Ereignisse, daß der und jener Hals über Kopf verkaufen mußte, ohne sich noch an ein Versprechen halten zu können. Und Templone hatte keine Macht, jemanden zu zwingen, ein Versprechen zu halten. Einer nach dem anderen zog weg, alle Beschwörungen Templones blieben fruchtlos. Man warf ihm Egoismus vor, sagte ihm ins Gesicht, daß jeder im Staate die Freiheit habe, sich zu bewegen, wohin er wolle, empfahl ihm, er möge doch seinen Besitz auch verkaufen, es zwinge ihn ja niemand, hierzubleiben. Templone aber war der Meinung, man müsse das Viertel halten, weil es doch offensichtlich geworden sei, daß die neuen Käufer unter einer Decke stünden, daß wahrscheinlich eine Organisation am Werke sei, das Villenviertel Bernau planmäßig zu erobern, eine ausländische oder staatsfeindliche Organisation gar! Und da dürfe man nicht weichen, nicht nachgeben, der Grundbesitz verpflichte zum Aushalten! Umsonst, umsonst! Einer nach dem anderen verkaufte. Und als man gar davon sprach, daß das Verkaufen nicht mehr so glatt ging, daß gewisse Käufer sich frech und schamlos darauf berufen hätten, daß dieses Viertel gewissermaßen ein verlorenes Viertel sei, daß sie genau wüßten, wie sehr den Villenbesitzern daran gelegen sei, von hier wegzukommen, und als es gar vorgekommen sein sollte, daß ein Käufer von einer Verhandlung laut lachend aufgestanden sei, das Haus verlassen habe mit dem Ruf, er werde die Villa in absehbarer Zeit auch umsonst haben können, ohne einen Pfennig Geld, da waren viele Villenbesitzer nur noch darauf bedacht, für sich allein zu handeln und ohne Benachrichtigung der Nachbarn so rasch als möglich zu verkaufen. Es wurden nicht einmal mehr Abschiedsbesuche gemacht. Eines Morgens merkte man, daß in der Nachbarvilla neue Gesichter auftauchten, dann wußte man, wieder hatte einer verkauft. Einige inserierten in großen ausländischen Zeitungen, weil sie fürchteten, es habe sich auf dem inländischen Immobilienmarkt schon herumgesprochen, wie in Bernau die Villen verschleudert wurden. Aber drei, vier Besitzer hatte Templone immer noch zu halten vermocht! Er hatte ihnen zu guter Letzt bewiesen, die Panikstimmung, die sich in Bernau verbreitete, sei wahrscheinlich nur die Machenschaft einer großen Immobilienfirma, die auf diese Weise ein ganzes Viertel zu lächerlichen Preisen aufkaufen wolle. Templone glaubte nicht alles, was er seinen Freunden vortrug. Auch ihm war es nicht ganz angenehm, in einem Haus zu wohnen, das, wenn man es verkaufen wollte, keinen Wert mehr hatte. Er und seine Freunde waren zu sehr daran gewöhnt, daß die Annehmlichkeiten ihres Villendaseins, daß ihr Selbstbewußtsein und ihre Sicherheit letztlich darauf beruhten, daß sie auf wertvollen Besitzungen lebten, auf teurem Grund und Boden, teuer, nicht bloß zum Verkaufen, sondern teuer, um darauf zu leben.

Ja, es war schon ein arger Widerstreit in jedem Besitzerhirn, und es bedurfte großer Anstrengungen, die Freude an der Villa und am Garten aufrechtzuerhalten, wenn man wußte, daß alles täglich wertloser wurde. Templone beschloß die Reden an seine Freunde immer mit dem Satz: »Ja, wenn die Luft schlechter würde, wenn die Blumen ihre Farben, die Tannen ihr Grün verlören und die Mauern abzubröckeln begännen, dann wäre es höchste Zeit, zu verkaufen. Aber was kümmern sich die Blumen, die Tannen und die Mauern um die Grundstückspreise? Einen Dreck! Also werden wir das gleiche tun und unseren Besitz genießen, ohne an die Zahlen der Spekulanten zu denken.«

Da seine Freunde wußten, daß Templone sein Vermögen mit Grundstücksspekulationen erworben hatte, glaubten sie ihm und blieben vorerst noch in Bernau, mieden aber die neuen Nachbarn mit Vorsatz und Plan, als wären die lauter Aussätzige.

Templone sorgte dafür, daß man sich untereinander häufiger traf, Feste feierte, musizierte und die alten Freundschaften vorsätzlich vertiefte. Seine Tochter Klara, ein stilles zartes Fräulein von achtunddreißig Jahren, unterstützte ihn in allen seinen Unternehmungen. Beide hatten Jahre hindurch ein recht zurückgezogenes Leben geführt; feste, anscheinend ganz unumstößliche Gewohnheiten hatten sich entwickelt. Vater und Tochter sahen sich nur zweimal am Tage, beim Frühstück und beim Mittagessen, danach nahm jeder seine Route auf, die ihn durch das ganze Haus führte, aber so, daß sich die Wege der beiden an diesem Tag nicht mehr kreuzten. Templone pflegte vom Mittagstisch aufzustehen, einen Gruß an die Serviette zu murmeln und gleichzeitig den Stuhl, auf dem er gesessen hatte, ganz dicht an den Tisch zu rücken; dann ging er in die Bibliothek, um alte Zeitungsbände durchzublättern. Seine Bibliothek bestand ausschließlich aus gebundenen Zeitungen der letzten fünfzig Jahre. Er hatte begonnen, diese Zeitungen vom ersten Jahrgang an noch einmal durchzuarbeiten; vor allem die Seiten, auf denen die Wirtschaftsberichte standen. Seine Tochter Klara wußte, daß ihr Vater zwei Stunden bei den Zeitungen bleiben würde. Sie hatte also zwei Stunden Zeit, im Garten herumzugehen, ohne Gefahr zu laufen, auf ihren Vater zu treffen. Mit weit ausgreifenden Schritten ging sie über die hintere Terrasse in den Garten, in einer geraden Linie quer über die Wiese bis zum ersten Blumenrondell; da blieb sie ruckartig stehen, als sehe sie diese Blumenanlage zum erstenmal, beugte sich über die Blüten oder, wenn es Herbst und Winter war, legte die Hand auf die blattlosen Ranken und Zweige und reckte den Kopf hoch, daß der hagere Hals sich weit aus dem nüchternen Kragen dehnte; so blieb sie lange stehen, lächelte wie in Erinnerungen und dachte in jeder Sekunde daran, daß sie sich sinnvoll benehmen müsse, weil ihr vielleicht jemand zusehe; sie hatte immer das Gefühl, daß sie über eine Mauer hinweg oder durch einen Vorhangspalt beobachtet werde. Ohne dieses Gefühl hätte sie nicht leben können; die unablässig beobachtenden Augen waren für sie zur Verpflichtung geworden, sich sinnvoll zu benehmen. Sie war ängstlich darauf bedacht, von ihren Beobachtern in jedem Augenblick verstanden zu werden, weil sie die Beobachter nicht verlieren wollte; wenn sie nicht mehr das Gefühl gehabt hätte, daß ihr immer jemand zuschaute, hätte sich die Einsamkeit von den hohen Zimmerdecken der Villa, von den dunklen Flurwänden und von den ausgedorrten alten Bäumen herabgestürzt auf sie und sie erdrückt, erwürgt, sofort getötet. Nur von ihrem Vater wollte sie nicht gesehen werden. Der hätte vielleicht Fragen gestellt. Vielleicht hätte er ihr Benehmen sogar sonderbar gefunden.

Wenn Herr Templone seine Zeitungen gelesen hatte – was er übrigens mit dem gleichen gierigen Interesse besorgte, wie wenn die Zeitungen gerade erst am Vormittag ins Haus gekommen wären – wenn er das hinter sich hatte, legte er sich einen Mohair-shawl um und wanderte in den Ostflügel seiner Villa, beging Zimmer um Zimmer, prüfte die Fenster, die Beleuchtung, die Schrankschlösser und den Inhalt vieler Schubladen. Klara aber schlüpfte durch eine enge Souterraintür in den westlichen Flügel des graugelben Gebäudes und arbeitete sich durch die Gänge und Zimmer, die in diesem Teil des Hauses lagen; sie hatte in jedem Zimmer etwas zu besorgen, und sie wußte allen ihren Besorgungen einen Anschein von Notwendigkeit zu geben. Sie nahm an einem Tag alle Bilder in allen Zimmern von den Wänden und hängte sie in anderen Zimmern auf. Weil nun die Bilder sehr verschiedene Ausmaße hatten, und weil die Tapeten an den Stellen, an denen Bilder gehangen hatten, noch von viel frischerer Farbe waren, sah sie am nächsten Tag sofort, wenn ein kleines Bild in einem größeren Rechteck frischfarbiger Tapete hing, sah also, daß sie unbedingt und sofort wieder korrigieren mußte. Dann sprang sie munter und aufgeregt so lange zwischen den Zimmern hin und her, bis wieder alle Bilder am rechten Platz hingen. Dann war es meistens schon Dämmerzeit. Das war die Stunde, wo ihr das ganze Haus gehörte, weil ihr Vater im Zwielicht den Garten besuchte. Klara benützte diese Zeit zu überraschenden Besuchen kreuz und quer durchs ganze Haus. Sie tat so, als wolle sie ihren Beobachtern entkommen, aber immer wenn sie annehmen durfte, daß sie jetzt alle Verfolger abgeschüttelt hatte, wartete sie mitten in einem langen Flur, zündete alle Lichter an und lenkte die Beobachter durch lautes Singen wieder auf ihre Spur. Hörte sie dann ihren Vater über die Hinterterrasse das Haus betreten, flüchtete sie rasch in ihre eigene Wohnung, die aus drei Zimmern bestand, mit Küche und Bad. Rasch verschloß sie alle Zugänge, zog sich aus und badete sich, weil sie sich auf ihren Wanderungen durch die vielen Zimmer, in denen die Vergangenheit nistete, über und über mit Spinnweb und Staub bezogen hatte. Das Bad dehnte sie bis tief in die Nacht hinein, weil sie das Gefühl hatte, daß ganze Galerien von Zuschauern abzufüttern waren. Nur an Festtagen ging Klara abends noch einmal zu ihrem Vater hinunter, setzte sich neben ihn, bereit, die eine oder andere frostige Zärtlichkeit von ihm entgegenzunehmen.

So zirkulierten die beiden seit Jahren sanft und gleichmäßig wie die Ströme einer Warmluftheizung durch ihr großes Haus. Aber als rundum die neuen Nachbarn auftauchten, änderte sich alles. Templone brauchte seine Tochter. Und Klara ließ ihren Vater nicht im Stich. Sie band ihr bis dahin wildverwehtes Haar in einen strengen Knoten, zog wärmere Unterwäsche an und spielte auf dem Flügel hektische Märsche. Zuerst wurden nach allen Seiten reichende Beobachtungsstände eingerichtet. Sorgfältig bauten sie Fernrohre auf, drapierten sie mit Vorhängen, umgaben sie zur Tarnung mit harmlosen Vogelkäfigen, Blumentöpfen, Hirschgeweihen, Garderobeständern und verblichenen Gobelins. Abwechselnd hielten sie nun Wache, rannten von Fernrohr zu Fernrohr, um die Gewohnheiten und Geheimnisse ihrer neuen Nachbarn kennenzulernen, um gewappnet zu sein gegen alle Überraschungen, die sich jenseits ihrer Gartenmauern vorbereiten konnten. Und abends schlich Herr Templone in gebückter Haltung, seine Tochter an der Hand hinter sich herziehend, zur Gartenmauer, verbreiterte die glitzernde Spur der Glasscherben auf der Mauerkrone, säte Eisenhaken und scharfe Blechschnitzel nach einem von ihm selbst gezeichneten Plan und preßte sein Ohr und das seiner Tochter gegen das rauhe Mauerwerk, um aus dem Wortgeschwirre und laut aufbrausenden Gelächter jenseits der Mauer seine Schlüsse zu ziehen. Nun hatte Herr Templone – was er früher immer abgelehnt hätte – sogar einen Untermieter aufgenommen, hatte ihm eine ganze Etage im Westflügel der Villa überlassen, zu einer lächerlich geringen Miete übrigens, bloß, weil er ein Beispiel geben wollte, wie man sich in diesen Tagen zu verhalten habe; Professor Priamus, der neue Untermieter, war nämlich eine Art Opfer jener Ereignisse, die Herrn Templone so arg beunruhigten. Er hatte seit Jahrzehnten eine Villa bewohnt, die ihm nicht gehörte. Der Besitzer, der sich die meiste Zeit im Ausland aufhielt, hatte aber wahrscheinlich von seinem Verwalter erfahren, wie es um die Grundstücks- und Villenpreise in Bernau stand und hatte nichts Besseres zu tun gewußt, als kurzerhand seinen ganzen Besitz zu verkaufen. Professor Priamus hatte dem Besitzer lange handgeschriebene Briefe geschickt, hatte sie an die Hotels adressiert, in denen sich allem Vernehmen nach der Besitzer gerade aufhielt, hatte auch den Vermerk ›Wenn abgereist, bitte nachschicken‹ nicht vergessen, aber sei es, daß jener Herr mit einer von der Post nicht mehr zu erreichenden Geschwindigkeit von Hotel zu Hotel reiste, sei es, daß er gar nicht antworten wollte, auf jeden Fall hatte der Professor auf keinen seiner Klagebriefe eine Antwort bekommen. Er mußte die Villa räumen. Da hatte Templone eingegriffen und hatte den Professor und seine elftausend Bücher und seine verblichenen Papierbündel bei sich aufgenommen und die einem gestorbenen Raubvogel ähnelnde Haushälterin auch. Professor Priamus, der die letzten Jahre hindurch kaum von seinen

Papieren aufzublicken die Zeit gehabt hatte, nahm seine wissenschaftlichen Arbeiten im Hause Templone sofort wieder auf. Aber Herrn Templone gelang es, den alten Professor einmal zwei Nachtstunden hindurch von seinen Papieren abzuziehen und ihn auf die Gefahren, die ringsum drohten, aufmerksam zu machen. Der Professor lächelte zwar jahrhunderttief vor sich hin, versprach aber doch, Herrn Templone einmal auf einem Erkundungsgang zur Gartenmauer zu begleiten. Als Klara und ihr Vater ihn immer wieder dazu drängten, schlich er tatsächlich eines Abends mit an die Gartenmauer, aber weil er den unebenen Gartenboden nicht gewöhnt war, stürzte er einige Male so empfindlich, daß er die Gartenmauer nicht erreichte; mit Hilfe der Haushälterin mußten sie ihn, der jammernd und kaum noch atmend in ihren Armen lag, in seine Arbeitsstube hinauftragen, mußten ihn verbinden, seine arg zerschundenen zarten Glieder bandagieren und ihn auf seinen hartnäckigen Wunsch gleich wieder an den Schreibtisch setzen, wo er auch sofort wieder zu lächeln begann und gleich darauf bat, man möge ihn jetzt bitte nicht noch einmal stören, weil er am letzten Kapitel des dritten Bandes seiner ›Geschichte der Vandalenzüge‹ zu arbeiten habe. Da begann auch schon die Haushälterin, Templone und Klara hinauszudrängen, an der Tür zischte sie ihnen noch nach. Templone war enttäuscht, schloß sich noch enger mit seiner Tochter Klara zusammen und begann mit seinen zwei letzten Freunden regelmäßige Sitzungen zu veranstalten, zu denen er auch Professor Priamus mit Gewalt aus seinen Papieren herauszog. Templones Freunde waren alte Herren wie er selbst, schlappbäuchig, die Gesichter durch Fältelung zu stetem Grinsen verzerrt; aber Templone trug nicht, wie sie, versabberte Westen und fleckige Hosen, er war auch zarthäutiger und schöner als sie, denn er war nicht lange verheiratet gewesen, während sie zu jeder Sitzung noch ihre Frauen mitbrachten, alte Wesen in bläßliche Rüschen und Volants verpackt, flache kleine Körper von endlosen Perlenschnüren unregelmäßig gefesselt. Obermedizinalrat der eine, der andere: Hofrat und ehemaliger Kammersänger. Templone ließ immer viel Alkohol servieren, um die Sitzungen fröhlich zu machen. Klara mußte sich an den Flügel setzen, der Hofrat und Kammersänger mußte sich dazustellen, alle anderen hatten ihre Stühle dem Musikzentrum zuzudrehen, hatten ihre Gläser vors Gesicht zu halten, ein ›Prosit‹ auszubringen und dann andächtig zuzuhören, was die mißhandelten Stimmbänder des Hofrats und Kammersängers unter der grellen und gierig sich vordrängenden Begleitung Klaras noch hergaben. Herr Templone inszenierte diese Sitzungen so geräuschvoll als möglich, riß dazu noch Fenster und Türen auf, weil er Wert darauf legte, daß die neuen Nachbarn jenseits der Gartenmauern hörten, daß es auch bei ihm hoch hergehe, daß man auch in den Häusern der Alteingesessenen noch übermütig und voller Lebenslust sei, ein Zeichen dafür, daß man sich noch lange nicht unterkriegen lasse. Darum erzählte der zartgebaute Finanzier Templone, der sein Leben lang ein stiller und vor sich hinlächelnder Mensch gewesen war, jetzt vor allen seinen Gästen die gewagtesten Geschichten und Witze, die er sich aus den alten Zeitungen extra zu diesem Zweck heraussuchte; und wenn das Gelächter, der brechende Diskant der zwei alten Damen, das Gekrächze der Haushälterin des Professors – nie hätte er früher eine solche Person in seinem Salon ertragen, jetzt war sie ihm zur bloßen Geräuschverstärkung als schrilles Instrument geradezu willkommen – dann die hüstelnden Baßstimmen seiner zwei Freunde und das schüttere Stimmchen des Professors und die harte Fistelstimme seiner Tochter, wenn dieses Stimmenaufgebot nicht ausreichte, um die Fröhlichkeit seines Hauses auch noch in der Nachbarschaft hörbar zu machen, so brachte er es über sich, nach seinen Geschichten selbst in ein sich grell überschlagendes Gelächter auszubrechen, das er, auf und ab schwellend, so lange aus seinem Munde preßte, als er auch nur noch ein Quentchen Luft in den Lungen hatte. Verständlich, daß ihn das sehr anstrengte. Er schämte sich auch, weil es ihm zutiefst fremd war, sich so aufzuführen – aber er wagte es nicht, seinen Gästen den Sinn dieser Sitzungen, den Zweck seines eigenen, oft peinlich übertriebenen Gebarens mitzuteilen. Er wollte doch beweisen, daß es immer noch eine Lust war, in Bernau zu leben.

Mit Schrecken bemerkte er, daß seine Tochter Klara dabei auf eine sonderbare Art aufzublühen begann. Sie trank bei diesen Gesellschaften mehr als alle anderen, sie begann mitzusingen, wenn sie den Kammersänger begleiten sollte, und, was noch viel, viel schlimmer war, sie begann den alten Professor Priamus zu umwerben, und was das Schlimmste war, der kam ihren Werbungen entgegen, flirtete mit ihr auf eine Weise, daß Herrn Templone das Blut in den Adern rückwärts lief. Aber er mußte ja dankbar sein, daß Klara lauter war als je zuvor, daß das schüttere Stimmchen des Professors durch diesen späten erotischen Frühling auf eine Weise zu quieksen begann, daß es weit über die Gartenmauer hinweg Zeugnis gab von der Lebensfreude der Alteingesessenen, und darauf kam es Templone, dem Feldherrn dieses Kampfes, an. Aber je lauter Klara und der Professor wurden, desto stiller wurden die anderen, sahen einander an und schwiegen, sahen zu Templone hin, und der errötete. Es kam so weit, daß Klara und der Professor gar nicht mehr zu den Sitzungen erschienen, sie sperrten die Haushälterin aus, empfahlen ihr, sie möge in Zukunft den Haushalt Templones besorgen, Klara werde für immer bei Professor Priamus bleiben. Als Templone selbst an der Tür klopfte, dann rüttelte und pochte und schlug, antworteten sie ihm von drinnen mit den unanständigsten Lauten. Mit so unverhüllter Schamlosigkeit verrieten sie durch die Tür hindurch, was sie taten, daß Templone abermals errötete und in seine Bibliothek hinunterging und seine Gäste heimschickte und ihnen zum Abschied noch sagte, sie sollten tun was sie wollten, verkaufen oder nicht verkaufen, er wisse auch nicht mehr, was zu tun sei.

Aber als die Gäste fort waren, raffte er sich noch einmal auf. Er fuhr in die Stadt und kaufte sich einen Schallplattenapparat und einen Koffer voller Geräuschplatten. Die ließ er jetzt pausenlos laufen, bei offenen Fenstern und Türen. Ab und zu prüfte er von seinen Beobachtungsständen aus, wie die Nachbarn auf die Geräuschplatten reagierten. Er spielte ›Stimmendurcheinander‹, ›Theaterbeifall‹, ›Kindergarten‹, ›Schulhof‹ und sogar ›Fußballplatz‹ ab. Aber die Nachbarn reagierten nicht darauf. Sie spielten weiterhin ihr leichtfertiges Tischtennis, lagen in grellfarbigen Liegestühlen, tuschelten und lachten und kümmerten sich nicht um ihn. Templone gab nicht nach, er hatte es sich jetzt angewöhnt, von morgens bis abends Geräuschplatten zu spielen, schon um die Geräusche, die der Professor und Klara in der Etage über ihm bei weitgeöffneten Fenstern vollführten, nicht hören zu müssen.

Manchmal, wenn er die Nadel mit seinen zittrigen Händen nicht mehr auf die Platte zu setzen vermochte, wenn sie wieder und wieder am Plattenrand vorbeistieß und den Velours des Plattentellers zerriß, wenn er die Haushälterin dazurufen mußte, wenn auch deren totenbeinige Hände immer wieder versagten, dann ließ er sich im Sessel zurücksinken und träumte, er habe in der Sonntagsausgabe der New York Times ein ganzseitiges Inserat aufgegeben, aber so verschlüsselt, daß jene Organisation, die nach seiner Ansicht an der Eroberung Bernaus arbeitete, nicht bemerken konnte, daß hier ein Bernauer Besitztum angeboten wurde. Dann träumte er davon, daß ein Herr käme, vielleicht würde er Mister Berry heißen, ein Vierzigjähriger von so auffallender Geschmeidigkeit, daß Templone sofort erkannte: das war ein Geschäftsmann, wie er es zu seinen besten Zeiten nicht gewesen war. Einen Augenblick würde er, Templone, dann kraftlos zurücksinken, würde Mister Berry seine Villa hinwerfen, weil er sich für einen Handel mit einem so vor Stärke glänzenden Makler nicht mehr gewachsen fühlte; und Berry würde instinktiv nachrücken, würde seine prächtig formulierten Sätze mit der Tigerwitterung des großen Geschäftsmanns im rechten Augenblick in die wehrlosen Ohren des alten Templone schieben, wahrscheinlich würde seine Aussprache fremdländisch und betörend sein, bis er dann plötzlich zu lachen begänne... Templones Traum erregte sich an dieser Stelle, benahm ihm den Atem, was sagte Mister Berry da: bitte sterben Sie nicht ausgerechnet in diesem Augenblick, Herr Templone, ich habe eine Reise gemacht, um Sie zu sehen, Sie, den letzten der Alteingesessenen, den hartnäckigsten. Man hat mir viel von Ihren rührenden Versuchen erzählt, ja, ich bin der Chef der Gesellschaft, die Bernau aufkauft, ja, ich habe oft recht lachen müssen über Sie, Herr Templone, aber ich habe das Theater, das Sie aufführten, um der letzte zu sein, auch bewundert. Ein Mann wie Templone verkauft nur als erster oder als letzter. Als erster bekam man einen guten Preis, dann ging's abwärts, die einzige Chance war, der letzte zu sein, das weiß ein Fachmann vom Range Templones, er weiß, daß die Gesellschaft keine Ewigkeit warten kann, daß sie erst richtig anfangen kann, ihre Pläne in Bernau zu verwirklichen, wenn auch Templone verkauft hat, also wird sie den letzten gut bezahlen. Klug gedacht, Templone! Aber die Gesellschaft wußte ja, daß Templone ein Fachmann ist, daß man ihm nicht mit den Druckmittelchen kommen konnte, denen die anderen erlagen, nachts Lastwagen vor dem Haus halten lassen, Scheinwerfer, die die Fassaden abtasten, Metallgeräusche und Gelächter hinter hohen Mauern, das zieht nicht bei Templone, Templone muß man allein lassen, denn ein Mann wie Templone kann nur von sich selbst zur Strecke gebracht werden, soweit wäre es also, nicht wahr, Herr Templone...

Templone wachte aus solchen Träumen immer ganz erschöpft auf, kaum noch fähig, sich bis ans Fenster zu schleppen, um zu sehen, ob nicht doch ein Herr draußen stehe, der ihn sprechen wolle, ein Mister Berry vielleicht. Aber niemand wollte ihn sprechen. Kein Wort fiel mehr in Templones Haus. Auch die Geräusche in Professor Priamus' Räumen hatten aufgehört. Vielleicht hatte er sich von Klara getrennt, um weiterzuschreiben am vierten Band seiner ›Geschichte der Vandalenzüge‹. Vielleicht waren er und Klara dem Staub zum Opfer gefallen, den Spinnen, der Unordnung ihres Betts oder gar ihrer eigenen Gier. Auch die Haushälterin arbeitete nicht mehr für Templone. Sie blieb im Bett liegen und trommelte unablässig mit ihren Beinfingern gegen das Holz des Bettgestells. Er hörte es bald nicht mehr. Er versank in einer Ecke seiner Bibliothek: einer der großen schweren Zeitungsbände war über ihn gefallen, als er im untersten Fach des Regals etwas gesucht hatte, das riesige Buch hatte sich geöffnet, hatte ihm den Kopf und den Nacken niedergedrückt, auf den lange nicht mehr gereinigten Teppich, Templone hatte in der Anstrengung, sich zu erheben, den Mund geöffnet, war mit offenem Mund wieder auf den Teppich niedergebrochen, hatte noch gespürt, wie ihm Haare, Staub und Faserzeug in die Mundhöhle drangen, trocken, scharf und stechend, dann hatte er sich nicht mehr gewehrt, war liegen geblieben unter dem großen schweren Buch, hatte mit den Augen die Stelle des Teppichs, die er noch sehen konnte, wieder und wieder abgetastet, bis er nichts mehr sah und nichts mehr spürte.

Der Gasmann, der ja sein monatliches Geld haben muß, kam später dazu und holte gleich die Nachbarn von links und rechts. Die besahen sich alles und sorgten für die Beerdigung des alten Herrn, der zwischen ihnen gelebt hatte, unverständlich wie ein Stein. Aber sie trugen es ihm nicht nach, daß er nie gegrüßt hatte, wenn man ihm begegnet war.

(1955)

ARNO SCHMIDT

Seltsame Tage

›Es gibt merkwürdige Tage: da geht die Sonne schon auf eine eigene Art auf; laue Wolken ziehen tief; der Wind haucht verdächtig aus allen Weltgegenden. Düsenjäger machen Hexenschlingen am Himmel; alle Gläubiger bekommen Lust, ihre Außenstände einzufordern; man hört von Leuten, die plötzlich davongelaufen sind.‹

An solchen Tagen tut man gut, nichts zu unternehmen – obwohl natürlich auch gerade das wieder falsch sein kann! Wer weiß denn, ob es richtig ist, wenn man die Klingel abstellt, die Fenster verhängt, und sich auf der Couch in der Zimmerecke tot stellt? Lesen ist gar nicht zu empfehlen: auf einmal fällt aus dem verschollenen Roman von 1800 ein Brief in uralt vergilbter Handschrift, dazu der Schattenriß eines jungen Mädchens in der Tracht der napoleonischen Kriege, und man kann nur von Glück sagen, wenn auf dem Umschlag nicht der eigene Name steht – es gibt eigentümliche Tage!

Nun, der heutige war wohl wieder einmal glücklich vorüber. Gewiß, ein Herr in schwarzem Anzug war da gewesen und hatte mich zum Mormonismus bekehren wollen. Von einem Unbekannten war ein langer Brief aus Spanien eingetroffen – wie sich im letzten Absatz herausstellte, gar nicht an mich gerichtet. Der übliche eisgraue Stromer hatte auch geklingelt: er sei Student; und Rasierklingen angeboten, garantiert erst einmal gebraucht.

Am Telefon hatte mir eine fremde englische Frau zwischen Vorwürfen und Verabredungen diese Anekdote von ihrer Weltreise erzählt: Auf der Insel Tristan da Cunha – 120 Einwohner, kein Pfarrer, kein Magistrat – hatten zwei heiraten wollen. Da die einzige Person, die fließend lesen konnte, die Eheschließung mißbilligte, hatte sie sich diesmal geweigert, die Trauformel abzulesen. Es war nichts übrig geblieben, als den nächsten Gelehrten herbeizuholen: der hatte sie dann buchstabiert! (Was unter Analphabeten die feierliche Stimmung nur erhöht haben dürfte – aber ich muß mir das dann immer gleich so intensiv vorstellen: wie der Kerl da am Tisch steht, den Finger auf die Zeile gepreßt und visiert; bei schwierigen Stellen popelt er vor Verzweiflung.)

Nun, wie gesagt, das alles war überstanden. Selbst der kesse, rot und blau karierte Abend war hinuntergedreht worden: einen Nachtspaziergang konnte man doch sicher unternehmen? –

Im schwarzen Felsen des Nachbarhauses stand im Erdgeschoß die erleuchtete Balkontür offen; sie schallplattelten unentwegt; Mädchen stampften und grölten an Schlagernem, schüttelten die farbigen Locken und klatschten wieder in die Fußsohlen: nur schnell vorbei! (Über den Gehsteig her fuhr auch gleich ein Radfahrer auf mich zu, als sei meine Stelle leer, und ich schon nicht mehr auf Erden vorhanden!)

Am Stadtrand, wo die Gaslaternen noch nicht durch Bogenlampen ersetzt sind, war es dann fast still und einsam. Mondboje, schräg verankert im Wolkenstrom. Katzen gingen tüchtig und selbstbewußt unbekannten Geschäften nach. Nur einmal bremste die grüne Isetta neben mir: 2 Polizisten stiegen sofort heraus, und verglichen mich mit einer maschinengeschriebenen Liste. Nun ist ja jeder Mensch irgendwie ›schuldig‹ (nach Schopenhauer sogar grundsätzlich hängenswert); hielt ich also geduldig still, und einige Sachen von früher fielen mir auch ein (nicht ›Lustmorde‹, oder so – bloß Kleinigkeiten; spielt keine Rolle). »Linke Hand?!« – erst als ich daran die vorschriftsmäßigen 5 Finger hatte, schien ich für diesmal gerettet. Sie entschuldigten sich militärisch; und ich ging an den Neubauten entlang, zurück – es war heute doch wohl besser, umzukehren.

Um die Rasenanlagen U-förmig die haushohen Fronten; auch über der Straße der gleiche zementene Westwall, nur selten noch gelbe Kleinquadrate darin. Die riesige Bronzeente neben mir, versuchte mir ins Gesicht zu spucken.

Und blieb entgeistert stehen –: ganz oben in der Wand saß die blaue Riesin! Unbeweglich am Tisch; sie mußte mindestens 4 Meter groß sein! Und jetzt sah ich auch den Fensterrahmen drum herum, richtig, denen in den unteren Stockwerken entsprechend: man sah also lediglich in ein Zimmer: erleichtert.

(Aber das war doch unmöglich! Ein weibliches Wesen, groß wie ... ich schloß die Augen; schüttelte blind den Kopf; wer weiß, was ich gesehen hatte; vielleicht war sie ja weg, wenn ich ...)

Ja! Sie war weg! – Ruhig und grau, ohne Plakate und also fast schön, stand die Hauswand in der Nacht. Ich hätte demnach aufatmen können – aber was war dann mit meinem Gehirn los?! Gewiß, zugegeben, ich gehöre zu den Menschen, die zur Selbstbeobachtung neigen, und war mir schon lange verdächtig gewesen. Ich beschloß eiligst, den Hut tiefer ins Gesicht zu ziehen (beziehungsweise in Ermangelung eines solchen die Stirn zu senken), und alles einfach auf den merkwürdigen Tag zu schieben: was ich gesehen hatte, hatte ich nicht gesehen; und nun nichts wie heim! Im Sturmschritt! Nur einmal noch zuckte mein undiszipliniertes linkes Auge über die mächtige Tafel...?

Und blieb wiederum stehen, ein geschlagener Mann! Dort oben, wo vorhin die Gigantin gelümmelt hatte, blühte jetzt ein Steingarten. Die mattgrünen Fettpflanzen, scharfe gelbe Blumensterne, ein Plattenweg wies streng vor sich hin: auf diesen Liegestuhl! Einsamkeit: der Vogel auf dem Wasserbecken war völlig erstarrt.

Dunkelheit wischte wie eine Hand darüber – und sofort ein neues Bild: Fräulein Riesin in einer Wasserfläche. Die starke Flüssigkeit lag eng an wie ein blaues Lendentuch; das Gesicht war ihr aufgegangen, das grobe Blondhaar saß völlig schief, ganz auf einer Seite. (Und schon wieder weg: schade!)

Also wurden oben Farbaufnahmen vorgeführt?! Hatten die Leinwand vors Fenster gehängt, und nicht dran gedacht? Da wählte ich mir behaglich den günstigeren Blickpunkt, und kreuzte zur Ausdauer die Arme über der Brust.

Städte ruckten vorbei (fast wie Hamburg, eh?); ein Gemüsemarkt (und die roten Tomaten glänzten *so* dekorativ!). Autos an langen Straßen. Das Zelt auf der Düne: ihr bekapptes Gesicht durchs Strandhafergitter aufgenommen. So stand ich lange in der heiteren Nacht. Manchmal ging ein Pärchen vorbei, sah kichernd mit hoch, hatte aber dann doch Wichtigeres zu tun, und wandelte intensiv weiter. Einmal wurde neben der Haustür die Lampe hell: ein Angetrunkener balancierte, 2 lange Gladiolen geschultert, heraus, und schnurstracks von mir weg, auf sehr selbständigen Beinen.

Man hätte hingehen können, auf den Knopf der Haussprechanlage drücken, und ganz einfach sagen: »Sind Sie das Fräulein in Blau auf den Bildern oben? Dann liebe ich Sie!« Sie würde ihrerseits das Fenster öffnen und amüsiert heruntersehen... (Wahrscheinlicher kämen aber schon Sekunden später zwei untersetzte Männer hergesprungen, mit vielen, vielen Ohrfeigen in den muskulösen Händen!) Vielleicht war es ja auch eine Frau aus fernem Land, die man doch nie sehen würde; höchstens ihre Adresse.

Vielleicht hatten die oben die Kassette mit den Diapositiven gar nur gefunden. Oder die Fotofirma hatte die Anschrift verwechselt, und sie besahen jetzt neugierig das fremde Schicksal – an solchen Tagen war ja alles möglich!

Oder eine tote Freundin, deren Andenken man sich wehmütig auffrischte – und da trat ich doch vorsichtshalber ein paar Schritte weiter zurück; für solche Komplikationen bin ich nicht mehr jung und unempfindlich genug!

Ich winkte lieber mit beiden Händen ab; ging feige entschlossen zu mir hinauf; Mitternacht war gottlob vorüber – und morgen hoffentlich wieder alles normal.

(1956)

OTTO F. WALTER

Ein Unglücksfall

Lange konnte der Ahorn nicht mehr halten. Thur spürte den heißen Geruch der Hüttenwand im Nacken. Wenn er den Hinterkopf ein wenig an der Wand rieb, an der Wand der Hütte, die sein Onkel mit den Mineuren gebaut hatte, früher, als es hier oben noch Mineure gab, rieselten Lehmkrusten in sein Hemd und über den bloßen Rücken hinunter. Er saß darum still da, die Knie hochgezogen, den Kopf hinten angelegt, und durch die halbgeschlossenen Augen konnte er sehen, wie an der Grubenwand auf der gegenüberliegenden Seite der Schein der Sonne hochkroch. Lange nicht.

Aus dem Wasser herauf tönte das Ruggen der ersten Frösche; es brach ab, wenn ein Brocken oben an der Hupperwand loskam und absackte und ins Wasser schlug; man hörte dann nichts da drüben, nur der Brocken war zu sehen, wie er niederging, und der Staub, wenn er in Wolken aufstieg ins Licht und schimmerte – dann setzte es wieder ein.

Thur wartete. Er und der Onkel mußten noch die Runde machen, und er verstand nicht, warum der Onkel noch immer in der Hütte umherging. Es war Zeit, weil sie ja noch die beiden Ziehtürme und das Mahlwerk nachschauen mußten und sehen, ob die Kabel unter der Rollbahn in Ordnung waren und ob bei der Hupperwaage hinten alles in Ordnung war, und weil er oben bei den alten Sprenglöchern noch nachsehen wollte, ob niemand etwas an der Marderfalle gemacht hatte.

Der Schatten des Ahorns wanderte drüben langsam über den Grubenrand hinaus. Der Ahorn selbst stand da oben, schräg über ihm an der Grubenkante, und Thur hätte nur den Kopf zu drehen brauchen, um die Wurzeln zu sehen; sie hingen frei in der Luft. Das Stück Wand darunter war abgesackt, es hatte vor der Biegung noch ein Stück Wegs mitgerissen, und sie hatten von einem Wegstück zum anderen, damit man überhaupt noch durchkam, eine Rollbahnschiene gelegt und Bretter darüber. Aber Thur schaute nicht hinauf. Denn man wußte schließlich nicht, wie lange der Ahorn noch dort stehen würde. Lange jedenfalls nicht.

Nichts mehr stand da lange, alles sackte einmal ab, das war sicher – langsam vielleicht, vielleicht langsamer auf der Ostseite als da weiter vorn, wo die Grubenwand fast nur Lehm und Hupper war, ohne Stein; aber alles. Und je mehr Tage, wo es so wie die ganze letzte Zeit über regnete, und je mehr Tage, wo's daraufhin dann wie heute vom Morgen an herunterbrannte, daß der Lehm aufriß und der Hupper körnig wurde und tönte, je mehr solcher Tage, dachte er, um so schneller. Vielleicht müßte man Bäume pflanzen. Nußbäume, oder am besten Lärchen – sie waren, soviel Thur über Bäume Bescheid wußte, am besten –, hier, hinter der Hütte am Hang. Hanglärchen. Man hatte dann auch Schatten auf der Hütte und drin nicht mehr immer diesen heißen Dachpappengeruch. Doch noch während er daran dachte, wußte er darunter, daß auch für Lärchen der Hang zu steil und zu hupperig sein würde. Höchstens vielleicht noch Hupperhanglärchen. Doch ob es die überhaupt gab, war nicht sicher. Nein, da wuchs nichts. Aber ein Floß, vielleicht ein Floß, aus Ahornstämmen, das konnte nicht absacken, das hielt. Ahorn wurde im Wasser immer noch härter, der Onkel hatte es selber gesagt. Ein Floß, mit vier Wänden drauf und einem Dach; ein richtiges, mit Teer verpicht oder mit Harz, eins, das auch dann noch schwimmt, wenn alles schon lange ins Wasser abgesackt wäre.

Aus den Augenwinkeln sah Thur die Sandalen, wie sie neben ihn auf die Türschwelle traten. Der Geruch des Onkels umfing ihn, Tabak und Holzfeuer und Öl und Leder und Schnaps. Der Mann, den Thur Onkel·nannte, sagte: Geh allein heute, sagte er jetzt mit seiner Stimme, und da schaute Thur zu ihm hinauf. Was hatte er, warum sagte er: allein?

Mein Fuß, murmelte der Onkel; sein Fuß, auf den er jetzt niederblickte, bewegt sich und Thur verstand, der Onkel war vielleicht müde. Aber sie hatten bisher die Runde immer zusammen gemacht.

Also beeil dich, sagte der Onkel und ging wieder hinein. Thur stand auf. Er klopfte den Lehmstaub ab und folgte dem Onkel. Der Dachpappengeruch hatte überhaupt noch nicht nachgelassen. Er nahm den Helm und die Karbidlampe. Der Onkel stand am Fenster, das auf den Weg hinab ging, und schaute hinaus.

»Bist du müde«, fragte Thur, als er die Lampe anhängte.

»Ja, ja, aber geh jetzt.« Der Onkel schaute hinaus. Man sah nur den großen Kopf mit dem Haar im Ausschnitt des hochgelegenen Fensters, so dunkel war's schon. Was hatte er, warum schickte er ihn jetzt allein, wo er ihn sonst überhaupt nichts allein tun ließ. Eigentlich wäre Thur lieber zusammen mit ihm gegangen. Die Runde, das war lang, besonders die Abendtour, wo sie immer auch den Wasserstand kontrollieren mußten. Wenn es nur nicht schon bald dunkel wäre. Und das Gebell der Füchsin ganz hinten.

Als Thur schon bei der Tür war, blieb er stehen. »Eigentlich möchte ich lieber nicht allein«, sagte er. Das Ruggen der Frösche drang jetzt klar herauf. »Nimm die Repetierflinte mit«, sagte der Onkel. »Geh jetzt.«

Mit der Repetierflinte, das war natürlich etwas anderes, das war natürlich ebensogut. Er nahm sie hinter der Pritsche des Onkels hervor und hängte sie um, und als er schon zur Tür hinausging ins Helle und den Weg zum vorderen Ziehturm nahm, hörte er den Onkel noch sagen: »Paß auf.« Unterwegs zog er das Sturmband fester an, weil der Helm ihm noch immer zu groß war, dann nahm er die Repetierflinte wieder herunter und ging, den Kolben unter dem Arm, weiter aufwärts und dachte, daß es jetzt großartig war, so in der Dämmerung hinaufzugehen. Als er oben war, wo der Wildwechsel abzweigte, lief er auf dem flachen Wegstück, das zwischen den Schwarzdornbüschen durchführte, bis zum Ziehturm. Er ging ganz hinaus und kauerte nah bei der Kante unterhalb des Turmsockels nieder. Vorsichtig legte er die Repetierflinte mit dem Lauf in die Gabel des Schwarzdornbusches. Der Lauf und die Verschlußhülse glänzten matt. Er drückte den Sicherungshebel herauf und zog den Riegel ein wenig zurück. Geladen war sie, und er horchte auf das Zuschnappen, als der Verschluß sich schloß. Dann blieb er ruhig und zusammengekauert da, weit außen an der Grubenkante, fast zu weit, und war dennoch für eine Weile mit diesem Repetierflintengefühl sicher, daß ihm nichts passieren konnte.

Das Wasser in der Grube lag im Dunkeln. Nur noch der oberste Grubenrand gegenüber war braun und rot vom Licht. Nicht lange, dachte er, und hielt die Augen halb geschlossen, nur ein wenig: ruhig sein, die Frösche aus der Tiefe, das leise Rieselgeräusch, wenn an den Wänden etwas Lehm loskam, der Geruch von warmem Hupper und wissen, daß niemand kam, nur das Floß, es drehte langsam über die Mitte hin und zurück, oder: es fuhr von ganz hinten herüber und schwamm langsam heran, mit der Hütte drauf und dem Dach –

Nein. Nein, jetzt nicht. Er mußte weiter. Er war auf der Tour und mußte sehen, daß er weiterkam. Morgen, dachte er im Aufstehen, und als er die Repetierflinte wieder mit dem Kolben unter den Arm nahm und um den Sockel herumging, morgen, wenn er wieder auf den Steinen am Wasser liegen würde, morgen, nach dem Mittag, wenn der Onkel dann schlief.

Und als er sich am Gerüst des Ziehturms hochzog, um auf den Sockel zu kommen, als er schon fast oben war und eben über die Verstrebung einstieg, fiel ihm der Onkel in der Hütte wieder ein. Er hatte ihn fortgeschickt – fortgeschickt, aber er war nicht müde. Mit seinem Fuß, da war nichts nicht in Ordnung. Er wollte, daß er, Thur, fort war. Er wollte –

Langsam stieg er die Leiter aufwärts. Was war los. Ja, ja, aber geh jetzt, vom offenen Fenster her, es war schon dunkel in der Hütte, und diese Stimme. Warum hatte der Onkel sich nicht umgedreht und gesagt, ich muß noch nach Lurs hinunter, wir gehen dann morgen wieder zusammen, oder, ein Mann, ja, zum Beispiel heute abend kommt noch ein Mann von der Huppergrubengesellschaft, und mit dem muß ich zusammen über die Arbeiten im Mahlwerk reden?

Aber er hatte davon nichts gesagt. Er war in der Hütte umhergegangen, und hinter seiner Stimme hatte die Angst gestanden, er, Thur, könnte sagen: Nein, ich kann nicht gehen. Da hatte er ihn verlockt. Mit der Repetierflinte hatte er ihn verlockt.

Er hatte die Plattform erreicht. Die Kabel und die Transformation konnte er nachher kontrollieren. Schnell ging er an die Brüstung hinaus, von wo er die Hütte und den Weg von der Biegung bis zur Hütte eben noch im Dunkeln sehen konnte.

Aus der Hüttentür fiel Licht auf den Vorplatz. Und selbst von hier oben aus sah er die Frau, schon als sie eben um die Biegung kam. Sie ging an der Stelle mit den Brettern vorüber. Man sah, wie ihr helles Kleid sich vor dem dunkelgrauen Steilhang gegen die Hütte hinauf bewegte. Jetzt erreichte sie den Vorplatz; er konnte sie hinter dem Licht nicht mehr sehen, dann war sie wieder dort. Das Licht, das aus der Hütte kam, schien sie an, ihre Gestalt leuchtete auf, und sie ging schnell hinein. Das Licht auf dem Vorplatz erlosch.

Der Nachtwind strich kühl durch die Innenseite seiner Hände. Sie war hineingegangen. Er blickte auf die Hütte; die Hütte hatte auf dieser Seite kein Fenster, sie war ein dunkler Würfel am Grubenhang und zu. Die Frau ist zu ihm hineingegangen, dachte er weiter, als er die Leiter hinunterstieg, er hatte gewußt, daß sie kam, er hatte ihn fortgeschickt, auf die Abendtour, mit der Flinte.

Er spürte jetzt, da er sich vom Sockel niederfallen ließ und die Flinte am Lauf nahm, da er durch den Schwarzdornschlag zu laufen begann, über den zerbrochenen Pfosten der Abzäunung strauchelte, aufstand, weiterlief bis dahin, wo der Hang steiler wurde, und dann hinunter, alles den Weg hinunter, bis er da unten ankam und mit einem Mal knapp vor sich die Hütte hatte und stehenblieb, jetzt wußte er, der Onkel log. Und wie er da jetzt heranging, sichernd, mit dem Zittern in den Fußsohlen, wenn er sie behutsam aufsetzte und immer näherging bis dicht an die Hütte und sich umblickte, spürte er, nichts mehr war da, nur drüben die Grubenkante, sie stieg schwarz in den Himmel, und der Himmel selbst war verschlossen von davorgewälzten Wolkenbrocken, und vor ihm, da stand die Wand, mit dem erhitzten Lehmstaub, der sich unter dem Tasten seiner Finger löste, und mit dieser fremden Stimme.

Langsam bewegte er sich auf die obere Seite, zu den Ritzen hinter dem Herd. Die Frau. Die Stimme der Frau, die drin war. Er hatte ihn fortgeschickt. Geh jetzt. Er hatte auf sie gewartet. Nein, es war nichts. Es war einfach eine Frau gekommen. Der Onkel war müde, sein Fuß, weiter nichts. Und sie war heraufgekommen, weil sie ihm etwas bringen mußte, sie mußte ihm etwas bringen und hatte gedacht, ich lauf heut abend schnell zum Grubenwärter in der Huppergrube hinauf und bringe ihm – ja, die Schuhe bringe ich ihm, nämlich weil sie vielleicht einfach das große Mädchen war vom Schuhmacher in Lurs, das war alles.

Aus den Ritzen drang Licht. Thur hörte, wie der Onkel etwas sagte, aber er verstand nichts. Er wußte jetzt nur, daß sie nicht das Schuhmachermädchen war. In der Luft schrie ein Kauz. Mit der Schulter zur Wand rückte er bis an den dünnen Lichtstrahl vor, stützte dann, während er seine Schläfen hämmern spürte, die rechte Hand flach gegen den Lehmverputz und hielt den Atem an. Er schaute hinein. Die Schultern des Onkels, sein Hinterkopf, daneben hervor das Licht, so hell, daß Thur die Augen schloß. Der Onkel saß auf dem Rand des Herds, er hatte die Beine wahrscheinlich gegen den Boden gestemmt und die Hände auf den Knien, das große Gesicht vorgeschoben, so wie er immer saß. Wo war sie? Thur blickte hinein, aber er sah nichts weiter als das Licht und den Onkel.

»– halb verwildert«, sagte die Frau. »Er sollte doch etwas lernen können, Mineur, zum Beispiel Mineur, warum nicht?«

Sie sprach schnell. Thur mußte aufpassen, daß er die Worte verstand.

»Er soll dableiben«, sagte der Onkel.

»Warum nicht Mineur, sag doch, warum nicht?«

Der Onkel: »Mineure gibt's genug, aber keinen sonst, der hier Bescheid weiß. Er kennt hier alles und kann mir helfen.«

»Du denkst nur immer an dich.«

»Das sagst du jetzt.«

»Aber wirklich, er verwildert. Kannst du dir denn nicht denken, wie dankbar so ein Junge ist, wenn er etwas Richtiges lernt?«

Der Schweiß lief Thur in die Augen. Welcher Junge? Was redete sie, er wollte sie nicht hören, sie war fremd, sie gehörte nicht zu ihnen, sie sollte fortgehen.

»Arthur ist im richtigen Alter. Man muß doch an später denken.«

Arthur, das war er, das war Thur. Sie sprach von ihm. Er legte das Ohr an die Ritze. Da war ihre Stimme nahe:

»– schließlich ist er doch auch mein Junge.«

Thur rührte sich nicht. Er stand an die Wand gelehnt und wartete. Vielleicht wartete er auf das Verlöschen der Glut, die ihn durchfahren hatte und seinen ganzen Leib jetzt brennen machte. Oder auf den hellen Morgen, der das alles, die Frau und die Stimmen und die Lüge und die Nacht und die Glut auswischen würde. Er wußte es nicht. Er nahm kaum wahr, wie der Onkel sagte: »Du hast dich lange genug nicht um ihn gekümmert.« Und verstand nicht, daß sie plötzlich weinte mit ihrer fremden Stimme. Mit dieser Stimme, die Thur jetzt haßte, weil sie ihr gehörte und sie den Onkel lügen machte und weil sie da drin war, hinten am Tisch vielleicht, an seinem, Thurs, Platz, und weil es eine Stimme war, die in einen hereindrang und sanft machte und schwer in den Gliedern – nein, nicht sanft: erregt und wild und so zornig, daß man nicht mehr denken konnte.

Er hörte dann, wie der Stuhl gerückt wurde. Sein Atem pfiff, als er noch einmal hineinblickte und wieder den Onkel sah und hörte, wie der Onkel sagte: »Einer muß einmal hier sein, einer muß weitermachen später. Hier oben mit der Grube und mit dem Wild kann ein Mann gut leben. Vielleicht, daß er sogar genausogut leben kann, genauso, wenn nicht besser. Hör jetzt auf, Lill.«

Sie sagte: »Ich hab' nichts von ihm gehabt, nichts bisher. Wenn du wüßtest, wie man – du willst nicht einmal, daß ich ihn da oben sehe. Weißt du, daß ich einmal da war, über Mittag, oben an der Kante im dürren Gras, und er kam heraus? Er ging ans Wasser hinunter. Ja, er hat das gleiche Haar. Ich werde schon aufpassen. Niemand wird was merken. Denk doch –« Sie lachte.

Da sah Thur die zwei Hände. Sie legten sich auf die Schultern des Onkels, komm, murmelte der Onkel, komm, sei schön ruhig, Lill, die Hände tasteten sich am Kragen hoch, sie berührten den Hals, schoben sich weiter, bis die Arme den Onkel, der sich vorbeugte, mit einem Mal fest umschlangen.

Und Thur dachte langsam, ich töte sie, er spürte, wie seine Gurgel zusammengeschnürt wurde, er dachte es weiter, als er von der Wand abließ und den Steilhang entlangtastete, weg von der Stimme, weg von der Hütte, die Repetierflinte neben sich, ohne zu wissen, daß er sie noch mittrug: töten, dachte er und fühlte das Wort in allen seinen Gliedern kreisen, wer immer sie sein mochte, immer weiter, am Holzstapel vorbei und den Weg hinunter, als schon die Tränen auf seinen Wangen brannten, langsam hinab, und er dachte nicht mehr an die Runde und nicht an die Lampe, die er hätte anzünden müssen. Er ging immer weiter, und erst als er zur Stelle kam, wo der große Brocken unter dem Ahorn weggesackt und den Weg in die Tiefe gerissen hatte und man eine Schiene von einem Wegstück zum andern hatte legen müssen und auf die Schiene die Bretter, blieb er stehen. Dann hängte er sich die Flinte um, bückte sich, packte ein Brett, riß es von der Schiene weg und warf es über den Hang hinunter. Einen Augenblick lang blieb er stehen und lauschte. Er hörte, wie es beim Aufschlagen klatschte. Da riß er noch ein Brett hoch, schleifte es ein kurzes Stück wegaufwärts und ließ es auf der Hangseite neben dem Weg liegen. Über das letzte Brett, das noch auf der fest verankerten Schiene lag, lief er hinüber, und als er drüben war, packte er es auch noch, ließ es sich seitlich überschlagen und stieß es dem ersten in die Tiefe nach. Seine Hände zitterten. Er wischte mit dem Handrücken über seine Augen, dann ging er weiter, und ohne noch zur Hütte, die jetzt ohne Licht im Südfenster weit oben im Dunkeln stand, hinaufzublicken, trabte er abwärts, mit dem Kolben unter dem Arm, bis auf die Höhe des Stegs, bog links ab, tastete mit den Sohlen die Stufen hinunter, ging über den Steg am Staubrett vorbei und folgte dem Pfad, der schräg hinauf in die Südwand führte.

Es war still. Nur ab und zu ein wenig Hupper, der über die Wand herunterkollerte, hinaussprang und kurz danach im Wasser einschlug; zwei Käuze, die mit ihrem Schreien von den alten Sprenglöchern herkamen und hoch über dem Wasser vorüberwischten, dann, wie er gegen die Sprenglöcher hinauf einbog, das nahe, kurze Gebell der Füchsin und da, vor ihm, der Schatten, das weiche Geräusch fliehender Pfoten. Er riß die Repetierflinte hoch, warf sich an den Steilhang und schoß. Den Schlag des Kolbens fühlte er nicht. Er riegelte nach und schoß wieder. Und schoß, und schoß, betäubt vom süßlichen Feuergeruch, dem Donner und Widerdonner der Schüsse. Dann ging er vor, den Pfad aufwärts, hier mußte es sein, ein Marder, im Steinbrechbusch. Aber es war nichts da außer den bleichen Blättern und dem festgetretenen Lehm, der daran vorüberführte. Er setzte sich. Die Frau, dachte er, und er wußte jetzt, sie war immer schon dagewesen, im Geruch des Huppers, im Spiegel des Wassers, im Feuerrauch und immer im Rauschen der Luft. Doch er wollte an sie nicht denken, jetzt nicht. Er wollte allein sein und die Repetierflinte in der Hand spüren. Er nahm sie herauf. Als er den Verschluß zurückzog, sah er, noch eine Patrone war drin. Er drehte sich, ließ sich längs des Wegs auf die Ellbogen fallen, nahm den Kolben in Anschlag und zielte, ohne Korn und Kimme zu sehen, gegen die Ostwand, die sich drüben schwarz bis zur Hälfte des verschlossenen Himmels erhob. Dann schloß er die Augen, preßte die Lippen zusammen, senkte das Gesicht, bis der Helmrand am Boden ankam und er den warmen Lehm an seiner Wange fühlte, und krümmte den Zeigefinger durch. Und blieb liegen, als das Krachen leer von der Wand zurückkam, verhallte, wiederkam und ausging, als der Rauch, der in die Augen biß, verwehte und nichts mehr da war außer dem Lehmgeruch und diesem Salzgeschmack auf den Lippen.

»Wer ist sie?« fragte Thur. Aber der Onkel schlief. Es hatte keinen Sinn, weiter hier vor der Pritsche im Dunkeln zu stehen und ihn zu fragen. Sein Atem ging gleichmäßig ein und aus. Bisweilen stöhnte er ein bißchen ins Kissen, dann war's wieder still. Thur ging zum Südfenster und blickte hinaus. Die Nacht begann heller zu werden. Aber noch immer lag sie dicht genug auf allem, so dicht, daß man kaum die obere Grubenkante und kaum den Ahorn mit den verwischten Zweigen und kaum den Weg sah; der Weg lief vom Vorplatz langsam hinab, bis zu der Schiene. Weiter nicht, und man war versucht, an das Floß zu denken, auf dem man jetzt sein müßte, mit Sturmwetter draußen.

»Wann ging sie?« fragte er.

Aber der Onkel schlief, und langsam wandte Thur sich ab und tastete zu seiner Pritsche. Als er sich in den Kleidern hingelegt hatte und alles wieder still war, fragte er: »Hörst du? Wann ging sie fort?«

»Ging sie den Weg hinab?« fragte er nach einer Weile, »hörst du, ging sie da hinab?« Seine Flüsterstimme verkroch sich oben im Gebälk unter die Dachpappe.

Ich sollte es wissen, sagte er, und mit einem Mal sah er wieder ganz scharf die Schiene vor sich und die hinunterstürzenden Bretter. Rasch setzte er sich auf und schaute zur Wand hinüber, wo unter dem Westfenster der Onkel im Dunkeln lag und nicht erwachen wollte.

»Ich hab' sie fortgenommen«, sagte er laut. »Ich hab' die Bretter fortgenommen.« Warum hörte er nicht, warum murmelte er Worte, die er, Thur, nicht verstand?

Er stand vom Lager auf und ging zum Onkel hinüber. Er tastete über das Haar, spürte die Schulter, stieß sie an. »Onkel, hör doch, die Bretter. Sie sind nicht mehr dort.«

Thur wußte, der Onkel hatte einen tiefen Schlaf. Aber er müßte doch aufwachen, wem sonst könnte er seine Geschichte von den Brettern erzählen?

»Was ist los?« murmelte der Onkel. »Bist du es? Hast du geschossen?«

»Geschossen – ja. Ein Marder.«

»Geh schlafen.«

»Die Bretter sind fort.«

»Schon gut, Thur. Morgen. Schlaf jetzt.«

»Onkel, sie sind fort. Ich hab sie fortgetan. Wer ist die Frau?«

Er hörte, wie der Onkel im Atmen innehielt. »Hast du spioniert?« fragte er und setzte sich auf. Als er noch einmal sagte: »Hast du spioniert«, spürte Thur das große Gesicht dicht vor sich in der Dunkelheit.

»Es ist wegen der Bretter«, antwortete Thur. »Sie sind fort. Sie sind fort, weil ich sie fortgenommen habe.«

Er hörte, wie der Mann aufstand und jetzt wach war und vor ihm stand und sagte: »Welche Bretter? Was ist mit Brettern los?«

»Da unten, die auf der Schiene –«

Am Schweigen des Onkels spürte er, daß etwas Schreckliches geschehen war. Da schob der Onkel ihn zur Seite, machte Licht, zog die Hose über, die Jacke, nahm die Karbidlampe herunter und ging hinaus. Thur ging hinter ihm her auf den Vorplatz. Als er stehenblieb, hörte er, wie der Onkel lief; er mußte jetzt schon fast unten sein. In der Luft hörte man einen Kauz, der schrie. Thur ging langsam hinunter.

Etwas oberhalb der Stelle, wo der Onkel jetzt die Karbidlampe anzündete, blieb er stehen. Weil es da draußen kühler geworden war, schlugen seine Zähne aufeinander. Er hielt sich dicht an die Wand, und er sah den Onkel mit dem Licht über die Schiene und dann hinunter leuchten. Plötzlich kam der Onkel schnell herauf und auf Thur zu. Aber er ging vorbei. Thur sah, wie er vor dem Vorplatz über die Kante hinaus abbog und den schmalen Stufenweg zum Ufer nahm. Der Schein hinter der Kante wurde schwächer; nicht lange, und man sah, er mußte unten angekommen sein; jetzt ging er dem Ufer entlang gegen die Stelle hinaus, wo die Bretter ins Wasser gestürzt waren. Thur schaute zum Ahorn hinauf; er wußte, es hatte hart darunter das Loch, wo das Stück Land abgesackt war. Da hätte einer, wenn er die Knie anziehen würde, bequem drin Platz. Von da oben käme man leicht hinein. Unter dem Ahorn in der Höhle aus Lehm und Wurzeln liegen, unter dem Ahorn, wo sie einen nie finden könnten. Oder nein: auf dem Floß sein, in der Hütte, es müßte ein Floß mit einer Hütte sein mit vier Wänden und mit einem Dach aus Dachpappe und Brettern, und mit Zweigen drüber, das wäre das Richtige, Ahornstämme, mit Teer dazwischen oder mit Harz, und das Floß würde sich in der Mitte des Wassers halten.

Aber jetzt, wie Thur da blieb und wartete und es kein Floß für ihn gab, der Lichtschein immer höher heraufkam, der Onkel dann über der Kante auftauchte und beim Näherkommen keuchte, spürte Thur, wie etwas hier drin zu hämmern begann. Vor ihm blieb der Onkel stehen. Er schaute ihn nicht an, er blickte wegabwärts gegen die Schiene. Dann drehte er Thur langsam das Gesicht zu: »Weißt du, wer sie war?«

»Ich hab' gehorcht«, sagte Thur.

»Dann weißt du also auch, wer sie war?« fragte der Onkel.

Er redete nicht laut, und er sagte ein Wort langsam nach dem anderen.

Nein, dachte Thur. Nein, nein. Seine Kehle wurde eng, und er sagte: »Ich hab' nur die Bretter fortnehmen wollen, ich wußte nicht —«

Der Onkel ging gegen die Schiene hinab. »Lillchen«, hörte Thur ihn dabei sagen. Bei dem Brett, das am Weg lag, blieb der Onkel stehen. Dann bückte er sich, hob es hoch und stellte es schräg gegen den Hang. Thur sah, wie er den Fuß drauf setzte, zweimal auf und nieder wippte, sein ganzes Gewicht darauf stemmte und das Brett mittendurch brach. Er nahm das eine Stück auf, ging mit der Lampe bis zu der Schiene und legte es schräg darüber. Dann holte er das andere Stück und warf es in die Dämmerung hinaus. Man hörte, wie es in der Luft schwirrte und klatschend einschlug.

Thur verstand. Ein Unglück, dachte er: ein Brocken hatte sich oben gelöst und war abgesackt und hatte ein Brett zerbrochen und die anderen zwei mitgerissen; der Onkel wollte, daß es ein Unglück war.

Der Himmel war grau geworden, und so konnte er sehen, daß der Onkel, als er herauf und an ihm vorüber kam, im Gesicht alt aussah. Neben Thur blieb er stehen. »Nimm alles mit«, sagte er; »für alle Fälle. Vielleicht kommen sie heute schon herauf. Verschwinde.«

Thur wagte nichts zu fragen. Er ging hinter dem Onkel her bis zum Vorplatz, und als der Onkel stehenblieb, trat er ein und nahm seine Jacke und das zweite Hemd und tat alles zu den Schuhen in die schwarze Ledertasche. Noch immer roch es ein wenig nach Dachpappe und dem Rauch des Onkels und nach dem Geruch der Frau, der fast nichts Fremdes mehr an sich hatte. Beim Hinausgehen sah er den Onkel mit dem Rücken zur Hütte am Rand des Vorplatzes stehen und ins Wasser hinunterschauen, aber er getraute sich nicht, noch einmal zu ihm zu gehen. Er nahm den Weg gegen den Ziehturm hinauf und ging langsam davon. Vor dem Schwarzdornschlag führte links ab der Wildwechsel in die Wand hinein.

Er kletterte rasch. Ab und zu ein dürrer Strauch, Grasbüschel, sonst nackter Lehm. Als er oben war, wandte er sich um, aber die Grube sah leer aus, und der Onkel stand nicht mehr dort unten. Nur auf dem Wasser schwammen noch klein die Bretter. Einen Augenblick lang dachte Thur daran, zurückzugehen; er könnte vielleicht das Floß bauen, dann wäre er ziemlich sicher, daß ihm nichts passierte. Nein. Geh fort. Die Stimme des Onkels war für einen Augenblick da, war da, sank wieder weg. Gleich da drüben, hinter dem Grasstück, begann der Wald. Dahinter lag der Steilhang, unten die Ebene, dahinter Jammers. Dorthin, in die Stadt, könnte er verschwinden. Aber hier war die Huppergrube. Rechts von ihm, keine zwanzig Meter entfernt, an der Kante, stand der Ahorn, ganz außen. Die Wurzeln hingen frei in die Luft. Bis man ihn vielleicht für ein Floß einmal fällen würde. Er aber konnte mit seinen hupperigen Schuhen fortgehen, oder auf das Floß. Seine Augen begannen zu brennen. Auf das Floß, oder fortgehen. Er schaute sich um. Fortgehen, oder auf das Floß. Hinter ihm war Gras, dann begann gleich der Wald.

Nein, nicht jetzt. Denn vielleicht gab es noch etwas anderes, und vielleicht, daß er das zuerst versuchen müßte. Nur nicht gleich. Nur nicht gleich jetzt. Vorher wollte er noch ein wenig warten, denn er mußte erst sehen, daß er nicht mehr diese Tränen in die Augen bekam. Am besten im Wald, im Wald drüben konnte er warten. Wenn er dann stark genug war, konnte er ja versuchen, wieder hinunterzugehen und zu bleiben. Er wandte sich um. Das Grasstück war da. Dahinter begann gleich der Wald.

(1957)

PETER WEISS

Der Schatten des Körpers des Kutschers

Die Abendmahlzeit nehmen wir, wie alle anderen Mahlzeiten, am
Tisch in der Küche ein. Trotz der Reichhaltigkeit des Geschirrs im
Wandschrank wird mit einem Mindestmaß an Tellern, Trinkgefä-
ßen, Schüsseln und Bestecken gedeckt, so daß ein etwaiges Vorge-
richt und ein etwaiges Nachgericht auf demselben Teller wie das
Hauptgericht, einem tiefen Teller aus weißem Porzellan, verzehrt
wird. Als Eßwerkzeug wird nur ein Zinnlöffel verwendet, zu allen
Gängen, sowie zum Umrühren im Becher, aus dem man sein
Wasser, sein Bier, seinen Wein oder Kaffee trinkt. Auf die Rein-
lichkeit der Tischplatte wird, im Gegensatz zum Fußboden, der
mehrmals täglich von der Haushälterin gescheuert wird, kein Wert
gelegt; so ist die Platte noch voll von Mehl und Teigklumpen, und
von getrockneten Brotkrumen und Fleischfädchen vorhergegange-
ner Mahlzeiten. Dies ist die Ordnung, in der die Gäste um den
Tisch sitzen; auf dem Schemel zur oberen Schmalseite des Tisches,
nächst dem Herd, sitzt die Haushälterin; zu ihrer Linken auf der
Bank vor der Fensterwand sitzt der Hauptmann, in einem schwarzen, weißgestreiften, altmodisch geschnittenen Gehrock, ebensolchen Hosen, einer grauen Weste, die, trotz sorgfältiger Pflege,
einigen Flecken im Laufe der Jahre nicht entgehen konnte, einem
weißen Hemd mit hohem Stehkragen und einer schwarzen, mit
einer Perlennadel am Hemd befestigten Krawatte; links neben
dem Hauptmann sitzt Herr Schnee, abends in seinen seidenen
Hausrock gehüllt; links neben Herrn Schnee sitzt der Doktor, den
Kopf mit dicken Verbänden umwickelt, ein Pflaster quer über der
Nase und ein Pflaster auf der Oberlippe, einen Verband um den
Hals, Verbände um die Handgelenke, unförmlich dicke Bandagen
an den Beinen, sein Mund hart zusammengepreßt über dem
Schmerz, der seinen ganzen Körper zu erfüllen scheint und der
ihm aus dem Mund ausbrechen will, seine Augen unter einer
schwarzen Brille verborgen. An der anderen Schmalseite des
Tisches sitzt der Hausknecht, die Mütze auf dem Kopf; ihm zur
Linken an der anderen Längsseite des Tisches sitzt der Schneider,
in seinem fadenscheinigen, zusammengeflickten Anzug, scheckig
wie ein Harlekin, und jetzt, da er sich zu dieser Begegnung

428

gesammelt hat, mit Bewegungen, die so durchdacht sind, daß sie ständig über sich selbst hinaussteigen, große Bogen, verschnörkelte Arabesken und fuchtelnde Winkel beschreibend. Links neben dem Schneider sitze ich. Zu meiner Linken sitzt niemand; der Platz ist leer und wartet auf einen neuen Gast. (Die Familie, die das Zimmer neben der Küche bewohnt, nimmt an unseren Mahlzeiten nicht teil, sie führt ihren eigenen Haushalt.) In der Mitte des Tisches stehen die beiden Kochtöpfe, der eine mit Kartoffeln, der andere mit Rüben gefüllt. Die Hände, den Löffel haltend, heben sich jetzt von allen Seiten den Töpfen entgegen, die Hand der Haushälterin rot, gedunsen, walkig vom Spülwasser, die Hand des Hauptmanns mit polierten, gerillten Fingernägeln, die Hand des Doktors mit Verbandsschlingen zwischen jedem Fingeransatz, die Hand des Hausknechts fleckig von Dung und Lehm, die Hand des Schneiders zitternd, dürr, pergamenten, meine eigene Hand, meine eigene Hand, und dann keine Hand, in einem leeren Raum, der auf eine Hand wartet. Die Löffel senken sich in die Schüsseln und steigen, beladen mit Kartoffeln und Rüben, wieder daraus empor, laden die Last auf dem Teller ab und schwingen sich zurück in die Töpfe, füllen sich, leeren sich wieder über den Tellern, wandern weiter hin und her, bis jeder auf seinem Teller einen Haufen Kartoffeln und Rüben gesammelt hat, der seinem Hunger entspricht. Der größte Haufen befindet sich auf dem Teller des Hausknechts, doch der Haufen auf dem Teller des Schneiders ist fast ebenso groß, obgleich der Schneider nicht wie der Hausknecht den größten Teil des Tages im Freien und mit körperlich anstrengenden Arbeiten verbringt, sondern nur in der Stube über seinen Flicken hockt; dann folgt der Haufen auf dem Teller der Haushälterin, kaum, erst nach mehrmaligem genauen Vergleichen, von der Größe des Haufens auf Schnees Teller zu unterscheiden; danach der Haufen des Hauptmanns, der im Verhältnis zum Haufen auf dem Teller des Hausknechts schon klein ist; danach der Haufen auf meinem eigenen Teller, und diesen kann man gering nennen, doch im Verhältnis zum Haufen auf dem Teller des Doktors erscheint er immer noch groß. Die Löffel heben sich jetzt, gefüllt mit Kartoffelbrocken und Rübenstücken, zu den Mündern empor, die Münder öffnen sich, der Mund der Haushälterin wie zu einem saugenden Kuß, indem sie den Atem schnaufend durch die Nase stößt; der Mund des Hauptmanns vorsichtig am künstlichen Gebiß manövrierend; Schnees Mund mit breit aufgezogenen, weißlich entblößten Lippen; der Mund des Doktors, zu einem mühsamen Spalt aufklaffend; der Mund des Hausknechts, vorstoßend wie ein

Schnabel, die Zunge lang herausgestreckt und den Löffel erwartend; der Mund des Schneiders, gewählt aufklappend und sich erweiternd zur Maulstarre; mein eigener Mund, mein eigener Mund; und dann der leere Raum für einen neuen, noch unbekannten Mund. Während wir an unserem ersten Bissen kauen, die Haushälterin langsam, kreiselnd, mahlend, der Hauptmann mit dem Gebiß knarrend, Schnee schmatzend und tief über den Teller gebeugt, der Doktor würgend, ohne die Zähne zu rühren, mit der Zunge das Essen am Gaumen zerdrückend, der Hausknecht schlürfend, wuchtig mit den Armen auf dem Tisch liegend, der Schneider, auf den Teller des Hausknechts schielend, mit bebenden, wie Stränge vortretenden Kaumuskeln, mit der Zunge an dem vom Speichel aufgeweichten Brei schleckend, ich, ich, und dann der, von dem ich nicht weiß wie er kauen wird. So essen wir schweigend; der Hausknecht, der Schneider und die Haushälterin laden sich noch einmal auf, holen aber die übrigen Esser ein, so daß wir alle ungefähr gleichzeitig fertig sind. Zwischen den Handhabungen des Löffels werden ab und zu die Zinnbecher mit der anderen Hand ergriffen; der Becher der Haushälterin ist mit Bier gefüllt, der Becher des Hauptmanns ist mit Wasser gefüllt, Schnees Becher ist mit dunkelrotem Wein, den er aus einer in der Tasche seines Hausrocks aufbewahrten Flasche eingeschenkt hat, gefüllt, der Becher des Doktors enthält einige Wassertropfen, der Becher des Hausknechts ist mit Bier gefüllt, der Becher des Schneiders ist mit Wasser gefüllt, wie auch mein eigener Becher, und womit würde der Unbekannte sein Glas füllen. Die Becher werden an den Mund geführt, und die Flüssigkeit dringt in den Mund ein, füllt den Mund aus und gleitet durch die Kehle hinab, außer beim Doktor, der nur den Mundspalt, dünn wie eine Messerkerbe, an den Wassertropfen netzt. Während der Griff der Hand um den Löffel bei allen fast der gleiche ist und man sich mehr in der Art des Handhebens, bei der Haushälterin behält der Arm und die Hand eine nahezu feste Lage und es ist der Oberkörper, der sich hebt und senkt, beim Hauptmann vollzieht sich die Hebelbewegung knackend im Armbogen, Schnees Hand führt den Löffel vom Handgelenk aus zwischen dem Teller und dem tief herabgeneigten Mund hin und her, die Hand des Hausknechts stößt den Löffel wie eine Kohleschaufel in den wie ein Ofenloch vor dem Teller aufgerissenen Mund, der Schneider ruckt und zuckt mit dem gewinkelten Arm wie eine aufgezogene Gliederpuppe, ich, ich merke in meinem Beobachten kaum wie ich esse, voneinander unterscheidet, so ist der Griff um den Becher bei allen mit starken

Merkmalen versehen; die Haushälterin ergreift den Becher mit rundgewölbter Hand, sie schiebt ihre Hand unter den Becher und hebt ihn in ihrer Hand wie in einer Schale dem Mund entgegen, der Hauptmann legt seine verbogenen Finger mit den Spitzen um den Becher, hält den Becher wie im Zangengriff einer Vogelklaue, Schnee umtastet den Becher mit seinen langen, beinweißen Fingern, und während er den Becher anhebt, regen sich seine Finger wie in einer melkenden Bewegung, der Doktor drückt den Becher zwischen die freie Hand und die Hand, die den Löffel hält, und in gemeinsamer Anstrengung klemmen die Hände den Becher dem Mund entgegen, der Hausknecht legt seine Hand wie einen Erdwall um den Becher und kippt den Becher in den herankommenden Mund, der Schneider, der, wenn er nicht trinkt, die Hand flach ausgestreckt als Deckel auf dem Becher liegen hat, klappt, zum Trinken, die Hand zur Seite, schnappt dann den Daumen herab und dann die Finger herum und befördert den Becher wie in einer Schachtel empor, ich selbst, ich fühle die kühle Zinnrundung im Innern der Hand. Folgende Zwischenfälle ereigneten sich während der Mahlzeit; zu Beginn, kaum daß wir Platz genommen hatten, war der Ruf der Krähe von den Feldern her zu vernehmen, es war ein einziger Ruf, mit demselben, an Harm erinnernden Klang wie zuvor. Als unsere Löffel auf den angefüllten Tellern zu schürfen begannen, hörte man auch durch die Wand das Klappern von Geschirr auf dem Tisch der Familie; der Säugling plärrte, beruhigte sich aber bald, wahrscheinlich wurde er von der Mutter an die Brust genommen; ein Geräusch als schlüge ein Zinnlöffel an einen Zinnbecher wurde deutlich nebenan, daraufhin war es mehrere Sekunden lang völlig still hinter der Wand, worauf ein anderes Geräusch erklang, wie von einem auf einen Körper hart niederfahrenden Riemen, mehrmals wiederholt, bis es wieder still wurde; bald darauf war das gewöhnliche Scheppern des Geschirrs wieder im Gange. Ein Hustenanfall des Schneiders war, neben dem einmaligen erstickten Aufstöhnen des Doktors, das einzige, was das Ebenmaß unserer Mahlzeit unterbrach; sonst ist nur noch das Erscheinen und Verschwinden eines schwarzen mittelgroßen Käfers zu vermerken; er fiel aus dem Rauchfang auf die Ofenplatte, hatte das Glück, auf die Beine zu geraten (wäre er auf den Rücken gefallen, so hätte ihn die Hitze der Platte verkohlt) und lief eilig zur Ofenkante, von wo aus er zum Abwaschbecken hinabblickte. Seine vorgestemmten Beine suchten sich zum Ansatz des Abwaschbeckens hinab, der Körper folgte nach, und so glitt er in die Tiefe; ich richtete mich auf und sah ihn in einem der Löcher des

Bodensiebes verschwinden. Welcher Tod, fragte ich mich, ist für einen Käfer der leichteste, oder mindest qualvolle, der Tod des Verbrennens auf einer Ofenplatte oder der Tod des Ertrinkens in einem Ausgußrohr. Den Kaffee nehmen wir in der Diele ein, nachdem die Teller, von den Gästen übereinandergestellt, von der Haushälterin zum Abwaschbecken getragen, und die Becher, von der Haushälterin aus der blauen Kanne gefüllt, von den Gästen durch die Küche getragen worden waren, und die Gäste aus der Zuckerschale, von der Haushälterin aus der Speisekammer herbeigetragen, ein Zuckerstück genommen und es in die Tasse gelegt, und die Gäste, mit einem Löffel, von allen, außer dem Doktor, vorher abgeleckt, in den Bechern rührend, die Schwelle überschritten und in der Diele Platz genommen hatten; die Haushälterin auf dem Stuhl vor der Nähmaschine, der Hauptmann auf seinem von Ziegelsteinen gestützten Sessel, Rücken an Rücken mit dem Sessel, auf dem sich Herr Schnee niedergelassen hatte, der Doktor auf dem Schirmständer, der Hausknecht auf einem Klappstuhl, den er unter der Treppennische hervorgezogen hatte, der Schneider ganz im Schatten auf dem Fußboden in der Nähe der Haustür und ich selbst auf der dritten Stufe der Treppe. Kaum hat jeder seinen Platz gefunden und die Kante des Bechers an die Lippen gesetzt und den schwarzen heißen Kaffee an die Zungenspitze rinnen gefühlt, so öffnet sich die Tür zum Zimmer, in dem die Familie wohnt, und der Vater tritt heraus, auch er in der Hand einen Zinnbecher, in dem er mit einem Zinnlöffel rührt, und nach ihm die Mutter, mit einem ebensolchen Becher und Löffel, und nach der Mutter der Sohn, in jeder Hand einen Stuhl tragend. Zwischen dem Stuhl der Haushälterin und den Sesseln des Hauptmanns und des Herrn Schnee stellt er die Stühle ab und schiebt sie unter den Vater und die Mutter, die sich auf den Stühlen niederlassen; dann wendet er sich um und geht in das Zimmer zurück und schließt die Tür hinter sich. Aus der Einförmigkeit der gemeinsamen Mahlzeit in der Küche entwickelt sich hier in der Diele eine Vielfalt von Geschehnissen. Die Unregelmäßigkeit der Verteilung der Gäste im Raum schafft schon zu Anfang ein schwer überblickbares Muster in der Verkettung der Bewegungen und Laute. Die Haushälterin stellt den Becher auf der Nähmaschine ab und greift in die Schublade des Nähtisches, wo die Knöpfe zwischen ihren Fingern klirren; der Schneider zieht scharrend die Beine an und schlägt sie übereinander, dann entnimmt er seiner rückwärtigen Hosentasche die Pfeife und beginnt, sie mit Tabak, den er aus seiner seitlichen Hosentasche gezogen hat, zu stopfen; auch der

Hauptmann greift in eine Tasche, in die Brusttasche seiner Weste, nimmt ein silbernes Etui hervor, klopft auf den Deckel, läßt den Deckel aufschnappen, wendet sich über die Rückenlehne des Sessels, reicht das Etui über Schnees Schulter, Schnee wendet sich ihm entgegen, läßt seine knöcherne Hand in großem Bogen in das Etui hineinstoßen, hebt eine Zigarette heraus, worauf der Hauptmann das Etui zurückführt, selbst eine Zigarette dem Etui entnimmt, das Etui zuklappen läßt und in die Brusttasche zurücksteckt. Dann greift der Hauptmann in seine Hosentasche und läßt die Hand mit einem Feuerzeug hervortreten; die Hand mit dem Feuerzeug schwingt sich über die Sessellehne, Schnee wendet sein Gesicht dem Feuerzeug entgegen, die Finger des Hauptmanns schlagen Feuer, und Schnee saugt, mit der Zigarette im Mund, an der Flamme. Das über die Rückenlehne gewendete Gesicht des Hauptmanns liegt nahe an Schnees Gesicht, beider Augen sind seitwärts auf das Feuerzeug gerichtet, und die Flamme spiegelt sich in ihren Pupillen; nachdem die Glut an der Spitze von Schnees Zigarette leuchtet und dieser eine Wolke blauen Rauches zwischen den Lippen hervorstößt, führt der Hauptmann die Flamme an die eigene Zigarette, und Schnee sieht ihm zu, wie er an der Zigarette saugt und wie auch diese Zigarette zu glühen beginnt und der Rauch aus dem Mund des Hauptmanns quillt. Der Vater beugt sich vor und ergreift die Säbelscheide, die noch vom Nachmittag, an dem der Hauptmann sich mit ihr beschäftigt haben mochte, her über der Sessellehne hängt; er hebt sie zu sich heran und befühlt sie; der Hauptmann wendet sich ihm zu, greift nach dem Gurt, an dem die Scheide befestigt ist, schiebt die Scheide weiter zum Vater hinüber, läßt den Gurt aber nicht los. Während sie Worte, die ich auf Grund der Entfernung und ihres leisen Sprechens nicht verstehen kann, miteinander wechseln, beugt sich der Vater noch weiter vor, und der Hauptmann beugt sich noch weiter dem Vater entgegen, den Gurt fest in der Hand, und der Vater streicht mit den Fingern über die Scheide, bis zum Gurt hinauf, und steckt den Zeigefinger in die Scheide. Auch Schnee wendet sich dem Säbel zu, und von den Worten, mit denen er zum Gespräch beiträgt, unterscheide ich Rost und säubern. Die Mutter ist indessen näher an die Haushälterin herangerückt, und auch zwischen ihr und der Haushälterin werden Worte ausgetauscht, von denen mir einige verständlich sind, wie Brei, einfädeln, lüften, der Junge aufs Kind aufpassen, später noch abwaschen, für den Sonntag, Futter geben, Brust geben, weh, drückt mir so. Die Haushälterin hat ein leinenes Hemd aus der unteren Lade des Tisches gezogen und beginnt, einen Knopf am Halsansatz anzunähen; Schnee nimmt aus der einen Tasche seines Hausrocks, aus der andern ragt der Flaschenhals hervor, ein paar kleine Steine, wägt sie in der Hand und hält sie über die Säbelscheide, unter die Blicke des Hauptmanns und des Vaters; mit Schnees eigenem Blick sammeln sich die Blicklinien zu einem Strahlenbündel auf den Steinen; ich vernehme einige der Worte aus der Folge der Sätze, die Schnee ausspricht, wie besonders, ausgetrocknet, durchsetzt, nur noch zwei, werde morgen versuchen, einmal tiefer, von dort aus, wieder nicht, doch noch, wenn man einmal, es könnte schon sein. Der Vater streckt die Hand, die er in die Säbelscheide gesteckt hatte, nach den Steinen aus und betastet diese, und von seinen Worten unterscheide ich, haben natürlich, vielleicht arbeiten, treibt sich nur herum, zu nichts nutze, werd ihn gleich fragen. Daraufhin wendet er sich zur Tür zum Zimmer der Familie und pfeift zwischen den Zähnen; drinnen im Zimmer ist ein Poltern zu hören, als würde ein Stuhl umgeworfen, die Tür wird aufgerissen und der Sohn erscheint, springt mit hochgezogenen Schultern über die Schwelle, läßt die Tür hinter sich offen stehen, springt durch die Diele, am Stuhl der Mutter und der Haushälterin vorbei, wobei er an die Lampe stößt und die Lampe mit wehenden Fransen hin und her schwingt, auf den Stuhl des Vaters zu. Der Vater hebt die Hand und befestigt seinen Zeigefinger im obersten Knopfloch der Jacke des Sohnes, den Becher mit dem Daumen, dem Mittelfinger, Ringfinger und kleinen Finger festhaltend, und zieht den Oberkörper des Sohnes zu sich herab. In dem von einer von der Decke herabhängenden Glühbirne erleuchteten Zimmer der Familie kann ich den Säugling auf der grünen Decke des Bettes liegen sehen, die Beine emporgestreckt und mit den Händen nach den Füßen tastend, manchmal einen Zeh ergreifend und wieder verlierend, den Kopf mit Anstrengung aufrichtend und wieder fallen lassend. Aus dem Gespräch, in das der Sohn hineingezogen wird, kann ich folgendes vernehmen, Worte des Vaters wie Frühe, Nutzen, Herrn Schnees Tätigkeit, lange genug zugesehn, einmal zeigen, Karren, Schaufel, Sand sieben, acht, neun Steine, wegschaffen, putzen, einreihen; Worte von Herrn Schnee ausgesprochen wie natürlich, vorsichtig sein, sorgfältig, verstehen was es geht, bisher dreitausendsiebenhundertzweiundsiebzig Steine, von Grund auf lernen, auch mit Lohn rechnen; eingefügte Worte des Hauptmanns wie besser, sehr wohl, nicht das schlechteste, zu meiner Zeit, viel geändert. Der Sohn blickt während der Verhandlungen nicht auf den Vater und nicht auf Herrn Schnee oder die hingehaltenen Steine, sondern hinüber zu mir; seine Haare hängen ihm über die zu Längsfalten gerunzelte Stirn, seine Lippen schaben an den Zähnen, und die Haut zuckt um seine tief in den Höhlen liegenden, schwarz aus dem Weißen hervorstarrenden Augen. Die Mutter, die ihr Gesicht dicht über die Handarbeit der Haushälterin gebeugt hatte, richtet sich jetzt auf und biegt sich weit zur Seite, mit dem Arm nach dem Sohn ausgestreckt, sie zupft den Sohn am Saum der Jacke, Schnee knipst mit dem langen Nagel seines Zeigefingers an einen der Steine, der Hauptmann zieht die Säbelscheide zu sich heran, und langsam gleitet sie durch die Hand des Vaters, die Mutter zerrt am Saum der Jacke des Sohnes, die Jacke ist von den Schultern des Sohnes hochgehoben, und unter der ziehenden Hand der Mutter rutscht die Jacke, mit den herabsinkenden Schultern des Sohnes, nach unten, bis der Saum der Jacke wie ein Rocksaum über seinen Knien hängt und die Schultern zu einer schrägen Ebene herabgeflossen sind. Der Hauptmann hat die Scheide des Säbels aus der Hand des Vaters herausgezogen, er hebt die Scheide und schlägt damit leicht auf die niederhängende Schulter des Sohnes, währenddessen hält die Mutter noch den Jackensaum des Sohnes fest, und der Zeigefinger des Vaters ist noch im Knopfloch der Jacke des Sohnes verhakt. Aus dem Schatten unter der Treppe kommen Geräusche, die auf eine Veränderung der Lage hindeuten, und ich sehe jetzt, daß der Schneider, wahrscheinlich kriechend, sich dem Hausknecht genähert hat und dies wahrscheinlich, weil der Hausknecht ihn mit einem Kartenspiel herbeigewinkt hat. Die Hand des Hausknechts verteilt die Karten mit klatschenden Schlägen auf dem Boden, so daß vor ihm ein wachsender Haufen liegt und ein anderer vor dem Schneider. Dann ordnen sie die Karten in der Hand, worauf der Hausknecht, tief von seinem Klappstuhl herabgebeugt, eine Karte hervorzieht und sie mit Wucht auf den Boden wirft, und der Schneider, hockend mit übereinandergeschlagenen Beinen, dieselbe Geste, doch ausführlicher, noch einmal vollzieht. Auf diese Weise geht es hin und her zwischen ihnen, und hinter ihnen, rücklings an den Schirmständer gestützt, ist der Doktor zu sehen, mit schmerzhaft verzogenem Gesicht, mit der einen Hand den Verband am Gelenk der anderen Hand abwickelnd. Zwischen den Kartenschlägen nehmen der Hausknecht und der Schneider hier und da einen Schluck aus dem Becher, den sie neben sich auf den Fußboden gestellt haben, auch der Hauptmann und Herr Schnee nehmen zuweilen einen Schluck aus dem Becher, den Schnee auf seinem einen Knie balanciert und der Hauptmann zwischen seinen beiden Knien festklemmt. Auch der Vater nimmt einen Schluck aus dem Becher, wobei er die Brust des Sohnes mit dem immer noch festgehakten Zeigefinger zu sich heranzieht, und auch die Mutter, die sich wieder vom Sohn abgewendet hat, trinkt aus dem Becher, den sie neben den Becher der Haushälterin auf die Nähmaschine abgestellt hat, und auch die Haushälterin unterbricht dann und wann ihre Arbeit und schlürft einen Schluck, und auch ich nehme einen Schluck aus dem Becher, dessen warme Rundung zwischen meinen Händen liegt. Die bloßgelegten Teile des Verbandes am Handgelenk des Doktors weisen Flecke von Blut und Eiter auf; er wickelt langsam weiter, während er das abgewickelte Ende zusammenrollt, und die Hand der Haushälterin mit der Nadel und dem Faden gleitet auf und ab, und die Mutter lehnt ihren Kopf zurück und gähnt mit weit aufgerissenem Mund, und der Zeigefinger des Vaters läßt das Knopfloch in der Jacke des Sohnes los, und Schnees Hand mit den Steinen senkt sich in die Tasche des Hausrocks zurück, und der Hauptmann hebt die Schöße seines Gehrocks und knöpft sich den Gurt mit der Säbelscheide um, und der Doktor löst, mit verzerrtem Mund, das letzte Stück des Verbandes vom Handgelenk und blickt auf die sichtbar gewordene flammend rote Haut, und der Hauptmann und Herr Schnee lehnen die Köpfe an die Sessellehnen, so daß ihre Hinterköpfe einander berühren, und der Schneider, nach dem ersten vollendeten Umgang des Spiels, mischt jetzt die Karten; und der Sohn schleicht rückwärts auf Zehenspitzen davon, auf die offene Tür zum Zimmer der Familie zu, und die Zähne der Haushälterin beißen den Faden ab, und die Mutter kratzt sich unter den Brüsten, und der Doktor verläßt seinen Platz und kommt auf die Treppe zu, mit der einen Hand das wunde Gelenk der anderen Hand umfassend, und der Schneider verteilt die Spielkarten, und die Haushälterin wühlt in den Knöpfen in der Lade und hebt einen neuen Knopf hervor, den sie an den Latz des Hemdes hält, und der Sohn erreicht, rückwärts gehend, die Türschwelle, tritt über die Türschwelle und zieht die Tür, rückwärts ins Zimmer gehend, vor sich zu, und der Doktor geht an mir vorüber, die knarrenden Stufen hinauf, ich rücke zur Seite, ich höre ihn leise stöhnen; in der ausgebuchteten Tasche seiner Jacke steht der Becher, in dem der Kaffee gluckst.

(1959)

INGEBORG BACHMANN

Alles

Wenn wir uns, wie zwei Versteinte, zum Essen setzen oder abends an der Wohnungstür zusammentreffen, weil wir beide gleichzeitig daran denken, sie abzusperren, fühle ich unsere Trauer wie einen Bogen, der von einem Ende der Welt zum anderen reicht – also von Hanna zu mir –, und an dem gespannten Bogen einen Pfeil bereitet, der den unbewegten Himmel ins Herz treffen müßte. Wenn wir zurückgehen durch das Vorzimmer, ohne ›gute Nacht‹ zu sagen, und ich flüchte mich in mein Zimmer, an meinen Schreibtisch, um dann vor mich hinzustarren, ihren gesenkten Kopf vor Augen und ihr Schweigen im Ohr. Ob sie sich hinlegt und zu schlafen versucht oder wach ist und wartet? Worauf? – da sie nicht auf mich wartet!

Als ich Hanna heiratete, geschah es weniger ihretwegen, als weil sie das Kind erwartete. Ich hatte keine Wahl, brauchte keinen Entschluß zu fassen. Ich war bewegt, weil sich etwas vorbereitete, das neu war und von uns kam, und weil mir die Welt zuzunehmen schien. Wie der Mond, gegen den man sich dreimal verbeugen soll, wenn er neu erscheint und zart und hauchfarben am Anfang seiner Bahn steht. Es gab Augenblicke der Abwesenheit, die ich vorher nicht gekannt hatte. Selbst im Büro – obwohl ich mehr als genug zu tun hatte – oder während einer Konferenz entrückte ich plötzlich in diesen Zustand, in dem ich mich nur dem Kind zuwandte, diesem unbekannten, schemenhaften Wesen, und ihm entgegenging mit all meinen Gedanken bis in den warmen lichtlosen Leib, in dem es gefangen lag.

Das Kind, das wir erwarteten, veränderte uns. Wir gingen kaum mehr aus und vernachlässigten unsere Freunde; wir suchten eine größere Wohnung und richteten uns besser und endgültiger ein. Aber des Kindes wegen, auf das ich wartete, begann alles sich für mich zu verändern; ich kam auf Gedanken, unvermutet, wie man auf Minen kommt von solcher Sprengkraft, daß ich hätte zurückschrecken müssen, aber ich ging weiter, ohne Sinn für die Gefahr.

Hanna mißverstand mich. Weil ich nicht zu unterscheiden wußte, ob der Kinderwagen große oder kleine Räder haben solle, schien ich gleichgültig. (Ich weiß wirklich nicht. Ganz wie du willst. Doch, ich höre.) Wenn ich mit ihr in Geschäften herumstand, wo sie Hauben, Jäckchen und Windeln aussuchte, zwischen Rosa und Blau, Kunstwolle und echter Wolle schwankte, warf sie mir vor, daß ich nicht bei der Sache sei. Aber ich war es nur zu sehr.

Wie soll ich bloß ausdrücken, was in mir vorging? Es erging mir wie einem Wilden, der plötzlich aufgeklärt wird, daß die Welt, in der er sich bewegt, zwischen Feuerstätte und Lager, zwischen Sonnenaufgang und Sonnenuntergang, zwischen Jagd und Mahlzeit, auch die Welt ist, die Jahrmillionen alt ist und vergehen wird, die einen nichtigen Platz unter vielen Sonnensystemen hat, die sich mit großer Geschwindigkeit um sich selbst und zugleich um die Sonne dreht. Ich sah mich mit einemmal in anderen Zusammenhängen, mich und das Kind, das zu einem bestimmten Zeitpunkt, Anfang oder Mitte November, an die Reihe kommen sollte mit seinem Leben, genauso wie einst ich, genau wie alle vor mir.

Man muß es sich nur recht vorstellen. Diese ganze Abstammung! Wie vorm Einschlafen die schwarzen und weißen Schafe (ein schwarzes, ein weißes, ein schwarzes, ein weißes, und so fort), eine Vorstellung, die einen bald stumpf und dösig und bald verzweifelt wach machen kann. Ich habe nach diesem Rezept nie einschlafen können, obwohl Hanna, die es von ihrer Mutter hat, beschwört, es sei beruhigender als ein Schlafmittel. Vielleicht ist es für viele beruhigend, an diese Kette zu denken: Und Sem zeugte Arpachsad. Als Arpachsad fünfunddreißig Jahre alt war, zeugte er den Selah. Und Selah zeugte den Heber. Und Heber den Peleg. Als Peleg dreißig Jahre alt war, zeugte er den Regu, Regu den Serug und Serug den Nahor, und jeder außerdem noch viele Söhne und Töchter danach, und die Söhne zeugten immer wieder Söhne, nämlich Nahor den Tharah und Tharah den Abram, den Nahor und den Haran. Ich probierte ein paarmal, diesen Prozeß durchzudenken, nicht nur nach vorn, sondern auch nach hinten, bis zu Adam und Eva, von denen wir wohl kaum abstammen, oder bis zu den Hominiden, von denen wir vielleicht herkommen, aber es gibt in jedem Fall ein Dunkel, in dem diese Kette sich verliert, und daher ist es auch belanglos, ob man sich an Adam und Eva oder an zwei andere Exemplare klammert. Nur wenn man sich nicht anklammern möchte und besser fragt, wozu jeder einmal an der Reihe war, weiß man mit der Kette nicht ein und aus und mit all den Zeugungen nichts anzufangen, mit den ersten und letzten Leben nichts. Denn jeder kommt nur einmal an die Reihe für das Spiel, das er vorfindet und zu begreifen angehalten wird: Fortpflanzung und Erziehung. Wirtschaft und Politik, und beschäftigen darf er sich mit Geld und Gefühl, mit Arbeit und Erfindung und der Rechtfertigung der Spielregel, die sich Denken nennt.

Da wir uns aber schon einmal so vertrauensvoll vermehren, muß man sich wohl abfinden. Das Spiel braucht die Spieler. (Oder brauchen die Spieler das Spiel?) Ich war ja auch so vertrauensvoll in die Welt gesetzt worden, und nun hatte ich ein Kind in die Welt gesetzt.

Jetzt zitterte ich schon bei dem Gedanken.

Ich fing an, *alles* auf das Kind hin anzusehen. Meine Hände zum Beispiel, die es einmal berühren und halten würden, unsere Wohnung im dritten Stock, die Kandlgasse, den VII. Bezirk, die Wege kreuz und quer durch die Stadt bis hinunter zu den Praterauen und schließlich die ganze angeräumte Welt, die ich ihm erklären würde. Von mir sollte es die Namen hören: Tisch und Bett, Nase und Fuß. Auch Worte wie: Geist und Gott und Seele, meinem Dafürhalten nach unbrauchbare Worte, aber verheimlichen konnte man sie nicht, und später Worte, so kompliziert wie: Resonanz, Diapositiv, Chiliasmus und Astronautik. Ich würde dafür zu sorgen haben, daß mein Kind erfuhr, was alles bedeutet und wie alles zu gebrauchen sei, eine Türklinke und ein Fahrrad, ein Gurgelwasser und ein Formular. In meinem Kopf wirbelte es.

Als das Kind kam, hatte ich natürlich keine Verwendung für die große Lektion. Es war da, gelbsüchtig, zerknittert, erbarmungswürdig, und ich war auf eins nicht vorbereitet – daß ich ihm einen Namen geben mußte. Ich einigte mich in aller Eile mit Hanna, und wir ließen drei Namen ins Register eintragen. Den meines Vaters, den ihres Vaters und den meines Großvaters. Von den drei Namen wurde nie einer verwendet. Am Ende der ersten Woche hieß das Kind Fipps. Ich weiß nicht, wie es dazu kam. Vielleicht war ich sogar mitschuldig, denn ich versuchte wie Hanna, die ganz unerschöpflich im Erfinden und Kombinieren von sinnlosen Silben war, es mit Kosenamen zu rufen, weil die eigentlichen Namen so gar nicht passen wollten auf das winzige nackte Geschöpf. Aus dem Hin und Her von Anbiederungen entstand dieser Name, der mich immer mehr aufgebracht hat im Lauf der Jahre. Manchmal legte ich ihn sogar dem Kind selbst zur Last, als hätte es sich wehren können, als wäre alles kein Zufall gewesen. Fipps! Ich werde ihn weiter so nennen müssen, ihn lächerlich machen müssen über den Tod hinaus und uns dazu.

Als Fipps in seinem blauweißen Bett lag, wachend, schlafend, und ich nur dazu taugte, ihm ein paar Speicheltropfen oder säuerliche Milch vom Mund zu wischen, ihn aufzuheben, wenn er

schrie, in der Hoffnung, ihm Erleichterung zu verschaffen, dachte
ich zum erstenmal, daß auch er etwas vorhabe mit mir, daß er mir
aber Zeit lasse, dahinterzukommen, ja unbedingt Zeit lassen
wolle, wie ein Geist, der einem erscheint und ins Dunkel zurück-
kehrt und wiederkommt, die gleichen undeutbaren Blicke aussen-
dend. Ich saß oft neben seinem Bett, sah nieder auf dieses wenig
bewegte Gesicht, in diese richtungslos blickenden Augen und
studierte seine Züge wie eine überlieferte Schrift, für deren
Entzifferung es keinen Anhaltspunkt gibt. Ich war froh zu merken,
daß Hanna sich unbeirrt an das Nächstliegende hielt, ihm zu
trinken gab, ihn schlafen ließ, weckte, umbettete, wickelte, wie es
die Vorschrift war. Sie putzte ihm die Nase mit kleinen Watte-
pfröpfchen und stäubte eine Puderwolke zwischen seine dicken
Schenkel, als wäre ihm und ihr damit für alle Zeit geholfen.

Nach ein paar Wochen versuchte sie, ihm ein erstes Lächeln zu
entlocken. Aber als er uns dann damit überraschte, blieb die
Grimasse doch rätselvoll und beziehungslos für mich. Auch wenn
er seine Augen immer häufiger und genauer auf uns richtete oder
die Ärmchen ausstreckte, kam mir der Verdacht, daß nichts
gemeint sei und daß wir nur anfingen, ihm die Gründe zu suchen,
die er später einmal annehmen würde. Nicht Hanna, und vielleicht
kein Mensch hätte mich verstanden, aber in dieser Zeit begann
meine Beunruhigung. Ich fürchte, ich fing damals schon an, mich
von Hanna zu entfernen, sie immer mehr auszuschließen und
fernzuhalten von meinen wahren Gedanken. Ich entdeckte eine
Schwachheit in mir – das Kind hatte sie mich entdecken lassen –
und das Gefühl, einer Niederlage entgegenzugehen. Ich war
dreißig Jahre alt wie Hanna, die zart und jung aussah wie nie
zuvor. Aber mir hatte das Kind keine neue Jugend gegeben. In dem
Maß, in dem es seinen Kreis vergrößerte, steckte ich den meinen
zurück. Ich ging an die Wand, bei jedem Lächeln, jedem Jubel,
jedem Schrei. Ich hatte nicht die Kraft, dieses Lächeln, dieses
Gezwitscher, diese Schreie im Keim zu ersticken. Darauf wäre es
nämlich angekommen!

Die Zeit, die mir blieb, verging rasch. Fipps saß aufrecht im
Wagen, bekam die ersten Zähne, jammerte viel; bald streckte er
sich, stand schwankend, zusehends fester, rutschte auf Knien
durchs Zimmer, und eines Tages kamen die ersten Worte. Es war
nicht mehr aufzuhalten, und ich wußte noch immer nicht, was zu
tun war.

Was nur? Früher hatte ich gedacht, ihn die Welt lehren zu
müssen. Seit den stummen Zwiesprachen mit ihm war ich irrege-

worden und anders belehrt. Hatte ich es, zum Beispiel, nicht in der Hand, ihm die Benennung der Dinge zu verschweigen, ihn den Gebrauch der Gegenstände nicht zu lehren? Er war der erste Mensch. Mit ihm fing alles an, und es war nicht gesagt, daß alles nicht auch ganz anders werden konnte durch ihn. Sollte ich ihm nicht die Welt überlassen, blank und ohne Sinn? Ich mußte ihn ja nicht einweihen in Zwecke und Ziele, nicht in Gut und Böse, in das, was wirklich ist und was nur so scheint. Warum sollte ich ihn zu mir herüberziehen, ihn wissen und glauben, freuen und leiden machen! Hier, wo wir stehen, ist die Welt die schlechteste aller Welten, und keiner hat sie verstanden bis heute, aber wo er stand, war nichts entschieden. Noch nichts. Wie lange noch?

Und ich wußte plötzlich: Alles ist eine Frage der Sprache und nicht nur dieser einen deutschen Sprache, die mit anderen geschaffen wurde in Babel, um die Welt zu verwirren. Denn darunter schwelt noch eine Sprache, die reicht bis in die Gesten und Blicke, das Abwickeln der Gedanken und den Gang der Gefühle, und in ihr ist schon all unser Unglück. Alles war eine Frage, ob ich das Kind bewahren konnte vor unserer Sprache, bis es eine neue begründet hatte und eine neue Zeit einleiten konnte.

Oft ging ich mit Fipps allein aus dem Haus, und wenn ich an ihm wiederfand, was Hanna an ihm begangen hatte, Zärtlichkeiten, Koketterien, Spielereien, entsetzte ich mich. Er geriet uns nach. Aber nicht nur Hanna und mir, nein, den Menschen überhaupt. Doch es gab Augenblicke, in denen er sich selbst verwaltete, und dann beobachtete ich ihn inständig. Alle Wege waren ihm gleich. Alle Wesen gleich. Hanna und ich standen ihm gewiß nur näher, weil wir uns andauernd in seiner Nähe zu schaffen machten. Es war ihm gleich. Wie lange noch?

Er fürchtete sich. Aber noch nicht vor einer Lawine oder einer Niedertracht, sondern vor einem Blatt, das an einem Baum in Bewegung geriet. Vor einem Schmetterling. Die Fliegen erschreckten ihn maßlos. Und ich dachte: Wie wird er leben können, wenn erst ein ganzer Baum sich im Wind biegen wird und ich ihn so im unklaren lasse!

Er traf mit einem Nachbarskind auf der Treppe zusammen; er griff ihm ungeschickt mitten ins Gesicht, wich zurück und wußte vielleicht nicht, daß er ein Kind vor sich hatte. Früher hatte er geschrien, wenn er sich schlecht fühlte, aber wenn er jetzt schrie, ging es um mehr. Vor dem Einschlafen geschah es oft oder wenn man ihn aufhob, um ihn zu Tisch zu bringen, oder wenn man ihm ein Spielzeug wegnahm. Eine große Wut war in ihm. Er konnte

sich auf den Boden legen, im Teppich festkrallen und brüllen, bis
sein Gesicht blau wurde und ihm Schaum vor dem Mund stand. Im
Schlaf schrie er auf, als hätte sich ein Vampir auf seine Brust
gesetzt. Diese Schreie bestärkten mich in der Meinung, daß er sich
noch zu schreien traute und seine Schreie wirkten.

O eines Tages!

Hanna ging mit zärtlichen Vorwürfen herum und nannte ihn
ungezogen. Sie drückte ihn an sich, küßte ihn oder blickte ihn
ernst an und lehrte ihn, seine Mutter nicht zu kränken. Sie war eine
wundervolle Versucherin. Sie stand unentwegt über den namenlosen Fluß gebeugt und wollte ihn herüberziehen, ging auf und ab an
unserem Ufer und lockte ihn mit Schokoladen und Orangen,
Brummkreiseln und Teddybären.

Und wenn die Bäume Schatten warfen, meinte ich, eine Stimme
zu hören: Lehr ihn die Schattensprache! Die Welt ist ein Versuch,
und es ist genug, daß dieser Versuch immer in derselben Weise
wiederholt worden ist mit demselben Ergebnis. Mach einen anderen Versuch! Laß ihn zu Schatten gehn! Das Ergebnis war bisher:
ein Leben in Schuld, Liebe und Verzweiflung. (Ich hatte begonnen, an alles im allgemeinen zu denken; mir fielen dann solche
Worte ein.) Ich aber könnte ihm die Schuld ersparen, die Liebe und
jedes Verhängnis und ihn für ein anderes Leben freimachen.

Ja, sonntags wanderte ich mit ihm durch den Wienerwald, und
wenn wir an ein Wasser kamen, sagte es in mir: Lehr ihn die
Wassersprache! Es ging über Steine. Über Wurzeln. Lehr ihn die
Steinsprache! Wurzle ihn neu ein! Die Blätter fielen, denn es war
wieder Herbst. Lehr ihn die Blättersprache!

Aber da ich kein Wort aus solchen Sprachen kannte oder fand,
nur meine Sprache hatte und nicht über deren Grenze gelangen
konnte, trug ich ihn stumm die Wege hinauf und hinunter und
wieder heim, wo er lernte, Sätze zu bilden, und in die Falle ging. Er
äußerte schon Wünsche, sprach Bitten aus, befahl oder redete um
des Redens willen. Auf späteren Sonntagsgängen riß er Grashalme
aus, hob Würmer auf, fing Käfer ein. Jetzt waren sie ihm schon
nicht mehr gleich, er untersuchte sie, tötete sie, wenn ich sie ihm
nicht noch rechtzeitig aus der Hand nahm. Zu Hause zerlegte er
Bücher und Schachteln und seinen Hampelmann. Er riß alles an
sich, biß hinein, betastete alles, warf es weg oder nahm es an! O
eines Tages. Eines Tages würde er Bescheid wissen.

Hanna hat mich, in dieser Zeit, als sie noch mitteilsamer war, oft
auf das, was Fipps sagte, aufmerksam gemacht; sie war bezaubert
von seinen unschuldigen Blicken, unschuldigen Reden und sei-

nem Tun. Ich aber konnte überhaupt keine Unschuld in dem Kind entdecken, seit es nicht mehr wehrlos und stumm wie in den ersten Wochen war. Und damals war es wohl nicht unschuldig, sondern nur unfähig zu einer Äußerung gewesen, ein Bündel aus feinem Fleisch und Flachs, mit dünnem Atem, mit einem riesigen dumpfen Kopf, der wie ein Blitzableiter die Botschaften der Welt entschärfte.

In einer Sackgasse neben dem Haus durfte der ältere Fipps öfter mit anderen Kindern spielen. Einmal, gegen Mittag, als ich nach Hause wollte, sah ich ihn mit drei kleinen Buben Wasser in einer Konservenbüchse auffangen, das längs dem Randstein abfloß. Dann standen sie im Kreis, redeten. Es sah wie eine Beratung aus. (So berieten Ingenieure, wo sie mit den Bohrungen beginnen, wo den Einstich machen sollten.) Sie hockten sich auf das Pflaster nieder, und Fipps, der die Büchse hielt, war schon dabei, sie auszuschütten, als sie sich wieder erhoben, drei Pflastersteine weitergingen. Aber auch dieser Platz schien sich für das Vorhaben nicht zu eignen. Sie erhoben sich noch einmal. Es lag eine Spannung in der Luft. Welch männliche Spannung! Es mußte etwas geschehen! Und dann fanden sie, einen Meter entfernt, den Ort. Sie hockten sich wieder nieder, verstummten, und Fipps neigte die Büchse. Das schmutzige Wasser floß über die Steine. Sie starrten darauf, stumm und feierlich. Es war geschehen, vollbracht. Vielleicht gelungen. Es mußte gelungen sein. Die Welt konnte sich auf diese kleinen Männer verlassen, die sie weiterbrachten. Sie würden sie weiterbringen, dessen war ich nun ganz sicher. Ich ging ins Haus, nach oben, und warf mich auf das Bett in unserem Schlafzimmer. Die Welt war weitergebracht worden, der Ort war gefunden, von dem aus man sie vorwärtsbrachte, immer in dieselbe Richtung. Ich hatte gehofft, mein Kind werde die Richtung nicht finden. Und einmal, vor langer Zeit, hatte ich sogar gefürchtet, daß es sich nicht zurechtfinden werde. Ich Narr hatte gefürchtet, es werde die Richtung nicht finden!

Ich stand auf und schüttete mir ein paar Hände voll kaltes Leitungswasser ins Gesicht. Ich wollte dieses Kind nicht mehr. Ich haßte es, weil es zu gut verstand, weil ich es schon in allen Fußtapfen sah.

Ich ging herum und dehnte meinen Haß aus auf alles, was von den Menschen kam, auf die Straßenbahnlinien, die Hausnummern, die Titel, die Zeiteinteilung, diesen ganzen verfilzten, ausgeklügelten Wust, der sich Ordnung nennt, gegen die Müllabfuhr, die Vorlesungsverzeichnisse, Standesämter, diese ganzen erbärmlichen Einrichtungen, gegen die man nicht mehr anrennen kann, gegen die auch nie jemand anrennt, diese Altäre, auf denen ich geopfert hatte, aber nicht gewillt war, mein Kind opfern zu lassen. Wie kam mein Kind dazu? Es hatte die Welt nicht eingerichtet, hatte ihre Beschädigung nicht verursacht. Warum sollte es sich darin einrichten! Ich schrie das Einwohneramt und die Schulen und die Kasernen an: Gebt ihm eine Chance! Gebt meinem Kind, eh es verdirbt, eine einzige Chance! Ich wütete gegen mich, weil ich meinen Sohn in diese Welt gezwungen hatte und nichts zu seiner Befreiung tat. Ich war es ihm schuldig, ich mußte handeln, mit ihm weggehen, mit ihm auf eine Insel verziehen. Aber wo gibt es diese Insel, von der aus ein neuer Mensch eine neue Welt begründen kann? Ich war mit meinem Kind gefangen und verurteilt von vornherein, die alte Welt mitzumachen. Darum ließ ich das Kind fallen. Ich ließ es aus meiner Liebe fallen. Dieses Kind war ja zu allem fähig, nur dazu nicht, auszutreten, den Teufelskreis zu durchbrechen.

Fipps verspielte die Jahre bis zur Schule. Er verspielte sie im wahrsten Sinn des Wortes. Ich gönnte ihm Spiele, aber nicht diese, die ihn hinwiesen auf spätere Spiele. Verstecken und Fangen, Abzählen und Ausscheiden, Räuber und Gendarm. Ich wollte für ihn ganz andere, reine Spiele, andere Märchen als die bekannten. Aber mir fiel nichts ein, und er war nur auf Nachahmung aus. Man hält es nicht für möglich, aber es gibt keinen Ausweg für unsereins. Immer wieder teilt sich alles in oben und unten, gut und böse, hell und dunkel, in Zahl und Güte, Freund und Feind, und wo in den Fabeln andere Wesen oder Tiere auftauchen, nehmen sie gleich wieder die Züge von Menschen an.

Weil ich nicht mehr wußte, wie und woraufhin ich ihn bilden sollte, gab ich es auf. Hanna merkte, daß ich mich nicht mehr um ihn kümmerte. Einmal versuchten wir, darüber zu sprechen, und sie starrte mich an wie ein Ungeheuer. Ich konnte nicht alles vorbringen, weil sie aufstand, mir das Wort abschnitt und ins Kinderzimmer ging. Es war abends, und von diesem Abend an begann sie, die früher so wenig wie ich auf die Idee gekommen wäre, mit dem Kind zu beten: Müde bin ich, geh zur Ruh. Lieber Gott, mach mich fromm. Und ähnliches. Ich kümmerte mich auch darum nicht, aber sie werden es wohl weit gebracht haben in ihrem Repertoire. Ich glaube, sie wünschte damit, ihn unter einen Schutz zu stellen. Es wäre ihr alles recht gewesen, ein Kreuz oder ein Maskottchen, ein Zauberspruch oder sonstwas. Im Grunde hatte sie recht, da Fipps bald unter die Wölfe fallen und bald mit den Wölfen heulen würde. ›Gott befohlen‹ war vielleicht die letzte Möglichkeit. Wir lieferten ihn beide aus, jeder auf seine Weise.

Wenn Fipps mit einer schlechten Note aus der Schule heimkam, sagte ich kein Wort, aber ich tröstete ihn auch nicht. Hanna quälte sich insgeheim. Sie setzte sich regelmäßig nach dem Mittagessen hin und half ihm bei seinen Aufgaben, hörte ihn ab. Sie machte ihre Sache so gut, wie man sie nur machen kann. Aber ich glaubte ja nicht an die gute Sache. Es war mir gleichgültig, ob Fipps später aufs Gymnasium kommen würde oder nicht, ob aus ihm etwas Rechtes würde oder nicht. Ein Arbeiter möchte seinen Sohn als Arzt sehen, ein Arzt den seinen zumindest als Arzt. Ich verstehe das nicht. Ich wollte Fipps weder gescheiter noch besser als uns wissen. Ich wollte auch nicht von ihm geliebt sein; er brauchte mir nicht zu gehorchen, mir nie zu Willen zu sein. Nein, ich wollte . . . Er sollte doch nur von vorn beginnen, mir zeigen mit einer einzigen Geste, daß er nicht unsere Gesten nachvollziehen mußte. Ich habe keine an ihm gesehen. Ich war neu geboren, aber er war es nicht! Ich war es ja, ich war der erste Mensch und habe alles verspielt, hab nichts getan!

Ich wünschte für Fipps nichts, ganz und gar nichts. Ich beobachtete ihn nur weiter. Ich weiß nicht, ob ein Mann sein eigenes Kind so beobachten darf. Wie ein Forscher einen ›Fall‹. Ich betrachtete diesen hoffnungslosen Fall Mensch. Dieses Kind, das ich nicht lieben konnte, wie ich Hanna liebte, die ich doch nie ganz fallen ließ, weil sie mich nicht enttäuschen konnte. Sie war schon von der Art Menschen gewesen wie ich, als ich sie angetroffen hatte, wohlgestalt, erfahren, ein wenig besonders und doch wieder nicht, eine Frau und dann meine Frau. Ich machte diesem Kind und mir den Prozeß – ihm, weil es eine höchste Erwartung zunichte machte, mir, weil ich ihm den Boden nicht bereiten konnte. Ich hatte erwartet, daß dieses Kind, weil es ein Kind war – ja, ich hatte erwartet, daß es die Welt erlöse. Es hört sich an wie eine Ungeheuerlichkeit. Ich habe auch wirklich ungeheuerlich gehandelt an dem Kind, aber das ist keine Ungeheuerlichkeit, was ich erhoffte. Ich war nur nicht vorbereitet gewesen, wie alle vor mir, auf das Kind. Ich hatte mir nichts dabei gedacht, wenn ich Hanna umarmte, wenn ich beruhigt war in dem finsteren Schoß – ich konnte nicht denken. Es war gut, Hanna zu heiraten, nicht nur wegen des Kindes, aber ich war später nie mehr glücklich mit ihr, sondern nur darauf bedacht, daß sie nicht noch ein Kind bekäme. Sie wünschte es sich, ich habe Grund, das anzunehmen, obwohl sie jetzt nicht mehr davon spricht, nichts dergleichen tut. Man möchte meinen, daß Hanna jetzt erst recht wieder an ein Kind denkt, aber sie ist versteint. Sie geht nicht von mir und kommt nicht zu mir. Sie hadert mit mir, wie man mit einem Menschen nicht hadern darf, da er nicht Herr über solche Unbegreiflichkeiten wie Tod und Leben ist. Sie hätte damals gern eine ganze Brut aufgezogen, und das verhinderte ich. Ihr waren alle Bedingungen recht und mir keine. Sie erklärte mir einmal, als wir uns stritten, was alles sie für Fipps tun und haben wollte. *Alles*: ein lichtes Zimmer, mehr Vitamine, einen Matrosenanzug, mehr Liebe, die ganze Liebe, einen Liebesspeicher wollte sie anlegen, der reichen sollte ein Leben lang, wegen draußen, wegen der Menschen... eine gute Schulbildung, Fremdsprachen, auf seine Talente merken. – Sie weinte und kränkte sich, weil ich darüber lachte. Ich glaube, sie dachte keinen Augenblick lang, daß Fipps zu den Menschen ›draußen‹ gehören werde, daß er wie sie verletzen, beleidigen, übervorteilen, töten könne, daß er auch nur einer Niedrigkeit fähig sein werde, und ich hatte allen Grund, das anzunehmen. Denn das Böse, wie wir es nennen, steckte in dem Kind wie eine Eiterquelle. An die Geschichte mit dem Messer brauche ich deswegen noch gar nicht zu denken. Es fing viel früher an, als er etwa drei oder vier Jahre alt war. Ich kam dazu, wie er zornig und plärrend umherging; ein Turm mit Bauklötzen war ihm umgefallen. Plötzlich hielt er inne im Lamentieren und sagte leise und nachdrücklich: »Das Haus anzünden werde ich euch. Alles kaputtmachen. Euch alle kaputtmachen.« Ich hob ihn auf die Knie, streichelte ihn, versprach ihm, den Turm wieder aufzubauen. Hanna, die dazutrat, war zum erstenmal unsicher. Sie wies ihn zurecht und fragte ihn, wer ihm solche Sachen sage. Er antwortete fest: »Niemand.«

Dann stieß er ein kleines Mädchen, das im Haus wohnte, die Stiegen hinunter, war wohl sehr erschrocken danach, weinte, versprach, es nie wieder zu tun, und tat es doch noch einmal. Eine Zeitlang schlug er bei jeder Gelegenheit nach Hanna. Auch das verging wieder.

Ich vergesse freilich, mir vorzuhalten, wieviel hübsche Dinge er sagte, wie zärtlich er sein konnte, wie rotglühend er morgens aufwachte. Ich habe das alles auch bemerkt, war oft versucht, ihn dann schnell zu nehmen, zu küssen, wie Hanna es tat, aber ich wollte mich nicht darüber beruhigen und mich täuschen lassen. Ich war auf der Hut. Denn es war keine Ungeheuerlichkeit, was ich erhoffte. Ich hatte mit meinem Kind nichts Großes vor, aber diese Wenigkeit, diese geringe Abweichung wünschte ich. Wenn ein Kind freilich Fipps heißt... Mußte es seinem Namen solche Ehre machen? Kommen und Gehen mit einem Schoßhundnamen. Elf Jahre in Dressurakt auf Dressurakt vertun. (Essen mit der schönen Hand. Gerade gehen. Winken. Nicht sprechen mit vollem Mund.)

Seit er zur Schule ging, war ich bald mehr außer Haus als zu Hause zu finden. Ich war zum Schachspielen im Kaffeehaus oder ich schloß mich, Arbeit vorschützend, in mein Zimmer ein, um zu lesen. Ich lernte Betty kennen, eine Verkäuferin von der Maria Hilferstraße, der ich Strümpfe, Kinokarten oder etwas zum Essen mitbrachte, und gewöhnte sie an mich. Sie war kurz angebunden, anspruchslos, unterwürfig und höchstens eßlustig bei aller Lustlosigkeit, mit der sie ihre freien Abende zubrachte. Ich ging ziemlich oft zu ihr, während eines Jahres, legte mich neben sie auf das Bett in ihrem möblierten Zimmer, wo sie, während ich ein Glas Wein trank, Illustrierte las und dann auf meine Zumutungen ohne Befremden einging. Es war eine Zeit der größten Verwirrung, wegen des Kindes. Ich schlief nie mit Betty, im Gegenteil, ich war auf der Suche nach Selbstbefriedigung, nach der lichtscheuen, verpönten Befreiung von der Frau und dem Geschlecht. Um nicht eingefangen zu werden, um unabhängig zu sein. Ich wollte mich nicht mehr zu Hanna legen, weil ich ihr nachgegeben hätte.

Obwohl ich mich nicht bemühte, mein abendliches Ausbleiben durch so lange Zeit zu bemänteln, war mir, als lebte Hanna ohne Verdacht. Eines Tages entdeckte ich, daß es anders war; sie hatte mich schon einmal mit Betty im Café Elsahof gesehen, wo wir uns oft nach Geschäftsschluß trafen, und gleich zwei Tage darauf wieder, als ich mit Betty um Kinokarten vor dem Kosmoskino in einer Schlange stand. Hanna verhielt sich sehr ungewöhnlich, blickte über mich hinweg wie über einen Fremden, so daß ich nicht wußte, was zu tun war. Ich nickte ihr gelähmt zu, rückte, Bettys Hand in der meinen fühlend, weiter vor zur Kasse und ging, so unglaublich es mir nachträglich erscheint, wirklich ins Kino. Nach der Vorstellung, während der ich mich vorbereitete auf Vorwürfe und meine Verteidigung erprobte, nahm ich ein Taxi für den kurzen Heimweg, als ob ich damit noch etwas hätte gutmachen oder verhindern können. Da Hanna kein Wort sagte, stürzte ich mich in meinen vorbereiteten Text. Sie schwieg beharrlich, als redete ich zu ihr von Dingen, die sie nichts angingen. Schließlich tat sie doch den Mund auf und sagte schüchtern, ich solle doch an das Kind denken. »Fipps zuliebe . . .«, dieses Wort kam vor! Ich war geschlagen, ihrer Verlegenheit wegen, bat sie um Verzeihung, ging in die Knie, versprach das Nie-wieder, und ich sah Betty wirklich nie wieder. Ich weiß nicht, warum ich ihr trotzdem zwei

Briefe schrieb, auf die sie sicher keinen Wert legte. Es kam keine Antwort, und ich wartete auch nicht auf Antwort. Als hätte ich mir selbst oder Hanna diese Briefe zukommen lassen wollen, hatte ich mich darin preisgegeben wie nie zuvor einem Menschen. Manchmal fürchtete ich, von Betty erpreßt zu werden. Wieso erpreßt? Ich schickte ihr Geld. Wieso eigentlich, da Hanna von ihr wußte?

Diese Verwirrung. Diese Öde.

Ich fühlte mich ausgelöscht als Mann, impotent. Ich wünschte mir, es zu bleiben. Wenn da eine Rechnung war, würde sie aufgehen zu meinen Gunsten. Austreten aus dem Geschlecht, zu Ende kommen, ein Ende, dahin sollte es nur kommen!

Aber alles, was geschah, handelte nicht etwa von mir oder Hanna oder Fipps, sondern vom Vater und Sohn, einer Schuld und einem Tod.

In einem Buch las ich einmal den Satz: ›Es ist nicht die Art des Himmels, das Haupt zu erheben.‹ Es wäre gut, wenn alle wüßten von diesem Satz, der von der Unart des Himmels spricht. O nein, es ist wahrhaftig nicht seine Art, herabzublicken, Zeichen zu geben den Verwirrten unter ihm. Wenigstens nicht, wo ein so dunkles Drama stattfindet, in dem auch er, dieses erdachte Oben, mitspielt. Vater und Sohn. Ein Sohn – daß es das gibt, das ist das Unfaßbare. Mir fallen jetzt solche Worte ein, weil es für diese finstere Sache kein klares Wort gibt; sowie man daran denkt, kommt man um den Verstand. Finstere Sache: Denn da war mein Samen, undefinierbar und mir selbst nicht geheuer, und dann Hannas Blut, in dem das Kind genährt worden war und das die Geburt begleitete, alles zusammen eine finstere Sache. Und es hatte mit Blut geendet, mit seinem schallend leuchtenden Kinderblut, das aus der Kopfwunde geflossen ist.

Er konnte nichts sagen, als er dort auf dem Felsvorsprung der Schlucht lag, nur zu dem Schüler, der zuerst bei ihm anlangte: »Du.« Er wollte die Hand heben, ihm etwas bedeuten oder sich an ihn klammern. Die Hand ging aber nicht mehr hoch. Und endlich flüsterte er doch, als sich ein paar Augenblicke später der Lehrer über ihn beugte:

»Ich möchte nach Hause.«

Ich werde mich hüten, dieses Satzes wegen zu glauben, es hätte ihn ausdrücklich nach Hanna und mir verlangt. Man will nämlich nach Hause, wenn man sich sterben fühlt, und er fühlte es. Er war ein Kind, hatte keine großen Botschaften zu bestellen. Fipps war nämlich nur ein ganz gewöhnliches Kind, es konnte ihm nichts in die Quere kommen bei seinen letzten Gedanken. Die anderen

Kinder und der Lehrer hatten dann Stöcke gesucht, eine Bahre daraus gemacht, ihn bis ins Oberdorf getragen. Unterwegs, fast gleich nach den ersten Schritten, war er gestorben. Dahingegangen? Verschieden? In der Parte schrieben wir: ›... wurde uns unser einziges Kind... durch einen Unglücksfall entrissen.‹ In der Druckerei fragte der Mann, der die Bestellung aufnahm, ob wir nicht ›unser einziges innigstgeliebtes Kind‹ schreiben wollten, aber Hanna, die am Apparat war, sagte nein, es verstehe sich, geliebt und innigstgeliebt, es komme auch gar nicht mehr darauf an. Ich war so töricht, sie umarmen zu wollen für diese Auskunft; so sehr lagen meine Gefühle für sie darnieder. Sie schob mich weg. Nimmt sie mich überhaupt noch wahr? Was um alles in der Welt wirft sie mir vor?

Hanna, die ihn allein umsorgt hatte seit langem, geht unerkennbar umher, als fiele der Scheinwerfer nicht mehr auf sie, der sie angeleuchtet hatte, wenn sie mit Fipps und durch Fipps im Mittelpunkt stand. Es läßt sich nichts mehr über sie sagen, als hätte sie weder Eigenschaften noch Merkmale. Früher war sie doch fröhlich und lebhaft gewesen, ängstlich, sanft und streng, immer bereit, das Kind zu lenken, laufen zu lassen und wieder eng an sich zu ziehen. Nach dem Vorfall mit dem Messer zum Beispiel hatte sie ihre schönste Zeit, sie glühte vor Großmut und Einsicht, sie durfte sich zu dem Kind bekennen und zu seinen Fehlern, sie stand für alles ein vor jeder Instanz. Es war in seinem dritten Schuljahr. Fipps war auf einen Mitschüler mit einem Taschenmesser losgegangen. Er wollte es ihm in die Brust rennen; es rutschte ab und traf das Kind in den Arm. Wir wurden in die Schule gerufen, und ich hatte peinvolle Besprechungen mit dem Direktor und Lehrern und den Eltern des verletzten Kindes – peinvoll, weil ich nicht bezweifelte, daß Fipps dazu, und noch zu ganz anderem, imstande war, aber sagen durfte ich, was ich dachte, nicht – peinvoll, weil mich die Gesichtspunkte, die man mir aufzwang, überhaupt nicht interessierten. Was wir mit Fipps tun sollten, war allen unklar. Er schluchzte, bald trotzig, bald verzweifelt, und wenn ein Schluß zulässig ist, so bereute er, was geschehen war. Trotzdem gelang es uns nicht, ihn dazu zu bewegen, zu dem Kind zu gehen und es um Verzeihung zu bitten. Wir zwangen ihn und gingen zu dritt ins Spital. Aber ich glaube, daß Fipps, der nichts gegen das Kind gehabt hatte, als er es bedrohte, von dem Augenblick an begann, es zu hassen, als er seinen Spruch sagen mußte. Es war kein Kinderzorn in ihm, sondern unter großer Beherrschung ein sehr feiner, sehr erwachsener Haß. Ein schwieriges Gefühl, in das er niemand hineinsehen ließ, war ihm gelungen, und er war wie zum Menschen geschlagen.

Immer, wenn ich an den Schulausflug denke, mit dem alles zu Ende ging, fällt mir auch die Messergeschichte ein, als gehörten sie von fern zusammen, wegen des Schocks, der mich wieder an die Existenz meines Kindes erinnerte. Denn diese paar Schuljahre erscheinen mir, abgesehen davon, leer in der Erinnerung, weil ich nicht achtete auf sein Größerwerden, das Hellerwerden des Verstandes und seiner Empfindungen. Er wird wohl gewesen sein wie alle Kinder dieses Alters: wild und zärtlich, laut und verschwiegen – mit allen Besonderheiten für Hanna, allem Einmaligen für Hanna.

Der Direktor der Schule rief bei mir im Büro an. Das war nie vorgekommen, denn selbst als sich die Geschichte mit dem Messer zugetragen hatte, ließ man in der Wohnung anrufen, und Hanna erst hatte mich verständigt. Ich traf den Mann eine halbe Stunde später in der Halle der Firma. Wir gingen auf die andere Straßenseite ins Kaffeehaus. Er versuchte, was er mir sagen mußte, zuerst in der Halle zu sagen, dann auf der Straße, aber auch im Kaffeehaus fühlte er, daß es nicht der richtige Ort war. Es gibt vielleicht überhaupt keinen richtigen Ort für die Mitteilung, daß ein Kind tot ist.

Es sei nicht die Schuld des Lehrers, sagte er.

Ich nickte. Es war mir recht.

Die Wegverhältnisse waren gut gewesen, aber Fipps hatte sich losgelöst von der Klasse, aus Übermut oder Neugier, vielleicht weil er sich einen Stock suchen wollte.

Der Direktor begann zu stammeln.

Fipps war auf einem Felsen ausgerutscht und auf den darunterliegenden gestürzt.

Die Kopfwunde sei an sich ungefährlich gewesen, aber der Arzt habe dann die Erklärung für den raschen Tod gefunden, eine Zyste, ich wisse wahrscheinlich...

Ich nickte. Zyste? Ich wußte nicht, was das ist.

Die Schule sei tief betroffen, sagte der Direktor, eine Untersuchungskommission sei beauftragt, die Polizei verständigt...

Ich dachte nicht an Fipps, sondern an den Lehrer, der mir leid tat, und ich gab zu verstehen, daß man nichts zu befürchten habe von meiner Seite.

Niemand hatte schuld. Niemand.

Ich stand auf, ehe wir die Bestellung machen konnten, legte einen Schilling auf den Tisch, und wir trennten uns. Ich ging zurück ins Büro und gleich wieder weg, ins Kaffeehaus, um doch einen Kaffee zu trinken, obwohl ich lieber einen Kognak oder einen Schnaps gehabt hätte. Ich traute mich nicht, einen Kognak zu trinken. Mittag war gekommen, und ich mußte heim und es Hanna sagen. Ich weiß nicht, wie ich es fertigbrachte und was ich sagte. Während wir von der Wohnungstür weg und durch das Vorzimmer gingen, mußte sie es schon begriffen haben. Es ging so schnell. Ich mußte sie zu Bett bringen, den Arzt rufen. Sie war ohne Verstand, und bis sie bewußtlos wurde, schrie sie. Sie schrie so entsetzlich wie bei seiner Geburt, und ich zitterte wieder um sie, wie damals. Wünschte wieder nur, Hanna möge nichts geschehen. Immer dachte ich: Hanna! Nie an das Kind.

In den folgenden Tagen tat ich alle Wege allein. Auf dem Friedhof – ich hatte Hanna die Stunde der Beerdigung verschwiegen – hielt der Direktor eine Rede. Es war ein schöner Tag, ein leichter Wind ging, die Kranzschleifen hoben sich wie für ein Fest. Der Direktor sprach immerzu. Zum erstenmal sah ich die ganze Klasse, die Kinder, mit denen Fipps fast jede Tageshälfte verbracht hatte, einen Haufen stumpf vor sich hinblickender kleiner Kerle, und darunter wußte ich einen, den Fipps hatte erstechen wollen. Es gibt eine Kälte innen, die macht, daß das Nächste und Fernste uns gleich entrückt sind. Das Grab entrückte mit den Umstehenden und den Kränzen. Den ganzen Zentralfriedhof sah ich weit draußen am Horizont nach Osten abtreiben, und noch als man mir die Hand drückte, spürte ich nur Druck auf Druck und sah die Gesichter dort draußen, genau und wie aus der Nähe gesehen, aber sehr fern, erheblich fern.

Lern du die Schattensprache! Lern du selber.

Aber jetzt, seit alles vorbei ist und Hanna auch nicht mehr stundenlang in seinem Zimmer sitzt, sondern mir erlaubt hat, die Tür abzuschließen, durch die er so oft gelaufen ist, rede ich manchmal mit ihm in der Sprache, die ich nicht für gut halten kann.

Mein Wildling. Mein Herz.

Ich bin bereit, ihn auf dem Rücken zu tragen, und verspreche ihm einen blauen Ballon, eine Bootsfahrt auf der alten Donau und Briefmarken. Ich blase auf seine Knie, wenn er sich angeschlagen hat, und helfe ihm bei einer Schlußrechnung.

Wenn ich ihn damit auch nicht lebendig machen kann, so ist es doch nicht zu spät zu denken: Ich habe ihn angenommen, diesen Sohn. Ich konnte zu ihm nicht freundlich sein, weil ich zu weit ging mit ihm.

Geh nicht zu weit. Lern erst das Weitergehen. Lern du selbst.

Aber man müßte zuerst den Trauerbogen zerreißen können, der von einem Mann zu einer Frau reicht. Diese Entfernung, meßbar mit Schweigen, wie soll sie je abnehmen? Denn in alle Zeit wird, wo für mich ein Minenfeld ist, für Hanna ein Garten sein.

Ich denke nicht mehr, sondern möchte aufstehen, über den dunklen Gang hinübergehen und, ohne ein Wort sagen zu müssen, Hanna erreichen. Ich sehe nichts daraufhin an, weder meine Hände, die sie halten sollen, noch meinen Mund, in den ich den ihren schließen kann. Es ist unwichtig, mit welchem Laut vor jedem Wort ich zu ihr komme, mit welcher Wärme vor jeder Sympathie. Nicht um sie wiederzuhaben, ginge ich, sondern um sie in der Welt zu halten und damit sie mich in der Welt hält. Durch Vereinigung, mild und finster. Wenn es Kinder gibt nach dieser Umarmung, gut, sie sollen kommen, da sein, heranwachsen, werden wie alle andern. Ich werde sie verschlingen wie Kronos, schlagen wie ein großer fürchterlicher Vater, sie verwöhnen, diese heiligen Tiere, und mich betrügen lassen wie ein Lear. Ich werde sie erziehen, wie die Zeit es erfordert, halb für die wölfische Praxis und halb auf die Idee der Sittlichkeit hin – und ich werde ihnen nichts auf den Weg mitgeben. Wie ein Mann meiner Zeit: keinen Besitz, keine guten Ratschläge.

Aber ich weiß nicht, ob Hanna noch wach ist.

Ich denke nicht mehr. Das Fleisch ist stark und finster, das unter dem großen Nachtgelächter ein wahres Gefühl begräbt.

Ich weiß nicht, ob Hanna noch wach ist.

(1960)

HERMANN KANT

Das Kennwort

Louis Fischer hätte es weit bringen können. Er war ein großer
Kerl, nicht dumm und mit einer Nase für die Wünsche seiner
Herren. Dabei war er keineswegs ein Kriecher oder gar ein
Feigling; er war nur wendig, weiter nichts.

Wäre er ein Feigling gewesen, so hätte er in seinem Beruf nichts
werden können. Er war nämlich Hundedresseur. Er brachte nicht
etwa kleinen Pinschern das Pfötchen geben bei oder frisierten
Pudeln die rechte Zeit und den rechten Ort zum Wasserlassen,
nein, seine Hunde hatten ihren Namen und Respekt verdient. Es
waren halbe Löwen, gefährliche Typen, wenn man sie so sah, und
man hätte Angst vor ihnen haben können, wenn man nicht
gewußt hätte, daß sie Louis Fischers Zöglinge waren. Da man das
aber wußte, hatte man trotz ihrer Wolfsgebisse, ihrer Boxernasen
und ihrer rabiaten Augen Vertrauen zu ihnen. Denn unter Louis
Fischers harten Händen und kalten Blicken waren sie Diensthun-
de geworden, Polizeihunde, Diener des Staates und Beamte sozusagen. Louis, ihr Chef, war auch Beamter. Eines Tages, nach
einem Leben für den Diensthund und damit für den Ordnungs-
staat, nach dreißig Jahren Maulkorb und Stachelwürger, nach
einer Laufbahn in pflichtschuldig zerrissenen Hosen hätte er in
Pension gehen können. Vielleicht hätte er ein Buch geschrieben,
›Ich und die Bestie‹ oder etwas Ähnliches, vielleicht hätte er auch,
ganz für sich und zum Spaß, einen Wunderhund abgerichtet,
einen, der Socken strickt und Ganghofer liest, vielleicht aber hätte
er sich nur einen Wellensittich angeschafft oder noch eher eine
Katze, der Abwechslung und des Gegensatzes halber und weil er
doch nun außer Dienst gewesen wäre.

Aber das muß Spekulation bleiben, denn Louis Fischer ist tot.
Er starb weit vor Ablauf der dreißig Pflichtjahre auf bitterböse
Weise.

Dabei hätte er es wirklich zu etwas bringen können, denn er
hatte alles Zeug für seinen Beruf. Schon einem Dreiwochenwel-
pen konnte er ansehen, ob er eine Töle bleiben würde oder Sinn
für Ordnung, Recht und Eigentum entwickeln werde.

Louis Fischer wußte, daß mit Erziehung allerhand zu machen

war; fest stand für ihn aber auch, daß Hund und Mensch sich in einem glichen: Entweder hatten sie wenigstens im Kern einen Sinn für Ordnung, Recht und Eigentum, oder sie blieben für immer Versager, Kroppzeug. Er war ein Idealfall von Lehrer – er glaubte an seine Lehren. ›Ordnung, Recht und Eigentum‹, diese Worte hatte ihm seine Frau in einen Wandbehang sticken müssen, und ob er sich nun abends und voll Kummer darüber, daß der Schäferrüde Haro vom Teuffelsberg immer noch nicht stockfest war, in die Kissen warf oder ob ihn des Morgens das hungrige Jaulen der künftigen Ganovenbeißer aus dem Bette riß, immer fiel sein letzter oder erster Blick auf die stickgarnene Mahnung: Ordnung, Recht und Eigentum!

Vielleicht wundert man sich, nach alledem zu hören, daß Louis Fischer Sozialdemokrat war, vielleicht hätte man in ihm mehr einen Staatsparteiler oder einen strammen Kaisertreuen vermutet; aber das Wundern wird nur so lange anhalten, solange man nicht weiß, daß auch der Polizeipräsident zu jener Zeit, zu Louis Fischers Dienstzeit, ein Sozialdemokrat war.

Den Präsidenten und den Dresseur verbanden ein Hund und eine Tasse miteinander. Der Hund war in Louis Fischers Lehre gegangen und sollte den Präsidenten vor Meuchelmördern schützen, und die Tasse war des Präsidenten Dank dafür. Es war eine besondere Tasse, groß und bauchig, mit einem schwarzrotgoldenen Rand und der Inschrift ›...der Bahn, die uns geführt Lassalle!‹. Lange Zeit zerbrach sich Louis den Kopf an der Frage, was es auf sich haben könne mit dem Spruch. Er erkundigte sich vorsichtig nach diesem Lassalle, aber die Auskünfte halfen ihm nicht weiter. Schließlich gewöhnte er sich daran, mit dem Rätsel zu leben, zumal er sich nicht denken konnte, daß ihm der Präsident anders als wohlwollte.

Denn wenn es auch eine ganze Reihe von Dresseuren in Polizeidiensten gab, mit Louis Fischer hätte es keiner von ihnen aufnehmen können. Was die anderen da so für den täglichen Gebrauch trimmten, war gewiß recht brav, das konnte neben blanken Stiefelschäften Streife laufen und auf Geheiß in kleiner Diebe Hosenböden fahren, doch damit hatte es sich dann auch. Es waren Diensttuer allenfalls, aber keine Denker.

Louis Fischers Hunde waren Denker. Sie waren fähig, Entscheidungen zu fällen, wenn sie auf der Laufbahn waren. Einmal im Einsatz, bedurften sie keiner Weisung. Sie wußten genau, wann sie nur zu knurren oder zu bellen hatten und wann es zupacken hieß, schnell und scharf, auf Polizeihundart. Sie operierten unter der Maxime ›Ordnung, Recht und Eigentum!‹, und so war Verlaß auf sie.

Jedenfalls hat Louis Fischer das geglaubt. Könnte er noch denken, wüßte er es besser nun. Aber er ist tot.

Wenn man weiß, wie die Sache ausgegangen ist, fällt es schwer zu sagen, seine reifste Leistung sei die Erziehung des Präsidentenhundes gewesen.

Der Hund des Präsidenten kam einen weiten Weg daher. Sieht man davon ab, daß er der Sohn einer Hündin und eines Rüden war, so kann man ihn als das vollkommene Produkt Louis Fischers bezeichnen. Der war es, der ihm Vater und Mutter bestimmte – nach vielen Abenden über den Stammbäumen der Schutzhundaristokratie, nach Nächten über Polizeiberichten, in denen von Intelligenzleistungen und Mutbeweisen beamteter Vierbeiner die Rede war, nach sorgfältigstem Studium von Schaubildern und wissenschaftlichen Gutachten. Louis Fischer war es, der ihn sofort erkannte in dem Wurf von fünf quietschenden blinden und feuchten Kreaturen, der ihn mit Liebe aufzog und in eine erbarmungslose Schule nahm.

Der Präsident hatte nach einem Schäferhund verlangt, und so bekam er einen. Zwar hatte Louis Fischer höflich auf die besonderen Vorzüge von Dobermännern und Boxern hingewiesen, aber er hatte sich schnell einleuchten lassen, daß der persönliche Hund eines gewählten Polizeipräsidenten nicht nur zu schützen, sondern auch zu repräsentieren hatte. Und auf Pressefotos werden nun einmal triefäugige Boxer oder stummelschwänzige Dobermänner von jedem deutschen Schäferhund geschlagen.

Als sich der Präsident das erste Mal mit dem Dresseur unterhalten hatte und sie sich über die Rasse einig geworden waren, hatte der Polizeichef schließlich noch einen ganz speziellen Wunsch vorgetragen. Er wisse nicht, hatte er gesagt, ob es in Louis Fischers Dressurmacht liege, was ihm da vorschwebe, aber man werde ja sehen, und es sei kurz dies: Louis solle dem Präsidentenbewacher neben all den Routinedingen einen Biß beibringen, den man als radikal bezeichnen könnte, also keine Kinkerlitzchen mit Handgelenk oder Hosenboden, sondern ran an die Gurgel und aus.

Wenn Louis Fischer sich auch über den leisen Zweifel an seinen Künsten ein wenig ärgerte, so ließ er nichts davon merken. Er werde den gewünschten Totbiß in das Erziehungsprogramm aufnehmen, sagte er, damit das Kunststück aber unter Kontrolle gehalten werden könne, müsse es an ein bestimmtes Kennwort gebunden werden, und ob der Herr Präsident da schon etwas im Auge habe?

Der Chef nickte nachdenklich. Er winkte den Abrichter zu sich heran, schätzte ihn noch einmal ab und sagte dann: »Wir sind doch in derselben Partei, was?«

Louis Fischer versicherte, selbstverständlich sei er in der Partei des Präsidenten.

»Na, dann los, Mann, wer ist der eigentliche Feind?«

Wenn Louis Fischer auch nie so ganz genau wissen sollte, wer jener Lassalle gewesen – wer der eigentliche Feind war, das ahnte er zumindest, dafür war er schließlich Polizeibeamter der Weimarer Republik. Andererseits war er sich noch nicht ganz im klaren, ob der Präsident nun auf den inneren oder äußeren Feind los wollte, und da er überdies noch den Weltkriegsorden am Revers seines Vorgesetzten gewahrte, sagte er vorsichtig: »Ich würd mal sagen, die Fr...«

Bei diesem Fr... ließ er es, denn der Präsident winkte ab und sagte ungeduldig: »Nicht doch, Mann, die Franzosen nicht, das ist vorerst passé, obwohl... also, der Feind, der Feind, das ist die Kommune, klar?«

»Klar«, sagte Louis Fischer.

»Fein«, sagte der Präsident, »und was wollen die uns nehmen? Na, diesmal fängt es mit Fr... an! Die Freiheit natürlich, Mann!« Sie einigten sich auf das Kennwort ›Freiheit‹; und um den Trick abzusichern, vereinbarten sie, man müsse den Ruf besonders scharf ausstoßen und sich dabei mit der flachen Hand vor die Stirn schlagen, erst dann sollte das Tier beißen.

Und so wurde denn ein deutscher Schäferhund gezeugt, geboren, aufgefüttert und abgerichtet, um im Zeichen von Ordnung, Recht und Eigentum einem Manne das Leben zu schützen und notfalls nach dem mit einem Klaps an die Stirn kombinierten Zuruf ›Freiheit!‹ einem anderen das Leben zu nehmen.

Er wurde aufgezogen und dressiert vom Polizeimeister Louis Fischer, der nun tot ist und daher nicht einmal verblüfft sein kann über das, was bei seiner Erziehung herausgekommen ist. Es war im Spätherbst des letzten vollen Jahres der ersten deutschen Republik, als Louis Fischer wieder vor seinen Präsidenten trat. An der Leine führte er einen grauen Hund, der in seinem großen Maul ein fürchterliches Gebiß und in seinem kleinen Hirn ein giftiges Kennwort trug.

Louis Fischer ließ das Tier alle seine Kunststücke zeigen – bis auf eines, versteht sich, von dem er seinem Chef jedoch versicherte, es sei so verläßlich und so wirksam in dem Hund wie das Stahlmantelgeschoß in der Pistole, die in des Präsidenten Schreibtischlade ruhte.

Als der Präsident und der Polizist voneinander schieden, hatte der Hund einen neuen Herrn, und Louis Fischer hatte eine Tasse mit schwarzrotgoldenem Rand und dem rätselhaften Spruch ›... der Bahn, die uns geführt Lasalle!‹. In den wenigen Monaten, die Louis Fischer noch bis zu seinem überraschenden Tod verblieben, trank er jeden Morgen und jeden Abend seinen Kaffee aus der Tasse des Präsidenten; nur in den letzten Tagen, die ihm vergönnt waren, verzichtete er darauf. Den Hund des Präsidenten sollte er nur noch einmal sehen.

Manchmal traf es sich, daß er, die bauchige Tasse an den Lippen und in der Morgenzeitung blätternd, auf ein Bild seines Vorgesetzten stieß, der, an irgendeinem Podium stehend oder mit Journalisten zusammen sitzend, entweder von der Unabdingbarkeit von Ordnung, Recht und Eigentum oder von der Bedrohung der Republik durch die Kommunisten oder von beiden zugleich gesprochen hatte. Und immer saß zu des Präsidenten Füßen ein schlankes graues Tier, das gelassen, schön und gefährlich in die Kamera blickte.

Dann ging alles sehr schnell. Eines Morgens las Louis Fischer in seiner Zeitung, daß sich die deutschen Dinge nun endgültig gewendet hätten, da der Reichskanzler jetzt Adolf Hitler heiße. Soll er doch, dachte Louis Fischer, trank aus der schwarzrotgolden umrandeten Tasse und ging zu seinen Hunden, die schon ungeduldig jaulten und ihm gerade in diesen Tagen viel Sorge machten, da einige die Staupe hatten.

Etwas mehr beunruhigte ihn eine Meldung im Abendblatt, in der es hieß, der sozialdemokratische Polizeipräsident sei verhaftet worden. Es war weniger die Verhaftung, die ihn verwirrte, als das Fehlen jedes Hinweises auf einen deutschen Schäferhund, der auf Geheiß des Präsidenten einem der Verhafter mit tödlichem Biß an die Kehle gefahren sei. Auch von einer geladenen Pistole in der Schublade des Polizeichefs war in der Meldung keine Rede.

Nach anstrengend scharfem Nachdenken fand Louis Fischer die Erklärung: Hatte er das Tier nicht denken gelehrt? Na also, wie konnte er da erwarten, daß es auf den von einem Handschlag an die Stirn begleiteten Zuruf ›Freiheit!‹ einem Abgesandten der Nationalen Erhebung an den Hals spränge? Auch sagte er sich, daß der Präsident wahrscheinlich gar nicht versucht hatte, den

Hund in Gang zu setzen, da der Totbiß schließlich nur für den eigentlichen Feind gedacht gewesen war.

Er tat weiter seinen Dienst; er machte Polizeihunde mannscharf und schußfest, Dobermänner, Boxer und deutsche Schäferhunde. Als er sah, daß einige seiner Kollegen, die die Erhebung nicht so erhebend gefunden und das auch gesagt hatten, sehr rasch auf die Straße oder in blutdampfende Keller flogen, warf er sein Parteibuch in den Ofen und stellte die Tasse des abgesetzten Präsidenten in die Tiefen des Küchenschrankes.

Um so unangenehmer war ihm, daß eines Abends zwei Männer in seine Stube traten; den einen kannte er von den Zahlabenden, und der andere war dessen Schwager und hatte etwas mit der Druckergewerkschaft zu tun, zwei Männer also, die ihn ernsthaft mit Genosse anredeten und nach einigem vorsichtigem Drumherum von ihm verlangten, er solle in der kommenden Nacht dafür sorgen, daß seine Hunde die Schnauzen hielten. Auf der anderen Straßenseite liege ein Kumpel im Keller, und lange mache der es nicht mehr.

Louis Fischer war wirklich nicht feige, er war auch nicht herzlos, aber schließlich war das seine Haut, die ihm plötzlich viel zu eng und feucht direkt auf den Knochen zu sitzen schien.

Er ließ die beiden abfahren. Er sei Beamter, sagte er, immer noch, und er wolle es auch bleiben, volle dreißig Jahre lang. Und überdies, selbst wenn er wollte, könnte er nicht helfen, seine Hunde seien Wahrer von Ordnung, Recht und Eigentum, dazu habe er sie erzogen. Was sie wohl von ihm denken sollten, wenn er ihnen plötzlich Stillschweigen befehlen wollte, wo offenkundig etwas gegen Ordnung...

Die beiden Männer gingen, und bitter vermerkte Louis, daß sie ihn nicht verstanden hatten und daß sie es für nötig hielten zu sagen, er wenigstens solle das Maul halten. Als ob er ein Verräter wäre. Im ersten blassen Morgenlicht schlugen Louis Fischers Schüler Lärm. Von jenseits der Straße hörte Louis Schüsse und Schreie, und er wollte schon aufstehen. Dann fiel sein Blick auf den Wandbehang im Dämmerlicht, und er drehte sich auf die andere Seite.

Als einer seiner beiden Besucher schon tot war und der andere gerade noch einmal aufstöhnte, bevor auch er starb, hatte Louis Fischer bereits zu seinem Traum zurückgefunden.

Am nächsten Vormittag behandelte er gerade die Staupe eines vielversprechenden Boxerwelpen, als sie zu ihm auf den Hof kamen. Drei Männer in SA-Uniform und ein Hund. Die drei

Männer sagten »Heil Hitler!«, und der Hund sah aus, als hätte er es auch gern gesagt. Aber er stand nur stumm da, gesammelt, schön und gefährlich, grau und schlank, und wartete auf Weisungen.

Louis Fischer erkannte ihn sofort, und er war stolz auf ihn, denn das hatte er ihm beigebracht: Beherrschung, nichts da von Händelecken und winselnder Begrüßung.

Einer der drei sagte, sie wollten Louis nur ihre Anerkennung aussprechen, seine Hunde hätten eine üble Sache vereitelt, es sei am Abend etwas viel auf den Führer getrunken worden, und ohne das Hundegebell hätten sie womöglich die Roten gar nicht rechtzeitig gehört. Louis Fischer setzte den Welpen in seinen Zwinger und bat die Besucher ins Haus. Sie tranken eines auf den Schreck und das Glück, und da sie einander gut verstanden, deutete Louis auf den grauen Schäferrüden und fragte, wie sie an den gekommen seien.

Oh, sagten sie stolz, den hätten sie vom Polizeipräsidenten, diesem Sozi, übernommen, zuerst sei er ja ein bißchen knurrig gewesen, aber nun tue er ausgezeichnet Dienst.

»Versteht sich«, sagte Louis Fischer, und dann erzählte er den SA-Kameraden die Geschichte vom Hund und vom Präsidenten, und schließlich kramte er sogar die Tasse hervor.

Der Führer der drei betrachtete den schwarzrotgoldenen Rand, studierte die Inschrift und sagte dann mit merkwürdig engen Augen: »So, Sie waren auch bei diesem Lassalle-Verein...«

»Gewesen, gewesen«, sagte Louis Fischer rasch, »und auch das nie mit dem Herzen!«

Da er aber das Mißtrauen des anderen spürte und durchaus verstand, daß er nicht nur den Präsidenten beleidigen wollte, als er die Tasse voll Milch goß und sie dem Hund hinschob, der sofort gierig zu schlürfen begann, fragte er, etwas zu eifrig vielleicht, ob die Herren denn von dem Trick mit dem Kennwort wüßten.

Die Herren wußten von keinem Trick und keinem Kennwort, darum beugte sich Louis Fischer zum Ohr ihres Führers und erzählte. Er tat es ganz leise, damit ihn der Hund nicht höre. Das fehlte noch, daß er auf einen SA-Mann losging. »Das Ding ist gut«, sagte der Führer, »und Sie glauben wirklich, das funktioniert?«

»Und ob das funktioniert«, sagte Louis Fischer, »da halt ich meinen Kopf für hin!«

Das schöne graue Tier hatte die Tasse leer geschlappt und sah nun ruhig zu seinem neuen und zu seinem alten Herrn auf. Als der neue Herr auf den alten deutete, sich gegen die Stirn klopfte und ›Freiheit!‹ rief, federte es hoch und schlug seine noch milchfeuchten Zähne in Louis Fischers Hals.

»Tatsächlich«, sagte der SA-Mann, und Louis Fischer konnte es eben noch denken.

(1962)

HUBERT FICHTE

Ein glücklicher Liebhaber

Jedesmal, wenn La Bibi vorbeikam, wurde der Backenbrecher abgestellt. Sie kam nicht oft, zwei-, dreimal jedes Jahr, im Sommer kaum, weil sie dann an den Seen zu arbeiten hatte, eher im Herbst, gelegentlich sogar im Winter.

Wenn La Bibi kam, ruckten die Männer im Steinbruch die Rücken gerade, schnippten sich, in der plötzlich auf sie herabfallenden Stille, den Steinstaub aus den Ohren. Sie wollten sich auch noch den schweißigen Grus zwischen Hosenbund und Hüfthaut wegreiben – aber sie taten es nicht. Sie holten kein Wasser, um ihre Lider abzuspülen, und keine Vaseline, um den während der Ruhe sehr fühlbaren Schmerz in den wundgescheuerten Achseln und im Schritt zu lindern. Sie gingen alle auf La Bibi zu. Nur Antonio blieb, die Karrensterze in den Händen, auf der Schotterhalde stehen. Er sah, wie La Bibis lachsrosa Wollstrümpfe und die Stoffrose über den pulvrig schwarzen Haaren von den graugestaubten Männern zugedeckt wurden. Wo der Schweiß die Schulterblätter entlanggeronnen war, sah Antonio rote Spuren von Haut auf den Rücken der anderen.

»Mit euch?! Das würde ja knirschen«, hörte Antonio La Bibi juchzen. Dann sang sie: »Je suis devenue cocotte pour avoir trop aimé – aimé.«

Die Männer klatschten sich vor die Brust. Antonio sah La Bibis Beine über den Köpfen hochzucken.

»Das Kunststück! Das Kunststück!« hörte Antonio die anderen rufen.

»Eine Flasche Bier!«

»Ach was, keine Flasche Bier! Eine Bierflasche! Was sollte die wohl mit Bier!«

Antonio setzte die Karre ab. Er stieg den Schotterhügel hinunter und ging in den Wald.

La Bibi würde jetzt ihr Kunststück mit der Bierflasche aufführen, alle würden den Mund so weit aufreißen, daß man auch in jedem der Münder eine Bierflasche verschwinden lassen könnte; La Bibi würde einen Spaziergang mit Beninca machen, denn Beninca war der Stärkste und der Ungeduldigste; sie würden nicht weit gehen,

aber es würde ziemlich lange dauern; dann wäre die Reihe an
Gamba, der würde weit mit La Bibi gehen, und es würde trotzdem
weniger lange dauern, und so weiter und so weiter.

»Bis Mittag habe ich Zeit«, dachte Antonio.

Er setzte sich in die roten, steifen Blätter und zog seine Stiefel
aus. Es waren feine Stiefel – Stiefeletten –, wie sie die Unternehmer
trugen, mit langen Spitzen, die er beim Essen, Singen, Pfeiferau-
chen gegen die Wand der Baracke gedrückt hatte, damit sie vorn
elegant hochstünden. Antonio spuckte auf die Spitzen. Er rieb mit
dem Daumenballen auf dem graugefledderten Leder hin und her.
Er schüttelte Schottersteinchen heraus. Er betastete seine rotge-
quollenen Füße, wickelte das zerwrungene Zeitungspapier noch
einmal um die Zehen und knöpfte die Doppelspange der Stiefeletten darüber.

Er ging umher. Er dachte nichts. Er sah Tauben im feuchten
Schatten der Buchen davonfliegen. Auf Lichtungen wärmte die
Sonne etwas. Im Gehen riß er mit den nach oben gebogenen
Stiefelspitzen Blätter vom Boden.

Er hatte keine Uhr. Er dachte, daß La Bibi jetzt ihre Runde
beendet haben würde. Er kehrte um. Er sah etwas Lachsrosarotes
hinter den Büschen. Es waren La Bibis Beine mit den Wollstrümp-
fen. Sie lagen auseinandergewinkelt. Als Antonio herangekommen war, sah er, daß La Bibi auf dem Waldboden hockte und sich
lauste.

Am Backenbrecher standen die anderen und zählten ihre Abenteuer an den Fingern auf.

»La Bibi arbeitet mit den Hüften, wie wir alle zusammen nicht
mit den Armen arbeiten«, sagte Beninca. »Antonio, juckt es dich
eigentlich überhaupt nicht?«

»Auf jeden Fall juckt es La Bibi. Sie sitzt in den Brombeeren und
sucht sich die Läuse ab.«

»In den Brombeeren?!«

»Ja.«

»Ich geh noch einmal hin«, sagte Beninca. Er sah Antonio an und
dachte: ›Du Dämelack, du Dämelack. Ich werde mal wieder einen
Brief für dich schreiben.‹ Dann hüpfte er durch die Zweige mit den
gelben Blättern davon. Als er zurückkam, schnalzte er vor sich hin.
Er tippte Rattatta Fleur d'Amour und Gamba und Gigi vor die
Brust und sagte: »Heute abend trinken wir im Dorf unten eine
Flasche Weißwein zusammen. Ich habe euch was zu sagen. Bringt
Papier und Tinte und einen Federhalter mit und mehrere Federn.«

Antonio wusch sich nach der Arbeit. Er wusch sich auch das Haar und reinigte sich die Zehennägel mit einem schräg abgebrochenen Streichholz. In die Achselhöhlen und in den Schritt schmierte er dicke, fettige Salbe. Er biß sich in die Unterlippe, während er es tat. Er zog pludernde Unterhosen an, ein Netzhemd, hängte sich das Medaillon um, auf dem die Jungfrau Maria in Relief abgebildet war. Er knöpfte die löcherigen Stiefeletten zu, riß eine Gamaschenhose darüber, befestigte Binder, Kragen, Manschetten am Hemd, schloß seine Weste, drückte sich über der hohen, braunen, vom Grus rotdurchrasterten Stirn die einpomadisierte Locke zurecht und drapierte sich das weite Cape um.

Er ging allein ins Dorf hinunter.

Als er außer Sicht war, versammelten sich Gamba, Beninca, Gigi, Rattatta Fleur d'Amour mit Papier, Tinte, Federhalter und Federn.

»Er ist ein Dämelack, ein Dämelack, ein Dämelack!« sagte Beninca. »Ich halt es nicht mehr aus. Ich muß wieder einmal einen Brief für ihn schreiben.«

»Das wird dann wieder so wie damals, mit der durchreisenden Trapezkünstlerin. Hinter der ist er bis nach Genf hergeradelt«, sagte Rattatta.

»Nein. Diesmal muß es näher sein. Ich will ihn warten sehen.«

»Das ist gut«, sagte Gigi.

Sie setzten sich in die hintere Ecke der Gaststätte. Sie bestellten zusammen eine Flasche Weißwein. Gamba und Gigi kniffen der Serviererin in den Popo.

»Aufgepaßt«, sagte Beninca. Er zog zwei Bogen Papier und ein Kuvert unter seiner Jacke hervor. Rattatta Fleur d'Amour stellte das Tintenfaß auf den Tisch. Er schraubte es auf. Gamba klemmte eine Feder auf den Federhalter, lutschte an der Feder. »Sie liegt ein halbes Jahr bei den Familienbriefen. Ich habe sie garantiert noch nicht mit Tinte schmutzig gemacht. Jetzt muß erst das Öl von der Spitze abgelutscht werden«, sagte Gamba. »Schreib!« sagte Beninca.

»Ich habe das letzte Mal vor einem halben Jahr geschrieben. Schreib du doch selbst.«

»Meine Hand ist geschwollen vom Anlasserrad. Schreib du, Rattatta. »Ja, Rattatta«, sagte Gigi.

Beninca diktierte: »Mein süßer Antonio, heute bin ich so wild nach dir. Kannst du nicht mal an die Ecke beim Schlachter kommen? Du weißt schon. Ich bin auch frisch gewaschen. Deine Elisabeth.«

Rattatta Fleur d'Amour schrieb nicht. Er klopfte mit dem Federhalter mehrere Male an seine Schläfe: »Erst einmal könnte ich gar nicht so schnell schreiben, wie du redest. Ich hab' auch den ganzen Tag gearbeitet – oder wenigstens so ungefähr. Meine Finger sind aufgequollen wie Würste. Und jetzt kommt die Hauptsache: Glaubst du vielleicht, daß die Elisabeth, die die Tochter vom Bürgermeister ist, so einen dummen Quatsch schreiben würde? – Ich werde das mal machen.«

Er schlug zweimal mit dem rechten Ellenbogen aus und kratzte eine Spirale, daß die Feder kleine Spritzer auf das Papier warf: »Herzinnigstlicher Geliebte.«

»Du hast das r vergessen von Geliebter«, sagte Gigi, der jeden Strich mit seinen Augen nachzog.

»Jetzt ist die Feder verstilzt! Wenn du mich auch unterbrichst!« schrie Rattatta Fleur d'Amour.

Gamba wickelte eine neue Feder aus dem Taschentuch, lutschte das Öl ab, nahm Rattatta den Federhalter aus der Hand, wechselte die Federn.

»Also ich habe gehört, daß die feinen Leute, wenn sie zusammenkommen, Spielchen spielen, ganz unfeine Sachen sagen, um sich einen Gefallen zu tun. Zum Beispiel: Du mein Himmelspferdeäpfelchen, mein Kuhfladen, mein Nasenpopel«, sagte Beninca.

»Erzähl nichts, wovon du nichts verstehst«, sagte Rattatta und machte einen großen Klecks.

»Das ist nicht schlimm. Das ist die Leidenschaft von der Elisabeth«, sagte Gamba.

Rattatta schrieb tief Luft holend weiter.

»Zierlicher, zierlicher!« sagte Gigi.

»Die Unterschrift!«

»Stört mich nicht!«

»Lies es uns vor!«

»Herzinnigstlicher Geliebter, mein einzigstes Kuhflädchen! Komm zu mir an den weißen Busen, heute um halb zehn beim Schlachter an der Ecke. Mein Herz, du Innigstgeliebtester, klopft mir in den Ohren, und ich bin frisch gewaschen. Dir, die Deinigste.   Elisabeth.«

»Rattatta, du bist ein richtiger Wortkünstler«, sagte Beninca. »Klebt das Kuvert zu. Antonio tanzt in der ›Post‹. Gamba, du gibst es der Serviererin, daß sie es ihm gibt.«

Gamba, Gigi, Beninca, Rattatta Fleur d'Amour legten jeder drei Geldstücke auf den Tisch und gingen in die ›Post‹.

»Eines muß man sagen, das Cape steht ihm wie keinem sonst«, sagte Gamba in der Tür.

»Er ist ein Dämelack«, sagte Beninca. »Die Mädchen lachen über ihn. Kaum, daß noch eine mit ihm tanzen mag.«

»Aber er hat eine Kopfhaltung wie ein Graf oder wie ein Architekt«, sagte Gamba.

»Das nützt ihm auch nichts mehr!« sagte Beninca.

Sie pfiffen nach der Serviererin.

»Da, da, ein Brief für Antonio!«

»Aber nicht sagen, daß wir ihn gebracht haben.«

»Du mußt sagen, eine Dame im Schleier hat ihn für Antonio abgegeben.«

»Eine Dame im Schleier«, sagte die Serviererin.

»Los, los, los!«

»Eine Dame im Schleier.« Die Serviererin sah auf ihre Hände. Sie ließ sich von Gamba den Brief in den Ausschnitt stecken. Sie lief hinter dem tanzenden Antonio her. Der Tanz war zu Ende. Der Oboist schüttelte den Speichel aus der schwarzen Holzröhre. Antonio las. Er geleitete seine Tänzerin zurück zu ihrem Glas Treberschnaps. Er schlang sich das Cape um. »Abhauen! Er kommt«, sagte Beninca.

Gamba, Gigi, Rattatta, Beninca stiegen in das unbewohnte Gerberhaus neben der Schlachterei. Sie konnten den Hinterhof überblicken. Antonio kam nicht.

»Wenn ich bedenke«, sagte Beninca, »daß La Bibi ihr Kunststück mit einer Bierflasche macht, muß ich sie bewundern.«

»Wenn ich bedenke, daß La Bibi sich in den Brombeeren die Läuse rausklaubt, muß ich mich kratzen«, sagte Gamba.

»Ruhig, Antonio ist da!«

Sie sahen mit vorgelehnten Oberkörpern auf Antonio hinunter. Er stellte sich in eine Ecke des Hofes. Dort erreichte ihn das Licht der Straßenlaterne nicht mehr. Er warf sich den rechten Zipfel seines Capes über die linke Schulter. Die vier hörten ihn hin und her tappen, an Gerümpel stoßen. Er schlug sich den linken Zipfel seines Capes über die rechte Schulter. Er lief durch das Gäßchen zwischen Gerberhaus und Schlachterei davon.

»Ob er schon genug hat vom Warten?« sagte Gamba.

»Der kommt wieder«, sagte Beninca.

Antonio kehrte durch das Gäßchen zurück. Er stolperte. Er lehnte sich an die Mauer des Gerberhauses. Beim Hinundhergehen stieß er nicht mehr an das Gerümpel. Er setzte sich auf eine Gerberkarre. Sie brach unter ihm ein. Er blieb in dem Karrenrahmen hocken, die Beine spitz angewinkelt. Es schlug elf.

Als es zwölf schlug, sagte Gamba: »Er ist eingeschlafen.«

»Red nicht so laut. Vielleicht ist er gar nicht eingeschlafen!«
sagte Beninca.

»Er rappelt sich auf«, sagte Rattatta.

Antonio las aus seinem Cape die Splitter des morschen Holzes.
Er rieb sich das Schienbein und hinkte das Gäßchen entlang.

»Wir müssen auch nach Hause und ins Bett!« sagte Rattatta.

»Nach Hause nennst du das und Bett?! – Eine Baracke und
Stroh!« sagte Beninca.

»Ja, wir müssen schlafen gehen«, sagte Gigi, »morgen früh um
sechs sollen wir wieder Steine schlucken.«

Sie holten Antonio vor dem Steinbruch ein. Sie sagten: »Guten
Abend, guten Abend, Antonio. Auch noch auf?«

Dann tastete sich jeder zu seiner Pritsche.

Als Beninca am nächsten Morgen den Tau vom Anlasserrad
wischte, sagte er zu Antonio: »Wo bist du gestern nacht herge-
kommen?«

»Aus dem Dorf.«

»Das haben wir gesehen. Wo warst du denn im Dorf?«

Antonio sah auf seine Stiefeletten herunter. Beninca hielt ihn am
Ärmel fest.

»Warum zitterst du?« sagte Beninca. »Wenn dich friert in der
Morgenluft, zieh dir eine Jacke an.«

»Ich habe keine Jacke.«

»Aber ein großes Cape zum Tanzen hast du?!«

Gamba kam mit Giulio und Francesco.

»Also, wo warst du?« sagte Beninca.

Antonio sagte nichts.

»Wo warst du? Wo warst du?«

»Ich will es nicht sagen.«

»War es denn so schön?« rief Gigi.

Antonio machte eine Bewegung, als wollte er das linke Ende
seines Capes über die rechte Schulter schlagen.

»War es denn so schön?« sagte Rattatta Fleur d'Amour.

Antonio wandte seinen Kopf zur Seite.

»Wo warst du?« sagte Beninca.

Antonio öffnete mehrmals die Lippen. Zuletzt hörten die anderen den Namen Elisabeth. Gamba schlug sich mit der Innenfläche
auf den Mund.

»Bei Elisabeth, der Tochter vom Bürgermeister?!« sagte Beninca.
Antonio nickte.

»Wie war es denn?« sagte Gamba.

»Wunderschön.«

»Was sagst du? Lauter! Wir hören nichts«, sagte Beninca.

»Wunderschön«, schrie Antonio. Die anderen lachten. Antonio lachte auch, mit halboffenem Mund. Er faltete die Hände hinter seinem Rücken. Er nickte noch ein paarmal, bis sie sich beruhigt hatten.

Beninca zog wieder an Antonios Hemdsärmel.

»Bietet sie denn auch ordentlich was hier oben?« sagte Beninca. Er ließ Antonios Hemd los, hob seine Hand bis zum Hals, wo schwarze Locken unter dem Kragen hervorwuchsen, und strampelte mit den Fingern von rechts nach links.

Antonio nickte.

»Wie denn? Beschreib uns mal!« sagte Beninca und faßte Antonio wieder am Hemdsärmel.

»Wie... wie... wie die Jungfrau Maria!« sagte Antonio.

»Die Jungfrau Maria!« schrie Gamba. Unter seinen Augen wurde es naß. Rattatta schlang seine Arme um den Bauch und hüpfte von einem Bein aufs andre. Gigi ballte die Fäuste in der Luft und trommelte damit auf seine Schenkel.

Antonio sah alle an. Er sagte: »Ich werde euch erzählen, wie es war.«

Die anderen wurden still. Gigi wischte sich den Speichel von den Lippen.

Antonio riß seinen Ärmel aus Benincas Fingern und hob den Kopf hoch: »Gestern abend brachte mir eine verschleierte Dame einen duftenden Brief. In dem Brief stand, mit sehr feinen Worten ausgedrückt, ich sollte zu der Elisabeth kommen.« Gamba lachte schon wieder. Gigi hielt ihm den Mund zu.

»Ich schlug gleich alle versprochenen Tänze aus. Man wollte mich nicht gehen lassen. Ich riß mich los. Auf der Straße erwartete mich eine Kutsche. Eine Hand mit einem vornehm duftenden Spitzenhandschuh winkte mir...«

Folco kam und sagte: »Was steht ihr rum? An die Arbeit! Zweiunddreißig Kubikmeter Schotter!«

»Ruhig.«

»Was heißt ruhig?! Mich faucht dann der Unternehmer an.«

»Halt dein Maul, Folco! Hör lieber zu!« sagte Beninca.

Antonio war nicht mehr vom Erzählen abzubringen: »Ich stieg in die Kutsche. Ich wurde zärtlich umarmt. Wir fuhren über Land und hielten vor einem Chalet. Elisabeth – ganz in Schleiern – stieg aus. Sie leuchtete mir voran. Auf vielen Umwegen erreichten wir einen Wintergarten. Dort stand ein Himmelbett. Sie nahm die Schleier ab und sagte: ›Antonio, die Matratzen sind ganz neu.‹«

Gamba nickte mit offenem Mund vor sich hin.

»Die Matratzen sind ganz neu. Was weiter, was weiter?« Beninca zog an Antonios Ärmel.

»Was weiter geschah, behält ein Gentleman für sich. Ich sage euch nur soviel: Es war wie im Paradies.«

»Es war wie im Paradies.« Gigi hustete vor Lachen.

»Paradies!« Rattatta Fleur d'Amour ließ sich auf die Erde sacken. Er warf die Beine in die Luft.

»An die Arbeit!« sagte Folco. »Ich zieh euch sonst was vom Lohn ab.«

Beninca drehte sich zum Anlasserrad. Er riß es herum. Das Rad schlug wieder zurück. Die Hände rutschten ab. Ein Lappen Haut hatte sich vom Mittelfinger gelöst: »Verflucht! – Wie im Paradies, das ist besser als La Bibi und ihre Bierflasche!«

Während Beninca sein blaues Taschentuch um den Finger band, warf Rattatta den Motor noch einmal an. Die anderen schulterten ihr Werkzeug.

»Antonio ist und bleib ein Dämelack«, sagte Beninca. »Heute abend schreiben wir ihm noch mal einen Brief.«

»Gut, gut, gut«, sagte Rattatta Fleur d'Amour.

Staub flog über dem Steinbruch auf.

Antonio ging von einem Pfeiler der Brücke zum anderen. Ein mit Hagel vermischter Regen klapperte auf den Asphalt. Wenn die Wolken dünn wurden, daß der Mond hindurchleuchtete, konnten die Männer, die hinter den Büschen lagen, erkennen, wie Antonio den bloßen Kopf hochreckte und das Cape herumwarf. Er hob und senkte die nackten, nassen, glänzenden Hände, und seine Lippen zitterten vor sich hin, ohne Laute hindurchzulassen. Der Wind stieß die Stundenschläge der Kirchuhr bis zu den Ohren der Männer.

»Hundertzwanzig Minuten dauert es schon«, sagte Gamba. »Ich bin durch und durch naß.«

»Ich auch«, sagte Beninca. »Ich will nur noch ein bißchen zugucken. – Morgen werden wir eine wunderschöne Geschichte von ihm zu hören bekommen.«

(1963)

MARIE LUISE KASCHNITZ

Lupinen

Wir wagen es, hatten sie gesagt, und hatten alles genau besprochen, sogar den Weg aufgezeichnet, an den langen Abenden, in den Nächten, als sie auf das Klingelzeichen warteten, manchmal wurde auch gar nicht geklingelt, sondern mit dem Gewehrkolben gegen die Türe geschlagen, aufmachen, Judenpack, fort mit euch in den Zug. Die Züge gingen von einem bestimmten Bahnhof ab und fuhren eine bestimmte Strecke, wer in der Stadt und ihrer Umgebung Bescheid wußte, kannte die Kurven, die Unterführungen, die freistehenden Häuser, auf deren Brandmauern riesige Flaschen gemalt waren, die Wäldchen aus struppigem Gebüsch. An einer gewissen Stelle fuhren alle Züge langsam, waren da schon langsam gefahren, als die Schwestern noch Kinder gewesen waren, damals ging es am Wochenende aufs Land zu Verwandten, Johannisbeeren pflücken, Stachelbeeren pflücken, und längs des Bahndamms hatten Lupinen geblüht. Abspringen hätte man können und neben dem Zug herlaufen, und die um sechs Jahre ältere Fanny hatte es sogar einmal gewagt und war mit einem Arm voll ausgeraufter Lupinen wieder auf die Plattform gesprungen, natürlich die Eltern waren damals nicht dabei. Der ängstlichen Barbara hatte das Herz im Hals geschlagen, übrigens auch jedes spätere Mal noch, wenn sie im großen Bogen auf dem Lupinendamm fuhren. Aber dann im Jahre 1943, als die Schwestern Nacht für Nacht auf den Abtransport warteten, war doch sie es gewesen, die den Vorschlag gemacht hatte: Abspringen, fünfzig Meter hinter dem kleinen Tunnel, da sind Schrebergärten und Bretterhütten, da ist das Erlengehölz, da ist ein Hohlweg zurück in die Stadt. Und dann war auch sie es gewesen, die wirklich die Tür aufgerissen hatte und herausgesprungen war, während Fanny einfach sitzen blieb, stumpfsinnig und gleichgültig, so als gäbe es kein Entrinnen, als sei ihr das bestimmt, das Lager in Polen, die Gaskammer, der namenlose Tod.

Wir erzählen von Barbara, die davongekommen war, die sich den Abhang hatte hinunterrollen lassen, ein Geschrei gab es da oben, auch ein paar Schüsse, aber danach nichts weiter, sie würde schon aufgegriffen und dem nächsten Transport zugeteilt werden, ihretwegen hielt man den Zug nicht an. Barbara hatte sich in den

Schrebergärten versteckt gehalten, bis es dunkel war, und war dann ruhig nach Hause gegangen. So hatten sie es ausgemacht, kein Klingeln an der Haustür, sondern Steinchen ans Fenster geworfen, und erst eine ganze Weile später sollte der Schwager herunterkommen und sie einlassen, Barbara, seine Schwägerin, und Fanny, seine Frau. Nur daß es nun eben nur eine war und die falsche, wie Barbara sich sagte, als sie die Steine ans Fenster geworfen hatte, und ein Schatten bewegte sich hinter den Scheiben, und später kam jemand auf Strümpfen die Treppe herab. Das war jetzt schon über ein Jahr her, das Warten im feuchten Westwind, das Gesicht im Geißblatt, und die Schwester indessen fahrend, fahrend, und der Garten der Kindheit mit den Johannisbeer- und Stachelbeersträuchern schon längst versunken und dahin. Der Schwager hatte die Türe vorsichtig aufgemacht, und das Mädchen war an ihm vorbei ins Haus geschlüpft, nur du, hatte der Mann gesagt, und Barbara hatte geantwortet, nur ich. Der Schwager hatte den ganzen Abend kein Wort mehr gesprochen, war am Tisch gesessen, den Kopf in den Händen, und erst am nächsten Morgen hatte er seine Anweisungen gegeben: All das schon hundertmal Besprochene, sich nicht am Fenster zu zeigen, nur in Strümpfen in der Wohnung umhergehen, leise sprechen oder am besten gar nicht sprechen, im Notfall den längst hergerichteten Verschlag auf dem Speicher aufsuchen, ein Schatten sein, ein Nichts. Was für zwei hatte gelten sollen, galt nun für eine, mit nur einer ist eigentlich alles einfacher, zu zweit schwatzt man doch einmal und lacht auch einmal, und wahrscheinlich hätte der Schwager nichts dagegen gehabt, wenn Fanny allein zurückgekommen wäre, vielleicht hat er sich das überhaupt so gedacht. Fanny allein, die zu ihm ins Bett schlüpft, vielleicht hätten sie dann über die Schwester und Schwägerin ein paar Tränen vergossen, aber es wäre doch alles in Ordnung gewesen, in der furchtbaren Ordnung der Ehe, die ein Bollwerk ist gegen Täuschung und Tod. Nur daß es jetzt nicht so war, kein Geflüster im Ehebett, sondern Barbara in ihrer Kammer und drüben der steinerne Mann, der gewiß gar nicht begreifen konnte, warum Barbara die Schwester nicht herausgezerrt hatte aus dem fahrenden Zug. Aber das kann sich niemand vorstellen, wie schnell so etwas geschehen muß, und den Hasenfuß überkommt in solchen Fällen eine wilde Entschlossenheit, und der Tapfere bleibt einfach sitzen, starr und steif.

Ich muß es ihm begreiflich machen, dachte Barbara oft in den folgenden Monaten, wenn sie dem Schwager beim Abendessen gegenübersaß, aber sie wußte schon, er konnte es nicht begreifen, dies nicht und auch vieles andere nicht. Er war kein Betroffener, war arisch und blond mit grauer Haut, städtischer Angestellter und nur wegen einer häufig ausgekugelten Schulter nicht im Krieg. Ein Mann, der zwanzigmal am Tag den Arm in vorgeschriebenem Winkel zum Gruß ausstreckte und der am Abend den englischen Sender hörte, tief über den murmelnden Kasten gebückt. Fanny und er, er und Fanny, eine Trennung von seiner Frau war für ihn nicht in Frage gekommen. Er hatte gemeint, sie schützen zu können, er hatte auch Barbara schützen wollen, aber dann, als sie die Schwägerin zu sich genommen hatten, war es ihm vielleicht schon zuviel geworden, zwei Frauen in der Wohnung, zwei gelbe Sterne, die ausgehen und wiederkommen und die am Abend miteinander flüstern, was er nicht hören soll und auch nicht hören will. Jetzt sind die gelben Sterne untergegangen, Fanny ist wer weiß wo, und Barbara ist auch wer weiß wo, es gibt sie nicht. Sie kann dem Schwager wenig helfen, nicht einmal sein Essen vorbereiten, ehe er zu Hause ist, darf kein Suppengeruch ins Stiegenhaus dringen, wenn er fortgegangen ist, kein Tellerspülen zu hören sein. Er geht jetzt oft am Abend aus, ins Wirtshaus, in die Versammlung, ja, er ist kürzlich in die Partei eingetreten und auch in die SA; er trägt gelegentlich braune Uniform. Alles, um nicht aufzufallen, um Barbara nicht in Gefahr zu bringen, das weiß sie genau. Sie möchte freundlich zu ihm sein, dankbar, nichts anderes, obwohl auch das andere naheläge, zwei Menschen in solcher Einsamkeit, ein Mann und eine Frau, die einen bestimmten Tag herbeisehnen, und es wird Herbst und wird Winter und wird Frühling, und der Tag kommt immer noch nicht. Aber der Schwager weist auch Barbaras Dankbarkeit zurück. Er tut seine Pflicht, und Barbara hat das Gefühl, daß er sie nicht leiden kann, daß er sich nur korrekt benimmt, ein korrekter Widersacher des Regimes, ein korrekter Philosemit. Barbara sieht schlecht aus, weil sie nie an die Luft kommt, auch der Schwager sieht schlecht aus, weil sie zu zweit auf seine Karte leben, er kann nicht hamstern, weil auch das aufgefallen wäre, was will der Witwer mit einem Kaninchenbraten, mit einem Säckchen Mehl, mit einer Kiste Wein. Ein Witwer ist der Schwager seit dem letzten Weihnachtsabend, als ihm die vorgedruckte Mitteilung gebracht wurde, aber da hatte sich erwiesen, daß er seine Frau längst verloren gegeben hatte, schon in der Nacht, in der Barbara zurückgekommen war, aber Fanny nicht. Er hatte sogar an dem Tag wieder angefangen, mit Barbara zu sprechen und in seiner trockenen Weise dieses und jenes zu erzählen, aber nur das Unerfreulichste, heute sind die Alliierten da und da zurückgedrängt worden, heute hat sich die jüdische Frau des Gemischtwarenhändlers das Leben genommen. Wenn er von den

Zellenabenden kam, wo er hatte singen und bei festlichen Gelegenheiten auch schunkeln müssen, war seine Stimmung besonders finster. Einmal sagte er, warum tue ich das alles, ich bin SA-Mann, ich habe einen Revolver, ich kann zuerst dir und dann mir eine Kugel in den Kopf schießen. Wenn meine Mutter in Hamburg nicht wäre, hätte ich es längst getan. Barbara sagte nichts, aber sie zitterte am ganzen Körper, sie war zwanzig Jahre alt und hatte gehofft, daß alles vorüberginge, hatte auch manchmal kichernd, ein bleicher Kobold, in der Bodenluke gesessen und eben das gesungen, es geht alles vorüber, es geht alles vorbei, und den ziehenden Wolken nachgeschaut. Das tat sie jetzt nicht mehr, sondern hockte im Zimmer und zeichnete auf die leeren Seiten ihrer alten Schulhefte große Sonnen und Monde und Männchen, die Hand in Hand gingen, in einer Art von zoologischem Garten oder einem Paradies. Doch ließ sie endlich auch von dieser Beschäftigung, und zwar noch ehe die ersten Bomben fielen.

Das Städtchen, abgelegen und unwichtig, war von Fliegerangriffen lange verschont geblieben. Die zahlreichen Alarme hatten nichts zu bedeuten gehabt, der Schwager, der das Planquadrat mit seinen Märchennamen kannte, hatte, gewisse militärische Nachrichten abhörend, immer schon gewußt, daß die Geschwader rechts oder links vorbeiflogen, er hatte vom Rundfunkgerät her beruhigende Zeichen gemacht. In den Keller ging damals noch kaum jemand, obwohl dieser mit allerlei ausgedienten Stühlen, Löschsand und Erste-Hilfe-Schränken vorschriftsmäßig ausgerüstet war. An dem Abend, an dem die Flieger ihre Bomben auf die Stadt warfen, saß der Schwager ebenfalls am Rundfunk, er machte aber keine Zeichen, drehte nur das Licht aus, zog die Papierrollos hoch und blieb am Fenster, während draußen die ersten Christbäume herabsanken und das Abwehrfeuer begann. Im Haus wurde es jetzt lebendig, Kinder wurden die Treppe heruntergezerrt, an der Türe rief jemand Herr Kapfinger und klopfte, aber der Schwager rührte sich nicht. Barbara durfte nicht in den Keller, der Schwager ging nicht, was Barbara nicht verstand, weil er sie ja die ganze Zeit über allein gelassen hatte und auch jetzt allein ließ, da er nur im dunkeln Zimmer von Fenster zu Fenster wanderte und mit Hiobsbotschaften aufwartete: Das war die Zementfabrik, jetzt brennt die Schule, jetzt kommen sie hierher. Bei den folgenden Angriffen verhielt sich der Schwager nicht anders, er wurde dem Mädchen immer rätselhafter, sie wußte nicht, haßte er sie oder war er nur unglücklich, daß er alles noch schlimmer haben wollte. Als sie einmal, was ihr verboten war, vor seinem abendlichen Heimkommen den Rundfunk anstellte, hörte sie dann andere Nachrichten als die ihr der Schwager erzählt hatte, die Amerikaner waren in der Normandie gelandet, was selbst der einheimische Sender nicht verschweigen konnte und was der ausländische in vielen Einzelheiten schilderte, eine gute Botschaft für alle, denen die Zwangsregierung verhaßt war, das rennende Kreuz und der doppelte Blitz.

Barbara sprang auf, zog ein helles Kleid an, holte auch, verstohlen durchs Fenster greifend, ein wenig Weinlaub, das sie in einem Krügchen auf den Eßtisch stellte, das Essen war vorgerichtet, eine Flasche jener Flüssigkeit, die als Heißgetränk bezeichnet wurde, bereitgestellt. Der Schwager kam nicht zur gewohnten Zeit, er polterte erst nach Mitternacht betrunken die Treppe herauf. Barbara, die ihn in solchem Zustand noch nie gesehen hatte, zog sich erschrocken in ihre Kammer zurück. Am nächsten Morgen wagte sie nichts zu erwähnen, weder die Landung noch den Rausch, und tat es auch nicht, als ihr der Schwager, auf eine geringfügige Verschiebung des Rundfunkzeigers aufmerksam geworden, die heftigsten Vorwürfe machte. Barbara dachte nur ratlos, aber jetzt wird doch alles gut, sie vertrieb sich am Nachmittag die Zeit mit Haareschneiden und Haarebürsten und sah am Abend aus wie Fanny, deren Frisur sie ganz unwillkürlich nachgeahmt hatte. Der Schwager kam, starrte sie an und ging sofort zu Bett. Er bequemte sich, an einem der nächsten Tage, ihr einiges von den Kriegsereignissen zu erzählen, fügte aber gleich hinzu, so schnell geht das nicht. Wie jeder weiß, behielt er damit recht, es dauerte noch viele Monate, bis alles vorüber war. Den Sommer über hatte Barbara noch Geduld, sie bemühte sich, den Schwager bei Laune zu erhalten, der immer öfter betrunken nach Hause kam und der auch einmal nachts in der Speisekammer den Wochenvorrat an Brot verzehrte, was ihn am nächsten Morgen so bedrückte, so daß er noch finsterer dreinschaute als sonst. An einem Abend aber griff er nach dem Mädchen, brutal und hochmütig, so als wolle er sagen, du könntest doch zu etwas nützlich sein, und ließ die heftig Widerstrebende gleich wieder fahren, verächtlich, so viele Scherereien und noch nicht einmal das.

Das Leben ist voller Rätsel, es muß doppelt rätselhaft gewesen sein für die kleine Barbara, die den Schwager im geheimen liebte und gehofft hatte, einmal die Stelle ihrer Schwester einzunehmen, und die sich nun nicht erklären konnte, warum für sie alles anders sein sollte, keine Liebe, keine Hoffnung auf Glück. An einem Abend im Spätsommer war es gewesen, daß der Schwager ihr die Bluse aufgerissen hatte. Der nächste Tag wartete auf mit heißer

Sonne und goldenen Gebüschen, und Barbara machte, kaum daß sie allein war, die Fenster weit auf und stand in der Sonne, so daß jeder sie hätte sehen können, und spürte die heiße Sonne auf ihrer Haut. Es war niemand auf der Treppe und niemand im Vorgarten, und auch als Barbara dann die ein wenig abschüssige Straße hinunterlief, hat sie niemand gesehen. Der Morgen war still, nur daß hier und dort schon die Kastanien aufplatzten und ihre rotbraunen Früchte dem Mädchen vor die Füße warfen. Eine dieser Früchte hob Barbara auf und rieb sich mit ihr die Wange und steckte sie dann in die Tasche und spielte mit ihr. Wohin, nirgendwohin, nur draußen sein, den Weg suchten die Füße, die, des Gehens ungewohnt, stolperten, dann wieder tanzten. Die Füße liefen aus der Stadt hinaus, war da nicht ein Hohlweg gewesen mit roten Berberitzen, und hatte man nicht beim Wiederauftauchen den Bahndamm gesehen. Barbara sah den Bahndamm, den großen Bogen und die Schrebergärten, die Lupinen blühten nicht mehr, nur ein Birnbäumchen stand rosarot und messinggelb im herbstlichen Laub. Der Weg lief auf den Bahndamm zu, es war die Stelle, an der alle Züge langsam fuhren, die Stelle, an der einmal vor zwölf Jahren, vor hundert Jahren, Fanny abgesprungen war, um Blumen zu pflücken. Barbara blieb stehen und sah sich um, der ungewohnte Himmel, die ungewohnte Helligkeit warfen ihr die Zeiten durcheinander. Den Zug, der von der Stadt herkam, sah sie schon von weitem. Lauter schäbige, klapprige Kriegswägelchen, kein Judenzug mit verrammelten Luken, aber auch ein Sonderzug, Kinderlandverschickung, und Hunderte von Kindern beugten sich aus den Fenstern hinaus. Barbara rannte so schnell sie konnte, sie war gleich außer Atem, griff, um sich den Bahndamm heraufzuziehen, in die verblühten Lupinen, und die Stauden, die trocken und geheimnisvoll raschelten, lösten sich aus der Erde und blieben ihr in der Hand. Einen Augenblick lang stand Barbara keuchend dort oben im warmen Oktoberwind, wußte nichts, wollte nichts, ließ sich nur fallen in das Stoßen, Stampfen und Klappern des Zuges hinein. Eine Selbstmörderin, hieß es später, als Barbaras unkenntlicher Körper in die Leichenkammer gebracht, von niemandem identifiziert und schließlich im Armensarg bestattet wurde. Die wenigen alten Leute aber, die, aus ihren Schrebergärten zwischen kleinblütigen Herbstastern und späten Rosen dem Zug nachblickend, den Vorfall beobachtet hatten, sagten einmütig, die Tote sei ein Kind gewesen, das auf den Kinderzug habe aufspringen wollen, einen Büschel verblühter Lupinenstauden im Arm.

(1966)

THOMAS BERNHARD

Das Verbrechen eines Innsbrucker Kaufmannssohns

Schon nach kurzer Bekanntschaft seiner Person hatte ich höchst aufschlußreiche Einblicke in seine Entwicklung, in seine Kindheit vor allem: Geräusche, Gerüche in seinem ihm nun schon jahrelang fernen Elternhaus beschrieb er mir immer wieder, die Unheimlichkeit eines düsteren Kaufmannshauses; die Mutter und die Gemischtwarenstille und die im Finstern der hohen Gewölbe gefangenen Vögel; das Auftreten seines Vaters, der in dem Kaufmannshaus in der Anichstraße dauernd die Befehle eines rücksichtslosen Realitäten- und Menschenbeherrschers gab. Georg sprach immer von Lügen und Verleumdungen seiner Schwestern, mit was für teuflischen Schlichen oft Geschwister gegen Geschwister vorgehen können; eine verbrecherische Vernichtungssucht haben Schwestern gegen Brüder, Brüder gegen Schwestern, Brüder gegen Brüder, Schwestern gegen Schwestern. Sein Elternhaus war niemals ein Haus der Kinder gewesen, wie es die meisten anderen Häuser, Elternhäuser, vornehmlich in den besseren Gegenden, besseren Luftverhältnissen sind, sondern ein furchtbares, noch dazu feuchtes und riesiges Erwachsenenhaus, in welchem niemals Kinder, sondern immer gleich grauenhafte Rechner auf die Welt gekommen sind, Großmaulsäuglinge mit dem Riecher für das Geschäft und für Unterdrückung der Nächstenliebe.

Georg war eine Ausnahme. Er war der Mittelpunkt, aber seiner Unbrauchbarkeit, der Schande wegen, die er für die ganze dauernd an ihm erschrockene und verbitterte Familie immer und immer dort, wo sie es zu verwischen trachtete, darstellte, ein entsetzlich verkrümmter und verkrüppelter Mittelpunkt, den sie unter allen Umständen aus dem Haus haben wollte. Er war so und auf die infamste Weise von der Natur verunstaltet, daß sie ihn immer verstecken mußten. Nachdem sie von der ärztlichen Kunst und von der medizinischen Wissenschaft überhaupt bis in die Tiefe ihrer fäkalischen und viktualischen Verabscheuungswürdigkeit hinein enttäuscht worden waren, erflehten sie sich in perfider Gemeinsamkeit eine Todeserkrankung für Georg, welche ihn möglichst schnell aus der Welt schaffen sollte; sie waren zu allem bereit gewesen, wenn er nur stürbe; aber er starb nicht, und er ist, obwohl sie alle zusammen alles getan haben, um ihn tödlich erkranken zu lassen, nicht ein einziges Mal (weder in Innsbruck, wo er ein paar hundert Meter neben mir, durch den Innfluß von mir getrennt – keiner hatte vom andern gewußt –, aufgewachsen war, noch später, während unserer Wiener Studien in unserem im dritten Stock eines Zirkusgassenhauses gelegenen Zimmer) *tod*krank geworden; er war unter ihnen nur immer größer und größer und immer häßlicher und hinfälliger, immer unbrauchbarer und hilfsbedürftiger geworden, aber ohne die Mitleidenschaft seiner Organe, die besser funktionierten als ihre eigenen ... Diese Entwicklung Georgs verbitterte sie, vor allem, weil sie schon in dem Augenblick, in dem er von seiner brüllenden Mutter auf einen Eckstein des Waschküchenbodens geworfen worden war, den Entschluß gefaßt hatten, sich für die entsetzliche Überraschung der Geburt eines zuerst riesigen, feuchten und fetten, dann aber, wenn auch immer größeren, so doch immer zarteren und gesünderen unansehnlichen ›Krüppelsohnes‹ (so rief ihn sein Vater) auf ihre Weise zu rächen, sich zu entschädigen für ein zum Himmel schreiendes Unrecht; einer Verschwörung gleich, hatten sie beschlossen, sich seiner, Georgs, noch bevor er, wie sie grübelten, ihnen einen möglicherweise tödlichen Schaden durch seine bloße Existenz zufügen konnte, und ohne mit dem Gesetz in Konflikt zu kommen, zu entledigen; jahrelang glaubten sie, der Zeitpunkt, da sie ihn ausgestanden haben werden, sei nah, sie hatten sich aber getäuscht, durch sich selbst täuschen lassen, seine Gesundheit, seine Krankheitslosigkeit, was Georgs Lungen, sein Herz, alle anderen wichtigen Organe betrifft, waren stärker als ihr Wille und ihre Klugheit.

Zum einen Teil entsetzt, zum andern größenwahnsinnig, konstatierten sie mit seinem rapiden Größer- und Gesünder- und Zarter- und Intelligenter- und Häßlicherwerden, daß er, das glaubten sie in der Wirklichkeit, nicht aus ihrer jahrhundertealten Kaufmannssubstanz hinausgekommen und unter ihnen hocken geblieben war; sie hätten wohl nach mehreren Totgeburten einen der Ihren verdient gehabt, einen geraden, keinen krummen Balken von Kaufmannsgeblüt, der sie alle zusammen vom ersten Augenblick an schon stützen sollte, später dann tragen, noch höher heben, alle zusammen, Eltern und Schwestern noch höher *hinauf*heben, als sie schon oben waren; und bekommen haben sie, von woher, war ihnen unheimlich, weil letzten Endes doch vom Vater aus der Mutter heraus, ein Geschöpf, das, von ihnen aus gesehen,

so ein nutzloses, immer noch tiefer und tiefer denkendes Tier
gewesen ist, das Anspruch auch noch auf Kleidung und auf
Vergnügen erhob und das man, anstatt daß es einen stützt, stützen
mußte, anstatt daß es einen nährt, nähren mußte und das man hätte
verhätscheln sollen und nicht verhätschelte; im Gegenteil, Georg
war und blieb ihnen ein aus lauter Nutzlosigkeit ständig im Weg
und im Magen liegender Fleischklumpen, der auch noch Gedichte
schrieb. Alles an ihm war anders; sie empfanden ihn als die größte
Schande ihrer sonst nur aus Wirklichkeit und nicht im geringsten
aus Einbildung zusammengesetzten Familie. Er sprach in dem
Wiener Zirkusgassenzimmer, das wir, nachdem wir uns in einem
Gasthaus in der Leopoldstadt getroffen und zusammengetan haben, gemietet hatten, oft und oft von seinem ›Kinderkerker zu
Innsbruck‹, und er zuckte, wenn er das für ihn immer schwierige
Hauptwort ›Ochsenziemerhieb‹ glaubte sagen zu müssen, vor
seinem Zuhörer, vor mir, der ich jahrelang, acht Semester lang,
sein einziger Zuhörer gewesen bin. Ihm viel zu große, ihm viel zu
riesige Keller- und Vorhaus- und Stockgewölbe, ihm viel zu hohe
Steinstufen, zu schwere Falltüren, zu weite Röcke und Hosen und
Hemden (seines Vaters abgetragene Röcke und Hosen und Hemden), zu schrille Vaterpfiffe, Mutterschreie, das Kichern der
Schwestern, Sprünge von Ratten, Hundsgekläff, Kälte und Hunger, bornierte Einsamkeit, ihm viel zu schwere Schultaschen,
Brotlaibe, Kukuruzsäcke, Mehlsäcke, Zuckersäcke, Kartoffelsäcke,
Schaufeln und stählerne Radelböcke, unverständliche Anordnun-
gen, Aufgaben, Drohungen und Befehle, Strafen und Züchtigungen, Hiebe und Schläge bildeten seine Kindheit. Er war, nachdem
er schon jahrelang von zu Hause fort gewesen war, noch immer
gepeinigt von den von ihm in den Keller hinunter und wieder aus
dem Keller heraufgeschleppten (und von ihm unter was für
Schmerzen geschleppten) geselchten Schweinshälften. Nach Jahren noch und in siebenhundert Kilometer Entfernung, in Wien,
überquerte er, wenn es finster war, immer noch ängstlich und mit
eingezogenem Kopf den elterlichen Innsbrucker Kaufmannshof,
stieg er, von Fieber geschüttelt, in den elterlichen Innsbrucker
Kaufmannskeller. Wenn er sich, tagtäglich in das elterliche Kauf-
mannsrechnen hineingeohrfeigt, verrechnete, wurde er (noch
nicht sechsjährig das erste Mal) vom Vater oder von der Mutter
oder von einer seiner Schwestern in das Kellergewölbe hinunter-
gesperrt und dann eine Zeitlang immer nur noch ›Verbrecher‹
gerufen, später aber stimmten, wie er sich erinnerte, auch seine
Schwestern, dann gar seine Mutter in den ›Verbrecher‹-Ruf ein.

Völllig ›erziehungsunfähig‹ habe sie, die er jetzt, nach Jahren, weil er durch viele Gebirge von ihr getrennt war, in seiner Wiener Studienzeit in einem milderen Licht zu sehen sich einbildete, sich immer gänzlich, was Georg betraf, dem stärkeren Teil der Familie, also dem Vater und den Schwestern, gefügt. Vater und Mutter hatten ihn mit einer entsetzlichen Regelmäßigkeit wöchentlich mehrere Male mit dem Ochsenziemer geschlagen.

In den Innsbrucker Kaufmannshäusern heulten in seiner Kindheit, wie in den Innsbrucker Metzgerhäusern die Schweine, die Söhne. Bei ihm war wohl alles am schlimmsten gewesen. Seine Geburt, so versicherten sie ihm bei jeder Gelegenheit, habe ihren Ruin herbeigeführt. Vom Vater war er ständig als ›verfassungswidrig‹ bezeichnet worden, mit dem Wort ›verfassungswidrig‹ stach sein Vater immerfort auf ihn ein. Die Schwestern nützten ihn für ihre Intrigen aus, mit ihrer Verstandesschärfung mit einer immer noch größeren Perfektion. Er war aller Opfer. Wenn ich in seine Kindheit und in ein Innsbruck hineinschaute, schaute ich in meine Kindheit und in mein Innsbruck hinein, mit wieviel Erschrecken gleichzeitig in das meinige, das nicht von derselben Fürchterlichkeit, aber von einer noch viel größeren Infamie beherrscht gewesen war, denn meine Eltern handelten nicht aus der tierischen, wie die Seinigen, sondern aus der radikal philosophischen, aus der vom Kopfe und von nichts als vom Kopfe und von den Köpfen ausgehenden Gewalt.

Eine uns tiefer, als von Natur aus statthaft, traurig machende Verbitterung stieß jeden Tag in aller Frühe unsere qualvollen untüchtigen Köpfe in einem einzigen heillosen dumpfen Vermutungszustand zusammen: Alles in uns und an uns und um uns deutete darauf hin, daß wir verloren waren, ich genauso wie er, was wir anschauen und was wir durchdenken mußten, was wir gehen und stehen und schlafen und träumen mußten, um was immer es sich handelte. Georg war oft tagelang in der entferntesten von ihm so bezeichneten höheren Fantasie, und er ging, wie ich fortwährend beobachten mußte, gleichzeitig immer in seinen Verzweiflungen hin und her, was auch mich verfinsterte, die Gesetze und ihre Errichter und die tagtäglichen rüden Vernichter aller Gesetze, beide gingen wir von einem bestimmten Zeitpunkt an auf einmal gemeinsam und wie für immer gemeinsam und durch das ganze große krankhafte Schema der Farben, in welchem sich die Natur in einem jeden von uns als der schmerzhafteste aller Menschenschmerzen ausdrücken mußte. Wir hausten jahrelang, wenn auch auf der Oberfläche der Hauptstadt, so doch in einem von uns für uns geschaffenen System von nur für uns sichtbaren, uns schützenden Kanälen; in diesen Kanälen aber atmeten wir auch ununterbrochen eine tödliche Luft ein; wir gingen und wir krochen fast immer nur in diesen Kanälen unserer Jugendverzweiflung und Jugendphilosophie und Jugendwissenschaft auf uns zu... diese Kanäle führten uns aus unserem Zirkusgassenzimmer, in welchem wir meistens betroffen von der Urteilskraft und von dem ungeheuren Überfluß der Geschichte, von uns selber betroffen auf unseren Sesseln am Tisch saßen, über unseren Büchern, fürchterlichen Verhunzungen, Verhimmelungen und Verspottungen unserer und der ganzen geologischen Genealogie, in den alten uralten Körper der Stadt hinein und aus diesem wieder hinaus in unser Zimmer zurück...

Acht entsetzliche Semester haben wir, Georg und ich, auf diese von mir nur angedeutete Weise in dem Zirkusgassenzimmer zusammen verbracht, zusammen verbringen müssen; keinerlei Unterbrechung war uns gestattet gewesen; wir waren die ganzen acht Semester, in welchen ich mir die Jurisprudenz verekelt hatte, Georg sich nicht weniger seine Pharmazie, nicht fähig gewesen, uns aus unserer gebückten Haltung, aus unser beider Verkrüppelung (auch ich war bereits verkrüppelt gewesen), weil wir uns ja, wie angedeutet, in allem und jedem immer in unsern Kanälen und also gebückt bewegen mußten, aus dieser Notwendigkeit in eine wenn auch noch so wenig höhere zu erheben; wir hatten die ganzen acht Semester nicht ein einziges Mal die Kraft gehabt, aufzustehen und davonzugehen... Wir hatten ja nicht einmal die Kraft, weil keine Lust dazu gehabt, unser Zirkusgassenzimmerfenster aufzumachen und frische Luft hereinzulassen... geschweige denn hatten wir auch nur eine einzige der *unsichtbaren Kräfte* gehabt... Unser Gemüt war, wie unser Geist, so fest verschlossen gewesen, daß wir nach menschlichem Ermessen einmal, wir waren nicht mehr gar zu weit davon, in uns ersticken mußten, wenn nicht etwas, das nicht von uns, auch nicht *aus einem von uns* kommen konnte, ein solcher metaphysischer Eingriff von außen in uns oder von innen in uns, eine Änderung unseres Zustandes aus zwei gleichen Zuständen, Georgs und meines, herbeiführte... Unter einem ungeheuer komplizierten Verfahren gegen uns schrumpften in der für uns immer noch mehr atonischen Atmosphäre der Hauptstadt auch unsere Seelen zusammen. Wie so viele unseres Alters waren wir, rückhaltlos, in der Vorstellung tief vergraben und tief verscharrt gewesen, die besagt, daß es nirgends, weder innen noch außen, eine Möglichkeit für frische Luft und was sie hervorrufen, *auslösen* oder *auslöschen* kann, gibt, und tatsächlich gab es damals in dem Zirkusgassenzimmer für uns keine frische Luft; acht Semester lang keine frische Luft.

Wir hatten jeder für sich einen vor vielen, was ihn betrifft, vor unzähligen Generationen im Gebirge entstandenen Namen, der, einmal links, einmal rechts des Inn, immer größer geworden war, jetzt aber, als ein Zerstörer von uns, am Ende von elterlichen Verfügungen und Rechenkunststücken in die schamlos, wie wir mit ansehen mußten, wehleidig verkümmernde Hauptstadt hereinversetzt worden war. Jeder von uns war in seinem vielsagenden Namen eingeschlossen und konnte nicht mehr hinaus. Keiner kannte den Kerker des anderen, die Schuld, das Verbrechen des anderen, aber jeder *vermutete*, daß der Kerker des anderen und die Schuld und das Verbrechen des anderen die eigenen waren. Unser Mißtrauen füreinander und gegeneinander hatte sich im Laufe der Zeit in dem Maße verstärkt, in welchem wir mehr und mehr zusammengehörten, uns nicht mehr verlassen wollten. Dabei haßten wir uns, und wir waren auch die entgegengesetztesten Geschöpfe, die man sich denken kann; alles des einen schien vom anderen, *ja aus dem anderen*, wir beide glichen uns aber doch in nichts und in keiner Sache, in gar keiner Empfindung, in nichts. Und doch hätte jeder von uns der andere sein können, alles des einen hätte vom anderen kommen können ... ich sagte mir oft, daß ich Georg sein *könnte*, alles, was Georg war, das bedeutete aber, daß nichts von Georg *aus* mir war ... Wie andere Studenten sich, wenn sie in die Hauptstadt geschickt sind, mit viel Schwung an deren Zerstreuungsmöglichkeiten erfreuen und erfrischen, blieb uns doch rätselhaft, uns beide begeisterte nichts, wir fanden an nichts Gefallen, der Geist der Hauptstadt war doch ein toter, ihre Vergnügungsapparatur uns zu primitiv.

Wir operierten von Anfang an, er wie ich, mit dem Scharfsinn, alles unterwarfen wir unserer in fast allen Fällen tödlichen Kritik; schließlich mißglückten unsere Ausbruchversuche, alles bedrückte uns, wir erkrankten, wir errichteten unser Kanalsystem. Wir hatten uns schon in den ersten Wochen aus dem schweigenden Größenwahn Wiens zurückgezogen, aus der Stadt, in der nun keine Geschichte, keine Kunst, keine Wissenschaft mehr war, in der nichts mehr war. Aber schon vor meiner Ankunft in Wien, noch in der Eisenbahn, war ich (wie auch er), waren wir beide unabhängig voneinander, von einem uns nach und nach traurig machenden Fieber, einer Krankheit angegriffen gewesen, ich von einer in meinem Unterbewußtsein genauso wie im vollen Bewußtsein sich folgerichtig von allem Außen in mich herein vollziehenden *Verstörung zur Todesreizbarkeit* und, in einem der vielen finsteren unserer Schnellzugabteile, die mit hoher Geschwindigkeit durch das Land gezogen werden, sitzend, in Wahrnehmung meiner selbst und in Wahrnehmung dessen, was mit mir auf immer zusammenhing, von dem ersten Selbstmordgedanken, Selbstmordgedankenansatz nach langer Zeit überrascht. Mit was für einer grauen und gegen mich ungemein strengen Trübsinnigkeit hatte ich auf einmal zwischen den Melker Hügeln vorliebnehmen müssen! Auf dieser Fahrt, die ich gegen meinen Willen zu fahren gezwungen gewesen war, hatte ich mir des öfteren meinen Tod gewünscht, diesen raschen, plötzlichen, schmerzlosen, von dem nur ein Bild der Ruhe zurückbleibt; vornehmlich in den gefährlichen Kurven, wie dort knapp an der Donau bei Ybbs. Die Anreise junger Menschen aus der Provinz in die Hauptstadt, um ein gefürchtetes Studium anzufangen, um ein Studium, das die meisten nicht wollen, geht fast immer unter den entsetzlichen Umständen in Gehirn und Verstand und Gefühl des Betroffenen und Betrogenen und auf solcher Weise Gefolterten vor sich. Das Selbstmorddenken der sich in der Dämmerung im Zug einer Höheren oder Hochschule oder Universität in der Hauptstadt furchtsam und in allen Fällen immer weniger kühn als vermutet Nähernden ist das Selbstverständlichste. Wie viele und nicht wenige, die ich gekannt habe und mit welchen ich aufgewachsen bin und die mir genannt worden sind, haben sich schon kurz nach der Verabschiedung von den Eltern auf dem heimatlichen Bahnhof aus dem fahrenden Zug gestürzt... Was mich und was Georg betrifft, so haben wir uns gegenseitig niemals unsere Selbstmordperspektiven enthüllt, wir wußten nur voneinander, daß wir in ihnen zu Hause waren. Wir waren wie in unserem Zimmer und in unserem Kanalsystem, in unseren Selbstmordgedanken wie in einem höheren Spiel, einem der höheren Mathematik vergleichbaren, eingeschlossen. In diesem höheren Selbstmordspiel ließen wir uns oft wochenlang völlig in Ruhe. Wir studierten und dachten an Selbstmord; wir lasen und dachten an Selbstmord; wir verkrochen uns und schliefen und träumten und dachten an Selbstmord. Wir fühlten uns in unserem Selbstmorddenken alleingelassen, ungestört, niemand kümmerte sich um uns. Es stand uns jederzeit frei, uns umzubringen, wir brachten uns aber nicht um. So fremd wir uns immer gewesen waren, es gab keine der vielen Hunderttausende von geruchlosen Menschengeheimnissen zwischen uns, nur das Naturgeheimnis *an sich*, von welchem wir wußten. Wie

Strophen eines unendlichen gleichmäßig schwarzen Liedes waren uns Tage und Nächte.

Einerseits hatten die Seinigen schon von Anfang an gewußt, daß er für den väterlichen Kaufmannsberuf und also für die Übernahme des Geschäftes in der Anichstraße, das einen wie sie erforderte, nicht in Frage kam, andererseits hatten sie aber lange die Hoffnung nicht aufgegeben, es könnte aus Georg, dem Krüppel, doch noch über Nacht, möglicherweise von einem Ochsenziemerhieb auf den anderen, das werden, was sie von Anfang an in ihm haben wollten: der Nachfolger des jetzt schon in den Sechzigern stehenden Gemischtwarenhändlers! Schließlich aber hatten sie sich, wie auf Verabredung, hinter seinem, Georgs, Rücken, schon über Nacht, für immer, für seine ältere Schwester entschieden, und sie stopften von diesem Augenblick an, wie sie nur konnten, alles, was sie nur konnten, ihre ganzen Kaufmannskräfte und ihr ganzes Kaufmannswissen in die auf dicken Beinen den ganzen Tag wie ein schweres Vieh durch das Kaufmannshaus gehende Person hinein, in die dicke, blutunterlaufene, rustikale Irma; Sommer wie Winter in Puffärmeln, wuchs sie, die erst zwanzig und mit einem Metzgergehilfen aus Natters verlobt war, sich zu einer an den Waden ständig Eiter lassenden Säule des Kaufmannsgeschäfts aus. Im gleichen Augenblick, in welchem sie die Schwester zur Nachfolgerin ihres Vaters bestimmt hatten (wohl auch im Hinblick auf ihren Verlobten!), gestatteten sie Georg ein Studium. Sie hatten Angst gehabt, ihr Gesicht zu verlieren. Sie erlaubten ihm aber nicht, wie er es sich gewünscht hatte, in Innsbruck, wo er neben der Kaufmannslehre auch das Gymnasium besucht und mit gutem Erfolg absolviert hatte, oder im nahen München die Pharmazie zu studieren, sondern nur in dem von ihm und von ihnen allen immer schon gehaßten, weit im Osten liegenden Wien. Sie wollten ihn möglichst weit von sich weg haben, weg *wissen*, und die Hauptstadt lag wirklich am Ende der Welt, jeder junge Mensch heute weiß, was eine Verbannung dorthin bedeutet! Es hatte nichts genützt, daß er ihnen klarzumachen versuchte, daß Wien, die Hauptstadt, schon seit Jahrzehnten die rückständigste aller europäischen Universitätsstädte war; es gab nichts, das in Wien zu studieren zu empfehlen gewesen wäre; er mußte nach Wien, und er mußte, wollte er nicht um den niedrigsten aller mir bekannten Wechsel kommen, in Wien, der fürchterlichsten Städte Europas, bleiben. Eine *wie* alte und leblose Stadt, ein *wie* großer, von ganz Europa und von der ganzen Welt allein und liegen gelassener Friedhof ist Wien, dachten wir, was für ein riesiger Friedhof zerbröckelnder und vermodernder Kuriositäten!

Als ob er ich gewesen wäre, war mir immer in der letzten Zeit unseres Zusammenseins, besonders eindringlich gegen Jahresende, wenn er vor dem Einschlafen all das andeutete, von welchem wir gar nichts wußten... Seine Unmöglichkeit, sich auch nur ein einziges Mal in seinem Leben verständlich zu machen, war auch die meinige... Seine Kindheit, die ihm als eine unendliche, nicht tausendjährige, wie die des Dichters von *Moby Dick* erschienen war: der ununterbrochene vergebliche Versuch, das Vertrauen seiner Eltern und der anderen Menschen seiner Umgebung, wenigstens der unmittelbarsten, zu gewinnen. Er hatte niemals einen wirklichen Freund gehabt, aber wer weiß, was das ist, nur Menschen, die ihn verspotteten, insgeheim fürchteten, er war immer einer, der eines anderen oder mehrerer anderer Harmonie auf seine Weise, durch seine Verkrüppelung, störte, fortwährend störte er... Wo er hinkam, wo er sich auch aufhalten mochte, er war ein häßlicher Farbflecken auf dem schönen beruhigenden Hintergrund... Die Menschen waren (für ihn) nur dazu da, ihm Fallen zu stellen, gleich, was oder wer sie waren, was sie darstellten, sich darzustellen getrauten, alles stellte ihm Fallen, es gab nichts, das ihm nicht eine Falle stellte, auch die Religion; schließlich war er auf einmal durch sein eigenes Gefühl verfinstert... Sein Aufwachen war wohl auch ein solches in den Wahnsinn der Ausweglosigkeit hinein gewesen... Er hatte mir auf einmal, der ich mich schon sicher gefühlt hatte, die Tür in meine Kinderzeit aufgerissen, mit der Brutalität der Kranken, Unterdrückten, Verzweifelten... Jeden Morgen wachte er in der festverschlossenen Zelle eines neuen uralten Tages auf.

Während mir vor die düstere Szenerie meiner Kinderzeit immer wieder Gestalten, die durchaus als lustig, ja gar als übermütig erkennbar sind, liefen, geschah meinem Freund so etwas nie; es seien ihm immer furchteinflößende Geschehnisse sichtbar gewesen, wenn er in die Vergangenheit schaute, und was da gespielt worden sei und noch gespielt werde, sei noch furchteinflößender; er wolle deshalb, sagte er immer wieder, so wenig oft wie möglich in die Vergangenheit, die wie die Gegenwart und die Zukunft sei, die Gegenwart und Zukunft *sei*, schauen, überhaupt nicht schauen; aber das ging nicht; eine riesige eiskalte Bühne war seine Kindheit, war seine Jugend, war sein ganzes Leben gewesen, nur dazu da, um ihn zu erschrecken, und die Hauptrollen auf dieser Bühne spielten immer nur seine Eltern und seine Schwestern; sie erfanden immer wieder etwas Neues, das ihn verstören mußte. Manchmal weinte er, und wenn ich ihn fragte, warum, dann antwortete er: weil er den Vorhang der Bühne nicht zuziehen könne; er sei zu kraftlos dazu; immer weniger oft könne er den Vorhang der Bühne zuziehen, er fürchte sich davor, ihn eines Tages überhaupt nicht mehr zuziehen zu können; wo er hingehe, wo er sich befinde, in welchem Zustand immer, er müsse sein Schauspiel anschauen; die fürchterlichsten Szenen spielten immer wieder in seinem Innsbrucker Elternhaus, in dem Kaufmannshaus; Vater und Mutter als Triebkräfte seiner tödlichen Szenerie, er sehe und höre sie immer. Oft sagte er aus dem Schlaf heraus die Wörter ›Vater‹ und ›Mutter‹ und die Wörter ›Ochsenziemer‹ und ›Keller‹ oder ein von seinen Verfolgern schließlich zu Tode gejagtes ›Nichtnicht!‹, das mit seinen vielen Züchtigungen zusammenhing. In der Frühe war sein Körper, sein bis in die der Natur verbotenen Keuschheit hinein verfeinerter, wenn auch verkrüppelter Körper (er hatte die Haut von todkranken Mädchen), naß, ein Fieber, das sich nicht messen ließ, schwächte ihn schon, bevor er noch aufgestanden war. Wir frühstückten meistens nicht, weil uns vor Essen und Trinken ekelte. Vor den Vorlesungen ekelte es uns. Die Welt war uns eine aus perverser tierischer und perverser philosophischer Pest und aus widerwärtiger Operette. Den letzten Februar war Georg gleichmäßig traurig und in seiner Traurigkeit immer allein gewesen. Er, der um ein Jahr Jüngere, mußte am Abend unter den uns beiden bekannten Voraussetzungen, unterstützt von Handbewegungen, Bewegungen seines Kopfes, unter allen von ihm gefürchteten Namen von verstorbenen oder von noch lebenden Geschöpfen und Gegenständen erschrocken sein. die an ihn adressierten Briefe, wenige, enthielten wie die an mich nur Aufforderung zur Besserung, nichts an Gutmütigkeit. Einmal hatte er das Wort ›taktlos‹ ausgesprochen, er hatte gemeint, die Welt sei wenigstens taktlos. Wie anders hätten wir beide sein müssen, diesem Friedhof, der die Hauptstadt gewesen ist, der die Hauptstadt *ist*, den Rücken zu kehren. Wir waren zu schwach dazu. In der Hauptstadt ist jeder zu schwach dazu, sie zu verlassen. Als letztes hatte er ›Ein aussterbender Friedhof ist diese Stadt!‹ gesagt; nach dieser Äußerung, die mich nicht nachdenklich gemacht hat, zuerst, wie alle die andern von ihm in letzter Zeit, die sämtlich den gleichen Stellenwert hatten, war ich, es war der Vierzehnte, abends, halb elf, zu Bett gegangen. Als ich wach wurde, kurz vor zwei durch ein Geräusch, denn Georg hatte sich völlig ruhig verhalten, wohl aus dem einen Grund schon, mich unter keinen Umständen aufzuwecken (und jetzt weiß ich, wie qualvoll das für ihn gewesen sein muß), habe ich die entsetzliche Entdeckung gemacht, die Georgs Eltern jetzt als Verbrechen ihres Sohnes gegen sich selbst und als Verbrechen an seiner Familie bezeichnen. Schon um zehn des nächsten Vormittags war Georgs Vater aus Innsbruck in Wien angekommen und hatte von mir Aufklärung über den Vorfall verlangt. Als ich aus der Klinik, in welche Georg gebracht worden war, zurückgekommen war, befand sich Georgs Vater schon in unserem Zimmer, und ich wußte, auch wenn es wegen des schlechten Wetters noch finster gewesen war, es wurde an diesem Tag auch nicht mehr anders, daß der Mann, der da Georgs Sachen zusammenpackte, sein Vater war. Obwohl auch aus Innsbruck, hatte ich ihn noch niemals vorher gesehen. Wie sich aber meine Augen an die Finsternis gewöhnt hatten und auch die Finsternis auszunützen verstanden, und diese Schärfe meiner Augen werde ich niemals vergessen, sah ich, daß dieser Mensch, der einen schwarzen Überrock mit einem ausgeschlagenen Schafspelz anhatte, daß dieser Mensch, der den Eindruck erweckte, in Eile zu sein und alles von Georg auf einen Haufen zusammenwarf, um es fortzuschaffen, daß dieser Mensch und daß alles, was mit diesem Manne in Zusammenhang stand, an dem Unglück Georgs, an der Katastrophe die Schuld trug.

(1967)

GÜNTER GRASS

Polizeifunk

Es bleibt mir nur übrig zu wiederholen, was ich zu Protokoll gegeben habe: Ich bin nicht seine Geliebte gewesen. Allenfalls seine Vertraute, wenn es das gibt. Unsere sogenannten Vertraulichkeiten, nach denen ich immer wieder gefragt werde, beschränkten sich aufs Berufliche. Das soll heißen: Ich habe bei Professor de Groot mehr gelernt als etwa Fräulein Manthey, die, vom Kassler Museum, genau wie ich, vom Wallraf-Richartz-Museum, beurlaubt worden ist, weil wir beide unsere Lehrzeit mit einem halbjährigen Restaurationskurs in Amsterdam beschließen sollten.

Professor de Groot war eine international anerkannte Kapazität. Und alle seine Schüler, auch Fräulein Manthey, die ausgesagt hat, sie habe sich benachteiligt gefühlt, sind ihrem Lehrer zu Dank verpflichtet. Nur zweimal habe ich Professor de Groot beim Ablösen eines Malgrundes in seinem Privatstudio helfen dürfen, im übrigen haben wir alle, wie es schon Dr. Jonk bestätigt hat, gemeinsam im großen Restaurationssaal gearbeitet. Allerdings stimmt es, daß Professor de Groot von allen seinen Schülern nur mich mitgenommen hat, wenn sein Gerät ihm einen Brand in der nahegelegenen Innenstadt meldete. Nicht immer zu meiner Freude haben mich diese Ausflüge von meiner Arbeit, der ich mit Interesse nachgehe, enthoben. Meine Mitschüler können bestätigen, wie sehr mich Bevorzugungen verärgert haben; freilich böse konnte man Professor de Groot deswegen nicht sein.

Wie allgemein bekannt ist, hörte unser Lehrer, während er über seiner Arbeit saß, unausgesetzt den Polizeifunk. Von dieser seiner Absonderlichkeit hatte man mir schon in Köln erzählt. Man sagte dort: Tüchtig aber schrullig. Verkehrsunfälle, Schlägereien am Samstag, ja, selbst Einbrüche in Juwelierläden ließen Professor de Groot nie aufblicken, allenfalls entlockten sie ihm sarkastische, von uns allen belächelte Kommentare; wurde jedoch innerhalb des unablässigen Sprachsalates, an den wir uns alle gewöhnt hatten – Dr. Jonk verstand es, ihn trefflich zu parodieren – ein Dachstuhlbrand gemeldet, konnte die diffizilste Arbeit Professor de Groot nicht abhalten. Noch sehe ich ihn in die Jackentasche greifen und beinahe jungenhaft mit dem Autoschlüssel klingeln: »Kommen Sie mit, Fräulein Schimmelpfeng?«

Während eines knappen halben Jahres habe ich vier Großbrände – zwei in der Heeren Gracht, einen bei den Dirnen nahe der alten Kirche und einen am Waterloo Plein – dazu annähernd zwei Dutzend mittlere Brände und Bagatellfälle gesehen, denn in Amsterdam brennt es oft. Professor de Groot schaute diesen Bränden beherrscht und gelassen, oft ein wenig enttäuscht, aber immer ähnlich wissenschaftlich interessiert zu, wie ich ihn von der Arbeit im Restaurationssaal her kannte. Mich – das sei zugegeben und, wenn gewünscht, auch im Protokoll vermerkt – haben diese Brände, oft wider meinen Willen, in Unruhe, ja, in Erregung versetzt, so daß mir oftmals der unbegründete Verdacht gekommen ist, Professor de Groot betreibe dieses Spiel mit mir zu einem bestimmten Zweck. Mit Nachdruck weise ich hin: davon kann keine Rede sein. Ich, ausschließlich ich, habe versagt. Unreif und widerstandslos habe ich jede wissenschaftliche Disziplin vermissen lassen. Dabei hätte mir Professor de Groot in seiner beinahe heiteren Beherrschtheit ein Beispiel sein können: zumeist schwieg er, während die Brände bekämpft wurden. Und wenn er sprach, war immer von seinem Lieblingsmaler Turner, speziell von den um 1835 gemalten Feuersbrünsten, vom Brand des Parlamentes oder vom Brand Roms die Rede; von jenem Bild also, das Turner, inspiriert vom Parlamentsbrand, den er als Augenzeuge erlebte, gemalt hat. Deshalb, und nur deshalb war es mir selbstverständlich, ja zu sagen, als Professor de Groot im Mai des vergangenen Jahres die Freundlichkeit hatte, mich zu einer dreitägigen Exkursion nach London einzuladen. Von früh bis spät haben wir uns in der Tate Gallery aufgehalten. In Turners berühmtem Skizzenbuch fanden wir den schon erwähnten Parlamentsbrand mehrmals spontan und für alle Zeit festgehalten. Wenn ich jetzt sage, mein Lehrer, Herr Professor de Groot, sei mir in dieser kurzen und wohl für beide glücklichen Zeit menschlich nähergekommen, kann ich nur hoffen, daß mit dieser Aussage nicht jener Verdacht neue Nahrung erhält, den aufrechtzuerhalten das Hohe Gericht immer noch gewillt ist.

Ich habe nicht gewußt, daß Professor de Groot auch zu Hause Polizeifunk gehört hat. Er hat überhaupt selten und in London nie von zu Hause gesprochen. Zweimal, im Juni und Anfang Juli des vergangenen Jahres, war ich, auf Wunsch seiner Frau, jeweils an Sonntagen bei ihm zum Abendessen geladen. Zwar machte Frau de Groot auf mich einen scheuen, sogar verstörten Eindruck – sie erschien mir müde und abgespannt –, doch wäre ich nie auf die Idee gekommen, daß der Polizeifunk, jene uns Schülern schon zur Gewohnheit gewordene Schrulle, ihre Gesundheit untergraben hatte; denn Professor de Groot hat ja wohl – wie ich glauben muß – die Nacht über, und während er schlief, seine Frau jedoch wenig Schlaf fand, das Gerät bei voller Lautstärke laufen lassen. Auch hieß es – wie ich erst jetzt erfahren habe –, daß ihn Brandmeldungen und ausschließlich Brandmeldungen sofort geweckt hätten, und weiter, daß er seine Frau, oft gegen ihren Willen, gezwungen habe, sich anzukleiden und ihn zur Brandstätte zu begleiten. So sehr ich diese Rücksichtslosigkeit verurteilen muß, so betont muß ich darauf hinweisen, daß nur berufliche, also wissenschaftliche Interessen – in der Hauptsache die schon erwähnten Turner-Studien –, Professor de Groot dieses ungewöhnliche Verhalten nahegelegt haben.

Heute, da ich weiß, wie mein Lehrer, Professor Henk de Groot, in seinem eigenen Haus hat verbrennen müssen, da ich annehmen muß, er habe die Brandmeldung seines Hauses noch im Gerät vernommen, da ich mir immer wieder vorstelle, wie er versucht haben mag, aus dem hochgelegenen Schlafzimmer in dem engen Giebelhaus, das wie die meisten Altstadthäuser von unten nach oben abbrannte, sich und seine Manuskripte zu retten, heute, da ich Frau Professor de Groot, die der vorsätzlichen Brandstiftung mit Mordabsicht angeklagt ist, nicht entlasten kann – denn ich erinnere mich ihrer beim Abendessen mehrmals und völlig zusammenhanglos gefallenen Bemerkung: »Du wirst dir noch mal die Finger verbrennen...« jetzt und fortan mache ich mir Vorwürfe, daß ich nicht versucht habe, auf meinen Lehrer mäßigend einzuwirken, zumal ich seines Vertrauens gewiß sein konnte, wenn ich auch nie, wie behauptet wird, seine Geliebte gewesen bin; auch in London nicht, während der knapp dreitägigen Turner-Exkursion.

Zudem besagt mein Alibi eindeutig, daß ich während der Brandnacht mit meiner Kollegin, Fräulein Manthey, ein Kino, die Spätvorstellung, besucht habe.

(1968)

GÜNTER KUNERT

Die Beerdigung findet
in aller Stille statt

Steif gefaltete Mienen: Ergebnis unnatürlicher Mühen, etwas
Fehlendes sichtbar zu machen: das Mitleid. Zu jedem dieser
künstlich betroffenen Gesichter gehört unabdingbar eine ausgestreckte, zu mitfühlendem Druck bereite Rechte und eine gedämpfte Stimme, Kondolationen haspelnd betreffs des unerwarte-
ten Ablebens der Gattin, der Gemahlin, der Ehefrau, der Else
Schöngar, geborene Pilowski, deren Witwer das vorgetäuschte,
vielleicht sogar echte Bedauern abkürzt durch Entzug seiner
verlegenheitsfeuchten Hand und den Hinweis, die Beerdigung
fände in aller Stille statt. Von Blumenspenden bitte man abzuse-
hen. In tiefer Trauer – Konrad Schöngar.
    Als ein Hindernislauf über kollegiale, beileidsbereite Hürden
erweist sich der heutige Weg ins Büro. Von der Pförtner-Barriere
bis ins dritte Stockwerk, wo hinter dem Schildchen ›Sektionsleiter
K. Schöngar – Unfallstatistik‹ die letzte, schier unüberwindbare
wartet: in Gestalt einer mißtrauischen Sekretärin. Es gilt, nicht vor
den wässerungsbereiten, doch forschenden Augen aus der Rolle
zu fallen, einen Bernhardinerblick zurückzugeben, sich die Hand
quetschen zu lassen und zu nicken, nicken, nicken. Gäbe es doch
ein Handbuch für Witwer! Dabei weiß sie manches, ahnte einiges
und reimt sich sicherlich alles zusammen. Es gibt kein Geheimnis
vor der eigenen Sekretärin. Was sie weiß, birgt sie im fehlenden
Busen, um es als Anklage bei passender Gelegenheit von sich zu
geben. Walte Gott, daß sich besagte passende weder morgen noch
in einem Monat ergeben möge: Walte Gott: niemals!
    Ja, bedauerlich, ja, so jung, ein unbegreifliches Ende, nein,
keinen Kranz: Es findet in aller Stille statt. Die Post? Wird später
erledigt.
    Verständnissinnig den graumelierten Kopf gesenkt, zieht sich
die Spionin zurück. K. Schöngar mustert die sanft ins Schloß
gezogene Tür: Besteht Anlaß für seinen Verdacht? Hatte er jedes
seiner Worte achtsam genug gewählt? Ist eines, ein unbedachtes,
zum Verräter geworden?
    Vorsichtig beim Reden, damit nicht unversehens hinter dem

Fallgitter der Zähne ein Brocken unverdaulicher Wahrheit hervorrutscht. Allein hinter dem überladenen Schreibtisch, durchmustert der Mann das tote und lebende Inventar seiner bisher unauffälligen Existenz: Direkt vor ihm sitzt er, der Verräter. Natürlich: das Telefon. Nicht das Gerät selber, gefüllt mit seelenlosem, rasselndem Material, die Telefonistin, die horchgeile Spinne im Drahtnetz, ist schuld. Und alle Wachsamkeit umsonst gewesen. Obwohl Schöngar, Winnetou plus Old Shatterhand, sorgfältig vermied, geringste Spuren seines geheimen außerehelichen Verhältnisses offenbar werden zu lassen.

Aber: Dulcinea residiert als Sachbearbeiterin im gleichen Gebäude. Zwar: nie am gleichen Tisch mit ihr zur Mittagszeit in der Kantine, nie gleichzeitig am Pförtner vorbei, weder abends noch morgens. Und: nie nebeneinander bei Betriebsfeiern. Aber: miteinander telefoniert. Unbedacht, auch wenn man sich verschwörerisch nur mit der Apparatnummer ansprach. Hier 83. Heute abend nicht. Heute abend nach sieben. Heute abend um acht. Hier 11. Hier 83. Bis später. Und trafen einander, armer Konrad, holde Anita, nach zufälliger Begegnung, nach Einleitung, Vorspiel, Prolog des Dramas vor Monden, Honigmonden in einem Wäschegeschäft, bitte Büstenhalter Größe sieben, in der Öffentlichkeit außerhalb des Amtes niemals mehr wieder. Sektionsleiter Schöngar, ein verpacktes Nachthemd für die noch lebende Gattin unter dem Arm, öffnet Anita höflich die Ladentür: Bitte sehr. Anita kannte Schöngar wie er sie: vom Sehen. Nun wechselte man erste Worte. Sachbearbeiterin in der Wasserstraßenverwaltung, das sei sie, sei es seit zwei Monaten, sei es eine Treppe unter Schöngars abgeschabten Schreibtischfüßen.

Erneut bietet sich eine Tür zum Öffnen an: die von Schöngars Auto. Bring Sie ein Stück. Räuspern. Selben Weg. Kichern. Ja, wenn's so ist. Neben ihr sitzend, startend, schaltend, anfahrend, produziert der Fahrer ausgelaugte Phrasen aus verengter Kehle. Ja, das Wetter. Ja, Unfallstatistik, die Leute, alle unvorsichtig, gräßliche Berichte, und erst die Fotos, zum Glück bloß schwarzweiß, Verstümmelungen wie im Krieg, nicht zu sagen.

Das Getriebe blökt beim Schalten. Der Fuß tritt zu heftig aufs Bremspedal. Ein Fußgänger, drohend die Faust erhoben, entkommt vor einem Übergang, weil des Unfallstatistikers Pupillen ständig zum rechten Augenwinkel abirren. Der Anziehungskraft zweier schaukelnder Bojen, jede Wasserstraße könnte sie damit sperren, erliegt die verkehrsnötige Aufmerksamkeit. Jetzt rechts, jetzt links, bitte anhalten, ich bin angelangt. Ob sie sich für die

Heimfahrt mit einer Tasse Kaffee revanchieren dürfe, ich wohne gleich hier im ersten Stock, doch da begeht der Fahrer Fahrerflucht, entflieht mit 45 PS der Versuchung, flüchtet ins eigene Heim, Häuschen, Domizil, zu gewohntem Empfang. Wangenkuß und Oberweite Größe 3. Nach dem schweigsamen Abendbrot: Rückzug in die Garage, einen Kabelbruch vorschützend, um zurückgelehnt im Beifahrersitz fremden Körperdunst zu erwittern und der Doppelprovokation unter schwarzem, weitgebeultem Strickwerk nachzusinnen.

Ein großer Energieaufwand ist notwendig, die Menge von Moral in sich zu erzeugen, unter der die unerlaubte Zwillingsfülle verschwindet wie die Kuppeln eines nie betretenen Bauwerks in kalter grauer Sintflut. Ist meine Moral wirklich meine Moral? Ist sie nicht eher eine völlig verrostete Rüstung, die jede notwendige, lebendige Bewegung unmöglich macht? Fragen, erstmals gefragt nach dem Anblick einladender Hügel, Fragen, bevor Haare und Zähne (eigene) im Müll landen. Immerhin: 43 Jahre bereits. Obwohl beherrscht von Gefühlen weit minderen Alters, das kommt bestimmt vom Nichtrauchen und Mäßigtrinken, von der Enthaltsamkeit, welche gefördert wird durch die Ehe. So fing das an, und aufhören soll es, weil die Telefonspinne es dem Pförtner, der es sogleich weiter an den Fahrer, Quatscher allesamt, und weil jeder seinem Chef immer das Neueste steckt, und jemand es also dem Chef von Schöngar. So oder ähnlich ist es rausgekommen.

Einzige Karte in der feuchten, unruhigen Hand Schöngars, die er vor dem Chef ausspielen kann, ist ein symbolisches Kreuzas: der Tod. Jetzt bin ich ja nicht mehr verehelicht. Bin Witwer. Auf dem Territorium Europas befinden sich wieviel Witwer, das heißt: Unfall-Witwer? Es müßte eigentlich in seiner Sektion aktenkundig sein.

Leerlauf hilfloser Gedanken, den das Telefon aufhält, mit einem Geklingel, eindringlich und bedeutsam, als würde sich eine weibliche Stimme nach dem Abheben melden. Unsinn: keiner Verstorbenen, sondern die der Nummer elf Elfe Nymphe. Doch aus dem perforierten Bakelitscheibchen spricht der Chef, bittet in sein Büro, wartet seines Sektionsleiters ›Jawohl‹ gar nicht ab, empfängt ihn immerhin stehend, mit dem obligaten, senkrecht gefurchten Bedauern beiderseits des Mundes, aus dem sogleich Sprache hervortritt, ein geschlängeltes Gerede, farblos, endlos, Papierband aus einem nicht abstellbaren Telegrafen: Also, Vorwürfe, also diese erübrigen sich ja nun recht eigentlich, nach Wegfall, 'tschuldigung, des Grundes für skandalöses amoralisches Verhalten, dessen Auswirkung auf andere Mitarbeiter und Kollegen gewiß keine erstrebenswerte wäre, jawohl, aber nun nach dieser tragischen Angelegenheit, da Schöngar sozusagen gar nicht mehr verheiratet sei, ergo sich über Nacht andere Aspekte ergäben, nein, keine Rechtfertigung jetzt, aber Schöngar, vorgebeugt auf dem schäbigen Stuhl, hat gar nicht die Absicht, nimmt den Guß frohen Gefühls hin, jetzt gewiß, unter der Dusche der Katharsis gereinigt hervorzugehen, widerspräche um keinen Preis, sondern läßt den Wortschwall an sich abrinnen. Auch sei, meint der andere, Schöngar sicher sehr mitgenommen von dem schrecklichen Unglücksfall ––! Stichwort, dem eine erwartungsvolle Pause folgt, in die der Witwer unverfroren sagt: Unglücksfall, jawohl, durch sofort verständigte Feuerwehr einwandfrei festgestellt. Gehandelt nach selbstverfaßter Anweisung. Falls Einzelheiten gewünscht werden ––? Einzelheiten seien nicht notwendig; nimmt der Chef seinen Faden auf, spult ihn weiter ab, nun aber privat gefärbt: Schöngar, die ganze Affäre wird begraben, Pardon: niedergeschlagen.

So spricht das Gesetz zwischen gelben Zähnen hervor. So blickt der Bodensee-Reiter aufatmend, wenn auch mit einem störenden Zucken im rechten Augenlid, hinter sich, und siehe, er ist noch einmal davongekommen. Mit einem blauen Auge. Kein poetischer Gegenstand für Herrn Gustav Schwab, der hätte ihn gnadenlos nach dem Bewußtsein überstandener Gefahr tot vom Gaul gestürzt, aus heimlicher Lust des empfindsamen Dichters an Grausamkeiten. Glücklicherweise vollzieht sich die Wirklichkeit in Wirklichkeit weniger ungesund.

Sicherlich: Auch K. Schöngar, Sektionsleiter, ist nicht gefeit gegen Schwächezustände, gegen den magenpressenden Druck der Angst, doch er denkt nicht daran, auch nur annähernd tot vom Sitz zu fallen, geht statt dessen nach überstandenem Gespräch, Dienstzeit hin, Dienstzeit her, lebendig aus dem Amtsgebäude. Der Pförtner: wird ignoriert. Dessen undeutbarer Gesichtsausdruck: wird ignoriert. Soll denken, was er will. Hinter der übernächsten Ecke weiß Schöngar eine Freistatt für Sorgen, erfüllt von Stille und Dämmerlicht und säuerlichem Bierdunst. Vom ersten Doppelten gießt die flatternde Hand etwas aufs Kinn. Der zweite jedoch lockert den Krampf der Gesichtsmuskulatur. Das Augenlid gibt seine störende Selbständigkeit auf. Aus der feurigen Flüssigkeit, aus der Hitze im Magen, explosionsartig den Rumpf durchdringend, richtet sich ein verhutzeltes Etwas, ein zusammengeschnurrtes Ding auf: der innere Konrad Schöngar. Das bläht sich zu voller Größe, bis die Stärke im Blut in Zucker verwandelt wird und erneut Schrumpfung einsetzt. Bevor das geschieht und der Prozeß, Wort von Bedrohung neuerdings, sich umkehrt, wird die Telefonkabine im finstern Hintergrund der Lokalität aufgesucht. Zwischen dunkelbraunen Tischen, bedeckt mit fleckigen Tüchern, jeder einsam, keine Gästebeine unter sich, hindurchgewunden und die Sprechzelle betreten, in der im gleichen Moment eine nackte Glühbirne automatisch aufleuchtet. Der zitternde Finger dreht die schwarze Scheibe. Rufzeichen. Gleich wird sich die Klappenschrankspinne melden. Selbst wenn man annimmt, sie belauscht bloß die Gespräche innerhalb der Dienststelle, so schaltet ein kluger Unfallspezialist seine Stimme in eine tiefe Tonlage und spricht brummig an der Mikrofonkapsel vorbei: Bitte Wasserstraßenverwaltung. Apparat elleff! Knacken und Summen ist die Antwort. Dann meldet sie sich, die Elf, deren unelfisches Wesen, deren Erdenschwere und pralle Diesseitigkeit einen Beamten verzaubert hat. Flehend sagt Schöngar: »Hier dreiundachtzig!« Das Telefon schweigt verblüfft. Der Schwachstrom rauscht als ferner Fluß wortlos dahin und trägt keine Antwort zu dem Mann in der Kneipe. Erneut ruft er seine beschwörende Zahl. Das hebt endlich die Stummheit auf: Die Nymphe spricht wie unter Wasser hervor, weit weg und dumpf: Ja, sie höre. Heute wie üblich neunzehn Uhr, sagt Nummer dreiundachtzig eindringlich und horcht auf das Knistern und Rascheln im Draht. Nach einer maßlosen Sekunde stimmt der Kunststoffhörer geschäftsmäßig zu: Ja, in Ordnung, auf Wiederhören!

An seinen Nickelhaken gehängt, glänzt das Griffstück feucht im Kabinenlicht. Und wie nach einer überstandenen Krankheit taucht der Gast wieder auf, erreicht er nach einiger Zeit doch noch die Theke, wo er nach mehrfachen Schluckbewegungen einen allerletzten Schnaps bestellt, erhält und trinkt, damit der innere Mensch, aufs neue verzweifelt ähnlich einem undichten Luftballon, gestärkt werde. Er trinkt und spürt, wie er jede Faser in sich mit einem kühneren Schöngar ausfüllt. Der paßt ihm besser und sitzt wie angegossen. Nun fällt es nicht schwer, die Post aufzuarbeiten. Mit den üblichen Formulierungen Betriebsdirektoren, Geschäftsführer, Abteilungsleiter auf ihre Pflicht hinzuweisen, Unfälle zu verhüten, entsprechend dem moralischen Imperativ, der jede Gesellschaft regiert. Warnende Statistiken beilegen, Anforderung von Unterlagen. Verbleiben wir hochachtungsvoll. Die Beisetzung findet in aller Stille statt.

Ehe man noch den Kopf in die Unterschriftsmappe gesteckt hat, zieht die Sekretärin bereits die runzlige Wachstuchhaut über ihre Maschine. Dienstschluß! Schon? Schon.

Das Pendel hat nach extremen Ausschlägen unbemerkt in seine gewöhnliche Stellung zurückgefunden. Alles kommt ins Lot. Das Leben geht weiter. Auch für frisch gebackene Witwer, die auf Freiersfüßen wandeln. Auch für Sektionsleiter, deren Abweichen vom normierten Pfad der Tugend die ihnen gebührende Korrektur erfährt.

Bloß für eine Frau geht es nicht weiter, weil sie ein wenig zuviel Kohlenmonoxyd eingeatmet hat. 0,13 Vol.-Prozent innerhalb einer Stunde sind die statistisch errechnete tödliche Dosis. Und Frau Schöngar hat mehrere Zehntel inhaliert, und man brauchte keine Stunde zu warten.

Pünktlich um 19.00 Uhr, nachdem der Wagen, der graulackierte Mörder Frau Schöngars, unauffällig in einer Nebenstraße geparkt worden ist, schlägt in Anitas Wohnung die Klingel an, derart kurz, daß sie erst zweifelt, ob sie ein Läuten gehört hat. Aber es ist 19.00 Uhr – es muß geklingelt haben. Und er steht auch vor der Tür, der unverhofft freigewordene Liebhaber, im unbeleuchteten Treppenhaus. Immer steigt er im Dunkeln hinauf, ihretwegen, wie er behauptet, doch ihr ist jede Rücksicht gleichgültig: Zu viele Wohnungen und männliche Besucher brachte sie bis zu ihrem dreißigsten Jahr hinter sich. Zwischen ihnen ist keine Verstellung, nicht wahr?

Am Tag nach der ersten Begegnung vor den rosafarbenen, hellblauen und schwarzen Tütenpaaren zum Umschnallen folgte ein grauer Wagen der Straßenbahn Linie 8 durch die Hauptstraße, über Plätze und Kreuzungen, vorbei an Fassaden, Tüllgardinen, Fensterkreuzen, Läden Türen, Toren, Pforten, Eingängen, Öffnungen. Schöngar achtete jedoch nur auf die üppige Brünette, die den Anhänger verließ. Ehe sie den Bürgersteig erreichte, bremste der Wagen, der Schlag klappte auf, gefragt wurde, ob sie heute wieder nach Hause gebracht werden dürfe. Ein Lächeln, garniert mit Grübchen, die Antwort. Als nehme sie den ihr gebührenden Platz ein, setzte sie sich damals neben den Fahrer. Er folgte ihr mit gleicher Selbstverständlichkeit in die kleine Wohnung und ins Bett.

Heute, heute meiden wir dieses wichtige herzinnige Möbel. Ob aus echter Pietät, oder weil man das nicht tut, Konrad, wo sie noch nicht mal unter der Erde ist, ergo aus Unbehagen entsagt, bleibt dahingestellt. Konrad stimmt zu: Natürlich kann man jetzt nicht.

Und würde doch gerne und gleich. Wünscht nichts anderes, wünscht gierig, zwischen entblößter Scylla und Charibdis sich und den überfrorenen Abgrund aus dem Gedächtnis zu verlieren, unterzugehen in Vergessen, aber der Tod ist ein Hemmnis von großer Eigenart.

Außerdem will Anita erfahren, und sie hat ein Recht darauf, wie der Unfall geschah. Geschah wie bestellt.

Also.

Also die Garage. Also, wie Anita weiß, befindet sich die Garage unter unserem – meinem Häuschen. Also, der Wagen wird immer in der Garage gewaschen. Abfluß vom ehemaligen Besitzer angelegt. Also, meine Frau, meine verstorbene Frau, das geht schon leichter von der Zunge als heute früh, ging hinunter, um das Fahrzeug, amtlich gesprochen, zu säubern. In Verfolg dieses Vorganges hat die Verstorbene den Motor in Betrieb gesetzt, vielleicht um zu rangieren, vielleicht um durch die Scheinwerfer zusätzliches Licht zu erhalten: Das schont die Batterie, und Else war sparsam. Jedenfalls war die Garagentür selbstverständlich ordnungsgemäß geschlossen. Auspuffgas muß sich rasch ausgebreitet und am Boden gestaut haben, und als die Tote sich bückte, als sie natürlich noch am Leben gewesen, hat nach zwei, drei Atemzügen das Kohlenmonoxyd sie betäubt, so daß sie auf den Zementboden sank, während der Motor lief und lief und lief. Ihr Gatte, der Ehebrecher, las inzwischen die Zeitung, bis er sich auf einmal allein vorkam. Rief nach seiner Frau, ohne Antwort zu erhalten. Begab sich in den Flur, rief, öffnete die Tür zum Garagenkeller, rief wieder, hörte den Motor, sah Licht, stieg zwei, drei Stufen abwärts, erblickte Beine, in verrenkter Lage, rief, hörte den Motor, stürzte hinauf, hinaus, rannte ums Haus, die Garagentür von außen zu öffnen und den Motor abzustellen. Letzteres tat er, indem er mit angehaltenem Atem in den bläulichen Dunst sprang, den Starter abdrehte, rausjagte. Danach die Feuerwehr und das übliche: künstliche Beatmung, Sauerstoffmaske, Kampferinjektion. Sie hat noch den Putzlappen in der Hand gehalten. Zum Glück war die Garage baupolizeilich genehmigt. Und ein Feuerwehrleutnant vor der blaulicht-blinkenden, horngellenden Abfahrt zum Schluß und zum Trost: Viele derartige Fälle, jaja, die Motorisierung und so ... Was der Witwer exakt wußte.

Also – so war's.

Nun sind die Lippen trocken, ein Glas noch, ein Kuß, und obwohl nicht an Gespenster glaubend: scheu gegeben, scheu empfangen.

Die Heirat nicht über die offiziell angebrachte Zeitspanne hinauszögern. Es ist nicht gut, daß der Mensch allein sei und so weiter. Alter Spruch, trotzdem wahr. Überhaupt ist die Miete für Anitas Wohnung jetzt hinausgeworfenes Geld. Darüber reden wir morgen. Oder übermorgen. Nach dem Begräbnis, das in aller Stille und so fort. Also: leb wohl.

Nach Hause ins leblose Haus, heim ins wenig Anheimelnde, ins beinahe Unheimliche, das unbeleuchtet daliegt als schwarzer Klotz, als spitzgieblige Stelle, unter die der Wagen mit abgestelltem Motor rollte, die abschüssige Rampe herunter in den engen, eckigen Raum. Hier hat sie gelegen. Nichts hat sie gewußt, nichts geahnt, weder von Anita noch von dem Fall des Autoschlossers F. in S., dessen Darstellung (Fotos eingeschlossen) im Büro des Sektionsleiters Schöngar abgeheftet liegt. Der Schlosser F., kaum ausgelernt, führte in einer Kellergarage, 16 Quadratmeter, keine Belüftung, eine Wasserpumpenreparatur durch, nach der er probehalber den Motor anließ. Vermutlich bückte er sich nach einer heruntergefallenen Zange. Am Boden bestand eine Verdichtung von 2,8 Vol.-Prozent, und seit diesem Todesfall war die Garage für Autos gesperrt. Ein schuldhaftes Verhalten Außenstehender, stand im Bericht, konnte nicht ermittelt werden.

Ein Außenstehender hatte kein Interesse daran, einen Jemand zu einer laufenden Maschine hinabzuschicken, unter der lockend, halb verborgen, ein seidenpapierumhülltes Päckchen geschickt plaziert worden war, um die Neugier zu bewegen, sich in den tödlichen Dunst zu bücken. Das Päckchen enthielt übrigens einen Damenpullover Größe 48, der Else gar nicht gepaßt hätte und der nach einem Tag auf der Leine im Garten nicht mehr nach Abgasen roch. Anita spürte nichts, als sie ihn trug, absolut nichts.

Das grobe Sieb der Statistik hält nur Zahlen. Alles andere fällt aus der Realität, als wäre es nie gewesen.

(1968)

MARLEN HAUSHOFER

Der Wüstling

Laurenz war das, was man früher in Romanen als ›Wüstling‹ bezeichnet hätte. Er wußte selber nicht, wie es mit ihm dahin gekommen war. Seiner Meinung nach war er schon in der Schule ein Wüstling gewesen, und schon damals hatte ihm dies Scherereien eingebracht. Gelegentlich dachte er sogar darüber nach, was man dagegen hätte tun können, kam aber nie zu einer Lösung, weil jedesmal irgendein Weibsbild auftauchte und ihn am ernsthaften Nachdenken hinderte.

Da er nebenbei auch einen Beruf ausüben und Geld verdienen mußte, hielt er es für unrationell, mit mühsamen und langwierigen Annäherungsversuchen kostbare Zeit zu verschwenden, und fand schließlich ein Schema, in das fast jede Frau paßte. Es gab Kuhfrauen, Ziegendamen, Kätzinnen und Hundefrauen, natürlich auch Reptilien und Vogelweibchen; eine Pferdefrau, eine echte Hyäne, ein Frettchen, Füchsinnen und allerhand Kaninchen, Meerschweinchen und Hühnerfrauen hatten seinen Weg gekreuzt.

Sobald eine Frau sein Interesse erregt hatte, ordnete er sie in sein Schema ein und behandelte sie entsprechend. Und fast immer funktionierte das ganz ausgezeichnet. Kuhfrauen standen menschlich bei ihm in hohem Ansehen, aber wenn es sich machen ließ, ging er ihnen aus dem Wege. Er konnte sie nämlich nicht weinen sehen und wurde sie daher sehr schwer wieder los. Außerdem waren sie ihm irgendwie überlegen, in ihrer unerschütterlichen Gelassenheit, mit diesem prächtigen weißen Fleisch und der großartigen Einfachheit ihrer Gunstbeweise. Es war eine erhebende Sache, der Geliebte einer Kuhfrau zu sein, aber lange war er ihr nicht gewachsen. Eine derartige Frau verlangte große, starke Gefühle, die vorzuspiegen auf die Dauer über seine Kräfte ging.

Ziegendamen konnten amüsant sein und hatten Einfälle, die ihm sogar ein wenig extravagant erschienen, andererseits mochte er ihre Körper nicht und konnte ihre Stimmen schlecht ertragen. Am erfreulichsten waren Kätzinnen, aber nur wenn man sie nicht liebte und alles ein Spiel blieb. Vor Hundefrauen, es schien eine ganze Menge von ihnen zu geben, war er seit einer sehr quälenden

Erfahrung auf der Hut. Sobald ihn einer ihrer treuen, seelenvollen Blicke traf, ergriff er die Flucht. Er war kein Sadist, und so langweilten ihn diese armen Geschöpfe tödlich. Kaninchen-, Meerschweinchen- und Hühnerfrauen, die Masse der Frauen überhaupt, waren im allgemeinen doch zu dumm, wenn es sich auch nicht immer umgehen ließ, sie en passant mitzunehmen. Einmal, als ganz junger Mensch, hatte er fürchterlich unter einem Frettchen gelitten, das ihn, in unbegreiflichen Anfällen von Mordlust, gebissen, gekratzt und überhaupt arg zugerichtet hatte. Da er auch kein Masochist war, blieb es sein einziges Frettchen.

Verliebt hatte er sich bisher nur zweimal in seinem Leben, und niemand hatte sich mehr darüber gewundert als er selber, daß er dazu fähig war. Seine erste große Liebe hieß Pia, ein bachstelzenartiges Wesen, mit einem Hälschen so dünn, daß er es mit einer Hand fest umspannen konnte, jettschwarzen runden Augen, einer spitzen Nase und mageren X-Beinen. Sie hatte eine Art, mit den Armen wie mit Flügeln zu schlagen und das Köpfchen ruckartig hin und her zu bewegen, die ihn in Entzücken versetzte. Dabei verstand er selber nicht, was er an ihr liebte, vielleicht war es ihre völlige Fremdartigkeit. Er hoffte, sie eines Tages ganz fest und ruhig in die Arme zu nehmen und ihren schwarzen Kopf an seine Brust zu betten, endlich still und gefangen. Aber dazu kam es nie; wenn er nämlich liebte, ließen ihn seine Wüstlingserfahrungen vollkommen im Stich. Pia hatte einen älteren Mann geheiratet und drei kleine Bachstelzen bekommen. Laurenz hatte sich eine Zeitlang den Kopf darüber zerbrochen, wie es seinem Rivalen gelungen sein mochte, diese Kinder zu zeugen, und bildete sich ein, es wäre in Windeseile geschehen, im Vorbeifliegen sozusagen.

Nachdem er diesen Kummer jahrelang unter flüchtigen Liebschaften begraben hatte und sich schon ganz als zynischer Lebemann fühlte, passierte es ihm wieder. Er verliebte sich in eine Pferdefrau namens Hertha, eine wirkliche Dame, mit einer weißblonden Mähne, langen, blanken Zähnen und wunderschönen Schädelknochen. Da er ja keinen Mangel leiden mußte, war es ihm ein leichtes, Herta platonisch zu lieben. Er wollte sie nicht besitzen, nur in ihrer Nähe sein, ihren Kopf bewundern und äußerstenfalls ihre feinen, langen Fingerknochen betasten. Sie besaß einfach das schönste Skelett, und im Grunde war er in ihr Skelett verliebt, denn selbst damals wußte er, daß sie unerträglich langweilig war. Diese Passion dauerte sechs Monate, dann heiratete Hertha einen häßlichen, reichen Menschen. Sie besaß keinen Knopf, nur einen einigermaßen vornehmen Namen, und da sie arbeitsscheu und anspruchsvoll war, konnte sie Laurenz' Antrag nicht annehmen. Dafür bewahrte er ihr immer eine gewisse Dankbarkeit und Zuneigung und begleitete sie sogar noch Jahre später, ein-, zweimal im Jahr in langweilige Ausstellungen.

Und das flotte Leben ging weiter; so weit, daß ihm manchmal davor grauste. Er vermutete, daß er auf irgendeinem Gebiet etwas hätte leisten können, wäre es ihm gelungen, eine ganze Woche lang abends daheim zu bleiben und nachzudenken. Aber dazu kam es nie, er saß zwar öfters abends daheim, aber niemals allein. Wohin er sah, Frauen und wieder Frauen, und irgend etwas zwang ihn, sich ihnen zu nähern, auch wenn er gar nicht die Absicht hatte. Oft fühlte er sich wie ein Automat; und einmal, nach einer besonders ärgerlichen Episode, suchte er einen Arzt auf und fragte ihn um Rat. Es schien nicht der richtige Arzt zu sein, jedenfalls wurde er böse, glaubte, Laurenz wollte sich über ihn lustig machen, und ließ sich nur langsam beruhigen. Er sagte ihm, daß er täglich von Männern wegen ganz entgegengesetzter Beschwerden konsultiert werde, und Laurenz solle heiraten, dann werde sich alles von selber geben. Laurenz ging betroffen heim, und nichts änderte sich. Dabei wurde ihm sein Wüstlingsleben immer unerträglicher und langweiliger. Die Frauen wechselten bei ihm immer rascher, aber die Sache selbst blieb dieselbe. Es war ebenso langweilig, wie täglich zu essen, sich aus- und anzuziehen, die Zähne zu putzen und dergleichen. Wenn er nicht gerade mit einer Frau zusammen war, sagte er sich, daß die Genüsse, die dieses Leben ihm bot, den Ärger nicht länger aufwogen. Es wurde ihm immer mehr zuwider, die Frauen wieder loswerden zu müssen. Während sein Magen sich beim Anblick ihrer Tränen vor Mitleid zusammenzog, fühlte er zugleich Haß gegen diese Geschöpfe, die ihn zwangen, Dinge zu sagen und zu tun, die er selber verabscheute.

An diesem Tiefpunkt seines Lebens verliebte er sich ungläubig und widerstrebend ein drittes Mal. Diesmal war es seine Sekretärin, ein Schimpansenmädchen. Sie war sehr drollig, und ihr Gesicht, das er leicht mit einer Hand hätte bedecken können, sah aus wie die Karikatur eines Kleinmädchengesichts, die Augen zu groß, der Mund zu weit und die Nase ein bißchen zu flach. Und ihre Frisur erinnerte an eine Pelzmütze aus feinem schwarzem Affenhaar. Er hielt sich jetzt sehr gern in seinem Büro auf und arbeitete mehr als sonst. Es machte ihn froh, ihr bewegliches Gesicht zu beobachten, das keine Minute lang denselben Ausdruck festhalten konnte. Er rührte sie kaum an, höchstens strich er mit der Hand über ihre Wange oder gab ihr einen zärtlichen Nasenstüber, alles wie im Scherz und ein bißchen väterlich. Diese Rolle lag ihm zwar gar nicht, aber er war vierzig und sie einundzwanzig, und sie würde nichts dabei finden. Manchmal, wenn er die Tür zu ihrem Zimmer öffnete, ertappte er sie mit einem Gesicht, das sie offenbar nur aufsetzte, wenn sie allein war: eine tieftraurige Maske mit abwärtsgebogenen Mundwinkeln und melancholischem Blick. Ihre Augen waren wie von grauem Staub bedeckt, die hoffnungslosen Augen einer kleinen Schimpansin im Käfig. Am liebsten hätte er ihr eine Banane hingereicht. Sobald sie ihn aber sah, setzte sie sofort ihr strahlendes Kindergesicht auf, als wäre er der Nikolaus und im Begriff, ihr einen Sack voll Süßigkeiten auf den Schreibtisch zu legen. Nach wenigen Wochen fing er an, sie hübsch zu finden, und bald darauf war sie die einzige Frau, die anzusehen sich lohnte, was ihn aber nicht daran hinderte, sich nächtlicherweise weiterhin seiner automatenhaften Betätigung hinzugeben. Übrigens wußte er gar nichts über seine neue Liebe als ihren Namen und daß sie eine passable Sekretärin war, ein bißchen zu eigenwillig und zu intelligent für diesen Beruf; Stenographieren und Maschinenschreiben waren nicht ihre Stärke, dafür war sie imstande, mit Menschen zu verhandeln, und hatte oft recht brauchbare Ideen. Sie hieß Marietta, nach einer halbitalienischen Mutter. Das war aber das Äußerste, was er ihr hatte entlocken können. Ja, und daß sie in Untermiete wohnte, wo er sie telefonisch erreichen konnte. So freundlich und ansprechbar sie sonst war, so zugeknöpft blieb sie, soweit es ihre eigene Person betraf. Durch Zufall entdeckte er, daß sie Karikaturen zeichnete, rasch hingekritzelte Köpfe, die ernüchternd und erschreckend auf ihn wirkten. Er konnte sich nicht vorstellen, daß ein junges Mädchen diesen kalten, scharfen Blick besitzen sollte, und der Gedanke, daß sie auch ihn auf diese Weise sehen mochte, war ein wenig unheimlich. Aber er zweifelte nicht an ihrer Begabung, und sicher wußten auch andere Leute davon. Vielleicht rannte Marietta in ihrer Freizeit mit ungewaschenen Malern herum. Und er konnte gar nichts dagegen unternehmen; der Gedanke war unerträglich.

Er fing an, den angenehmen, jovialen Chef herauszukehren; er begleitete sie täglich zum Mittagessen in ein winziges italienisches Restaurant, gleich um die Ecke. Und da er nicht wagte, sie einzuladen, aß er stets eine Portion Spaghetti und trank billigen Rotwein dazu. Das einförmige Essen hing im nachgerade zum Halse heraus, aber er sah keine andere Möglichkeit, mit Marietta in ein vertraulicheres Verhältnis zu kommen. Alles hing jetzt von seinem Fingerspitzengefühl ab, er mußte unendlich geduldig sein und durfte nichts tun, was sie erschrecken konnte. Marietta schien damit zufrieden zu sein und plauderte unbefangen über alles mögliche, nur nicht über ihre eigenen Angelegenheiten. Aber das mochte wohl noch anders werden.

Zum erstenmal in seinem Leben entdeckte Laurenz die Freundschaft. Er hatte nie Freundschaften mit Männern gepflegt, schon in der Schule war er ja hinter Weiberkitteln hergelaufen, Männer konnten für ihn nur Rivalen oder Kumpane sein. Und Freundschaften mit Frauen waren nicht in Frage gekommen. Es war schon schwierig genug, eine Geliebte loszuwerden, Freundin und Geliebte aber roch nach Ewigkeit. Sobald eine Beziehung derartige Formen anzunehmen drohte, stellte er die Haare auf und flüchtete.

Mit Marietta war es anders; sie war nicht seine Geliebte, und er hatte nicht die Absicht, sie dazu zu machen. Mit ihr durfte er befreundet sein, wobei er nicht einmal ahnen konnte, ob sie ähnlich für ihn empfand. Sie war klug und amüsant nach Art eines frühreifen Kindes und ganz unberechenbar. Und es war eine solche Wohltat, ihr liebes kleines Affengesicht anschauen zu dürfen.

Einmal erzählte er ihr bei Spaghetti und Wein von seiner Neigung, in Menschengesichtern eine gewisse Ähnlichkeit mit bestimmten Tieren zu entdecken und die Leute danach einzuschätzen und zu behandeln. Er sagte ausdrücklich ›Leute‹ und nicht ›Frauen‹, um sie nicht zu verletzen; wer weiß, sie war eine kleine Künstlerin und mochte in diesem Punkt empfindlich sein. Sie ging auch gleich sehr begeistert darauf ein wie auf ein neues Spiel und zeichnete auf die Rückseite der Speisenkarte zwei Gäste vom Nebentisch, einen Bisonmann und eine Ziegenfrau, die Laurenz nicht so rasch hatte einordnen können. Marietta erklärte ihm sehr ernsthaft und genau, daß die Frau sich eine Rehaufmachung zugelegt hatte und deshalb nicht sofort zu erkennen war, zumindest nicht für einen Mann. Und überhaupt, sagte sie, sei es ein Jammer, daß die Frauen kaum jemals ihren eigenen Typ erkannten. Laurenz sah ihr eifriges Gesicht vor sich und umschloß ihren Oberarm, einen kindlich dünnen Arm, mit der Hand. Er merkte es gar nicht, es war so eine Gewohnheit; er konnte nicht neben einer Frau sitzen, ohne sie zu berühren. »Und was für ein Tier bin ich?« fragte er, und sie hob die Augen und sah ihn an, prüfend und verfremdend, wie sie eben noch den Bisonmann angeschaut hatte. Dann sagte sie: »Ich kann es nicht sehen«, und rückte ein bißchen von ihm ab, so daß er ihren Arm loslassen mußte. Er hielt es für eine Ausrede, vermutlich hatte sie in ihm ein ganz unangenehmes Tier entdeckt und wagte nicht, es ihm zu sagen. Er lenkte das Gespräch in andere Bahnen, aber es nagte an ihm, daß sie ihn nicht sofort als Löwen erkannt hatte.

Nachts erwachte er und überlegte: Wenn ich sie heirate, verderbe ich womöglich alles zwischen uns. Heirate ich sie nicht, holt sie mir demnächst ein anderer weg, ein ungewaschener Maler, der sie miserabel behandeln wird. Er war in einer Zwickmühle. Er wollte sie nicht verlieren, sie war das einzige, was ihm noch Spaß machte und freundliche Gefühle in ihm weckte, andererseits hatte er Angst, nach zwanzig Jahren der Hurerei ein so junges, anständiges Mädchen zu heiraten. Und wie sollte es ihm gelingen, sein Doppelleben in ein rundes, einziges Leben umzuschmelzen, Tag und Nacht mit der Frau, die er liebte? Davor hatte er solche Angst, daß er um drei Uhr aufstand und in die Küche ging, um eine Flasche Bier zu trinken. Damit irgend etwas geschah, setzte er dann ein Testament zu Mariettas Gunsten auf. Er war ja nicht reich, bei einem solchen Leben kann ein Mann nicht reich werden, aber Marietta sollte wenigstens einmal nicht hilflos dastehen, wenn der ungewaschene Maler sie verlassen würde. Der Gedanke war so absurd, daß er dringend eine zweite Flasche Bier brauchte. Schließlich nahm er sich fest vor, Marietta morgen sofort einen Antrag zu machen, und schlief beruhigt ein.

Um halb neun war sie noch nicht im Büro. Er war ein bißchen besorgt, aber sie war ohnedies nicht die Allerpünktlichste, sie würde schon noch kommen. Um zehn Uhr rief ihn ihre Wirtin an und sagte ihm, daß sie Marietta tot in ihrem Bett gefunden habe, Schlafmittelvergiftung.

Benommen legte er den Hörer auf und versuchte, sich an den vergangenen Nachmittag zu erinnern. Um drei Uhr war er zum Gericht gegangen. Marietta hatte mit dem traurigen Schimpansengesicht von ihrer Arbeit aufgesehen und etwas gemurmelt. Um halb fünf war er zurückgekommen, und sie hatte Kaffee gekocht und über einen Witz gelacht, keine Spur von Verzweiflung und Kummer. Dann war er weggegangen, und sie hatte noch zwei Briefe schreiben wollen, da lagen sie übrigens, neben den adressierten Umschlägen. Irgend etwas war dann geschehen, etwas, das er nie erfahren würde. Vermutlich ein Mann; also war er doch zu saumselig gewesen. Er sah auf seine Fäuste nieder und stellte sich vor, wie er den Kerl zurichten wollte, und dann fiel ihm verschiedenes aus seinem Leben ein, und er war sehr verwirrt. So sah dies also von der anderen Seite aus. Daran hatte er nie gedacht.

Er mußte auf der Polizei eine Aussage machen, und man schien ihm nicht glauben zu wollen, daß er mit seiner Sekretärin keine intimen Beziehungen unterhalten habe. Erst als der Obduktionsbefund kam und sich herausstellte, daß sie, wie es darin hieß, virgo intacta gewesen war, wurden die Beamten freundlicher. Offenbar war das Mädchen einer Sinnesverwirrung zum Opfer gefallen. Er fragte, wie es mit dem Begräbnis stünde, und es zeigte sich, daß irgendein Halbbruder aufgetaucht war und alle Kosten übernommen hatte. Ihn, Laurenz, benötigte man nicht länger, und er ging in sein Büro.

Erst nach einer Woche, er mußte endlich eine neue Sekretärin einstellen, entschloß er sich, ihre Schreibtischlade auszuräumen. Er fand ein blaues Taschentuch mit Tuscheflecken, eine Zeichenfeder, Tusche, vier Bleistifte, einen Radiergummi, auf den sie ein Chinesengesicht gekritzelt hatte, Kopfwehtabletten, einen undefinierbaren Gegenstand aus Ton, ein winziges Holzpferdchen mit echter Mähne, aber ohne Schweif und dreibeinig, und einen Katalog der Ensor-Ausstellung. Und ganz hinten, er mußte sich bücken, um es zu sehen; steckte ein leicht verknittertes Blatt Papier. Darauf hatte sie sich offenbar sehr bemüht, in seinem Gesicht irgendein Tier zu finden, es war ihr aber nicht gelungen, alle Entwürfe waren durchgestrichen. Auf der Rückseite des Blattes war in die rechte obere Ecke sein Kopf gezeichnet, in der Art griechischer Statuen, eine schöne, regelmäßige Maske, die aus leeren, weißen Augenhöhlen auf den Betrachter starrte. Und ganz unten links hatte Marietta ihre eigene Karikatur hingekritzelt, ein kleines Schimpansengesicht, die Augen runde, traurige Tuschkreise, der weite Mund, die flache Nase und rund um den Kopf das kurze, schwarze Haar, wie in Angst gesträubt. Dann mußte sie mit der Hand darübergewischt haben, denn es sah aus, als habe sie sich hinter einem Regenschleier versteckt.

Laurenz faltete das Papier und steckte es in die Brieftasche. Er brachte es nicht fertig, das Testament zu vernichten, und legte es in die Schachtel zu Mariettas Krimskrams. Und einen Augenblick lang ging ihm durch den Kopf, daß irgendwann nach seinem Tod das kleine Schimpansenmädchen zurückkommen und sein Eigentum abholen werde. Dann, wenn es sich nicht mehr vor seinem Menschengesicht fürchten müßte.

An diesem Abend ging Laurenz mit einem Frauenzimmer, das ihn auf der Straße ansprach, und ein neuer Abschnitt in seinem Leben fing an.

(1968)

H. C. ARTMANN

Ein Wesen namens Sophia

Wer die wiener innenstadt, also die city der ehemals imperialen metropole, mit einiger muße genügend aufmerksam durchstreift, wird früher oder später auch in die seltsam gebogene Ballgasse, sie zweigt vom Franziskanerplatz durch einen sogenannten schwibbogen ab, gelangen. In dieser kleinen gasse, unweit oder gar nahe der *Bürgerl. Tischlerherberge*, befindet sich ein uralter seiteneingang, zu einem gebäude gehörig, dessen hauptportal jedoch im quadrat des Franziskanerplatzes liegt. Durch diesen schmucklosen eingang steigt man in ein kellergewölbe, das, über einem tieferen kellergewölbe ausgebreitet, dunkelt, welches aber nicht etwa das vorletzte ist – es gibt noch ein tieferes, drittes. Von diesem gehen einige katakombengänge ab, die teilweise zugemauert sind, labyrinthe, die möglicherweise bis unter den gelben palast von Schönbrunn führen sollen.

Ein junger kanadier, der sich seit einigen tagen in der sommerlich heißen stadt aufhielt, die ungeheuren ziegelschluchten reflektierten eine nahezu asiatische temperatur bis in den abend hinein, hatte mit einigen freunden in den Drei Husaren gespeist, hernach in der American-Bar über seine gewohnheit stark dem whiskey zugesprochen und war nun auf dem heimweg in seine pension begriffen, die irgendwo in der nähe der Dominikanerbastei lag.

Tom Kilgoorley, denn das war der name des jungen mannes, ging, nachdem er sich auf dem Stefansplatz von seinen begleitern verabschiedet hatte, beschwingt durch die Singerstraße in richtung Stadtpark. Als er den Franziskanerplatz erreichte, also etwa die hälfte seines weges, fiel ihm der alte, ziemlich verschmutzte bogen auf, der die enge Ballgasse überspannt und fast zu stützen scheint. Ein wenig weiter dahinter, an der stelle, wo die gasse nach rechts abbiegt, sah er ihm trüben lichte einer leicht schaukelnden straßenlampe ein sonderbares, nach oben zu gerundetes tor.

Es war, als zöge ihn dieser an und für sich uninteressante eingang unwiderstehlich an. Kilgoorley hatte die ältesten teile von Boston, Salem und Providence kennengelernt, er war in Prag und im römischen Trastevere auf dinge gestoßen, die selbst Timbuktus hexenquartiere in den schatten stellten, er hatte ein unterirdisches

Paris erlebt, an das er nur mit schauder zurückdachte – aber dieses barocke tor, dieser in seiner alltäglichkeit fast gemütlich wirkende alte kellereingang übte auf irgend etwas unbewußtes in ihm eine derartige anziehungskraft aus, daß er gegen seinen willen, er hatte vorgehabt, so früh wie möglich schlafen zu gehen, seine eben angerauchte zigarette zu boden warf und in die nachtschwere gasse einbog.

Als er nach einigen dreißig schritten vor dem holztor, dessen blaugraue farbe nur mehr undeutlich zu erkennen war, anhielt, merkte er, daß wohl ein verrostetes hängeschloß davorhing, das aber nicht eingeschnappt war, wahrscheinlich hatte man es tags zuvor abzuschließen vergessen.

Kilgoorley, durch den reichlich genossenen alkohol und auch durch die ihn plötzlich überkommende abenteuerlichkeit dieser nokturnen situation von einer traumhaften fröhlichkeit erfaßt, beschloß, das vermodernde tor zu öffnen und das dahinterliegende ein wenig in augenschein zu nehmen. Er vergewisserte sich seines alleinseins und zog den rechten, unangenehm in den angeln knarrenden torflügel auf. Ein kalter, wie nach muffig gewordenem weihrauch riechender sog berührte ihn eigenartig lockend. Er schlug unbewußt den kragen seines jacketts hoch und trat einen schritt in das gemisch von spärlichem straßenlicht und knisterndem dunkel. Er schloß den torflügel hinter sich, da er ja für seine nächtliche eskapade keinerlei intervention eines zufällig vorbeikommenden polizisten wünschte. Er trat einen zweiten schritt vor, zündete ein streichholz an und merkte, daß er knapp vor einer steilen holztreppe stand, die in eine unbekannte, von hier aus nicht absehbare tiefe führte. Neben sich gewahrte er nun eine petroleumlampe. Kurzentschlossen nahm er, nun wieder im dunkel, das streichholz war verlöscht, den altmodischen zylinder der lampe ab, drehte den docht hoch und zündete sie mit einem neuen und, wie er bemerkte, seinem letzten streichholz an. Das ding brannte tatsächlich. Er setzte den verstaubten zylinder auf und stieg vorsichtig die wurmzernagten, von generationen ausgetretenen treppen hinab.

Er hatte ursprünglich nicht mit dem zählen der halsbrecherischen treppen begonnen, doch als er nach einigen minuten abstiegs noch immer kein ziel erreicht hatte, fing er an, unterdrückt, und vielleicht auch schon etwas beklommen, zahlen zu murmeln. Er war indessen an die hundertachtzig gelangt, als er sich in einem weiten gewölbe befand, dessen stille in dieser abgelegenen dunkelheit fast dröhnend zu nennen gewesen wäre. Er verharrte einige augenblicke angestrengt lauschend: Und dann, er dachte anfangs, seine nerven spielten ihm einen streich, vernahm er das deutliche absingen eines gregorianischen chorals – daran konnte kein zweifel sein, denn gerade für diese epoche der europäischen musik war er anerkannter experte, hatte darüber sogar einige stark beachtete wissenschaftliche essays verfaßt. Diesem unterirdischen tönen mußte er auf den grund kommen; so jedenfalls lautete zu diesem zeitpunkt sein vorgefaßter entschluß. Er vergewisserte sich, ob genügend brennmaterial in der petroleumlampe vorhanden sei, fand den stand zu seiner vollsten zufriedenheit und ging in die richtung, aus der er den gesang vermutete, weiter.

Plötzlich stand er vor einer neuen treppe, die abermals in die tiefe führte; der gesang war nun deutlicher als zuvor zu vernehmen und schien von unten zu kommen. Er machte sich kurzentschlossen an den abstieg in die weihrauchdünste, die aus dem pechschwarzen, falltürlosen loch hochzogen – das licht seiner lampe zitterte rötlichgelb an den nassen wänden, die treppen, sie waren nicht mehr aus holz wie vorhin, sondern aus stein, wanden sich in einer abscheulich feuchten spirale in die eingeweide dieser alten stadt – wer weiß, was sie bergen würden, an verbotenem, an ungutem...

Tom Kilgoorley, bereits vom starken alkohol geschwächt und nun von den weihrauchdünsten, die mählich mephitisch zu brodeln begannen, übersah in einem augenblick der unachtsamkeit die abgebrochene kante einer steinstufe, glitt rücklings aus und stürzte, einige meter abrutschend, in das gähnende dunkel. Die petroleumlampe zerschellte, er fühlte den jähen schnitt einer glasscherbe am rechten handballen – und befand sich in völliger finsternis! Er murmelte einen verhaltenen fluch und griff in seine jackettasche; er fluchte jetzt laut: Er hatte das letzte streichholz am eingang oben verbraucht, als er die lampe anzündete...

Der weihrauch schien jetzt nahezu unerträglich, ja erstickend; der gesang, der ihm von unten entgegenschwoll, klang verzerrt, manchmal sogar höhnisch meckernd, die wahrhafte karikatur eines ehrwürdigen chorals.

Eine unerklärliche furcht überkam ihn, aber da er schon einmal mit diesem abstieg in eine immerwährende sonnenlosigkeit begonnen hatte, und da es ihm im augenblick gleichgültig war, ob er ihn nach oben oder nach unten fortsetzen solle, entschied er sich für das letztere. Endlich, nach langem, vorsichtigem abwärtstasten, fühlte er ebenen boden unter seinen füßen. Nun aber war er tatsächlich ratlos. Das erstickende wallen des weihrauchs hatte zwar merklich nachgelassen, er schrieb diesen umstand einer weitläufigen unterirdischen halle zu, allein ohne licht war er praktisch einem schrecklichen labyrinth ausgeliefert, aus dem es kaum ein zurück gab.

Er wickelte ein taschentuch um die stark blutende wunde am handballen. Der schauerliche gesang schien nun aus allen ecken und enden zu kommen und brachte ihn derart in verwirrung, daß er bald nicht mehr wußte, wo sich die treppe befand, über die er in diese musikalische gruft gestiegen war. Er fühlte langsam, wie eine eisige panik in ihm hochkroch...

Dann hörte er die frauenstimme:

»Hallo, herr Kilgoorley...«

Er fuhr zusammen – das war doch unmöglich!

»Herr Kilgoorley...«, ließ sich die frauenstimme abermals vernehmen. Sie klang sanft, überhaupt nicht unheimlich, eher verlockend.

»Ja«, rief Kilgoorley zurück, »ich höre sie – wo sind sie?«

»Hier!« sagte die frauenstimme. Sie klang sanft, überhaupt nicht unheimlich, hatte eher einen hauch einfacher wärme...

Kilgoorley trat mit ausgestreckten händen einige schritte nach der stelle, wo er die sanfte sprecherin vermutete – trat ins leere und stürzte in eine endlose tiefe.

Als er wieder die augen aufschlug, er mußte lange zeit ohne besinnung gelegen haben, merkte er, daß er auf einem sonderbar altertümlichen, fast spartanisch zu nennenden bett lag. Der raum, wie er allmählich feststellte, besaß keine fenster, wurde aber von einem offenen kohlenbecken rötlich erleuchtet. Etwa einen meter vom fußende des lagers entfernt sah er eine türe, in die ein verschließbares guckloch eingelassen war; über der türe, sie war nicht hoch, hing ein kruzifix, das ihm irgendwie seltsam erschien. Beim näheren hinblicken, er mußte sich erst an das spärliche licht gewöhnen, stellte er fest, daß es mit dem dornengekrönten kopf nach unten zeigte.

Er erhob sich. Erst jetzt merkte er, wie sehr ihn die knochen schmerzten – er erinnerte sich an die frauenstimme und an den sturz, bei dem er das bewußtsein verloren haben mußte. Er ging an die türe und fand sie verschlossen. Er pochte heftig daran, rief einige male »hallo!« und begann, als er keine antwort erhielt, mit dem fuß gegen die türfüllung zu treten.

Eben wollte er wieder zu dem bett, um sich niederzusetzen, als er in der wand ein eigenartig rieselndes geräusch vernahm. Es kam von der stelle, wo das kohlenbecken stand, dessen flammen sich flackernd hoben und wieder, fast wie verlöschend, senkten. Er pochte mit einem fingerknöchel an die weiße mauer...

»Ja, herr Kilgoorley?« Es war die sanfte frauenstimme, die ihn so zu fall gebracht hatte.

»Wo zum teufel stecken sie?« Kilgoorley war mehr verärgert als verwundert. Er war ein eher mutiger mann, sohn eines roten reiters aus Manitoba...

»Wenn sie nichts dagegen haben: in der wand vor ihren augen!«

Kilgoorley starrte an die wand, die sich nun wie eine weiße bettdecke bewegte, unter der ein bis über den kopf vergrabener schläfer die ersten bewegungen seines erwachens durchexerziert.

Dieser seltsame anblick allerdings verblüffte ihn so sehr, daß er plötzlich nichts mehr von seinen schmerzenden gliedern, nichts mehr von dem übelkeitsgefühl in der magengrube, denn ein solches hatte er in reichlichem maße genossen, verspürte. Er legte seine rechte handfläche an die leicht wogende weiße wand – sie bewegte sich tatsächlich, es war keine sinnestäuschung!

»O Gott«, flüsterte er, »sollte ich verrückt geworden sein?«

»Lassen sie bitte diesen verrosteten alten herrn aus dem spiel, Kilgoorley – er hat hier alles andere als zutritt...«, sagte die bleiche nonne, die wie ein zweiter dibbuk aus der wachsweichen wand herausschwamm und, etwa einen kopf kleiner als er, vor ihm stand.

»Wo bin ich – und wer sind sie?« entrang es sich heiser den lippen des kanadiers. Er war zurückgetreten, rücklings an die bettstelle, und hatte sich niedergesetzt.

»Sie sind in meiner gemütlichen zelle, Kilgoorley«, sagte die bleiche mit ihrer warmen, fraulichen stimme, »und ich heiße Sophia, einfach Sophia...« Sie hielt die hände in die flammen des kohlenbeckens und begann sie darin zu waschen. Kilgoorley sah das mit schaudern – sie wusch tatsächlich ihre hände im feuer; es waren die überlegten, klaren bewegungen eines menschen, der seine schmutzigen hände in schönem warmem wasser säubert.

Kilgoorley war aufgesprungen und hatte die frau zurückgerissen. »Sind sie wahnsinnig«, rief er, »sie verbrennen ja ihre hände!?«

Die schöne nonne lachte hell auf.

»Reichen sie mir lieber das handtuch – dort, auf dem bett liegt es!«

Kilgoorley war nun völlig außer sich, kam aber der aufforderung nach. Die nonne, oder Sophia, wie sie sich nannte, nahm das weiße linnentuch und wischte ihre hände *trocken*. Kilgoorley sah, daß sie unversehrt waren; keine einzige blase daran, kein geruch nach verbranntem fleisch, nichts!

Kilgoorley verlor an dieser stelle zum zweitenmal die besinnung.

Die nonne Sophia war, wie bereits erwähnt, etwa um einen kopf kleiner als der um einen kopf größere Thomas Kilgoorley. Sie hatte braunes, kurzgeschnittenes, aber welliges haar – man sah es jetzt, da sie die strenge haube im knisternden licht der rötlichen kohleflammen abnahm. Ihre augen waren von eigenartigem grün: einer irritierenden farbe, wie man sie sonst nur bei tieren sieht. Sie entkleidete sich nun – ein betörend sinnlicher körper kam zum vorschein. Doch Kilgoorley wäre gewiß abermals ohne besinnung zusammengesunken, hätte er diesen neuen aspekt wahrgenommen, den die zauberhafte nonne bot: das nackte wesen neben ihm besaß nicht bloß zwei, sondern *drei* brüste von fantastischer wildheit, und von den schöngeschwungenen lenden abwärts kräuselte sich die faunische flur eines wolfspelzes...

Und es nahm das verkehrt über der tür angebrachte kruzifix ab, hielt es, wie mancher gesagt hätte, *mit einem unheiligen glitzern der grünen augen*, über die flammen und begann es, nachdem die konturen des wächsernen gekreuzigten genügend weich geworden waren, mit dem bizarr langen nagel des linken mittelfingers neu zu formen. Die züge des auf dem bett zusammengesunkenen gelangen *bewundernswert lebensnah*!

Es war gegen sechs uhr morgens, die sonne stand bereits strahlend über der Donau, als herr Tomek, der hausmeister, vor dem halbgeöffneten kellertor Kilgoorley besinnungslos neben einer zerschlagenen Petroleumlampe vorfand. Der anscheinend schwer betrunkene Kanadier wies an der stirne eine gefährlich aussehende platzwunde auf und mußte ambulant versorgt werden.

Und nachdem er mittags endlich in seine pension zurückkehrte, konnte er, dem die vorfälle der vergangenen nacht völlig aus dem gedächtnis gelöscht waren, nicht im mindesten ahnen, *wie sehr* sich sein bisheriges leben verändern würde...

(1969)

PETER HANDKE

Das Umfallen der Kegel von einer bäuerlichen Kegelbahn

Zwei Österreicher, ein Student und sein jüngerer Bruder, ein Zimmermann, die sich gerade für kurze Zeit in West-Berlin aufhielten, stiegen an einem ziemlich kalten Wintertag – es war Mitte Dezember – nach dem Mittagessen in die S-Bahn Richtung Friedrichstraße am Bahnhof Zoologischer Garten, um in Ost-Berlin Verwandte zu besuchen.

In Ost-Berlin angekommen, erkundigten sich die beiden bei Soldaten der Volksarmee, die am Ausgang des Bahnhofs vorbeigingen, nach einer Möglichkeit, Blumen zu kaufen. Einer der Soldaten gab Auskunft, wobei er, statt sich umzudrehen und mit den Händen den Weg zu zeigen, vielmehr den Neuankömmlingen ins Gesicht schaute. Trotzdem fanden die beiden, nachdem sie die Straße überquert hatten, bald das Geschäft; es wäre eigentlich schon vom Ausgang des Bahnhofs zu sehen gewesen, so daß sich das Befragen der Soldaten im nachhinein als unnötig erwies.

Vor die Wahl zwischen Topf- und Schnittpflanzen gestellt, entschieden sich die beiden nach längerer Unschlüssigkeit – die Verkäuferin bediente unterdessen andere Kunden – für Schnittpflanzen, obwohl gerade an Topfpflanzen in dem Geschäft kein Mangel herrschte, während es an Schnittpflanzen nur zwei Arten von Blumen gab, weiße und gelbe Chrysanthemen. Der Student, als der wortgewandtere der beiden, bat die Verkäuferin, ihm je zehn weiße und gelbe Chrysanthemen, die noch nicht zu sehr aufgeblüht seien, auszusuchen und einzuwickeln. Mit dem ziemlich großen Blumenstrauß, den der Zimmermann trug, gingen die beiden Besucher, nachdem sie die Straße, vorsichtiger als beim ersten Mal, überquert hatten, durch eine Unterführung zur anderen Seite des Bahnhofs, wo sich ein Taxistand befand. Obwohl schon einige Leute warteten und das Telefon in der Rufsäule ununterbrochen schrillte, ohne daß einer der Taxifahrer es abnahm, dauerte es nicht lange, bis die beiden, die als einzige nicht mit Koffern und Taschen bepackt waren, einsteigen konnten. Neben seinem Bruder hinten im Auto, in dem es recht warm war, nannte der Student dem Fahrer eine Adresse in einem nördlichen

Stadtteil von Ost-Berlin. Der Taxifahrer schaltete das Radio ab. Erst als sie schon einige Zeit fuhren, fiel dem Studenten auf, daß in dem Taxi gar kein Radio war.

Er schaute zur Seite und sah, daß sein Bruder das Blumenbukett unverhältnismäßig sorgfältig in beiden Armen hielt. Sie redeten wenig. Der Taxifahrer fragte nicht, woher die beiden kämen. Der Student bereute, in einem so leichten, ungefütterten Mantel die Reise angetreten zu haben, zumal auch noch unten ein Knopf abgerissen war.

Als das Taxi hielt, war es draußen heller geworden. Der Student hatte sich schon so an den Aufenthalt im Taxi gewöhnt, daß es ihm Mühe machte, die Gegenstände draußen wahrzunehmen. Er be- merkte voll Anstrengung, daß sich zur einen Seite der Straße nur Schrebergärten mit niedrigen Hütten befanden, während die Häuser auf der anderen Seite, für die Augen des Studenten, mühsam weit von der Straße entfernt standen oder aber, wenn sie näher an der Straße waren, gleichfalls anstrengend niedrig waren; zudem waren die Sträucher und kleinen Bäume mit Rauhreif bedeckt, ein Grund mehr dafür, daß es draußen plötzlich heller geworden war. Der Taxifahrer stellte den Fahrgästen auf deren Verlangen eine Quittung aus; da es ziemlich lange dauerte, bis er das Quittungsbuch gefunden hatte, konnten die Brüder die Fen- ster des Hauses mustern, das sie vorhatten aufzusuchen. In der Straße, in der sonst gerade kein Auto fuhr, mußte das Taxi, besonders als es anhielt, wohl aufgefallen sein; sollte die Tante der beiden das Telegramm, das sie gestern in West-Berlin telefonisch durchgegeben hatten, noch nicht bekommen haben? Die Fenster blieben leer; keine Haustür ging auf.

Während er die Quittung zusammenfaltete, stieg der Student vor seinem Bruder, der, die Blumen in beiden Armen, sich ungeschickt erhob, aus dem Taxi. Sie blieben draußen, am Zaun eines Schrebergartens, stehen, bis das Taxi gewendet hatte. Der Student ertappte sich selber dabei, wie er sich die Haare mit einem Finger ein wenig aus der Stirn strich. Sie gingen über den Vorhof zum Eingang hin, über dem die Nummer angebracht war, an die der Student früher, als er der Frau noch schrieb, die Briefe adressiert hatte. Sie waren unschlüssig, wer auf die Klingel drük- ken sollte; schließlich, noch während sie leise redeten, hatte schon einer von ihnen auf den Knopf gedrückt. Ein Summen im Haus war nicht zu hören. Sie stiegen beide rückwärts von den Eingangs- stufen herunter und wichen ein wenig vom Eingang zurück; der Zimmermann entfernte eine Stecknadel aus dem Blumenbukett, ließ aber den Strauß eingewickelt. Der Student erinnerte sich, daß ihm die Frau, als er noch Briefmarken sammelte, in jedem Brief viele neue Sondermarken der DDR mitschickte.

Plötzlich, noch bevor die beiden das zugehörige Summen hörten, sprang die Haustür klickend auf; erst als sie schon einen Spaltbreit offenstand, hörten die beiden ein Summen, das noch anhielt, nachdem sie schon lange eingetreten waren. Einmal im Stiegenhaus, grinsten beide. Der Zimmermann zog das Papier von dem Strauß und stopfte es in die Manteltasche. Über ihnen ging eine Tür auf, zumindest mußte es so sein; denn als die beiden so weit gestiegen waren, daß sie hinaufschauen konnten, stand oben schon die Tante in der offenen Tür und schaute zu ihnen hinunter. An dem Verhalten der Frau, als sie der beiden ansichtig wurde, erkannten sie, daß das Telegramm wohl noch immer nicht angekommen war. Die Tante, nachdem sie den Namen des Studenten – Gregor – gerufen hatte, war sogleich zurück in die Wohnung gelaufen, kam aber ebenso schnell wieder daraus hervor und umarmte die Besucher, noch bevor diese den Treppenabsatz erreicht hatten. Ihr Verhalten war derart, daß Gregor alle Vorbehalte vergaß und ihr nur zuschaute; vor lauter Schrecken oder warum auch immer war ihr Hals ganz kurz geworden.

Sie ging zurück in die Wohnung, öffnete Türen, sogar die Tür eines Nachtkästchens, schloß ein Fenster, kam dann aus der Küche hervor und sagte, sie wollte sofort Kaffee machen. Erst als alle im Wohnzimmer waren, fiel ihr der zweite Besucher auf, der ihr schon im Flur die Blumen überreicht hatte und nun ein wenig sinnlos im Zimmer stand. Die Erklärung des Studenten, es handle sich um den zweiten Neffen, den sie, die Tante, doch bei ihrem Urlaub in Österreich vor einigen Jahren gesehen habe, beantwortete die Frau damit, daß sie stumm in ein andres Zimmer ging und die beiden in dem recht kleinen, angeräumten Wohnraum einige Zeit stehen ließ.

Als sie zurückkehrte, war es draußen schon ein wenig dunkler geworden. Die Tante umarmte die beiden und erklärte, sie hätte sich schon draußen auf der Treppe, bei der ersten Begrüßung, gewundert, daß Hans – so hieß der Zimmermann – sie auf den Mund geküßt hatte. Sie hieß die beiden, sich zu setzen, und stellte rund um den Kaffeetisch Sessel zurecht, während sie sich dabei schon nach einer Vase für die Blumen umschaute. Zum Glück, sagte sie, habe sie gerade heute Kuchen eingekauft. (Sie sagt ›eingekauft‹ statt ›gekauft‹, wunderte sich der Student.) Diese teuren Blumen! Sie habe sich gerade zum Mittagsschlaf hingelegt, als es geläutet habe. »Dort drüben« – der Student schaute aus dem Fenster, während sie redete – »steht ein Altersheim.« Die beiden würden doch wohl bei ihr übernachten? Hans erwiderte, sie hätten gerade in West-Berlin zu Mittag gegessen, und beteuerten, nachdem er aufgezählt hatte, was sie gegessen hatten, sie seien jetzt, wirklich, satt. Während er das sagte, legte er die Hand auf den Tisch, so daß die Frau den kleinen Finger erblickte, von dem die Motorsäge, als Hans einmal nicht bei der Sache war, ein Glied abgetrennt hatte. Sie ließ ihn nicht zu Ende sprechen, sondern ermahnte ihn, da er sich doch schon einmal ins Knie gehackt habe, beim Arbeiten aufmerksamer zu sein. Dem Studenten, dem schon im Flur der Mantel abgenommen worden war, wurde es noch kälter, als er, indem er sich umschaute, hinter sich das Bett sah, auf dem die Frau gerade noch geschlafen hatte. Sie bemerkte, daß er die Schultern in der üblichen Weise zusammenzog, und stellte, während sie erklärte, sie selber lege sich einfach nieder, wenn ihr kalt sei, einen elektrischen Heizkörper hinter ihm auf das Bett.

Der Wasserkessel in der Küche hatte schon vor einiger Zeit zu pfeifen angefangen, ohne daß das Pfeifen unterdessen stärker geworden war; oder hatten die beiden den Anfang des Pfeifens nur überhört? Jedenfalls blieben die Armlehnen der Sessel, selbst der Stoff, mit dem die Sessel überzogen waren, kalt. Warum ›jedenfalls‹? fragte sich der Student, die gefüllte Kaffeetasse in beiden Händen, einige Zeit darauf. Die Frau deutete seinen Gesichtsausdruck, indem sie ihm mit einer schnellen Bewegung Milch in den Kaffee goß; den folgenden Satz des Studenten, der feststellte, sie habe ja einen Fernsehapparat im Zimmer, legte sie freilich so aus, daß sie, die Milchkanne noch in der Hand, den einen Schritt zu dem Apparat hintat und diesen einschaltete. Als der Student darauf den Kopf senkte, erblickte er auf der Oberfläche des Kaffees große Fetzen der Milchhaut, die sofort nach oben getrieben sein mußten. Er verfolgte den gleichen Vorgang bei seinem Bruder: Ja, so mußte es gewesen sein. Ab jetzt hütete er sich, im Gespräch etwas, was er sah oder hörte, auch noch festzustellen, aus Furcht, seine Feststellungen könnten von der Frau *ausgelegt* werden. Der Fernsehapparat hatte zwar zu rauschen angefangen, aber noch ehe Bild und Ton ganz deutlich wurden, hatte die Frau ihn wieder abgeschaltet und sich, indem sie immer wieder von dem einen zum andern schaute, zu den beiden gesetzt. Es konnte losgehen! Halb belustigt, halb verwirrt, ertappte sich der Student bei diesem Satz. Statt ein Stück von dem Kuchen abzubeißen und darauf, das Stück Kuchen noch im Mund, einen Schluck von dem Kaffee zu nehmen, nahm er zuerst einen Mundvoll von dem Kaffee, den er freilich, statt ihn gleich zu schlucken, vorn zwischen den Zähnen behielt, so daß die Flüssigkeit, als er den Mund aufmachte, um in den Kuchen zu beißen, zurück in die Tasse lief. Der Student hatte die Augen leicht geschlossen gehabt, vielleicht hatte das zu der Verwechslung geführt; aber als er jetzt die Augen aufmachte, sah er, daß die Tante Hans anschaute, der soeben mit einer schwerfälligen Geste, mit der ganzen Hand, das Schokoladeplätzchen ergriff und es, förmlich unter den Blicken der Frau, schnell in den Mund hineinsteckte. »Das kann einfach nicht wahr sein!« rief der Student, vielmehr, die Frau war es, die das sagte, während sie auf das Buch zeigte, das auf ihrem Nachtkästchen lag, die Lebensbeschreibung eines berühmten Chirurgen, wie sich der Student sofort verbesserte; als Lesezeichen diente ein Heiligenbildchen. Es war kein Grund zur Beunruhigung.

Je länger sie redeten – sie hatten schon vor einiger Zeit ein Gespräch angefangen, so als ob sie gar nicht an einem Tisch oder wo auch immer säßen –, desto mehr wurde den beiden, die jetzt kaum mehr, wie kurz nach dem Eintritt, Blicke wechselten, die Umgebung selbstverständlich. Das Wort ›selbstverständlich‹ kam auch immer häufiger in ihren Gesprächen vor. Lange Zeit waren dem Studenten die Reden der Tante unglaubwürdig gewesen; jetzt aber, mit der Zunahme der Wärme im Zimmer, konnte er sich das, was die Frau sprach, geschrieben vorstellen, und so, geschrieben, erschien es ihm glaubhaft. Trotzdem war es im Zimmer so kalt, daß der Kaffee, der unterdessen eher schon lau war, dampfte. Die Widersprüche, ging es dem Studenten durch den Kopf, häuften sich. Draußen fuhren keine Autos vorbei. Dementsprechend fingen auch die meisten Sätze der Tante mit dem Wort ›Draußen‹ an. Das dauerte so lange, bis der Student sie unterbrach, auf das Stocken der Frau sich jedoch entschuldigte, daß er sie unterbrochen hätte, ohne selber etwas sagen zu wollen. Jetzt wollte niemand wieder als erster zu reden anfangen; das Ergebnis war eine Pause, die der Zimmermann plötzlich beendete, indem er von seinem kurz bevorstehenden Einrücken zum österreichischen Bundesheer erzählte; die Tante, weil Hans in einem ihr fremden Dialekt redete, verstand ›Stukas von Ungarn her‹ und schrie auf; der Student beruhigte sie, indem er einige Male das Wort ›Draußen‹ gebrauchte. Es fiel ihm auf, daß die Frau von jetzt an jedesmal, wenn er einen Satz sprach, diesen Satz sofort nachsprach, als traue sie ihren Ohren nicht mehr; damit nicht genug, nickte sie schon bei den Einleitungswörtern zu bestimmten Sätzen des Studenten, so daß dieser allmählich wieder unsicher wurde und einmal mitten im Satz aufhörte. Das Ergebnis war ein freundliches Lachen der Tante und darauf ein ›Danke‹, so als hätte er ihr mit einem Wort beim Lösen des Kreuzworträtsels geholfen. In der Tat erblickte der Student kurz darauf auf dem Fensterbrett eine Seite der Ostberliner Zeitung ›BZ am Abend‹ mit einem kaum ausgefüllten Kreuzworträtsel. Neugierig bat er die Frau, das Rätsel ansehen zu dürfen – er gebrauchte den Ausdruck ›überfliegen‹ –, doch als er merkte, daß die Fragen kaum anders waren als üblich, nur daß einmal nach der Bezeichnung eines ›aggressiven Staates im Nahen Osten‹ gefragt wurde, reichte er die Zeitung seinem Bruder, der sich, obwohl er schon am Vormittag das Rätsel in der westdeutschen Illustrierten ›stern‹ gelöst hatte, sofort ans Lösen auch dieses Kreuzworträtsels machen wollte. Aber nicht das Suchen von Hans nach einem Bleistift war es, was den Studenten verwirrte, sondern das jetzt unerträglich leere Brett vor dem Fenster; und er bat den Bruder gereizt, die Zeitung zurück ›auf ihren Platz‹ zu legen; die Formulierung ›auf ihren Platz‹ kam ihm jedoch, noch bevor er sie aussprach, so lächerlich vor, daß er gar nichts sagte, sondern aufstand und mit der Bemerkung, er wolle sich etwas umschauen, zur Tür hinausging. Eigentlich war aber, so verbesserte er sich, die Tante hinausgegangen, und er folgte ihr, angeblich, um einen Blick in die anderen Räume zu tun. In Wirklichkeit aber... Dem Studenten fiel auf, daß vielmehr, als vorhin der Fernsehapparat gelaufen war, der Sprecher des Deutschen Fernsehfunks das Wort ›Angeblich‹ gebraucht hatte; in Wirklichkeit aber war das Wort gar nicht gefallen.

Überall das gleiche Bild. »Überall das gleiche Bild«, sagte die Frau, indem sie ihm die Tür zur Küche aufmachte, »auch hier drin ist es kalt«, erwiderte der Student, »auch *dort* drin«, verbesserte ihn die Frau. »Was macht ihr denn hier *draußen*?« fragte Hans, der ihnen, die Zeitung mit dem Kreuzworträtsel in der Hand, in den Flur gefolgt war. »Gehen wir wieder hinein!« sagte der Student. »Warum?« fragte Hans. »Weil ich es *sage*«, erwiderte der Student. Niemand hatte etwas gesagt.

In das Wohnzimmer, in das sich alle wieder begeben hatten, weil dort, wie die Frau wiederholte, noch etwas Kaffee auf sie wartete, klang das Klappern von Töpfen aus der Küche herein wie das ferne Umfallen der Kegel von einer bäuerlichen Kegelbahn in einem tiefen und etwas unheimlichen Wald. Der Student, dem dieser Vergleich auffiel, fragte die Tante, wie sie, die doch ihren Lebtag lang in der Stadt gelebt habe, auf einen solchen Vergleich gekommen sei; zur gleichen Zeit, als er das sagte, erinnerte er sich desselben Ausdrucks in einem Brief des Dichters Hugo von Hofmannsthal, ohne daß freilich das Verglichene dort, eine Einladung, sich an einer Dichterakademie zu beteiligen, dem Verglichenen hier, dem Klappern der Töpfe aus der Küche herein in das Wohnzimmer, auch nur vergleichsweise ähnlich war.

Da der Student horchend den Kopf zur Seite geneigt hatte, konnte es nicht ausbleiben, daß die Tante, die jedes Verhalten der beiden Besucher auszulegen versuchte, mit der Bemerkung, sie wolle doch den Vögeln auf dem Balkon etwas Kuchen streuen, mit einer schnell gehäuften Handvoll Krumen ins andre Zimmer ging, um von dort, wie sie, schon im anderen Zimmer, entschuldigend rief, auf den Balkon zu gelangen. Also war, so fiel dem Studenten jetzt auf, auch das Klappern der Töpfe in der Küche nur ein *Vergleich* für die Vögel gewesen, die, indem sie auf dem leeren Backblech umherhüpften, das die Frau vorsorglich auf den Balkon gestellt hatte, dort vergeblich mit ihren Schnäbeln nach Futter pickten. Einigermaßen befremdet beobachteten die beiden die Tante, die sich wie selbstverständlich draußen auf dem Balkon bewegte; befremdet deswegen, weil sie sich nicht erinnern konnten, die Frau jemals draußen gesehen zu haben, während sie selber, die Zuschauer, drinnen saßen; ein seltsames Schauspiel. Der Student schrak auf, als ihn Hans, ungeduldig geworden, zum wiederholten Male nach einem anderen Wort für ›Hausvorsprung‹ fragte; »Balkon«, antwortete die Tante, die gerade in einem ihrer Fotoalben nach einem bestimmten Foto suchte, für den Studenten; »Erker«, fuhr der Student, indem er die Frau nicht aussprechen ließ, gerade noch zur rechten Zeit dazwischen. Er atmete so lange aus, bis er sich erleichtert fühlte. Das war ja noch einmal gut gegangen! Eine Papierserviette hatte den übergelaufenen Kaffee sofort aufgesaugt.

Wenn sie es auch nicht ausgesprochen hatten, so hatten sie doch alle drei die ganze Zeit nur an den Telegrammboten gedacht, der noch immer auf sich warten ließ. Jetzt stellte sich aber heraus, daß die Tante, obwohl es doch schon später Nachmittag war, noch gar nicht in ihren Briefkasten geschaut hatte. Hans wurde mit einem Schlüssel nach unten geschickt. Wie seltsam er den Schlüssel in der Hand hält! dachte der Student. »Wie bitte?« fragte die Tante verwirrt. Aber Hans kehrte schon, den Schlüssel geradeso in der Hand, wie er mit ihm weggegangen war, ins Wohnzimmer zurück. »Ein Arbeiter in einem Wohnzimmer!« rief der Student, der einen Witz machen wollte. Niemand widersprach ihm. Ein schlechtes Zeichen! dachte der Student. Wie um ihn zu verhöhnen, rieb sich die Katze, die er bis jetzt vergessen hatte wahrzunehmen, an seinen Beinen. Die Tante suchte gerade nach einem Namen, der ihr entfallen war; es handelte sich um den Namen einer alten Dame, die ... – die alte Dame mußte jedenfalls ein Adelsprädikat in ihrem Namen haben; in Österreich waren zum Glück die Adelsprädikate abgeschafft.

Inzwischen war es draußen dunkel geworden. Der Student hatte am Vormittag in der ›Frankfurter Allgemeinen Zeitung‹ ein japanisches Gedicht über die Dämmerung gelesen: ›Der schrille Pfiff eines Zuges machte die Dämmerung ringsum nur noch tiefer.‹ Der schrille Pfiff eines Zuges machte die Dämmerung ringsum nur noch tiefer. In diesem Stadtteil freilich fuhr kein Zug. Die Tante probierte verschiedene Namen aus, während Hans und Gregor nicht von ihr wegschauten. Schließlich hatte sie das Telefon vor sich hin auf den Tisch gestellt und die Hand darauf gelegt, wobei sie freilich, ohne den Hörer abzunehmen, noch immer mit gerunzelter Stirn, auf der Suche nach dem Namen der alten Dame, das Alphabet durchbuchstabierte. Auch als sie schon in die Muschel sprach, fiel dem Studenten nur auf, daß sie ihm dabei, mit dem Kopf darauf deutend, ein Foto hinhielt, das ihn, den Studenten, als Kind zeigte, mit einem Gummiball, ›neben den Eltern im Fotoatelier sitzend‹. Ein zweites Bild, das der Frau versehentlich auf den Boden gefallen war, sah folgendermaßen aus:

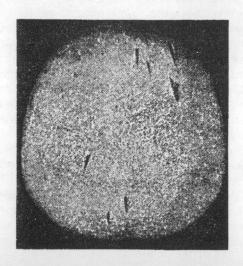

›Laufend, haltend, SAUGEND...‹ – wie immer, wenn er Fotos oder BILDER sah, fielen dem Studenten nur Zeitwörter in dieser Form ein; so auch: ›neben den Eltern im Fotoatelier SITZEND‹.

Die Tante, die an die Person, zu der sie ins Telefon sprach, die Anrede ›Sie‹ gerichtet hatte – das wirkte auf alle sehr beruhigend –, hatte plötzlich, nachdem sie eine Weile, den Hörer am Ohr, geschwiegen hatte, das Wort ›Du‹ in den Hörer gesprochen. Der Student war darauf so erschrocken, daß ihm auf der Stelle der Schweiß unter den Achseln ausgebrochen war; während er sich kratzte – der Schweiß juckte heftig –, überzeugte er sich, daß es seinem Bruder ähnlich ergangen war; auch dieser kratzte sich gerade wild unter den Armen.

Es war aber nicht mehr geschehen, als daß auf den Anruf hin der Bruder der Frau und dessen Frau von einem anderen Stadtteil Ost-Berlins aufgebrochen waren und auch bald schon, ohne erst unten an der Haustür zu läuten, wie Bekannte an die Tür geklopft hatten, um die beiden Neffen aus Österreich noch einmal zu sehen. Die Frau hatte aus dem Balkonzimmer zwei Sessel für die Neuankömmlinge hereingetragen und darauf in der Küche Tee für alle aufgestellt. Die Töpfe hatten geklappert, der Onkel, der an Asthma litt, hatte sich heftig auf die Brust geschlagen, seine Frau hatte, indem sie bald das Gespräch auf die Studenten in West-Berlin brachte, gemeint, sie würde alle einzeln an den Haaren aufhängen wollen. Von der Toilette zurückgekehrt, wo er sich die Hände gewaschen hatte, waren dem Studenten diese inzwischen so trocken geworden, daß er die Tante um eine Creme hatte bitten müsssen. Die Frau hatte das aber wieder so ausgelegt, daß sie den Studenten und seinen Bruder dazu noch mit dem Parfüm ›Tosca‹ besprühte, das jene alte Dame, deren Namen ihr nicht eingefallen war, bei ihrem letzten Besuch mitgebracht hatte. Schließlich war es Zeit zum Aufbruch geworden, weil die Aufenthaltserlaubnis der beiden für Ost-Berlin um Mitternacht ablaufen sollte. Der Onkel hatte einen Taxistand angerufen, ohne daß freilich jemand sich gemeldet hatte. Trotzdem hatte den Studenten die Vorvergangenheit, in der all das abgelaufen war, allmählich wieder beruhigt. Den Onkel, der noch immer den Hörer am Ohr hielt und es läuten ließ, und dessen Frau im Wohnzimmer zurücklassend, hatten sich die beiden Besucher, schon in den Mänteln, mit der Tante hinaus in den Flur begeben; die Hände an der Wohnungstür, hatten sie noch einmal gewartet, ob sich, wenn auch an anderen Taxiplätzen, doch noch ein Taxi melden würde. Sie waren schon, die Tante in der Mitte, die Stiege hinuntergegangen, als –

Kein ›Als‹.

Mit der Tante, die sich in die beiden eingehängt hatte, waren sie, mit den Zähnen schnackend vor Kälte, zur Straßenbahnhaltestelle gegangen. Die Frau hatte ihnen, da sie kein Kleingeld hatten, die Münzen für die Straßenbahn zugesteckt. Als die Straßenbahn gekommen war, waren sie, indem sie der Frau draußen noch einmal zuwinkten, schnell eingestiegen, um noch rechtzeitig den Bahnhof Friedrichstraße zu erreichen.

Zu spät bemerkte der Student, daß sie gar nicht eingestiegen waren.

(1969)

43 Liebesgeschichten

Didi will immer. Olga ist bekannt dafür. Ursel hat schon dreimal Pech gehabt. Heidi macht keinen Hehl daraus.

Bei Elke weiß man nicht genau. Petra zögert. Barbara schweigt. Andrea hat die Nase voll. Elisabeth rechnet nach. Eva sucht überall. Ute ist einfach zu kompliziert.

Gaby findet keinen. Sylvia findet es prima. Marianne bekommt Anfälle.

Nadine spricht davon. Edith weint dabei. Hannelore lacht darüber. Erika freut sich wie ein Kind. Bei Loni könnte man einen Hut dazwischenwerfen.

Katharina muß man dazu überreden. Ria ist sofort dabei. Brigitte ist tatsächlich eine Überraschung. Angela will nichts davon wissen.

Helga kann es.

Tanja hat Angst. Lisa nimmt alles tragisch. Bei Carola, Anke und Hanna hat es keinen Zweck.

Sabine wartet ab. Mit Ulla ist das so eine Sache. Ilse kann sich erstaunlich beherrschen.

Gretel denkt nicht daran. Vera denkt sich nichts dabei. Für Margot ist es bestimmt nicht einfach.

Christel weiß, was sie will. Camilla kann nicht darauf verzichten. Gundula übertreibt. Nina ziert sich noch. Ariane lehnt es einfach ab. Alexandra ist eben Alexandra.

Vroni ist verrückt danach. Claudia hört auf ihre Eltern.

Didi will immer.

(1969)

CHRISTA WOLF

Blickwechsel

1

Ich habe vergessen, was meine Großmutter anhatte, als das schlimme Wort *Asien* sie wieder auf die Beine brachte. Warum gerade sie mir als erste vor Augen steht, weiß ich nicht, zu Lebzeiten hat sie sich niemals vorgedrängt. Ich kenne alle ihre Kleider: das braune mit dem Häkelkragen, das sie zu Weihnachten und zu allen Familiengeburtstagen anzog, ihre schwarze Seidenbluse, ihre großkarierte Küchenschürze und die schwarzmelierte Strickjacke, in der sie im Winter am Ofen saß und den ›Landsberger General-Anzeiger‹ studierte. Für diese Reise hatte sie nichts Passendes anzuziehen, an meinem Gedächtnis liegt es nicht. Ihre Knöpfstiefelchen konnte sie gebrauchen, sie hingen an ihren zu kurzen, leicht krummen Beinen immer zwei Zentimeter über dem Fußboden, auch wenn meine Großmutter auf einer Luftschutzpritsche saß, auch wenn der Fußboden festgetretene Erde war, wie an jenem Apriltag, von dem hier die Rede ist. Die Bomberverbände, die nun schon am hellerlichten Tag über uns hin nach Berlin zogen, waren nicht mehr zu hören. Jemand hatte die Tür des Luftschutzbunkers aufgestoßen, und in dem hellen Sonnendreieck am Eingang standen, drei Schritt von dem baumelnden Knöpfstiefelchen meiner Großmutter entfernt, ein Paar hohe schwarze Langschäfter, in denen ein Offizier der Waffen-SS steckte, der in seinem blonden Gehirn jedes einzelne Wort meiner Großmutter während des langen Fliegeralarms festgehalten hatte: »Nein, nein, hier kriegt ihr mich nicht mehr weg, sollen sie mich umbringen, um mich alte Frau ist es nicht schade.«

»– Was?« sagte der SS-Offizier. »Lebensmüde? Diesen asiatischen Horden wollt ihr in die Hände fallen? Die Russen schneiden doch allen Frauen die Brüste ab!«

Da kam meine Großmutter ächzend wieder hoch. »Ach Gott«, sagte sie, »womit hat die Menschheit das verdient!«

Mein Großvater fuhr sie an: »Was du auch immer reden mußt!«, und nun sehe ich sie genau, wie sie auf den Hof gehen und sich jeder an seinen Platz bei unserem Handwagen stellen: Großmutter in ihrem schwarzen Tuchmantel und dem hell- und dunkelbraun gestreiften Kopftuch, das noch meine Kinder als Halswickel hatten, stützt die rechte Hand auf den hinteren Holm des Wagens, Großvater in Ohrenklappenmütze und Fischgrätjoppe postiert sich neben der Deichsel. Eile ist geboten, die Nacht ist nahe und der Feind auch, nur daß sie beide von verschiedenen Richtungen kommen: die Nacht von Westen und der Feind von Osten. Im Süden, wo sie aufeinandertreffen und wo die kleine Stadt Nauen liegt, schlägt Feuer an den Himmel. Wir glauben, die Feuerschrift zu verstehen, das Menetekel scheint uns eindeutig und lautet: Nach Westen.

Wir aber müssen zuerst meine Mutter suchen. Sie verschwindet häufig, wenn es ans Weiterziehen geht, sie will zurück, und sie muß weiter, beide Gebote sind manchmal gleich stark, da erfindet sie sich Vorwände und läuft weg, sie sagt: »Ich häng mich auf«, und wir, mein Bruder und ich, leben noch in dem Bereich, in dem man Worte wörtlich nimmt, wir laufen in das kleine Waldstück, in dem meine Mutter nichts zu suchen hat und in dem auch wir nichts zu suchen haben wollen, wir ertappen uns gegenseitig dabei, wie wir den Blick in die Baumkronen werfen, wir vermeiden es, uns anzusehen, sprechen können wir sowieso nicht über unaussprechbare Vermutungen, wir schweigen auch, als meine Mutter, die jede Woche knochiger und magerer wird, vom Dorf heraufkommt, ein Säckchen Mehl auf den Handwagen wirft und uns Vorwürfe macht: »Rennt in der Gegend herum und macht die Leute wild, was habt ihr euch bloß gedacht? Und wer soll den Bauern das Zeug aus der Nase ziehen, wenn nicht ich?«

Sie spannt sich vor den Wagen, mein Bruder und ich schieben an, der Himmel gibt unheimlich Feuerwerk dazu, und ich höre wieder das feine Geräusch, mit dem der biedere Zug *Wirklichkeit* aus den Schienen springt und in wilder Fahrt mitten in die dichteste, unglaublichste Unwirklichkeit rast, so daß mich ein Lachen stößt, dessen Ungehörigkeit ich scharf empfinde.

Nur daß ich niemandem klarmachen kann, daß ich nicht über uns lache, gottbewahre, über uns seßhafte, ordentliche Leute in dem zweistöckigen Haus neben der Pappel, über uns bunte Guckkastenleute im Essigpott; Mantje, Mantje, Timpete, Buttje, Buttje in de See, mine Fru, de Ilsebill, will nich so, as ik wol will. Aber keiner von uns hat doch Kaiser werden wollen oder gar Papst und ganz gewiß nicht lieber Gott, ganz zufrieden hat der eine unten im Laden Mehl und Butterschmalz und saure Gurken und Malzkaffee verkauft, der andere englische Vokabeln an einem schwarzen Wachstuchtisch gelernt und hin und wieder aus dem Fenster über die Stadt und den Fluß gesehen, die ganz ruhig und richtig dalagen und mir nie den Wunsch eingegeben haben, sie zu verlassen, ganz beharrlich hat mein kleiner Bruder immer neue Merkwürdigkeiten aus seinem Stabilbaukasten zusammengeschraubt und dann darauf bestanden, sie mit Schnüren und Rollen in irgendeine sinnlose Bewegung zu bringen, während oben in ihrer Küche meine Großmutter eine Sorte Bratkartoffeln mit Zwiebeln und Majoran brät, die mit ihrem Tod aus der Welt verschwunden ist, und mein Großvater den Pechdraht über den Fensterriegel hängt und die blaue Schusterschürze abbindet, um auf seinem Holzbrettchen am Küchentisch in jedes Stückchen Brotrinde ein Dutzend feiner Kerben zu schneiden, damit sein zahnloser Mund das Brot kauen kann.

Nein, ich weiß nicht, warum man uns in den Essigpott geschickt hat, und um nichts in der Welt weiß ich, wieso ich darüber lachen muß, auch wenn mein Onkel, der den zweiten Handwagen unseres winzigen Zuges anführt, wieder und wieder argwöhnisch fragt: »Möchte bloß wissen, an wem es hier was zu lachen gibt!« Auch wenn ich begreife, wie enttäuscht einer sein muß, daß die Angst, man lache ihn aus, nicht mal zu Ende ist, wenn man endlich die Prokura in der Tasche hat. Auch wenn ich ihm gerne den Gefallen getan hätte, ihm zu versichern, ich lachte über mich selbst: Ich konnte schwer lügen, und ich fühlte deutlich, daß ich abwesend war, obwohl man eine jener Figuren, in der Dunkelheit gegen den Wind gelehnt, ohne weiteres mit mir hätte verwechseln können. Man sieht sich nicht, wenn man in sich drinsteckt, ich aber sah uns alle, wie ich uns heute sehe, als hätte irgendeiner mich aus meiner Hülle herausgehoben und danebengestellt mit dem Befehl: Sieh hin!

Das tat ich, aber es machte mir keinen Spaß.

Ich sah uns von der Landstraße abkommen, in der Finsternis auf Seitenwegen herumtappen und endlich auf eine Allee stoßen, die uns auf ein Tor führte, auf einen abgelegenen Gutshof und auf einen schiefen, leicht schlotternden Mann, der mitten in der Nacht zu den Ställen humpelte, dem es nicht gegeben war, sich über irgend etwas zu wundern, so daß er das verzweifelte, erschöpfte Trüppchen ungerührt auf seine Weise begrüßte: »Na ihr, Sodom und Gomorrha? Macht ja nichts. Platz ist in der kleinsten Hütte für ein glücklich liebend Paar.«

»Der Mann ist nicht gescheit«, sagte meine Mutter bedrückt, als wir Kalle über den Hof folgten, und mein Großvater, der wenig

sprach, erklärte befriedigt: »Der ist ganz schön im Gehirn ver-
rückt.« – So war es freilich. Kalle sagte Meister zu meinem
Großvater, dessen höchste Dienstränge in seinem Leben Gemeiner
in einem Kaiserlichen Infanterieregiment, Schustergeselle bei
Herrn Lebuse in Bromberg und Streckenwärter bei der Deutschen
Reichsbahn, Bezirksinspektion Frankfurt (Oder), gewesen war.
»Meister«, sagte Kalle, »am besten nimmst du dir das Kabuff
dahinten in der Ecke.« Darauf verschwand er und pfiff: ›Nimm mal
noch ein Tröpfchen, nimm mal noch ein Tröpfchen...‹ Aber die
Teeverteilung hatten die Schläfer in den Doppelstockbetten schon
hinter sich, auch die unvermeidlichen Leberwurstbrote waren
ihnen gereicht worden, man roch es. Ich versuchte, mir mit dem
Arm beim Schlafen die Nase zuzuhalten. Mein Großvater, der fast
taub war, begann wie jeden Abend laut sein Vaterunser aufzusa-
gen, aber bei ›Und vergib uns unsere Schuld‹ rief meine Großmutter ihm ins Ohr, daß er die Leute störe, und darüber kamen sie in
Streit. Der ganze Saal konnte ihnen zuhören, wo früher nur ihre
alten knarrenden Holzbetten Zeuge gewesen waren und das
schwarzgerahmte Engelsbild mit dem Spruch: ›Wenn auch der
Hoffnung letzter Anker bricht, verzage nicht!‹
   Bei Morgengrauen weckte uns Kalle. »Kutschern wirst du doch
wohl können?« fragte er meinen Onkel. »Herr Volk, was der
Gutsbesitzer ist, will nämlich mit Mann und Maus abrücken, aber
wer fährt die Ochsenwagen mit den Futtersäcken?« – »Ich«, sagte
mein Onkel, und er blieb dabei, auch wenn meine Tante ihm in
den Ohren lag, daß Ochsen gefährliche Tiere sind und daß er nicht
für diese fremden Leute seine Haut zu Markte... »Halt den
Mund!« schnauzte er. »Und wie kriegst du sonst deine Plünnen
hier weg?« – Wir alle durften aufsitzen, und unser Handwagen
wurde an der hinteren Wagenrunge festgezurrt. »Oberprima«,
sagte Kalle, »denkt bloß nicht, die Ochsen sind schneller als euer
Handwagen.« Herr Volk kam persönlich, um seinen neuen Kutscher mit Handschlag zu verpflichten, er trug einen Jägerhut, einen
Lodenmantel und Knickerbocker, und Frau Volk kam, um die
Frauen, die nun so oder so zu ihrem Gesinde gehörten, mit einem
gütigen, gebildeten Wort zu bedenken, aber ich konnte sie nicht
leiden, weil sie ohne weiteres du zu mir sagte und ihrer Dackelhündin Bienchen erlaubte, an unseren Beinen zu schnuppern, die
vermutlich nach Leberwurstbroten rochen. Nun sah meine Tante,
daß es sich um feine Leute handelte, sowieso hätte sich mein Onkel
ja nicht bei irgendeinem Piefke verdingt. Dann begann es dicht
hinter uns zu schießen, und wir zogen in beschleunigtem Tempo

ab. »Der liebe Gott verläßt die Seinen nicht«, sagte meine Großmutter.

Ich aber hatte in der Nacht zum letztenmal den Kindertraum
geträumt: Ich bin gar nicht das Kind meiner Eltern, ich bin
vertauscht und gehöre zu Kaufmann Rambow in der Friedrich-
stadt, der aber viel zu schlau ist, seine Ansprüche offen anzumelden, obwohl er alles durchschaut hat und sich Maßnahmen vorbe-
hält, so daß ich endlich gezwungen bin, die Straße zu meiden, in
der er in seiner Ladentüre mit Lutschkellen auf mich lauert. Diese
Nacht nun hatte ich ihm im Traum bündig mitteilen können, daß
ich jegliche Angst, sogar die Erinnerung an Angst vor ihm verloren
hatte, daß dies das Ende seiner Macht über mich war und ich von
jetzt an täglich bei ihm vorbeikommen und zwei Stangen Borken-
schokolade abholen werde. Kaufmann Rambow hatte kleinlaut
meine Bedingungen angenommen.

Kein Zweifel, er war erledigt, denn er wurde nicht mehr gebraucht. Vertauscht war ich nicht, aber ich selbst war ich auch
nicht mehr. Nie vergaß ich, wann dieser Fremdling in mich
gefahren war, der mich inzwischen gepackt hatte und nach Gut-
dünken mit mir verfuhr. Es war jener kalte Januarmorgen, als ich in
aller Hast auf einem Lastwagen meine Stadt in Richtung Küstrin
verließ und als ich mich sehr wundern mußte, wie grau diese Stadt
doch war, in der ich immer alles Licht und alle Farben gefunden
hatte, die ich brauchte. Da sagte jemand in mir langsam und
deutlich: Das siehst du niemals wieder.

Mein Schreck ist nicht zu beschreiben. Gegen dieses Urteil gab
es keine Berufung. Alles, was ich tun konnte, war, treu und redlich
für mich zu behalten, was ich wußte, Flut und Ebbe von Gerüchten
und Hoffnungen anschwellen und wieder sinken zu sehen, vorläufig alles so weiterzumachen, wie ich es den anderen schuldig war,
zu sagen, was sie von mir hören wollten. Aber der Fremdling in
mir fraß um sich und wuchs, und womöglich würde er an meiner
Stelle bald den Gehorsam verweigern. Schon stieß er mich manchmal, daß sie mich von der Seite ansahen: Jetzt lacht sie wieder.
Wenn man bloß wüßte, worüber?

2

Über *Befreiung* soll berichtet werden, die Stunde der Befreiung,
und ich habe gedacht: Nichts leichter als das. Seit all den Jahren
steht diese Stunde scharf gestochen vor meinen Augen, fix und

fertig liegt sie in meinem Gedächtnis, und falls es Gründe gegeben hat, bis heute nicht daran zu rühren, dann sollten fünfundzwanzig Jahre auch diese Gründe getilgt haben oder wenigstens geschwächt. Ich brauchte bloß das Kommando zu geben, schon würde der Apparat arbeiten, und wie von selbst würde alles auf dem Papier erscheinen, eine Folge genauer, gut sichtbarer Bilder. Wider Erwarten hakte ich mich an der Frage fest, was meine Großmutter unterwegs für Kleider trug, und von da geriet ich an den Fremdling, der mich eines Tages in sich verwandelt hatte und nun schon wieder ein anderer ist und andere Urteile spricht, und schließlich muß ich mich damit abfinden, daß aus der Bilderkette nichts wird; die Erinnerung ist kein Leporelloalbum, und es hängt nicht allein von einem Datum und zufälligen Bewegungen der alliierten Truppen ab, wann einer befreit wird, sondern doch auch von gewissen schwierigen und lang andauernden Bewegungen in ihm selbst. Und die Zeit, wenn sie Gründe tilgt, bringt doch auch unaufhörlich neue hervor und macht die Benennung einer bestimmten Stunde eher schwieriger; wovon man befreit wird, will man deutlich sagen, und wenn man gewissenhaft ist, vielleicht auch, wozu. Da fällt einem das Ende einer Kinderangst ein, Kaufmann Rambow, der sicherlich ein braver Mann war, und nun sucht man einen neuen Ansatz, der wieder nichts anderes bringt als Annäherung, und dabei bleibt es dann. Das Ende meiner Angst vor den Tieffliegern. ›Wie man sich bettet, so liegt man‹, würde Kalle sagen, wenn er noch am Leben wäre, aber ich nehme an, er ist tot, wie viele der handelnden Personen (der Tod tilgt Gründe, ja).

Tot wie der Vorarbeiter Wilhelm Grund, nachdem die Tieffliegerihm in den Bauch geschossen hatten. So sah ich mit sechzehn meinen ersten Toten, und ich muß sagen: reichlich spät für jene Jahre. (Den Säugling, den ich in einem steifen Bündel aus einem Lastwagen heraus einer Flüchtlingsfrau reichte, kann ich nicht rechnen, ich sah ihn nicht, ich hörte nur, wie seine Mutter schrie, und lief davon.) Der Zufall hatte ergeben, daß Wilhelm Grund an meiner Stelle dalag, denn nichts als der nackte Zufall hatte meinen Onkel an jenem Morgen bei einem kranken Pferd in der Scheune festgehalten, anstatt daß wir mit Grunds Ochsenwagen gemeinsam wie sonst vor den anderen auf die Landstraße gingen. Hier, mußte ich mir sagen, hätten auch wir sein sollen, und nicht dort, wo man sicher war, obwohl man die Schüsse hörte und die fünfzehn Pferde wild wurden. Seitdem fürchte ich Pferde. Mehr noch aber fürchte ich seit jenem Augenblick die Gesichter von Leuten, die sehen mußten, was kein Mensch sehen sollte. Ein solches Gesicht hatte der Landarbeiterjunge Gerhard Grund, als er das Scheunentor aufstieß, ein paar Schritte noch schaffte und dann zusammensackte: »Herr Volk, was haben sie mit meinem Vater gemacht!«

Er war so alt wie ich. Sein Vater lag am Rande der Straße im Staub neben seinen Ochsen und blickte starr nach oben, wer darauf bestehen wollte, mochte sich sagen: in den Himmel. Ich sah, daß diesen Blick nichts mehr zurückholte, nicht das Geheul seiner Frau, nicht das Gewimmer der drei Kinder. Diesmal vergaß man, uns zu sagen, das sei kein Anblick für uns. »Schnell«, sagte Herr Volk, »hier müssen wir weg.« So wie sie diesen Toten an Schultern und Beinen packten, hätten sie auch mich gepackt und zum Waldrand geschleift. Jedem von uns, auch mir, wäre wie ihm die Zeltplane vom gutsherrlichen Futterboden zum Sarg geworden. Ohne Gebet und ohne Gesang wie der Landarbeiter Wilhelm Grund wäre auch ich in die Grube gefahren. Geheul hätten sie auch mir nachgeschickt, und dann wären sie weitergezogen wie wir, weil wir nicht bleiben konnten. Lange Zeit hätten sie keine Lust zum Reden gehabt, wie auch wir schwiegen, und dann hätten sie sich fragen müssen, was sie tun könnten, um selbst am Leben zu bleiben, und, genau wie wir jetzt, hätten sie große Birkenzweige abgerissen und unsere Wagen damit bedeckt, als würden die fremden Piloten sich durch das wandelnde Birkenwäldchen täuschen lassen. Alles, alles wäre wie jetzt, nur ich wäre nicht mehr dabei. Und der Unterschied, der mir alles war, bedeutete den meisten anderen hier so gut wie nichts. Schon saß Gerhard Grund auf dem Platz seines Vaters und trieb mit dessen Peitsche die Ochsen an, und Herr Volk nickte ihm zu: »Braver Junge. Dein Vater ist wie ein Soldat gefallen.«

Dies glaubte ich eigentlich nicht. So war der Soldatentod in den Lesebüchern und Zeitungen nicht beschrieben, und der Instanz, mit der ich ständig Kontakt hielt und die ich – wenn auch unter Skrupeln und Vorbehalten – mit dem Namen Gottes belegte, teilte ich mit, daß ein Mann und Vater von vier Kindern nach meiner Überzeugung nicht auf diese Weise zu verenden habe. »Es ist eben Krieg«, sagte Herr Volk, und gewiß, das war es und mußte es sein, aber ich konnte mich darauf berufen, daß hier eine Abweichung vom Ideal des Todes für Führer und Reich vorlag, und ich fragte nicht, wen meine Mutter meinte, als sie Frau Grund umarmte und laut sagte: »Die Verfluchten. Diese verfluchten Verbrecher.«

Mir fiel es zu, weil ich gerade Wache hatte, die nächste Angriffswelle, zwei amerikanische Jäger, durch Trillersignal zu melden.

Wie ich es mir gedacht hatte, blieb der Birkenwald weithin sichtbar als leichte Beute auf der kahlen Chaussee stehen. Was laufen konnte, sprang von den Wagen und warf sich in den Straßengraben. Auch ich. Nur daß ich diesmal nicht das Gesicht im Sand vergrub, sondern mich auf den Rücken legte und weiter mein Butterbrot aß. Ich wollte nicht sterben, und todesmutig war ich gewiß nicht, und was Angst ist, wußte ich besser, als mir lieb war.

Aber man stirbt nicht zweimal an einem Tag. Ich wollte den sehen, der auf mich schoß, denn mir war der überraschende Gedanke gekommen, daß in jedem Flugzeug ein paar einzelne Leute saßen. Erst sah ich die weißen Sterne unter den Tragflächen, dann aber, als sie zu neuem Anflug abdrehten, sehr nahe die Köpfe der Piloten in den Fliegerhauben, endlich sogar die nackten weißen Flecken ihrer Gesichter. Gefangene kannte ich, aber dies war der angreifende Feind von Angesicht zu Angesicht, ich wußte, daß ich ihn hassen sollte, und es kam mir unnatürlich vor, daß ich mich für eine Sekunde fragte, ob ihnen das Spaß machte, was sie taten. Übrigens ließen sie bald davon ab.

Als wir zu den Fuhrwerken zurückkamen, brach einer unserer Ochsen, der, den sie Heinrich nannten, vor uns in die Knie. Das Blut schoß ihm aus dem Hals. Mein Onkel und mein Großvater schirrten ihn ab. Mein Großvater, der neben dem toten Wilhelm Grund ohne ein Wort gestanden hatte, stieß jetzt Verwünschungen aus seinem zahnlosen Mund. »Die unschuldige Kreatur«, sagte er heiser, »diese Äster, verdammten, vermaledeite Hunde alle, einer wie der andere.« Ich fürchtete, er könnte zu weinen anfangen, und wünschte, er möge sich alles von der Seele fluchen. Ich zwang mich, das Tier eine Minute lang anzusehen. Vorwurf konnte das in seinem Blick nicht sein, aber warum fühlte ich mich schuldig? Herr Volk gab meinem Onkel sein Jagdgewehr und zeigte auf eine Stelle hinter dem Ohr des Ochsen. Wir wurden weggeschickt. Als der Schuß krachte, fuhr ich herum. Der Ochse fiel schwer auf die Seite. Die Frauen hatten den ganzen Abend zu tun, das Fleisch zu verarbeiten. Als wir im Stroh die Brühe aßen, war es schon dunkel. Kalle, der sich bitter beklagt hatte, daß er hungrig sei, schlürfte gierig seine Schüssel aus, wischte sich mit dem Ärmel den Mund und begann vor Behagen krächzend zu singen: ›Alle Möpse bellen, alle Möpse bellen, bloß der kleine Rollmops nicht...‹ »Daß dich der Deikert, du meschuggichter Kerl!« fuhr mein Großvater auf ihn los. Kalle ließ sich ins Stroh fallen und steckte den Kopf unter die Jacke.

Man muß nicht Angst haben, wenn alle Angst haben. Dies zu wissen, ist sicherlich befreiend, aber die Befreiung kam erst noch, und ich will aufzeichnen, was mein Gedächtnis heute davon hergeben will. Es war der Morgen des 5. Mai, ein schöner Tag, noch einmal brach eine Panik aus, als es hieß, sowjetische Panzerspitzen hätten uns umzingelt, dann kam die Parole: im Eilmarsch nach Schwerin, da sind die Amerikaner, und wer noch fähig war, sich Fragen zu stellen, der hätte es eigentlich merkwürdig finden müssen, wie alles jenem Feind entgegendrängte, der uns seit Tagen nach dem Leben trachtete. Von allem, was nun noch möglich war, schien mir nichts wünschbar oder auch nur erträglich, aber die Welt weigerte sich hartnäckig, unterzugehen, und wir waren nicht darauf vorbereitet, uns nach einem verpatzten Weltuntergang zurechtzufinden. Daher verstand ich den schauerlichen Satz, den eine Frau ausstieß, als man ihr vorhielt, des Führers lang ersehnte Wunderwaffe könne jetzt nur noch alle gemeinsam vernichten, Feinde und Deutsche. »Soll sie doch«, sagte das Weib.

An den letzten Häusern des Dorfes vorbei ging es einen Sandweg hinauf. Neben einem roten mecklenburgischen Bauernhaus wusch sich an der Pumpe ein Soldat. Er hatte die Ärmel seines weißen Unterhemds hochgekrempelt, stand spreizbeinig da und rief uns zu: »Der Führer ist tot«, so wie man ruft: Schönes Wetter heute. Mehr noch als die Erkenntnis, daß der Mann die Wahrheit sagte, bestürzte mich sein Ton.

Ich trottete neben unserem Wagen weiter, hörte die heiseren Anfeuerungsrufe der Kutscher, das Ächzen der erschöpften Pferde, sah die kleinen Feuer am Straßenrand, in denen die Papiere der Wehrmachtsoffiziere schwelten, sah Haufen von Gewehren und Panzerfäusten gespensterhaft in den Straßengräben anwachsen, sah Schreibmaschinen, Koffer, Radios und allerlei kostbares technisches Kriegsgerät sinnlos unseren Weg säumen und konnte nicht aufhören, mir wieder und wieder in meinem Inneren den Ton dieses Satzes heraufzurufen, der, anstatt ein Alltagssatz unter anderen zu sein, meinem Gefühl nach fürchterlich zwischen Himmel und Erde hätte widerhallen sollen.

Dann kam das Papier. Die Straße war plötzlich von Papier überschwemmt, immer noch warfen sie es in einer wilden Wut aus den Wehrmachtswagen heraus, Formulare, Gestellungsbefehle, Akten, Verfahren, Schriftsätze eines Wehrbezirkskommandos, banale Routineschreiben ebenso wie geheime Kommandosachen und Statistiken von Gefallenen aus doppelt gesicherten Panzerschränken, auf deren Inhalt nun, da man ihn uns vor die Füße warf, niemand mehr neugierig war. Als sei etwas Widerwärtiges an dem Papierwust, bückte auch ich mich nach keinem Blatt, was mir später leid tat, aber die Konservenbüchse fing ich auf, die mir ein Lkw-Fahrer zuwarf. Der Schwung seines Armes erinnerte mich an den oft wiederholten Schwung, mit dem ich im Sommer neununddreißig Zigarettenpäckchen auf die staubigen Fahrzeugkolonnen geworfen hatte, die an unserem Haus vorbei Tag und Nacht in Richtung Osten rollten. In den sechs Jahren dazwischen hatte ich aufgehört, ein Kind zu sein, nun kam wieder ein Sommer, aber ich hatte keine Ahnung, was ich mit ihm anfangen sollte.

Die Versorgungskolonne einer Wehrmachtseinheit war auf einem Seitenweg von ihrer Begleitmannschaft verlassen worden. Wer vorbeikam, nahm sich, was er tragen konnte. Die Ordnung des Zuges löste sich auf, viele gerieten, wie vorher vor Angst, nun vor Gier außer sich. Nur Kalle lachte, er schleppte einen großen Butterblock zu unserem Wagen, klatschte in die Hände und schrie glücklich: »Ach du dicker Tiffel! Da kann man sich doch glatt vor Wut die Röcke hochheben!«

Dann sahen wir die KZler. Wie ein Gespenst hatte uns das Gerücht, daß sie hinter uns hergetrieben würden, die Oranienburger, im Nacken gesessen. Der Verdacht, daß wir auch vor ihnen flüchteten, ist mir damals nicht gekommen. Sie standen am Waldrand und witterten zu uns herüber. Wir hätten ihnen ein Zeichen geben können, daß die Luft rein war, doch das tat keiner. Vorsichtig näherten sie sich der Straße. Sie sahen anders aus als alle Menschen, die ich bisher gesehen hatte, und daß wir unwillkürlich vor ihnen zurückwichen, verwunderte mich nicht. Aber es verriet uns doch auch, dieses Zurückweichen, es zeigte an, trotz allem, was wir einander und was wir uns selber beteuerten: Wir wußten Bescheid. Wir alle, wir Unglücklichen, die man von ihrem Hab und Gut vertrieben hatte, von ihren Bauernhöfen und aus ihren Gutshäusern, aus ihren Kaufmannsläden und muffigen Schlafzimmern und aufpolierten Wohnstuben mit dem Führerbild an der Wand – wir wußten: Diese da, die man zu Tieren erklärt hatte und die jetzt langsam auf uns zukamen, um sich zu rächen – wir hatten sie fallenlassen. Jetzt würden die Zerlumpten sich unsere Kleider anziehen, ihre blutigen Füße in unsere Schuhe stecken, jetzt würden die Verhungerten die Butter und das Mehl und die Wurst an sich reißen, die wir gerade erbeutet hatten. Und mit Entsetzen fühlte ich: Das ist gerecht, und wußte für den Bruchteil einer Sekunde, daß wir schuldig waren. Ich vergaß es wieder.

Die KZler stürzten sich nicht auf das Brot, sondern auf die Gewehre im Straßengraben. Sie beluden sich damit, sie überquerten, ohne uns zu beachten, die Straße, erklommen mühsam die jenseitige Böschung und faßten oben Posten, das Gewehr im Anschlag. Schweigend blickten sie auf uns herunter. Ich hielt es nicht aus, sie anzusehen. Sollen sie doch schreien, dachte ich, oder in die Luft knallen, oder in uns reinknallen, Herrgott noch mal! Aber sie standen ruhig da, ich sah, daß manche schwankten und daß sie sich gerade noch zwingen konnten, das Gewehr zu halten und dazustehen. Vielleicht hatten sie sich das Tag und Nacht gewünscht. Ich konnte ihnen nicht helfen, und sie mir auch nicht, ich verstand sie nicht, und ich brauchte sie nicht, und alles an ihnen war mir von Grund auf fremd.

Von vorne kam der Ruf, jedermann außer den Fuhrleuten sollte absitzen. Dies war ein Befehl. Ein tiefer Atemzug ging durch den Treck, denn das konnte nur eines bedeuten: Die letzten Schritte in die Freiheit standen uns bevor. Ehe wir in Gang kommen konnten, sprangen die polnischen Kutscher ab, schlangen ihre Leine um die Wagenrunge, legten die Peitsche auf den Sitz, sammelten sich zu einem kleinen Trupp und schickten sich an, zurück, gen Osten, auf und davon zu gehen. Herr Volk, der sofort blaurot anlief, vertrat ihnen den Weg. Zuerst sprach er leise mit ihnen, kam aber schnell ins Schreien, Verschwörung und abgekartetes Spiel und Arbeitsverweigerung schrie er. Da sah ich polnische Fremdarbeiter einen deutschen Gutsbesitzer beiseite schieben. Nun hatte wahrhaftig die untere Seite der Welt sich nach oben gekehrt, nur Herr Volk wußte noch nichts davon, wie gewohnt griff er nach der Peitsche, aber sein Hieb blieb stecken, jemand hielt seinen Arm fest, die Peitsche fiel zu Boden, und die Polen gingen weiter. Herr Volk preßte die Hand gegen das Herz, lehnte sich schwer an einen Wagen und ließ sich von seiner spitzmündigen Frau und der dummen Dackelhündin Bienchen trösten, während Kalle von oben »Miststück, Miststück!« auf ihn herunterschimpfte. Die Franzosen, die bei uns blieben, riefen den abziehenden Polen Grüße nach, die sie so wenig verstanden wie ich, aber ihren Klang verstanden sie, und ich auch, und es tat mir weh, daß ich von ihrem Rufen und Winken und Mützehochreißen, von ihrer Freude und von ihrer Sprache ausgeschlossen war. Aber es mußte so sein. Die Welt bestand aus Siegern und Besiegten. Die einen mochten ihren Gefühlen freien Lauf lassen. Die anderen – wir – hatten sie künftig in uns zu verschließen. Der Feind sollte uns nicht schwach sehen.

Da kam er übrigens. Ein feuerspeiender Drache wäre mir lieber gewesen als dieser leichte Jeep mit dem kaugummimalmenden Fahrer und den drei lässigen Offizieren, die in ihrer bodenlosen Geringschätzung nicht einmal ihre Pistolentaschen aufgeknöpft hatten. Ich bemühte mich, mit ausdruckslosem Gesicht durch sie hindurchzusehen, und sagte mir, daß ihr zwangloses Lachen, ihre sauberen Uniformen, ihre gleichgültigen Blicke, dieses ganze verdammte Siegergehabe ihnen sicher zu unserer besonderen Demütigung befohlen war.

Die Leute um mich herum begannen, Uhren und Ringe zu verstecken, auch ich nahm die Uhr vom Handgelenk und steckte sie nachlässig in die Manteltasche. Der Posten am Ende des Hohlwegs, ein baumlanger, schlaksiger Mensch unter diesem unmöglichen Stahlhelm, über den wir in der Wochenschau immer laut herausgelacht hatten – der Posten zeigte mit der einen Hand den wenigen Bewaffneten, wohin sie ihre Waffen zu werfen hatten, und die andere tastete uns Zivilpersonen mit einigen festen, geübten Polizeigriffen ab. Versteinert vor Empörung ließ ich mich abtasten, insgeheim stolz, daß man auch mir eine Waffe zutraute. Da fragte mein überarbeiteter Posten geschäftsmäßig: »Your watch?« Meine Uhr wollte er haben, der Sieger, aber er bekam sie nicht, denn es gelang mir, ihn mit der Behauptung anzuführen, der andere da, your comrade, sein Kamerad, habe sie schon kassiert. Ich kam ungeschoren davon, was die Uhr betraf, da signalisierte mein geschärftes Gehör noch einmal das anschwellende Motorengeräusch eines Flugzeugs. Zwar ging es mich nichts mehr an, aber gewohnheitsmäßig behielt ich die Anflugrichtung im Auge, unter dem Zwang eines Reflexes warf ich mich hin, als es herunterstieß; noch einmal der ekelhafte dunkle Schatten, der schnell über Gras und Bäume huschte, noch einmal das widerliche Einschlaggeräusch von Kugeln in Erde. Jetzt noch? dachte ich erstaunt und merkte, daß man sich von einer Sekunde zur anderen daran gewöhnen kann, außer Gefahr zu sein. Mit böser Schadenfreude sah ich amerikanische Artilleristen ein amerikanisches Geschütz in Stellung bringen und auf die amerikanische Maschine feuern, die eilig hochgerissen wurde und hinter dem Wald verschwand.

Nun sollte man sagen können, wie es war, als es still wurde. Ich blieb eine Weile hinter dem Baum liegen. Ich glaube, es war mir egal, daß von dieser Minute an vielleicht niemals mehr eine Bombe oder eine MG-Garbe auf mich heruntergehen würde. Ich war nicht neugierig auf das, was jetzt kommen würde. Ich wußte nicht, wozu ein Drache gut sein soll, wenn er aufhört, Feuer zu speien. Ich hatte keine Ahnung, wie der hürnene Siegfried sich zu benehmen hat, wenn der Drache ihn nach seiner Armbanduhr fragt, anstatt ihn mit Haut und Haar aufzuessen. Ich hatte gar keine Lust, mit anzusehen, wie der Herr Drache und der Herr Siegfried als Privatpersonen miteinander auskommen würden. Nicht die geringste Lust hatte ich darauf, um jeden Eimer Wasser zu den Amerikanern in die besetzten Villen zu gehen, erst recht nicht, mich auf einen Streit mit dem schwarzhaarigen Leutnant Davidson aus Ohio einzulassen, an dessen Ende ich mich gezwungen sah, ihm zu erklären, daß mein Stolz mir nun gerade gebiete, ihn zu hassen.

Und schon überhaupt keine Lust hatte ich auf das Gespräch mit dem KZler, der abends bei uns am Feuer saß, der eine verbogene Drahtbrille aufhatte und das unerhörte Wort Kommunist so dahinsagte, als sei es ein erlaubtes Alltagswort wie Haß und Krieg und Vernichtung. Nein. Am allerwenigsten wollte ich von der Trauer und Bestürzung wissen, mit der er uns fragte: »Wo habt ihr bloß all die Jahre gelebt?«

Ich hatte keine Lust auf Befreiung. Ich lag unter meinem Baum, und es war still. Ich war verloren, und ich dachte, daß ich mir das Geäst des Baumes vor dem sehr schönen Maihimmel merken wollte. Dann kam mein baumlanger Sergeant nach getanem Dienst den Abhang hoch, und in jedem Arm hatte sich ihm ein quietschendes deutsches Mädchen eingehängt. Alle drei zogen in Richtung der Villen ab, und ich hatte endlich Grund, mich ein bißchen umzudrehen und zu heulen.

(1970)

FRANZ FÜHMANN

Die Gewitterblume

»Und er sprach: Beschädiget die Erde nicht, noch
das Meer, noch die Bäume...«
Apokalypse des Johannes 8,3

Sie war klein und blau, vierblättrig blau von der Farbe eines herrischen Himmels, der durch vier winzige weiße Tupfen zum Kelch-
grund hin noch gewaltiger aus seiner Erdentiefe stieg. So klein die
Blume auch war und so bescheiden sie sich mit einem Platz am
Rande des wilden Gartens begnügte: Ihr Blau leuchtete aus dem
verworrenen Grün der Gräser und mahnte uns Kinder zur Vorsicht:
Wer diese Blume auch nur berührte, löste ein Gewitter aus, dessen
Blitz den Frevler unabwendbar erschlug. Beweise dafür gab es
massenhaft: Eine Viertelstunde hinter meinem Vaterhaus, wo das
Kirchenwäldchen begann, stak zwischen zwei Föhren ein manns-
großer Stein mit einer schwarzen, dem Kreuzotterrücken ähnlichen
Maserung: Hier hatte vor hundert oder tausend Jahren ein Fremder,
den Himmel zu höhnen, nach solch einer Gewitterblume gegriffen,
und sofort war aus dem unbedeckten Firmament ein Blitz niederge-
fahren, ein brüllendes Band zwischen Blau und Blau, und hatte den
Frechling in den Stein eingeschmolzen, und das Loch, wo der Blitz
mit der Seele des Sünders zwischen den Zähnen zur Hölle hinabge-
saust war, bleckte heute noch rund und schwarz und unheimlich
klein im Erdreich, wie auch heute noch die entsetzten Augen
unterm Scheitel des Zickzackzuges glühten. Es gab Millionen Beweise für die Macht dieser Blume; dieser eine sollte genügen, oder
vielleicht noch der: Auf dem Kuhkopf, dem Berg über meinem Hei-
matdorf, stand seit uralter Zeit eine Baude mit einer wunderschönen Wirtin, zu deren Ehren einmal ein Gast einen Kranz aus allen
Blumen des Gebirges hatte flechten wollen, und da er auch eine Gewitterblume abgerissen, war Feuer vom Himmel geregnet und hatte
Frevler, Wirtin und Baude zu Asche verbrannt, und die Hitze davon
war so rasend gewesen, daß der Kuhkopf einen Tag lang wie eine
Schmiedeesse geglüht und gesprüht hatte, ganz molochhaft, von
innen heraus und wieder nach innen hinein, und als die Glut sich
endlich verkrochen hatte, war, ewiglich sichtbar, anstelle der Baude

eine kahle Stätte zurückgeblieben, eine Narbe des Bergs, auf der kein einziger Grashalm mehr wuchs, nicht einmal ein Moos, nur Brocken jener grindigen Flechte, die ja sogar das Eis überzieht. Nein, an der Kraft dieser Blume war nicht zu zweifeln, und wir hüteten uns, in ihre Nähe zu kommen. Im steinigen Hang hinter meinem Vaterhaus wuchsen ihrer sechs, ein Reigen des Grauens in einer Brandung verfitzten Grases, den ich täglich von der Ferne der Hausschwelle zählte, eins, zwei, drei, vier, fünf, sechs, sechs tiefblaue Tode, und der Gedanke, einen davon auch nur anzurühren, war so unfaßbar wie etwa der Gedanke, meine Mutter zu schlagen oder karfreitags Fleisch zu essen. Es gibt Gedanken, die man einfach nicht denken kann.

Aber einmal dachte ich solches doch, und schuld daran war nur die Liebe. Meine Liebe hieß Mariechen; sie war die Tochter des Seilermeisters Wiesterschyl, ein langaufgeschoßnes, dürres Geschöpf mit wachsgelber Haut und strohgelbem Haar und winzigen und wenigen Zähnen zwischen den dünnen Lippen, und wir liebten uns, indem wir den Brunnen hinterm Haus fast leertranken und dann, den Leib prall voll Wasser, uns im Gartengras fest und so, daß nur die Köpfe herausschauten, in eine Decke rollten und stundenlang stumm und dicht aneinander und den gleichen Himmel vor Augen mit qualvoller Verzückung fühlten, wie unser Eingeweide sich spannte und in uns schwer zu werden begann, eine schwere, schwarze, dem Aufbrechen rasch sich nähernde Wolke zwischen Nabel und Leiste, die bis unters Herz schwoll und uns zu zersprengen drohte, und wiewohl einer den andern durch anscheinend unbekümmertes Daliegen ebenso zu besiegen wie ihn zum Ausharren bis in ein unvorstellbares Ende anzuspornen trachtete, geschah es doch immer, daß wir uns plötzlich beide zugleich aus der Decke strampelten und auseinanderliefen, um uns dann, beschämt, doch erneut unersättlich, wieder am Brunnen zu treffen. Es war eine große und schwierige Liebe, und so blieb es ihr nicht erspart, durch eine schreckliche Prüfung zu gehen. Eines Tages sprang, was noch nie geschehen war, Mariechen vor mir aus der Decke und rannte mit trippelnden Sprüngen zu ihrem Platz im Innern der Schneebeerensträucher, und als sie dann langsam und mit zerrißnem Gesicht zurückkam, sagte sie knisternd vor Zorn, ich hätte sie betrogen und viel weniger Wasser getrunken als sie. Das war ungeheuerlich, doch ich kam erst später dazu, dies ganz zu begreifen, denn während ich noch, von Mariechens Verleumdung gleichzeitig hochgeschreckt und betäubt, aus der Seligkeit meines Triumphes auf die Füße taumelte und schnappend zu denken begann, daß ich mich entrüsten und widersprechen und meine Unschuld beteuern müsse, machte ich mich auch schon eilends und trippelnd auf den Weg zu meinem Platz im Eschengestrüpp, doch dort wurde die Gewißheit, am Brunnen nicht betrogen und dennoch gesiegt zu haben, so überwältigend, daß ich strahlend und mit der heitren Gelassenheit eines Sommerhimmels durch die zirpende warme Wiese zu meinem besiegten Mariechen zurückkehrte, das in dem rührenden Elend der großen, geschlagnen, voll scheuer Demut wartenden Augen so lieb wie nie auf der zerknautschten Decke stand. Strahlend, so sagte ich, kehrte ich zurück; strahlend, heiter, gelassen, entspannt und vor Stolz schon im Überdenken meiner Meldung stotternd, allein da ich die Decke erreicht hatte, spie Mariechen mir vollkommen Verblüfftem das schrecklichste Schmähwort der Welt ins Gesicht, ein dem Quaken der Frösche ähnelndes sinnloses Lautgebilde, das, sofort durchs Ohr ins Rückenmark stoßend, als Entgegnung nur den Kampf bis zum Tod übrigläßt. »Du Krahk, du elender Krahk von Betrüger«, schrie Mariechen in speichelndem Haß; ihr Kopf schnellte vor; die Welt zerging zu roten Schwaden, durch die etwas Strohgelbes schwappte, strohgelb und schwappend, meine beiden Hände fuhren hinein und griffen zu, und im gleichen Augenblick hatte auch Mariechen sich festgekrallt, und wir versuchten mit äußerster Kraft, einander die Haare vom Schädel zu zerren. Unsere Münder waren weit offen, wir stießen einander den dampfenden Atem unter die irren Augen und hörten eins aus dem andern das verbissene, ins Wimmern sich überschlagende Stöhnen gestachelter Wut und verleugneter Schmerzen, und ich wollte gerade ein wenig ins Knie gehen, um, mich hochstoßend, mit einem Ruck den feindlichen Scheitel auseinanderzureißen, da spürte ich Mariechens Griff sich lockern; überrascht ließ auch ich nach, doch da hatte Mariechen schon zum zweitenmal, und diesmal zum unwiderstehlichen Hebelzug in die Tolle hinter dem Wirbel zugegriffen; der alte, hundsgemeine Trick war ihr wieder gelungen, und während ich in hilfloser Wut mit ungeschlachtem Rucken am Haar den Kopf in die Schultern zu rammen versuchte, begann plötzlich etwas aus mir zu schreien, wahrscheinlich der Schmerz der zerfetzten, sterbenden Liebe; er schrie wie ein Tier, und er schrie aus mir, ohne daß Mariechen noch geschrien hatte, und da, vom Gipfel des Siegs in die Grube der Schmach geworfen, sah ich plötzlich die Gewitterblume. Ihr Blau überdeckte den Himmel, und aus ihrem Schlund rauschte Vernichtung... Ich ließ das Haar fahren, schlug mich aufbrüllend mit der Handkante frei und hörte, an Mariechen vorbei zur

Todeszone rennend, hinter mir sofort die gellende Trompete ihres ahnungslosen Triumphes: Feig, feig und feig! Es war, als ich die Blume im Himmel erblickt und Mariechens Fäuste aus meiner Tolle geschlagen hatte, bestimmt nicht meine Absicht gewesen, ein Gewitter hervorzurufen; ich hatte nur jählings, und noch ganz außerhalb des Bewußtseins, ein Mittel erkannt, Mariechen, die schon bei einem Wetterleuchten vor Angst verging, auf der Stelle schreien zu machen, noch schreiender als sie mich, vor Todesangst schreiend und meine Knie umfassend und Gnade erflehend, und ich hätte die Gnade wohl gewährt, doch nun war meine Wut so grimmig, daß sie mich mit einem einzigen Satz bis zum Ziel und dort in die Hocke riß. Ich wollte eben das verschlungene Grün um die Blumen, deren Blau ich aus dieser Sicht nur ahnen konnte, zur Seite drücken, da hörte ich Mariechen verstummen, und hörte es wie eine Offenbarung. Meine Hand lag ganz still auf dem Gras; all meine Sinne waren in den sich entfaltenden Ohren versammelt, und sie hörten und rochen und schmeckten und schauten ein Schweigen, das grenzenlos war. Jetzt wummert schon die Angst in ihr drin, fühlte ich verzückt, doch da fiel mir ein, daß Mariechen, da ich ihr den Rücken zukehrte, meinen Vorsatz ja gar nicht erkennen könne. Hockend und unwillkürlich bedacht, den Todeskreis um die verdeckten Blumen nicht zu berühren, drehte ich mich watschelnd herum, und nun sah ich Mariechen. Sie stand an den leeren Himmel gelehnt und schwieg.

Ich fühlte, daß ich aufs neue zu strahlen begann.

»Jetzt wummert schon die Angst in dir drin«, wiederholte ich mir selbst und kostete den Tonfall der stumm durch mein Denken dahinziehenden Worten aus.

Mariechen schwieg.

»Du!« schrie ich.

Mariechen schwieg.

Ich reckte mich derart, daß ich vornüberzukippen drohte.

»Da, schau her, wo ich jetzten bin!« schrie ich übers Gras. Mariechen schwieg, doch sie hob den Kopf, und ihre Augen wurden groß, und ihr Mund ging auf, und ich fühlte am Schwingen der Luft, wie die Angst in ihr dröhnte. Ich drehte, vor Aufregung schluckend, mit den Fersen einen festen Halt in den Boden, um ihr meine Drohung wie aus einem verpflockten Geschütz entgegenzuschleudern, da sagte Mariechen ganz ohne Bewegung: »Traust dich ja nicht!«

»Was?« fragte ich völlig verblüfft.

»Eine Blume ausreißen«, sagte Mariechen.

»Ha!« schrie ich, ein fauchendes Schreien über die ausgestreckte Zunge hinweg, und tat dabei abermals mit watschelnder Unbeholfenheit zwei kleine Schritte zur Seite, um aus genauer Sicht nach der Blume zu greifen, doch als ich nun, und im erneuten Muldendrehn wirklich ins Wanken geratend, die Graswand mit zitterndem Eifer zerteilte und dabei ganz überlaut ausrief, ich traute mich doch und werde jetzt, gleich jetzt, aber gleich jetzt auf der Stelle eine Blume ausreißen, hörte ich, da es eben blau zu blinken anheben wollte, über mir ein durchdringend leises Zischen; im Zugreifen innehaltend, sah ich auf und sah den Bauch einer ungeheuren Gallone aus mattblauem Glas, darin Schlangen aus glattem Feuer sich wanden und wälzten und ihre zischenden Lanzenblattköpfe nach mir in die splitternde Wandung stießen; ihre schwarzen Augen suchten die meinen; die gespaltenen Flammen ihrer Zungen dehnten sich, mich zu umfassen, und da ich mich noch sträubte, dieses Bild zu begreifen, hörte ich seine Botschaft laut über die Wiese her zu mir reden: Der Blitz träfe mich ja selbst, wenn ich die Blumen ausriß, so kamen diese uneingestandenen innersten Worte nun von außen daher, ganz leicht und tändelnd gleich Schmetterlingen, doch gleich jenen totenkopfbestückten, vor denen mir graute, und mit der zu einem Gallert wütendster Ohnmacht gerinnenden Frage, ob Mariechen denn Gedanken lesen könne, erstarrte auch meine hockend auf den linken Ballen gestützte Pose mit erhobenem Kopf, weit aufgerissenen Augen, offenem Mund, fast ausgestrecktem rechtem Arm, abgebogenen Fingern und schräg vom gemuldeten Lehm weggehobener rechter Sohle zu blöder Reglosigkeit.

Die Wiese wallte in Düften und Tönen.

»Dich trifft's ja«, sagte Mariechen und kam, ein böser, gelber Engel, so langsam wie ihre Worte näher. »Dich trifft's ja«, wiederholte sie mit ihrem schmächtigen Mund, und ich hörte in meinem ratlosen Hirn nun ihre Worte nicht anders als all die anderen Laute ringsüber, doch da, bei einem winzigen, in flüchtigster Jähe meteorhaft sich offenbarenden Funkeln in ihren Augen begriff ich, daß sie etwas sah, das ich noch nicht wahrnahm, und in dem gleichen Moment, ehe ich noch die Augen senkte, begriff ich weiter, daß ich beim letzten Muldendrehn meine Sohle über eine Gewitterblume erhoben hatte und sie nun bei der geringsten Bewegung zertreten müsse... Stille; Starre; die Schlangen in der Bläue schwiegen laut vor ihrem Sprung nach meinem Nacken; ich roch und schmeckte den Schwefel ihres Zornes und sah Mariechens triumphierenden Hohn fleischrot ihr fahles Gesicht durchwandern, und während ich in einer verzweifelten Hoffnung durch bloßes Rollen der Blicke die sechs unberührbaren Blumen abzuzählen versuchte und tief im Grün drei blaue Schatten und tiefer noch zwei der weißen Pünktchen je eines der Kelchgründe zu ahnen glaubte, knisterte die sechste immer heißer unter der sich im äußersten Hochdrehn verkrampfenden Sohle, und mit diesem Schmerz kam die Todesangst. Es war die Todesangst, glaubt es mir nur; ich war verloren wie jener Alpensoldat, von dem mir der Vater manchmal erzählte, daß er beim Hochklettern zur feindlichen Stellung mit einem ungeduldigen Ruck des eigenen Leibes die ins Gestein sich verklemmende Abzugsleine seiner Koppelhandgranate gezogen und, die beiden Hände bei Strafe sofortigen Absturzes unlösbar um eine Felskante geklammert, begriffen habe, daß er sich nach hundert gnädigen Gefechten nun selbst den Tod unters Herz gelegt... Ich war verloren – und hatte ich mich, seit ich Mariechen liebte, auch manchmal in die Lage jenes Soldaten gewünscht, um dann vor zwei bewundernden Augen mit dem Ruck eines ungeheuren Klimmzugs mich in die Lüfte zu schwingen, im Auffahren die Handgranate zu ziehen und ins Nest des Feindes zu schleudern und, mich an der nächsten Granitnase grade noch fangend, die zerschmetterte Stellung als erster im Sturm zu nehmen, so war nun über dem Abgrund kein Felsen, mich hochzureißen, und keine Handgranate, sie fortzuwerfen, und kein Feind, ihn zu vernichten; es war hier nun nichts als Luft und darunter dies kieselige Krumchen Erde, aus dem die Gewitterblume wuchs. Nach der Sohle des rechten begann nun auch der Ballen des linken Fußes, auf den ja die ganze Körperlast drückte, zu glühen; der Schmerz zuckte durch den Rist ins Schienbein, und während ich, in Qual und Todesangst wie ein Treibhaus dünstend, mich mühte, regloser als bisher zu hocken, waren schon die Knöchel ins Zittern geraten und über den zitternden Knöcheln die Knie ins Wanken und über den zitternden Knöcheln und wankenden Knien die Hüften ins Schaukeln und die Schultern ins Schwanken; ich wollte mich halten und griff in die Luft und kippte, und kippte vornüber und fuhr mit der Hand ins Gras bis zur stürzenden Erde, und da, als ob alles Blut auf dieser Bahn noch im Vorwärtsschießen zu Reif erstarrt sei, spürte ich in einer noch nie erlebten Jähe von den Fingerspitzen durch den Arm bis ins Herz und von dort ins Gehirn einen eiskalten Stoß; es war ein Blitz aus Frost, doch sein Donner erschütterte die Erde: Der grüne Vorhang zerriß, und ich sah meine Hand ihn zerreißen und sah dahinter im Kreis alle die sechs unberührbaren Blumen, und meine gespreizten Finger waren links und rechts eines Stengels zu Boden gefahren und hielten nun in der Falte ihres Gelenkes ein Blau

umfaßt, ein winziges blaues Köpfchen um sein haardünnes blaß-
grünes Hälslein, und in diesem Augenblick löste sich die eisige
Starre zu einem heißen, machtvollen Strömen auf. Ich hielt, was
noch keiner vor mir gewagt hatte, die Gewitterblume zwischen
meinen Fingern und hatte ihr Fleisch angerührt, und nicht das
geringste war mir geschehen: Der Tod ruhte auf meinem Handrük-
ken wie eine Krone auf dem Haupt eines Kaisers, und wie dort aus
dem Gold die Träume der Gipfel und Schächte ins Hirn eindringen,
so strömten nun hier durch den beinah nicht fühlbaren Stengel die
Gedanken der Erde in mich ein. Es war eine dunkle Flut, die sich in
meine Seele ergoß und sie tränkte und spannte und im langsamen
Nu eines Stroms ins Ungeheuerliche schwellen machte: Hatte ich
eben noch nach dem eisigen Stich des Entsetzens das unverhoffte
Glück der Erlösung als Mahnung empfunden, den Bezirk der
Vernichtung nunmehr für immer zu meiden, so holte, noch ehe ich
die Sohle fest auf den Boden gesetzt hatte, der nächste Atemzug
Genugtuung, der zweite Stolz und der dritte schon eine solche
Hoffart in meine Brust, daß ich, zwar erschauernd zuerst, doch
schnell im Erschauern verzückt, die beiden Finger um ein winziges
zusammendrückte und höher schob, und während weiterhin nichts
geschah, als daß das blaue Köpfchen erzitternd sich seitwärts
neigte, erfuhr ich die Macht über Leben und Tod als wirkliche
Verwandlung meiner selbst: Mit dem Schweiß der Todesangst war
auch all meine Blöde und Tölpigkeit fortgedünstet; mein Denken
war geschmeidig, mein Wille federnd, meine Entschlußkraft pla-
nend geworden; ich hielt den Stengel der Gewitterblume in meiner
Hand und fühlte ihn als Schlüssel zur innersten Kammer des Todes,
zur siebenten versiegelten Tür, von der in der Bibel stand und der
Herr Kaplan immer schrie, daß alle Schrecken sich über die Welt mit
Posaunenschall aus ihrer Pforte ausschütten würden, und mit einer
Sicherheit, die mich den Bergen verschwisterte, sagte ich zu
Mariechen, ich würde die Blumen jetzt ausrupfen und sie ihr ganz
schnell ins Gesicht schmeißen, dann werde der himmlische Blitz sie
statt meiner verschlingen, und ich sagte es königlich und hörte voll
nie gekannter Lust in meinem Blut das Erdfeuer sausen, da hatte
Mariechen sich mir gegenüber schon niedergehockt und hatte die
Lippen geschürzt und sagte über die Bläue herüber, ich solle nur
ruhig die Blumen ausrupfen und auf sie schmeißen, sie habe einen
Zauber, daß ihr der Blitz nichts antun könne, ihr nichts, nur mir, und
da sie das sagte, streckte auch sie die Hand nach einer Gewitterblume aus.

Hatte sie wirklich einen Zauber? »Lüge!« schrie ich nach einem unmerklichen Zögern, und mit diesem Schrei war ich besiegt; und wenn ich auch mit diesem Wort Mariechen vernichtet glaubte, muß doch, so wie an manchem reglosen Julimittag plötzlich ein Zittern durch die eben noch unbewegten Baumkronen läuft, ein Zweifel durch meine Sicherheit gegangen sein, denn einen Herzschlag lang spürte ich den Wunsch, der Feindin die Gedanken aus dem dünnhäutigen gelben Schädel zu zerren und ihr zu zeigen, daß kein Zauber darin hing, kein Wort und kein Schlüssel und kein schwarzer Stab mit goldenen Sternen, doch über dieses Verlangen hinweg wuchs unaufhaltsam eine süßere Seligkeit als die der Gewißheit: Ob Lüge, ob Wahrheit, die Wolke in meiner Seele war dunkel und schwer geworden und mein Denken darin der nicht mehr zu bändigende Blitz, und während mein Mund wohl noch ›Lüge!‹ schrie und mein Ohr durch den eignen Lärm wohl noch etwas wie ›wahr ist's‹ hörte, wußte ich plötzlich und gänzlich unwiderstehlich, ich, so wußte ich, ich mußte jetzt einfach mit einem Schlag alle Blumen ausreißen, mit Posaunenschall, dachte ich, barst die Wolke, mit einem Schlag alle Blumen, dann würde ein solches Feuer vom Himmel fallen, daß auch ihr Zauber kaputtging und sie samt ihrem Zauber und alles, und ich griff, und jetzt mit dem Bewußtsein meines ganzen Leibes, daß auch ich im Feuer aufgehen und Feuer sein würde, das sie verbrannte, ins Gras nach den Stengeln aller sechs Blumen, da hatte auch Mariechen nach dersel- ben Stelle gegriffen, und während Wahnsinn unsere Augen be- schlug und die Grillen verstummten und unsere Fingerkuppen einander berührten, wünschte ich mit der Inbrunst eines letzten Wunsches, alle Menschen könnten uns nun so sehen, wie wir beide da hockten, zwei Magier, über den Tod gebeugt, den Donner zu Häupten und den Blitz in den Händen, die mächtigsten Zauberer dieser Erde, in deren Entscheid es nun lag, mit einem lässigen Ruck die Welt zu vernichten, und die sich soeben entschieden hatten; und ich zog, und die Welt wurde grau, die Faust über den Wurzeln zusammen, da fühlte ich Mariechens Finger an den meinen vorüber um die Stiele sich schließen, und da schwankte der Garten, die Berge kippten, und da, und nun wissend, daß Mariechen wirklich den Zauber besaß, schrie ich auf um die schöne Welt, in der es mich gab und die Grillen im Gras und die Wolken und Brunnen und Quellen, und es war wohl im letzten Moment unser aller Dauer, daß ich also um Gnade schrie, denn zwischen meinen Fingerspitzen war schon ein Loch aufgebrochen, zwar erst klein wie ein Spinnenloch, doch der Schlund der Vernichtung, und was mich daraus andünstete, war der Tod … Mir schwanden die Sinne; ich nahm nicht mehr wahr, wie der Garten zur Ruh kam und die Luft sich klärte, und als dann die Grillen und Grasduft mich ins Leben zurücktrugen, hatte die Zauberin sich erhoben und schritt, ohne sich nach mir umzusehen, in die stille Bläue des Abschieds, und in diesem Augenblick wußte ich, daß ich sie liebte und inniger liebte als je am Brunnen und daß zu dieser, der größeren Liebe gehörte, daß ich besiegt war, besiegt von ihr, die der berstenden Erde gebot und der brennenden Luft und dem Fliegen der Blitze und die nun dahinging, wie ich sie vordem noch nie gesehen: leichtfüßig, schlank im Mittag, von Gold umhangen und leuchtend wie eine Schneenacht, und mit der verzückten Gewißheit, ein Wunder zu ihrem Ruhm zu wirken, nahm ich einen Stein und zielte so sorgsam wie nie und warf ihn ihr nach und sah ihn langsam und schwer genau ins Gold ihres Scheitels flattern und wußte, daß er sie nicht treffen konnte, nicht treffen, nicht treffen, nicht treff

(1971)

ADOLF MUSCHG

Ein ungetreuer Prokurist

Er hatte sich manchmal eine Geliebte gewünscht, nicht weil andere im Geschäft auch eine hatten, das Geschäft hatte damit gar nichts zu tun, sondern weil er auch gern einmal ein Mensch gewesen wäre mit allem, was dazugehört. Natürlich nahm er an, daß eine Geliebte in so geregelten Verhältnissen wie den seinen Komplikationen schaffen würde, aber wenn man leben wollte, mußte man auch bereit sein, hier vielleicht etwas zuzulegen, dort etwas abzubuchen. Er erwartete nur, daß es einmal mit ihm persönlich etwas zu tun hatte; so viel darf man vom Leben verlangen.

Es ergab sich dann so. Bei einer Werbeveranstaltung, um die neue automatische Saftpresse der Firma vorzustellen, kam er mit einer Journalistin ins Gespräch, die, wie sie ihm bald erzählt hatte, wieder in ihrem alten Beruf arbeitete, nachdem ihre Kinder halbwüchsig geworden waren und sie nicht mehr täglich nötig hatten. Freilich hatte sie sich früher, als Zwanzigjährige, eher mit kulturellen Ereignissen befaßt.

Als die Saftpresse vorgestellt und nicht mehr allzuviel darüber zu reden war – das Reden besorgte ohnehin eine jüngere Kraft der Firma, ein zuversichtlicher Typ im lila Jackett, während er, der Prokurist, sich zurückhielt, noch betonter vielleicht, seit er erfahren hatte, daß seine Gesprächspartnerin früher über kulturelle Ereignisse berichtet habe –, um etwa halb zehn Uhr also nahm er zu seinem Erstaunen den Rand ihres Ellbogens und führte sie daran zur Tür hinaus. Ich bin hier nicht nötig, sagte er ihr. Daraus, daß sie ohne weiteres mitkam, folgerte er noch nichts.

Er hatte nicht einmal Lust auf eine Fortsetzung des Gesprächs oder einen Drink; das gab es ja auch hier, im Überfluß, er hatte die Bestellung selbst überwacht. Es schien nur plötzlich richtig, er sagte sogar: nötig, hier wegzugehen, fünf Minuten vor dem Auspendeln der Veranstaltung zu zeigen: man war noch sein eigener Herr. Ganz zwischendurch, gar nicht elektrisierend, ging ihm durch den Kopf, daß man auch mit ihr schlafen könnte, ohne daß sie viel dagegen einzuwenden hätte. Sie war ja die Mutter mehrerer Kinder usw., würde es nicht so genau nehmen; damit meinte er gleich zu Beginn nichts Verwegenes, eher eine gewisse Sicherheit: Was soll da viel kaputtgehen?

Sie war eigentlich nicht hübsch genug für Gedanken daran, aus der Nähe besehen. Vielleicht war sie sogar etwas älter als er. Das erlaubte ihm, am Ecktisch drüben im ›Excellence‹ unaufdringlich nett zu sein, fast bis zum Eingeständnis seiner Müdigkeit zu gehen; sie nahm ihm nicht übel, daß er in einer Haushaltsfabrik arbeitete, wirklich nicht, sie sagte es nicht nur so. Das Leben schien sie bescheiden gemacht zu haben, zur Teilnahme fähig. Öfters blieben ihre braunen, etwas kurzsichtigen Augen in seinen Augen hängen. Er brauchte kaum zu betonen, daß er in seinem Saftladen etwas Gehobenes sei, sie wußte es schon, es machte keinen Unterschied für sie. Hier sitzt ja doch ein Mensch, dachte er.

Er erzählte von sich und Familie, die Familie brachte er in den ersten Sätzen herein. Es sollte alles in Ordnung gehen, er war nicht dafür, etwas zu unterschlagen (unterdrücken, etc.). Was er so äußerte über Haus und Garten, klang heute abend mühelos, unschwierig; so kannte er sich gern. Der Alkohol hatte nichts damit zu tun, sie hatten nur Bier bestellt, allerdings ein dänisches. Zu Whisky etc. wollte sie sich nicht einladen lassen, übrigens aus keinem besonderen Grund; da waren nirgends besondere Gründe, das war einfach so. Er brauchte seine Asche nicht kurzfristig abzuklopfen, durfte ruhig rauchen und sie ansehen, wenn er ihr den Rauch nicht gerade ins Gesicht blies. Ein paarmal lachten sie; zum Schweigen war es noch zu früh. Sie hatte einen kleinen Kummer im Gesicht, aber der war wohl meistens dort, er brauchte wahrscheinlich nicht zu stören. Manchmal fehlte ihm ein Wort; dann wieder gelang ihm ein lustiger Satz, ohne daß er gelingen mußte. Sie bestrafte ihn für nichts. Das gefiel ihm, und sie schien sich dabei nicht zu langweilen.

Manchmal strich er ihr mit den Augen eine Haarsträhne hinter ihr Ohr zurück, dachte daran, wie es wäre, mit einem Menschen wie diesem zu schlafen; dann vergaß er es wieder. Wenn sie die Schultern zusammenzog, dachte er wieder stärker daran, aber so, wie man an ein Fest im Kalender denkt; es hatte nichts Diebisches.

Als es elf Uhr war, begleitete er sie in ihr Hotel zurück, ein Hotel der mittleren Klasse, wo der Portier auch im Restaurant nebenan aushelfen muß. Sie gingen an der leeren Loge vorbei über ein paar Treppen auf ihr Zimmer; er hatte wieder ihren Ellbogen in der Hand, aber mit einem schwächeren Griff. Das Zimmer, dessen Tür sie rasch zuzog, war eng und eckig und nur mausgrau zu beleuchten; er löschte das Licht wieder, und sie lehnte sich im Dunkel mit einem kleinen stummen Aufschnupfen gegen seine Stirn. Dann zogen sie sich aus, daß es knisterte, ohne zu eilen; erst die letzte Bewegung, mit der sie in das gerade noch erkennbare, dann elend knappe Bett krochen, hatte etwas Linkisches; sie stießen an ein paar falschen Stellen zusammen; er hatte sich die ganze Minute leisten können, teils an etwas anderes, teils an nichts zu denken. Wild wurde es nicht, aber doch so, daß sie heftiger klammerte, als er vorausgesehen hatte, und plötzlich, in den spürbarsten Erfolg hinein, denken mußte, es sei am Ende nicht bloß ein Mensch in seinen Armen, sondern ein bedürftiges Wesen.

Während sie eine Zigarette rauchten und zum erstenmal rundum schwiegen, kam ihm der Verdacht, es sei doch wieder zuviel geredet worden, doch war er entschlossen, das Ganze gelten zu lassen; erst einen Augenblick später, dessen Vorbeigehen ihm auffiel, meldete sich etwas Unbequemes, das seinen Griff an ihrer Schulter hart werden ließ. Sie lächelte und drückte ihr Haar an seinen Griff; dabei gelang ihm ein Blick auf seine Uhr, die Leuchtziffern fluoreszierten gerade noch: schon nahe zwölf Uhr, und er hatte zu Hause nicht angerufen. Er spürte die Feuchtigkeit auf seinem Rücken stärker. Viel später durfte es nicht werden, und jetzt hatte er keinen Mut, ihr das zu sagen. Er griff wieder fester zu, und sie lächelte wieder.

Es fand dann irgendeine kleine Schauspielerei statt, die den Zweck hatte, sie an seine Müdigkeit zu erinnern, keine erhebliche, die sie beide betraf, nur die allgemeine von vorhin. Er log ein wenig, fast nur in Gedanken, aber es genügte schon zu einem Vorwurf gegen sie: Warum durfte er nicht müde sein? Sie bemerkte anscheinend nicht, daß er nicht mehr aufrichtig war, sie war zu bedürftig oder zu glücklich dazu, das erfüllte ihn mit Angst, er dachte jetzt schon, in ihr zufrieden geöffnetes schattenhaftes Gesicht hinein, daß diesem Verhältnis, dem ersten neben einer durchaus geordneten Ehe, der rechte Grund fehlte. Sie fuhr ihm mit dem Finger über seine offenbar zusammengezogenen Brauen, wußte nicht, daß dies schon eine kleine Abschiedsbewegung war; plötzlich sah er seinen Gedanken an Trennung wieder von der andern Seite, wo er noch, oder schon wieder, mit der Herzlichkeit dieses neuen schmalen Körpers zusammenhing, der ihm, halb verraten schon, wieder wie sein eigener vorkam, plötzlich fühlte er sein Fleisch wieder im andern Fleisch, und nun fand, wie er mit ihren Krallen in seinem Rücken spürte, hemmungslose Abhängig- keit statt. Offenbar hatte sie lange nicht mehr geliebt, er war zu sicher gewesen, daß an ihm nicht viel zu lieben war, jedenfalls nicht beängstigend viel.

Die Tür war dünn, oft hörte man Schritte vorbeigehen, zögern, zu rasch weitergehen. Sie atmete viel zu laut, er suchte dieses sanfte Jammern, für das er nicht verantwortlich sein wollte, mit seinem Leib zuzudecken, bedeckte ihr Gesicht mit seiner Brust, der Himmel wußte, was er damit bei ihr anrichtete, sie schien ja sterben zu wollen, verschluckte sich einmal ums andere. Er bekam Angst und blieb höhnisch stark dabei, es war schon halb eins gewesen, er biß in seine Uhr, vermutlich sah ihn seine Frau, zu Hause wach, in einen unaufhörlichen Zusammensturz verwickelt, es hörte alles überhaupt nicht mehr auf, und er sehnte sich nach einer Toilette mit einem guten Buch.

Nach vielen Augenblicken wütender Pflicht hatte er sie so weit, daß sie ruhig war und er seinen Wunsch, ohne das Buch selbstverständlich, melden durfte. Sie nahm es, bis zu den Schultern strahlend, als einen ungeheuren Scherz, ein untrügliches Zeichen von Vertrautheit, jagte ihn nach einem kurzen Schauer von Kinderküssen in seine Kleider, munter, munter. Er dachte daran, die Unterhose im Dunkel nicht verkehrt herum anzuziehen, er wollte seiner Frau nicht durch solche Dinge weh tun; da ging das Licht an, eine plötzlich schneidende Helle aus der Biedermeierfunzel, er stand, seine Unterhose wendend, blinzelnd in ihrem Lachen, das leise und getröstet klang. Es blieb ihm nichts übrig, als sie in ihrer Blöße zu betrachten, die sie leuchten ließ, als hätte sie gerade ihren eigenen Körper zur Welt gebracht; er empfand weder Zärtlichkeit noch Abneigung dabei, das beruhigte ihn über sich, und er ließ ein scherzhaftes Schnalzen hören, während er seine Hose endgültig festzog. Er sagte noch, daß er viel zu dick sei für sie; im übrigen eilte es jetzt wirklich, fort mit mir, da gibt man die heftigsten Küsse, und keiner schmeckt nach Wiedersehen.

Auf dem fast verlassenen Parkplatz, im Schatten seines Wagens, wurde er endlich sein Wasser los und hörte dazu mehrere Uhren ein Uhr schlagen.

Man macht sich immer die falschen Sorgen. Sein Eigenheim, das er mit beklommener Rührung ins Auge faßte, war lichtlos, er konnte sich das fremde Salz mit den Duftresten von der Haut waschen. Alles war in Ordnung und verlockte dazu, weniger streng über ein Wiedersehen zu denken. Seine Frau schlief längst, sie hatte keine Sorgen um ihn, sie kannte ihn ja, bestätigte sein Dazukriechen mit einem halben lieben Laut: Da schenkte er sich den Rest seiner Gedanken, und eingekuschelt in die endlich erlaubte und haltbare Müdigkeit, ließ ihn, von einem Atemzug zum folgenden, auch die Erinnerung in Ruhe.

Ein paar Briefe, natürlich; sie zwangen ihn, den Postboten schon bei der Tür abzufangen. Er überflog sie nur flüchtig, tastete die ihm unsympathischen runden Schriftzüge auf Solides ab, Daten, mögliche Rendezvous; diese trug er chiffriert in seine Agenda ein, um die Briefe dann sorgsam in kleinste Fetzchen zerrissen in die Toilette zu werfen und ihr Verschwinden zu überwachen. Er schickte Rosen ins Hotel, wenn er wußte, daß sie da war; aber er kam auch selbst. Es reichte, wenn er das Büro früh genug verließ, wenigstens zu einem kleinen Nachtessen, bevor sie ins Hotel gingen; der Portier sah sie natürlich vorbeigehen, wußte Bescheid und bekam in Abständen ein sehr hohes Trinkgeld; zu einem Augenzwinkern war er nicht zu bewegen. So wurde diese Liebe zur nie recht kompletten Gewohnheit, die man sich gönnte, weil einen die verzettelten Mühen einer Woche immer wieder vergessen ließen, daß man ihr sieben Tage zuvor abgeschworen hatte. Der Grund für diese Zuneigung, die so wenig Gedächtnis besaß, lag wohl etwas flach; dafür konnte er auch leichter überschwemmt werden. Etwas läpperte sich da immer wieder zusammen, wuchs auf ein paar Augenblicke weit ins Land hinein und beschwichtigte einen Reiz, den es selbst erzeugt hatte; sein Element war es nicht. Wenn es sich mit ihren Fingern zurückzog, erleichterte ihn die Nähe des wohlverdienten Abschieds so, daß er seine Trockenheit kaum mehr beherrschen konnte, sie schlug einfach durch, stellte sich ungeduldig, ja gewaltsam wieder her und verzehrte die Erinnerung an die Liebe oft noch vor deren Augen. Das genierte ihn; es hatte ihm ja wohlgetan, daß sich ihre Finger wie Wasser angefühlt hatten. Aber es kam ihm doch sehr seltsam vor, daß er offenbar gebraucht wurde; selbst wenn sie an seinem Haar und an seiner Haut zerrte, glaubte er zu wissen, es handle sich um ein Mißverständnis; er kannte sich einfach nicht so. Was half es, wenn sie beteuerte, er solle immer der bleiben, der er sei; zu viel Ehre, dachte er, so viel, wie du denkst, hat deine Liebe nicht aus mir gemacht. Leider.

Gar nichts war es aber auch nicht.

Oft unterhielt er sich, wenn sie zusammen waren, damit, daß er sie beobachtete. Das war schon etwas Neues. Neu war diese Distanz, die er nicht nur zu ihrem, auch zu seinem eigenen Körper aufbrachte und die ihn offenbar männlich machte, oder männlich wirken ließ; dagegen waren alle Geschichten aus viel früherer Zeit wirklich nichts – an seine Ehe weigerte er sich in diesem Zusammenhang zu denken. Was hätte er nicht vor zwanzig Jahren für solche halben Nächte gegeben! Damals gab es nur den Gedanken daran, der noch in der Erinnerung so rasend sein konnte, daß er sich, diese Frau umarmend, vergegenwärtigte: Das wäre es also gewesen, wenn man als Kind eine Geliebte gehabt hätte. Und die Wut über alles Versäumte befähigte ihn zu solcher Zärtlichkeit, daß sie denken konnte – jedenfalls stand es, wenn er nicht irrte, in einem ihrer Briefe –: sie habe ihm neues Leben gegeben.

Wohin damit.

Wenn sie, ein paar Städte weiter, mit ihren Söhnen spazierengehe, habe sie wieder Wind im Gesicht, zum erstenmal seit Jahren Wind, er hatte es nicht mehr ganz genau im Kopf. Aber er nahm bei Gelegenheit Bezug darauf; er war ja kein unartiger Mensch.

Sie sorgte sich, weil seine Klagen über sich selbst häufiger und rücksichtsloser wurden., so lasse ich nicht über meinen Liebsten reden, sagte sie ihm. Sie nahm es als Spiel, Ausdruck seiner schon bekannten Müdigkeit etc., aber es war ihm ernst. Wenn er sich gering machte, sollte das heißen: Was hast du auch immer mit mir? Er machte sich klein, um zu entschlüpfen. Das merkte sie nicht.

Wenn sie von ihrem Mann redete, nicht wegwerfend, nur nachdenklich, nickte er vielleicht, aber redete nie von seiner Frau. Das gehörte nicht hierher.

Einmal sagte er, während er auf der Bettkante saß: Schau einmal, was ich für häßliche dicke Beine habe. Sie warf sich sogleich mit ihren Lippen darauf, und niemals war ihm eine Berührung unangenehmer gewesen. Aus Schuldgefühl streichelte er die Spitzen ihres Haars.

Immer deine Sorgenfalten, sagte er. Um was sorgst du dich eigentlich. Und zeichnete übertriebene Wellen auf ihre Stirn. Da lachten sie, und er wollte die müde Stelle bei ihrem Auge nicht sehen. Man altert auch, wenn man sich höchstens jede Woche einmal sieht.

Sie glaubte, es ihm leicht zu machen (was eigentlich?), wenn sie beteuerte, daß sie nur seinen Körper nötig habe. Darauf war er aber nicht mehr stolz. Er entnahm ihren Bewegungen nur, daß das viel war, schon zu viel, Wasser in irgendeine Wüste. Er konnte nicht Wasser spielen. Er wollte auch keine Lebensarbeit mehr, er hatte seine Prokura und eine nette Familie, seine Frau stellte etwas vor, auch wenn die Leidenschaft nachgelassen hatte, so ist das, er lebte ja zufriedenstellend. Er schämte sich über die Erschütterung des kleinen fremden Körpers, den er mit ein paar Atemzügen seines eigenen reicher machte, als ihm bequem war. Das haben die Kollegen mit ihren Freundinnen nicht, dachte er, so viel Niveau.

Sorg dich nicht um mich, zum Teufel sorg dich nicht immer, sagte er bei ihren Rendezvous, weil man diesen Satz auch lieblos sagen kann; er fällt nicht auf.

Er träumte auch von ihr, nämlich: daß sie unter ein Auto gekommen war und er ihren Körper, der nicht zerstört war, mit ehrlichem Gefühl streicheln durfte; jetzt wußte sie endlich keine Antwort mehr darauf. Er erschrak nicht einmal über diesen Traum.

Bald war er Mitte Vierzig, die Saftpresse war ein großer Verkaufserfolg, und ab und zu gingen sie jetzt in einen guten Film statt immer ins Bett. Wenn sie auf ihn zukam, als wäre es Sommer, spürte er: Die andere Stadt war die Ausnahme für sie. Er aber mußte hier leben, die Nachbarn, die forschend geblickt hatten, wiedersehen. – Dafür ließ er sie büßen, wenn sie wieder im Hotelzimmer waren, aber das hielt sie für Leidenschaft, die gewohnte Leidenschaft, und gab ihm immer neue Namen, sogar solche aus dem Alten Testament. Wenigstens schickte sie ihre Briefe nicht mehr mit der Post, sondern steckte sie ihm bei ihren Abschieden zu, dicke Umschläge, er las sie, um das hinter sich zu haben, beim Innenlicht seines Wagens und warf sie dann ins immer gleiche Gully. Aber so etwas wird keine Gewohnheit, die Fetzchen wirbelten ihm in den Schlaf nach, und am Morgen erschrak er zuerst, als er den Vorplatz mit Kirschblütenblättern bedeckt sah.

Sie respektierte, als müßte sie für andere Zeiten vorsorgen, jetzt sogar seine Fluchtbedürfnisse und Kleinherzigkeiten, begann auch das Gewöhnliche an ihm zu pflegen oder zu verzehren, weil sie, wie es schien, auch das brauchte; und er hatte ja selbst einmal mit einem Menschen ein Verhältnis haben wollen. Allmählich kam sie ihm wie eine Mutter vor, besonders im Schlaf; in ihren zwei, höchstens zweieinhalb Stunden kam es ja doch einmal vor, daß sie an seiner Schulter oder auf seiner Brust einnickte. Dann hörte ihr Gesicht zu glänzen auf und wurde kummervoll wie das einer Mutter, aber nicht derjenigen, die er gehabt hatte. So etwas konnte ihn nochmals erregen. Er war froh, wenn ihn sein Fleisch gelegentlich überlistete; ganz ehrlich sein mochte er ja nicht, weil er es nicht konnte, sonst wäre von seiner Liebe nichts übriggeblieben, das verdiente sie nicht.

Seine Sekretärin instruierte er: Wenn sich Frau Soundso meldet, bin ich in einer Sitzung, von jetzt an. Einmal fügte er sogar hinzu: Es ist immer dieselbe Person, und machte eine Bewegung gegen die Stirn. Niemand hatte ihn dazu gezwungen. Die Sekretärin, Doris hieß sie, kicherte und sagte: Sie sind mir einer. – Doris kam nicht in Frage. – Plötzlich war er wieder ein wenig stolz auf sich. So eine Liebe.

Du hast viele Sitzungen, sagte sie.

Quartalsabschluß, es geht nicht alles glatt, sagte er, du verstehst, wir exportieren, und das ganze Währungssystem ist aus den Fugen. Irgend etwas begleitete ihn heute aus dem Büro, das nicht zu ihnen gehörte; er strich ihr mit dem Finger über die Lippen.

Du, ich habe heute so Kopfweh, sagte sie, schon die dritte Tablette, es hilft alles nicht. Das werden wir gleich haben, sagte er und legte ihr die Hand aufs Knie. Bitte nicht, sagte sie, ich muß mich einfach hinlegen. Dabei hatten sie sich vier Wochen nicht mehr gesehen. Aber es war ja Liebe, sollte Liebe bleiben.

Er blieb sitzen, fühlte sich betrogen, so oft machte er ja keine Sprünge mehr, und heute wäre ein guter Abend gewesen, so etwas spürt man in den Kniekehlen. Aber bitte, dachte er. Bitte sehr.

Er hatte einen Menschen gefunden.

Gegen Ende sagte sie einmal: Ich habe gerade in einem Buch etwas Schreckliches gelesen, von Goethe. Da wird von einer Frau gesagt, wenn sie liebte, war sie nicht liebenswürdig. Das muß schrecklich sein.

Nimm's dir nicht zu Herzen, sagte er, der Goethe ist auch nicht alles.

Sie sah ihn bestürzt an, aber kaum wegen Goethe, soviel merkte er auch. In Gottes Namen, sie mußte doch wissen, wie er es meinte. Wenn man einander jedes Wort vorrechnen wollte.

Später träumte er wieder, nämlich von einer Versetzung. Die Direktion in München wurde frei. Er erwachte mit nasser Stirn. Um Himmels willen, dachte er, ich habe hier mein Haus, ich kann doch die Kinder nicht verpflanzen, sie haben ihre kleinen Freunde, und meine Frau würde sich in München nie wohl fühlen. Dann erwachte er ganz und wußte: Jetzt muß etwas geschehen.

Und es geschah, daß er krank wurde; nichts Gravierendes, nur ein zunehmend empfindlicher Blinddarm mit etwas Fieber. Also Operation. Er schrieb ihr nichts davon, hatte trotzdem immer Angst vor einem Besuch, oder noch schlimmer, einem Brief an die falsche Adresse; also schrieb er, sobald ihm die Wunde erlaubte etwas aufzusitzen, selbst einen Brief. Es ging ihm gut, nur sein Bleistift zitterte. Er schrieb, er sei gesundheitlich am Rande, habe Raubbau getrieben, auch seelisch. Er habe es sich und ihr lange zu verbergen versucht, aber jetzt sei es am Tage, daß ihr Verhältnis alle Sicherungen durchzuschlagen drohe, er müsse die Notbremse ziehen, auch um ihretwillen, und sie bitten, ihn nicht wiederzusehen. Gedanken blieben ja frei, das sei sein Trost, jeden weiteren müsse er sich versagen.

Die Schwestern in diesem Spital waren lustig, ließen ihn den Schwesternmangel nie fühlen, brachten ihm auf einen Klingeldruck alles, was er begehrte, Tee und Blutverdünner. Schwester Monika, die lustigste, versprach ihm, den Brief von der Nachtwache mitzunehmen, dann komme er heute noch an. Aber sicher? fragte er. Ganz sicher, sagte sie, Monsieur. Sie war besser als Doris.

Seine Frau besuchte ihn fast täglich, auch abends, dafür lag er schließlich privat. Er genas jeden Tag deutlicher, das Reißen in der rechten Bauchhälfte ging allmählich in ein Kribbeln über, das ihn kratzlustig machte, aber gerade das durfte man nicht, es war streng verboten. Er hatte Angst vor ihrer Antwort, aber eigentlich nur davor, daß er den Brief zu ungelegener Zeit erhielt, er hatte ja immer Besuchszeit.

Er durfte die ersten kleinen Schritte im Korridor tun, erst auf eine Schwester gestützt, dann auf seine Frau.

Am zehnten Tag konnten die Fäden herausgenommen werden.

Es kam kein Brief mehr, auch nach Hause nicht, und er dachte mit so viel Erleichterung an sie, daß es sich manchmal wie Wärme anfühlte. Ein Mensch war sie schon gewesen, er war stolz, nicht auf sich, sondern auf sie, das war ihm geblieben und konnte ihm keiner nehmen.

(1972)

ALEXANDER KLUGE

Der Betthase

1

Minguel Ozmann, von der Gelben Antilleninsel – Frauenbetreuer
gegen Bezahlung. Auf keinen Fall würde ich meine Unabhängigkeit
aufgeben. Ich verdiene sie täglich mit meinem Schweiß, wenn ich
diesen auch im Bett unterdrücke, ich also nur so viele Bewegungen
ausführe, daß ich nicht unangenehm auffalle. Das wäre mir gegenüber einer Kundin eine Beschämung, wenn sie sagen könnte:
Minguel, Sie schwitzen. Oder: Kurtchen, trockne dich mal mit
meinem Handtuch ab.

Ich gehe früh zu einer Frau aus Boston, die ich im Hotel massiere,
dann suche ich meine Leiche auf, Belgierin, die mich für den ganzen
Tag vertraglich verpflichtet hat. Insofern ist die Frau aus Boston
bereits Schwarzarbeit. Ich gehe mit der Vertragspartnerin schwimmen, halte eine Zeitlang ihre tote Pfote auf der Strandliege in der
meinen, reibe ihr den Arm. Dabei lasse ich mir in schöner Freiheit
den Antillenwind um meine Muskeln wehen. Nachmittags muß ich
dann Micki, so heißt sie angeblich, in ihrem Zimmer ›überfallen‹,
das heißt, sie sagt: Du rufst vorher an, Kurtchen, du kannst mich
nicht einfach überfallen, sondern ich will wissen, wann du kommst.
Deshalb sage ich überfallen, weil ich immer an diese Vorwarnung
denken muß, wenn ich nach telefonischem Anruf von meinem
Zimmer im vierten Stock dieses großen Baus mich zu ihr in den
sechsten Stock hinaufarbeite.

Ich erschrak zu Tode, als mich heute vormittag ihre greisen Finger
am Strand anrührten, mich aus einem kurzen Schlummer rissen.
Faß mich nicht an, du alte Leiche, rief ich aus. Sie zog erschreckt ihre
Finger wieder an sich. Während ich zu einer vorgelagerten Sand-
bank schwamm, um mich körperlich müde zu machen, den Tag
irgendwie zu bewältigen, vergegenwärtigte ich mir ihre Vorzüge.
Ich brauchte einen konkreten Punkt, auf den ich mich konzentrierte. Alles übrige ist dann eine Frage der Einstellung. So gebe ich mir
Mühe mit dieser Kundin, denn sie soll reelle Ware erhalten, wie es
dem Vertrag entspricht, und das ist keine reine körperliche Arbeit,
sondern auch eine innere Konzentration auf den Gegenstand

meiner Bemühung, das heißt, an irgendeinem Punkt will ich ihr auch innerlich etwas mitgeben, das sie von diesem sonnigen Strand ins vernebelte Belgien mitnimmt.

Nachmittags fand ich Hilfe bei folgendem Vergleich: Ich stellte fest, daß die Haut auf meinem Handrücken, wahrscheinlich unter Einfluß der Sonnencreme, auf ähnliche Weise sich pappig anfühlte wie bei meiner Micki, was also offenkundig eine Reaktion der Haut auf Sonne, Wasser und diese Creme war, da ja meine Natur von 32 Jahren Alter zweifellos keine Leicheneigenschaften hat – so waren wir also auch in dieser Hinsicht zwei *gleiche* Menschen, die sich solidarisierten, nachdem ich ihr die Kleider, den Straps, den Büstenhalter abgestreift und sie zu einer Liege hingetrieben hatte. Sie fraß mir aus der Hand, das heißt, sie wollte in alles einwilligen, auch in die Annullierung des Vertragsverhältnisses, wenn das die astronomische Entfernung zu mir verringert hätte – daß sie also gesagt hätte: »Kurtchen, oder Minguel, laß das alles sein, lieg ruhig da und schlaf dich aus oder hol dir einen Moppel von unten, laß mich wenigstens zusehen, oder verbiete mir auch das, dann gehe ich solange Kaffee trinken, ohne jede Bedingung, du brauchst mir deswegen keinen dankbaren Blick zuzuwerfen...« In dieser Stimmung, die mich rührte und endgültig für sie einnahm, bat ich sie um einen Sonderscheck über 4000 Dollar, den ich später in meiner Anzugshose auch fand. Sie war offenkundig reiche Erbin oder Witwe. Ich wollte nicht danach fragen, um nicht gierig zu erscheinen.

2

Soeben pladdert ein Gewittersturm über die Gartenanlagen und die Terrassen des Luxushotels. Geschirr, Tischdecken werden von den Tischen geschmissen. Die Dekorationen für ›Südliche Ballnacht‹ sind zerstört. Ich hoffe, daß recht große Zerstörungen in diesem Luxusviertel angerichtet sein werden, da so ein Nachrichtenwert entsteht, der über die ganze Welt verbreitet werden kann und den Ruf unserer Gelben Insel planetenweit verbreitet. Erst in diesem Ausmaß hätte der Sturm einen Wert. Darauf ist heute nicht zu hoffen, falls nicht noch ein Flugzeug, das eine Blindlandung versucht, abstürzt, denn dieser Pladderregen zerstört nur Kleinigkeiten.

»Hat man Charakter, so hat man auch sein typisches Erlebnis, das immer wiederkommt.« So streite ich mich immer wieder mit meinen Kameraden, die die gleiche Tätigkeit ausüben wie ich. Die Kameraden Charlie und Alfred Duhamel bezeichnen mich als Streikbrecher, weil ich die Konsequenzen meiner vertraglichen Verpflichtungen ziehe. Sie selber erfüllen nur den Buchstaben ihrer Verträge. Sie spielen die Distanz zu ihrer Arbeit mit, indem sie die Gegenstände ihrer Arbeit, das heißt: ihre Arbeitgeberinnen, herabsetzen. Sie kneifen die Frauen öffentlich und zeigen, daß diese sich dies gefallen lassen müssen. Sie verstehen sich, solange noch nicht gezahlt ist, als über der Sache stehend. Alfred Duhamel benachrichtigte kürzlich seinen Bruder von Wünschen einer Kundin. Hierauf antwortete Charlie am Telefon: »Keine Bewegung ohne Geld.«

Ich muß mich hier gegen den Vorwurf wehren, ich hätte keinen Charakter bzw. meine Hingabe an meine Arbeit verletze meine Eigenständigkeit. Alfred Duhamel: »Minguel, es ist ehrlich und aufrichtig, seinen Abscheu vor dieser Arbeit zu zeigen.« Ich antworte: »Nein, das ist zwiespältig. Man muß entweder die Arbeit nicht übernehmen oder sein ganzes Leben für diese Arbeit hingeben.«

Duhamel: »Wenn du, wie wir, 40 Kundinnen am Tag herunterreißt, mußt du dich aus der Sache persönlich heraushalten, sonst hältst du das nicht durch.« Ich: »Ich mache eine, höchstens 2, dafür gründlich.« Duhamel: »Aber den Vorteil suchst du doch wie wir.« Ich: »Selbstverständlich.« Duhamel: »Warum dann mit Brett vor dem Kopf?« Ich erwidere, das sei eine Sache des Charakters. Damit hatte ich ihn widerlegt. Nicht, weil ich keinen Charakter, sondern weil ich einen habe, verfolge ich z. B. gegenüber Micki diesen *Kurs der unendlichen Hingabe*. Duhamel: »Damit machst du uns Schwierigkeiten. Wenn man dich werken sieht, hat es den Anschein, als ob *wir* unseren 40 Kundinnen nicht *unser Letztes* geben.«

Ich könnte mir bei meinem stattlichen Einkommen eine oder mehrere Freundinnen aussuchen oder unterhalten. Mir wäre diese Form abstrakter Zärtlichkeit, der kein Kontrakt zugrunde liegt, die also ziellos vertan wird, heute bereits unangenehm, ein Luxus, den unsere schwer arbeitende Inselbevölkerung, die schließlich nichts Geringeres als unsere Unabhängigkeit durch ihre Arbeitsproduktivität verteidigt, sich nicht leisten kann. Wollen wir unabhängig vom Dollar bleiben, müssen wir arbeiten lernen. Eine Dame aus den Vereinigten Staaten versuchte mich heute als Gigolo zu behandeln. Noch während des Luncheons wollte sie mir Anweisungen geben, wo und wie ich auf sie warten und was ich mitzubringen hätte, welche Wünsche ich ohne weiteres Gespräch erfüllen sollte. Ich zahlte aus meiner Tasche den Luncheon und verließ die verdutzte

Person. Meine Vorfahren sind Indianer. Dies wäre außer meinem fachlich-beruflichen Interesse das einzige wirkliche Interesse, das ich habe: wie ich meine Unabhängigkeit im Sinne meiner Vorfahren (die ich mir natürlich nur denken kann) verteidige. Ich taste jede der mir zur Betreuung übergebenen Frauen daraufhin ab, ob sie in dieser Frage etwas weiß. Es würde mich zusätzlich zu ihnen hinziehen. Aber sie sind zu hastig. »Die Menschen der tiefen Traurigkeit verraten sich, wenn sie glücklich sind: Sie haben eine Art, das Glück zu fassen, so als ob sie es erdrücken und ersticken möchten, aus Eifersucht – ach, sie wissen zu gut, daß es ihnen davonläuft!« Dabei würde ich keineswegs davonlaufen, sondern aufmerksam zuhören. Es kommt zu keiner Zusammenarbeit.

3

Nach einigen Wochen Aufenthalt auf der Gelben Antilleninsel – gelb wegen des Werbespruchs, der sich auf den ehemaligen Sandstrand dieser Insel bezieht – begann sich Frau Veronique Clermont, die sich Minguel gegenüber Micki nannte, gesundheitlich schlecht zu fühlen. Die fleißigen Hände ihres bezahlten Liebhabers ertasten Gewichtsabnahme, Ausmergelung. Sie verzichtete jetzt auf weitere Badekuren, lag ruhig im Strandzelt. An ihrer linken Halsseite befühlte Minguel eine kloßartige Verdickung. Oberhalb eines ihrer Zähne war eine Geschwulst zu spüren. Sie klagte über Schmerzen. Minguel, hilfreich (auch in der Hoffnung einer besonderen Belohnung, eventuell eines Anteils am Vermögen der Kranken), ließ einen Facharzt kommen. Er vermittelte den Kontakt in der Landessprache, so daß die Ärzte ihn als Auftraggeber verstanden.

Eines Nachmittags fand Minguel Veronique hustend und um Atem ringend. Er riß die Balkontür auf. Auf Kissen gestützt, setzte er die Frau in die Nähe des Luftzugs, rieb ihren Hals. Die Alte keuchte. Minguel konnte es nicht unterlassen, sich an die Stelle der Sterbenden zu versetzen (hiervor hatte Alfred Duhamel gewarnt: Du mußt dir klarmachen, daß dieser Fetzen Fett mit dir nichts zu tun hat, sonst nimmst du Schaden). Er legte der Halbtoten eine Aufstellung ihrer Aktien und Versicherungspapiere vor, die er in einem Nachttischkasten fand, und ließ sie einen Zettel unterschreiben, auf den er seinen Vor- und Zunamen gesetzt hatte. Dieses Papier bezeichnete er später als *Testament*, das er in

Belgien anerkennen lassen wollte. Mit Krakelschrift hatte die Vertrauensselige ihren Eigennamen darunter gesetzt.

Minguel rief wiederum die Fachärzte herbei. Dr. Scelinski zerrte die krächzende Frau auf das Bett, setzte das Messer an die Kehle, um durch einen Luftröhrenschnitt die drohende Erstickung zu verhindern. In diesem Moment röchelte Frau Veronika und sackte zurück. Die Ärzte, die in ihrem Tun einhielten, überprüften die Pupille des rechten Auges, stellten den Tod fest.

Die Rechnung für diese ärztlichen Bemühungen war an Minguel gerichtet. Er wurde – da seine Personalien von den Ärzten festgehalten waren – von den Behörden angehalten, die Überführung der Toten auf seine Kosten (als *Gastgeber*) zu veranlassen. Hierzu war eine Flugreise Minguels nach Europa erforderlich. Die Angehörigen der Toten nahmen den Totenschein entgegen, ließen den Mann an einer Feierstunde teilnehmen, lehnten jedoch alle weiteren Gespräche mit ihm ab. Das ›Testament‹ wurde nicht anerkannt. Minguel mußte Flug und Grandhotel in Brüssel selbst zahlen. Seine Mittel waren erschöpft. Eine Grippe zwang ihn, sich in der belgischen Hauptstadt in eine Klinik einweisen zu lassen, wo er sich sprachlich nicht verständlich machen konnte. Da er die Klinikrechnung nicht zahlte, wurde er ausgewiesen.

Wer sich mit dem Gegenstand seiner Arbeit unendliche Mühe gibt, wird endlich doch belohnt werden. Die Schwierigkeit, sagt Minguel, liegt darin, daß ich gar nicht mehr angeben könnte, worin eine solche Belohnung noch liegen soll. So sehr bin ich in meiner Arbeit verwurzelt.

(1973)

ULRICH PLENZDORF

Dieser Salinger ist ein edler Kerl

Ich analysierte mich kurz und stellte fest, daß ich eigentlich lesen wollte, und zwar wenigstens bis gegen Morgen. Dann wollte ich bis Mittag pennen und dann sehen, wie der Hase läuft in Berlin. Überhaupt wollte ich es so machen: bis Mittag schlafen und dann bis Mitternacht leben. Ich wurde sowieso im Leben nie vor Mittag wirklich munter. Mein Problem war bloß: Ich hatte keinen Stoff. – Ich hoffe, es denkt jetzt keiner, ich meine Hasch oder das Opium. Ich hatte nichts gegen Hasch. Ich kannte zwar keinen. Aber ich glaube, ich Idiot wäre so idiotisch gewesen, welchen zu nehmen, wenn ich irgendwo hätte welchen aufreißen können. Aus purer Neugierde. Old Willi und ich hatten seinerzeit ein halbes Jahr Bananenschalen gesammelt und sie getrocknet. Das soll etwa so gut wie Hasch sein. Ich hab' nicht die Bohne was gemerkt, außer daß mir die Spucke den ganzen Hals zuklebte. Wir legten uns auf den Teppich, ließen den Recorder laufen und rauchten diese Schalen. Als nichts passierte, fing ich an, die Augen zu verdrehen und verzückt zu lächeln und ungeheuer rumzuspinnen, als wenn ich sonstwie high wäre. Als Old Willi das sah, fing er auch an, aber ich bin überzeugt, bei ihm spielte sich genausowenig ab wie bei mir. Ich bin übrigens nie wieder auf den Bananenstoff und solchen Mist zurückgekommen, überhaupt auf keinen Stoff. Was ich also meine, ist: Ich hatte keinen Lesestoff. Oder denkt einer, ich hätte vielleicht Bücher mitgeschleppt? Nicht mal meine Lieblingsbücher. Ich dachte, ich wollte nicht Sachen von früher mit rumschleppen. Außerdem kannte ich die zwei Bücher so gut wie auswendig. Meine Meinung zu Büchern war: Alle Bücher kann kein Mensch lesen, nicht mal alle sehr guten. Folglich konzentrierte ich mich auf zwei. Sowieso sind meiner Meinung nach in jedem Buch fast *alle* Bücher. Ich weiß nicht, ob mich einer versteht. Ich meine, um ein Buch zu schreiben, muß einer ein paar tausend Stück andere gelesen haben. Ich kann's mir jedenfalls nicht anders vorstellen. Sagen wir: dreitausend. Und jedes davon hat einer verfaßt, der selber dreitausend gelesen hat. Kein Mensch weiß, wieviel Bücher es gibt. Aber bei dieser einfachen Rechnung kommen schon ... zig Milliarden und das mal zwei raus. Ich fand, das reicht. Meine zwei Lieblingsbücher waren:

Robinson Crusoe. Jetzt wird vielleicht einer grinsen. Ich hätte das nie im Leben zugegeben. Das andere war von diesem Salinger. Ich hatte es durch puren Zufall in die Klauen gekriegt. Kein Mensch kannte das. Ich meine: Kein Mensch hatte es mir empfohlen oder so. Bloß gut. Ich hätte es dann nie angefaßt. Meine Erfahrungen mit empfohlenen Büchern waren hervorragend mies. Ich Idiot war so verrückt, daß ich ein empfohlenes Buch blöd fand, selbst wenn es gut war. Trotzdem werd' ich jetzt noch blaß, wenn ich denke, ich hätte dieses Buch vielleicht nie in die Finger gekriegt. Dieser Salinger ist ein edler Kerl. Wie er da in diesem nassen New York rumkraucht und nicht nach Hause kann, weil er von dieser Schule abgehauen ist, wo sie ihn sowieso exen wollten, das ging mir immer ungeheuer an die Nieren. Wenn ich seine Adresse gewußt hätte, hätte ich ihm geschrieben, er soll zu uns rüberkommen. Er muß genau in meinem Alter gewesen sein. Mittenberg war natürlich ein Nest gegen New York, aber erholt hätte er sich hervorragend bei uns. Vor allem hätten wir seine blöden sexuellen Probleme beseitigt. Das ist vielleicht das einzige, was ich an Salinger nie verstanden habe. Das sagt sich vielleicht leicht für einen, der nie sexuelle Probleme hatte. Ich kann nur jedem sagen, der diese Schwierigkeiten hat, er soll sich eine Freundin anschaffen. Das ist der einzige Weg. Ich meine jetzt nicht, irgendeine. Das nie. Aber wenn man zum Beispiel merkt, eine lacht über dieselben Sachen wie man selbst. Das ist schon immer ein sicheres Zeichen, Leute. Ich hätte Salinger sofort wenigstens zwei in Mittenberg sagen können, die über dieselben Sachen gelacht hätten wie er. Und wenn nicht, dann hätten wir sie dazu gebracht.

Wenn ich gewollt hätte, hätte ich mich hinhauen können und das ganze Buch trocken lesen können oder auch den Crusoe. Ich meine: Ich konnte sie im Kopf lesen. Das war meine Methode zu Hause, wenn ich einer gewissen Frau Wibeau mal wieder keinen Ärger machen wollte. Aber darauf war ich schließlich nicht mehr angewiesen. Ich fing an, Willis Laube nach was Lesbarem durchzukramen. Du Scheiße! Seine Alten mußten plötzlich zu Wohlstand gekommen sein. Das gesamte alte Möblement einer Vierzimmerwohnung hatten sie hier gestapelt, mit allem Drum und Dran. Aber kein lumpiges Buch, nicht mal ein Stück Zeitung. Überhaupt kein Papier. Auch nicht in dem Loch von Küche. Eine komplette Einrichtung, aber kein Buch. Willis alte Leute mußten ungeheuer an ihren Büchern gehangen haben. In dem Moment fühlte ich mich unwohl. Der Garten war dunkel wie ein Loch. Ich rannte mir fast überhaupt nicht meine olle Birne an der Pumpe und an den Bäumen da ein, bis ich das Plumpsklo fand. An sich wollte ich mich bloß verflüssigen, aber wie immer breitete sich das Gerücht davon in meinen gesamten Därmen aus. Das war ein echtes Leiden von mir. Zeitlebens konnte ich die beiden Geschichten nicht auseinanderhalten. Wenn ich mich verflüssigen mußte, mußte ich auch immer ein Ei legen, da half nichts. Und kein Papier, Leute. Ich fummelte wie ein Irrer in dem ganzen Klo rum. Und dabei kriegte ich dann dieses berühmte Buch oder Heft in die Klauen. Um irgendwas zu erkennen, war es zu dunkel. Ich opferte also zunächst die Deckel, dann die Titelseite und dann die letzten Seiten, wo erfahrungsgemäß das Nachwort steht, das sowieso kein Aas liest. Bei Licht stellte ich fest, daß ich tatsächlich völlig exakt gearbeitet hatte. Vorher legte ich aber noch eine Gedenkminute ein. Immerhin war ich soeben den letzten Rest von Mittenberg losgeworden. Nach zwei Seiten schoß ich den Vogel in die Ecke. Leute, das konnte wirklich kein Schwein lesen. Beim besten Willen nicht. Fünf Minuten später hatte ich den Vogel wieder in der Hand. Entweder ich wollte bis früh lesen oder nicht. Das war meine Art. Drei Stunden später hatte ich es hinter mir.

Ich war fast gar nicht sauer! Der Kerl in dem Buch, dieser Werther, wie er hieß, macht am Schluß Selbstmord. Gibt einfach den Löffel ab. Schießt sich ein Loch in seine olle Birne, weil er die Frau nicht kriegen kann, die er haben will, und tut sich ungeheuer leid dabei. Wenn er nicht völlig verblödet war, mußte er doch sehen, daß sie nur darauf wartete, daß er was *machte*, diese Charlotte. Ich meine, wenn ich mit einer Frau allein im Zimmer bin und wenn ich weiß, vor einer halben Stunde oder so kommt keiner da rein, Leute, dann versuch ich doch *alles*. Kann sein, ich handle mir ein paar Schellen ein, na und? Immer noch besser als eine verpaßte Gelegenheit. Außerdem gibt es höchstens in zwei von zehn Fällen Schellen. Das ist Tatsache. Und dieser Werther war ... zigmal mit ihr allein. Schon in diesem Park. Und was macht er? Er sieht ruhig zu, wie sie heiratet. Und dann murkst er sich ab. Dem war nicht zu helfen.

Wirklich leid tat mir bloß die Frau. Jetzt saß sie mit ihrem Mann da, diesem Kissenpuper. Wenigstens daran hätte Werther denken müssen. Und dann: Nehmen wir mal an, an die Frau wäre wirklich kein Rankommen gewesen. Das war noch lange kein Grund, sich zu durchlöchern. Er hatte doch ein Pferd! Da wär ich doch wie nichts in die Wälder. Davon gab's doch damals noch genug. Und Kumpels hätte er eins zu tausend massenweise gefunden. Zum Beispiel Thomas Müntzer oder wen. Das war nichts Reelles. Reiner Mist. Außerdem dieser Stil. Das wimmelte nur so von Herz und Seele und

Glück und Tränen. Ich kann mir nicht vorstellen, daß welche so geredet haben sollen, auch nicht vor drei Jahrhunderten. Der ganze Apparat bestand aus lauter Briefen, von diesem unmöglichen Werther an seinen Kumpel zu Hause. Das sollte wahrscheinlich ungeheuer originell wirken oder unausgedacht. Der das geschrieben hat, soll sich mal meinen Salinger durchlesen. *Das* ist echt, Leute!

Ich kann euch nur raten, ihn zu lesen, wenn ihr ihn irgendwo aufreißen könnt. Reißt euch das Ding unter den Nagel, wenn ihr es bei irgendwem stehen seht, und gebt es nicht wieder her! Leiht es euch aus, und gebt es nicht wieder zurück. Ihr sagt einfach, ihr habt es verloren. Das kostet fünf Mark, na und? Laßt euch nicht etwa vom Titel täuschen. Ich gebe zu, er popt nicht besonders, vielleicht ist er schlecht übersetzt, aber egal. Oder ihr seht euch den Film an. Das heißt, ich weiß nicht genau, ob es einen Film danach gibt. Es ging mir damit wie mit Robinson. Ich sah alles ganz genau vor mir, jedes Bild. Ich weiß nicht, ob das einer kennt. Man sieht alles so genau vor sich, als wenn man es im Film gesehen hat, und dann stellt sich heraus, es gibt überhaupt keinen Film. Aber wenn es tatsächlich keinen Salinger-Film gibt, kann ich jedem Regisseur nur raten, einen zu drehen. Er hat den Erfolg schon in der Tasche. Ich weiß zwar nicht, ob ich selbst hingegangen wäre. Ich glaube, ich hätte Schiß gehabt, mir meinen eigenen Film kaputtmachen zu lassen.

(1973)

BARBARA FRISCHMUTH

Haschen nach Wind

Sie stand so dicht vor der spiegelnden Auslagenscheibe, daß ihr Atem Spuren auf dem Glas hinterließ. Es war Mittagspause, das Geschäft war geschlossen, und sie mußte die Hände an die Scheiben legen, um genau sehen zu können. Von Zeit zu Zeit blickte sie auf ihre eigenen Schuhe hinab, die noch nicht einmal unmodern waren, aber sich um die Zehen herum bereits geworfen hatten, das Leder war von spinnenwebartigen Sprüngen überzogen und die Farbe nachgedunkelt. Die Schuhe, die sie drinnen sah, es gab nur ein einziges Paar, das ihr wirklich gefiel, waren nicht einmal so sehr teuer als luxuriös, paßten sie doch nur zu einem einzigen ihrer Kleider, zu diesem aber sehr, und sie stellte sich vor, wie sie am Sonntag nachmittag mit ihren Freundinnen in der Kaffee-Konditorei saß, wie sie dann in der Wärme und dem Zigarettenrauch die Beine übereinandergeschlagen und mit den Fersen wippen würde. Ein Paar violetter Schuhe zu einem violetten Kleid und dazu eine pinkfarbene Tasche ... aber die würde sie im ganzen Ort nicht zu kaufen kriegen. Es war trotz der Sonne eiskalt, und der Winter kroch an ihren Beinen hoch, daß sie sie noch fester zusammenpreßte. Wenn sie wollte, konnte sie anstelle der Schuhe ihr Spiegelbild in der Auslagenscheibe sehen und sie fragte sich, ob es stimmte, daß der Umfang der Oberschenkel zunahm, wenn man Mini-Röcke trug. Ihren Beinen hatte bis jetzt nichts etwas anhaben können, die Kälte nicht, noch das Wachsen, sogar die Turnlehrerin hatte zugeben müssen, daß das in ihrem Alter ungewöhnlich, bei ihr aber so war. Das bißchen Kälte würden sie schon aushalten, sie würde nur morgen eine wärmere Strumpfhose anziehen. Die Großmutter redete ohnehin dauernd von einer Eierstockgeschichte, die sie sich noch holen würde.

Die anderen standen schon bei der Autobushaltestelle am Hauptplatz, und als sie hörte, wie der Bus einfuhr, ging auch sie hin. Sie konnte sich Zeit lassen. Es würde eine Weile dauern, bis alle Leute, die in die Nachbarortschaft fuhren, eingestiegen waren, und da sie als erste im nächstgelegenen Weiler aussteigen würde, hatte es keinen Sinn sich vorzudrängen, wie das die Buben aus den unteren

Klassen taten, um auf der hintersten Sitzreihe, die nicht durch einen Gang geteilt war, nebeneinander sitzen und blödeln zu können.

Ihre Schulsachen hatte sie in einer Fluglinientasche über der Schulter hängen; es wußten zwar alle, daß sie noch zur Schule ging, aber man mußte es ihr nicht auch noch ansehen. Noch den polytechnischen Lehrgang und dann, dann würde sie endlich in die Lehre gehen, etwas verdienen. Tante Milli würde ihr einen Platz suchen, so schwierig konnte das nicht sein. Es herrscht ein Mangel an Lehrlingen, in jeder Branche, hatte sie Tante Milli einmal sagen hören. Sie würde schon das Richtige für sie finden.

Komm nur, komm ... sagte sie zu dem langhaarigen schwarzen Hund, der quer über den Hauptplatz auf sie zugelaufen kam, und den sie seit ihrer Kindheit kannte. Er gehörte dem Taxifahrer, der seinen Standplatz hinter der Autobushaltestelle hatte, und das Leben des Hundes spielte sich wie das seines Herrn auf diesem Platz ab.

Geh weg! rief sie gleich darauf, als der Hund, dessen weiches Fell sie an ihren Beinen gespürt hatte, ihr mit seiner naßkalten Schnauze unter den Rock gefahren war, wie er es meistens tat, und sie ein Gefühl hatte wie als kleines Kind, wenn sie im Klo die Hose zu früh raufgezogen hatte. Der Hund versuchte nun vorne an ihr hochzuspringen, aber sie wehrte ihn ab, indem sie: Sitz! und: Platz! rief, ohne daß der Hund sich sehr darum gekümmert hätte. Als sie aufschaute, merkte sie, daß ein paar von den größeren Burschen, die beinah zu jeder Tageszeit an einer bestimmten Stelle des Platzes herumstanden, ihr zugesehen hatten und mit der Zunge seltsame Bewegungen machten, wobei sie in Lachen ausbrachen.

Wie zu erwarten, bekam sie keinen Sitzplatz mehr und mußte, eingepfercht zwischen Männern und Frauen in schweren Lodenmänteln, die in der Wärme zu dampfen anfingen, dastehen, und einer von den Buben sagte etwas über ›die Liesi mit die schönen Füß‹ gerade so laut, daß sie es hören konnte. Anfangs hatte sie sich darüber geärgert, aber seit Tante Milli ihr gesagt hatte, sie solle froh sein, daß sie so was und nichts anderes sagten, machte es ihr nichts mehr aus. Sie war eben ›die Liesi mit die schönen Füß‹ aus der 4a. Und was ist mit meinen Augen, meinem Mund, meiner Nase, meinen Haaren? Ist das alles nichts? Wenn sie erst in der Lehre war und anfangen durfte, sich zu schminken, dann würden schon alle schauen. Auch die Haare wollte sie sich färben lassen, entweder ganz blond oder ganz schwarz, was besser zu ihr paßte, sie wollte es mit einer Perücke ausprobieren.

Draußen fuhr der kleine Fiat des Fachlehrers vorbei, und sie konnte nicht verhindern, daß es ihr heiß aufstieg. Früher hatte er sie manchmal mitgenommen, wenn sie den Autobus versäumt hatte. Er wohnte im selben Weiler wie sie, war fast ein Nachbar, und von ihrem Zimmerfenster aus konnte sie die umgebaute ehemalige Sommerküche sehen, in der er sich eingemietet hatte.

Sie roch den Geruch. Sie roch ihn immer, wenn sie von draußen hereinkam. Zumindest für ein paar Augenblicke. Den Geruch der beiden alten Leute, die sich nicht mehr oft badeten, denen das Waschen schon beschwerlich war, zumindest der Großmutter. Es war kein besonders ausgeprägter Geruch, kein Gestank in dem Sinn, aber sie roch es. Sie roch es an der Decke, die über der Eckbank lag, auf der sich der Großvater hinlegte, wenn er von der Arbeit kam und noch Zeit bis zum Essen blieb, sie roch es an den Handtüchern, sie roch es schon im Gang draußen, wo die Mäntel hingen.

Das Essen stand im Rohr, eine Schwammerlsauce, auf der sich eine dünne Haut gebildet hatte, und ein großer Semmelknödel, der langsam in sich zusammenfiel. Sie war letzten Sonntag wieder mit dem Großvater im Wald gewesen und da hatten sie Herrenpilze gefunden, die kaum angefressen waren, weder von den Schnecken, noch von Würmern. Eigentlich schade drum für eine Sauce. Aber die Großmutter hatte gesagt, sie könne nichts anderes, sie habe ihr Leben lang aus Pilzen immer nur eine Sauce oder eine Suppe gemacht und niemand könne verlangen, daß sie nun mit etwas anderem anfangen solle, wo sie es noch dazu gar nicht könne.

Während sie aß, sie hatte den Teller auf dem Schoß und saß auf der Wäschebank neben dem Herd, fiel ihr Blick auf das Hochzeitsbild ihrer Eltern, das im Spiegelrahmen über der Wasserleitung steckte, glitt über die deutlich sichtbar retouchierten Gesichtszüge zweier ihr fremder Menschen, die einander auf verlegene und doch freundliche Art in die Augen sahen. Sie hatte oft und oft versucht, sich an sie zu erinnern, zumindest an irgend etwas, das mit ihren Eltern zusammenhing, aber da war nichts, gar nichts und selbst wenn sie sich manchmal einbildete, sie müsse sich an etwas, das ihr die Großmutter erzählt hatte, erinnern können, wußte sie nicht, welches Gesicht sie dieser Erinnerung geben sollte, es fiel ihr immer nur das Hochzeitsfoto ein. Sie war doch zu klein gewesen, damals, als es passierte, als ihr Vater und ihre Mutter mit dem Motorrad vom Kirtag nach Hause fuhren, vom Weg abkamen und in einen Abgrund stürzten, der eigentlich eine Sandgrube war, die sehr tief abfiel. Die Herrenpilze hatten sie in der Nähe der Sandgrube gefunden.

Warum sie diesen Weg gefahren sind, versteh ich bis heute nicht, sagte der Großvater jedesmal, wenn sie dort vorbeikamen. Ausgerechnet diesen Weg, sie hätten doch auf der Straße näher gehabt. Und getrunken hat er auch nichts, der Friedl, ich versteh es einfach nicht.

Es war nie geklärt worden, warum die Eltern damals in den Tod gefahren waren, und der Vorfall überlebte als Legende, viele Leute datierten auch andere Ereignisse nach dem Jahr, in dem der Wiesenthaler Friedl mit seiner Frau in die Sandgrube gestürzt war, ohne einen Rausch gehabt zu haben, wie die anderen Kirtaggeher immer wieder bekräftigt hatten.

Und während der Großvater im Wald noch immer nach Spuren und Hinweisen suchte, die ihm das Unerklärliche klären helfen sollten, war für sie der Wald immer mehr der Ort geworden, in dem Rübezahl wohnte, ein Rübezahl mit einem weiten Lodenumhang und einem langen Bart, der auch sicher wußte, warum alles so gekommen war, bei dem die Fäden zusammenliefen, der aber auch seine Hand darüber hielt. Sie mußte oft an die Geschichte denken, die von zwei kleinen Kindern handelte, deren Eltern gestorben waren und denen Rübezahl und die schönste Tanne seines Waldes eine Jugend lang Eltern und Zuhause vorgespielt hatten, bis die Kinder groß genug waren, um hinaus in die Welt zu gehen. Und manchmal, wenn der Großvater besonders nett zu ihr gewesen war, überlegte sie, ob nicht zeitweise der Rübezahl in seine Gestalt geschlüpft sei, auch der Großvater kannte sich sehr gut aus im Wald, nur die Großmutter konnte sie sich nicht und nicht als Tannenfee vorstellen. In den letzten Jahren aber hatte sie immer seltener an den Rübezahl gedacht, meist nur dann, wenn ihr nachts von ihm geträumt hatte, auf eine angenehme, verwirrende Art, die sie bis in den Schulvormittag hinein irritierte, und sosehr diese Träume auch im einzelnen voneinander abwichen, eines hatten sie gemeinsam, nämlich daß der Rübezahl irgendwann seinen Lodenumhang über sie deckte, nachdem er sie aufgehoben und in die Arme genommen hatte und daß sie seinen Bart wie einen Bach über sich hinwegfließen hörte.

Sie horchte auf den lauten Atem der Großmutter, der schon wie Schnarchen war, das durch die geschlossene Tür des Nebenzimmers drang. Die Großmutter legte sich immer ins Bett, wenn sie sich hinlegte, nicht auf die Eckbank wie der Großvater, sie schloß die Läden und legte sich ins Bett, ohne sich auszuziehen, und lagerte ihren wehen Fuß auf mehrere Pölster, die sie übereinandertürmte.

Wenn sie dann gegen drei aufwachte, kam sie in die Küche gehumpelt und stellte Kaffeewasser auf. Seit Liesi in der vierten Klasse war, durfte sie Bohnenkaffee trinken, wenn auch nur mit viel Milch. Erst wenn der Kaffee angefangen hatte, seine Wirkung zu tun, wurde die Großmutter gesprächig. Das war dann der Zeitpunkt, wo Liesi ihre Schultasche nahm und hinauf in den oberen Stock ging, um ihre Schulaufgaben zu machen.

Die Sonne war wieder verschwunden und es windete stark, was sie an den Ästen des Nußbaums, die bis vor das Küchenfenster reichten, sehen konnte. Sie überlegte, was sie tun wollte, wenn sie die Aufgabe gemacht hatte. Vielleicht würde sie zu Herta hinübergehen und fragen, ob sie ihr helfen konnte. Herta war Schneiderin und Liesi half ihr manchmal bei den einfacheren Sachen, dafür nähte Herta ihr hin und wieder etwas. Der Weg zu ihr führte so am Häuschen des Fachlehrers vorbei, so daß er sie sehen konnte, wenn er bei seinem Schreibtisch am Fenster saß.

Herta war zwanzig und wollte bald heiraten, aber Liesi gefiel Thomas, der im selben Werk wie ihr Großvater arbeitete, nicht. Er hatte eine unreine Haut und schnitt sich beim Rasieren, so daß er immer irgendwo ein Pflaster kleben hatte. Ihr war unklar, warum er sich nicht wenigstens einen Bart wachsen ließ, und sie konnte sich nicht vorstellen, wie man es fertigbrachte, mit ihm zu schmusen. Sie hatte Herta einmal danach gefragt. Herta war zuerst böse geworden, dann aber hatte sie gesagt, daß sie sowieso nur im Finstern schmusen würden und da wären die Wimmerln nicht zu sehen. Außerdem würden diese vergehen, wenn sie ihm das richtige Essen kochte; von was anderem auch noch, nämlich von dem, was nach dem Schmusen kommt. Ich weiß, hatte Liesi darauf gesagt, aber wenn es nicht stimmt, wenn die Wimmerln nicht vergehen, dann stehst da.

Sie, Liesi, würde keinen Mann wollen, der Wimmerln hatte, auch nicht wenn die später vergingen. Sie wollte einen, mit dem man auch bei Tag schmusen konnte und der nicht immer irgendwo eine Blutkruste oder ein Pflaster kleben hatte.

Das Zimmer, in dem Liesis Bett stand, hatte einen schrägen Plafond, es war gleich unter dem Dach, daneben hatte sich früher das Schlafzimmer der Großeltern befunden, aber seit die Großmutter den wehen Fuß hatte, war das Schlafzimmer unten und das Wohnzimmer heroben. Das Wohnzimmer wurde ohnehin nur an Sonn- und Feiertagen benutzt und auch dann nur, wenn sie Besuch erwarteten. Dafür hatte der Großvater Liesi im

Vorjahr für ihr Zimmer einen kleinen Ölofen gekauft, damit sie ihm nicht eines schönen Tages erfriere, wie er sagte, ganz allein da droben.

Sie hatte das Mathematikbuch und das Hausarbeitenheft aufgeschlagen und wollte mit der Aufgabe anfangen, als der Bauch sie zu drücken begann, und sie noch einmal hinunter mußte, es gab nur unten ein Klo. Sie nahm gleich die Watte mit, sie war sicher, daß ihre Regel gekommen wäre, aber es war nichts. Sie ließ die Watte unten, wie sonst auch während dieser Zeit, außer ihr und den Großeltern wohnte ja niemand im Haus.

Sie würde sich Zeit lassen mit dem Heiraten, auch wenn sie schon zwanzig war, bis der Richtige kam. Einer, mit dem sie sich sehen lassen konnte, der sie überallhin mitnahm, auch ins Ausland, wenn er dort zu tun hatte oder auf Urlaub. Er mußte nicht reich sein, nur gut verdienen sollte er, damit sie sich was leisten konnten, und sie nicht bei jedem Paar Schuhe nachdenken mußte, zu wieviel Kleidern es paßte. Sie wollte mit ihm auch woanders wohnen, nur auf Besuch oder im Sommer hierherkommen, mit den Kindern, wenn sie einmal welche hatte, damit sie im Wald spazierengehen konnten und Heidelbeeren und Schwammerl suchen oder den Rübezahl. Aber bis dahin, bis es soweit war, würde sie einen Beruf haben und eine Menge Freunde und immer mit dem, der gerade am nettesten war, ausgehen oder mit ihren Kolleginnen auf Urlaub fahren, irgendwohin ans Meer, wo man schnell braun wird, und da würden sie schon ihre Hetz haben.

Liesi hatte nicht gewartet, bis die Großmutter aufgewacht war und nun hörte sie, wie sie, ans Geländer geklammert, den wehen Fuß nachziehend, heraufkam, um ihr eine Schale Kaffee zu bringen. Sie ging an die Tür und öffnete ihr, nahm ihr aber den Kaffee gleich ab, um zu verhindern, daß sie sich setzte und anfing, sie über den Tag und die Schule auszufragen.

Ich muß noch Rechnungen machen, sagte sie, und dann geh ich zur Herta rüber, sie soll mir noch bis Weihnachten ein Kleid machen.

Aus was denn? fragte die Großmutter. Du glaubst, du brauchst nur anzuschaffen und schon kriegst du alles.

Ihr stieg die Röte auf, mehr aus Zorn, denn aus Beschämung. Ich hab` den Großvater schon gefragt, und er hat ja gesagt. Ich brauch nur zu sagen, was für einen Stoff ich will.

Der Großvater hat dir schon immer alles reingesteckt.

Liesi ließ sie reden, sie wußte, daß die Großmutter wütend war, wütend darüber, daß sie keine Lust gezeigt hatte, sich von ihr ausfragen zu lassen und ihr den Tratsch aus dem Ort zuzutragen. Seit die Großmutter den wehen Fuß hatte, kam sie nur noch selten aus dem Haus und war um so neugieriger auf alles, was in der Umgebung geschah.

Weil du dir auch alles so kurz machen läßt, hörte sie die Großmutter, die wieder im Hinuntergehen war, noch sagen. Drum brauchst du auch dauernd was Neues. Und wachsen tust du auch noch.

Ich wachs nicht mehr, rief Liesi ihr nach, während sie die Tür schloß. Und zu sich selbst sagte sie, ich wachs nicht mehr, weil ich nicht mehr wachsen will. Ich bin groß genug für meine Figur.

Es war noch hell draußen, als sie ihre gelbe Flauschjacke, die beinah so lang wie der Rock war, überzog und zu Herta ging. Sie kam nahe genug am Häuschen des Fachlehrers vorbei. Er hatte bereits Licht brennen, und sie konnte ihn an seinem Schreibtisch sitzen sehen, wo er sicher Hefte korrigierte, die 3b hatte gestern Englisch-Schularbeit gehabt.

Und plötzlich überkam sie eine solche Sehnsucht, daß sie stehenblieb. Sie schaute sich um, ob niemand in der Nähe war, dann ging sie ein paar Schritte weiter auf das erleuchtete Fenster zu. Es war gerade noch hell draußen, so hell, daß er sie sehen mußte. Da fiel sein Blick, der über den Zeilen in den Heften hin und her geglitten war, auf sie, und sie sah, wie er sich auf die Lippen biß, sie einige Augenblicke anstarrte und dann mit der Hand das Zeichen machte. Sie nickte und drehte sich auf dem Absatz um. Erst als sie völlig außer Atem bei Herta ankam, merkte sie, daß sie ziemlich schnell gelaufen war.

Auch Herta hatte schon Licht brennen. Was bist denn so gelaufen? fragte sie. Damit mir warm wird, und Liesi rieb ihre Hände über dem Dauerbrandofen. Sie setzte sich, und Herta gab ihr verschiedene Kleidungsstücke, an denen die Heftfäden auszuziehen waren. Herta hatte das Radio aufgedreht und sie hörten zu, ohne viel miteinander zu reden.

Machst du mir das Kleid noch vor Weihnachten? fragte Liesi einmal zwischendurch.

Wenn du mir nächste Woche den Stoff bringst, im Dezember erstick ich dann in der Arbeit.

Ich werde es dem Großvater sagen, meinte Liesi, dann waren sie wieder still.

Sie hatten Ende September noch einen Schulausflug gemacht, eine Bergwanderung, es war nicht sehr weit bis zum Schutzhaus und auch nicht gefährlich. Es war warm gewesen, und das Laub hatte gerade erst angefangen, sich zu verfärben. Sie waren lange auf schattigen Wegen durch den Mischwald gegangen, dann durch Nadelwald, bis die Lichtungen immer größer wurden, und sie sich vor dem Schutzhaus auf die hölzernen Bänke, um die hölzernen Tische setzten, ihre Brote auspackten und dazu Coca-Cola tranken. Der Klassenvorstand hatte eine Gallenkolik und konnte nicht mitkommen, dafür hatten der Fachlehrer und die Turnlehrerin die Begleitung übernommen.

Der Fachlehrer hatte sich zu den Mädchen an den Tisch gesetzt, und sie zogen sich gegenseitig auf, waren auch ganz schön frech zueinander, ohne daß sich der Abstand dadurch verringert hätte. Sie hatten bis zum Vorjahr jemand anderen in Englisch gehabt. Der neue Fachlehrer aber war, verglichen mit den anderen Hauptschullehrern, noch ziemlich jung und sah auch gut aus.

Sie hatten sich anschließend in die Sonne gelegt und später waren sie herumgetollt wie die kleinen Kinder, und so hatten sie beinah die Zeit übersehen. Der Fachlehrer war mit der Turnlehrerin im Wald spazierengegangen, worüber sich die Mädchen die Mäuler zerrissen, aber so schön war die Turnlehrerin auch wieder nicht, und auf dem Rückweg war der Fachlehrer wieder bei den Mädchen geblieben und hatte ihnen über die Wurzelstrünke und die Weidengatter geholfen. Und weil sie sich vor lauter Lustigsein ziemlich Zeit gelassen hatten, kamen sie in die Dunkelheit und da war es dann auch, als der Fachlehrer ihr über ein Weidengatter half, daß seine Hand die ihre verfehlte und an ihren oberhalb der Kniestrümpfe nackten Beinen hinaufglitt, eine Zeitlang so, als suche er noch immer ihre Hand, doch dann war es etwas anderes, und sie spürte genau, daß es etwas anderes war, aber sie war so erschrocken, daß sie sich nicht rühren konnte, auch dann nicht, als der Fachlehrer die Hand wieder weggenommen, sie am Ellbogen gepackt und beinah angeschrien hatte, sie solle doch endlich kommen, sie würden sonst die anderen verlieren und wirklich, soweit sie das in der Dunkelheit ausnehmen konnte, waren die anderen schon weitergegangen, und als sie wieder Boden unter den Füßen hatte, spürte sie ihr Herz laut und wild klopfen.

Später dann im Ort hatten sie sich alle voneinander verabschiedet und der Fachlehrer war mit der Turnlehrerin in den Goldenen Adler gegangen, weil er, wie er sagte, nichts zu Hause hatte und die Luft ihn ordentlich hungrig gemacht hätte.

Es war bald Essenszeit und im Radio hatten die Sechsuhrnachrichten begonnen. Ich muß heim, sagte sie zu Herta, der Großvater ist sicher schon da. Sie ließ die Nähsachen auf dem großen Schneidertisch liegen und stand auf, ein wenig steif von der gekrümmten Haltung.

Willst du gleich ein Kind haben, wenn du den Thomas heiratest?

Ein Kind? Herta zog die Mundwinkel herunter. Damit hat es Zeit, aber wenn es kommt, ist es da. Immer die Pille ... das kann nicht gut sein. Da soll man leicht eine Embolie kriegen können, vor allem bei der sitzenden Lebensweise.

Wenn du einmal verheiratet bist, ist es so egal, sagte Liesi, nahm ihre Jacke und ging in die Nacht hinaus. Diesmal rannte sie am Häuschen des Fachlehrers vorbei, ohne stehenzubleiben. Es war zu dunkel, er hätte sie ohnehin nicht mehr sehen können.

Der Großvater saß schon bei der Suppe, als sie hereinkam.

Ich soll dir ausrichten, daß mir die Herta das Kleid noch vor Weihnachten macht, wenn ich ihr nächste Woche den Stoff bring.

Was für einen Stoff? Der Großvater blies die noch dampfende Suppe, bevor er den Löffel zum Mund führte.

Du weißt schon, den, den ich dir neulich in der Auslage gezeigt hab', auf dem Hauptplatz ...

Sag mir, was er kostet, der Stoff, und ich geb dir nächste Woche das Geld. Dir geht alles nach Wunsch, sagte die Großmutter, ich bin neugierig, ob du es später auch so erwischst, wenn du einmal einen Mann hast. Ob der auch immer ja und amen sagt, wenn du dir was einbildest.

Sie wird schon den Richtigen nehmen, da mach dir nur keine Sorgen, gelt Liesi! Und sie nickte dem Großvater zu, als gäbe es daran nicht den geringsten Zweifel.

Nach dem Essen spielte sie noch eine Partie Karten mit dem Großvater, während die Großmutter das Geschirr in den Abwasch stellte. Eigentlich hätte Liesi abwaschen sollen, aber als sie mit dem Kartenspielen fertig waren, hatte die Großmutter das Geschirr schon selbst gewaschen, und ihr blieb nur, es abzutrocknen und wegzuräumen.

Ist was im Fernsehen? fragte der Großvater. Liesi schüttelte den Kopf. Nichts, was mich interessiert.

Ich möcht' aber schon schauen, meinte die Großmutter und schaltete den Apparat ein. Liesi sagte, sie wolle noch was lesen, für die Schule, dann lief sie die Treppen hinauf, geräuschvoll wie immer, ging in ihrem Zimmer hin und her, man würde es unten hören können, richtete sich die Schulsachen für den nächsten Tag, die frischen Strümpfe und die Unterwäsche, schlug das Bett auf, füllte Wasser aus einem großen Krug in die Schüssel, die Wasserleitung befand sich unten, heroben hatte sie nur, was sie fürs Halswaschen und Zähneputzen brauchte. Als sie die Nachrichten im Fernsehen durch den Fußboden hören konnte, fühlte sie sich sicher genug, um die Treppe wieder hinunterzuschleichen. Sie hatte absichtlich nichts übergezogen, damit es keinesfalls so aussah, als wolle sie aus dem Haus. Die Tür der Veranda knarrte ein wenig, aber sie hoffte, daß das Fernsehen es übertönen würde.

Es empfing sie ein eiskalter Wind. Sie rannte, als gelte es ihr Leben, zum Häuschen des Fachlehrers hinüber. Vor das Fenster war ein dicker Vorhang gezogen, der kaum einen Schatten durchließ, und sie öffnete die Tür ohne anzuklopfen, damit niemand darauf aufmerksam wurde, daß der Fachlehrer noch Besuch bekam. Sie blieb im unerleuchteten Vorraum stehen und sah zurück auf das Haus, aus dem sie gekommen war. Das Zucken des blauen Lichts, das aus dem Fenster drang, beruhigte sie. Solange die Großeltern vorm Fernseher saßen, war sie sicher. Auch drinnen beim Fachlehrer lief der Fernseher. Am Programm ließ sich ablesen, wann ungefähr der Hauptfilm zu Ende sein würde. Es galt, das vorauszusehen, damit sie nach Möglichkeit bei Beginn der zweiten Nachrichten zu Hause war, denn um diese Zeit drehte die Großmutter den Fernseher ab, und es dauerte dann nicht mehr lange, bis sie schlafen ging, nachdem sie zuerst noch den Großvater wach gerüttelt hatte, der gewiß wieder auf der Eckbank eingeschlafen war. Und es folgte das große Gutenachtsagen, das sie nicht versäumen durfte.

Sie mußte zweimal klopfen, bevor die Tür im Zimmer sich öffnete. Der Fachlehrer füllte den Türrahmen fast zur Gänze aus, und der Bademantel, den er sich um die Schultern gelegt hatte, wirkte wie ein Umhang. Als er sie in der Dunkelheit gewahr wurde, nahm er sie an der Hand und führte sie, obwohl sie sicher war, daß man von draußen nichts sehen konnte, in den durch einen Wandschirm vom übrigen Raum abgetrennten Teil des Zimmers, der als Schlafraum diente und nur von dem blauen Licht des Fernsehers erleuchtet war. Er mußte gerade, auf dem Bett liegend, eine Zigarette geraucht haben, denn sie konnte die Einbuchtung seines Körpers auf der Bettdecke und die waagrecht in der Luft hängenden Rauchschwaden sehen. Das Bett war breit und niedrig, zu breit für einen, und sie fragte sich, ob der Fachlehrer es von eh und je darauf abgesehen hatte, ob, wenn sie es nicht wäre, an ihrer Stelle nun eine andere hier mit ihm liegen würde.

Sie redeten kaum miteinander. Du, sagte er bloß, während er sie auf das Bett setzte, deinetwegen werden sie mich noch schnappen, sie werden noch kommen und mich holen und dich auch. Er kniete vor ihr nieder und begann sie auszuziehen. Er fing bei den Schuhen an, dann zog er ihr den Pullover über den Kopf. Und dabei sah er sie unentwegt an, jeden einzelnen Teil von ihr, so als müsse er ihren Hals, ihre Arme und Beine jeweils gesondert studieren. Er riß auch nicht an den Knöpfen ihrer Bluse, sondern öffnete sie alle sechse, beinah vorsichtig und einen nach dem anderen. Dabei küßte er sie nicht einmal, auch dann noch nicht, als sie bereits mit nacktem Oberkörper und über der Brust verschränkten Armen dasaß und nur darauf wartete, daß er sie sich hinlegen hieß, damit er ihr die Strumpfhose und das Höschen abstreifen konnte. Erst dann, als sie zitternd vor Blöße dalag und sich nicht mehr anders zu helfen wußte, als daß sie die Arme nach ihm ausstreckte, beugte er sich über ihr Gesicht, fing an sie zu küssen und bedeckte dann mit seinem noch angekleideten Körper den ihren vollkommen. So blieb er eine Weile, völlig regungslos, seine Arme auf ihren Armen, seine Beine auf ihren Beinen, sein Leib auf ihrem Leib, nur sein Mund weidete in ihrem Gesicht, bis sie unter der Last kaum mehr atmen konnte und sich zaghaft aber hartnäckig dagegenzustemmen begann, worauf er: ich weiß, ich weiß, sagte, sich aufrichtete und dabei auszog. Inzwischen hatte sie, in der momentanen Nacktheit wieder fröstelnd, die Decke zurückgeschlagen und sich in dem breiten Federbett verkrochen, darauf wartend, daß er ihr nachrückte und seinen heißen schweren Körper an den ihren drückte, sie mit den Armen umschloß, sein Gesicht an ihren Wangen rieb und sie als Ganzes abküßte, ohne daß sie viel mehr getan hätte, als ihre Hände um seinen Hals zu legen, an dem sie sich dann festhielt, wenn er sie plötzlich hochzog und sich auf den Schoß setzte, daß sein Glied langsam in sie eindringen konnte, so als hätte er Angst sie zu zermalmen, wenn er über sie kam. Und sie ließ auch das mit sich geschehen, ohne vielmehr dabei zu tun, als sich an seinen Hals zu drücken, den sie fest umklammert hielt. Und während er sie von sich schob und an sich preßte, fiel ihr Blick immer wieder auf den Fernseher, ob sie es wollte oder nicht, und sie fürchtete, daß das Programm zu Ende sein könne, früher als sie beide dachten oder daß sie es übersehen könnten und wenn sie meinte, es dauere nun schon zu lang und ihr schon alles weh tat, fing sie ihrerseits an, ihn zu küssen, auf den Hals und die Brust und da war es ohnehin um ihn geschehen. Dann lagen sie noch eine Weile nebeneinander, er, den Kopf in die Pölster vergraben, sie, leicht über ihn gebeugt und da mußte sie ihm übers Haar fahren, manchmal weinte er auch, und sie fühlte sich gleichsam erwachsen, wenn sie ihn mit ihrem Streicheln trösten konnte. Einmal hatte er sie auch geschlagen und gesagt, sie sei ein Luder, aber als sie sich vor ihm zu fürchten begann, hatte er sie wieder in die Arme genommen, sie abgeküßt und gesagt, daß ihm schon recht geschähe und daß sie wieder-kommen müsse, er wisse sonst nicht, wohin mit sich.

Und sie war wiedergekommen, nicht jeden Tag, aber immer wieder, und wenn sie tags darauf in der Schule saß, und er Unterricht gab, wobei er sie kaum je ansah oder wenn, dann so wie die anderen, konnte sie sich nicht mehr vorstellen, daß er derselbe war, daß sie ihn hatte weinen und stöhnen sehen, und manchmal kam sie abends nur zu ihm, um sich zu vergewissern, daß sie nicht geträumt hatte, daß er wirklich der Fachlehrer war, von dessen Küssen ihre Lippen geschwollen waren.

Ich werd' gehen müssen, sagte sie und es war das erstemal, daß sie etwas gesagt hatte, außer dem Grüßen beim Kommen. Der Film wird gleich aus sein, die Musik ist schon so, daß er gleich aus sein wird, und sie deutete mit dem Kinn auf das flimmernde Bild. Ich weiß, ich weiß, sagte er. Und dann begann er sie anzuziehen, mit derselben Sorgfalt, nur etwas rascher, mit der er sie zuvor ausgezogen hatte und als er damit fertig war, nahm er einen Kamm von seinem Nachttisch und fuhr damit ihre Augen-brauen entlang und dann kämmte er ihr Haar.

Sie schlüpfte schaudernd vor der zu erwartenden Kälte durch den dunklen Vorraum ins Freie hinaus, versuchte nicht allzusehr zu laufen, damit sie nicht außer Atem kam und sich so verriet. Durchs Küchenfenster konnte sie sehen, daß die Nachrichten bereits begonnen hatten, und sie hörte die Großmutter: steh auf, Vater, es ist Zeit!, sagen. Diesmal gelang es ihr, die Verandatür ohne den geringsten Laut zu öffnen und sich wie ein Tier die dunklen Treppenstufen hinaufzuschleichen bis zum Lichtschalter oben, den sie aufdrehte und dann kam sie, rasch und geräusch-voll wie immer, die Treppe herabgepoltert, um im Klo zu ver-schwinden. Sie spürte, wie der Samen des Fachlehrers aus ihr hinausrann, dieser erkaltende Samen, von dem sie genau wußte, was er anrichten konnte, aber jetzt nahm sie die Pille, jetzt konnte nichts mehr passieren, sie mußte nur achtgeben, daß ihr die Großmutter nicht draufkam, daß sie die Pille nahm: in deinem Alter! würde sie sagen und einen Riesenwirbel machen, und als sie endgültig hinauf in ihr Zimmer ging, rief sie laut: gute Nacht! in Richtung Küche, was aber scheinbar nur die Großmutter gehört hatte, die ebenfalls: gute Nacht! rief, den Großvater hörte sie nur laut und herzhaft gähnen.

Es war Sonntag, und sie war fast den ganzen Vormittag im Bett geblieben anstatt in die Kirche zu gehen, aber da auch die Großeltern nicht in der Kirche gewesen waren, sagte niemand etwas. Nach dem Mittagessen war sie dann mit dem Autobus in den Ort gefahren und hatte sich mit Gerda und ein paar Mädchen aus dem polytechnischen Lehrgang in der Kaffee-Konditorei hinterm Hauptplatz getroffen, wo auch die Burschen um diese Zeit hinkamen, und sie hatten gekichert und groß getan, und ein paar von ihnen hatten auch geraucht, obwohl man das laut Verordnung erst ab sechzehn in der Öffentlichkeit darf, aber die meisten von ihnen sahen ohnehin älter aus.

Und dann waren sie alle miteinander, wie fast jeden Sonntag, wenn das Wetter so kalt und trüb war, ins Kino gegangen, in die Nachmittagsvorstellung um fünf Uhr. Es war kein besonderer Film gewesen, irgendeiner eben, um das ging es ohnehin nicht, sondern darum, daß sie miteinander herumblödeln konnten und daß man seine Sonntagskleider herzeigte, die man unter der Woche nicht anziehen durfte. In der Pause und während der Vorstellung wurden Briefchen geschickt und Botschaften von einem zum anderen getragen und Geschichten in Umlauf gesetzt, von denen die ganze Schule dann die Woche über zehrte.

Nach der Vorstellung war Liesi noch einmal verschwunden, um sich ihre Mütze vor einem Spiegel aufzusetzen und als sie zurück in den Kassenraum kam, sah sie unter den Leuten, die sich um Karten für die Abendvorstellung anstellten, den Fachlehrer, und als er drankam, verlangte er zwei Karten. In einiger Entfernung von ihm stand die Turnlehrerin und in ihrer ersten Bestürzung vergaß Liesi beinah, sie zu grüßen.

Siehst du, sagte Gerda, die beim Eingang auf sie gewartet hatte, die fangt ihn sich noch.

Gar nicht wahr, fauchte Liesi, die bestimmt nicht. Sie gingen durch die spärlich beleuchtete Straße, die sich über mehrere Buckel bis zum Hauptplatz hinzog, und manchmal wehte ihnen von einem unverbauten Grundstück her Dunkelheit und Kälte entgegen.

Was bist denn gleich so bös? fragte Gerda und drückte sich fröstelnd an sie. Sie hatte sich untergehakt und ließ sich ziehen. Der Abstand zwischen ihnen und den anderen Besuchern der Nachmittagsvorstellung, deren Stimmen noch deutlich zu hören waren, vergrößerte sich zusehends.

Was weißt denn du, sagte Liesi nach einer Weile und in einem Ton, der Gerda vor Neugier schneller gehen ließ.

Sag schon, redete sie auf Liesi ein, sag was du damit meinst, ich laß dir sonst keine Ruh!, und in ihrer gewalttätigen Art zog sie an Liesis Arm wie an einem Brunnenschwengel.

Hat er eine andere? Du mußt es ja sehen, wenn eine zu ihm kommt.

Die Turnlehrerin jedenfalls nicht, sagte Liesi mit dumpfer Stimme, so schön ist die wirklich nicht.

Wer denn sonst? Gerda zog ununterbrochen an ihrem Arm. Ich werd' wahnsinnig, wenn du es mir nicht sagst. Also wer ist es?

Na, wer schon, sagte Liesi, deren Stimme von Bedeutung schwer geworden war, und sie löste sich aus Gerdas Arm. Sie ging nun ein paar Schritte allein vor Gerda her, mit hoch erhobenem Kopf, als könne nichts auf der Welt ihr etwas anhaben, dabei dachte sie an die Angst, die sie manchmal gehabt hatte, nachdem sie einmal, als Gerda ihr damit auf die Nerven ging, daß sie dauernd sagte: ich steh auf den Fachlehrer, ich steh auf ihn!, geschrien hatte: und er steht auf mich!, worauf aber Gerda nur mit dem Herausstrecken der Zunge geantwortet hatte.

Das darf nicht wahr sein, stöhnte Gerda, die sich unwillkürlich aufs Hirn gegriffen hatte. Das gibt es gar nicht, was du da erzählst!, und sie lief Liesi nach und riß deren Arm wieder an sich.

Ich erzähl auch nichts, sagte Liesi, überhaupt nichts. Und wenn du auch nur einmal ein blödes Wort sagst, dann... dann tu ich dir was.

Aber Gerda gab nicht auf. Sie zerrte Liesi auf einen kaum beleuchteten Seitenweg, um sicher zu sein, daß ihnen niemand zuhörte, und dann begann sie in sie zu dringen, auf eine Art, gegen die man nicht ankonnte, der nicht zu widerstehen war.

Liesi bereute es immer mehr, auch nur eine Andeutung gemacht zu haben, und sie ging nur so weit, zuzugeben, daß der Fachlehrer sie einmal geküßt habe, alles andere stritt sie ab.

Und außerdem will ich ihn gar nicht, daß du dich auskennst, sagte Liesi, von mir aus kannst du ihn haben.

Gerda war wie aus dem Häuschen, und es dauerte eine Weile, bis sie sich wieder so weit beruhigt hatte, daß Liesi mit ihr zurück auf die Straße gehen konnte.

Das eine sag ich dir, wiederholte sie, bevor sie zur Autobushaltestelle kamen, wenn du auch nur einmal ein blödes Wort sagst... dann erlebst du was.

Aber es ging gar nicht darum, daß Gerda etwas sagte. Es war

natürlich möglich, genauso wie es möglich war, daß sie selbst etwas gesagt hatte. Ihr fiel auf, daß Gerda in der nächsten Englischstunde mehrmals hintereinander von ihr zum Fachlehrer und vom Fachlehrer wieder zu ihr her schaute, als müsse sich dabei irgend etwas offenbaren, das sie anscheinend noch immer nicht recht glauben konnte. Es half auch wenig, daß Liesi ihr in der Pause drohte, sie solle damit aufhören, sonst würde das und das passieren, denn Gerda machte es nicht so sehr aus Absicht, als unwillkürlich, um für das Ungeheuerliche einen Anhaltspunkt in der Wirklichkeit zu finden.

Liesi selbst begann sich dafür zu verachten, daß sie den Mund nicht hatte halten können, so sehr, daß sie darüber zeitweise ihre Wut über den gemeinsamen Kinobesuch vom Fachlehrer und der Turnlehrerin vergessen konnte. Und sie sagte sich immer wieder, daß er sich nach außen hin verstellen müsse, daß es sogar gut für sie beide wäre, wenn alle glaubten, daß er mit der Turnlehrerin ging. Es war sogar sehr gut, wenn niemand sich auch nur vorstellen konnte, daß etwas war zwischen ihr und ihm, aber es machte ihr auch klar, wie klein und unbedeutend sie war, wie wenig man mit ihr rechnete, auch wenn sie die ›Liesi mit die schönen Füß‹ war, und das erfüllte sie mit einer Art von Bitterkeit, die ihren Tribut in der Form von Vorstellungen forderte, was zum Beispiel geschähe, wenn sie zur Turnlehrerin ginge und ihr die Wahrheit sagte, was dann überhaupt passieren würde, mit dem Fachlehrer vor allem, aber auch mit ihr. Und manchmal verstieg sie sich dabei bis zu dem Gedanken, daß das alles in ihrer Hand lag.

Sie war bei Herta gewesen, um ihr den Stoff für das Kleid zu bringen, hatte ein wenig geholfen und ging nun, ein paar Zeitschriften unterm Arm, zurück nach Hause, so langsam wie möglich, hoffend, der Fachlehrer würde vielleicht gerade in dem Augenblick nach Hause kommen, und sie könne ihn sehen und auf das Zeichen warten. Aber es blieb dunkel in seinem Fenster, und sie hörte auch kein Auto kommen.

Nun lag sie bereits im Bett und schaute sich die Zeitschriften an, las die Artikelserie über Ehen mit Ausländern und welche Gymnastik man während der Schwangerschaft betreiben sollte, und da kam es plötzlich wie ein großes Zittern über sie, nämlich daß es zu spät sei, daß sie selbst schon schwanger war, und sie drückte mit aller Gewalt beide Hände gegen ihren Bauch, daß sie es, wie sie meinte, bis in die Wirbelsäule spüren konnte, und es war ihr unmöglich sich vorzustellen, daß in ihrem Bauch bereits etwas zu wachsen begonnen hatte.

Diesmal hast du die Tage aber lang, hatte die Großmutter am Nachmittag zu ihr gesagt, oder hast du die Watte unten vergessen? und da war ihr eingefallen, daß sie die Watte schon vor über einer Woche hinuntergetragen hatte. Es konnte nichts sein, sie hatte die Pille genommen, vielleicht hatte sie einmal einen Tag lang drauf vergessen, aber das glaubte sie nicht, denn es war sich ganz genau ausgegangen. Doch was sollte sie davon halten, daß sie nun die Regel nicht bekam? Es stand ja da, in einer von den Zeitschriften, daß man nicht gleich ein Kind bekommen mußte, wenn die Regel ausblieb, auch nicht wenn sie länger als zwei Wochen ausblieb, aber man sollte auf alle Fälle zum Arzt gehen, vielleicht war was mit den Eierstöcken und beinah erleichtert dachte sie an die Warnungen der Großmutter wegen ihrer Mini-Röcke. Ihr war nur unheimlich, daß sie so gar nichts spürte, daß ihr so überhaupt nichts wehtat. Und wenn sie zum Arzt ging, es gab nur einen einzigen Frauenarzt in der Gegend, und wenn sich herausstellte, daß sie doch schwanger war, dann wußte er es gleich und dann war nichts mehr zu machen, er kannte sie ja, er kannte sie, wie jeder jeden im Ort und um den Ort herum kannte. Aber sie hatte doch die Pille genommen, wirklich genommen, bis auf das eine, das erste Mal, und jener Abend schien ihr plötzlich so weit weg, so unglaubwürdig, daß er ihr wie geträumt vorkam, und so hatte auch alles angefangen.

Es war nachts noch ziemlich warm gewesen und sie hatte nicht schlafen können und war aus einem rätselhaften Grund wieder aufgestanden, was sie sonst nur getan hatte, wenn ihr vom Rübezahl träumte, und war hinuntergegangen, ganz leise, es muß schon nach Mitternacht gewesen sein, und da hatte sie auf einmal das Auto des Fachlehrers gehört und gesehen, wie er die Tür öffnete, aber nicht ausstieg, nur ein paar Schritte über die Wiese hatten sie davon getrennt. Sie konnte im Mondlicht sehen, wie er übers Volant gebeugt dasaß, und da hatte sie nicht widerstehen können und war auf ihn zugegangen und vor dem Auto stehengeblieben. Er hatte sie nicht einmal gleich bemerkt, erst als sie schon zu frösteln begann und von einem Fuß auf den anderen stieg, sie hatte unter ihrem Staubmantel nur das Nachthemd an. Und da hatte er sie plötzlich angesehen und etwas von ihren Beinen gesagt, und sie hatte immer nur geschwiegen und gedacht, daß er etwas getrunken hatte, denn es roch aus dem Auto nach Sliwowitz, sie kannte den Geruch vom Großvater her.

Was machst du hier? hatte der Fachlehrer sie gefragt, als er endlich ausgestiegen war, mitten in der Nacht? Es brannte nirgends mehr Licht in den paar Häusern, nur der Mond war hell und voll, so daß sie einander gut sehen konnten. Ich hab' nicht schlafen können, sagte sie mit gesenktem Kopf, als ob das eine Erklärung hätte sein können.

Der Fachlehrer lachte, aber es klang nicht fröhlich, dann meinte er: verschwind, ich bitte dich um alles in der Welt, verschwind so schnell du kannst!

Sie aber war stehengeblieben, wie angeschraubt und hatte nur den Kopf immer tiefer gesenkt, ohne zu wissen, warum sie nicht wegging, weglief, wie er es von ihr wollte, und dann hatte sie seine Hand unter ihrem Kinn gespürt, und als er ihr Gesicht so weit aufgehoben hatte, daß sie ihm in die Augen sehen mußte, konnte sie nicht anders, als ihn anlächeln, und da schlug er sie ins Gesicht, daß sie taumelte, aber noch bevor sie fiel, fing er sie auf und redete tröstend auf sie ein, das habe er nicht gewollt, sagte er immer wieder, das habe er wirklich nicht gewollt, und während er so redete, hatte er sie aufgehoben und in sein Häuschen getragen, im Dunkeln beinah über die Schwelle stolpernd, und so waren sie beide nebeneinander auf dem Bett zu liegen gekommen, das von der Früh her noch offen war.

Und sie war einfach liegen geblieben, mit klopfendem Herzen und hatte gewartet, gewartet auf das, was nun geschehen würde, ob der Fachlehrer sie so, wie sie es aus dem Kino kannte, umarmen und küssen würde oder ob er, sich daran erinnernd, wer er war und wer sie, sich nur neben sie legen, eine Zigarette rauchen, und sie dann, nachdem er die Zigarette geraucht und es sich überlegt hatte, hinausschmeißen würde.

Eine Zeitlang geschah gar nichts, und sie glaubte schon, er wäre eingeschlafen und wollte über ihn hinwegkriechen, um sich davonzustehlen, wobei sie ihn mit der Hand, nach Halt suchend, berührt haben mußte, denn er richtete sich sofort auf, und sie konnte sehen, wie er den Kopf schüttelte. Dann nahm er sie, drückte sie an sich, hielt sie wieder von sich weg und schüttelte wieder den Kopf. Ach du, sagte er dann, du bist ja noch ein Kind, flach wie ein Brettl. Gar nicht wahr, hatte sie geantwortet und unwillkürlich den Mantel geöffnet.

Ist das dein Nachthemd? fragte der Fachlehrer.

Ich hab' nicht schlafen können, sagte sie noch einmal und senkte wieder den Kopf, und da hatte er angefangen sie zu küssen, und ihr war beinah das Herz im Leib zersprungen.

Ihr war es nur ums Liebhaben gegangen, ums Umarmen und Küssen, und als er ihr zuerst den Mantel und dann das Nachthemd ausgezogen hatte, und sie begriff, daß es aufs Ganze hinauslaufen würde, da hatte sie doch Angst bekommen.

Nimmst du wenigstens die Pille? hatte der Fachlehrer sie gefragt, und sie hatte ja gesagt, weil sie sich schämte, nein sagen zu müssen, wo sie doch wußte, daß eine Reihe von Mädchen in ihrer Klasse die Pille schon nahmen. Sie wußte auch, wer die Pille verkaufte, bei wem man sie kriegen konnte, wenn man sie brauchte.

Und dann hatte sie doch geweint, als es passiert war, obgleich sie es sich von Herta oft genug hatte beschreiben lassen, so daß sie ganz genau zu wissen glaubte, wie es sein würde. Der Fachlehrer aber mußte plötzlich wieder ganz nüchtern gewesen sein, denn er schrie sie an, sie hätte es ihm vorher sagen müssen, sie hätte es ihm auf jeden Fall sagen müssen, dann aber hatte er sie wieder in die Arme genommen, geküßt und gesagt, daß es ohnehin einmal geschehen wäre und vielleicht sei es sogar gut, daß er es getan hätte, vor allem gut für sie, bei ihm sei es etwas anderes, denn wenn das jemand erführe, wäre es besser, er würde sich gleich irgendwo hinunter- stürzen und es wäre alles vorbei.

Es war aber nicht vorbei und auch nicht aus und sie hatten sich wiedergesehen, und beim nächsten Mal hatte ihr der Fachlehrer selbst ein paar Packungen mit der Pille gebracht, damit nicht noch was passierte, beim ersten Mal hätte man ohnehin einen Schutzen- gel, und das glaubte sie auch, denn es hatte niemand bemerkt, daß sie fast die ganze Nacht aus dem Haus gewesen war.

Wenn aber doch was passiert war? Sie wünschte sich, daß der Fachlehrer zu Hause wäre, daß sie hinübergehen und ihn fragen könnte, was sie tun sollte. Und dann stellte sie sich vor, wie der Fachlehrer im Goldenen Adler saß und sich mit der Turnlehrerin unterhielt, sie hatten schon gegessen und tranken noch etwas Wein, Haß stieg in ihr auf und sie dachte daran, daß sie dieses Bild mit einem Schlag zerstören konnte, sie brauchte nur ein Wort zu sagen, ein einziges Wort, und der Fachlehrer würde nie mehr oder zumindest lang nicht mehr im Goldenen Adler sitzen und Wein trinken können. Die Frage war nur, was dann mit ihr geschah, ob sie dann wirklich in eine Erziehungsanstalt mußte, wie es immer hieß, und ob es auch nicht half, wenn der Fachlehrer sie heiraten wollte. Aber es half sicher nicht. Sie hatte von so einem Fall gehört, und da hatte es auch nichts geholfen.

Am nächsten Morgen mußte sie sich nach dem Aufstehen übergeben, und die Großmutter meinte, sie solle von der Schule zu Hause bleiben und sich wieder hinlegen, gewiß brüte sie irgend etwas aus, aber da sie sich im allgemeinen leicht und ohne schwerwiegenden Grund erbrach, fiel es nicht weiter auf, und sie bagatellisierte es auch noch, indem sie behauptete, in der Nacht die ganzen Süßigkeiten, die ihr von ihrem Namenstag her geblieben waren, auf einen Sitz aufgegessen zu haben. Jetzt sei ihr jedenfalls leichter, und sie könne ruhig in die Schule gehen, die Großmutter solle ihr nur anstatt Kakao einen Kamillentee kochen und dazu eine Semmel bähen.

Nach allem, was sie darüber wußte, war sie nun sicher, daß sie schwanger war, obgleich es natürlich noch immer etwas anderes sein konnte, aber jetzt getraute sie sich erst recht nicht, zum Arzt zu gehen.

Sie hatte schon daran gedacht, sich an Tante Milli zu wenden, ihr zuerst zu schreiben, und sie dann während der Weihnachtsferien zu besuchen, aber der Mut dazu verließ sie bald. Ihr wurde klar, daß sie Tante Milli in Wirklichkeit kaum kannte, daß sie sie eigentlich nur ein paarmal gesehen hatte, wenn sie zufällig für ein oder zwei Tage aus der Stadt kam, um zu sehen, ob noch alles beim alten war. Gerade Tante Milli aber hatte ihr eingeschärft, ja auf sich achtzugeben, als Frau könne man gewisse Dinge nie mehr ins Lot bringen. Wenn man sich das Leben einmal verpatzt habe, sei da keine Chance mehr, aber man wäre selbst schuld daran, helfen würde einem kein Schwein. Ein verpfuschtes Leben sei ein verpfuschtes Leben, und daran habe auch die heutige Zeit nicht viel geändert.

Liesi hatte es sich ganz anders vorgestellt, endgültiger, vehementer, absoluter, aber ein Teil ihrer Kraft ging auf für die tägliche Verstellung, für die täglichen Verrichtungen, die ihr gewöhnliches Leben erzwang, und die zu vernachlässigen oder gar aufzugeben, einer Preisgabe ihres Zustands gleichgekommen wäre, und das wollte sie nicht. Solange kein Mensch etwas davon wußte, konnte sie noch auf ein Wunder hoffen, darauf, daß sie eines Morgens aufwachen, ihre Regel haben und wie neugeboren sein würde. Dann aber würde sie sich gewiß vorsehen, daß ihr so was nicht noch einmal passierte.

Es kam selten vor, aber manchmal doch, besonders vor dem Einschlafen, daß sie die Möglichkeit durchspielte, es einfach geschehen zu lassen, das Kind zu bekommen und eine Weile nicht in die Schule zu müssen. Sie sah sich mit einem Kinderwagen durch den Sommer gehen und in irgendeiner Illustrierten würde vielleicht ein Foto von ihr erscheinen, als der jüngsten Mutter des Jahres. Später dann konnten die Großeltern auf das Kind aufpassen, der Großvater ging ohnehin im nächsten Jahr in Pension, während sie in den polytechnischen Lehrgang oder in eine Lehre ging, und sie mußte vielleicht gar nicht in die Erziehungsanstalt. Doch sie fürchtete, daß der Großvater, sobald er es erfuhr, seine alte Pistole aus dem Schrank nehmen, zum Fachlehrer hinübergehen und ihn auf der Stelle erschießen würde. Angeblich hatte er seinerzeit auch den Besitzer der Sandgrube, in die ihre Eltern gestürzt waren, erschießen wollen, man hatte ihn nur mit Mühe davon abhalten können, und der Sandgrubenbesitzer wohnte auch nicht in der Nähe. Sie aber wollte nicht, daß der Großvater den Fachlehrer erschoß, auch dann nicht, wenn er gar nicht daran dachte, sie zu heiraten, weil er ohnehin ins Gefängnis mußte.

An einem der nächsten Abende, als sie von Herta, das fertige Kleid überm Arm, zurückkam, sah sie den Fachlehrer wieder hinter seinem Schreibtisch am Fenster sitzen, und da er sie nicht und nicht bemerkte, nahm sie allen Mut zusammen und ging zu ihm hinein, selbst auf die Gefahr hin, von jemandem gesehen zu werden, lange konnte sie ohnehin nicht bleiben, solange der Großvater wach war. Sie vergaß auch nicht, schon an der Vorraumtür anzuklopfen, wie es sich gehört, und der Fachlehrer kam an die Tür, gewiß jemand anderen erwartend, denn sie sah, wie er erschrak, als er sie erkannte.

Was machst du hier, um diese Zeit ... und es sah aus, als wisse er nicht, ob er sie einlassen oder an der Tür abfertigen sollte.

Ich kann ja wegen der Aufgabe fragen kommen ... sagte sie, ihm mit einer Ausrede, die für die anderen plausibel klingen würde, aushelfend.

Dann komm rein und setz dich ... dorthin ... und zum erstenmal saß sie im vorderen Teil des Raumes, den man von draußen sehen konnte, solange der Vorhang nicht zugezogen war.

Er setzte sich wieder an den Schreibtisch, und bevor sie noch etwas sagen konnte, fing er damit an, daß es aufhören müsse zwischen ihnen. Irgendwann würde alles aufkommen, und dann müsse er ins Gefängnis und sie in die Erziehungsanstalt. Es wäre überhaupt ein Wahnsinn gewesen, das Ganze, er wisse gar nicht mehr, wie es dazu überhaupt hatte kommen können. Sie sei doch ein gescheites Mädchen, das noch das ganze Leben vor sich habe, sie würde schon verstehen, daß aus ihnen beiden nichts werden könne, am besten, sie würde das, was zwischen ihnen gewesen war, ganz und gar vergessen, was auch er versuchen wolle, so schwer es ihn ankäme. Er sei nur froh, daß er ihr gleich am Anfang die Pille gebracht habe, nicht auszudenken, was das Ganze sonst noch für Folgen hätte haben können.

Und als sie immer noch nichts sagte, nur den Kopf immer tiefer sinken ließ, spürte sie seine Hand unterm Kinn, die er aber gleich wieder zurückzog, als ihm einfiel, daß man das von draußen sehen konnte. Und er meinte mit dem liebedienerischen Ton eines, der schon glaubt, davongekommen zu sein: es hängt von dir ab, ich bin in deiner Hand! So als müsse ihr das Verzichten leichter fallen, wenn es von ihr ausging, wenn sie das Gefühl hatte, auch anders zu können.

Ich weiß, sagte sie, und sie brachte es nicht über sich, von ihrer Angst zu reden. Und die Turnlehrerin? fragte sie noch, was ist mit der?

Dummerl, sagte er, das ist eine Kollegin. Du sitzt ja auch mit den Burschen in der Kaffee-Konditorei und redest mit ihnen.

Also dann geh ich, sagte sie und stand auf. Er brachte sie ins dunkle Vorzimmer und da wagte er es sogar, ihr einen Kuß auf die Lippen zu drücken: versuch halt, das Ganze zu verstehen, wenigstens ein bißchen!

Sie ging, die Arme mitsamt dem Kleid um den Leib geschlagen, schwer und nachdenklich zum Haus ihrer Großeltern zurück. Während des Abendessens war sie so schweigsam und geistesabwesend, daß der Großvater sie mehrmals fragte, was sie denn habe. Die Großmutter aber meinte, in dem Alter wären sie alle so oder sie brüte vielleicht doch was aus, und dann zwang sie sie, einen Lindenblütentee zu trinken, der sie so müde machte, daß sie droben sogleich, ohne sich auszuziehen, aufs Bett fiel und einschlief.

Als sie wieder aufwachte, hörte sie den Fernseher durch den Fußboden herauf. Sie hatte einen seltsamen Traum gehabt, der Fachlehrer war auf sie zugekommen und hatte plötzlich zu wachsen begonnen, bis er in der Mitte auseinanderbrach und der Rübezahl aus ihm hervortrat, der die Haut des Fachlehrers zusammenknüllte und in einen Bach warf. Dann nahm Rübezahl sie auf die Arme, deckte seinen Umhang über sie und brachte sie in den Wald.

Und mit einemmal kam ihr alles so nichtig vor, daß sie es nicht einmal mehr der Mühe wert fand, sich zu kämmen, obwohl ihr Haar gewiß vom Schlaf her zerrauft war. Es gab nichts mehr, woran sie denken konnte, ohne daß es sich nicht sofort in Bedeutungslosigkeit auflöste, und von dort aus, wo sie sich befand, ging nichts mehr weiter, konnte man nur mehr fallen, je früher desto besser.

Sie ging die Treppen hinunter, ohne Rücksicht darauf, ob jemand sie hören würde. Vielleicht hoffte sie sogar, daß jemand sie hören, sie zurückhalten und ihr alles abnehmen würde, aber es hörte sie niemand. Sie ging den Weg zum Wald, den sie von den vielen Spaziergängen her fast auswendig kannte, und ihr Fuß fand ihn, schneller als ihrem Kopf lieb war. Aber es kam alles aufs selbe heraus. Es war kalt, sehr kalt, und je kälter ihr wurde, desto mehr verlor der Gedanke an Reiz, daß auch der Fachlehrer nicht so einfach davonkommen würde. Es erfüllte sie nicht einmal mehr mit Genugtuung.

(1974)

Fast eine Anekdote

Mutter hatte sich daran gewöhnt, sagte Lisa, daß ich mich in ihrer Nähe aufhielt, obwohl sie es nicht mehr merkte und manchmal erschrak, wenn ich mich im Zimmer rührte, dann aufschrie, auf mich zustürzte, wo ich gottverdammtes, häßliches Balg herkäme, habe sie mich nicht aufs Internat geschickt für teures Geld?, ob ich abgehauen sei, und wenn ich sie aufklärte, sie habe mich holen lassen, ich hätte nicht mit ihr auf diese Tournee gehen, in Hotels zusammen mit ihr leben wollen, sie habe nach mir gerufen, weil sie sich vor allem an den Vormittagen elend fühle, schrecklich allein, dann solle wenigstens diese unselige Mieze hier sein – wenn ich ihr dies erzählte, schlief sie schon wieder oder schminkte sich oder lief in einem idiotischen schwarzen Korsett durchs Zimmer, taub, in sich versunken, wahrscheinlich ohne Gefühle oder so von Gefühlen zerrissen, daß sie nichts als einen dauernden, ihre Seele, ihren Leib, ihr Herz, ihren Kopf ausfressenden Schmerz empfand, sonst nichts, am Ende zu wimmern anfing, Tabletten schluckte, Wasser in die Badewanne laufen ließ, es vergaß, bis alles unter Wasser stand und eine Truppe von Zimmermädchen und Hausdienern wieder alles in Ordnung bringen mußte, schließlich war sie, wenn auch gefürchtet und verachtet, ein berühmter Gast, dem die Reporter nachstellten – nicht mehr so, wie noch vor Jahren – und auch die Männer noch, die mit ihr nur schlafen wollten, mit einem weißen, weichen, fügsamen Leib, krank und in der Liebe vielleicht selig – ja, ich habe sie sehr geliebt.

Helen hatte das Kind bekommen, sie hatte es aus der Hand gegeben, tauchte manchmal, an späten Nachmittagen, in dem aufwendig eingerichteten Zimmer auf, alles aus rosanem Tüll, einer Gruft aus Tüll, in der es nach Puder stank, nassen Windeln und dem billigen Parfüm der Kinderschwester, die sie kaum begrüßte, immer ihren Auftritt probend, ihre Rolle spielend, oft schon ein wenig betrunken, lärmend, sich fahrig bewegend, oder im Tablettenrausch, halb blind, sich an der Tür, den Wänden, dem Kinderbett haltend, eine aus den Fugen geratene Helena – geht es *dem* gut? fragte, rülpste, sich mit den kleinen dicken Händen an den Hals griff; sie nannte das

Kind nie beim Namen, nur ›es‹, als habe sie auch sein Geschlecht vergessen; sie hatte nach der Geburt nicht gefragt, ob es ein Junge, ein Mädchen sei; die Schwester stellte sich eingeschüchtert vor das Bett, denn sie wußte, die Frau würde das Bündel aus dem rosa Geflock reißen, es würde brüllen, sich lange nicht beruhigen lassen nach diesem Besuch: sie schläft, sagte sie, bitte; doch sie wurde zur Seite gestoßen, und schon hörte sie das Kind schreien, das hysterische Beruhigungsschnalzen der Frau; sie geht, schlägt die Tür zu, das Kind wimmert, hineingerissen in einen Schmerz, der in Haß umschlagen würde oder in Liebe: diese sie würgende Mischung aus Wut und Barmherzigkeit.

Helen hatte sie vergessen. Meine Mutter, sagte Lisa in der Schule, meine Mutter muß singen, muß auftreten, sie kann mich nicht brauchen; die Mädchen bewunderten Helen, sammelten Bilder von ihr, aus ihrem letzten Film, der sie wieder groß gemacht hatte nach Jahren der Depression, der Auflösung, Aufenthalten in Kliniken; sie hatte in Zwangsjacken gesteckt, tagelang gefesselt, ein hilfloses Kind mit stumm aufgerissenem, blutrot angemaltem Mündchen – sie schminkte sich eine weiße Maske, Reispuder, du mußt Reispuder auftragen, Lisa, dann glühen deine Augen, und sie starren alle auf deinen Mund.

Die wenigen Briefe, die Helen ihr geschickt hatte, hatte Lisa aufbewahrt; sie erzählten Belanglosigkeiten, stellten Fragen, die keine Antwort wünschten – in einer kindlichen, die Buchstaben rund nachziehenden Schrift, voller Fehler, und in jedem Brief beteuerte Helen, sie würde ganz, ganz gewiß bald zu Besuch kommen, sie freue sich unendlich auf ein Wiedersehen; sie kam nicht ein einziges Mal.

Drei Tage nach ihrem vierzehnten Geburtstag, Lisa vergaß es nie, wurde sie von einem Fremden angerufen, der behauptete, Helens Impresario zu sein, sie solle es ihm glauben, es sei dringend, sie werde morgen abgeholt, Helen gehe es schlecht, er werde ihr alles sagen, sobald sie da sei, das habe seine Geschichte, und diesen Satz wiederholte er mehrmals, ja, das habe seine Geschichte, bat sie, ihn Robert zu nennen; sie müsse kommen; Helen sei zusammengebrochen, sie habe sich übernommen, jeden Abend auftreten, und so, wie sie ist, wie sie es tut: wir haben sie gewarnt!, hören Sie mich, Lisa, hören Sie zu? ja; es war ihr, was sie erstaunte, gleichgültig, wie es ihrer Mutter ging, ob sie noch lebte; sie kannte sie nicht mehr, sie hatte sie fast vier Jahre nicht gesehen, nur auf Bildern, im Film: eine aufgedonnerte, aufgedunsene Frau mit bleich geschminktem Gesicht – und immer die eine Geste, die Arme vom Leib gerissen, die

Finger gespreizt: ein Triumph, den sie nicht verstand, der ihr lächerlich vorkam. Ich habe sie nie geliebt.

Sie war fast tot, sie hatte das Leben aus sich herausgewimmert, gestöhnt, gebrüllt; die Müdigkeit preßte ihr Gesicht; sie lag aufgebahrt in einem riesigen Hotelzimmer, das die Unordnung zerstört hatte; ein halbes Dutzend Leute umgab sie flüsternd, sich schattenhaft bewegend, man habe, sagte ihr einer, den Magen ausgepumpt, sie hat Tabletten geschluckt, eine irrsinnige Menge; der Mann kichert; sie steht neben dem Bett, sieht das sich auflösende Wesen, hört das hilflose Gemurmel des Anhangs, beugt sich über die Frau, haucht ihr auf die Stirn, Helen öffnet die Augen, wirft den Kopf eine Weile hin und her, sagt sehr deutlich:
Du bist Lisa. Du bist gekommen. Schmeiß die Kerle raus, Lisa.
Helen wurde nicht gesund, sie war nie gesund gewesen. Sie trank, sie trieb sich den Schmerz mit Tabletten aus. Nur auf der Bühne, wenn sie spielte, sang, vergaß sie das sie aushöhlende Brennen, die Einsamkeit, an der sie allmählich erstickte, oder in den Armen der Männer, die sie rasch wechselte und manchmal aus der Erinnerung rief, fatale Gesichter einer langen, entsetzlichen Reise durch Tage, in denen die Nacht ausbrach, und durch die Nächte, von deren Licht sie lebte. An dem einen Tag war sie reich, an dem anderen verarmt, ließ anschreiben, und die Portiers behandelten sie hochmütig.
Lisa blieb bei ihr; sie hatten nichts besprochen, nichts geregelt, nur Robert hatte nebenbei bemerkt, er werde für sie in den Hotels stets ein Zimmer neben Helens Appartement mieten: Du mußt in ihrer Nähe sein. Es tut ihr gut. Sie wurde Teil der Kamarilla, die Helen umgab. Sie saß während der Proben im Zuschauerraum und lernte von ihr. Sie begriff, weshalb Helen auf der Bühne alle Misere vergaß: sie wurde, mit einem Mal, schwerelos, schön, spielte mit dem Licht, das sie umgab, tastende, gleißende, liebevolle Finger, und ihre Stimme brach die tägliche Qual auf. Sie konnte leise sein, schmeicheln, nachdenken, doch sie riß erst hin, wenn sie kreischte, vulgär wurde. Manchmal sang Lisa nach. Vor dem Spiegel übte sie Gesten; sie mußte sich, das entdeckte sie bald, anders bewegen als die Mutter: aggressiver, ironischer. Helen glich einem Phantom, sagte Lisa, nein, sie war eines, denn sie entglitt uns, sie raste uns voraus, sie war nie ganz bei uns, wir gerieten außer Atem, und sie trank wieder mehr, ich dachte, vor ihr öffnete sich der Schlund, den sie fürchtete, voller unausgesprochener Marter und voller Visionen; sie hatte wieder Tabletten genommen, dämmerte hin, winselte,

verendete und wurde vor dem Ende grausam abgefangen, zurück in dieses gesichterlose Leben, den endlosen Rausch – einer der Ärzte hatte mir die Pumpe überlassen, es kann wieder passieren, Mädchen, und dann ist keiner von uns zur Stelle, du wirst es sein, sei nicht schüchtern mit dem Schlauch, sie wird schon nicht ersticken, sei grob, wenn du ihr helfen willst, in diesem Stadium empfindet sie keinen Schmerz mehr; der Arzt redete von Kardia, von Fundus und Ventriculus; ich sagte, ja, ich werde sie nicht schonen, Sie können sicher sein, ich habe eine Wut auf sie – aber diese Geschichte handelt eigentlich von Tapeten, sagt Lisa, von wandernden Blicken, morgens, nach dem Aufwachen; der Wunsch, so zu bleiben, sanft schaukelnd auf der ersten Welle des Tages, nicht hineingetragen zu werden in die Turbulenz des Nachmittags, die Hysterien vor dem Auftritt, die Erschöpfung danach, die besinnungslose Trunkenheit und ihre blinden schwarzen Augen in der Reismehlmaske: jetzt sind es nur mehr die Tapeten, oft wechselnd, Räume, umwoben von Ornamenten oder schaukelnden Herzen oder flimmernden Linien – in vielen verschiedenen Farben, doch nie grell, sondern noch lasiert vom Dämmer des ersten Blicks – oder zarte Blumen, die aufgehört haben zu wachsen und nie welken werden, Blätter, die sich auf Notenlinien ordnen, vertraut selbst dann noch, wenn sie von Sprüngen geteilt werden, altern, schimmeln; ich habe von ihnen gelebt, ich habe mit ihnen gesprochen in einem Dialekt, den die anderen nicht verstanden, sie sind meine Geschichte, auch ihre –

Lisa hatte die Pumpe fünfmal benützen müssen, unter Ekel, sie erbrach sich während der Arbeit, das reglose Geschöpf, dem sie den Schlauch durch die Speiseröhre geschoben hatte, kaum beachtend; sie würde wieder atmen, sie wußte es, auch hier spielte sie, denn wie anders konnte sie es einrichten, daß sie oder Robert sie immer zur rechten Zeit fanden; die Ärzte, die sie hernach untersuchten, gaben wenig Aussicht, dieser Körper sei verschlissen, es sei ein Wunder, daß er sich noch derart strapazieren lasse.

Ich habe sie gehaßt, ja.

Hältst du mich aus, fragte Helen, wirst du es schaffen, Lisa?

Was soll ich anderes tun? In die Schule will ich nicht zurück.

Du kannst gehn, wenn du uns satt hast, nur nimm diese abscheuliche Pumpe mit.

Ich bleibe, sagte Lisa, ich werde mit dir auftreten.

Mit mir? Bist du größenwahnsinnig?

Ich kann es, sagte Lisa, ich weiß es. Du weißt es.

Du wirst es nicht aushalten.

Du bringst es mir bei, Tag für Tag.

Nicht übel, wie?, sagte sie und war jünger als Lisa, ein Mädchen unter den pomadegrauen Kerlen, mit denen sie routiniert flirtete, wir müssen zum Theater fahren, sagte sie.

Sie bereiteten sich auf den ersten gemeinsamen Auftritt vor. Auf den Plakaten stand ihr Name kleiner als der Helens. In den Zeitungen war ihr Bild größer. Sie hatte tanzen, sie hatte singen gelernt. Sie hatte nie gemeinsam mit Helen geprobt; es ist besser, hatte Helen gesagt, du vergleichst dich nicht, du siehst nur dich im Spiegel, spürst nur dich. In den Proben trafen sie aufeinander; es war, als bräche die Spiegelwand im Probensaal und sie träte auf sich zu: die Mutter war jünger als die Tochter, die Tochter schleppte das Leben der Mutter, ihre Bewegungen vereinigten sich, der Rhythmus zwang sie zusammen, sie achteten darauf, gleichzeitig zu atmen, in einer Geste zu erstarren, mit einer Stimme zu singen, die wuchs in einer sich steigernden Wut; du kannst es, sagte Helen, sie werden über dich herfallen, du bist noch frisch, du bringst alles mit, was ich verloren habe, was ich jeden Abend wieder einholen muß, du bist noch nicht schwer von ihrer Gier, von ihrer gemeinen Einbildung: Lisa bekam beim ersten gemeinsamen Auftritt mehr Applaus als Helen, aber als die Mutter sie dann von der Bühne schickte und ein paar der alten Lieder sang, die das Publikum kannte, die es mitsingen konnte, war sie schon wieder vergessen, und sie beschloß, nie wieder mit Helen aufzutreten, was Helen sich ebenfalls vorgenommen hatte: Du machst es von jetzt ab allein, sagte sie, du bist gut genug.

Sie hatte die Pumpe zum fünften Mal benützen müssen, es war ihr nicht mehr übel geworden, doch es war schwerer gewesen denn je: dieses ekelhafte Werkzeug würde ihr nicht mehr nützen, sie hatte keine Furcht mehr, die Mutter langsam, im Tabletten-rausch, sterben zu lassen, mit einem unruhig fächelnden Atem, nur war diese Frau stärker als sie, noch immer, sie würde wach werden, würde die Kamarilla um sich versammeln, sie tyrannisie-ren, sie auszehren. Ich gebe mich nicht auf, wenn ihr mich aufgebt, nein.

Bis Jonas auftauchte, bis Helen diesem dünnen verstockten Jungen verfiel, einem Tänzer, den sie in einer Cafeteria aufgega-belt hatte, wenn ich nur wüßte, wo, es war ihr gleichgültig, er war da, es war seine dumpfe, doch zarte Nähe, die sie wärmte, die sie verjüngte, ob er nun dreißig Jahre jünger sei als sie, sie könnten sich die Mäuler zerfetzen, sie habe seit Jahren nicht mehr geliebt, sie habe geglaubt, sie sei längst verdorrt, nicht mehr fähig, zu träumen, sich jemandem hinzugeben, diesen Schmerz da zu spüren, verrückt zu sein.

Kannst du das verstehn, Lisa?

Jaja.

Sie hörte Helen im Nachbarzimmer mit dem Jungen toben, sie hörte ihre Seufzer, ihr Gelächter, sie hörte die Geräusche der Liebe, sie stellte sich ihre Mutter vor (wie auf der Bühne) mit zurückgeworfenem Kopf, geschlossenen Augen und dem verzweifelten Zug um den Mund, der alle andern ausschließt, sie allein sein läßt. Manchmal rief Helen sie. Lisa wartete eine Weile, eingeschüchtert, ging in das Zimmer der Mutter, doch jedes Mal, in einer Szene, die festgelegt war, saß Jonas auf einem Schemel neben dem Fenster, den Kopf gesenkt, die Hände im Schoß, wortlos, während sich Helen vor dem Spiegel produzierte, noch heiß, noch glücklich, ihrer Tochter überlegen.

Das Glück ließ sie auf der Bühne noch besser sein. Sie hatte große Erfolge, es gab Männer, die ihr durch Länder nachreisten, Abend für Abend Blumen schickten, Billetts. Dabei war sie fett geworden, in ihrem runden Kindergesicht sammelten sich Wülste; sie war schön, kühn, sobald sie sang, spielte. Die Müdigkeit danach machte sie häßlich und krank. Dann brauchte sie Jonas, sie rief ihn, zärtlich, einen Boten, der ihr Leben zutrug.

Jonas kam in Lisas Zimmer, um nach dem Paillettenkleid Helens zu fragen: ob das Zimmermädchen es aus der Reinigung gebracht habe. Lisa trat nackt aus dem Bad. Er wollte davonlaufen, sie rief ihm nach, und er blieb stehn. Sie legte die Hände unter die Brüste, hob sie. Sie sahen sich eine Zeitlang an, sie sagte: Mein Busen ist nicht so schlaff wie der ihre.

Nein.

Mein Bauch hat keine Falten.

Nein.

Sie fragte ihn wie ein Kind ab, und er versicherte sie ihrer Jugend, ihrer Schönheit. Sie begann sich träge zu bewegen.

Er blieb reglos stehn, starrte sie an.

Sie ging zum Bett, legte sich hin, sagte: Lieb mich, Jonas.

Schritt für Schritt kam er, selbstvergessen, nun doch ein Tänzer, sie zog ihn aus, und seine Hände liebkosten ihre Haut. Helen unterbrach sie. Davon hatte Lisa geträumt, und es wiederholte sich von nun an: die alternde Frau im Türrahmen und der wilde, hilflose Blick auf die Tapeten: wandernde Ornamente, Blumen und flimmernde Linien. Jonas lief davon. Helen rief ihn nicht mehr. Er blieb in der Nähe, ein von beiden geduldeter

Schatten, ein Leibeigener, dessen Leib nichts mehr wert war. Sie schleiften ihn mit.

Robert hatte Lisa gerufen, Helen liege im Koma, es sei spät, sie solle die Pumpe bringen, aber sie ließ sie im Koffer, setzte sich auf das Bett der Mutter und wartete, bis ihr der Atem verging. Das Leben gerann in ihrem Gesicht, das Alter zwängte es zusammen, machte es finster und streng. Als Blase sprang der letzte Atem von ihren Lippen. Ich habe sie sehr geliebt, ja.

(1974)

UWE JOHNSON

Als Gesine Cresspahl
ein Waisenkind war

Die Rawehns, ff. Damen- und Herrenmoden, unterhielten ihr
Ladengeschäft am Gneezer Markt seit der Franzosenzeit. Sie waren
einmal lose verwandt gewesen mit den berühmten Ravèns von
Wismar; noch im Herbst 1946 sollte ein Mantel für den Winter
ausfallen, wie die Firma Rawehn ihn für modisch estimierte, um so
mehr, wenn die Kundschaft ein Handwerkerskind bloß aus Jerichow war, in Obhut einer alten Frau von noch weiter auswärts, einer
Flüchtlingsperson. Die Rawehnsche, eine dralle kurze Frau von
noch nicht vierzig Jahren, so appetitlich wie unangreiflich verpackt
in ihrem städtischen Kostüm, tat beileibe nicht hochnäsig gegen
diese Frau Abs und ihren Schützling, die versprachen, ihr mit
Weizen zu zahlen. Sie durfte vermögliche Kundschaft nicht verär-
gern; auch solch schwarzes Kammgarntuch hatte sie lange nicht in
der Hand gehabt, das hatte wohl seit dem Jahr 1938 in einer
Schublade gelegen, einer französischen womöglich, davon hätte sie
gern mehr bezogen als anderthalb Meter doppelt breit. Das Futter
mit Schottenmuster gar nicht zu erwähnen. Nur, wie diese Gesine
Cresspahl sie anblickte! Es war ja, um in den Spiegel zu sehen! Im
Spiegel wurde sie sich beim Maßnehmen gewahr, vom Kauern
stramm am ganzen Leibe, die kastanienschwarzen Haare in festen
Streifen hochgesteckt, in der Entwarnungsfrisur, alles nach oben.
Daran konnte es nicht liegen. Am Ende war es nur der Trotz, den
Mädchen so haben können in diesem Alter.
    Das Mädchen dachte an einen Mantel bis lang über die Knie.
Kinder trugen bei Rawehns kurz. Das Mädchen wollte die Knöpfe
unter Verdeck. Brachte acht große Hornknöpfe an, zum Verstecken?
Das Mädchen wünschte einen hohen Kragen, steif um den Hals
gestellt; modisch war für Kinder der Bubikragen, halb die Schultern
bedeckend, mit runden Ecken. Das Mädchen hätte lieber keinen
Riegel im Rücken gehabt. – Dann is doch der Pli hin? rief Helene
Rawehn. – Alle kennen das as ne Arbeit von uns, wat salln de Lüd
denken in Gneez!
    Ihr entging nicht, daß die Dreizehnjährige ab und an Beistand
suchte im Gesicht ihrer Begleiterin, die so hohl um die Augen war.

Sie bekam Blicke, die trösten sollen und vertrösten, von Kenntnissen in der Kunst des Schneiderns fiel Helene da nichts auf. Überdies sprach die Alte ja kaum. Die Rawehnsche gab nach beim Rückengürtel. Den würde sie mit Knöpfen in der Seitennaht befestigen, nach Belieben abnehmbar. Den unteren Saum würde sie um eine Elle umnähen, wenn das Kind einmal denn den sowjetischen Stil tragen mochte. Der Mantel sollte geräumig werden für zwei Jahre Wachstums. Von den sichtbaren Knöpfen, der ausgestellten Form, dem Bubikragen ging Helene keinen Zentimeter ab, da standen für sie die Kunst und Ehre der Familie Rawehn (Ravèn) auf dem Spiel. Tatsächlich setzte das Kind sich kaum zur Wehr bei den Anproben (an Sonntagen, diskret anschleichend durch Tüsche und hintere Tür, damit den sowjetischen Damen, beim Warten im Salon mit den englischen Magazinen, solch Tuch nicht in die Augen stach); wahrhaftig betrog die Rawehnsche das Kind um kein Lot Mehl, noch die Knopflöcher nähte sie mit eigener Hand; von Herzen gern hätte sie mit dem fertigen Stück im Schaufenster für die Firma geworben, wären es Zeiten gewesen wie im Frieden; Sorgen hatte sie selbst, um den bei Charkow vermißten Mann, den Heini, den Schürzenjäger, den liebestollen Kerl. Warum sollte da ein Kind nicht einen schmalen Flunsch ziehen in Zeiten wie diesen?

Das Kind war nicht glücklich mit dem Mantel. Das kam, weil er so die geplanten Zwecke verfehlte. Schräg eingeschnittene Taschen, einmal eingerissen, brauchen grobe Nähte; einfach aufgesetzte klammerst du wieder an, am Mantel ist nichts zu sehen. Sie wollte keinen Mantel mit Kragen, der nach kleinen Jungen hieß; daran und am Gürtel konnte einer sie festhalten. Sie kam heutzutage so oft in Gedränge, da rissen die Knöpfe ab wie aus eigenem; unter einer Leiste hätte sie die behalten dürfen. Sie hatte den Mantel ja zu mehr brauchen wollen als zum Wohnen darin; er war bestimmt gewesen als ein haltbares Gehäuse für die Reise, auf die die Sowjets sie einmal holen konnten, weil sie den Vater geholt hatten. Nun hatte Gesine Cresspahl einen schwarzen Mantel, der war bloß zeitgenössisch elegant.

Ihr war die Mutter weggegangen schon im November 1938, sie war verraten worden mit viereinhalb Jahren. Der Vater, nicht nur deswegen unentbehrlich, auch als Bundesgenosse im britischen Geheimnis, hatte die Bürgermeisterei von Jerichow zum Ärger der Roten Armee verwaltet, mochte es die Sache mit den Abtreibungen sein oder Mangel an Gehorsam, bei den Russen war er nun, unerreichbar, jeden Tag weniger zuständig für das Kind, da er nicht sah, was sie sah. In ihrem Haus lebte eine Frau von der Insel Wollin, gewünscht als Mutter für alle Zeit, der durfte sie nicht sagen: Nimm mich an an Kindes Statt. Sie half, mehr noch, sie ließ sich helfen und war mit dem fremden Kind glücklich, wenn einmal nachmittags ein Ofen schon geheizt war. Auch das weiß ich von ihr: Du kannst nun selbst Kinder kriegen, Gesine.

Da war Jakob Abs, der Sohn Abs, der nahm sie als die kleine Schwester. Die Zeit, die er nicht arbeiten mußte, hängte er an die Geschäfte, zuallererst jedoch an ein Mädchen, das war nicht zu jung für ihn, ein vor Schönheit nicht träumbares Geschöpf, Anne-Dörte hieß sie. Nicht nur zu ihr ging er weg, auch aus Jerichow schon. Sein Russisch lernte er aus einem Buch der železnodoržnych terminov, vom Gaswerk machte er sich auf den Weg zu einer Lehre bei der Eisenbahn, die würde ihn wegfahren nach Gneez, nach Schwerin und einmal ganz weg aus Mecklenburg.

Die waren ihr geblieben.

Was fängt eine solche Gesine Cresspahl nun an, wenn sie vierzehn Jahre alt werden soll am 3. März 1947 und darf sich nicht verlassen auf einen einzigen in Jerichow und Umgebung? Wird sie so blind vor Angst, daß sie denen nachläuft, die bloß in der Nähe sind, von den Freunden des Vaters bis zu einem Lehrer, der einmal nicht fragt nach seinem Verbleib? Oder, das kann sie auch getan haben, sie begreift sich als allein gegenüber den Erwachsenen, in zwar nicht angesagter Feindschaft, jedoch ohne Hoffnung auf Hilfe von ihnen? Kann die nicht auch sich merken als ein Ich, mit Wünschen, mit Zukünften, die müssen bloß erst noch versteckt werden?

Das Kind, das ich war, Gesine Cresspahl, Halbwaise, dem Andenken des Vaters zuliebe entzweit mit der überlebenden Verwandtschaft, auf dem Papier Besitzerin eines Bauernhauses am Friedhof von Jerichow, am Leibe einen schwarzen Mantel, sie muß sich eines Tages entschlossen haben, den Erwachsenen das verlangte Teil zu geben, dabei sich selbst von dannen zu schmuggeln und in ein Leben zu kommen, in dem durfte sie dann sein, wie sie würde sein wollen. Wurde es ihr nicht gesagt, mußte sie es allein herausfinden.

Sonderbar genug galt ihr die Schule als ein Weg nach draußen. Ihr Vater hatte sie aus der Hauptschule von Jerichow genommen, weil der Lehrer Stoffregen schlug, weil sie ihn eines Tages noch verraten würde vor dem sudetischen Gfeller, Schuldirektor und Gauredner der Nazis; versteckt hatte er sie im Lyzeum von Gneez. Das Kind dachte sich daraus zurecht, er habe im Ernst eine weiterführende Schulbildung angeraten. Dann blieb ihr nichts übrig, als die Ohren anzulegen und geradeaus dorthin zu gehen, wo die Schule aufhörte, an den märchenhaften Platz, der Abitur hieß und Erlaubnis, etwas auszusuchen. Nein, mutig war sie nicht. Angst hatte sie.

Sie fing an mit Lügen. Für den Eintritt in die siebente Klasse, in die Brückenschule von Gneez, hatte sie nicht nur das Abgangszeugnis der sechsten Klasse abgeben müssen, auch einen Lebenslauf. Es war eine Schule unter der Verwaltung der Roten Armee, ihr Vater stand nicht gut mit den Sowjets. Oder umgekehrt. Das konnte sie nicht wissen; etwas anderes hatte sie gelernt. Sie gab ihn an im Lebenslauf, sie beschrieb ihn als Tischlermeister, selbständig, verkleinerte seinen Anteil am Bau des Flughafens Mariengabe, insbesondere seine Anstellung als Werfthandwerker, sie kam zu sprechen auf die Befreiung durch die Sowjetunion und tat, als sei er weiterhin am Leben, Arbeiten, Wohnen in Jerichow.

Wer eines Tages die amtlichen Lebensläufe dieser Gesine Cresspahl vergleicht, er wird nicht umhin können, verschiedene Personen dieses Namens anzunehmen. Oder aber eine einzige, die war jedes Jahr eine andere und wurde sich selbst unbekannt von einem auf den anderen Tag!

Eifer fiel auf, sie entschied sich für Fleiß. Wie sie in der alten Schule ›John Maynard‹ abgeben konnte durch Aufsagen, in Antworten, Klassenarbeiten, lieferte sie dem Lehrerpersonal in der neuen die gewünschte Beschreibung des gegenwärtigen Lebens in Mecklenburg:

Aufbau der anti-faschistisch-demokratischen Grundordnung. I. Definition. Das erste Wort, ein Attribut, nur in Zusammensetzungen zu verwenden, drückt eine Gegnerschaft aus. Sie richtet sich auf eine Herrschaftsform, deren Symbol die Rutenbündel der Liktoren im alten Rom waren, auf eine Unterdrückung des Volkes durch Gewalt in den Händen weniger. Gewalt haben wir nicht in Mecklenburg. Demokratie, eine Verbindung aus den griechischen Worten für Volk und Herrschen (demos & kratein), bedeutet eine Ausübung der Macht durch das Volk selber. Wir sehen im Landkreis Gneez, wie die Ausbeuter und Räuber am Volk davongejagt wurden oder mindestens dreißig Kilometer von ihrem Besitz entfernt Wohnung suchen und arbeiten müssen. Das Volk selber besteht aus den Arbeitern, den Bauern, dem Kleinbürgertum, dem mittleren Bürgertum, in dieser Reihenfolge. (Diese Stelle war für sie heikel, weil sie in der Rangordnung recht ungünstig stand, Handwerkerskind.) *Alles zusammen macht eine Grundordnung aus. II. Anwendung. Ein Beispiel dafür bietet die Schulreform.*

In Physik schrieb sie auf Verlangen: *Alexandr Stepanovič Popov, russischer Physiker, geboren am 17. März 1859 in Bogoslovsk im*

Gouvernement Perm, gestorben am 13. Januar 1906 in dem damaligen St. Petersburg, erfand im Jahre 1895 das Telefon. (Sie hat es geglaubt, sie kümmerte sich nicht mehr um den Ursprung der Erfindung, bis zu sechzehn Jahren konnte sie Telefone nur zusammen denken mit Behörden und ein paar ausgewählten Bürgersfamilien, Günstlingen der N.Ö.P.) Auch in ihrem Abitur, Juni 1952, wäre die Antwort noch richtig gewesen. Ohne Absicht, gewiß nicht auf Suche, schlug sie 1949 das von Papenbrocks geerbte Konversationslexikon auf an der Stelle, wo der Lebenslauf von Alexander Graham Bell darge- stellt ist. Noch lange später wünschte sie sich, sie müßte das Jahr 1895 nicht gerade deswegen vergessen, dürfte eine andere Vorfreu- de auf Edinburgh in Schottland behalten.

1947 hatte sie im dritten Jahr Russisch, immer noch bei Charlotte Pagels. Das Thema war die Ableitung mecklenburgischer Worte aus dem Slawischen, einer dem Russischen vorangegangenen Sprach- form, nun wohl. Am Schluß meldete sich Cresspahl, mit der für dies Kind mittlerweile bekannten Schüchternheit, und bat um Erlaub- nis, etwas über Gneez sagen zu dürfen. Es könne doch wohl herrühren von dem sowjetischen Wort für Nest, nicht wahr? Gnezdo. Eine Eins ins Klassenbuch! (Dergleichen schadete ihr bei den anderen Mädchen in der Klasse, sogar bei Lise Wollenberg; sie mußte es beheben mit der Lage ihres Hauses gegenüber der Jerichower Kommandantur, mit Erzählungen von Herrn Leutnant Wassergahn. Endlich kam ihr Lise zu Hilfe. – Doch, du: sagte sie. – Die Cresspahls warn mal so gut wie besetzt!)

Nur keinen Blick abseits vom Lehrplan, der war zum Abstürzen:

> Händchen falten, Köpfchen senken
> still der SED gedenken;
> gib uns mehr als Kartoffeln und Kohl,
> auch was essen der Erste Sekretär und der Zweite der
> Sozialistischen Einheitspartei Deutschlands wohl!

Wenn eine Mädchenklasse gegen Mittag allein gelassen wird, frierend in ihren Mänteln sitzt, bei 12 Grad Celsius im schönsten Falle, was können die für verrückte Singetänze anstellen, krei- schend, wie die Tollen über die Tische hüpfend!

> Zucker sparen?
> Ganz verkehrt!
> Zucker essen!
> Zucker nährt!

bis Fifi Pagels hereinstürzte, ganz ohne Erinnerung an die Preise auf dem Schwarzen Markt für Süßmittel, nur verletzt in ihrem Traum von artigen Kindern etwa um 1912, und ausrief: Ihr bösen, bösen Kinder!

Im Februar 1947 wurde bei Dr. Kramritz die neue mecklenburgische Verfassung durchgenommen, die der Landtag der vorjährigen Wahlen sich gegeben hatte. Bürger des Landes sind alle Einwohner deutscher Staatsangehörigkeit, die im öffentlichen Dienst Tätigen sind Diener des Volkes, sie müssen sich des Vertrauens des Volkes jederzeit würdig erweisen. II. Grundrechte und Grundpflichten der Bürger, Artikel acht. Die Freiheit der Person ist unverletzlich.

> *Personen, denen die Freiheit entzogen wird.*
> *Sind spätestens am folgenden Tag in Kenntnis zu setzen.*
> *Von welcher Behörde und aus welchen Gründen.*
> *Die Entziehung der Freiheit angeordnet worden ist.*
> *Unverzüglich ist ihnen Gelegenheit zu geben.*
> *Einwendungen gegen ihre Freiheitsentziehung vorzubringen.*

(Herr Dr. phil. Kramritz war Mieter zweier Zimmer in Knoops Fürstenhof. Als Knoop im März zurückkam aus seiner entzogenen Freiheit, war dies das erste, was Friederike Knoop von ihm seit dem 3. Februar erfuhr. Selbst bewährten Freunden gab Knoop keine Auskunft über den Haftort, über Veranstaltungen in der mangelnden Freiheit. Was er gern antwortete, unbeweisbar feixend, gemütlich, in breitem Hochdeutsch: Das Verfahren ist niedergeschlagen worden. Ganz wie Emil.)

In die Konfirmationslehre von Pastor Brüshaver bekamen die Absens mich nur für zwei Stunden, da setzte er mich schon vor die Tür; Unterricht im Tanzen mußte ich nehmen, wöchentlich zwei Nachmittage im Gneezer Hotel Sonne hinterm Landratsamt, im Frühjahr 1947, weil im Winter Feuerung wie Tageslicht nicht gereicht hätten, Zeit zu Schularbeiten verlor ich, kam mürrisch nach Jerichow mit dem Abendzug, meine maulende Miene verschlug weder bei Jakob noch vor seiner Mutter, das Kind bekam seine Richtigkeit.

Tanzstunde.

Sie sahen es in Jerichow, Jakob in Gneez bei seinem Umschulerkurs: vom bürgerlichen Leben sollte etwas übrigbleiben. Ihnen galt ich als ein bürgerliches Kind, mochte mein Vater verschwunden sein

oder einer meiner Onkel ein unbeschreiblicher Verbrecher; fast war
es, als hätten sie mich zu vornehmer Erziehung in Auftrag genommen. In Jerichow wie in der Kreisstadt sahen sie die feine Gesellschaft ungeschoren, ausgenommen die man mit Waffen in der
Sowjetunion ertappt hatte, oder in Karteikästen der Nazipartei,
oder mit adligen Besitztiteln und zu gewinnträchtigen Geschäften
mit dem vergangenen Reich. Oder auf Zetteln ohne Unterschrift.
Die anderen beließ man in dem Glauben, sie würden noch
gebraucht; sie selber waren dessen sicher. Ob einer mit Schuhab-
sätzen handelte oder den Arbeitern die Butter abwog in Fetzen zu
20 Gramm, allesamt waren sie gewiß, ohne sie liefe die Versorgung
der Bevölkerung noch übler. Keine in unserer Schulklasse hatte es
ausgesprochen, fast von Anfang an dachten wir uns geteilt als in
Einheimische und Flüchtlinge. Die Erwachsenen verlängerten den
Unterschied bis zu alteingesessener Bürgerschaft und zugelaufe-
nem Pack; zwar auch weil die dekorativen Holzarbeiten der
Sudetendeutschen und Ostpreußen Kleingeld wegnahmen von
ihrem Markt. Die hatten ihren Besitz fast ganz zurücklassen
müssen; bei den rechten Leuten in Gneez hatten plündernde
Sowjetmenschen noch lange nicht alle Stücke aus Gold oder
Gemälde in Öl gefunden, die konnten sie in größerer Not beim
Rasno-Export der Roten Armee umtauschen in Zigaretten, die
wieder in Butter oder einen zweimal getragenen Bleyle-Anzug, der
einem Flüchtlingsjungen verblieben war. Sie hatten einander nicht
aus den Augen verloren, so übersichtlich war selbst Gneez; nun
fanden sie von neuem zusammen, so in konservativen Parteien, wo
sie den Nachtwächterstaat besprachen oder einen künftigen Anschluß an ein skandinavisches Land. Sogar Mecklenburg als eine
Provinz hatte die revolutionäre Rote Armee ihnen belassen; der
störende Zusatz ›-Vorpommern‹ wurde durch das Gesetz vom 1.
März 1947 beseitigt, so daß die nun weniger zu sagen hatten und
eigentlich gerechnet werden konnten als ein Gewinn für Mecklenburg. Land Mecklenburg. Im Artikel I. 1, Absatz 3 der neuen
Verfassung waren die Landesfarben bestimmt: Blau/Gelb/Rot. Das
Hergebrachte, wer ficht das an.
    Sie zeigten obendrein, was sie von sich hielten. Johannes Schmidt
Erben in Jerichow mochte der SED schließlich seine Lautsprecher
ohne Gebühr für Wahlkämpfe überlassen; Wauwi Schröder, ebenso
Musikalien und Elektro, jedoch in Gneez, er hatte zwei Schaufen-
ster, in dem einen hing bis Februar 1947 ein Schild in Zierschrift, mit
Goldleisten gerahmt: Wir rechnen uns an als eine Ehre,

jetzt und hinkünftig
der Roten Armee und der ihr verbündeten Partei
unsere Verstärker im Dienste der antifaschistischen Sache
sowie auch ohne Rechnung zur Verfügung zu stellen,

mit dem Zusatz:

Das am 19. September in Vergessenheit geratene Mikrofon
betrachten wir als ein Zeichen unseres guten Willens.

Dazu zwei mittlere Töpfe Azaleen. Nach der nächsten Großkundge-
bung, anläßlich der Moskauer Außenministerkonferenz vom
24. April, montierte Wauwi sein Mikrofon zusammen mit den
übrigen Kabeln ab und ersetzte die Schrift im Schaufenster durch
den neuesten Ausspruch des dienstältesten Funktionärs, die SED
werde nach wie vor jede Veränderung der Grenzen ablehnen.
Solche gönnten den Flüchtlingen ja die Rückkehr in ihr Land
jenseits der Oder und Neiße; wären sie nur endlich wieder unter
sich.

Sie fanden einander in einer Provinz, die sie für ihre angestamm-
te hielten: in den kulturellen Veranstaltungen. Regelmäßige Tisch-
sitten, Nuancen in Grußformeln, abgestimmte Kleidung, dies
verstand sich von selbst. Wie aber wäre einem Farbenhändler
Krämergeist nachzusagen, der fast keine Veranstaltung des Kultur-
bundes (z. d. E. D.) ausläßt, und mag sie der Auslegung eines
Gedichtes von Friedrich Hölderlin oder so ähnlich gelten? Die alten
Familien von Gneez hatten mecklenburgische Stücke gesammelt,
nicht nur die fünf Bände Lisch oder das Jahrbuch, auch Gläser,
Scherenschnitte, Truhen, Porträts altväterischer Bürgermeister
oder Ansichten des Doms vor dem unerklärlichen Zwischenfall
vom Sommer 1659. Sie hatten einmal fast ausreichend zusammen-
gelegt für einen Auftrag an den Bildhauer Ernst Barlach, er möge
ihnen ihr genierliches Wappentier in einer recht würdigen Gestalt
abbilden, in Bronze; es war dann wegen seiner Streitigkeiten mit
den Güstrower und Berliner Nazis dazu nicht gekommen. Gneez
war nicht Güstrow. Sie hatten die den Nazis nicht genehmen Bücher
ein wenig nach hinten gestellt in den Vitrinen; einmal waren solche
Gedichte um 1928 der *dernier cri* gewesen, schlicht unerläßlich für
die Selbstachtung, auch war ja ihr künftiger Geldeswert vielleicht
nicht für lange zu vergessen. Gneez hatte seinen Schriftsteller
gehabt! Zwar geboren als Tagelöhnerjunge auf dem Gut Alt
Demwies, seit seiner Verfrachtung in die Domschule auf Magi-

stratsstipendium vom elften Lebensjahr in Anspruch genommen von der guten Stadt Gneez in Mecklenburg. Einen Band Gedichte, zwei Romane hatte der zuwege gebracht, bis er vor den Nazis aus dem Lande laufen mußte; schon unter der britischen Besatzung hatte der Rat der Stadt beantragt, die Wilhelm-Gustloff-Straße neu zu benennen zugunsten von Joachim de Catt, auch dem Dreifachen J war als Ausweis für de Catt die Emigration ausreichend erschienen. Nu vot, ungewöhnliche Gesetzgebung erfordert ungewöhnliche Gesetzgebung. Počemu njet? Možno. Imejem vozmožnostj. Zwar hatte ›unser Dichter‹ noch nicht wieder den Weg gefunden in seine stolze Vaterstadt, weder in Person noch brieflich. Kam er einmal zurück aus seinen transatlantischen Gefilden, sollte in Gneez vergeben sein, was 1932 an Ähnlichkeiten im Porträt einer kleinen mecklenburgischen Stadt ein wenig ärgerlich gewesen war, Gneez fand sich nicht klein; sein Jubelfest sollte er kriegen, vorerst hatte Herr Jenudkidse schon den zweiten Rezitationsabend zu Ehren von J. de Catt genehmigt. Da fanden sie einander, nicht bloß in den Vorträgen von Frau Landgerichtspräsidentin Lindsetter, die öffentlich ihre Erinnerungen an die Mangelrezepte des Kriegsjahres 1916 vortrug. Die Kirche gehörte dazu, die Religion war gewiß eine Schicklichkeit; bei abendlichen Orgelkonzerten war der Dom praller gefüllt als zu den Gottesdiensten. Wohl war es erhebend und unschädlich, was Superintendent Marjahn predigte; geriet er bei den großen Festen nur ein wenig ins Schwimmen, so klangen ihm hinterher gewiß die Ohren von den Schimpfreden der pflichtbewußten Damen, die mit der Schürze vor dem Festtagskleid eine Gans zu spät aus der Röhre holten oder mit dem Karpfen ins Hintertreffen kamen. Im Hungerwinter 1946.

Das Cresspahlsche Kind, obwohl Fahrschülerin aus Jerichow und wegen des verhafteten Vaters war heikler Umgang; die feinen Familien rechneten sie doch gern als zugehörig. Diesen Cresspahl hatten immerhin die Briten zum Bürgermeister ernannt, nicht die Sowjets. Was für einen schmucken schwarzen Mantel die trug. Die hielt auf sich, ließ nicht bei Flüchtlingen arbeiten, sondern bei Helene Rawehn am Markt. Und ganz wie der Anstand nun verlangte, ging sie zur Tanzstunde.

›Herr Jenudkidse‹ nannten sie ihren Kommandanten, auch ins Gesicht hinein. An ihren guten Formen sollte es nicht fehlen. Leider fehlten sie auch ihm nicht. Auf Höflichkeit gedachten sie ihn nunmehr fest zu verpflichten.

Es gab Ausnahmen, die wurden bezeichnet nach dem Sprichwort von den Spuren dessen, was Einer angefaßt hat. So wurde Leslie

Danzmann bei Knoops, bei Marjahns, bei Lindsetters eine düstere Zukunft vorausgesagt, als sie sich auch mit den neuen Ämtern noch einließ. Leslie Danzmann, alte mecklenburgische Familie, englische Großmutter, Witwe eines Kapitänleutnants, eine Dame. Kam gegen Mitte des Krieges an im Gneezer Winkel, mietete eine der modernsten Villen dicht an der See, lebte völlig *comme il faut* als Hausdame eines Herrn, der etwas zu tun gehabt hatte mit dem Reichsluftfahrtministerium in Berlin. Vergab sich nichts. Erste Klasse. Dann waren in Gneez die aufgefallen, die immer noch Tennis spielten, auch Leslie Danzmann wurde dienstverpflichtet, ans Arbeitsamt. Höhere Gewalt. Mußte sie danach zu den Sowjets gehen und um Arbeit einkommen in ihrer Verwaltung? Daß eine nichts besitzt als eine verflossene Pension und nie eine solide Arbeit gelernt hat, Klavierunterricht oder Arztgattin, was soll denn das für eine Entschuldigung sein! Gewiß war auch sie ein wenig in Haft genommen worden, in der Cresspahlsache, komisch, nich? Hatte sie sich das dienen lassen als Warnung? Nein, die gute Danzmann hatte sich wiederum den Sowjets angeboten. Den Kindern sagt man: Geh da nich so dicht ran. Nun war sie reingefallen, entlassen aus dem Wohnungsamt, mitten hinein in die Fischkonservenfabrik. Konnte die sich doch denken, daß der Genosse Leiter des Wohnungsamts sie einlädt in die Partei. Weiß sie keine andere Antwort: Aber was sollen die Nachbarn von mir denken, Herr Jendretzky! Sie hatte es ziemlich richtig getroffen mit den Gedanken der Nachbarn; stellt sich hin, spricht das aus. Bringt man schon den Kindern bei: Sagt man doch nicht. Nun kam sie jeden Arbeitstag morgens zu Fuß von der See, mit dem Milchholerzug nach Gneez, steht bis abends an einem stinkenden Tisch, nimmt Flundern aus, kocht Brühe. Nein, sie klagte nicht. Darin gehörte sie noch dazu. Was Frauen in einer Fischfabrik so reden, eine Hausfrau von Welt denkt sich das leicht. Was sie für den weiblichen Geschlechtsteil sagen, das weiß man. Das kleidet eine gebildete Dame jedoch nicht in Worte. Von dem, was vor sich geht, wenn eine Frau, eine verheiratete, wenn die sich freiwillig hinlegt, mit einem Mann, davon sprechen sie als _____. Sind eben Arbeiterinnen, nich? Was ein scheußliches Wort, übrigens. Apropos, wenn ein'n so'n büschen ginauer über nachdenkt, vleich is es gaa nich so schlecht angemessen. Ein solches Wort kommt mir nicht über die Lippen, Frau Dr. Schürenberg! Das hatte Leslie Danzmann nun davon. Wenn eine sich erziehen läßt zu den bürgerlichen Formen und will so leben und die Sachen sollen bloß an sie rankommen, wenn sie will, denn soll sie nicht dahin gehen, wo sie rausgeschmissen werden kann in die Fischfabrik! Und zeigte sie wohl nachbarliches Mitgefühl, diese Leslie Danzmann? Sie war da doch ganz dicht dran an dem Fisch, konnte sie nicht mal was mitbringen? So als kleine Aufmerksamkeit? Tat sie nicht. Wenn sie von der Arbeit überhaupt sprach, lobte sie die Proletenfrauen. Die sollten ja gutmütig sein. Angeblich halfen die ihr. Da war eine, Wieme Wohl aus dem Dänschenhagen, stadtbekannt, die hatte mehr als einmal zum Arbeitsschluß gesagt, vor der Taschenkontrolle: Du, Danzmann, komm her, hier hast'n Aal. Bind ihn dir um den Bauch. Wenn dich das ekelt, mach ich dir das. Is doch bloß für zehn Minuten, Danzmann! Nu sei doch nich so stolz ... Die gute Danzmann war fest geblieben. Es sei nicht von wegen Stolz. – Kinnings, das gehört mir doch nicht! Das ist doch nich meins! Die Frauen hatten ihr zugeredet. Leslie wollte am Ende auch glauben, daß Fisch, besonders Aal, gar nicht in die Ladengeschäfte komme, sondern in die geschlossenen Verteiler von Roter Armee und Partei; das fiel ihr leicht, das sah sie. Dann war sie dabei geblieben: der Aal gehöre ihr nicht. So ging es einer, die sich fallen ließ aus den Sitten von Anstand und Eigentum!

Cresspahls Kind ging nicht gern zur Tanzstunde. Sie tat das aus Gehorsamkeit gegen Frau Abs.

An solchen Nachmittagen war sie in Gneez zusammen mit Lise Wollenberg. In den Stunden hießen sie die Helle und die Dunkle aus Jerichow, für fremde Jungen. Den Unterricht erteilte Franz Knaak, ein Mensch aus Lübecker Familie, alle örtliche Tanzpädagogen seit 1847. Dieser war fett, sprach gern Französisch, nasal; auf seine mechanischen Manieren war er so stolz, daß er sich mit müden braunäugigen Blicken hinwegtrösten konnte über seine umfängliche Leiblichkeit. Er lehrte vorerst altdeutsche Tänze, Kegel, Rheinländer, sämtlich mit Hinweisen auf das Erbe unserer Väter, nicht etwa sowjetisches. Auf den Schieber ließ er sich erst ein nach allgemeinen, fast ungestümen Bitten; diese Art der Bewegung machte er vor in einer schmierigen Art, daß man für den Rest seines Lebens einen Ekel davor bewahren sollte. Er trug so etwas wie einen Gehrock, seifig im Nacken, davon hielt er die Säume mit jeweils zwei Fingern erfaßt und trat die Schritte der Mazurka zum Beispiel mit schwächlich federnden Beinen. Was für ein unbegreiflicher Affe, dachte Gesine Cresspahl in ihrem Sinn. Aber sie sah wohl, daß Lise, die schöne, die lustige, die langbeinige Lise die Sprünge Herrn Knaaks mit einem selbstvergessenen Lächeln verfolgte; Lise wußte in allem so Bescheid. – Wie willst du denn einen Mann kriegen, wenn du nich tanzen lernst! hatte sie gesagt, und an der Längswand des Saals hingen auf abgewetzten Plüschstühlen die Mütter, darunter Frau Wollenberg, und tupften sich die Augen. Sie sah das nicht ein. Damit wollte sie einen Mann nicht kriegen. Sie wußte schon einen, der ging mit einer anderen tanzen.

Ihr Mantel hatte von schwarzer Farbe sein sollen, weil sie Trauer tragen wollte um ihren Vater, beileibe nicht, weil er wohl gestorben war, bloß zu seinem Andenken. Das gehörte sich. Das wußte sie. Das aber war eine Sache, die auszusprechen war nicht schicklich.

An den Abenden nach der Tanzstunde traf sie fast immer Leslie Danzmann auf dem Bahnsteig. Sie grüßte sie, sie wartete in weitem Abstand von ihr auf den Zug, sie stieg nie mit ihr in dasselbe Abteil. Leslie Danzmann mag sich eine neue Demütigung erfunden haben, diesmal aus dem Geruch, den sie an sich trug. Das war es nicht. Der Duft fiel eher appetitlich auf. Das Cresspahlsche Kind wollte diese Danzmann strafen. Die war freigelassen worden, ihr Vater nicht. Die hatte ihr nicht Nachricht gebracht von ihm. Die konnte ihn auch verraten haben.

(1974)

WOLFGANG KOEPPEN

Angst

Kaplan hatte Angst, er war krank vor Angst, und hätte sich gern
von allen unterschieden, die Angst hatten und ihm widerlich
waren. Wie sie sicherte er, nach Hause gekommen, die Tür. So
dumm, so mißtrauisch, so vertrauensvoll in den Gang der Geschäfte noch immer wie sie. Es war nicht zu fassen. Warum sollte gerade
sein Boot nicht untergehen, seine Kundschaft nicht ausbleiben,
seine Tür nicht erbrochen werden? Der Ozean, nicht fern, ist nicht
freundlich, die Haie müssen beißen, der weiße Wal wird gehetzt,
so viel Hunger, so viel Begierde auf allen Breitengraden, die Arme
des großen Polypen, in den Jahrtausenden gewuchert, gehätschelt,
von den anständigen Leuten großgezogen, saugen sich überall hin.
Der Leib ist verseucht, vielleicht ist in der Haut noch nichts zu
sehen, die harte Geschwulst im allzufesten Fleisch noch nicht zu
fühlen, sie blüht verborgen, tief unten, in den Eingeweiden, am
Geschlecht, im Mutterschoß, in den Windungen des Gehirns, in
der ständigen Vergewaltigung des Lebens, in der unaufhörlichen
Erniedrigung der Erde, schon in den Träumen, Kaplan hatte sie
gedeutet oder es versucht, Riverside drive drei, gleich nach dem
Krieg, welche Freude, o Auferstehung, o Weihnachten, Kaplan war
gerettet, er lebte, ein Wunder, er hatte ihn überlebt, der nun schon
Asche war, auf dem Dunghaufen lag, versunken in die große Odel-
grube, wo alle hinkamen.

Wer noch atmet, hat recht, Kaplan ekelte es, wie sie das verdrängten,
die Schuld den Müttern, den Großvätern delegierten, sich auf seine
akademische Couch legten, sich's bequem machten in ihren
Schwächen, zurück bis ins erste Glied, und Adam erkannte sein
Weib Eva, und sie ward schwanger, der Leviathan war in die Zeit
gekommen, die Abräumgesellschaft wurde etabliert, es trifft alles
ein und kommt zusammen zum Erntetag, der Chirurg sagt, morgen,
morgen das Messer in seiner Gummihand, morgen in das ver-
mummte Gesicht des Narkotiseurs geblickt, die sauberen nagelge-
lackten Finger eines vermehrungswilligen Fräuleins tippten hinter
Glas die letzte Rechnung, das Wort Exitus, von der Mehrwertsteuer
erfaßt, der Wind und der Lärm und die unheimliche Stille nahmen

zu, die Luft war übel, es war unerträglich schwül, wahrscheinlich ein Taifun über dem Meer, Nachrichten aus dem alten Asien vor dem Zubettgehen, das Lügenmärchen der Mandarinente auf den Blumenbooten in Bangkok, wie der Saft der Kreatur köstlich die Zunge des Genießers belebt, wohl ihm, dem die Welt schmeckt, die Toten im Hauskino stinken nicht, das wird noch kommen, daran wird gearbeitet, das wird keinen erschrecken, ein Brechreiz mehr vor dem Schlaf des guten Gewissens, vor der Umarmung, vor dem täglichen Fall in das kleine Nichts, dem delikaten Vorgeschmack der Hölle, an die keiner denkt, und so nichts Neues in West und Ost, die Nußschale des vertrauten Sprichworts im Zentrum des Hurrikans, die Alte war weise, sie war unterm Dach geblieben, Heimat, der kleine Garten, das half ihr nichts, die Winter wurden hart, der Verführer sprach, seine Stimme aus dem warmen Ofenrohr zu den duftenden Bratäpfeln, das Eis stieg, der Schnee deckte die Alte zu.

Kaplan glaubte nicht, wie seine Nächsten wähnten, zu Hause und zu Hause geborgen zu sein. Maria hatte das auf ihre Weise erkannt. Sie hatte gesagt, es gibt kein Zuhause in einem Haus, das dir nicht gehört. Kaplan gehörte angenehmerweise nichts, schon gar nicht ein Haus. Warum auch, alle Häuser waren in festen Händen, die den Grund, den Boden in Dunkelheit sich angeeignet, in anrüchigen Besitz genommen haben, eine anonyme Sozietät, Banken und Versicherungen, die wollten immer noch haben und hatten nichts davon, pflanzten keinen einzigen Baum, saßen nicht in seinem Schatten, stopften's auf ihre sterilen Konten, schrieben es sich gut, gegenseitig ein Zahlenirrsinn, Kaplan störte es nicht, er war nicht auf Eigentum aus, sein Leben lang verunsichert, für Kaplan war sein Haus nur das Haus in dem er wohnte, vorübergehend, auf der Flucht, der langen Reise vor dem Tod. Es war ein prächtiges Palais nach neuestem Architektengeschmack, blendende Wände aus allerlei Kunststein waren in ein Stahlgerüst gehängt, eine Rechenschieberkonstruktion, Luxusappartements für geschwollene Leute in einer Parklandschaft am Fluß. Das Klima war nach Lust und Laune zu steuern. Kaplan spielte gern, schaltete, erschrak, wenn es funktionierte oder nicht. Eines der vielen, der täglichen Gewitter des Landes kam, Licht der neuen Welt, totale Verfinsterung, die Hauptstadt wüst. Kaplan fürchtete sich, wie er sich gefürchtet hatte in den Ferien, im teutonischen Land, in der Schilfhütte der Wandervögel am See, dieser Dunst von Knabenschweiß und Kindermut, er sah hinter dem Thermopanfenster den Sturm, er hörte ihn nicht, isoliert, vorläufig gerettet, er sah den Sturm die

Baumkronen schütteln, er sah ihn den Fluß bewegen, er hörte die Wucht des Regens nicht, die Flut schlug auf ihn nieder, Kaplan verbrannte in einem Aquarium von Blitzen. Das Mädchen, das Donnerstag ist, stellt den Thermostaten auf Polarluft ein, sonnt sich im Eiswind, zittert, eine wollüstige Gänsehaut, nackt, begehrt Liebe. Zu dem Kind, wie weit zurück Erinnerung, dem kleinen Jungen war die Katze ins Bett gekrochen, hatte sich warm auf des Schläfers Brust gelegt, hatte geschnurrt, wollte gestreichelt werden, eine spitze rosa Zunge. Kaplans Glück.

Es war ein symbolischer Ort. Die Chinesen hatten sich lange für den Nabel der Welt gehalten, in der Ming-Periode oder in einer anderen großen Zeit, die bitter für die Armen war. Kaplan wollte sich nun doch das kluge Lexikon kaufen, es sollte ihn amüsieren, wenn ihn der Schlaf floh, die britische Enzyklopädie, berühmt und gerühmt, das feine Urenkelkind der Aufklärung, in Leder gebunden von jedermann günstig auf Raten zu erwerben. Der Vertreter d'Alemberts war zu Kaplan ins Haus gekommen, doppelter Doktor, wie er sich vorstellte, hatte nun ach auch eine Lizenz für Theologie, irgendwo im Mittelwesten auf der Kanzel gestanden und tauben Ohren gepredigt, Kaplan roch wie traurig das war, der Vertreter atmete Bierdunst aus, das störte Kaplan, Brüderlichkeit verließ ihn, nahm ihn gegen den Armen ein, der ihn zum Kauf von Wissen zu überreden versuchte, ihn beschwor, anflehte, schließlich auf den Knien in der Pfütze des Badezimmers lag vor Kaplan, der nackt, das Handtuch vor der Scham, beschimpft wurde, pathetisch angejammert, lesen Sie denn nicht, Kaplan wollte antworten, nein, Analphabet, errötete noch rechtzeitig, wußte, wie hart das war, der Doktor gab Kaplan die Schuld an seinem Elend, den nie besessenen Glauben verloren, dem eingeprügelten Ehrgeiz nicht gewachsen, in die Verliese der großen Städte getrieben, mit dem Lexikon belastet, durch den Hades der Untergrund, Odysseus in den Autobussen, von seinen Kindern mißachtet, von der enttäuschten Gattin nicht verlassen, er bat jeden Morgen darum, vor dem Kundengang, vor der Lexikonlast, inbrünstig, heimlich, ein eingebildeter Weißer in einer schwarzen Methodistenkirche unter kleinen Negermädchen in lichten gestärkten Chorhemden, er bot die Welt auf Raten an, die Menschheit seit den Schöpfungstagen, die Vorgeschichte, das Samenmeer, das unvorstellbare, Unendlichkeit, geil und leer, und was sie dann, Gotteskinder, als sie da waren, als es ihnen endlich gelungen war, noch nicht lange, gedacht, getan, geschrieben haben, auch war zu erfahren, was Gott gewollt hatte, wie er erschienen ist und gedeutet wurde von vielen Völkern zu vielen Zeiten, es war die vorläufige Bilanz unserer Existenz, unverbindlich in vierundzwanzig nicht zu schweren Bänden, die Hand könnte im Bett ermüden, der Onanie nicht mehr fähig sein, der Tod den Leser überraschen, das zerwühlte Zudeck erstarrt zum Urgestein, das Werk bleibt aufgeschlagen, die Summe der Weisheit nicht angenommen, der heilige Thomas vergessen, zu spät. Kaplan glaubte nicht daran. Vielleicht wiederholt sich die Geschichte.

Aus seinem Fenster, über den Fluß hinüber, sah Kaplan zu seiner täglichen Verstörung das Armeeministerium, die bekannte, oft abgebildete, ersichtlich entsetzliche und doch immer noch getarnte Festung der unsterblichen Gewalt, die uns beschützt und umbringt. Kaplan sah das unsägliche Haus, er hatte es besucht, er hatte gesehen, wie sie mit den Aktenwagen, den Frühstücks-, Coca-Cola- und Eiswasserwagen, auf dem Gesetzesesel, auf den Erfrischungskarren durch die pentagonen Gänge fuhren, lustig, Erinnerung an die Achterbahnen in Coney Island am Meer, und es fiel Kaplan leicht, die Gedanken zu lenken auf die Krüppelstühle der Veteranen. Gewiß, es sind andere, die in den Gestellen hocken, andere als die mit den Aktenwagen lustig gefahren waren, ganz andere als die die Akten geschrieben, zu schweigen von ihnen, die sie diktiert und sich ausgedacht hatten, aber es sind auch Menschen, auch Angestellte und Arbeiter und Neger, die gegen ihren Willen und manchmal gegen ihre Überzeugung als Pensionäre das Ministerium, die Ananke, den großen Zwang betrachten durften, nun ohne Beine, gelähmt, das Gesicht ein Feuermal, von dem man wegsieht, beschämt oder gar angewidert, und Kaplan kannte Köster, der zu den Aktenfüllern im Armeehaus gehört hatte, dann aber eine Reise machte in den Krieg, eine Bildungsreise, freiwillig vom Schreibtisch weg, Köster wollte es einfach einmal sehen, das Kriegsland, das Befreiungsgebiet, er hatte es gesehen und brachte einen Versehrten mit nach Hause, ein Kind oder einen Greis, man ahnte das nicht mehr, es war gleichgültig geworden, Leben ohne Zukunft, es sei denn die Zukunft der Erlöser Tod, und Köster fuhr in einem Krankenstuhl den Klumpen zerhacktes verbranntes Fleisch jeden Abend zur Kühlung, zur Dämmerung an den Ufern des Flusses spazieren, auf den gepflegten Promenaden für die Beamten, die Offiziere, die Senatoren, ihre eingebildeten und unbefriedigten Frauen, ihre autoritären Kinder, die General werden wollten oder Senator oder auch nicht, bis Köster es satt hatte, nicht mehr konnte, nicht mehr aushielt, nachts das Gestöhn, das Umsichschlagen amputierter Glieder und von dem Morphium nahm, das sie Köster reichlich anvertraut hatten, für ihn, seinen lebenden Leichnam, und Köster gab das Morphium ihm, dem kaum noch lebenden Leichnam, was sie wohl gewünscht hatten, reichlich an diesem Abend und Köster nahm es selbst, das Gift, und starb mit ihm, dem Leichnam, bitter und schließlich heimgegangen in Frieden, aber sie meldeten in ihren Blättern, Köster sei ein Ärgernis gewesen urbi et orbi, ein Süchtiger, ein Morphinist, gar ein Dealer, ein Schänder vielleicht unserer tapferen Veteranen und daher so sonderbar, ein Vorwurf der schönen Herbsttage und so empörend gegen den Brauch.

Wie schön, dachte Kaplan, in diesem Fall ein alter Mann zu sein: seine Einberufung war unwahrscheinlich. Hinter der Front im wunderbaren Panoramablick des Schlafzimmers träumte das Zukkerbäckerkapitol den Traum vom großem Rom, das schon schrecklich genug war. Kaplan überschaute die Gedächtnisstätte des sagenhaften Abraham Lincoln. Abraham Lincoln sitzt hinter sechsunddreißig Säulen düsteren Sinnes in einem Lehnstuhl und erkennt im Wasser des Bassins zu seinen Ehren sechsunddreißigmal am Abend das Gesicht der irren schießwütigen Staaten, die Augen seines Mörders. Washington, in seinem Monument auf der gleichen städtebaulichen Achse Kaplan ausgeliefert, stand erhaben, gefangen im Marmorturm der Schulbücher, leider ein General, ein General dekoriert, ein General nach dem Sieg, der Feldherr bei der Besichtigung des Schlachtfeldes, über die Toten in die glorreiche Nacht blickend, der erste General der neuen Welt, deren erste und letzte Einwanderer vor Generalen wie ihm geflohen waren, vor Kriegen, Schlachten, in die man sie treiben wollte, vor Heeren, die sie gequält und nichts angegangen hatten. Und hinter der Erinnerung an die Großen der Nation ragte hoch und breit aus dem Gewitterhimmel über Washington das Bundesbüro of Investigation, als FBI bei jedem Kinofreund beliebt. Denkt, dieses lustige Töten, dieses spaßige dem Richtigen immer in die Fresse schlagen, so strahlend, so übermenschlich, welch ein Charmeur der Held, der alte Siegfried, der alte Achill, der alte Ritter ohne Furcht oder auch der Mann, der das Gesetz ist, den Sheriffstern auf der Brust trägt, verkniffenen Gesichts, verantwortungsbewußt und welch ein Vater und unter dem Pantoffel der Gattin zu Hause, ein Herz aus warmer Schokolade und stahlhart im unbeirrten entschlossenen Kampf gegen die anderen, das sind die Untermenschen, der Gute schießt eben schneller, Gott zielt mit, aber in Wahrheit ist es still im

Investigationshaus, Gänge in klimatisierter Kühle, man bleibt stehen und lauscht, unwillkürlich, nichts, dann hört man es summen, ein Bienenkorb, nein, nicht ganz so ländlich, so morgenfrisch, so abendschön, es ist ein technisches Summen, die Summmaschinen sind angeschlossen und arbeiten, versagt der Stadtstrom, legt ein Streik die Versorgung lahm, ein eigenes E-Werk im bombensicheren Keller läßt weitersummen, es sind unsere Daten, die da summen und leben und präsent sind, ein Knopfdruck, wir liegen auf dem Tisch des Referenten, nackter als bei unserer Geburt, durchleuchtet, aber noch nicht tot, unser Herz schlägt, der Referent hat es vor sich, schlagend, überzeugend, kennt es, unser Herz, kennt auch unseren Stoffwechsel, kennt noch unseren Nachttopf, wenn wir einen haben sollten, leert seinen Inhalt, untersucht ihn, exakt, wissenschaftlich, sauber, geruchlos, summend, auch Kaplan ist dort festgehalten, steht im Verzeichnis. Kaplan mochte Abkürzungen wie FBI nicht, sie verschleierten ihm zuviel.

Das Weiße Haus lag im Schatten seiner Bäume. Kaplan konnte es von seinem Hochsitz nicht ausmachen: vielleicht wieder im Winter, wenn das Laub fiel. Kaplan war es zufrieden. An schönen Tagen ging er zum schmiedeeisernen Tor des Weißen Hauses, die Herrscher wohnen gern hinter Lanzen, manchmal das N des Napoleons auf die Spitze gesetzt oder das satte *Jedem das Seine* der preußischen Könige, und Kaplan fütterte mit Keksen und Nüssen die Eichhörnchen des Präsidenten. Es sind zutrauliche, etwas befremdend graue, nicht rothaarige Geschöpfe. Es wäre erwägenswert, ihnen das allgemeine Wahlrecht zu geben, sie würden gewiß die Regierung, immer die Partei der Gutgesinnten, der schweigenden Mehrheit stärken. Doch vergessen wir nicht, wieder zur Vorderfront des Hauses hinausblickend, vorausschauend in die Zukunft, neben dem Pentagon, wachsend, gedeihend, groß, größer werdend, am größten, den Arlington-Heldenfriedhof zu erwähnen, wo Kennedy begraben liegt, zwei Kennedys von jener Kraft, die stets das Gute will und stets das Böse schafft.

Vielleicht war Kaplans Haus ein Fuchsbau für Hochstapler, die eine gute Adresse gesucht hatten und nun so taten, als wären sie die Nation, stolz, mächtig und reich, die Glücklichsten der Glücklichen in einer glücklichen Welt. So blieb auch zu vermuten, daß Menschen mit scharfen Fernrohren und Teleobjektiven, Mitbürger, die zerlegbare Gewehre, Sprengstoffe und Dokumente der Verleumdung im Diplomatenkoffer mit sich führten, neben Kaplan hausten, aus den komfortablen, günstig gelegenen gemieteten schönen Räumen die

Stadtgeschichte beobachteten und ihren weltweiten Nutzen daraus zogen. Die Entfernungen für Abhörgeräte waren weit, doch zu überbrücken, die Bettgespräche waren bekannt und immer dieselben. Dollar, Dollar, Dollar schallt's aus den Pfühlen, doch wurden sie nicht müde, die Unterhaltungen aufzuzeichnen, abzuhören, die besprochenen Bänder in Einmachgläser zu stecken, sie einzuwecken für den Tag, da man krank war, am Ende war, den Wahnsinn hatte, dem Nächsten an die Gurgel mußte. Sie hatten alle die Sonntagsschule besucht. Kaplans Generation noch in feinen Anzügen.

Ich, Kaplan, denke an meinen Sohn. Auch meinem Sohn gehört das Haus nicht. Möchte mein Sohn überhaupt ein Haus und gar eins in dieser Größe und Pracht haben? Ich gestehe, daß ich es nicht weiß. Verstehe ich meinen Sohn nicht mehr, da ich doch glaubte, ihn am besten zu kennen? Aber vielleicht erkenne ich ihn nur nicht. Er ist für mich eine Figur aus alten Geschichten. Die sind böse oder traurig oder auch nur komisch, und alle enden sie mit dem Tod. Die Nachgeborenen werden über meinen Sohn forschen und schreiben, für ihn oder gegen ihn, nach den Strömungen der Zeit oder wie es der Karriere der Verfasser dient, und es wird keinen mehr interessieren. Mein Sohn ist dann tot. Wie wird er sterben? Manchmal fürchte ich, er wird bald sterben, schnell, auf der Straße, im Staatsflug der Maschine, die abstürzt. Eine Bombe, vielleicht ein technisches Versehen, wie so viele, und nie aufgeklärt. Es ist besser, als in der Gefangenschaft zu sterben, den Richtern ausgeliefert, die gerne tun, wozu man sie zwingt. Ich fürchte den Tod und fürchte die Gefangenschaft und bin doch alt und unbedeutend. Hätte mein Sohn Mittel und Vermögen, würde er dann ein Haus bauen, fühlte er den Willen oder auch nur den Wunsch, ein Haus zu kaufen? Mein Sohn ist einer, der sich was gönnt, und läßt mich doch an einen Mönch in der Zeit der Scholastik denken, als die Kleriker das Abendland und die Kathedralen bauten. Welches Land schafft mein Sohn, wie viele Kathedralen läßt er vernichten? Mein Sohn ist ein Arbeiter, der es sich schwermacht viele Stunden am Tag. Er ist immer bereit aufzubrechen und nicht ohne Gewissen, doch in manchen, zugegeben recht albernen Beschreibungen wird mein Sohn, wie sie es nennen, zum Playboy, auch dieses Wort und die es gebrauchen, mag ich nicht, zudem ist mein Sohn auch älter und beleibter als diese Leute wohl sind. Mein Sohn ist gänzlich unsportlich, soweit Sportlichkeit von körperlichen Übungen kommt. Das Haus würde meinen Sohn nicht freuen. Wäre es ihm zu eigen, dürfte er es nicht zeigen. Ein Haus ist schwer zu verstecken. Mein Sohn müßte sein Haus vor seinen Freunden, die seine Feinde sind, verleugnen. Sie alle würden fragen, woher hat der Sohn des alten Kaplan das Geld genommen, den Palast zu erwerben? Getuschel überall. Gefährlich. Ich kenne das. Ich spitze die Ohren. Ich höre sehr gut. Ist der prächtige Bau aus unserem Schweiß errichtet, den Steuern, die wir zahlen? Ich habe nie begriffen, daß Bürger, die ihr Geld in Napalmrauch aufgehen sehen, Abend für Abend im Fernsehen, der Tagesbetrachtung, ihrer Abendandacht, zu der sie es sich gemütlich gemacht haben mit Bier und Knabbergebäck, habe nicht verstanden, daß sie sich alle erregen, in unsinnige Wut geraten, wenn einer von ihnen von ihren Abgaben gut lebt und es herauskommt. Wenigstens einer, dem wir es leichter gemacht, ein unbeschwertes Leben beschert hätten! Das wäre doch, recht bedacht, erheiternd und befriedigend und viel, viel besser als die Verwüstung eines ganzen Landes. Andere sind schlimmer. Sie fürchten sich und wähnen in ihren kleinen, in weiten Feldern verlorenen, doch horizontlosen Städten finsteren Mächten ausgeliefert zu sein, ohne die Verfügungen zu beachten, die ihnen täglich öffentlich widerfahren. Sie würden meinen, mein Sohn habe sein Haus durch einen Schaden gewonnen, der uns zugefügt wurde, ohne daß wir ihn bis heute erkannt hätten. Keiner wagt in diesem Land zu behaupten, mein Sohn sei ein Dieb, doch an den Verrat glauben viele, und Judas, der Unsterbliche, den sie sich geschaffen haben, schläft bei jedem in seiner Nacht. Wen und was könnte mein Sohn verraten und warum nicht? Wechselte er die Partei in unseren Kriegen, was würde es ändern? Die Macht meines mächtigen Sohnes ist von den Zwängen geborgt. Die Zwänge sind unabänderlich. Mein Sohn ist überall, wie der heilige Geist, für den sich die Macht hält, die ihn ausschickt. Ein fortwährendes Pfingsten. Mein Sohn ist in den Zeitungen, im Fernsehen, im Kino zu betrachten. Mich erschreckt das. Wenn ich meinen Sohn so sehe, blicke ich weg, besonders dann, wenn er lacht. Er ist bekannt wie Bob Hope, ein Komiker, über den ich nicht lachen kann, und mein Sohn ist nicht Bob Hope, er soll nicht in diese Rolle geraten. In welchem Wasser wäscht mein Sohn seine Hände? Er wird beneidet. Das ist natürlich, weil man ihn nur im Licht sieht. Man beneidet selbst mich um meinen Sohn. Wäre mir Bob Hope als Sohn lieb, dieser grausige Mensch, der sie in Vietnam in den Tod entläßt mit einem mäßigen Witz? Der Neid würde das Haus meines Sohnes zu nutzen wissen. Sie würden ihn noch mehr verdächtigen, als sie ihm heute mißtrauen. Mein Sohn darf nicht arm sein. Die Armut hat einen üblen Geruch in der guten Gesellschaft, in der mein Sohn verkehrt. Mein Sohn darf aber auch nicht reich sein, darf nicht ihresgleichen werden, es würde sie schockieren, mein Sohn dient ihnen. Wer serviert, trägt nicht die Krawatte der Speisenden, obwohl der Schlips meines Sohnes auffällt, bunt und modisch ist. Mein Sohn ist Professor. Seine Mutter wäre zufrieden: sie überschätzte den Titel. Viele glauben immer noch, ein Professor vergißt seinen Regenschirm. Ein uralter Scherz in der Unterdrückung. Auch Einstein war Professor und Oppenheimer und Teller. Wieviel Regenschirme ließen sie stehen? Über welchen Städten, die untergingen? Wo mein Sohn sich aufhält in der Welt, wohnt er im Ritz oder im Hilton oder im Savoy. Das wird ihm ersetzt. Er ißt gut und nicht nur gut im Tour d'Argent. Er weiß, wo es schmeckt. Auch das wird ihm wahrscheinlich bezahlt und böse angerechnet. Die öffentliche Meinung, die Weltkommune, dieses gierige, gefräßige Auge, das unermüdlich lauernde Ohr erwartet von meinem Sohn, dem hervorragenden Untertan, ein in Grenzen aufwendiges Leben, möchte aber nicht, daß ihm etwas von dem, was er verteidigt, gehört, ein Grundstück, ein Zinshaus, ein Goldbarren unter dem Bett, ein Vermögen in der Schweiz oder in Panama, was die Fantasie so anregt, der wahre, der solid genannte, der wie die Krebsgeschwulst unzerstörbare Besitz, Fabriken, Baukonzerne, Banken, Versicherungen, Chemiewerke, Warenhäuser kämen für meinen Sohn überhaupt nicht in Frage. Weil mein Sohn hilft, weiterhilft, sich dienend bemüht, hartnäckig ist und geduldig, Knoten schürt und löst, für schlau gilt, Erfahrungen aus dem Kompost der Geschichte, dem Feld des Leidens hat, so die besondere Gabe, Besitz und Besitzende zu sichern, sie vor Katastrophen, die, wenn nicht schon zu sehen, von jedermann zu ahnen sind und von überall drohen, zu bewahren oder wenigstens dem größten Unglück auszuweichen, dem Sozialismus, dem Versuch zur Gerechtigkeit unter den Menschen, die Enteignung des Errafften noch ein wenig aufzuschieben, bis man reich und friedlich gestorben ist, in Palm Beach, an der alten Riviera, an der karzinomen Zerstörung, dem hineingestopften Fett, dem Herzversagen, wo man gar kein Herz hatte, am teuren Arzt, am Autotod, so schick und schnell, werden meinem Sohn Gefährtinnen gegönnt, die mit ihm, gleichsam zur Belohnung für so viel Brauchbarkeit, ein schönes Bild in die Dämonie der Medien bringen. Auch dies ein Modewort, das ich gebrauche und nicht mag. Wer die Mädchen honoriert, weiß man nicht. Ich glaube, niemand. Die Mädchen aasen gern.

Gut und in Ordnung. So scheint es. Das ist verdächtig und trügt. Das gewöhnliche Schloß ist geschlossen, das Patentschloß über dem gewöhnlichen Schloß ist eingeschnappt, die Sicherheitskette wurde vorgelegt, ein rührender, altmodischer Schutz, wir hatten ihn schon in Berlin, und er hat in Berlin nichts genützt, zwei Riegel werden unten und oben vorgeschoben, eine Stahlstange, blank, kalt, fast zu schwer, sie zu heben, in drei Halter gelegt. Ein Schwert, und wird durch ein Schwert umkommen. Die Tür ist außen aus Mahagoni. Dieses formbare, begehrte Holz erinnert mich, zumal wenn es geputzt ist und glänzt, was immer seltener geschieht, es häufen sich an den Türen unseres reichen Hauses die fettigen, schmutzigen Schmieren eines flüchtig und mißmutig geführten dreckigen Lappens, an die guten Möbel im gewöhnlich unbenutzten Salon meiner Eltern. Stille umfängt mich wieder. Stille erzog das Kind. Die Welt war nicht laut, die Lärmautomaten waren noch nicht losgelassen. Die Welt war sehr böse. Nun ist die Welt sehr böse und laut. Vielleicht schreit dauernd wer. Mahagoni sieht gut, sehr repräsentabel, recht wohlhabend aus, es weckt Vertrauen und fördert den Kredit. Der Bote, der den Champagner bringt, nimmt gern den ungedeckten Scheck. Es ist eine echte Rechtsstaat- und Kapitalistentür, von außen, während sie innen mit Eisen beschlagen wurde, neuerdings, nachträglich, da die Furcht gewachsen war. Diese Seite der Tür ist schwärzlich, stumpfblank, scharf, gefährlich und düster. Die Knöchel meiner Hand klopfen beklommen, fragend gegen das Blech, es scheppert hart, ich schaue mir zu, beobachte mich in einem hübschen Rokokospiegel, den ich mir in Würzburg gekauft habe, aus bischöflichem Nachlaß, sehe einen Herrn, das Haar grau mit dem Messerschnitt aus dem Ambassador, wo die Diplomaten und ausländischen Korrespondenten ihr Haar lassen, in einer englischen Golfjacke, ich spiele das Spiel des Präsidenten nicht, das Hemd rot, was auf Eitelkeit, nicht auf Gesinnung schließen läßt, die Hose aus schwerem Flanell, die Schuhe mit den dicken Sohlen von dem Budapester Schuhmacher aus der Fifth Avenue, ich verweilte bewundernd vor seinem Schaufenster am Kurfürstendamm in Berlin, seine Schuhe zu zweihundert Mark waren so fest gesohlt wie heute in New York, so recht um aufzutreten in einer arbeitslosen Stadt, ich fahre gern nach New York, sehe mich aber hinter der Tür des Luftschutzkellers, nach den Explosionen horchend, die Flieger, meine Freundfeinde, sind über der Stadt, sehe mich hinter der eisernen Zellentür des Gefängnisses in Moabit, zum Tod verurteilt, die unvergessenen Schritte der Henker und ihrer Knechte, ich lache in das alte Glas des Spiegels, ich bin entkommen, es ist der gelungene Streich eines Schuljungen, noch lebe ich, das freut mich, jedoch nicht immer.

Ein System von Alarmklingeln ist eingeschaltet. Nähert sich jetzt der Einbrecher der Tür, wird an meinem Bett die Glocke läuten, wird es unten beim Doorman in der Halle aus imitiertem Marmor klingeln, werden auf dem Polizeirevier am Fluß Pfeifen schrillen und Leuchtzeichen leuchten, schwerbewaffnete Polizisten werden in ein gepanzertes Auto springen und mit Blaulicht und Sirene zu mir eilen. Es könnte aber der Täter verkleidet kommen. Die Polizisten im Revier wurden erschlagen, die Mörder in der Uniform und im Wagen der getöteten Helfer, ausgerüstet mit ihren Schnellfeuerwaffen, zu mir geschickt, oder simpler, die Polizisten werden von jenen, die mich vernichten wollen, gekauft werden, noch einleuchtender, doch kaum anzunehmen, die Polizisten könnten durch Beeinflussung, Aufklärung, Lektüre, Nachdenken zu Recht meine erbitterten Gegner geworden sein. Hallo, Polizei, öffnen, werden sie rufen. Ich werde die Riegel zurückschieben, die Stahlstange aus den Haltern heben, das Patentschloß und das gewöhnliche Schloß aufschließen, werde die Tür öffnen, wie man sie in alter Zeit auftat, wenn ein Gast erwartet war, und sie werden breit dastehen, die Maschinenpistolen im Anschlag, mich mit ihren Kugeln zu durchlöchern.

Auf den teuren grünen Velour des Bodenbelags werde ich fallen wie in eine Wiese. Es ist die bunte fröhliche Wiese aus der Fibel des kleinen Jungen, den ich verloren habe. Das ist eine komische Erinnerung, im Matrosenanzug, mit nackten Knien, um die Mütze das Band Seiner Majestät Schiff, eine bestürzende Vision, nach den grausamen, entstellenden, brandmarkenden Verwandlungen eines langen Lebens. Der hübsche Rokokospiegel aus Würzburg wird mein Sterben in der Wiese des Teppichs nicht sehen. Da er grade an der Wand hängt, nicht zum Boden geneigt, gegenüber der festen, nun nicht länger schützenden Tür, wird er die Mörder zeigen, die sich nicht als Mörder erkennen werden.

(1974)

STEFAN HEYM

Der Gleichgültige

Ich erinnere mich jetzt.

Es bedurfte eines Szekely Sandor, die Erinnerung wachzurufen; aber jetzt sehe ich alles wieder vor mir: Ferenc auf der Anklagebank, Ferenc geständig, Ferenc beim Anhören des Todesurteils. Die ganzen Jahre hindurch war da eine Lücke in meinem Gedächtnis – eine Teil-Amnäsie, könnte man sagen. Wie sonst hätte ich in meinen Memoiren, Kapitel 13, schreiben können, daß ich nie bei dem Prozeß war. Ich bin weder verrückt noch senil. Dr. Paumgartner kann das bestätigen, und in einem langen Schriftstellerleben habe ich die Erfahrung gemacht, daß man mit Drittel- oder Viertellügen durchkommen mag – die totale Verfälschung der Wahrheit aber widerlegt sich selbst.

Ich erinnere mich sehr gut. Auch besitze ich das Manuskript meines Artikels. Nagy Isztvan hat es mir überlassen – das Manuskript, das Szekely Sandor seit 1949 aufbewahrt hat. Der miese kleine Lump: die Zeitschrift, die er redigierte, ist tot, ihr Name vergessen; er selber ist auch schon halb tot, nur seine Bosheit hält ihn am Leben; aber das Manuskript hat er aufgehoben. Dabei konnte er unmöglich voraussehen, was ich in meinen Memoiren schreiben würde, vierundzwanzig Jahre nach den Ereignissen. Vielleicht hat er sich gedacht, das unveröffentlichte Manuskript eines prominenten Schriftstellers könnte eines Tages ein paar Forint wert sein. Doch halte ich das nicht für wahrscheinlich. Viel eher nehme ich an, es war seine angeborene Bösartigkeit, die ihn veranlaßte, das Manuskript aufzubewahren und damit zu Nagy zu laufen, nachdem Nagy das Kapitel 13 meiner Memoiren auf der Kulturseite seiner Zeitung veröffentlichte. Man braucht nicht viel Fantasie, um die Schadenfreude herauszuhören, mit der er zu Nagy sagte: »Genosse Nagy, möchten Sie nicht eine Berichtigung bringen?«

Noch peinlicher aber: ich kann meinen eigenen Artikel nicht drucken lassen, selbst jetzt nicht – obwohl er mit Abstand das Hellsichtigste ist, was ich geschrieben habe.

Ein Mann, der an die Siebzig heran ist, möchte noch einmal zusammenfassen – besonders wenn er, wie es so schön heißt, ein volles Leben gelebt hat, mit einer Anzahl von Büchern, die seinen Namen tragen, einer Anzahl von Frauen, die ihn geliebt haben, und einer politischen Vergangenheit, die unter anderem eine Anzahl von Jahren im Exil und eine Anzahl von Jahren im Gefängnis beinhaltet.

Nagy Isztvan bestärkte mich. Ich weiß, sagte er, du steckst voller Widersprüche und du hast Angst vor dem, was du finden könntest. Aber das haargenau ist es, was dich so menschlich macht. All die schönen unkomplizierten Helden, die wir dem Publikum vorgesetzt haben in der Hoffnung, ihr Beispiel möchte die Leute inspirieren – was haben sie uns genützt? Dein Leben aber, vorausgesetzt du schreibst es mit der Offenheit, mit der du über andere schreibst, könnte sich als lesbar erweisen.

Also machte ich mich an meine Memoiren. Ich betrachtete die Arbeit wie eine archäologische Expedition; und je weiter die Ausgrabungen fortschritten, desto deutlicher schälten sich aus dem Sand der Vergangenheit die Gestalten der Menschen heraus, die meine Zeit bevölkert hatten. Stumme Schatten zunächst, wurden sie allmählich beredt und gruppierten sich zu einer Wirklichkeit, die mir bedeutungsvoller und dramatischer erschien als die heutige – ich selbst der interessanteste der Schatten.

Kapitel 13 befaßte sich mit dem Prozeß gegen Ferenc und mit der Rolle darin, die für mich vorgesehen war und die ich zu spielen mich weigerte.

Der Prozeß gegen Kallai Ferenc und Komplizen im Jahre 1949 ist Teil der Geschichte des Sozialismus in unserem Lande. Der Text der Anklage stand auf den Frontseiten unserer sämtlichen Zeitungen zu lesen – fettgedruckt die einzelnen Punkte: Kriegsverbrechen und Verbrechen gegen das Volk, Vorbereitung zum Aufruhr, Verschwörung gegen den Staat, Organisierung des gewaltsamen Sturzes der demokratischen Ordnung, et cetera. Jedes im Gerichtssaal gesprochene Wort wurde veröffentlicht; wenige Tage nach der Urteilsverkündung erschien auch die Nachricht, daß die Urteile rechtmäßig vollstreckt worden waren. Und sieben Jahre später, wie alle Welt weiß, wurden Ferenc und seine Mitangeklagten öffentlich rehabilitiert: Sie waren ehrenhafte Kommunisten gewesen, völlig unschuldig. – In meinen Memoiren brauchte ich daher über den eigentlichen Prozeß nicht viel zu schreiben und konnte den größeren Teil von Kapitel 13 dem Gespräch widmen, das ich dieserhalb mit dem Genossen Ersten Sekretär führte, und erklären, wie es kam, daß ich schließlich doch nicht an dem Prozeß teilnahm. Am Anfang des Kapitels erzählte ich, wie ich an dem Morgen zu

Hause am Schreibtisch saß und plötzlich das Telefon klingeln hörte. Ich beschrieb meine Überraschung, als ich im Hörer die gequetschte, etwas fettige Stimme vernahm, die damals jedem Bürger vertraut war. Keiner seiner zahlreichen Mitarbeiter, nein, er selbst rief mich an: ein ungewöhnlicher Vorgang unter jedem wie auch immer gearteten Regierungssystem.

»Wie geht's dir, Genosse?« sagte er. »Ich hab' nichts Neues von dir gelesen in der letzten Zeit. Hast du Schwierigkeiten?«

Die Luft blieb mir weg. Ich räumte ein, daß ich Schwierigkeiten hätte, versicherte aber, ich wäre dabei, diese zu meistern.

»Das ist gut«, sagte er. »Glaubst du, du könntest deine Arbeit auf eine Stunde beiseite legen und mich besuchen?«

Ich wußte einen solchen Höflichkeitsbeweis zu schätzen; der Genosse Erste Sekretär konnte mir befehlen, mich bei ihm einzustellen, oder mich von ein paar seiner Lederbemäntelten abholen lassen.

»Wann würde es denn passen?« fragte ich.

»Wann würde es dir angenehm sein, Genosse?«

Ich erwähnte, sein Kalender möchte wohl mehr Termine enthalten als meiner, und ich stünde ihm jederzeit zur Verfügung.

»Könntest du jetzt gleich kommen?«

Ich sagte, ich könnte, selbstverständlich.

»Soll ich einen Wagen schicken?«

Ich erwiderte, durch die freundliche Hilfe des Amts für die Unterstützung und Förderung der Künste und Wissenschaften sei es mir ermöglicht worden, einen erstklassigen englischen Gebrauchtwagen zu erwerben, und daß ich schon in etwa zwanzig Minuten mich bei ihm einfinden könnte.

»Ausgezeichnet!« sagte er.

Er begrüßte mich herzlich, schüttelte mir die Hand und reckte den Arm in die Höhe, um mir auf die Schulter zu klopfen, während er sich nach meiner und Erszis Gesundheit erkundigte, und wie denn der neue Film vorankäme, in dem Erszi die weibliche Hauptrolle spielte; anscheinend hatte er sich vorher über die letzten Neuigkeiten bezüglich meiner Person informieren lassen. Dann watschelte er mit seinen zu kurzen Beinen zu einem grünbespannten Konferenztisch hinüber, nahm an dessen Spitze Platz und deutete auf den ihm nächststehenden Stuhl. Die Länge dieses vollständig leeren Tisches akzentuierte die Vertraulichkeit unseres Tête-à-têtes: nirgends Wachen, keine Zeugen – das Oberhaupt von Partei und Staat in Klausur mit dem Schriftsteller.

Der Genosse Erste Sekretär gehörte zu jenen Menschen, die bei jeder Gelegenheit lächeln. Selbst die Briefmarken, auf denen sein Bild ist, zeigen ihn lächelnd – Mondgesicht, Glatze, kleine zwinkernde Augen; jedermanns lustiger Onkel. »Du weißt von dem Prozeß, Genosse, der uns jetzt bevorsteht?« sagte er, sobald die Fragen nach dem beiderseitigen persönlichen Wohlbefinden beantwortet waren.

»Ich habe davon gelesen.«

Er lächelte.

»Aber in mir sträubt sich etwas dagegen«, fuhr ich zögernd fort. »Kallai Ferenc ist ein alter Kommunist.«

Das Lächeln verflog. »Auch ich habe lange darüber nachgedacht. Es liegt wohl an der Zeit, in der wir leben, Genosse. Haben wir nicht die gleiche traurige Erscheinung auch in der Sowjetunion beobachten müssen?«

»Und Ferenc ist« – ich verbesserte mich – »war ein Freund von mir... Wir haben schon 1945 zusammengearbeitet. Als die Horthy-Polizei ihn folterte, hat er nicht einen Namen preisgegeben. Ich schulde Ferenc mein Leben, und ich bin nicht der einzige. Und später, auch nachdem er Minister wurde in unserer Regierung, sind er und seine Frau zu uns zu Besuch gekommen, und Erszi und ich waren bei ihnen zu Gast. Noch ein paar Tage vor seiner Verhaftung –«

Ich brach ab. Was teilte ich ihm Neues mit: sie hatten mit Sicherheit jeden Schritt, den Ferenc tat, seit längerer Zeit beobachtet und jeden seiner Kontakte überprüft.

»Der Virus greift immer die schwächste Stelle im Körper an«, sagte er. »Die schwächste Stelle im Falle deines Freundes Kallai war seine kleinbürgerliche jüdische Herkunft.«

Mein Herz tat ein paar unregelmäßige Schläge: meine Herkunft war so kleinbürgerlich wie die meines Freundes Ferenc, und mein teurer Vater, Gott hab' ihn selig, lag auf dem jüdischen Friedhof zu Miskolsz begraben.

Der Genosse Erste Sekretär lächelte. »Ich will damit durchaus nicht sagen, daß alle Genossen, die jüdischer Abstammung sind und aus kleinbürgerlichen Kreisen kommen, notwendigerweise zu Verrätern werden. So schätze ich zum Beispiel deine Loyalität und Aufrichtigkeit ganz außerordentlich, Genosse, weshalb ich dich auch einladen möchte, dich selbst zu überzeugen, wie sehr du dich durch deinen Freund Kallai hast täuschen lassen. Ich möchte, daß du den Prozeß im Gerichtssaal miterlebst. Mach deine eigenen Beobachtungen dabei und laß uns deine Gedanken darüber wissen. Ich glaube, ich hab' deine sämtlichen Bücher gelesen; ich weiß also um den Einblick, den du in die Herzen der Menschen hast. Hör dir an, was dein Freund Kallai zu sagen hat, und die andern Angeklagten, und erkläre mir diese Leute und erkläre sie den Menschen außerhalb des Gerichtssaals. Die Worte eines Schriftstellers haben Gewicht, und die deinigen sind, wie man weiß, besonders überzeugend. Ich hoffe, meine Bitte läßt sich mit deinen übrigen Plänen vereinbaren. Ich zähle sogar auf dich. Die Partei zählt auf dich.«

»Das ist ein sehr schmerzlicher Auftrag«, sagte ich.

»Meinst du, es war mir weniger schmerzlich, den Prozeß anordnen zu müssen?« Die Härte im Blick stand in sonderbarem Gegensatz zu seinem Lächeln. »Aber du wenigstens hast die Möglichkeit, ein Stück Literatur daraus zu machen.«

Ich berichtete diesen Dialog in meinen Memoiren so wortgetreu ich konnte und beschloß Kapitel 13 mit wenigen kurzen Sätzen:

Ich ging nicht hin zu dem Prozeß. Ich entwickelte auf einmal die fürchterlichsten Kopfschmerzen, Brechreiz, unregelmäßigen Puls, Herzkrämpfe, Unterleibsschmerzen, Fieber, so daß ich rasch in einen allgemeinen Schwächezustand geriet. Dr. Paumgartner verordnete strenge Bettruhe und zog mehrere Spezialisten hinzu, die verschiedene Tests machten, aber zu keiner gemeinsamen Diagnose gelangen konnten. Der Genosse Erste Sekretär drohte, so erfuhr ich später, mich auf einer Tragbahre in den Gerichtssaal bringen zu lassen; da der Prozeß jedoch auch ohne derart Intermezzi genügend Aufsehen erzeugte, gab er den Gedanken anscheinend auf.

Ich möchte keineswegs die Behauptung aufstellen, meine Widersetzlichkeit dem mächtigsten Mann des Landes gegenüber wäre eine mutige Tat gewesen. Es gibt einfach Momente im Leben, wo der menschliche Körper weiser handelt als der Geist. Sowieso sind Mut und Furcht Zwillingsemotionen, in dauernder Wechselwirkung; und was für eine Wahl hatte ich denn auch zwischen dem Zorn des Genossen Ersten Sekretärs und dem, was in mir vorgegangen wäre, hätte ich Ferenc' Geständnis anhören müssen?

Etwa eine Woche nach dem Erscheinen von Kapitel 13 in der Zeitung war Nagy Isztvan unser Gast beim Abendessen. Da er ein alter Junggeselle und in vieler Hinsicht hilflos ist, bemuttert Erszi ihn; sie kennt seine Stimmungen, errät seine Wünsche, bevor er sie noch aussprechen kann, verwöhnt ihn und versucht, ihn der Flasche fernzuhalten.

»Irgend etwas beunruhigt dich, Isztvan«, sagte sie zu ihm beim Mokka und bot ihm den Teller mit Gebäck an; dabei schlug sie ihre Beine übereinander, die immer noch aussehen wie damals, als sie die Hauptrolle in dem Film spielte, auf den der Genosse Erste Sekretär, Gott sei seiner Seele gnädig, in dem bereits erwähnten Gespräch mit mir Bezug genommen hatte.

Nagy nahm ein Mandelhörnchen und kaute nachdenklich. Schließlich sagte er: »Mir ist da etwas unklar«, und zu mir gewandt: »Vielleicht kannst du mir helfen.«

»Was ist das Problem?« fragte ich.

»Kennst du einen gewissen Szekely Sandor?«

Der Name käme mir bekannt vor, gab ich zu; war der Mann nicht irgendwie Journalist gewesen?

»Haargenau«, sagte Nagy. »Bist du ihm schon mal begegnet?«

»Nicht daß ich wüßte.«

»Szekely Sandor hat mich heute aufgesucht.« Nagy rieb sich den kurzen, borstigen Schnurrbart. »In meinem Büro.«

»Und?«

»Szekely erklärte, du hättest nicht die Wahrheit berichtet.«

»Tut er das je?« spöttelte Erszi. »Mein geliebter Mann erfindet immerzu Geschichten.«

»Meine Memoiren sind kein Roman«, erlaubte ich mir einzuwenden.

»Haargenau darum geht es.« Nagy liebte das Wort *haargenau* und sprach es militärisch knapp und etwas näselnd aus; die Korrektoren hatten Auftrag, es wo immer tunlich aus seinen Leitartikeln zu streichen. »Szekely behauptet nämlich, du wärst bei dem Prozeß präsent gewesen.«

»Lächerlich!«

»Lächerlich«, wiederholte Nagy. »Hab' ich ihm auch gesagt, haargenau. Aber er bestand auf seiner Behauptung. Er versichert sogar, du hättest über den Prozeß geschrieben, einen Augenzeugenbericht – ein glänzendes Stück Prosa, betonte er, voller ausgezeichneter Beobachtungen.«

Ich lachte. Müßte ich nicht am besten wissen, was ich geschrieben oder nicht geschrieben hätte; und wie sollte ich einen Augenzeugenbericht verfaßt haben, wenn ich zu Hause im Bett lag und mir die Seele aus dem Leib kotzte? Hier saß Erszi; Erszi würde mit Freude bezeugen ...

»Aber erinnerst du dich denn nicht?« sagte Erszi. »Ich hab' zu der Zeit gefilmt, Außenaufnahmen, in Bulgarien.«

Ich fühlte mich wie jemand, der aus einem bösen Traum zu

erwachen sucht. Endlich konnte ich fragen: »Hat Szekely dir den angeblichen Augenzeugenbericht gezeigt – gedruckt, allenfalls im Manuskript?«

»Nein.«

»Also.« Meine Erleichterung zeigte sich wohl allzu deutlich. »Dann soll er's doch vorweisen. Jawohl, ich bestehe darauf; ich möchte doch mal sehen, ob er es wagt, mir den Unsinn ins Gesicht zu wiederholen. Szekely Sandor, dieser elende Zeilenschinder, dieser Wurm, dieser bucklige Betrüger...«

Nagy blickte überrascht auf. »Woher weißt du, daß er bucklig ist?«

Die Gegenüberstellung fand bei Nagy im Büro statt.

Ich war zuerst gekommen, von meinem Verlag, wo ich gerade erfahren hatte, durch die Veröffentlichung von Teilen meiner Memoiren in Nagys Zeitung sei das Interesse an dem Buch in solchem Maße gestiegen, daß man sich trotz des chronischen Papiermangels entschlossen habe, die Auflagenhöhe zu verdoppeln.

Nagy gratulierte mir: meine Memoiren seien eines der großen Dokumente unseres Lebens und unserer Zeit. Und wie gehe es Erszi?

Szekely Sandor trat ein. Er war nicht eigentlich bucklig; die eine Schulter war höher als die andere. Er kam eilig auf mich zugetrippelt, diese Schulter nach vorn geschoben, und ergriff meine Hände, bevor ich sie hinter dem Rücken in Sicherheit bringen konnte. »Ja ja«, sagte er, »lang ist's her.« Danach trat er einen Schritt zurück, beäugte mich von oben bis unten und nickte befriedigt. »Aber Sie sind immer noch der gleiche – der gütige gescheite Blick, das entwaffnende Lächeln...«

»Sie scheinen sich Ihre Urteile ja sehr rasch zu bilden, Szekely«, sagte ich abweisend.

Sein Gesicht nahm einen gekränkten Ausdruck an. Das Weiße in seinen Augen, stellte ich fest, hatte eine elfenbeinerne Tönung, seine Haut war grau und fleckig: Szekely Sandor war ein kranker Mann.

Nagy wies ihm einen Stuhl an. »Ich freue mich, daß Sie gekommen sind, Genosse Szekely. Es liegt im Interesse meines Blattes und aller Beteiligten, daß die Angelegenheit aufgeklärt wird.«

»Aber das ist doch ganz einfach«, sagte Szekely.

»Was würden Sie vorschlagen«, fragte Nagy, »haargenau?«

»Ich schlage vor, Sie drucken eine kurze Berichtigung, unterzeichnet von unserm berühmten Freund, des Inhalts, daß er sich im Irrtum befand, als er erklärte, er sei bei dem Prozeß gegen Kallai und Komplicen nicht im Gerichtssaal gewesen; daß er im Gegenteil während der ganzen Prozeßdauer anwesend war; und ferner, daß er den Artikel geschrieben hat, den der Genosse Erster Sekretär von ihm verlangte.«

»Sie müssen ganz und gar verrückt sein«, sagte ich.

Szekely zuckte mit der höheren Schulter. »Da ich mich zu den Bewunderern unseres berühmten Freundes zähle«, sagte er, »tut es mir sehr leid, so handeln zu müssen; doch nach dem Prozeß damals habe ich mir geschworen, stets furchtlos die Wahrheit zu verteidigen, ganz gleich, wen's trifft.« Mit diesen Worten holte er ein längliches Kuvert aus der Innentasche seines Jacketts und überreichte es Nagy.

Nagy nahm es entgegen und hielt es zwischen Daumen und Zeigefinger, als wäre es ein noch lebendes Stück Ungeziefer; dann stand er schwerfällig auf, öffnete das Kuvert, zog etwa zwanzig sorgfältig zusammengefaltete, mit Schreibmaschine beschriebene Seiten heraus und schob mir diese zu.

Es war eine sauber getippte Arbeit; ich habe es immer für eine Zumutung Redakteuren und Verlegern gegenüber gehalten, ihnen ein weniger als perfektes Manuskript zu geben. Der Artikel war betitelt *Der Gleichgültige*; in der Zeile unter dem Titel, wo gewöhnlich der Verfasser angegeben wird, stand mein Name.

Nachdem Szekely sich entfernt hatte, sagte Nagy seiner Sekretärin, er müsse jetzt auch fort und käme heut nicht mehr in die Redaktion. Und zu mir: »Wohin gehen wir?« Und da er merkte, daß ich noch viel zu betäubt war, um Praktisches zu entscheiden, meinte er: »Wie wär's mit der Margareteninsel, ins Bad?«

Eine Viertelstunde später saßen wir bequem zurückgelehnt bis zur Brust in dem leicht schweflig riechenden Wasser der heißen Quellen des Palatinusbades. Es waren nur wenige Leute mit uns im Becken, meist pensionierte Beamte, die auf den steinernen Unterwasserbänken hockend ihre Zeitung lasen, und Damen, die aussahen, als stammten sie noch aus der Epoche der k. und k. österreichisch-ungarischen Monarchie. Das Wasser quoll friedlich gurgelnd aus dem aufragenden Gestein in der Mitte des Beckens, und ich begann mich zu entspannen.

»Nun«, sagte Nagy, »vielleicht könntest du mir jetzt einen Hinweis geben, wie das Manuskript in die Hände ausgerechnet von Szekely Sandor geraten ist?«

»Er hat's dir doch erzählt«, erwiderte ich. »Er war Redakteur bei dieser Literaturzeitschrift, und es sieht so aus, als hätte ich mein Manuskript zu ihm gebracht und ihn gebeten, die Sache zu veröffentlichen.«

Nagy seufzte. »Ein Artikel, geschrieben auf Veranlassung des Genossen Ersten Sekretärs von einem Mann wie dir über einen Prozeß wie den gegen Kallai – ein solcher Artikel war viel zu wichtig, um ihn dem zweitrangigen Redakteur eines zweitrangigen Journals anzubieten.«

Meine Nachbarin zur Rechten steckte ihren Fuß aus dem Wasser und wackelte mit den fetten Zehen. Aus dem Dunst in meinem Kopf schälte sich die Szene in dem verstaubten Büro, die Unordnung überall, die schäbigen Ledersessel, und Szekely, der in dem Manuskript blättert und sagt: »Verehrter Meister, bei *Szabad Nep* haben sie's abgelehnt, und Sie wollen, daß ich veröffentliche, was das Zentralorgan der Partei sich geweigert hat zu drucken?« und ich, der ich meinen Stolz herunterschlucke und antworte: »Sie werden es doch wenigstens lesen wollen.«

Mir schauderte. Die Zehen verursachten mir ein Gefühl der Übelkeit.

»Ist dir kalt?« fragte Nagy mitfühlend.

Ich stand auf; die schwarze Badehose, die ich mir vom Badewärter hatte geben lassen, klebte mir unangenehm zwischen den Beinen. »Der Gedanke, daß es möglich war, daß das Zentralorgan der Partei einen auf diese Art zustande gekommenen Artikel von mir nicht veröffentlichen würde, muß mir wohl unerträglich gewesen sein.«

»Aber warum haben sie bei *Szabad Nep* abgelehnt?« bohrte Nagy.

»Sie haben sich dazu nicht geäußert.«

»Der Grund muß irgendwo im Text liegen.« Er erhob sich von der steinernen Bank, schüttelte sich die Tropfen vom Leib, nahm mich beim Arm und führte mich ins Badehaus.

Ich war ihm dankbar, daß er mich nach Hause fuhr und mit mir hereinkam, um mich an Erszi zu übergeben. Erszi wollte mich ins Bett stecken, aber ich wehrte ab: ich wäre nicht krank. Wir einigten uns auf einen Aprikosenbrandy im Wohnzimmer, und Nagy berichtete Erszi in kurzen Worten, was sich ereignet hatte. Zu irgendwelcher Besorgnis bestünde kein Grund: Szekely Sandor sei längst ohne jede Bedeutung, und alles würde in Güte geregelt werden. »Und jetzt«, sagte er, »schauen wir uns das Corpus delicti einmal an.«

Als Journalist verstand Nagy es, das Wesentliche zu erkennen, auch wenn er einen Text nur überflog. Diesen Artikel aber las er Zeile um Zeile; sobald er mit einer Seite fertig war, gab er sie weiter an Erszi, die sie wiederum mir zuschob.

Mir war nicht wohl beim Lesen. Wenn es stimmte, daß ich diesen Artikel geschrieben hatte, was stand darin, das mich veranlaßt hatte, seine Existenz völlig zu vergessen? Die Autorschaft war nicht mehr fraglich: ganz abgesehen von dem Namen unter dem Titel gab es da Wortwendungen, Nuancen, Zwischentöne, die ich sofort als von mir stammend erkannte. Bald aber packte mich der Inhalt – es drängte mich zu erfahren, wie das Geschehen im Gerichtshof sich entwickelte und wie ich die Personen gesehen hatte, die in jenem holzgetäfelten Saal aufgetreten waren. Da waren meine Beobachtungen zu dem ersten Wortwechsel zwischen dem Gerichtsvorsitzenden und Ferenc, unmittelbar nach der Verlesung der Anklageschrift. –

VORSITZENDER: Haben Sie die Anklage verstanden?

FERENC: Ja.

VORSITZENDER: Sie bekennen sich schuldig?

FERENC: Ja.

VORSITZENDER: In allen Punkten?

FERENC: In allen Punkten.

– Beobachtungen über Ferenc' fast frivolen Ton, die kleine Handbewegung, laßt uns das schon hinter uns bringen, das leichte Zucken des Mundwinkels: Ironie? Langeweile? Weiß er denn nicht, was auf dem Spiel steht für ihn?... Und dann meine Darstellung von Ferenc' Geständnis, dieses Berichts über eine ungebrochene Serie immer übler werdender Bübereien, die er ohne zu stocken liefert, mit oft schon widerlichem Detail und in einer Sprache, die gespickt ist mit Polizeijargon und Funktionärsphrasen.

Schon als Student, unter dem Regime des Admirals Horthy, wird er 1931 kommunistischer Äußerungen wegen verhaftet. Ein höherer Polizeibeamter, dem er vorgeführt wird, verspricht ihn freizulassen, wenn er sich schriftlich verpflichtet, in den Reihen der illegalen Kommunistischen Partei als Polizeispitzel zu arbeiten. Auf Grund seiner Informationen, so gibt er selbst an, gelingt es der Polizei, binnen Jahresfrist siebzehn Jugendfunktionäre an der Universität Budapest zu verhaften.

VORSITZENDER: Sie selbst miteingerechnet?

FERENC: Selbstverständlich mußte ich auch verhaftet werden, schon um dem Verdacht zu begegnen, ich könnte für die Polizei arbeiten.

Später spielt er den Agent Provocateur beim Budapester Bauarbeiterstreik. Er berichtet, wie er als Kommunist, dem man vertraut, in das Streikkomitee gelangt und die Streikführer überredet, die Arbeiter zu einer großen Demonstration auf die Straße zu schicken. So erhält die Polizei die Möglichkeit, gegen die streikenden Arbeiter vorzugehen; über zweihundert von ihnen werden verhaftet und mißhandelt, der Streik gebrochen.

VORSITZENDER: Und Sie haben das alles bewußt geplant.

FERENC: Bewußt, natürlich.

Die Partei, nichts von seiner Rolle ahnend, schickt ihn außer Landes, in die Tschechoslowakei. Dort, so gibt er weiter an, erhält er Anweisungen von der ungarischen Polizei, mit gefälschten Papieren über Paris nach Spanien zu reisen und sich dort in das ungarische Bataillon der Internationalen Brigade einzureihen, das gegen die Faschisten an der Front steht. Sehr bald wird er zum Parteisekretär des Bataillons ernannt und benützt seine Stellung, der Polizei daheim eine Liste der Angehörigen des Bataillons zuzuspielen, trotzkistische Propaganda in der Brigade zu verbreiten und im Bataillon selbst Mißtrauen und Unsicherheit zu schaffen.

VORSITZENDER: Wann war das, und was war das Ergebnis Ihrer Bemühungen?

FERENC: Das war im Juni 1938, kurz vor der Schlacht am Ebro. Durch meine Aktivität wurden die Moral und die Kampffähigkeit des ungarischen Bataillons, das einen wichtigen Frontabschnitt hielt, vor einer der entscheidensten Operationen im Spanischen Bürgerkrieg beträchtlich geschwächt.

1939 desertiert er. Er selbst benutzt das Wort: desertiert. Er taucht in mehreren Lagern auf, in Saint Cyprien, Curs, Vernet, wo die französischen Behörden die geschlagenen Reste der Internationalen Brigade interniert haben, und im Bunde mit gewissen Jugoslawen dort – meist Intellektuellen, wie er besonders erwähnt, kleinbürgerlichen Elementen, Universitätsstudenten – betreibt er wieder seine zersetzende Tätigkeit.

VORSITZENDER: Sie sagten, Sie verfolgten eine trotzkistische Politik. Was war der Standpunkt dieser Gruppe?

FERENC: Kurz umrissen, alles ablehnen und in Zweifel ziehen, was im Interesse der revolutionären Arbeiterbewegung liegt, auf der politischen Basis einer völligen Prinzipienlosigkeit.

Während seines Aufenthalts in diesen Lagern steht er in Verbindung mit Offizieren des französischen Deuxième Bureaus, der deutschen Gestapo und mit einem der Spitzenagenten der Amerikaner, dem Dr. Noel Field, der ihn wissen läßt, daß Washington wünscht, er, Kallai Ferenc, möge nach Ungarn zurückkehren, dort in der illegalen ungarischen Kommunistischen Partei tätig werden und ihre Führung an sich zu reißen, um darauf die ganze Partei zu desorganisieren und aufzulösen. Field kommt jedoch zu spät mit seinem Vorschlag: die ungarische Polizei hat bereits durch die Gestapo alles Nötige veranlaßt, um ihren wertvollen Mann über Berlin in die Heimat zurückzuholen. Zu Haus meldet sich Ferenc selbstverständlich bei der Polizei und wird eingesperrt, aber erst nachdem er einen andern Agenten in den Apparat der illegalen Partei eingeschleust hat.

VORSITZENDER: Sie wurden also von der Polizei gefangengesetzt. Warum?

FERENC: Offensichtlich, damit kein Verdacht auf mich fallen würde, wenn die Arbeit dieses Mannes in der Partei zur Verhaftung von Genossen führte.

Die letzten Kriegsjahre verbringt er zumeist in Gefängnissen. Im Oktober 1944 wird er noch einmal verhaftet, diesmal von der Abteilung Gegenspionage der ungarischen Armee; als ehemaliger Offizier der Internationalen Brigaden und Führer der militärischen Sektion der illegalen Kommunistischen Partei kommt er vor ein Kriegsgericht.

VORSITZENDER: War den Militärs denn nicht bekannt, daß Sie für die Polizei arbeiteten?

FERENC: Nein. Und da ich fürchtete, sie könnten mich zum Tode verurteilen, bat ich um eine Geheimverhandlung und teilte den Richtern mit, daß ich seit 1931 meine gesamte Tätigkeit im Dienste der Polizei durchgeführt hatte. Mein Fall wurde dann einem Zivilgericht überwiesen, aber der Prozeß fand nicht mehr statt, da die faschistische Regierung vor der anrückenden Roten Armee floh und Ungarn befreit wurde.

Und da steht er nun in dem befreiten Lande, mit einer tadellosen Vergangenheit, soweit der Kommunistischen Partei bekannt, und bereit zu tun, was der Klassenfeind von ihm verlangt, erst als Sekretär der gesamten Budapester Polizeiorganisation, später als Innenminister und Chef aller Polizeikräfte des Landes. Der Feind nimmt auch prompt mit ihm Kontakt auf, und zwar in Gestalt des Oberstleutnant Kovach, Militärattaché bei der US-Botschaft in Budapest, sowie des Obersten Brankov, Leiter der jugoslawischen Militärmission und Titos führender Geheimagent in Ungarn – dieser Brankov sitzt jetzt neben ihm auf der Anklagebank. Nein, instruieren sie ihn, die Zeit kleiner geheimdienstlicher Aufgaben für ihn sei vorbei; dafür ist seine Person zu wichtig geworden. Er soll auf den Tag hinarbeiten, an dem sie das neue Regime stürzen und alle Volksdemokratien gegen die Sowjetunion kehren werden; zu dem Zweck sollen diese Länder in einer mit dem USA-Imperialismus verbündeten Balkanföderation zusammengefaßt werden, die unter Führung der trotzkistischen Tito-Clique stehen wird.

Er, Ferenc, soll dafür sorgen, daß an entscheidenden Armee- und Polizeistellen die für diese Bestrebungen geeigneten Männer sitzen, also Nationalisten, Chauvinisten, Sowjethasser. Bei der Polizei soll er alle Parteiarbeit unterbinden; so wird die Polizei der Kontrolle durch die Partei entzogen werden und nur noch ihm gehorchen, und kann dann, wenn es soweit ist, gegen die Regierung eingesetzt werden.

VORSITZENDER: Was wäre denn Ihre Aufgabe am Tag des Umsturzes gewesen?

FERENC: Meine Aufgabe wäre gewesen, die Mitglieder der Regierung in Haft nehmen zu lassen und ihre führenden Männer notfalls zu liquidieren.

VORSITZENDER: Haben Sie nicht an das Blutvergießen gedacht, das entstehen würde?

FERENC: Daß sich da Massaker und Grausamkeiten ergeben könnten, war mir klar. Ich bin doch kein Neuling, ich kenne das Abc der Politik.

Die Einzelheiten des Komplotts werden bei drei Gelegenheiten mit einem Mann besprochen, den Ferenc von früher kennt, aus der Zeit, wo sie gemeinsam ihre trotzkistische Diversantentätigkeit in den französischen Internierungslagern ausgeübt haben – Rankovich, der Zweithöchste in Jugoslawien nach Tito. Man bespricht sich in Abbazia an der dalmatinischen Küste, wo Ferenc als Gast der jugoslawischen Regierung seinen Urlaub verbringt, und ein zweites Mal während Titos Staatsbesuch in Ungarn. 1948 treffen sie sich ein letztes Mal, insgeheim, in der Hütte eines Wildhüters. Hier, in der Einsamkeit der Wälder nahe der ungarisch-jugoslawischen Grenze, eröffnete Ferenc dem Rankovich, daß er keine Möglichkeit mehr sieht, die Verschwörung durchzuführen, obwohl die Jugoslawen bereitstehen, in Ungarn einzufallen; die bekannte Resolution des Kominform-Bureaus, so erklärt er dem Gericht, hat durch die Enthüllung von Titos verräterischen Machenschaften die volksdemokratischen Kräfte in Ungarn gestärkt und der Regierung solche Unterstützung seitens der Massen gebracht, daß den Feinden des Volkes nichts bleibt, als sich vorläufig still zu verhalten.

VORSITZENDER: Sie dachten aber, daß sich in der Zukunft bessere Gelegenheiten noch ergeben könnten?

FERENC: Hätte sich später eine Gelegenheit gezeigt, würde ich sie zweifellos benutzt haben.

Ich war nicht imstande weiterzulesen, ich ertrug es nicht länger. Es war mir, als sähe ich Ferenc vor mir im Gerichtssaal, die Lichtstrahlen von dem offenen Fenster her wie ein Umhang um seine Schultern. Der breite Rücken des Prawda-Korrespondenten verbarg mich vor ihm; dennoch hatte ich das Gefühl, daß er mich anblickte. Jemand schloß den Vorhang am Fenster: das Licht verschwand, Ferenc schien zu schrumpfen. Zwei Wärter kamen und führten ihn ab.

»Erstaunlich!«

Ich kam zu mir. »Was denn – was soll so erstaunlich sein?«

»Die Wendung am Schluß!« rief Nagy. »Klug. Sehr klug.«

»Verzeih mir bitte«, sagte ich, »aber ich bin nicht zu Scherzen aufgelegt.«

»Und haargenau hier ist der Grund, warum *Szabad Nep* den Artikel damals nicht gedruckt hat, und weshalb auch Szekely sich weigern mußte, und wieso nirgends im Sozialismus einer die Sache veröffentlicht hätte.«

»Ich verstehe immer noch nicht«, sagte ich.

Er grinste. »Gut, ich gebe zu, es war ein im Grunde einfacher Gedanke. Aber darauf zu kommen, das war genial.«

»Genial«, sagte ich, »vielleicht erklärst du mir endlich.«

Er hielt mir die letzte Seite des Manuskripts vor die Nase. »Lies doch, Mensch! Den ganzen Artikel hindurch redest du von Kallai dem Verbrecher, dem Verräter, dem Agenten – das ganze stalinistische Schimpfwörterlexikon. Und dann sagst du – warte einen Moment – ja hier:

›Ich habe Kallai Ferenc für meinen Freund gehalten. Wie sich herausstellte, war er mein Feind. Das erfüllt mich mit Leid. Was mich aber entsetzt, ist seine ungeheure Gleichgültigkeit. Diese ist unmenschlich. Von einem Mann, welcher derartige Verbrechen gegen den Frieden begangen hat, gegen den Sozialismus, gegen das Volk, von einem solchen Mann sollte man doch erwarten, daß er uns wenigstens haßt. Aber von einem solchen Haß hat er nichts spüren lassen. Er hat überhaupt kein Gefühl gezeigt. Ich habe da in dem Gerichtssaal gesessen und mir das angehört, diese kühle, gelassene Sprache, und habe aufschreien wollen: Warum? Warum hast du es getan? Warum...‹«

Nagy hielt inne und legte die Seite zu den anderen.

»Ich habe Ferenc damals eben verächtlich gefunden«, sagte ich verlegen.

Nagy nickte Erszi zu. »Da hast du den wirklich großen Schriftsteller. Er hat den wunderbarsten Instinkt, doch es mangelt ihm an Verstand. Er legt den Finger haargenau auf den Punkt, auf den es ankommt, doch ohne es zu beabsichtigen. Er stellt die entscheidende Frage, die Frage nach dem Motiv, doch in aller Harmlosigkeit. Er zerfetzt das ganze Netz und zerstört die ganze Schau, doch er bemerkt es nicht, was er getan hat. Und dann, wenn die Genossen Redakteure des ehemaligen Zentralorgans sein Dynamit nicht veröffentlichen wollen, ist er so frustriert, daß er das Manuskript zu einem Szekely schleppt und darauf die ganze Angelegenheit aus seinem Bewußtsein verdrängt.«

»Aber jetzt wird der Artikel gedruckt werden!« Erszi kam um den Tisch herum und küßte mich auf die Stirn. »Und die Leute werden staunen.«

Nagy schüttelte bedauernd den Kopf. »Du vergißt die Memoiren, Erszi. Kapitel 13. Er war nie bei dem Prozeß anwesend.«

Ihr Mund wurde schmal und ihr einst so schönes Gesicht ließ erkennen, wie sehr sie gealtert war. Ein Gefühl der Trauer erfaßte mich – Trauer um sie, um mich, um das, was gewesen wär.

(1976)

vier Uhr zwanzig

nie im Leben seid ihr so zeitig auf einen Schulausflug gefahren, und um vier Uhr früh singen noch keine Amseln und es riecht auch noch lange nicht nach frischem Brot!, hat mir die Mutter – worauf eigentlich? – eben erwidert. das ist schon möglich, aber das ändert bitte nichts daran, daß ich morgen – was eigentlich? –, antworte ich etwas gereizt. aber hast du nicht einen späteren Zug?, fällt der Vater in mein: wir haben doch alles besprochen! ein. mein Gott, sage ich, fängt jetzt – was eigentlich? – alles wieder von vorne an, das ist doch sinnlos, ich habe doch alles mit euch besprochen und ihr habt euch – womit nur eigentlich? – einverstanden erklärt, jetzt könnt ihr nicht auf der einen Seite meinem Glück nichts in den Weg legen zu wollen bedauern, ich meine: beteuern, und auf der anderen mich hinzuhalten, also: festzuhalten suchen, indem ihr mir immer noch einen Tag zuzugeben abbettelt!

aber es geht doch alle Finger lang ein Zug!, die Mutter.

jetzt weiß ich es: wann, sagst du, geht dein Zug?, hatte der Vater, um wieder eine Debatte über den ungewöhnlichen Zeitpunkt meiner Abreise und somit indirekt auch über die bevorstehende Trennung vom Zaum zu brechen, das Gespräch, dem, seit ich nicht mehr zu Hause lebe, viele ähnliche, oft bis in den Wortlaut mancher Sätze gleiche Gespräche vorangegangen sind, eröffnet. um vier Uhr zwanzig, das weißt du doch, hatte ich erwidert, ich werde daher bald schlafengehen. um vier Uhr zwanzig!, hatte der Vater nach den bitteren Bemerkungen der Mutter, er müsse sich endlich damit abfinden, daß mit mir nicht zu reden sei, daß ich Rat und Bitten der Eltern ausschlüge und mir aus dem ihnen zugefügten Kummer nichts machte, noch einmal mir Vorwürfe zu machen und mich dadurch zum Bleiben zu überreden begonnen, hast du denn keinen späteren Zug?, und das das Stichwort für die Mutter, die vertrauten Klagen folgen zu lassen: sie würde ja nichts sagen, wenn ich dringend erwartet würde und einen Anschluß versäumen könnte, aber ich müßte ja nicht einmal umsteigen, und besonders verletzend, wie sehr ich mir anmerken ließe, daß ich die alten Eltern zu verlassen nicht mehr erwarten könne – sicherlich sei das, was ich ihr erzählt hätte, schrecklich, aber ich brauchte deshalb doch nicht so

stur an einem doch nur voreilig gegebenen Versprechen, wenn sie
bedenke, was für ein fröhliches und einsichtiges Kind ich gewesen
sei. ich hätte ja recht, sekundiert ihr, mich zu einem: also gut, ich
warte ab! zu bewegen, der Vater, was hätten mir die Eltern schon
zu bieten, wo mich nichts, was von ihnen komme, wo mich doch
überhaupt nichts mehr interessiere, aber warum ich wirklich
schon nächsten Morgen und ausgerechnet um vier Uhr zwanzig,
ich könnte ihnen doch den kleinen Gefallen tun, wenigstens zum
Mittagessen, allerwenigstens zum Frühstück zu bleiben, was ich
denn zu versäumen glaubte, wo mir doch ohnehin alles gleichgültig sei, eine so bescheidene Bitte bei all dem Kummer, den ich
ihnen zugefügt hätte, zufügen würde, ob ich nicht sähe, wie
verständnisvoll die Mutter trotz meinen verletzenden und schok-
kierenden Mitteilungen – welchen eigentlich? – sei, und ihnen
auch noch den letzten Abend mit mir zu verderben, sei rücksichts-
los, nein: nur unüberlegt, ich solle mir ihre Bedenken noch einmal
durch den Kopf etcetera, immer erst um sieben Uhr zehn gefahren,
eine solche Entscheidung gründlich überlegt werden, nachher ist
es zu spät und dann hast du es! aber Vater, wir haben doch alles –
natürlich mir nicht dreinreden wollen, die Mutter, aber sie werde
meinetwillen unruhig schlafen, wenn auch nicht das erste und
schon gar nicht das letzte Mal, und wenn wir endlich schlafen,
wird sich der Vater viel zu früh anzukleiden beginnen, und im
übrigen habe er recht – warum wirklich um vier Uhr früh. wann
geht dein Zug, sagst du, um vier Uhr *früh*, reißt der Vater das
Gespräch noch einmal zurück, mein armes Kind, hast du es so
eilig, kannst du nicht

ich habe euch bitte alles erklärt und alles mit euch besprochen,
ich bedaure es fast!, unterbreche ich nun die Mutter, erkläre den
Eltern noch einmal, daß ich schon früher aufbrechen bzw. zurückkehren wollte – ich habe euch bitte vorgeschlagen, ich fahre heute
um fünfzehn Uhr: heute nachmittag möchte ich fahren, aber
spätestens morgen früh muß ich von hier weg sein, habe ich euch
gesagt, stimmts?, und dann habe ich mir von euch einreden lassen,
daß heute ein Sonderzug eingeschoben wird, natürlich nicht, so
leid mir das nun tut, denn dann wäre ich schon über alle Berge!
aber morgen wird ab sechs an der Strecke gearbeitet, da kann es
lange dauern, die Züge fahren oft im Schrittempo und bleiben auf
freier Strecke stehen, alle Fernzüge letzte Woche verspätet.

aber du bist doch immer mit dem sieben-Uhr-zehn-Zug gefahren, der Vater, um vier Uhr früh geht doch gar kein Zug, denn der
fährt durch, seit wann halten bei uns Expreßzüge, und was glaubst

du wirklich zu versäumen, wenn du drei Stunden später ankommst, sag uns das, vielleicht können wir dir helfen!

wieso helfen?, antworte ich etwas gereizt, ihr habt alles – was eigentlich? – eingesehen, und ich nehme schon an, daß ich erwartet werde, ich möchte es jedenfalls glauben! und davon abgesehen, der sieben-Uhr-zehn-Zug kommt nicht in Frage, eure geschwätzigen Kreisgerichtsbeamten nehmen ihn, die lassen einen nicht in Ruhe, jedes Mal hat mich einer, selbst wenn ich schlief oder mich schlafend stellte, so lange angestarrt, bis es mir zu dumm war, außerdem alle Arbeiter der . . . fabrik unterwegs, manchmal stehen sie auf den Trittbrettern, so besetzt ist der Zug!

aber du hast uns noch einen Spaziergang nach . . . versprochen, der Vater, nicht einmal diese Bitte wirst du uns erfüllen! und ich werde vor Nervosität nicht einschlafen können, wenn schon du kein Reisefieber hast!, die Mutter, aber du hast, weiß Gott, ganz anderes im Kopf, Fernweh ist kein Wort dafür, vielleicht wirst du Heimweh haben! und wenn man mit dir reden könnte, würde ich sagen: bleib in der Heimat – so fahr wenigstens nicht vor morgen mittag!

den Spaziergang können wir ja noch machen, aber das ändert nichts daran, daß ich den Frühzug nehme, ich hab mir vorgenommen, wie damals, als wir mit der Schule nach . . . fuhren, in der Dämmerung zur Bahn zu gehen, die Amseln singen und es riecht nach frischem Brot, ich brauche ja nicht ausgeschlafen zu sein, im Gegenteil, ich werde mir einen Platz gleich weiterzuschlafen suchen, und daß ihr mich begleitet, kommt nicht in Frage, ich gehe allein!

nie im Leben seid ihr so zeitig, die Mutter, und es riecht noch nicht nach frischem Brot und es singen noch lange keine Amseln, aber wir bringen dich an die Bahn, so haben wir es in den letzten Jahren gehalten, jetzt dulden wir keine Widerrede – es hat den Vater damals so gekränkt, daß du dich vor den Klassenkameraden geniert hättest, von deinen Eltern zur Bahn gebracht zu werden, wir kommen mit, wenn du uns schon nur mehr so kurz die Ehre erweist, wer weiß, wann wir uns wiedersehen, ob überhaupt jemals wieder, und wir könnten ohnehin nicht mehr schlafen!

wie ihr wollt, ich wollte euch nur die Strapazen ersparen, aber so werdet ihr sehen, daß die Amseln singen und es überall nach Brot riecht! ›Strapazen‹ nennst du das, die Mutter, du bist ja sonst nicht so rücksichtsvoll, laß endlich das Brot aus dem Spiel und such uns nicht, für solche Sentimentalitäten sind wir heute zu traurig, auf die Amseln abzulenken!

und dann kehren Teile aus alten Gespräche wieder: ich selber würde den Wecker aufziehen, die Mutter täte mir nichts Gutes, ihn unter der Teehaube ablaufen zu lassen; die Eltern sollten mir nicht unterstellen, es habe mir zu Hause nicht gefallen, aber wir hätten den Termin – welchen eigentlich? – genau besprochen und sie wüßten genau so gut wie ich, daß ich mich von einem mir wichtigen Vorhaben – was für einem nur? – nicht abhalten ließe, sie könnten mich gerne bis zur Bahn begleiten, ich hätte es ihnen nur ersparen wollen, aber von einem Mitkommen sei nie die Rede gewesen, und sie sollten nur ja nicht glauben, daß am Morgen mit mir über die ganze Angelegenheit – welche nur? – auch nur ein Wort zu reden sei, aber wenn sie es mir unbedingt schwerer machen wollten, könnten sie sich von mir an der Bahn verabschieden – nur müßten wir dann, da der Vater langsam gehe und ich mich von seinem Alter den Zug zu versäumen nicht erpressen ließe, vor vier Uhr das Haus verlassen, auch ich wolle mich im letzten Moment nicht hetzen müssen –

plötzlich ist es vier Uhr früh, die Amseln singen wie in der Kindheit, in der Stadt riecht es nach frischem Brot und der Wind trägt den Geruch herüber. wir gehen quer durch das Ybbsfeld zum Bahndamm, die Eltern treten, mir zu winken, von der Böschung zurück, sobald ich mir oben meinen Platz gesucht habe, und winken mit dem Taschentuch, als ich mich, während mein Zug immer lauter wird, im Nachthemd nach ihnen umdrehe und die Augen schließe.

(1976)

GERT JONKE

Erster Entwurf zum Beginn einer sehr langen Erzählung

Burgmüller empfand das Gebäude, in dem er seit kurzem erst wohnte, als ein durch die Vorstadtdächer die Hügel stadtauswärts pflügendes Schiff, welches er soeben betreten, als er vom täglichen Spaziergang zurück die Treppen stiegenhausaufwärts im letzten Stock im großen Wandspiegel sich auftauchen sah, der zwischen seiner und der Wohnungstür gegenüber auf der Mauer hing. Habe ich den Wohnungseingang oder eine Türe danebenim Spiegel aufgesperrt, fragte er sich, ins Zimmer tretend, von dem eine landschaftliche Übersicht dieses spät versinkenden Nachmittags sich ihm bot, welcher vom Himmel ins offene Fenster hereingeflossen war. Er sah die Luftschleier überm fernen Wald aufblitzend verschwommen zittern, Sprünge und Risse dunstig hervorbrechend, den Wind zwischen Telegraphenmasten verwirrt blinkende Strahlenbündel glitzernd ordnen zu rollenden Lichthäufen zusammenblasen, dann durch die Ebene bis zum Horizont jagen, wo sie entweder zerschellten oder dahinter auf die andere Seite hinunterstürzten. Ein schimmernd grau gestreifter Föhn strich über den im Gegenlicht schwarz geschliffenen Waldrand hinweg, an dem die Vogelschwärme sich stießen und abgesplittert von einem durchsichtiggeglühten Ballon, der abwärtsschwimmenden Sonne vorübergleitend aufgesaugt wurden, die so grell blaßhäutig schrumpfend beinahe zerdrückt von dick qualmenden Wolkenreifen, welche von einem die Dämmerung jetzt einleitenden Lichtsturm endlich zersprengt in Rauchfetzen dem Stadtrand entgegenverstreut wurden. So begann der sich nähernde Abend hauseinwärts zu strömen, in dem mit äußerster Hingabe Burgmüller innerlich aufatmend befreit sich lösend verfangen hatte, durchs Fenster ins Zimmer herein ihm schlauchartig entgegengeschoben ein langsam dunkelnder bunter Lichtpelz, der ihn wohltuend einhüllte, bis nur mehr sein erregt konzentrierter Kopf noch herausragte, sein restlicher Körper beinahe abgeschaltet oder aus dem Hautkäfig heraus sich stülpend, alles bislang so Unüberwindliche schien gleich umsichtig ihm nun entgegengeebnet, so wartete er weiter gespannt auf alles gleich darauf noch folgende...

Das schrille Türklingeln unterbrach die Konzentration, an die Fortsetzung eines Konzeptes war nicht mehr zu denken, und darüber erschrocken fuhr Burgmüller betroffen aus dem Sessel hoch und legte den langen Weg durch den Vorzimmerkorridor in sehr schnellen Schritten zurück; vermutlich wollte er schon durch den deutlich hackenden Rhythmus seines Ganges so unmißverständlich als möglich den Grad seiner Verärgerung rechtzeitig vorausankündigend unterstrichen zu Gehör gebracht wissen, und ganz entgegen sonstiger Gepflogenheit, denen gemäß er jedes plötzliche Läuten läuten gelassen im Zimmer sitzen geblieben wäre, öffnete er die Wohnungstüre, obwohl er weder wissen wollte, wer draußen stand, erst recht nicht, welche Anliegen, Anforderungen ihm gegenüber womöglich anzubringen erhofft würden; Burgmüller erwartete niemand und nichts mehr an diesem Tag, Anmeldung lag keine vor, Besuche ohne vorherige Anmeldung auch solche von Freunden waren nicht möglich, das hatte er sich verbeten und abzustellen gewußt, und der einzige triftige Grund wider alle Regeln seiner nur ihm selbst für sein künftiges Überleben sich mühsam ganz verrückt zurechtgezimmerten Vernunft, die Türe gleichwohl geöffnet zu haben, war wohl jener, das vor der Wohnungstüre stehende Subjekt unbedingt in aller Offenheit zu fragen, *was bilden Sie sich denn ein*, um einer solchen Person den Grad der Unangemessenheit ihres Tuns in seinen Augen sofort schonungslos offenlegend klar erkennbar werden zu lassen, wie man sich zu derartig gedankenloser Handlung auch nur unterstünde, so ähnlich alle weiteren Burgmüller unterlaufenen diesbezüglichen Sätze bei mehrfach erfolgtem Gebrauch des Wortes *impertinent*; noch während er abschließend die Wohnungstür wieder zuschlagen wollte, ohne die Silbe einer darauf erwiderten Erklärung vielleicht entschuldigender Natur abzuwarten, stieg ihm ein schamhaftes Unbehagen hoch, weil erstens das nicht seinem Wesen entsprechende Verhalten seiner Person ihm selbst sofort sehr lächerlich bewußt geworden, und zweitens, seine ihm so ungemäße Ansprache, wie Burgmüller erst in diesem Augenblick zu erkennen in die Lage kam, jemandem entgegengerichtet, den er am wenigsten erwartet hätte, denn vor der Tür stand nämlich (keine Person, sondern) *ein drei Meter hoher Kleiderschrank*. Der Kasten verstellte Burgmüller gut die Hälfte seines Eingangs, einem Kleiderschrank gegenüber hatte er den Ausdruck seines Ungehaltenseins entgegenzubringen sich die günstige Gelegenheit nicht nehmen lassen, er lauschte dem zitternd vibrierenden Nachhall seiner durchs Stiegenhaus von Stockwerk zu Stockwerk vom Keller bis in den Dachstuhl hinein herumgeschleudert rollenden Ansprache.

Burgmüller betrachtete den so unverrückbar vor ihn hingestellten Besucher genau, der Schrank stand an der Mauer zwischen seiner Wohnungstür und der gegenüber vermutlich sehr kurz erst, nicht länger als einige Stunden, wahrscheinlich Minuten. Wo ist denn der Spiegel, fragte sich Burgmüller, denn bis zum erst kürzlich erfolgten Eintreffen des Kastens hing, wo der Kasten jetzt stand, dahinter auf der Mauer der Spiegel, in welchem Burgmüller erst kürzlich noch aufgetaucht war. Vielleicht nach wie vor hinterm Kasten vom Kasten verdeckt, dachte er, doch sicher hatte man den Spiegel abgenommen, ehe der Kasten an diese Stelle gerückt worden war. Warum man den Spiegel wohl abzunehmen veranlaßt gewesen sein könnte, dachte Burgmüller nach, der Spiegel an der Mauer hätte doch den gleichzeitig da stehenden Kasten keineswegs ausgeschlossen.

Wahrscheinlich hatte man befürchtet, der Spiegel werde durch einen von ihm aufgestellten ihm, dem Spiegel, die Sicht verstellenden Kasten zerdrückt, ihn deshalb vor der Aufstellung des Kastens abgehängt, vielleicht längst schon anderswo wieder aufgehängt. Oder hatte sich der Spiegel auf dieser Wand schon lange nicht mehr wohl gefühlt, wäre er vielleicht auch bald schon erblindet, war deshalb durch den Kasten ersetzt worden. Wäre denn der Spiegel, so dachte Burgmüller weiter, durch diesen vor ihn hingestellten Kasten wirklich in eine solche Gefahr geraten, daß man ihn vorher abzuhängen veranlaßt aus Verantwortung gezwungen, oder war der Kasten nur ein fadenscheiniger Vorwand gewesen, um das Verschwinden des Spiegels begründen zu können, um den Satz, man habe den Platz für den Kasten gebraucht, deshalb den Spiegel abhängen müssen, vorrätig zu haben, oder wurde der Kasten aufgestellt, um ein Verschwinden des Spiegels verheimlichend die spiegellose Stelle auf der Mauer mit dem Kasten zu verdecken. Vielleicht wäre nicht der Spiegel durch den Kasten, sondern vielmehr der Kasten durch den hinter ihm hängenden Spiegel gefährdet gewesen, weil der Spiegel so glatt und man auf ihm so leicht ausrutschen könne, und womöglich würde auch oder gerade ein Schrank von solcher Größe bei jeder auch nur leicht streifenden Berührung mit der Spiegelfläche dahinter sofort abgleitend umfallen und durchs Stiegengehäuse hinunter abwärtsrumpelnd an der Kellertüre erst zerschellen.

Nachdem er den Kasten zur Begründung vorhin so überstürzt beschimpft hatte, begann Burgmüller jetzt, mit seiner Nachbarschaft am Rande der Türschwelle sich abzufinden, indem er zunächst ihn von außen beklopfte, dem hohlen Klang seiner inneren Leere nachforschend. Als er den Schrank nach seinem Fassungsvermögen zu untersuchen beginnen, ihn öffnen wollte, wurde er eines auffallenden Raschelns gewahr, oder war es ein Knacken oder auch Knarren.

Burgmüller wußte nicht, ob ihm die Gestalt im grauen Arbeitsmantel aus dem Kasten, den er gerade öffnete, heraus entgegengetreten oder vielleicht seitwärts hinterm Kleiderschrank hervor oder herbeigesprungen war, eine Pullmanmütze weit ins Gesicht gezogen, jedenfals war die arbeitsmantelgraue Figur auf jeden Fall irgendwoheraus oder von irgendwoher derartig blitzartig hervorgetreten aufgepflanzt in die Höhe geschossen, daß Burgmüller zunächst nur eine verwischte kurz nur vorhersehbare Bewegung wahrnehmen konnte: es handelt sich um ein plötzlich erfolgtes Zurückschlagen eines grauen Arbeitsmantels, worauf plötzlich eine Hand in einen Hosensack sich versenkend eine riesige Schneuzfahne hervorholend vermerkbar wurde, ja, es ist anzunehmen, daß der Mann zunächst einmal kräftig schneuzte. Nach der Rückführung der zerdrückten Schneuzfahne sah Burgmüller diesmal die Hand aus einem der Arbeitsmantelsäcke wieder zum Vorschein kommen, darauf einen Zeigefinger den unteren Rand einer Nase entlang nachwischend, hernach den so verfahrenen Zeigefinger im Arbeitsmantel abwischend einigemale abstreifend herumwetzen. In einem hocherfreuten Tonfall, als wäre ihm durch diese doch noch erfolgte Begegnung mit Burgmüller, der er so lange schon eine halbe Ewigkeit entgegengewartet (vielleicht meinte er auch, die längste Zeit schon im oder auch hinterm Kasten lauernd), unendlich schwieriges gerade im allerletzten Moment noch einmal erspart geblieben, wie gut, rief der Mann zu Burgmüller, wie gut, ach hervorragend, Sie doch heute noch angetroffen in der glücklichen Lage mich zu befinden, wissen Sie, ich dachte, Sie seien womöglich gar nicht zu Hause, aber wie fein, denken Sie nur, wie fein für mich, Sie doch jetzt noch hier antreffbar vorzufinden, denken Sie, ich mußte Sie zunächst als momentan durchaus abwesend vermuten, doch wie schön jetzt dafür Ihrer doch heute für mich noch erreichbaren Person gegenüber, haben Sie denn vorhin gar nichts gehört?, nein?, oder hat Ihnen aufgrund einer Ihrer so kostbar konzentrierten Beschäftigungen gar nichts vernehmbar werden können?, vielleicht waren Sie auch durch irgendeinen Umstand solang verhindert gewesen, die Türe zu öffnen, und jetzt erst konnten Sie dahingelangen, mir doch noch aufzumachen!, habe ich Sie denn wohl nicht gestört?, das hoffe ich wohl sehrsehr, Ihnen nicht bei einer Ihrer womöglich aufgrund einer derartigen Unterbrechung schon nicht mehr fortsetzbaren Tätigkeit über den Weg gelaufen zu sein, das läge allen meinen eigentlichen Absichten zutiefst zuwider, doch wie schön jetzt, Sie als doch noch hierher aufgerafft mir so entgegenbemüht sich vorfinden zu lassen!!

Sie also, unterbrach Burgmüller den Mann, waren es, der vorhin, ich weiß jetzt nicht mehr vor wie vielen Minuten, hier bei mir geklingelt hat?

Ich glaube mich durchaus nicht bei Ihnen klingelnd, sondern vielmehr ganz vorsichtig leise an Ihre Tür klopfend in Erinnerung zu wissen, erwiderte der Fremde, wenn ich Sie jetzt ganz kurz nur darum ersuchen dürfte, mir entweder so rasch als möglich – es bleibt mir ja leider gerade für die mir immer am sympathischesten Menschen immer nur die allerkürzest bemessene Zeit – bei Ihnen Einlaß gewährend innerhalb der geborgenen Abgeschlossenheit Ihrer sicher bewundernswert gestalteten Privaträumlichkeiten oder aber auch hier heraußen im Stiegenhaus, ganz wie Sie wollen, und für Sie, das sollen Sie ruhig wissen, bin ich auch überall woandershin zu gehen bereit, mir ist das ganz gleich, wohin wir, wohin Sie gehen wollen, um mir Ihre sehr geschätzte Antwort auf einige meiner Fragen gnädigst gewähren zu wollen die paar Sekunden Zeit aufbringen werden, deren für mich unumgehbare Aufschlußreichhaltigkeit für meine sogleich anschließende Tätigkeit von einschneidender Bedeutung sein wird.

Sie haben also vorhin ganz bestimmt nicht bei mir geklingelt, fragte Burgmüller den Mann noch mal, wissen Sie, ich glaube nämlich durchaus, Sie klingeln gehört zu haben.

Ich wollte zwar, antwortete der Fremde, zugegebenermaßen durchaus zunächst bei Ihnen klingeln, habe in solcher Hinsicht nichts unversucht gelassen, bin aber in meinerseitig diesbezüglicher Anstrengung leider nicht sehr weit gekommen, weil, wie Sie selber durch einen raschen Blick dorthin sich überzeugen können und sollten, sehn Sie, abgebröckelt, Ihre Klingel von der Tür ganz deutlich weggebröckelt, wahrscheinlich vorher zerdrückt, eingequetscht, ein unglaublich schwerer Gegenstand muß draufgefallen, auf Ihre Klingel hinaufgeworfen worden sein. Wie schade, sagte der Mann zu Burgmüller, ansonsten habe er solche praktischen Dinge wie Türklinken und Türklingeln und ähnliches stets griffbereit bei sich mit sich führend, doch leider ausgerechnet heute nicht, wissen Sie, sonst hätte ich Ihnen sofort eine neue Klingel auf Ihre Wohnungstüre hinaufschraubend behilflich werden können, was für ein Pech, heute leider außer dem Schraubenzieher sonst gar nichts, doch würde ich Sie trotzdem sehr dringend ersuchen, mir einige Fragen zu beantworten, die für Sie von größter Nebensächlichkeit sein werden.

Burgmüller bat den Mann ins Zimmer, erklärte ihm aber sofort, daß er außerstande sein werde, ihm irgendwas zu beantworten. Von mir können Sie keine Auskünfte erhalten, sagte er, weil ich einfach nichts weiß!

Sie brauchen gar nichts zu wissen, erwiderte der Mann.

Ich weiß nichts über dieses Haus hier, erklärte darauf Burgmüller, ich weiß nichts über die Menschen hier, ich will auch gar nichts wissen, weil mich absolut nichts interessiert, ich bin in dieser Gegend vollkommen fremd und will hier so fremd wie nur möglich bleiben, weil die Fremdheit und Gleichgültigkeit in dieser Gegend, diesem Haus und auch allen Leuten gegenüber wie auch die Fremdheit und Gleichgültigkeit der Leute und der Gegend mir gegenüber einer geistigen Disziplin entsprechen, die ich mir zumindest vorübergehend aufzuerlegen mich gezwungen gesehen habe, um über einige ganz bestimmte Punkte leichter klarwerdend hinwegzukönnen. Da mich hier absichtlich nichts interessiert, wird Ihnen Ihre Begegnung mit mir kaum etwas nützen können.

Und wie Sie können werden, erwiderte der Mann, denn alles, was ich wirklich von Ihnen wissen wollte, ist doch nur das...

Burgmüller sah den Mann einen Stoß verschiedenfarbiger Zettel hervorholen, die er bat, am Tisch oder Boden auflegen zu dürfen. Ich bitte Sie sehr, sagte der Fremde, jetzt alle diese vor Ihnen liegenden Zettel zu betrachten. Burgmüller schaute auf die Zettel, las aber die auf den Zetteln aufgedruckten Texte, so gut er konnte, nicht: es handelte sich um kurz und bestimmt abgefaßte Aufforderungen, eine ganz bestimmte Örtlichkeit, vermutlich eines der größten Häuser in der Stadt irgendwie, überhaupt oder regelmäßig aufzusuchen, sich dort umzusehn, herumzubewegen, in solcher Hinsicht keinen Zwang sich anzutun oder so ähnlich.

Können Sie sich, fragte der Fremde, daran erinnern, seit Sie hier wohnen, schon einmal dem einen oder anderen oder gar mehreren dieser Zettel irgendwann begegnet zu sein in der letzten Zeit, ist Ihnen dergleichen schon einmal im Leben untergekommen?

Ich kann Ihnen nur antworten, entgegnete Burgmüller, daß ich weder beurteilen kann, ob mir einer dieser Ihrer Zettel oder womöglich mehrere schon einmal untergekommen, noch, ob mir einer oder mehrere der Zettel überhaupt noch nie oder jetzt zum ersten Male zu Gesicht gekommen, weil ich längst schon vergessen hätte, ob mir so was bereits oder überhaupt noch nie unter die Augen gekommen, denn bereits jetzt, während Ihre Zettel hier vor mir noch deutlich sichtbar liegen, habe ich sie gleichzeitig längst schon wieder vergessen, ich kann Ihnen also weder dahin noch dorthin folgen und ersuche Sie, mich bald wieder hier von Ihren Zetteln mich erlösend mir selbst zu überlassen!

Sie werden doch wohl wissen, sagte der Fremde, und das möchte ich gern von Ihnen hören, da uns gerade in diesem Fall Ihre Aussage ein großes Anliegen sein wird, weil wir schon immer der Ansicht gewesen, daß wir jeden einzelnen anhören müssen, auch die noch so leiseste Stimme darf nicht überhört werden, und Sie werden sich doch bitte noch daran erinnern können, ob gerade in der letzten Zeit einer oder mehrere Zettel durch Ihren Briefschlitz in Ihre Wohnung hereingeworfen wurden oder nicht, und dazu würde ich wirklich Ihre Antwort von dringlichster Bedeutung für uns alle einstufen müssen.

Vollkommen zwecklos, entgegnete Burgmüller, leider auch diese Frage ganz aussichtslos, Sie fragen mich wirklich, ob mir eine Ihrer Zettelbotschaften schon durch den Briefschlitz hereingeflattert sein könnte. Leider kann ich Ihnen dazu nur mitteilen, daß *keine einzige* Ihrer sicher mit dem besten Willen abgefaßten und auch wirklich die besten Wünsche verheißend erfüllbar verkündigenden Zettel-botschaften durch den Briefschlitz hereingeflattert sein könnte, *weil über keinerlei Briefschlitz an meiner Tür ich verfüge*, schauen Sie, bitte, überzeugen Sie sich doch selbst, es handelt sich bei meiner Wohnungstüre um eine in meinem Auftrag kürzlich erst neu eingesetzte Spezialanfertigung *ohne* Briefschlitz, gezwungenerma-ßen verfügte ich, hier eine ausdrücklich briefschlitzlose Woh-nungstüre einzusetzen, glauben Sie mir, das hat mich einiges gekostet, so daß Ihre armen Zettel zu mir auch nicht den kleinsten Schlitz, an mich herangelangen zu können, vorfanden, denn mir kann man durch die Tür nicht so einfach etwas hereinstecken, weil ich darauf bestehen muß, selbst darüber entscheiden zu dürfen, was mich erreichen soll, was mir eher fernbleiben sollte, und was unbedingt von mir abgewandt zu bleiben hat. Ich habe inzwischen durchaus schon Mitleid mit dem beklagenswerten Schicksal Ihrer sich zu mir heran derart bemühenden, mich aber doch nicht zu erreichen befähigten Zettelwirtschaft, aber sehen Sie, auch das ist eine der vorübergehend disziplinären Maßnahmen mir selbst gegenüber, daß ich es mir nicht erlaube, irgendeine Post zu empfangen; daß ich auch gar nicht gewillt wäre, eine solche entgegenzunehmen, und dazu auch gar nicht in der Lage, ist wieder ein anderes Kapitel. Meine Eigenschaft als Postempfänger lasse ich vorübergehend ruhen: Ich habe deshalb veranlaßt, daß die gesamte an mich gerichtete Post vorübergehend, und zwar vollkommen automatisch, in ein kleines Dorf auf der Insel Grönland verschickt, mir nachgeschickt wird; ich habe der hiesigen Post eine meinerseitige Übersiedlung in dieses winzige grönländische Dorf mitgeteilt mit der Bitte, mir sämtliche an mich gerichtete Post ausnahmslos dorthin umgehend nachzuschicken. Die Leute am Postamt handeln sehr gewissenhaft meinen grönländischen Anweisungen entsprechend. Zwar habe ich den Namen des grönländischen Fischernestes längst schon wieder vergessen, in dem ausschließlich und nirgendwo sonst ich erreichbar gelte, und in einem ganz bestimmten Sinn auch durchaus erreichbar bin, wo ich in meinem Leben natürlich noch niemals gewesen und auch niemals sein werde; so hatte ich mir durchaus absichtlich auf der Landkarte einen mehrsilbig komplizierten sehr schwer merkbaren ungewöhnlich langen Ortsnamen ausgesucht, und natürlich könnte ich jederzeit bei der Post nachfragen oder nachfragen lassen, wie der Ort heißt, in dem ich momentan erreicht werden kann! Aber wozu? Ich werde mich hüten! Ich selbst habe mir durchaus keine Nachricht nach Grönland nachzuschicken! Ich will mich dort nicht erreichen! Ich habe nicht den geringsten Anlaß, mir selbst einen Brief in die arktische Wüste hineinzuschreiben! Wissen Sie, das einzige, das ich von der näheren Bezeichnung dieses Ortes mit der mich erreichbar bezeichnenden Anschrift ganz sicher weiß, sind die zwei Worte ›poste restante‹, sonst nichts, Grönland poste restante. Ich würde also auch für mich selbst, hätte ich mich danach zu richten, einen Großteil der bislang vergangenen und auch künftigen Zeit so gut wie unerreichbar geblieben sein, und Sie können also auch diese mir von Ihnen oder Ihren Vorgesetzten in sicher lobenswertester Absicht zugedachten Zettel am besten Falle poste restante in irgendeinem Fischerdorf auf Grönland mir zur werten Kenntnisnahme nachgeschickt in einem Postfach dort lagernd vermuten, ich lade Sie herzlich dazu ein, dort Ihren mir zugedachten Zetteln nachzuforschen und nicht hier, mich selbst bekommen Sie dort nicht hin, berichten Sie mir bitte, wenn Sie zurück sind, wie und ob Sie Ihre Zettel dort in einem vernachlässigt heruntergekommenen nach Lebertran stinkenden Fischereihafenpostfach aufgespürt haben oder nicht, unterstehen Sie sich aber, mir meine anderweitige Post von dort womöglich mitzubringen, die hat dort weiter bestens aufgehoben zu bleiben, bereits wochenlang lagernd, vermutlich werden die in jenem Postamt tätigen grönländischen Angestellten durchaus Schwierigkeiten mit der Lagerung meiner vermutlich zu Bergen sich häufenden Briefe haben, Platzschwierigkeiten bei der Einordnung der unzähligen an mich gerichteten Nachrichten, doch ist gerade das ein Problem, für welches ich mich hier momentan überhaupt nicht zuständig fühle!

Sie haben mich gründlich mißverstanden, erwiderte der Mann, diese Zettel zu verschicken haben wir weder in der Vergangenheit noch gegenwärtig die Dienste der Post in Anspruch genommen, sondern einen Teil des haus- und firmeneigenen Personals damit beauftragt, und meine Aufgabe besteht in diesem Zusammenhang darin, genauestens untersuchend zu kontrollieren und herauszufinden, wie ordentlich oder nachlässig, wie häufig oder selten, wie sachgerecht und vor allem auch *wie vielleicht überhaupt nicht* in der Zettelverteilung verfahren wird, ich bin, daran ist nicht zu zweifeln, der Revisor, nicht für Sie, sondern unseres diesbezüglichen Personals der Zettelrevisor, und was Sie selbst betrifft, so handelt es sich bei Ihnen um den letzten, der aus dem mir unterstellten Bezirke noch zu befragen übriggeblieben gewesen war, lange, Sie würden sich wundern, wie lange schon ich der nun endlich erfolgten Begegnung nur vergeblich entgegenhoffen konnte, denn was Sie mir mitzuteilen haben, einfach wegzulassen, glaube ich mir nicht leisten zu können, und als letzte der Stimmen hat Ihre Meinung zusätzlich ein gewisses nicht zu unterschätzendes Abschlußgewicht, die Gesamtheit des Ergebnisses in die eine oder andere Richtung hin noch zurechtrückend, deshalb ist Ihre Aussage so wichtig, nach deren Anhörung ich die ausführlichen Untersuchungen in diesem Bezirk beenden bzw. auf der anderen Seite damit wieder von vorne beginnen kann. Von Ihnen und Ihrer Aussage hängt es jetzt z. B. durchaus sehr ab, ob jener junge Mann, der für die Verbreitung unserer Zettelnachrichten gerade in diesem Haus hier zuständig ist, aber wie ich vermute, nicht mehr lange zuständig sein wird, weil er so gut wie keine Verteilerwirkung zeitigen konnte, aus unserem Hause hinausgeworfen wird oder nicht. Da unser Haus an einer möglichst intensiven und vollständigen möglichst so gut wie die gesamte Bevölkerung des Landes umfassenden Verbreitung aller Zettel bestrebt ist, welche der Ausdruck des persönlichen Gespräches unseres Hauses mit jedem einzelnen Menschen, werden meistens, das ist nicht vermeidbar, wesentlich mehr Zettel gedruckt als in der gesamten Bevölkerung mehrfach verteilt werden können. Daß ein Großteil der im Volke verteilten Zettel, nachdem sie schon ausgiebig von den Leuten gelesen und nicht mehr aufbehalten werden, in der Folge darauf auch noch in der Altpapierverwertung eine gewisse Rolle spielt, ist auch ganz natürlich. Gerade im Laufe der vergangenen Jahre ist in unserem Hause die Herstellung der Zettel derart gestiegen, daß man sich zu fragen begann, wohin eigentlich so viele Zettel verteilt werden konnten, deren Stückzahl an der Zahl der Einwohner des Landes gemessen bei der größtmöglichen Verteilung unter die Leute einen mindestens zwanzig- oder dreißigfachen Sättigungsgrad der Bevölkerung mit vollständig verbreiteten Zetteln ergeben hätte. Trotzdem schien alles darauf hin zu deuten, daß die Menge der bislang bereits hergestellten Zettel noch immer nicht ausreichend war, viele unserer Zettelverbreiter konnten nie genug Zettel bekommen, welche sie derart flink in Kürze schon wieder verteilt, daß man vor der Wahl stand, ihren mit solcher Geschwindigkeit gesegneten Zettelverteilergeist als vorbildliche Leistung zu loben oder solchen nie stillbaren Ehrgeiz, noch mehr Zettel und Zettel zur Verteilung anzufordern bedenklich zu finden. Viele Mitarbeiter forderten die Zettel längst nicht mehr in Stückzahl, sondern in Hunderten von Kilo vereinzelt sogar in Tonnen aus der Druckerei an, die mit den ständig wachsenden Bedürfnissen in der Zettelnachfrage den Druck der Millionen und Millionen Zettel sich bald schon nicht mehr zu bewältigen in der Lage sah, bis eines Tages meine höchstpersönlichen Nachforschungen die Tatsache aufdeckte, daß weit über etwa 90 % aller unserer Zettel, und zwar ohne den sonst üblichen vorhin erwähnten Umweg über unsere Kunden, sondern umweglos direkt und zwar durch und über einige der in der Zettelverbreitung am tüchtigsten Angestellten unseres Hauses aus unserem Hause heraus, sofort aus der Druckerei, jawohl, *also noch druckfeucht umgehendst ohne Zeitverlust gleich in die Altpapierverwertung* befördert zu werden pflegen. Fast alle der in unserem Haus hergestellten Zettelerzeugnisse dienen nur dazu, wieder zerstört und grundsubstantiell einer völlig anderen Weiterverarbeitungsindustrie zuzukommen, die Zettelherstellung unseres Hauses stellt sich so zum einem Großteil ihrer Kapazität als eine direkt vorbereitende *Zulieferindustrie von qualitätsmäßig neuwertigem Papier eigens für die Altpapierverwertung* heraus, wobei die tüchtigsten Zettelverteilungsangestellten als Verbindungsleute, eigentlich als Verkäufer auftreten, deren Freunde in der Altpapierverwertung zwar die Bezahlung des vollen Altpapierwertes verbuchen, aber nur die Hälfte unseren Zettelverteilern zukommen lassen, die andere Hälfte als privaten Nebenverdienst für sich behalten; unsere Verteiler können auch mit der Hälfte zufrieden sein, sie bekommen die Ware, welche sie verkaufen, kostenlos aus unserem Hause bereitwilligst geliefert, wohin sie wollen in jeder Menge, denn auch der Transport der druckfeuchten neuen Zettel aus der Druckerei gleich in die Anlagen der Altpapierverwertung hinein, und zwar durch unseren hauseigenen Fuhrpark, funktioniert klaglos. Man trägt sich jetzt in unserem Hause ernsthaft mit der Absicht, die Produktion der Zettel einzustellen, weil eine Einschränkung der Produktion auf die Anzahl der in der Bevölkerung tatsächlich verteilbaren Menge auf ungeahnte Schwierigkeiten stoßen würde. Ich besuche Sie also heute im Auftrag unseres Hauses mit meiner nunmehr höchstwahrscheinlich letzten die Zettelverbreitung auslaufend betreffenden Aufgabe und richte an Sie nun die letzte der noch offenen Fragen: Bestehen Sie unbedingt weiter darauf, von unserem Hause mit Informationszetteln auch über den heutigen Tag hinaus versorgt zu werden? Oder würden Sie die Zukunft auch ohne die Versorgung mit Zetteln aus unserem Hause zu bewältigen sich zutrauen?

Keine Zettel, erwiderte Burgmüller, keine Zettelwirtschaft.

Er sei wirklich sehr froh, daß die Geschichte mit den Zetteln bald nun vorbei, sagte der Fremde, obwohl es immer wieder viele viele Leute, mehr als man vermuten würde, geben werde, die den Zetteln, die jetzt schon bald nicht mehr ins Haus geflattert kämen, nachtrauern würden, und ich fürchte, erklärte er zum Schluß, viele werden sich bald wieder die Zeiten der durch die Türen flatternden Zettel herbeisehnen und manchmal wehmütig zum Eingang in den Briefschlitz hineinschielend, nichts heftiger wünschen als das Herbeiflattern eines Zettels durch einen Türspalt, doch so bald, das kann ich Ihnen verraten, wird's keine Zettel mehr geben, das wird vielleicht sehrsehr lange noch dauern, bis eines Tages die Zettel endlich wieder heimlich ins Vorzimmer hereinzuhuschen beginnen werden!

Der Fremde verabschiedete sich zwar traurig, aber nicht ohne einen Hoffnungsschimmer aus den Augen herausleuchtend, Burgmüller glaubte zu merken, daß insonderheit dieser Mann es ohne die Zettel hinkünftig nicht mehr so gut als bislang zu haben befürchtete.

Er begab sich zurück ins Zimmer, die Sonne längst schon versunken, wollte zwischen verdoppelter Dämmerung zurückfinden in der Beobachtung langsam durchbrechender Dunkelheit, wieder sich hinzugeben der ihn vorhin umhüllenden Abendlandschaft mit ihren Lichthäufen, die über die Ebene an den Waldrand gerollt und dort zerschellt waren oder rauchig im Föhn sich wieder erhoben, auch jetzt immerhin vereinzelt noch einige dieser

Lichtbündel wie brennende Tiere durch die Steppe hüpfend. Im Unterholz des Horizonts, der die Nacht nicht mehr zurückhalten konnte, unter der ihn einreißenden Finsternis zusammenbrach, welche jetzt die gesamte Ebene überflutete, hatte DER WALD-BRAND begonnen, jetzt aus fernen Hügeln schon hervorflackernd glühende Straßen vor sich herschiebend leise zischende Glutnester, die zitternd pulsierend wie verlorene Signale herumblinkend die überall kreisenden Rauchschwaden verzierten. Langsam schob er sich weiter dem Stadtrand entgegen, schon hatte er das Ufer der Steppe erreicht und entzündet, die sich knisternd herbeigleisenden Grassträucher der Ebene glühend durch die Nacht zuckend die dort nistenden Vogelschwärme, welche hochflatternd aus dem sie einschließenden Feuer sich zu erheben versuchten, doch meistens sich kurz darauf schon in der Finsternis über den Flammenzungen verirrt hatten und sanken, die Flügel erschöpft zusammengeklappt, zurück, stürzten ab in die Funkenflut der Steppe. Burgmüller wurde der Nachbarbewohner gewahr, die entweder vor den Toren oder an geöffneten Fenstern sich versammelt ganz lebhaft herumdisputierend einander entgegengestikulierten. Aus dem zu ihm hochsteigenden Gemurmel hörte er die Sätze heraus ›im Wald das Feuer gefangen‹ ›schade ums viele Holz, das hätte man also doch viel lieber rechtzeitig vorher noch abholzen und auch viel lieber selber noch einheizen sollen‹.

Jetzt schien auch der Fluß dort drüben schon Feuer gefangen zu haben, man hörte ihn aufgekocht dampfen, denn unzählige Feuerschmetterlinge, aufgescheucht hochgeblasen aus brennenden Büschen wurden in die rotaufschimmernden Stromschnellen geschüttet.

(1977)

FRITZ RUDOLF FRIES

Das nackte Mädchen auf der Straße

Über die leeren Felder gekommen, konnte Albrecht van der Wahl die Einbildung haben, die Stadt sei eigens für ihn aufgebaut worden. Ein Fremder sieht mehr in der Fremde, zumal wenn er nicht als ein armer Mann kommt. Albrecht van der Wahl – das umständliche Auf und Ab seines Namens machte wie immer den Hoteliers einige Mühe, ihre Formulare korrekt auszufüllen – konnte achtlos mit dem Geld umgehen. Schon das Münzgeld hatte hier Gewicht, und er grub es um und um in seinen Manteltaschen, ließ es, ein Goldregen, aus der Höhe der affektiert erhobenen Rechten herabfallen – beispielsweise auf den Marmorrand der Kinokasse. Die Stadt schien ihm ein endloses System aus optischen Röhren zu sein, Bild und Gegenbild ständig reproduzierend. Am auffälligsten war diese Beobachtung vor den Schaufenstern, wenn die Passanten Aug in Auge mit den Schaufensterpuppen standen und einen prüfenden Blick tauschten. Die Puppen in ihren kostbaren Gewandungen, so gruppiert, daß ein Anschein von Harmonie entstand, hoben die Arme, die Finger wiesen ins Leere, vielleicht nach oben, wo man die Geschäftsräume der Firmen und Läden vermuten konnte.

Die Stadt war bekannt für ihre Spätherbsttage, für graue Regennachmittage, wenn alle logischen Kombinationen des Alphabets zurückgeholt wurden ins Bild; die violetten und weinroten Buchstaben zerflossen und im Spiegel der regennassen Straße neue, wenn auch rätselhafte Zeichen bildeten. Die Automobilreihen schienen eine unbekannte Zahlenkunde ins Bild zu bringen, die Fahrbahn ein Rollbild, das nach Kilometern bemessen wurde, am Ende in die Tuschzeichnung der kahlen Bäume auslief. Albrecht van der Wahl sah das Ende der Zivilisation wie von chinesischer Kalligraphie überwuchert, und er freute sich an seiner Vorstellung. Am Vormittag aus dem Zug gestiegen, hätte er genug an den Bildern der Stadt haben können. Doch weil er von Berufs wegen angehalten war, in die Tiefe der Dinge zu schauen, wo nur der dialektische Funke Licht erzeugte, notierte er sich Sätze zu den Bildern, wollte die Filme studieren, die Buchläden inspizieren, die Schlagzeilen, die ihm aus den Zeitungsständen entgegensprangen, aber doch so geordnet wie Gedichtzeilen, in ihrer Entstellung, Übertreibung oder groben Wahrheitsfälschung durchschauen. Zurückgekehrt würde er Fazit ziehen, das Gesehene kombinieren und interpretieren und seinem feineren Geist insgeheim mit der Beobachtung genügen, daß auch hier die vom Verstand punktuell aufzulösenden Bilder von der Sehnsucht der Betrachter zusammengehalten wurden.

Da geschah das Unerwartete. Zwischen Glaspalast und Kinosaal, unter den vielen, die aus der Vorstellung kamen, sah van der Wahl ein Mädchen, und das war nackt von Kopf bis Fuß. Er vergaß die Kinokarte, die er gerade gekauft hatte, beruhigte seinen Herzschlag mit der Versicherung, die Stadt zeige ihm in diesem Augenblick das absolute Bild. Aber er schob die Überlegungen beiseite, denn das Mädchen war viel zu nackt und also viel zu natürlich für seine Spekulationen. Sie ging auf nackten Füßen, eine Bettlerin zwischen dem ausgesuchten Schuhwerk der anderen, und van der Wahl hob den Blick ein wenig, bis zu den Knien, zwei matte Spiegel die Kniescheiben, die seinen Blick festhielten. Sah denn keiner, daß sie nackt war? In einer gewaltsamen Anstrengung hob er den Blick, der so schwer war, als wehrte er sich gegen einen plötzlichen Schlaf. Sein Blick erfaßte sie von oben, glitt herab über den kleinen blondsträhnigen Kopf, über ihr weißes Gesicht mit dem zu breiten Mund, eine vogelhafte Aufmerksamkeit ging von ihrem Blick aus; der Hals führte in schöner Linie zur Schulter, daß er sich den Anblick ihres Nackens wünschte – für van der Wahl die kostbarste, weil verletzlichste Partie eines Frauenkörpers. Er äugte noch einmal nach links und rechts, ob keiner ihm das Bild nahm, das er sah. Keiner sah es, keiner nahm es, und doch war das Mädchen jetzt so nah, daß er am liebsten nicht hingesehen hätte. Er fürchtete, er könne sie aus den Augen verlieren, und da keiner sie sah, nahm er sie mit einer sozusagen privatisierten Neugier in Besitz, betrachtete sie wie einen Kunstgegenstand, prüfte die kleinen Brüste mit Kennermiene, den runden Bauch, die Wölbung der Scham mit den feinen aschblonden Haarsträhnen. Wie klein der Fuß war. Spürte sie die Kälte des Zementfußbodens nicht? Er würde ihr ein Paar Schuhe kaufen.

Van der Wahl wollte sie an sich vorbeilassen, um sie von hinten sehen zu können, den Blick auf ihren Nacken heften zu können, aber da bemerkte er den Ring an ihrer rechten Hand – es war der gleiche Ring, den er am Vormittag von einem Straßenhändler vor dem Bahnhof in einer Laune gekauft hatte. Ein billiger Ring mit einer Glasperle von der Größe – van der Wahl liebte die poetischen Vergleiche – einer Träne.

Er faßte nach ihrer Hand und fürchtete, er werde in Luft greifen, in Wasser, und der Vogel, der Fisch, Metamorphosen der Zauberei, würden sich ins Nichts auflösen, sobald er zupackte. Er faßte eine lebendige Hand, zog das Mädchen ein wenig an sich, nun doch seine Beute, indes die anderen blicklos weitergingen. Sie ließ es geschehen und hatte auch nichts dagegen, daß er seinen Ring zu dem Ring an ihrem Finger steckte.

»Wer bist du?« fragte van der Wahl, und das nackte Mädchen lachte über so viel intellektuelle Zudringlichkeit.

Komm mit, sagte sie und zog ihn, seine Hand haltend, auf die Straße. Sollte er sich wehren? Würde er nicht in der nächsten Sekunde aus diesem Traum – war es ein Traum? – in einem Skandal erwachen, auf den die Fotografen auf der anderen Straßenseite bereits lauerten. Aber die Fotografen fotografierten in die Schaufenster hinein, reproduzierten die schönen stummen Puppen hinter Glas und hatten kein Auge für sie.

Van der Wahl versuchte dennoch, das Mädchen in Seitenstraßen zu ziehen, die ärmlich aussahen, und wo man vielleicht durch offene Haustüren und über Hinterhöfe entkommen konnte. Aber die Seitenstraßen führten wieder auf eine Hauptstraße und diese zu einem Dom aus Stahl und Glas, eine Galerie glänzender Läden und labyrinthischer Passagen, die sich im Halbdunkel verloren. Rolltreppen führten zu Eisbahnen, Schwimmhallen, Massageräumen, aus denen Scharen verjüngter, erfrischter Käufer kamen und erneut die Ladengalerien und Passagen bevölkerten. Das künstliche Licht, dachte van der Wahl, würde ihre Nacktheit wie ein Spiegelbild der Schaufenster erscheinen lassen. Sie klatschte in die Hände, als sie die schleifenziehenden Kinder auf der Eisbahn sah. Er entschloß sich für den erstbesten Schuhsalon und bat sie, vor der Tür zu warten. Aber sie folgte ihm auf Zehenspitzen. Die aus ihrer Wartehaltung befreiten Verkäuferinnen – sie machten auf van der Wahl den Eindruck, wandelnde Orchideen zu sein – fragten nach seinen Wünschen. Er zeigte auf ihre Füße und zog die Hand erschrocken zurück; nein, sie hatten nichts gesehen und behandelten ihn als sprachunkundigen Ausländer, der nach unten zeigt, um anzudeuten, daß er Schuhe braucht. Van der Wahl korrigierte sich, wies auf die spitzen und hochhackigen Schuhe der Verkäuferin, und ein Suchen und Auspacken und Aufbauen begann. Das Mädchen hinter ihm nickte, als er ein Paar aus Schmetterlingsschleifen und Lack in die Höhe hob. Sein Eifer, seine Angst, daß jemand sie doch sehen konnte, hatte ihn erschöpft. Er fragte sich, warum er sie nicht gleich in sein Hotel mitgenommen habe, von wo er telefonisch alles, was sie zum Anziehen brauchte, hätte bestellen können, vom Bett aus.

Das Mädchen probierte die Silberschuhe an, als er nicht achtgab, hob sie das Knie an, winkelte das Bein an, um den Sitz des Schuhs an der Ferse zu prüfen, erschrocken über die Schamlosigkeit ihrer Bewegung zog ihr van der Wahl den Schuh vom Fuß. Die Verkäuferin hatte nichts bemerkt, und er schickte sie in die Tiefe des Ladens auf die Suche nach knielangen Stiefeln. Schließlich konnte er das Mädchen bei diesem Wetter nicht in Fantasieschuhen herumlaufen lassen.

Die Schuhe ließ er einpacken, die Stiefel nahm er in die Hand, das Leder war weich und von einem herben Duft, daß er nicht widerstehen konnte, es mit dem Mund zu berühren. Er zahlte hastig und verließ den Laden, die Tür so aufhaltend, daß sie vor ihm hinausgehen konnte.

Im Dämmerlicht der Schaufenster gab er ihr die Stiefel, in die sie ohne Zögern hineinstieg, und sie reichten ihr, wie er es gewünscht, bis übers Knie.

Die Wirkung dieser gestiefelten Nacktheit steigerte van der Wahls Begehrlichkeit bis ins Unerträgliche. Zugleich aber hatte sich, wie er meinte, ein Schatten über das Mädchen gelegt, eine winzige Veränderung war mit ihr vorgegangen, die er sich nicht erklären konnte. Er nahm ihre Hand, deren Druck sie flüchtig erwiderte, da der Anblick der Stiefel sie ganz beanspruchte.

Der Kauf der Unterwäsche, Strumpfhosen, Schlüpfer – den Büstenhalter nahm er ihr gebieterisch aus der Hand, denn wozu halten, verpacken, was nur verhüllt zu werden brauchte –, den Kauf dieser Dinge betrieb er mit Eile. Das parfümierte Lächeln der Verkäuferin erkundigte sich leise nach den Maßen von Madame. Van der Wahl ließ sich auf die Frage nicht ein; er wählte, erwog, verwarf, bestimmte, wenn ein Druck ihrer Hand ihn dazu anhielt.

Er kaufte alles doppelt, die eine Kombination in Lindgrün, die andere in Veilchenblau. Vor dem Laden wählte sie den lindgrünen Unterrock und den Slip, der leichter als ein Taschentuch auf der Hand lag. Die Strumpfhosen schob sie zurück, als fürchtete sie, die Stiefel zu verlieren, wenn sie sie auszog. Van der Wahl stützte ihren Arm, damit sie behutsam in den Schlüpfer steigen konnte, den sie mit beiden Händen an sich hochzog, während ihre Beine ein scheinbar unsinniges Ritual eines Tanzschrittes vollführten. Dann streifte sie den Unterrock über Kopf und Schulter, und schaute sich um. Sie hob den Kopf in dieser eigenwilligen Art, die sie auch beim Sprechen hatte – so, als trinke sie die Luft, und betrachtete sich im

Schaufenster, als sähe sie sich zum erstenmal. Van der Wahl vertiefte sich mit Genuß in ihr Doppelbild, aber da geschah das Unerwartete. Die Passanten drehten die Köpfe nach ihnen, oder vielmehr, sahen sie an, ein lichtblondes Mädchen in knielangen schwarzen Stiefeln, in einem zu kurzen Unterrock, der eine Handbreit ihrer Schenkel bloßlegte, die Brüste sichtbar unter dem durchsichtigen Stoff. Niemand blieb stehen, einige suchten vielleicht den versteckten Kameramann, der diese Szene aufnahm, und gingen weiter. Aber es war kein Zweifel, das Mädchen war sichtbar geworden.

Van der Wahl riß sich den Mantel von den Schultern und legte ihn ihr um – ihr Blick hatte sich verändert, da sie nicht mehr nackt war. Sie empfand die Wärme des Mantels, wenigstens hat sie kein Fischblut, dachte van der Wahl, und ein altes Märchen fiel ihm ein.

Er fragte sie: Drücken die Stiefel, tun dir die Füße weh? Sie schüttelte den Kopf.

Bleib hier stehen, kommandierte er und bog in die nächste Passage. Er kaufte rasch und ohne den Genuß, den er, ein Kenner, sonst zeigte. Er wählte einen weißen Pullover aus Lammwolle, einen weiten Rock, darin Blumen und Gräser verwoben, er zog ungeduldig aus den Händen der Verkäuferin – Wolken von Parfüm stiegen auf, wenn sie die Arme ausbreitete – ein bernsteinfarbenes Seidentuch. Der Kauf des Mantels ließ ihn unbefriedigt, ein blauer Leinenstoff, dazu eine Kappe aus gleicher Farbe, von weiß-rotem Schottenstoff gerandet.

Die Freude, sein Werk nun bald in ziemlicher Vollendung schauen zu können, im Gesicht, eilte er zu ihr und liebte ihren Anblick, wie sie verlassen dastand, eine Hand raffte den schweren Mantel, die Ärmel hingen herab wie Flügel, über den Kragen aus dunkelblauem Stoff wellte das Haar in der gleichen fließenden Bewegung, wie sie in diesem Kaufdom dem Licht, dem Wasser abgeguckt war.

Sie nahm alles artig aus der Hand, dankte für jedes Stück mit einem Augenaufschlag, der von Sekunde zu Sekunde ein anderes Blau zeigte. Van der Wahl knüpfte ihr das Tuch in den Mantelausschnitt, sie dankte mit einem leichten Kuß, den er als Zustimmung nahm, daß sie nun in sein Hotel gingen.

Du kannst mich Ivonne nennen, sagte sie, oder wenn es dir besser gefällt, Isabeau. Der Gedanke, daß sie weder Paß noch Ausweis besitzen konnte, beschäftigte van der Wahl, der aus einem ordentlich verwalteten Land kam, eine Weile.

Es gefiel ihm, wie er sie angezogen hatte, da er mit ihr über

Avenuen und Straßen im Nebellicht des späten Nachmittags lief. Er begann, sie mit anderen Mädchen und Frauen zu vergleichen, die ihm das Werk ihrer Begleiter schienen, und er zweifelte für Augenblicke an der Einmaligkeit ihrer Erscheinung. Noch einmal betraten sie einen Laden, wurden beide begrüßt, und Isabeau (er hatte sich für diesen Namen entschieden) verlangte ein bestimmtes Parfüm. Hatte sie auch keinen Paß, dachte van der Wahl, so mußte sie eine Vergangenheit haben.

Erzähl von dir, bat er beiläufig, als sie wieder durch die feuchte Luft gingen, in der die Farben der Verkehrsampeln sich auflösten und die Größe von unbekannten Planeten annahmen, die unerwartet über die Stadt niedergehen konnten. Es war eine weitläufige Stadt, ohne erkennbare Mitte, weshalb in ihr immer wieder hohe Türme errichtet wurden, von denen aus man einen Radius schlagen konnte, Stelzfüße aus Zement, die in die Wolken gestemmte Cafés, Bars, Restaurants trugen, von wo man die Täuschung genoß, die Stadt könne ein vollkommen rundes Gebäude sein, und wo, wie es van der Wahl sich auslegte, der Geschmack des Kaffees metaphysisch wurde.

Er nahm ihren Arm und bat sie um Geschichten. Sie sprach mit ruhiger, verschleierter Stimme: Soll ich dir erzählen? Van der Wahl hörte nicht so recht hin, eine große Müdigkeit befiel ihn beim Anhören dieser Geschichten, die in großer Ferne begannen, aus großen Weiten kamen, sich in Feldern und Wäldern verloren, bis sie übers Meer kamen und die großen Städte erreichten und sich hier verloren wie planlos gebaute Straßenzüge. Es waren Geschichten wie viele, die er kannte. Angezogen hatte sie das Geheimnis ihrer Nacktheit verloren, wenn man es einmal so paradox ausdrücken kann, überlegte er.

Das Hotel war ein unscheinbares, weil sehr altes Gebäude. Großbrüstige Karyatiden trugen die Balkone der teuren Zimmer, Engelsköpfe schmückten das Dachgeschoß. Der Empfangschef grüßte mit Zurückhaltung, die Falte in seiner Stirn schien auszudrücken, man habe van der Wahl mehr Stilgefühl zugetraut, eine zu ihm und zum Haus passende Dame. Tatsächlich sah Isabeau unter ihrer rot-weiß gerandeten Leinenmütze wie ein Schulmädchen aus. Man reichte ihm schweigend den Zimmerschlüssel. Langsam zog der Fahrstuhl sie in die Höhe. Albrecht van der Wahl genoß ihre Nähe, diese Geborgenheit auf engstem, aber dafür schwebendem Raum.

Ich habe dich nicht gefragt, sagte er, ob du im Kino gewesen bist— als wir uns kennenlernten, und ob dir der Film gefallen hat?

Eine Liebesgeschichte, sagte sie, sie nimmt ein trauriges Ende. Ach so, sagte van der Wahl und öffnete die Fahrstuhltür. Es war die sechste Etage. Isabeau lief voraus, rascher, als er es sich gewünscht hatte. Ihr Stiefelschritt maß geräuschlos den mit vergoldeten Nägeln eingefaßten Läufer. Er wollte sie bitten, ihr Haar aus dem Nacken zu streichen, aber er hätte zu laut rufen müssen. Er sog die verbrauchte Luft tief ein, um das Hämmern in den Schläfen zu mäßigen. Von irgendwo verkündete eine Radiostimme die letzten Börsenkurse.

Am Ende des Ganges öffnete sich eine Tür, ein Mann zeigte sich in einem gestreiften Schlafanzug, öffnete leicht die Arme in einer Bewegung, die so bemessen war, daß er ihre Hände – die sie ihm entgegenstreckte – in seine nehmen konnte. Isabeau verschmolz für van der Wahl mit den Umrissen des Mannes, und ehe er den Schritt beschleunigen konnte, schloß sich die Tür hinter ihnen. Van der Wahl war allein auf dem Gang.

Ein anderer als Albrecht van der Wahl hätte die Tür eingetreten, das Mädchen den Armen des Räubers entrissen, Aufklärung verlangt, den Empfangschef alarmiert. Er tat nichts dergleichen, er schloß seine Tür auf, setzte sich in den grünen Plüschsessel, aus dem der Staub der Jahrhunderte wölkte, wenn man sich zu heftig bewegte. Aber van der Wahl saß regungslos, grub die Hände in die Manteltaschen, zog die veilchenblaue Unterwäsche heraus, die Strumpfhosen in der durchsichtigen Folie und warf es auf den grünen Teppich.

Geübt im Finden von Zusammenhängen, Hintergründen, war er sicher, einem Spiel unter Gaunern zum Opfer gefallen zu sein. Er, ein Fremder, der, während er die Stadt staunend betrachtet, mühelos ausgenommen, ausgebeutet worden ist.

Eine Unruhe, die aus dem Lichthof unter seinem Fenster brodelte, ein Rufen und Klagen, riß ihn aus seinen Gedanken. Er stand auf, öffnete das Fenster und beugte sich hinaus: In der Tiefe wurde ein Mann in einem gestreiften Schlafanzug auf eine Bahre gehoben, ein Toter, dem man die Arme kreuzweise auf die Brust legte, damit sie nicht herabhingen. Van der Wahl erkannte auf den ersten Blick den Fremden an der Tür, und stürzte aus dem Zimmer, lief über den Gang, rüttelte an der Türklinke – die Tür, hinter der sie verschwunden war. Die Tür blieb verschlossen. Er stürzte zum Fahrstuhl, der Etagenzeiger senkte sich langsam auf Null, hob sich dann wieder bis zur Sechs. Unter Schweißausbrüchen fuhr van der Wahl hinunter ins Foyer, wo die Hotelgäste beisammenstanden. Hier hatte man den Vorfall nicht geheimhalten können. Der Mann war tot, so hörte van der Wahl, er habe vor dem Verlöschen die Worte wiederholt: Unsichtbar, das Bett war leer... Es entstand ein unterdrücktes Gelächter. Van der Wahl ging wie suchend von Gruppe zu Gruppe, und als er sah, was er erwartet, hämmerten seine Schläfen so, daß er die Fäuste dagegenpreßte. Unter den Hotelgästen im Foyer stand sie, war nackt, rauchte eine Zigarette, und er war der einzige, der sie sah, ihr mageres Vogelgesicht, mit dem zu breiten Mund, die kleinen Brüste, die matten Spiegel der Kniescheiben. Für Einzelheiten hatte er jetzt kein Auge. Er stürzte zu ihr, entschlossen – entschlossen wozu? Er tauchte in ihren Blick, der nun wieder der fließende Blick einer nackten Frau war. Lächelnd reichte sie ihm einen ihrer Ringe. Er steckte ihn achtlos in die Tasche. Der Empfangschef schien interessiert zuzusehen, sein Blick schien Berge von Schuld auf ihn häufen zu wollen. Aber das war wohl Einbildung, dachte van der Wahl. Isabeau verließ das Foyer, ihr lichter Schatten huschte über das Glas in der Drehtür, als tauchte sie unter Wasser, und van der Wahl folgte ihr.

Spätere Recherchen führten zu nichts, und so wurde der Name Albrecht van der Wahl noch im gleichen Jahr aus der Kartei seiner heimatlichen Dienststelle gestrichen. Im Hotel hatte er eine unbezahlte Rechnung hinterlassen.

(1978)

HELMUT HEISSENBÜTTEL

Allmähliche Verfertigung des Charakters des Kollegen Hundekacke

Eigentlich hat es sich um eine einzige Meldung gehandelt. Eine Meldung von zehn bis fünfzehn Zeilen, die nie gedruckt worden ist. Allerdings, wie der Herausgeber selbst, Bonapipi, gesagt haben soll. Dynamit unterm Hintern. Die sensationellste Enthüllung des letzten Jahrzehnts? Die infamste Verleumdung, die je erdacht worden ist, wie der Kollege von der Wirtschaft, Winifred Holzapfel, behauptet hat? Ich kann es nicht beurteilen. Mich interessiert sie ja auch nicht von ihrem Inhalt her, sondern in dem Gebrauch, der davon gemacht worden ist, den, unter anderem, aber doch vor allem, er, der Kollege Queeny Hundekacke davon gemacht hat.

Zu einem Hund fehlte ihm eigentlich nur die Fähigkeit zu bellen. Er hatte es oft geübt. Aber es war ihm nicht gelungen. Für seinen Namen konnte er nichts, er war niemand anderes als der Neffe des berühmten Wanderpredigers Professor Hundekacke. Nicht so sein Freund, der Feuilletonredakteur Dr. Zuckerwasser, der gar nicht so heißt, sondern so genannt wird, weil es meist Zuckerwasser ist, was er von sich gibt, und weil diese Bezeichnung der Schüttelreim seines wahren Namens, Wuckerzasser, ist. Addie Zuckerwasser heißt eigentlich Dr. Adolf Wuckerzasser.

Als ich Lisi in der U-Bahn zwischen Hudtwalkerstraße und Klosterstern frage, was denn Hundekacke nun für einen Charakter haben soll, nachdem ich versuchsweise die ersten Sätze über ihn und Wuckerzasser formuliert habe, ob er nicht einfach einer von diesen munteren Burschen sein sollte, antwortet Lisi: Ich weiß nicht, warum ich mich, wenn du schon so fiese Kollegen hast, auch noch damit beschäftigen soll.

Sie sagt: Im übrigen ändern sich doch die Geschichten sowieso immer mit den Wörtern, in die man sie kleidet.

Queeny ist, so möchte ich mich festlegen, durch Protektion in die Redaktion gekommen. Es muß ja nicht der Onkel gewesen sein. Man kann sich vorstellen, daß Napoleon Bonapipi, unser aller Vater, als er ihn begrüßt hat, ironisch darauf Bezug genommen hat, wie er ja alle seine geheimen Informationsquellen in hohe Ironie kleidet. Aber man kann sich wieder nicht vorstellen, daß Queeny von jemandem anders als von sich selbst gesteuert worden ist. Nicht so Wuckerzasser, der ein echter Ferngelenkter ist. Es gibt diesen Kreis von ältlichen Klugscheißern und Superschlauen, die ihn in der Tasche haben. Bonapipi, der große Boß, weiß das, es paßt gut in seinen Kram.

Ich frage Lisi noch einmal, was für einen Charakter Hundekacke haben soll. Sie versteht mich falsch. Sie meint, ich kenne ihn und es kommt darauf an, wie ich ihn beschreibe. Aber ich muß es ja erst zusammensetzen. Es geht darum, bestimmte Eindrücke, Meinungen, Hypothesen in eine Art Konstruktion umzusetzen, in der sich neben Eindrücken, Meinungen, Hypothesen auch Fakten oder völlig fantastische Sachen hin und her bewegen lassen. So daß ich am Ende vielleicht sagen kann, daß Queeny nicht einem Hund ähnlich, sondern tatsächlich ein Hund war, und daß er nicht bellte, kein Unvermögen, sondern Tarnung war. Hätte er auf einer Sitzung oder einem Kollegen gegenüber gebellt, wäre er doch von jedem erkannt worden.

Auf der anderen Seite. Lisi sagt: Das ist Unsinn.

Muß ich doch fragen, ob ich nicht, wenn ich sage, Queeny war tatsächlich ein Hund, den Hunden unrecht tue? Wenn ich Schweinehund sage, ist das ein Schimpfwort. Ein metaphorisches Schimpfwort. Er benahm sich beschissen, kann ich sagen. Aber wenn ich sage, er benahm sich behundekackt, hat man da nicht sofort den Eindruck, ich will was ganz Bestimmtes beschreiben? Wenn jemand ein Schwein ist, bedeutet es nicht, daß Schweine minderwertig sind. Ich übertrage einen Namen in eine Einschätzung, die eigentlich soziologisch ist. Beschissen, ja behundekackt ist er uns gegenüber.

War es falsch, verschlagen, hinterhältig, tückisch, unberechenbar? Ist ein Hund falsch, verschlagen, hinterhältig, tückisch, unberechenbar? Nur, wenn er durch sein Zusammenleben mit seinem menschlichen Meister dazu gemacht worden ist. Die Neurose des Herrn erkennt man am Hund. Mir fällt dabei eigentlich weniger Hundekacke ein als sein Freund Zuckerwasser-Wuckerzasser. In seiner kartoffelbreiernen Sanftäugigkeit und zugleich gackernden Umgetriebenheit ist er wie ein Tier, das es gar nicht gibt. Eine rare Spezies. Ich frage Lisi. Sie sagt: Wenn ich dich richtig verstanden habe, ist dieser Wuckerzasser oder Zuckerwasser oder wie er heißen soll, einfach nur ein pompöses Arschloch. Ich verstehe vor allem nicht, was du eigentlich sagen willst.

Sie sagt: Hundekacke ist doch schon schlimm genug. Was hat er dir eigentlich getan?

Wie soll er denn aussehn? Blond, grinsend?

Hallo, hallo, Leute, hier kommt Queeny Hundekacke.

Ich weiß nicht, wie weit es wichtig ist, daß er mal Fußballspieler gewesen ist. Oder Radfahrer? Er könnte als Sportreporter angefangen haben. Er hat tatsächlich als Sportreporter angefangen. Keine Verlockung zum Fernsehn? Auslandsaufenthalte? Sicher. Ich will einmal versuchen, eine Anekdote zu erzählen. Er hat früher für einen Mann gearbeitet, der immer in Lodenanzug und Lodenmantel herumlief und ständig Geschichten von Bordellen erzählte, daher der Spitzname Lodenhoden. Lodenhoden redigierte die Seite, die bei uns wie auch woanders Aus aller Welt heißt. Queeny und Lodenhoden waren hinter einer ausländischen Berühmtheit her, die eine Story hergeben sollte. Sie kriegen die Story, der Ausländer und Lodenhoden sind stockbesoffen, Queeny bringt die Story. Er hat später gesagt, es wäre überhaupt keine Zeit gewesen, weil schon andere hinterher waren. Dagegen spricht, daß der Ausländer da schon zu besoffen war, um was zu erzählen. Irgend jemand hat gesagt, daß Lodenhoden gesagt hat, es muß was im Schnaps gewesen sein. Lodenhoden stirbt im Klo eines Bordells an einem Herzinfarkt. Queeny holt die Leiche ab und erfindet eine Geschichte. Queeny wird der Nachfolger von Lodenhoden und macht Karriere. So etwa. So etwa?

Ich frage Lisi, diesmal auf einem Spaziergang, der uns von der Harvestehuder Seite der Alster über St. Georg in die Koppel und durch den Graumannsweg bis nach Hohenfelde führt, was sie von Hundekackes Karriere hält.

Hat er denn eine? fragt sie. Sie sagt: Ich weiß ja nicht, was du willst. So wie es jetzt aussieht, ist es eine Geschichte, in der es jeder gewesen sein kann. Es bleibt in den Wörtern, und solange es in den Wörtern bleibt, braucht sich keiner was dabei denken.

Statt dessen? frage ich. Sie sagt: Wenn du nun jemand Bestimmtes meinst, einen, den du kennst und den dann Hundekacke nennst, dann willst du den vielleicht entlarven oder du willst deine Wut über ihn loswerden.

Und dann? frage ich. Sie sagt: Und dann erkennt der an irgendwas, was du sagst, daß er gemeint ist und wird selber wütend und ich weiß nicht was.

Sie fragt: Ich weiß nicht, ob du das willst oder nur so eine Geschichte erzählen, die ja eigentlich gar keine richtige Geschichte ist.

Jetzt, wo ich es aufschreibe, denke ich darüber nach. Heißt das, ich soll die Karten auf den Tisch legen? Gehört zum Beispiel zum

Kartenspielen nicht gerade, daß man die Karten nicht auf den Tisch legt? Oder ich als Kiebitz? Ein Kiebitz, der ein Voyeur ist? Und so tut, als ob er auf irgendwas Jagd macht? Inzwischen ruft mein Freund Gunar Ortlepp an und erzählt mir, daß Helmut Mader gestorben ist. Wir reden darüber. Ich erzähle, daß ich mich gerade mit dem Kollegen Hundekacke beschäftige.

Kennst du den? ragt er. Als ich nicht sofort antworte, sagt er: Ich ja. – und dann: eigentlich eine ganze Menge.

Als Kollege hat Queeny auch positive Seiten. Er ist immer informiert, immer zu einem Schnack aufgelegt, er ist, wenn was los ist, scharf wie ein Schießhund, er hat Einfälle, er macht Wind, ohne zu dick aufzutragen. Er hat Standardsätze. Er sagt: Es kommt nicht auf den Stil an, sondern auf die Story. Ist die Story gut, spielt der Stil keine Rolle. Ist die Story nicht gut, muß man sie frisieren, aber nicht durch Stil aufmotzen.

Er sagt: Wir haben nicht die Leser, die die andern haben, da bin ich einfach neidisch drauf.

Er fragt: Sind wir denn so sicher, was wir für eine Zeitung machen? Er sagt: Einen Artikel muß man nicht gut schreiben, sondern gut an den Mann bringen. – Er glaubt an Sachen, nicht an Wörter. Aber er macht es mit Wörtern. Er sagt: Wenn ich kulturelle Verantwortung höre, fange ich an zu pupsen.

Ich muß, damit der endgültige Coup verständlich wird, noch etwas erklären. An der Spitze steht Napoleon Bonapipi, er ist der Boß, unser aller Vater, der uns rausschmeißt, wenn er meint, wir sind erledigt. Wir haben in dieser Zeit drei Ressortleiter Politik: Außenpolitik, Innenpolitik und Nachrichten. Außenpolitik Professor Wiardus Kesselpauke, Spezialist für Ostasien und Ozeanien, Innenpolitik Victor Plauze, ihm zur Seite Graul Übertreibsel, genannt das Untermännchen, und Nachrichten eine Frau, Lorma Pippergrill, groß, breit, mit Elan alles überrennend, aber zuverlässig. Eine gewisse Rolle hat noch gespielt die Sekretärin von Kesselpauke, durch deren Hände sehr viel geht, wenn er nicht da ist, das ist er oft, sie heißt Puppie Regenbogen.

Es gibt auch eine gewisse Vermischung von dienstlichen und privaten Beziehungen. Es wird nicht gerade darüber diskutiert, ob Sekretärinnen auch Menschen sind, natürlich sind sie Menschen, aber die geistige Struktur einer Sekretärin ist doch, wie Kesselpauke sagt, ganz etwas anderes. Daß man mit ihr schläft, ist ganz natürlich. Wenn ich als einfacher Redakteur einem Ressortleiter gegenüber einen Ressortleiter kritisiere, wird die Antwort immer sein: Ja wissen Sie denn nicht, daß das ein Ressortleiter ist? Wenn ich mich mit ihm in Rivalität um die Gunst einer Kollegin befinde, oder, falls wir uns unter Schwulen bewegen, um die Gunst eines Kollegen, tue ich das ohne Rücksicht auf Rangunterschiede. Manches fließt dabei hin und her, auf und ab.

Es hat da zum Beispiel, als Queeny Lodenhodens Nachfolger wurde, eine Geschichte gegeben, in der Queeny angeblich durch eine intime Beziehung zu Puppie Regenbogen sich vor allen anderen Kenntnisse über gewisse räumliche Veränderungen verschafft und sie, hinter unserem Rücken, zu seinen Gunsten ausgenutzt haben soll. Er hat jedenfalls eines der wenigen Büros bezogen, die einen freien Blick haben. Wobei ich mir immer nicht recht vorstellen kann, daß er Wert darauf legt. Es kann natürlich etwas sein, mit dem er sich vor Besuchern brüstet. Sie kommen zu ihm.

Es war in einer jener Phasen, in der die Terroristenbekämpfung Schlagzeilen und Politik machte. Nach einer Reihe gelungener und nach einigen nicht gelungenen Anschlägen, die teils in einen sehr engen Kreis innerhalb der Bundesrepublik, teils in einen allzu weiten wiesen, der von der IRA bis zur PLO, ja bis in den Staatssicherheitsdienst der DDR reichte, waren Gerüchte normaler und leichter zu haben als Fakten und Dokumente. Hundekacke war für seine Verhältnisse schweigsam, was darauf schließen ließ, daß er was vorhatte. Puppie, die ich auch ganz gut kenne, hat mir erzählt, daß Queeny ungewöhnlich oft mit einer Nummer in Bonn, – ausgerechnet in Bonn, sagt sie, telefoniert hat. Victor Plauze, Graul Untermännchen, dann noch ein Kollege, den wir Jonnie den Damentöter nennen, Wuckerzasser, was eine Ausnahme ist, und ich sitzen noch auf ein Bier im Armen Ritter, einer schlauchartigen Kneipe um die Ecke, in der man auch essen kann, als Queeny hereinkommt.

Kinder, sagt er, ihr glaubt es nicht.

Aber er verrät nichts. Er fragt Zuckerwasser, ob er einen Augenblick.

Ich breche sowieso auf, sagt Zuckerwasser. Sie gehen weg. Hundekacke hat seinen rechten Arm um Wuckerzassers Schulter gelegt. Er grinst. Wuckerzasser nickt, er macht ein Gesicht wie ein, sagt Jonnie, Schafbock beim Melken.

Ein windiger Oktoberabend mit gelbem Licht, das von der Straße hereinschlägt. Noch stehen Hundekacke und Wuckerzasser voreinander. Hundekacke beide Hände flach auf Zuckerwassers Brust, dieser jetzt mit gespitzten Lippen, den Kopf schüttelnd, so daß das Haar, das ihm puffig um den Kopf steht, hin und her schwappt. Dann entfernen sie sich. Mir gegenüber Victor Plauze, dessen runde blaue Augen aussehen, als wollten sie aus dem Kopf fallen. Er sieht den sich Entfernenden nach. Zigaretten- und Zigarrenrauch unter den niedrig hängenden Lampen.

Was um Gottes willen meint er denn, daß er weiß, sagt Graul Untermännchen mit mürrischem Gesicht. Er haßt Hundekacke.

Bei der nächsten Redaktionskonferenz rückt Wuckerzasser mit einer Serie heraus, die sich mit den Vorwürfen gegen linke Schriftsteller befaßt, Vorwürfen, die darauf drängen, den sogenannten geistigen Vätern des Terrors endlich das Handwerk zu legen. Einer von Zuckerwassers Klugscheißern ist der Autor, die ganze Sache, wie sich herausstellt, präpariert. Sehr geschickt gemacht mit Rückblenden auf den Vorwurf des entarteten Schrifttums, in der Verteidigung der Autoren diese zugleich den Angriffen des Faschismus aussetzend, sehr zweideutig, von beiden Seiten benutzbar, aber im Grunde eher ein unbestimmtes Mißtrauen und Unbehagen gegenüber den Intellektuellen unterstützend. Niemand hat etwas dagegen. Die Serie geht in Druck.

Während die Serie läuft, erscheinen bei Hundekacke Berichte, die den mysteriösen Selbstmord eines Kriminalbeamten aufwärmen, der im Zusammenhang mit einer Abhöraffäre in einer der großen Parteizentralen gestanden hatte. Es wird davon geredet, daß bei völlig anderen Ermittlungen merkwürdige Zusammenhänge erkennbar geworden sind. Auch dies sehr zweideutig. In der Formulierung Hundekacke selbst, auf Fakten drückend, Ketten herstellend, die nichts beweisen, aber suggestiv sind. Kurz darauf taucht ein neuer Aufwärmer auf, der einer Seitenlinie nachgeht, die mit dem Überfall auf eine bundesdeutsche Industrieniederlassung in Südamerika zusammenhängen soll. Weitere ähnliche Berichte folgen. Sie wechseln sich ab mit den Beiträgen der Wuckerzasser-Serie. Ich weiß nicht, wie viele Leser darauf geachtet haben. Ich habe beide Serien gesammelt und in einem Ordner abgeheftet, der nun in dem Teil meines Schreibtischs liegt, zu dem ich allein den Schlüssel habe.

Dann wurde es undurchsichtig. Wörtlich: undurchsichtig. Lisi sagt: Das kannst du auch gar nicht anders, denn sonst müßtest du einen ganzen Roman schreiben. – Ich sage: Das werde ich vielleicht auch noch tun, und dies behalte ich mir als Motto vor.

Viel Spaß, sagt Lisi. Spät nachts jedenfalls, noch im Oktober, kommt Kesselpauke von der Reise zurück, die sehr viel länger gedauert hat, als angekündigt war. Niemand weiß, ob er etwas gehört hat und was und ob er geglaubt hat, es ist vorbei, wenn er spät kommt. Es heißt, er hat am Morgen eine Meldung von Lorma

Pippergrill vorgefunden, die sie für heiß hält, die Wiardus jedoch sozusagen mit der Feuerzange in den Papierkorb wirft. Puppie meint, er hat sie ins Klo gespült. Es hat eine längere Besprechung zwischen Wiardus und Lorma stattgefunden, während der die Hundekacke mehrere Male im Vorzimmer aufgetaucht ist und gesagt hat, grinsend: Was tun die beiden denn bloß so lange?

In der Ausgabe von diesem Tag druckt Wuckerzasser die Antwort eines konservativen Altschriftstellers auf seine Serie ab, Motto: Ich habe es schon immer gesagt und: ausrotten mit Stumpf und Stil. Abends im Armen Ritter erzählt Hundekacke von einem Notizbuch des Kriminalbeamten, der einst mit einer Pistole in der Hand, der falschen übrigens, er war Linkshänder, wie Queeny weiß, und einem Loch im Kopf am Rheinufer gefunden worden war. Dieses Notizbuch ist bei einem merkwürdigerweise in seiner Badewanne ertrunkenen älteren Rechtsanwalt, der vor allem in Mietstreitigkeiten die Mieter vertreten hat, gefunden worden. Dieses Notizbuch soll Hinweise enthalten auf eine Gruppe, die Geld über bestimmte, dort auch angedeutete, Kanäle in die Terroristenszene hat fließen lassen und die eine sehr gut verteilte und sehr gut organisierte Auffangmöglichkeit bereitgestellt hat, alles dies wasserdicht abgedeckt, vollkommen unverdächtig.

Wir haben, sagt Hundekacke mit einem träumerischen Augenaufschlag, vielleicht jahrelang in die falsche Richtung gestarrt.

Am nächsten Tag Schlagzeile auf der ersten Seite: Geheime Kontakte zur Terroristenszene? Dazu dunkle, aber auf den ersten Blick nur in eine Richtung zu interpretierende Andeutungen. Niemand weiß, wie die Meldung ins Blatt gekommen ist. Die peinliche Befragung der Setzer und die Verfolgung der Spur von da aus rückwärts, die Bonapipi sofort anordnet, führt zu Kesselpauke. Der tobt. Er weiß nichts. Puppie kommt in Verdacht. Auf der hastig einberufenen Konferenz macht Queeny schamlos und kalt Andeutungen über das Verhältnis von Lorma und Wiardus. Bei dem Wortwechsel, der sich zwischen ihm und Wiardus entwickelt, siegt er mit dem Satz: Ich sage doch nur, was sowieso jeder weiß. – Es wird weiter gefragt, weiter nachgeforscht. Victor und ich haben ein Alibi, in das wir Puppie mit einschließen können. Queeny grinst, er scheint das einkalkuliert zu haben. Graul ist verreist. Es bleibt an Lorma hängen. Sie macht eine Szene und geht dann weg.

Inzwischen Reaktion auf die Meldung. Wütende, massive, impertinente und drohende Reaktionen. Bonapipi nimmt alles in die Hand. Mißverständnis, übler Scherz, Trick, Sabotage heißt sein Vokabular. Ich habe einen Augenblick gedacht, er deckt Kesselpauke. Aber er tut es nicht. Kesselpauke wird vom Dienst suspendiert. Graul vertritt ihn. Lorma meldet sich krank. Victor macht ihre Arbeit mit. Drei Tage Stille. Dann eine neue Meldung mit Andeutung weiterer, genauerer Hinweise. Bonapipi tobt. Wer will ihm an den Kragen? In ausländischen Zeitungen tauchen Glossen auf: BRD-Watergate? Kesselpauke begibt sich auf die zweite große Auslandsreise, bei der er dann auf so tragische Weise umkommt. Er wird in Abwesenheit entlassen. Lorma wird entlassen. Sie fängt eine Sauftour an, die mit einem tödlichen Autounfall endet. Konferenzen, Besprechungen. Hundekacke und Wuckerzasser von all dem unberührt. Dann wird Graul entlassen. Er springt am Abend aus dem Fenster seines Büros und ist sofort tot. Es wird mir unheimlich.

Aber es folgt nichts mehr. Bonapipi ordnet sein Reich neu. Zwei fixe Jungs, an die ich mich vage von früher und, wie ich meine, im Zusammenhang mit Queeny zu erinnern glaube, werden neu eingestellt. Die größte Überraschung für uns, die Bombe, folgt auf eine lange Unterredung zwischen Bonapipi und Hundekacke. Er wird Nachfolger von Kesselpauke, behält aber die Büros, die er hat. Er übernimmt Puppie nicht, sondern schiebt sie mir zu, holt sich dafür die aufwendige Blondine, mit der ich mich seit ihrer Neueinstellung, das fällt mir plötzlich ein, genau am 1. Oktober, herumgequält habe. Victor übernimmt Lormas Arbeit, die Neuen die von Victor und Graul.

Ich bin jetzt sehr vorsichtig. Ich besitze einen Abschiedsbrief von Graul, aber ich habe ihn nicht gelesen. Seit Queeny mit seiner neuen Crew, der sich auch Wuckerzasser angeschlossen hat, den Armen Ritter besetzt hält, gehen Puppie, Jonnie, Victor und ich in den Apfelbaum. Es ist dieselbe Sorte Kneipe, sie liegt etwas weiter weg, aber wir sind unter uns. Das Blatt floriert. Der Skandal hat die Auflage mit einem Ruck höher gehen lassen. Hundekacke ist clever. Er hat die Macht übernommen und schafft es. Manchmal windelweich, manchmal mit geradezu selbstmörderischer Unverschämtheit. Ist es noch Bonapipis, des alten guten ehrlichen Bonapipis Blatt? Er ist, am Ende, zufrieden, wenn die Kasse stimmt. Mehr weiß ich nicht.

Neulich, an dem ersten schönen Märzabend in diesem Jahr, bin ich mit Puppie Regenbogen zusammen weggegangen. An den Büschen in den Anlagen sieht man das erste Grün. Die ersten Amseln. Ein aufleuchtender Kondensstreifen teilt den Himmel in eine große und eine kleine, langsam nachdunkelnde Hälfte und zieht ein merkwürdig fremdartiges Schnorchelgeräusch hinter sich her. Es ist fast kein Wind. Sie sagt: Er hat etwas in der Hand. – Ich frage: Aber was?

Etwas, sagt sie, das alles in die Luft jagen kann.

Ich frage: Du meinst, er benutzt es noch immer? – Ja, ich glaube, antwortet sie. Der Kondensstreifen schwimmt als weitgeschwungene Federwolke, sich plötzlich rot verfärbend, in die kleinere Himmelshälfte weg. Ich sage: Das ist aber doch ganz direkt gefährlich für ihn.

Wahrscheinlich, sagt Puppie Regenbogen. – Es gibt, wenn das alles stimmt, sage ich: es muß dann doch Leute geben, die wissen, daß er was weiß. Das kann doch auch schiefgehn. – Sie antwortet: Unsere neuen Kollegen wissen auch was.

Sie sagt: Und du weißt ja gar nicht, was für eine Rolle er wirklich spielt dabei.

Ich verstehe plötzlich, was sie meint. Ich denke plötzlich an alte Zeiten, als wir, als jedenfalls ich klein war. Es ist mir plötzlich zuwider. Ich möchte aufhören. Puppie fragt: Weißt du, was ich glaube?

Ich schüttelte den Kopf. Ich finde es kalt. Ich möchte was trinken. Sie sagt: Daß er es genießt.

Lisa sagt: Nun ist es ein Krimi geworden. Schade. –

Wieso schade? frage ich.

So unwahrscheinlich wie eben jeder Krimi, antwortet sie. Sie sagt: Es hätte ganz interessant werden können.

Sie sagt: Aber es macht ja nichts, du bist ja für Krimis.

Sie fragt: Findest du das denn am Ende selber noch interessant?

Ich weiß es natürlich nicht. Ich sage: Es führt vielleicht in eine andere Richtung.

(1978)

GERT HOFMANN

Die Fistelstimme

Lieber Herr, da tritt, auf dem Höhepunkt meiner Gedankenlosigkeit, plötzlich ein leichtgekrümmter, hohlwangiger, wahrscheinlich nicht ganz gesunder, langer, jüngerer Mensch in einer grauen, von den Ärmeln her allmählich zerfallenden Jacke hinter einer Säule hervor und stellt sich mir in den Weg. Mein erster Gedanke, daß ich ja Gott sei Dank nicht viel zu verlieren habe, mein zweiter, daß ich nun jeden Augenblick *auf slowenisch* angesprochen und nichts verstehen werde. Da spreche ich ihn, schreibt der neue Lektor, schon lieber selber an.

»Was wollen Sie von mir?« frage ich und bleibe stehen, und der junge Mensch, der dunkle rotumränderte Augen mit flatternden Lidern und langes strähniges schwarzes Haar hat, entschuldigt sich sofort. »Entschuldigen Sie *die Angst*, die ich Ihnen gemacht habe«, sagt er und will näher kommen. »Woher wissen Sie das?« frage ich, und es gelingt mir, schreibt der Lektor, ihn mir mit Hilfe meiner ausgestreckten Rechten vorerst vom Leibe zu halten. Da macht der junge Mensch eine ungeschickte Verbeugung und stellt sich mir in ordentlichem, wenn auch viel zu hartem Deutsch vor. Jakob Ilz, Student. Und hält mir über die Distanz, die ich mit meiner Rechten geschaffen habe, zur Begrüßung seine braune knochige, mit Nikotinflecken und breiten abgenagten Nägeln besetzte Hand hin, läßt sie aber so schlaff herunterhängen, daß ich nicht weiß, ja, wie faßt du die denn nun an, und sie schon mit zwei Fingern *von oben*, wissen Sie, anfassen und bloß am Gelenk schütteln will. Doch greife ich dann von unten zu und biege sie mir zum Drücken hoch. »Student?« frage ich, und Ilz, der denkt, ich glaube ihm nicht, holt sofort sein grünes Studentenbuch, in das, wie er mir erläutert, alle Vorlesungen, die er einmal besucht hat, hineingeschrieben sind, aus seiner Jacke hervor und zeigt mir alles. Ja, er heißt wirklich Ilz. »Während Sie«, sagt Ilz, »die uns in unseren Vorlesungen bereits angekündigte neue deutsche Lehrkraft sind.« Und schließt sich mir nun ungebeten auf meinem Weg die Treppe hinab und durch die Halle hindurch an und tritt dann auch neben mir durch das hohe Portal auf den breiten Treppenabsatz ins Freie hinaus, wo wir dann eine Zeitlang ratlos nebeneinander im Nebel stehen, und jeder hofft, der andere hat noch etwas zu sagen. Schließlich sagt Ilz: Nicht nur er, sondern auch seine Freunde möchten mich kennenlernen. Alle wollten sie wissen, wie ich bin und wie ich aussehe und spreche, und ob ich jung bin oder alt und wie sympathisch oder nicht. »Na, und wie bin ich?« frage ich. »Sie sind«, sagt Ilz, »in dem mittleren Alter oder gehen doch langsam auf das mittlere Alter zu. Und auch wie Sie gekleidet gehen, will man wissen.« »Und wie gehe ich gekleidet?« frage ich. »Wie Sie wissen«, sagt Ilz, »gehen Sie weder besonders elegant noch besonders unelegant gekleidet, sondern irgendwo in der Mitte.« Ich trüge, sagt Ilz, schreibt der Lektor, ein für die Jahreszeit vielleicht etwas zu leichtes braunes Jackett, ein graues Wochentagshemd, braune Schuhe ... »Jaja«, sage ich, »das weiß ich ja, ich habe es heute morgen ja selber angezogen.« »Was die Kollegen aber besonders wissen möchten«, sagt Ilz, »ist: Wie *prüfen* Sie? Denn Sie werden doch prüfen, nicht?« Und als ich, weil man mir von Prüfungen nichts gesagt hat, nicht gleich antworte, fragt er gleich noch einmal: Nicht, zu den Prüfungen werden Sie doch herangezogen? Ihn und die Kollegen würde es interessieren, *wie* ich prüfe, auch *was* und *wie lange*. Deshalb hat er im dritten Stock auf mich gewartet, lieber Herr. So daß mir nun klar ist, schreibt der Lektor, daß ich einen verstörten und akademisch nicht sehr erfolgreichen, dafür innerlich aber gefährdeten und gehetzten und, wenn im Augenblick auch wahrscheinlich noch nicht verrückten, so doch bis zum Zerreißen gespannten Menschen vor mir habe. Dem ich nun die Hand auf den Arm lege und zu dem ich sage: Herr Ilz, ich kenne Ihre Situation genau und weiß alles über Sie, aber ich bin heute morgen todmüde hier angekommen und habe bereits ein langes Gespräch geführt, das aus bestimmten Gründen aber noch einmal wiederholt werden muß. Und daß mich das, so leid es mir täte, bereits völlig ausgeleert hat. »Denn tatsächlich bin ich«, sage ich, »so wie Sie mich in meinem mittleren Alter und in meinem braunen Jackett vor sich sehen, innerlich leer, ganz leer, und deshalb für Sie völlig nutzlos.« Ein Gespräch, wie es ihm vorschwebe, könnte dieser Leere wegen im Augenblick also nicht stattfinden. Und was meinen Prüfungsbegriff angeht, lieber Herr, so weiß ich ja selber nicht, was ich für einen habe. Weil mir ja gar nicht gesagt worden ist, daß ich prüfen soll. Und als ich sehe, daß Ilz daraufhin verzweifelt in seinen Taschen wühlt, ohne eigentlich etwas zu suchen, lege ich ihm die Hand auf den Arm und sage: Sie müssen sich aber keine Gedanken machen, Herr Ilz. Falls ich prüfe, prüfe ich nicht schwer. Und als er daraufhin aufatmend die Hände aus den Taschen zieht, füge ich sofort hinzu: Wenn ich natürlich auch nicht leicht prüfe. Dann sage ich: So, jetzt wissen Sie, wie ich prüfe und wie ich aussehe und wie ich bin. Und jetzt muß ich weiter. Und wo Ilz denn nun hinginge, ob er wieder nach oben in den dritten Stock...

Geehrter Herr, was mich betrifft, muß ich nun in die Stadt. Das ist mein erster Morgen hier, ich habe viel zu besorgen. Zum Beispiel brauche ich Schreibmaterial, oder besser, sage ich, *harte Stifte*. »Bei uns«, ruft Ilz sofort, »gibt es Dutzende von Geschäften mit harten Stiften.« Ob er mir eins zeigen solle. Oder ob er mir vielleicht überhaupt die Stadt Ljubljana zeigen, mich auf die eine oder andere *Sehenswürdigkeit* dieser Stadt aufmerksam machen und mir vielleicht *danach* die Freunde vorstellen soll. Da könnten sie sich dann vielleicht in dem Gasthaus ›Pod Lipzo‹ zusammensetzen und etwas essen und trinken und dabei vielleicht über meinen *Prüfungsbegriff* ... Falls ich einen hätte. »Und falls es Ihre Zeit erlaubt und unsere Gesellschaft«, sagt er, »in Ihnen keine Abneigung oder Widerwillen, oder muß man das viel stärkere Wort *Ekel* hier gebrauchen, hervorruft.« »Aber ich bitte Sie«, sage ich und lege ihm schnell noch einmal die Hand auf den Arm. So stehen wir provisorisch vereint einen Augenblick oben auf der Treppe, während die Studenten kommen und gehen und wegen der morgigen Prüfungen, wie ich nun sehe, tatsächlich ganz bleich und verstört sind. Dann schaue ich auf meine Uhr und sage: Also, gehen wir!

Ilz will mir nun, schreibt der neue Lektor, sofort alles erklären. »Jetzt sind wir noch in der Askerceva«, sagt er, »aber passen Sie auf, gleich gehen wir links in die Gradisce hinein.« »Aha«, sage ich. »Es ist Ihnen doch recht«, fragt er, »wenn wir dann gleich links in die Gradisce hineingehen?« »Warum nicht?« sage ich. »Und es ist Ihnen recht, wenn ich Ihnen die Namen von den Stadtteilen und den Straßen sage, in die wir hineingehen?« fragt er. »Immerzu«, sage ich, »immerzu.« Und so gehen wir, geehrter Herr, Arm an Arm in den Nebel hinein, und Ilz erklärt mir seine Stadt. »Wie ich bereits ausgeführt habe«, sagt er, »ist dies die Gradisce, aber wenn wir hier weitergehen, kommen wir auf unsere Hauptstraße, die Titova.« Dann weist er mich auf der gegenüberliegenden Straßenseite auf ein vom Nebel verhohlenes gelbes Gebäude oder auch nur Gebäudeteil hin und sagt: »Und das, Herr Doktor, ist unser Nationaltheater, welches wir *Drama* nennen und welches unter den Arkaden liegt. *Pod Arkadami*, sagen wir.« »Aha«, sage ich, »das also ist Ihr Nationaltheater.« »Und sehen Sie gleichfalls die Arkaden?« fragt Ilz. »Ja«, sage ich, obwohl ich natürlich auch die Arkaden nicht sehe.

Und Sie müssen sich nun vorstellen, wie wir mit hochgeschlagenen Jackenkragen, klammen Fingern und zusammengebissenen Zähnen weitergehen, und ich denke, schreibt der Lektor, wie groß im Oktober in dieser Stadt die Anforderungen und die Belastungen sind und daß schon ein Gang die Gradisce hinab die letzten Reserven kostet. Jeder dritte hustet, jeder zweite spuckt, jeder einzelne ist am Ende. Lieber Herr, da kommen wir an ein Café, an dessen Fensterscheiben junge Leute sitzen. »Und das ist ein Café«, sagt Ilz. »Aha«, sage ich, »das ist also ein Café.« »Ein Café«, sagt Ilz, »das viel von Studenten besucht wird.« »Aha«, sage ich, und da fällt mir endlich etwas ein, was ich ihn fragen könnte. Die Studentin, wissen Sie, die vor einigen Tagen aus dem Fenster im fünften Stock, wissen Sie... »Herr Ilz«, sage ich, »warum ist gestern oder vorgestern oder meinetwegen auch vorvorgestern in Ihrer Universität eine Studentin aus dem Fenster gesprungen?« »Was sagen Sie da?« ruft Ilz und bleibt sofort stehen. »Kommen Sie, kommen Sie«, sage ich, »deswegen brauchen Sie doch nicht stehenzubleiben.« Und ich ziehe ihn weiter. Lieber Herr, doch er besteht darauf, daß er nichts davon weiß. »Herr Ilz«, sage ich, »vor mir brauchen Sie doch keine Komödie zu spielen«, aber da *schwört* mir Ilz, daß er von der Sache nichts gehört hat. »Ob es vertuscht werden soll?« frage ich und erzähle ihm, auf welche Weise ich die Geschichte erfahren und daß ich sogar selbst an dem Fenster gestanden und auf die Stadt hinabgesehen habe. Ich kann mich also gar nicht täuschen. »Also wieder ein Selbstmord«, sagt Ilz. »Was wollen Sie damit sagen?« frage ich. »Nichts«, sagt er. »Es ist bloß so rausgekommen. Bei uns hat es weder gestern noch sonst... Obwohl...« »Ja?« »...die Versuchung...« »Ja?« »...welche«, sagt er, »von einem hochgelegenen und zufällig offen stehenden Fenster ausgeht! Und nun gar von einem Fenster in dem von uns allen natürlich am inständigsten gehaßten und gefürchteten Gebäude! Die Menschen unserer Rasse«, sagt Ilz, »wenn nicht die Menschen überhaupt, leben ja immer, wenn sie auch nur selten davon sprechen, nur wenige Schritte neben der Verzweiflung, wenn nicht in der Verzweiflung drin.« »Sie wollen sagen, daß *Sie* in der Verzweiflung leben, nicht?« frage ich. »Vielleicht«, sagt Ilz. »Warum leiden Sie so an Ihrem Leben?« frage ich. »Wahrscheinlich«, sagt er. »Sie fürchten die Prüfungen?« frage ich. »Ja«, sagt er. »Und nun stehen Sie wieder vor einer Prüfung?« frage ich. »Ja«, sagt er. »Und nun stehe ich wieder vor einer Prüfung.« »Und wann findet sie statt?« frage ich. »Morgen früh um acht«, sagt Ilz. »Sie brauchen sich um mich keine Gedanken zu machen«, sagt er. »Mein Zimmer liegt zwar im vierten Stock, aber ich halte mein Fenster Tag und Nacht aufs peinlichste verschlossen. Und damit ich nicht auf die dummen Ideen komme, habe ich mir letzte Woche eine Sicherheitskette gekauft, die eigentlich für die Verkettung von Fahrrädern ist, die ich aber für die Verkettung meines Fensters verwende, so daß bei mir auch in der größten Verzweiflung nichts aufgerissen werden kann. Denn selbst durch ein verkettetes Fenster erzeugt so ein Blick in die Tiefe natürlich einen *Sog*. »Sog«, sagt er, »kann man das sagen?« »Ja«, sage ich, »Sog kann man sagen.« Und das Wort *Sog* hat dann, geehrter Herr, die ganze Gradisce und einen Teil der Titova hinauf, also ungefähr bis zum Reisebüro ›Kompas‹, zwischen uns in der Luft gelegen. Zwar bin ich mit den Bemerkungen über die vielen Unfalltoten hier und den unsichtbaren slowenischen Herbsthimmel, der ja einen ganz grauenhaften Winter ankündigen muß, sage ich, gegen das Wort *vorgegangen*, habe es aber nicht beseitigen können. Bis wir dann an einen von bunten, allerdings verrotteten Blumenrabatten umsäumten, mit alten Kastanienbäumen bestandenen, natürlich gänzlich vernebelten flachen Platz der habsburgerischen Art, also altmodisch, mit hübschen Laternen und Holzbänken, auch Tauben, kommen. »Und das ist unser Revolutionsplatz«, sagt Ilz, und ich sage: Aha, das also ist . . . Und da, mitten auf dem Revolutionsplatz, das Wort *Sog* ist nun aufgebraucht, und etwas Wind kommt eben auf, ohne den Nebel aber zu vertreiben, so daß er alles bloß durcheinanderquirlt, auch die Passanten, lieber Herr, meist älter, die Köpfe meist gesenkt, quirlt er durcheinander, und Ilz, schreibt der Lektor, greift plötzlich nach meinem Arm und zieht mich, als ob er mich von etwas wegziehen wollte, zu sich heran.

Nun kann ich, sehr geehrter Herr, trotz des Nebels nichts wahrnehmen, von dem ich weggezogen werden müßte, und das sage ich auch. »Wovon ziehen Sie mich denn weg, Herr Ilz?« frage ich und will mich losmachen, aber Ilz läßt mich nicht los. »Oder wollen Sie mir etwas anvertrauen?« frage ich.

Und als Ilz auch zu dieser Frage schweigt, denke ich: Oder will er dich etwa stützen? Bis ich merke, daß Ilz mich auch nicht stützen will, sondern vielmehr stützt sich Ilz, schreibt der neue Lektor, unter der Last von irgendwelchen drängenden Vorstellungen oder Gedanken, die ich natürlich nicht kenne, deren Gewicht ich aber spüre, bei der Überquerung seines Revolutionsplatzes auf mich, den neuen Lektor. Und so haben wir schweigend den Revolutionsplatz überquert, der Student Ilz tief in Gedanken, ich unter Atem-, auch Gehschwierigkeiten, letzteres wegen meiner Schuhe, die ich mir vor meiner Abreise rasch noch viel zu klein gekauft habe, ersteres unter der Last von Ilz, ein langer, schwerer Mensch. Da, unter einem Kastanienbaum, sagt Ilz plötzlich, er will mich etwas fragen. »Dann fragen Sie, fragen Sie!« rufe ich. Ob er mich aber auch nicht belästige mit seiner Frage. Ich, gereizt, weil ich nun so einen großen Teil des Ilzschen Körpergewichts mitzutragen habe: Wenn sie mich belästigen, werde ich es Ihnen schon sagen. »Da stelle ich die Frage also jetzt?« sagt er.

»Immerzu«, rufe ich, »immerzu!« »Also, die Frage ist«, sagt Ilz, »haben Sie, Herr Doktor, auch manchmal das Bedürfnis, sich an einem anderen Menschen anzulehnen?« »Anzulehnen?« frage ich. »Oder aufzurichten?« sagt Ilz. Er sagt: In bestimmten Perioden seines Lebens ginge er und suche einen Menschen, an dem er sich »anlehnen, später hochziehen kann. Falls das Wort *hochziehen* richtig ist.« »Ja«, sage ich, »hochziehen ist richtig.« »Nun kann man sich aber«, sagt Ilz, »an den meisten Menschen gar nicht hochziehen.« Beispielsweise sei es ihm noch nie gelungen, sich an *einem Professor* hochzuziehen. Wenn er mit seinen Schwierigkeiten zu einem Professor käme, würde er von ihm, sobald er sich vor ihm *entblößt* habe, nur noch *tiefer in den Dreck gestampft*. Statt auf Verständnis stieße man auf Erstaunen, wenn man seine Signale gäbe und sich als Mensch zu erkennen gäbe, welcher in Schwierigkeiten ist. »Sind Sie in Schwierigkeiten?« frage ich. »Und wenn man«, sagt Ilz, »statt in einer rein wissenschaftlichen Sprache über einen rein wissenschaftlichen Gegenstand zu sprechen, plötzlich in einer menschlichen, also erbärmlichen Sprache, über einen menschlichen Gegenstand, also über sich selber, spricht.« »Was sind das denn für Schwierigkeiten?« frage ich. »Andererseits«, sagt Ilz, »ist mir auch nicht entgangen, daß Ihre Fragestellung gleichfalls wissenschaftlich ist. Sie als Deutscher«, sagt er, »denken natürlich überhaupt wissenschaftlicher als ich, ja, selbst Ihre Lebensführung ist wahrscheinlich wissenschaftlich, während ich immer bloß Angst habe, was ja an sich schon unwissenschaftlich ist. Wenn ich«, ruft er, »mein Leben doch auch auf so eine wissenschaftliche Basis stellen könnte! Und das«, sagt er und bleibt plötzlich stehen, »ist ein Papierladen!« »Aha«, sage ich, »das ist also ein Papierladen.« Und stoße die Ladentür auf. »Bitte, nach Ihnen«, sage ich. »Neinnein«, sagt Ilz, »ohne Zweifel ich nach Ihnen!« Ein düsteres, muffiges Ladenloch mit einer muffigen, düsteren Person hinter dem Ladentisch müssen Sie sich nun vorstellen, lieber Herr. Und der beschreibt Ilz, schreibt der Lektor, nun offenbar sehr eindringlich, was gebraucht wird: harte Stifte. Doch da stellt sich heraus: Der Laden hat keine harten Stifte. »Nun, es ist ja auch nur ein kleiner Laden«.

sage ich, und wir gehen weiter. Und ich lasse, schreibt der Lektor, den Studenten Ilz nun absichtlich vor mir hergehen, weil ich ihn, nachdem ich ihn von vorne und von den Seiten ja schon gesehen habe, auch einmal von hinten sehen will. Wie traurig die Kleider an ihm herunterhängen, denke ich, schreibt er, aber sofort fällt mir ein: An dir hängen, wenn du dich nur sehen könntest, die Kleider ja wahrscheinlich genauso traurig herunter! Wie oft, schreibt der Lektor, hat man mich nicht schon auf den deprimierenden Eindruck hingewiesen, den ich von hinten mache. Ilz ist seine Jacke zwar zu eng, aber trotzdem hängt sie an ihm herunter. Auch mir sind meine Jacken meist zu eng, und es ist reiner Zufall, daß mir die Jacke, die ich heute anhabe, nicht zu eng, sondern zu weit ist. Ob sie an mir herunterhängt, ist mir nicht bekannt. »Sie kommen vom Land, nicht?« frage ich. »Ja«, sagt Ilz, »ich komme aus einer Bauernfamilie in Dolenjsko und bin leider in ärmlichen Verhältnissen geboren und groß geworden. Aber dann hatte ich einen Lehrer, der wollte eine gute Tat an mir tun. Geh, was mir nicht gelungen ist, in die Stadt und studiere, wovon ich immer nur geträumt habe, an der Philosophischen Fakultät, sagte er. In die Stadt gehen«, sagt Ilz, »aber natürlich wollte ich in die Stadt gehen.« Mit achtzehn Jahren geht Ilz also in die Stadt, findet bei einem Scherenschleifer in der Laknerjeva ulica unter dem Dach für eine unbegreifliche Monatsmiete ein feuchtes, wahrscheinlich gesundheitsschädliches, fast auch schon sargähnliches Loch von einem Zimmer und fängt, voller Pläne, wie man sich denken kann, in dem Sarg ein philologisches Studium an. Alles Illusionen, lieber Herr, wie sich nun gleich herausstellt. Damals hat er zwei Freunde, die in der Stadt auch neu sind, gleichfalls voller Pläne. Doch da bringt sich der eine auf eine sehr unnatürliche Art plötzlich um. Da hatte er dann bloß noch einen »Und abends haben wir uns«, sagt Ilz, »über unsere Biergläser weg angeschaut und uns immer wieder die Frage: Ja, warum denn, mein Lieber? gestellt.« Bis der zweite Freund plötzlich in seinem Entsetzen über den Selbstmord des ersten das Studium und alles hinwirft und der ersten Frau, die ihm über den Weg läuft, ein Kind macht und sie heiratet und wegzieht und im tiefen Süden Kellner wird, sich im tiefen Süden auflöst. So daß Ilz, schreibt der Lektor, nun niemanden hat, mit dem er die Frage, warum der erste sich umbringt, weiter erörtern kann. »Es freut sich hier aber alles auf Ihre wissenschaftlichen Vorlesungen«, sagt er, »alles ist sehr gespannt. Hoffentlich erwarten Sie nicht zu viel von uns, besonders nicht von mir.« Und dann bleibt er plötzlich stehen und sagt: »Ich kann es Ihnen ja sagen, Herr Lektor. Mein Studium ist etwas, aus dem ich nun nicht mehr heraus-, durch das ich aber auch nicht hindurchkann.« Die Schwierigkeiten des Studiums, die erst klein gewesen seien, seien jetzt so groß, daß er über diesen Schwierigkeiten das Studium gar nicht mehr erkennt. »Es gibt ja gar kein Studium mehr«, sagt er, »es gibt nur noch Probleme.« Aber auch *sich zurück aufs Land retten* kann er nicht, weil ihn die Stadt verdorben hat und er verlernt hat, auf dem Land zu leben. Die Stadt sei für ihn eine Falle gewesen, und die sei nun zugeschnappt. »Schnapp«, sagt er, »hat die Stadt gemacht.« Auch das Studium der Philologie, besonders der deutschen, sei eine Falle gewesen. »Schnapp, hat das Studium der deutschen Philologie gemacht. In einem Augenblick der Gedankenlosigkeit«, sagt er, »wirft sich jemand wie ich so einem Studium der deutschen Philologie in die Arme, und dann schnappt das Studium plötzlich zu.« Und nun ist er schon zweimal durch das Diplomexamen gefallen, und dreimal darf man nur. Und in der Stadt kann er nicht leben, und auf dem Land kann er nicht leben. »Hören Sie, wie meine Lebensfalle von allen Seiten zuschnappt? Herr Lektor«, sagt er, »was Sie tun, hat *Gründe*, während ich immerzu Dinge . . .« Er sagt: Wenn ich vor einer Entscheidung stehe . . . »Vor welcher?« frage ich. »Zur Erläuterung meiner inneren Person«, sagt er, »welche, was nach außen nicht sichtbar ist, stets in alle Fallen geht.« Und das Beispiel geht so, lieber Herr. Aufgrund von ernsthaften Überlegungen, soweit ihm solche möglich sind, beschließt Jakob Ilz, eine Sache *nicht* zu tun. Immer wieder überdenkt er die Sache und beschließt, sie *nicht* zu tun. Seine Überlegungen ermüden ihn, zehren ihn aus, er schläft schlecht oder gar nicht. Es ist klar, er tut die Sache nicht, er tut die Sache nicht! Trotzdem fragt er sicherheitshalber alle Bekannten (und auch Unbekannten) nach ihrer Meinung in seinem Fall, und alle bestätigen seine alten und versehen ihn mit neuen unwiderlegbaren Argumenten, daß er die Sache nicht tun darf. Sogar nachts im Schlaf entwickelt er neue Argumente dagegen, traumhafte, zugegeben. Zuletzt läßt er von einem zeichnerisch begabten Freund, der nicht weiß, was er zeichnet, das Problem graphisch darstellen. Der Freund zeichnet nach seinen Angaben und auf seine Kosten und glaubt, daß er das Innere einer umfassenden Apparatur, die nun bald zusammenbricht, zeichnet. Was er in Wirklichkeit aber zeichnet, ist sein Dilemma, lieber Herr. Und die Darstellung bestätigt, was er schon weiß: Sie spricht *dagegen*, daß er die Sache tut. »Ich bedanke mich, rolle die Zeichnung zusammen, stecke sie zu mir und gehe hin und tue die Sache dann trotzdem und leide dann, verstehen Sie«, sagt Ilz, »jahrelang an ihren unglückseligen Folgen, die sich augenblicklich in der Reihenfolge, die ich vorausgewußt habe, einstellen. Aber ich langweile Sie, nicht?« sagt er. »Während es für mich natürlich gut ist, wenn ich rede, weil ich für mein morgiges Examen mein Deutsch natürlich üben muß.« Im ersten Jahr hätten sie acht, im zweiten elf, im dritten dreizehn,»und im vierten Jahr, Herr Doktor, stellen Sie sich das vor«, sagt er, »da haben wir dann siebzehn Examen.« Dabei würden die Fragen von den Professoren aus den Ecken des Prüfungszimmers gleichzeitig *herausgeschossen*, er weiß das, er hat ja selber schon oft genug in der Mitte dieses Zimmers gesessen und nicht antworten können, und wenn er morgen wieder nicht antworten kann, wird er sich eben auch *töten* müssen. Ich bleibe sofort stehen, schreibt der Lektor. »Was sagen Sie da?« frage ich. »Ich bitte«, sagt Ilz ruhig, bleibt aus Höflichkeit aber auch stehen, »habe ich Sie *erschreckt*? Oder sagt man besser *erschrocken*? Ich wollte Sie nicht erschrocken haben.«

»Ein Scherz ohne Zweifel«, sagte ich. »Aber nein«, sagte Ilz. Bei dem Charakter, den er habe, würde er sich nie erlauben, mit einem Menschen, den er schätze, über so etwas zu scherzen. Andererseits sei er aber auch nicht verrückt, wie man nun vielleicht annehmen könnte, und falls er diesen Eindruck mache, würde dieser Eindruck täuschen. Und da er in seinen Taschen nun wieder nach etwas sucht, aber das, was er sucht, nicht findet, komme ich, schreibt der Lektor, zu dem Schluß: Ilz ist eben nervös, das ist alles! »Aber selbstverständlich bin ich nervös«, gibt Ilz auch sofort zu, »schauen Sie doch bloß meine Hände! Ist das nicht lächerlich, wie sie zittern? Und wie naß sie sind! Andererseits bin ich in meinem Kopf aber entsetzlich klar und trocken und erkläre in aller Trockenheit, daß ich mich umbringe, falls ich morgen zum drittenmal ...« Auf diese Weise würde es, so oder so, sein *letztes* Examen sein. »Sind Sie nicht neugierig, *wie* ich mich umbringe?« fragt Ilz. »Ob ich ...«, rufe ich. »Ja«, sagt Ilz, »*das Wie*.« Nachdem der Entschluß einmal gefaßt sei, würde das Wie zum Problem. Pistole, dächte man und verwende Wochen, die man besser auf das Verbidiomatikstudium verwenden sollte, auf das Pistolenstudium. »Sowie auf das Studium des menschlichen Körpers und seiner betreffenden Stellen.« Das Herz scheide *wegen Weitläufigkeit* nach kurzem Studium aus. »Bleibt der Kopf, wo das Bewußtsein sitzt, das vertilgt werden soll, doch der Kopf ist groß«, sagt Ilz. Schon an und für sich in der Natur sei so ein Kopf ja groß, doch verglichen mit einer Pistolenkugel würde er *gigantisch*. »Und nicht jede Partie des gigantischen Kopfes ist zu gebrauchen, nicht? Denn wir wollen uns ja umbringen, Herr Doktor, nicht, und mit einem Schlag unser rastloses Gehirn zur

Ruhe legen. Wir wollen uns doch nicht mit dem Loch im Kopf begnügen. Wir wollen doch nicht als das Gespött der Leute vom Schauplatz getragen werden und womöglich noch Jahre, womöglich noch Jahrzehnte *in der Paralyse* über einen weiteren Fehler in unserem Leben nachdenken müssen. Daß in die falsche Kopfpartie geschossen worden ist.« »Wissen Sie«, sage ich, »Sie sprechen so ausgezeichnet Deutsch, Sie können ja gar nicht...« »Auf jeden Fall«, sagt Ilz, »ist es dem Laien verborgen, in welchem Teil des Kopfes das Bewußtsein nun eigentlich sitzt. Also wird der innere Kopf studiert, der Kopf studiert, der Kopf! Ich bitte: Das ist aber nun gar nicht so einfach, den inneren Kopf zu studieren.« Man sei dabei auf die Hilfe von Leuten angewiesen, die mit dem Inneren von Köpfen schon Erfahrung hätten. »*Fachleute*, wissen Sie.« Und diese Fachleute hätten in ihren Fachbüchern ja auch viel über den Kopf zu sagen, sagten es aber leider auf eine so dunkle Art, daß man es nicht versteht. »Eine einfache Antwort auf die einfache Frage: *Wohin*, Herr Fachmann, muß ein Mensch denn schießen, *was* in seinem Kopf muß er denn treffen, damit er endlich tot ist, findet man in den Büchern nicht.« Zwar wüchse das Wissen über den Kopf, doch wüchse auch der Zweifel, ob man wirklich hineinschießen soll. Deshalb ist er zu einem anderen Schluß gekommen. »Nämlich?« frage ich. »Erhängen«, sagt er. »Erhängen?« rufe ich. »Erhängen«, sagt er. »Mit dem Präfix ›er‹, welches den Wechsel eines Zustands in einen andern bezeichnet und, wie erdolchen, erdrosseln und ersticken, zu den Ingressiva für ›töten‹ gehört.« Ob *erhängen* richtig sei. »Ja.« »Und *aufhängen*«, fragt Ilz, »wie ist es denn mit ›aufhängen‹? Aufhängen mit dem Präfix *auf*, das in effektiver oder resultativer Aktionsart den Abschluß einer Handlung bezeichnet.« »Aufhängen ist auch richtig«, sage ich. »Aha«, sagt Ilz. »Also werde ich mich morgen, falls ich durch das Examen falle, *auf*hängen oder *er*hängen, beides ist richtig.« Er wird, sobald ihm der Professor sagt, daß er nicht bestanden hat, seine Hefte, die sämtliche Geburts- und Sterbedaten der deutschen Dichter sowie sämtliche Regeln und Ausnahmen der deutschen Wort- und Satzlehre enthalten, zusammenlegen und dann schnell nach Haus, schnell nach Haus! Und dort wird er sich in seinem Sarg an dem Türbalken, »an welchem ich mich bis jetzt zwecks Körperübung immer nur aufgeschwungen habe, an meiner Wäscheleine, an welcher bis jetzt immer nur meine Hemden gehangen haben, *auf*hängen. Oder *er*hängen, beides ist richtig. Und das«, sagt er, »wird morgen sein. Morgen ist der Tag. Oder ist: ›Morgen wird der Tag sein‹ besser?« »Beides ist gut«, sage ich. »Und ließe sich«, sagt Ilz, der hastig redet, fiebrig, pausenlos,

»hören Sie, jetzt fällt mir aber etwas Wichtiges ein.« Eine außerordentlich wichtige Frage sei in seinem Kopf ganz plötzlich aufgetaucht, die er sofort stellen müsse. »Ließe sich«, fragt er, »im Deutschen vielleicht gleichfalls sagen: *Morgen war der Tag?* Herr Doktor«, sagt er, »*jutri je bil dan.* Auf slowenisch kann man das nämlich sagen. Aber auf deutsch?« Ilz sagt: Diese Frage muß von Ihnen außerordentlich gut überlegt sein. Es hängt von der Antwort sehr viel ab. Es hängt von dieser Antwort, ruft er, eigentlich alles ab. Deshalb stelle ich die Frage lieber noch einmal. Sie lautet so: In welchem Fall ist es in der philosophisch wie wirtschaftspolitisch so überaus wichtigen deutschen Sprache gleichfalls zulässig, zu erklären: *Morgen war der Tag?* Lieber Herr, ich erkläre ihm: Wenn Sie mir, eine Geschichte, sagen wir: Ihre *Lebensgeschichte,* in kleinen Etappen erzählen und dabei an einen bestimmten Punkt kommen, können Sie von diesem Punkt aus sagen: Morgen *war* der Tag. »Aha«, sagt Ilz, »wenn im Leben der Punkt kommt. Wenn der Punkt kommt. Der Punkt.« Er sagt: Da kann man also in vielen, vielleicht in allen indoeuropäischen Sprachen sagen: Morgen etcetera. Erstaunlich. »Warum?« »Erstaunlich.« Ich: Aber so sagen Sie mir doch, Herr Ilz, warum das so erstaunlich ist. Und vor allem, Herr Ilz, beruhigen Sie sich doch! »Aber, Herr Doktor«, ruft Ilz, »ja merken Sie denn nichts? Ja merken Sie denn gar nichts?« Und bleibt wieder stehen. Ich soll näher kommen. Ich gehe aber aus einer unbestimmten, wenn wahrscheinlich auch ganz unbegründeten Furcht nicht näher. Da faßt mich Ilz wie auf dem Revolutionsplatz wieder am Arm, stützt sich aber diesmal nicht auf mich, sondern zieht mich bloß näher, hält mich fest. Und als ich nahe genug bin: Die *consecutio temporum,* flüstert er mir ins Ohr. Und legt einen Finger auf den Mund. Und dann, unter Kopfschütteln, unter Pausen: Morgen. Punkt. War. Punkt. Der Tag. Präteritum, flüstert er, aber dann plötzlich das hier völlig unerwartete, logisch auch gar nicht erklärliche Futuraladverb. Ob ich das logisch gar nicht erklärliche Futuraladverb denn nicht bemerkt hätte. Es hieße ja, daß *morgen* der Tag *war.* Und das hieße, daß das Künftige von einem in der Sprache liegenden Punkt her (wieder Punkt, wieder Punkt!) immer schon präterital sei. Und daß dieser Punkt immer denkbar ist, *immer schon mitgedacht ist.* »Und auf die von der Sprache her immer schon mitgedachten Punkte kommt es für mich als Philologen an.« Es ließe sich daraus nur ein Schluß ziehen. »Soll ich den Schluß ziehen, Herr Doktor?« »Ja«, sage ich, »ziehen Sie den Schluß!« »Gut, da ziehe ich den Schluß jetzt also«, sagt Ilz. Und will den Schluß jetzt also ziehen, kann dann aber nicht. Und nicht nur den Schluß kann Ilz nicht ziehen, auch reden kann er, sei es, weil ihm der zum Reden nötige Gedanke, sei es, weil ihm die gleichfalls nötige Luft fehlt, nicht. Schließlich sagt er: Wie aus der Logik aller indogermanischen Sprachen hervorginge, sei die allgemein angenommene Zeitlinie, auf der wir uns bewegten und bei welcher es sich, wie jeder weiß, ja sowieso nur um eine Fiktion handle, »was ich nun bewiesen habe, oder nicht?« fragt er, »oder nicht?« Lieber Herr, aus Verkennung des inneren Sprachgesetzes sei die Linie *falsch gezogen.* Insofern die ›innere Sprachstruktur ein ganz anderes Bild von der inneren Zeitstruktur‹ gäbe. Die Tatsache, daß man einen Satz, wie ›Morgen war der Tag‹ *überhaupt äußern* kann, *seine syntaktische Möglichkeit* widerlege unsere Zeitvorstellung. Und auf diese syntaktische Möglichkeit käme alles an. Und er macht ein paar Schritte und bleibt wieder stehen, wirft die Haare aus der Stirn und sagt: Für mich als Philologen ist die syntaktische Möglichkeit, die in dem Satz ›*Morgen war der Tag!*‹ liegt, der sprachlogische Beweis für meine Unendlichkeit. Lieber Herr, da erschrecke ich natürlich und bleibe, schreibt der Lektor, nun gleichfalls stehen. »Der Satz ist für Sie der Beweis für was?« frage ich. »Morgen«, flüstert Ilz, »war der Tag.« »Aber, Herr Ilz«, sage ich, »Sie werden sich aufgrund dieses angeblichen Beweises doch nicht aufhängen wollen? Keine vorschnellen Entschlüsse!« rufe ich. »Alles überdenken! Benutzen Sie den Kopf, den Kopf! Besprechen Sie alles mit Freunden!« Nun hat Ilz aber, worauf er mich mit Recht aufmerksam macht, schreibt der Lektor, nachdem der eine sich schon umgebracht und der zweite geheiratet hat, keine Freunde mehr, mit denen er den Satz besprechen könnte. »Aber dann«, sagt er, »hänge ich mich ja auch nicht aufgrund dieses Satzes auf, sondern aufgrund von ganz anderen Unverständlichkeiten, oder muß ich Unzumutbarkeiten sagen, was ist besser?« Weiß aufgrund seiner Einsicht in die indoeuropäische Sprachlogik dann allerdings auch, daß er sich gar nicht aufhängen *kann.* Weil das Sichaufhängen, schreibt der Lektor, nicht auf der Zeitlinie liegt. Und greift wieder in seine Jackentasche, ein Griff ins Leere, lieber Herr. »Herr Ilz«, sage ich wieder. »Was suchen Sie?« Ilz fragt wieder: Was ich suche? Ich greife wieder nach seinem Arm und sage: Herr Ilz: Was Sie suchen, darüber müssen Sie sich völlig klar sein, ist ja gar nicht in Ihrer Tasche. »Herr Doktor«, sagt Ilz, »meinen Sie?« »Herr Ilz«, sage ich, »also nun ganz ehrlich: Was suchen Sie in Ihrer Tasche?« »Herr Doktor«, sagt Ilz, »was soll ich denn in meiner Tasche suchen?« »Geben Sie also zu, Herr Ilz«, sage ich, »daß es gar nicht in Ihrer Tasche sein kann?« »Bitteschön«, sagt Ilz, »wenn Sie so entschieden dieser Meinung sind.« Und nimmt seine Hand aus der

Tasche heraus und vertraut sie nun mir an, so daß ich, lieber Herr, diesen feuchten, wahrscheinlich auch leicht angeschmutzten, aber noch erstaunlichen Gegenstand dann entgegennehme und längere Zeit stumm betrachte.

(1979)

Deutschlandlied

Vorher machte es sich ja immer so gut. Bekannten gegenüber. Und auch am Telefon, wenn jemand eine Verabredung treffen wollte. Zu irgendwelchen Anrufern sagte Greta es einfach richtig gern. Genau wie sie auch Wert darauf legte, Frieders jahrzehntelange Anhänglichkeit an die Firma Renault zu erwähnen, immer wenn die Rede auf Autos kam. Diese ganzen deutschen Fabrikate, ging nicht schon von ihren Markennamen ein bißchen was Spießiges aus? Diese ganzen Opel-Audi-Kategorien für Familien mit Ausflügler-bedürfnissen, eben einfach Mittelklasse, während ein R 16 zwar auch in weiter Entfernung von Luxus, aber immerhin FRANZÖSISCH, nicht so ganz bieder seine Strecken abfuhr. Von sämtlichen VW-Ausgeburten gar nicht zu reden. Im tiefsten Innern bin ich ein frenetischer Nestbeschmutzer, stellte Greta fest, allerdings nur im Inland, offenbar. Denn eindeutig hing die übellaunige Verfassung dieses Vormittags mit der Außenwelt zusammen. Heute mit der von Graz. Es war ungerecht und nicht ganz zu fassen. Nicht in den Griff zu bekommen. Lag es am Frühstück? Die Geßners hatten das deutsche Hotelfrühstück lang über die Dauer seiner wirklich miserablen Qualität hinaus beschimpft. Das stellten sie nun fest, dem Grazer Angebot gegenübersitzend. Bei uns würde man so was nicht mehr wagen, sagte Greta. Sie empfand in sich nichts Wohliges beim Bedürfnis, Frieder anzustecken. Womit eigentlich? Mit Groll auf Graz? Die Geßners könnte man lebenslänglich nie einer patriotischen Haltung verdächtigen, das stand ein für allemal fest. Beide waren zu stark und für immer vorgeschädigt, aufgewachsen in der Nazizeit, und das führte Greta auch jeweils als tiefwurzelndes Motiv an, wenn sie, absolut freiwillig, dann und wann verkündete: Für alles politisch Aktive, gar für PARTEI-Mitgliedschaften, aber sogar auch schon für harmlosere Sachen wie Wählerinitiativen oder wirklich sympathische GRÜNE LISTEN sind Menschen wie wir einfach total verloren. Wir sind superkritisch, o ja. Pessimistisch. Allergisch. Gruppenuntauglich in alle Ewigkeit. Laßt uns bloß damit in Ruhe. Sie litten beide wahrhaftig im Sinn von Kränkung und Ohnmachtsempörung unter so Vorzeichen wie aussterbenden Vogelarten, vergifteten Bäumen, unter der architektonischen Mißhandlung von Städten und Landschaften, sie litten sehr, ästhetisch, ökologisch, politisch. Sie nahmen durchaus teil: als trauernde, zornige, unbestechliche Zuschauer. Sie wären gewiß nie als Opfer von Politikergeschwätz zu vereinnahmen. Von Heuchlern. Machtbesessenen Strebern, STADTVÄTERN. Der Anblick des Kernkraftwerks in der wie vorgewarnten stillen gelblichen Riedlandschaft setzte ihnen zu. Aber auf keinem ihrer Renault-Modelle fuhren sie ATOMKRAFT NEIN DANKE oder ähnliche Aussagen über ihre Gesinnung durch die bedrohte Gegend.

Bei uns, wirklich, in unseren Hotels hat man inzwischen noch mehr Ahnung von FRÜHSTÜCK, sagte Greta, zum Beispiel auch von Diät, denn es gibt nicht erst seit gestern Diätmargarine klein abgepackt auch beim Hotelfrühstück, du.

Greta, die beruflich viel herumkam, sich dann aber überwiegend von den deutschen Hoteliers reingelegt fühlte, hetzte Frieder immer mehr auf. Es tat ihr ein bißchen leid. Eigentlich hatte Frieder vor, gut gelaunt zu sein. Er wollte diesen Tag genießen, ohne besonderen Ehrgeiz.

Was sie hier unter SCHWARZBROT verstehen, sieh dir diesen grauen Wischlappen nur mal an! Greta fuhr fort damit, die übersichtliche Szenerie zu bezichtigen. Das Zimmer 29 im zweiten Stock mit den viel zu dünnen Wänden, nach dem Innenhof gelegen, mit der Tapetentür wie für eine billige Theaterdekoration: war das nicht eigentlich eine Schande? Eine gewisse Zumutung doch wohl. Wirklich sauber schien es auch nicht zu sein. Zumindest kam keine rechte Lust auf, irgendwas anzufassen. Man möchte sich lieber nicht auf diesen Sessel da setzen, hm?

Frieder, immer ziemlich sang- und klanglos, ohne Jubel, aber auch ohne rebellischen Schmerz, wurde so ganz allmählich, so ganz schön soghaft mal wieder das Opfer einer Ansteckung durch seine Frau, und sie merkte das, sie lobte sich ganz und gar nicht dafür, mein Armer, dachte sie, mein liebes geduldiges ahnungsloses bedauernswertes Opfer einer Gehirnwäsche, schon wieder ein Stückchen mehr verdorben für den Tag unterwegs, auch für diesen leider, es fault und fault an deinem Reisebewußtsein herum. Durch mich! Mich Schadstoff!

Ein wenig glücklich machte sie schließlich doch auch ihn, ihren Mann, so gut kannte sie ihn, wußte sie Bescheid in seinen seelischen Innenräumen, ein wenig schadenfroh glücklich, ja, das wurde er, im Verlauf ihrer kleinen chauvinistischen Sticheleien gegen jegliche ausländische Umweltbedingung. Es war schon eine Spur mystisch, das alles, ging nicht mit rechten Dingen zu, nicht mit berechenbaren

Dingen, blieb etwas irreal. Zu Haus war Greta, ob es nun einen Sinn ergab oder nicht, einfach froh beim Antworten, wenn damit eine Verachtung für ihre einheimischen Umstände zu verbinden war. Vor allem ihre eigene Region beschimpfte sie ziemlich gern. Diese Stadt wird immer häßlicher. Immer großmannssüchtiger. Ich laufe nur noch mit einem Befehl an meine Augen herum, nicht so genau hinzusehen. Sozusagen mit Scheuklappen. Überhaupt sollten bundesrepublikanische Städte oder Dörfer und Gegenden eher Wettbewerbe für die größtmögliche Häßlichkeit ausschreiben. UNSER DORF SOLL SCHÖNER WERDEN! Ah, das alles tut mir weh.

Sie liebte es TUT MIR LEID, ABER IN DIESEM GANZEN ZEITRAUM WERDEN WIR IM AUSLAND SEIN, MEIN MANN UND ICH zu erklären. IN BELGIEN, JA. IM FRIAUL, TRIEST ZUM BEISPIEL, WIRKLICH JEDER ÄLTERE MANN SIEHT AUS WIE VON ITALO SVEVO BESCHRIEBEN, LAUTER ROMANFIGUREN, UND JAMES JOYCE LITT HIER GANZ SCHÖN ENTSETZLICH! Als Mitteilung taugte es sehr, daß Gretas allerengste LIEBEN seit Jahrzehnten auf dem Zürichberg lebten. Erstklassige Adresse sowieso. Das drang ja wohl jeweils unkommentiert durch. Die Staatenlosigkeit des Schwagers vermittelte etwas Weltläufiges, auch Lässiges, oder nicht? Auch politisch war das irgendwie in Ordnung, sozusagen selbsttätig. Es setzte einen Nachdenklichkeitsmechanismus über diesen Schwager in Gang. Meine Schwester könnte sich überhaupt nicht mehr vorstellen, hier in der Bundesrepublik zu sein, sie sagt DEUTSCHLAND dazu, erzählte Greta, sie fand, daß man sie zu selten nach ihrer halbschweizerischen Schwester frage. Für länger hielte sie es nicht aus, es ist einfach all das DEUTSCHE, etwas bazillisch vielleicht oder so, es fängt bei den Lettern für Reklameschriften an, hört nicht auf beim Oppositionsführer, habt ihr das gestern abend gehört, wie frisch von der Rednerschule Ludwigshafen.

Und doch saßen die Geßners mittlerweile bei den polyglotten Verwandten auf dem Zürichberg und langweilten sich mit der Tageszeitung herum. Wie du siehst, Frieder, sagte Greta, die Schweizer kämen überhaupt nicht aus ohne UNSERE Innenpolitik, schau dir diese ganze Seite mal an. Die hiesigen Politiker, man kennt sie eigentlich überhaupt gar nicht erst, findest du nicht?

Frieder fand es auch. Die österreichischen Zeitungen hatten zwar etwas mehr von Österreich gehandelt und deutscher Skandale weniger bedurft, im Niveau aber doch wohl kaum einige deutsche Blätter erreicht. So oft und so intensiv man sich ja auch ärgern mußte, zu Haus. Die Geßners waren froh, nicht mit irgendeiner erzählfreudigen politischen Geisel verwandt oder befreundet zu sein. Aber immerhin: Ärgern erschien ja jetzt schon als ein Wert!

Beim Abendessen mit Schwester und Schwager kamen die Geßners plötzlich mal wieder überhaupt nicht vom Thema KAUFHOF los. Sie waren wie dran festgebissen. Frieder beschrieb soeben das Innere der Lebensmittelabteilung bis in die Nischen des Alkoholbezirks hinein. Das Schlaraffenland persönlich; jetzt griff Frieders Prosa auf die Milchproduktgalerien über. Daß Ihr keine Dickmilch habt, in einem Land der Kühe, tz tz. Zu fassen ist es eigentlich kaum. Doch, und natürlich haben wir dann im KAUFHOF ständig die Sonderangebote, also für einen Wein wie diesen hier geben wir fast die Hälfte aus. Neulich das Glück bei einer neuen Sorte, wieder ganz trocken, Chateau Guibon, kennt Ihr nicht?

Sah der staatenlose Schwager bereits etwas ermüdet aus? Gretas Schwester Dolly ganz entschieden, ja ermüdet. Frieders KAUFHOF-Euphorien begannen auf Greta eine Spur geistlos zu wirken. Da saßen sie, die reichlich provinziellen Geßners, kaum im Ausland, und schon heimwehkränklich, ein leicht verfressenes Ehepaar Mitte 40, zwei Deutsche. Nie ist mir wohl, und so bleibt es leider auf Lebenszeit, wenn ich mich im Ausland als DEUTSCH zu erkennen geben muß, sagte Greta wahrheitsgemäß. Ich überwinde immer ein Unbehagen, wenn ich in die Rubrik STAATSANGEHÖRICKEIT auf Meldeformularen in Hotels DEUTSCH eintrage und ich schreibe nur zwei Buchstaben hin, ein schnuddliges kleines ›d‹ vor ein schlampiges kritzliges ›t‹. So ist das nun mal. Wir stammen nun mal aus diesen verfluchten dreißiger und vierziger Jahren. Ich kann ja nicht jedesmal hinzusetzen, daß unsere Eltern Gegner des Naziregimes waren. Eigentlich ist DAS das einzige, was mich mit meinem etwas zu hohen Lebensalter aussöhnt, und ich möchte eigentlich nur aus dem EINEN Grund nicht beispielsweise ein jetzt fünfunddreißigjähriger deutscher Mensch sein, weil meine Eltern damit eben nicht den Geschmack bewiesen hätten, während der Nazizeit das sein zu lassen, zeugen, empfangen, und so weiter, Ihr versteht?

Frieder sagte: Ich könnte mir es so denken. Der Deutsche, sein Wesen, ich meine, es hat etwas Ruheloses, auf jedem Gebiet. Zerrissen, aber erfinderisch. Also ruht er nicht aus beim Fabrikat Yoghurt, Kefir oder Quark, also haben wir die Dickmilch. Er ging jetzt zu der absolut gigantischen Käseabteilung vom KAUFHOF über, nachdem er vorläufig fertig war mit den Vorzügen der telefonischen Lebensmittelbestellung als Monatskonten-Kunde. Dolly, es gibt ja wirklich nichts Praktischeres. Du würdest dir eine Menge Zeit und Kraft für das Wichtigere im Leben sparen. Aber im Moment sah es so aus, als gäbe es in Frieders eigenem Leben überhaupt nichts Wichtigeres als die Lebensmittelbereiche des KAUF- HOFS. Im Oktober werden wir in Brüssel sein, sagte Greta zum staatenlosen Schwager. Brüssel? Bruxelles, ja. Warum nur machte sich das einfach doch immer wieder so gut, schon einfach als Wort und Klang, wo doch Brüssel selber wieder als völlig zerfetzte, wie planlose, ausufernde Stadt ihnen beiden, Frieder und noch viel mehr ihr, Greta, zur Last fiele, im Oktober? Eigentlich erregten doch sowieso Auslandsreisen längst überhaupt kein Aufsehen mehr. Sämtliche Rentner überwinterten aufs Selbstverständlichste unter spanischen Wolkenlosigkeiten. Die Bayerlings, fast tranige Men- schen, zog es in diesem Herbst in die Wüste Sahara. Im Jahr zuvor hatten sie, vielleicht als Fußgänger, ganz Nepal abgeklappert. Temlings, denen man auf der Sparkasse begegnete, wenn man sie nicht beim Wirtschaften in einem furchtbar fruchtbaren und gegen sämtliche Tierarten giftig gewappneten Garten ertappte, sie fühlten sich längst als halbe Tibetaner, fernöstlich, wo sie mit Vögeln und Schnecken und Rehsorten plötzlich sympathisierten.

Frieder und Greta gehörten überhaupt nicht zu den Leuten, die es sehr weit weg zog. Ihnen beiden war eigentlich nie nach Indien zum Beispiel zumute. Der übrige Orient ist für mich abgehakt und erledigt, hatte Frieder nach vier Tagen Israel beschlossen. Fernseh- quizkandidaten, die am Ende einer Sendung zu Gewinnern wur- den, zumeist von sehr großen Reisen, taten Greta immer etwas leid. Nach der tapsigen kecken Art, wie sie sich ihre Wagnisse erspielten, errieten, erblödelten, wirkten diese eben noch namenlosen, nur privaten Helden von Unterhaltungsabenden viel zu hilflos für die Flughäfen, die ihnen bevorstanden. Aber die Leute freuten sich. Ihre Gesichter nahmen einen törichten Glückseligkeitsausdruck an. Greta konnte sich nicht vorstellen, daß NEW YORK und ACAPUL- CO und HAIDARABAD sie noch lockte, wenn sie riskieren mußten, diesen gutartigen Glückspilzen aus DREIMAL DARFST DU RATEN dort zu begegnen. Sie war einfach gern ein Snob, einfach freiwillig, zu ihr und Frieder paßte nun mal das etwas Elitäre und Hochempfind- findliche, und insofern war es nicht so ganz stimmig, immer weiter vom KAUFHOF zu schwärmen, jetzt, unter der erstklassigen Adres- se, auf dem berühmten Zürichberg, und jetzt sehr erstaunt, sehr skeptisch WIE BITTE, IHR BEKOMMT KEIN FRISCHES KALBSFILET zu sagen, während wirklich offenkundig die KALBSPLÄTZLI eine Spur zu fest waren, nicht eigentlich zäh, aber das lag vielleicht auch an Dollys Pfanne, einem wie vorgeschichtlichen Monstrum, womög- lich noch eine UNBESCHICHTETE SACHE?

Greta fand, daß es höchste Zeit war für eine Mitteilung dieser Qualität: Das Gefühl von Heimat habe ich nirgends, Frieder, du doch auch nicht. Ich bin nur einfach irgendwas gewöhnt.

Dolly verstand das gut, aber ihr war die Schweiz zur Heimat geworden. Heimat, rief Greta, schon die Vokabel kotzt mich an. Trotz Bloch, fragte der staatenlose Schwager. Er war hier der einzige, der kaltblütig bleiben konnte, mitten in diesem Wortschatz.

O ja, trotz Bloch, behauptete Greta, etwas verstimmt. Etwas ratlos. Es ist so mitläuferhaft, von einem Bloch-Satz an wieder hinter alten Begriffen herzuhecheln.

Frieder, der Ehrliche, erzählte von den überaus schmutzigen Polsterriefen in der 1. Klasse von ÖBB-Waggons. Laut sagte Greta zu ihrer Schwester Dolly, auf deren Recht, schweizerisch zu fühlen, sie neidisch war, plötzlich sehr, sehr neidisch: Weißt du, Menschen wie wir, wie Frieder und ich, die sind irgendwo bis zur Identifizierung heimisch, trotz KAUFHOF, der wirklich was bietet. Aber am ehesten zu Haus fühlt man sich doch wohl da, wo man einen Anspruch darauf hat, zu schimpfen. Zürich ist schön und gut, aber zu sehr Ausland, als daß ich richtig aggressiv sein dürfte. Verstehst du? Ein Emigrant möchte ich nicht sein, weiß Gott nicht.

Sie schwieg. Sie war erhitzt und erschöpft. Sie wollte auf der Stelle mit Frieder zusammen weg, nach Haus, nach Haus, nicht um zu schimpfen, wenigstens vorläufig mal noch nicht, noch gar nicht.

(1979)

JUREK BECKER

Das Parkverbot

Wir fuhren zum Einkaufen, fanden aber keinen Parkplatz, obwohl Vormittag war. Bald waren wir bereit, einen längeren Fußweg in Kauf zu nehmen, doch auch in der Umgebung suchten wir vergeblich. Ich schlug vor, ein andermal wiederzukommen oder in einem anderen Stadtteil einzukaufen. Meine Frau wäre einverstanden gewesen, doch brauchte sie ein Stück Stoff, das es nur in einem bestimmten Geschäft gab, und dieses Geschäft war hier. Ich suchte noch einmal die Gegend ab, und das brachte uns beide in eine leicht gereizte Stimmung. Als ich sie fragte, was ich denn nun tun solle, sagte sie, es wäre einfach unsinnig, wieder wegzufahren, wo wir nun schon einmal hier seien. Der Stoffkauf dauere nur ein paar Minuten und sei unumgänglich, sagte sie, ob wir uns nun zankten oder nicht.

Ich fuhr vor das Stoffgeschäft und stellte mich mitten ins Parkverbot. Ich sagte, ich wollte im Auto auf sie warten, sie möge sich sehr beeilen, denn ich stünde hier sozusagen auf dem Präsentierteller für polizeilichen Eingriff. Sie entgegnete nichts, gab mir aber mit einem Blick zu verstehen, daß sie sich wunderte, warum ich nicht gleich diesen günstigen Halteplatz gewählt hatte. Ich wartete schon ungeduldig, als sie noch gar nicht fortgegangen war. Ich sah, wie sie viel zu langsam den Bürgersteig überquerte und sekundenlange, für mein Empfinden überflüssige Blicke ins Schaufenster warf und endlich das Geschäft betrat.

Ich schaute die Straße hinauf und hinunter und sah zum Glück nicht einen Polizisten. Natürlich konnte sich das jeden Augenblick ändern. Auf der gegenüberliegenden Straßenseite standen die Autos in der erlaubten Zone, zwanzig Meter vor mir und im Rückspiegel ebenso; nur ich, wegen eines Stücks Stoff, war die Ausnahme. Ich schaltete das Radio ein, fand keine angenehme Musik, dafür aber einen Vortrag, den eine sanft klingende Frauenstimme hielt. Ich zündete mir eine Zigarette am falschen Ende an. Ich spuckte aus und nahm ein paar Züge von einer neuen Zigarette, bis ich den Geschmack des angebrannten Filters los war. Ich entsinne mich auch, daß eine grüne Fliege plötzlich dasaß, ein wenig seltsam für den Spätherbst. Auf der Frontscheibe spazierte sie im ruckartigen Fliegengang umher. Und daß ich behutsam eine Zeitung aus dem Handschuhfach nahm, sie zurechtfaltete und kräftig zuschlug. Als ich die Zeitung wegnahm, war auf der Scheibe nichts zu sehen. Die Fliege mußte draußen gesessen haben und weggeflogen sein; ich legte die Zeitung zurück, sie war an einer Stelle eingerissen. Ich wollte darauf achten, ob meine Frau, wenn sie endlich wiederkam, noch etwas anderes als ein Stück Stoff gekauft hatte. Ich war nicht sicher, ob ihr überhaupt bewußt war, in welcher Lage ich mich hier draußen befand. Auf der anderen Straßenseite sah ich ein Auto wegfahren und ein zweites sofort darauf sich in die Lücke zwängen. Ich überlegte, ob ich die Motorhaube hochklappen und so tun sollte, als hätte ich nach einem Defekt zu suchen. Bequemlichkeit hielt mich davon ab und wohl die Hoffnung, meine Frau müsse doch nun jeden Augenblick zurück sein.

Ich erwähne das alles, um eine möglichst genaue Schilderung der Situation zu geben, die dazu führte, daß meine Stimmung nicht die beste war. Natürlich läßt sich nicht berechnen, welchen Einfluß diese Stimmung auf das folgende Ereignis und meine Entscheidung dabei hatte, von mir schon gar nicht. Ich weiß nicht einmal, ob es einen solchen Einfluß überhaupt gab, am Ende hätte ich in jeder Gemütsverfassung gehandelt, wie ich gehandelt habe.

Ich sah einen Mann auf mich zukommen. Genau gesagt, er näherte sich nicht mir, er kam eilig näher, rannte fünf, sechs Schritte, ging dann hastig, rannte wieder, als könnte er sich weder für die eine noch für die andere Fortbewegungsart entscheiden. Vermutlich war es diese Unentschlossenheit, derentwegen der Mann mir auffiel. Denn es waren noch viele andere auf dem Gehsteig, und sonst gab es keinen Grund, warum ich ausgerechnet diesen Mann schon von weitem hätte ins Auge fassen sollen. Er schlenkerte die Arme eigentümlich hoch, warf sie beim Gehen hoch, als renne er. Er ging und lief wie jemand, der zu vertuschen suchte, daß er in Eile war. Plötzlich hatte ich das Gefühl, daß dieser Mann floh. Ich kann es nicht begründen, denn Eile allein ist noch kein Grund; ich weiß auch, wie prahlerisch diese Mitteilung ist, nachdem sich wenig später herausgestellt hat, daß er tatsächlich auf der Flucht war. Trotzdem: Ich hatte solch ein Gefühl.

Der Mann wollte über den Damm, der Verkehr ließ es aber nicht zu, so hastete er weiter auf meiner Seite. Dann blieb er stehen, als sei ihm etwas eingefallen, ein rettender Gedanke. Er trat an ein Auto heran und wollte die Tür öffnen. Es war offensichtlich, daß ihm das Auto nicht gehörte, ich wußte es, bevor er am nächsten Wagen rüttelte. Ich dachte sofort, ich hätte mich geirrt mit meiner

Fluchtvermutung, weil ich jetzt dachte: ein Dieb! Ich dachte: Ein Dieb, der sich idiotisch auffällig benimmt.

Der Mann versuchte es an noch zwei Türen, dann war die Reihe der parkenden Autos vor mir zu Ende. Er rannte die zwanzig Meter bis zu meinem Wagen, und ich weiß noch, wie ich mich vorbeugte, um mir sein Gesicht besser anschauen zu können. Dann geschah das Erstaunliche: Der Mann öffnete die Tür meines Wagens, obwohl ich ja nicht unsichtbar darin saß.

Jetzt dachte ich nicht länger, er sei ein ungeschickter Dieb, jetzt dachte ich: ein Verrückter! Wie eine letzte Hoffnung kam mir der Gedanke, er könnte irgendeine Frage an mich zu richten haben. Ich hatte ziemlich wilde Angst, einen Angriff hielt ich für möglich, und trotzdem schämte ich mich, auf der anderen Seite, auf meiner also, den Wagen zu verlassen. Der Mann bewegte sich fürs erste so, als gäbe es mich nicht. Er setzte sich auf den Sitz meiner Frau, zog die Tür hinter sich zu, rutschte dann nach vorn vom Sitz herunter und wand und drehte sich so lange, bis er quer unter dem Armaturenbrett lag. Das alles tat er in allergrößter Hast, und erst als er eine Position gefunden hatte, die ihn zu befriedigen schien, kam er dazu, mich anzusehen. Mein Kopf war völlig leer, es fiel mir kein vernünftiges Wort ein, ich sagte nur viel zu spät: »Sind Sie verrückt geworden, Mann?«

Er legte einen Finger auf den Mund, es sah so aus, als horchte er nach draußen und hätte keine Zeit, sich mit mir abzugeben. Sein Kopf befand sich nur ein paar Zentimeter vom Gaspedal entfernt. Ich hätte ihm leicht ins Gesicht treten können mit meinem derben Schuh, das dachte ich. Überhaupt war er in einer extrem hilflosen Haltung jetzt, er lag, als hätte er sich selbst gefesselt. Ich brauchte nicht länger Angst zu haben, und ich hatte sie auch nicht mehr so stark. Ich war recht günstig über ihm; auf einmal sah ich, daß meine Hände Fäuste waren. Ich öffnete sie und rief: »Wenn Sie mir nicht sofort erklären, was Sie hier tun, dann rufe ich die Polizei.«

Er sagte: »Seien Sie bitte still, und sehen Sie bitte nicht zu mir herunter.«

Auch wenn die Worte ängstlich und sehr bescheiden klangen, kamen sie mir doch wie seine größte Unverschämtheit bisher vor. Wie konnte er erwarten, daß ich mich ohne Erklärung zu seinen Gunsten verhielt, daß ich mich zum Kumpan von sonstwem machte, im Handumdrehen und ohne jeden Grund? Seine Augen sahen mich auf eine Weise an, als wollten sie mir gut zureden. Er war kein junger Mann mehr, vielleicht Ende Dreißig, sein Haar war dunkelbraun und strähnig und zur Stirn hin schon ein wenig schütter. Auf seiner Backe sah ich einen Fleck, der blau sein mochte, von einem Schlag vielleicht, der vielleicht auch ein Schmutzfleck sein konnte, das war nicht zu erkennen. Ich sagte: »Menschenskind, reden Sie endlich, wer ist hinter Ihnen her?«

Er sagte: »Seien Sie doch bitte geduldig. Ein paar Minuten nur.«

Seine Schuhsohlen stemmte er gegen den Kunstlederbezug der Tür, das würde Schrammen oder Flecken geben, wahrscheinlich beides. Es ärgerte mich zusätzlich. Ich zündete mir eine neue Zigarette an, das Radio schaltete ich aus. Ich war ratlos, wollte es ihn aber nicht merken lassen. Natürlich hätte ich die Tür öffnen und laut schreien können, es hätte dann mit uns ein schnelles Ende gehabt, doch auch ein, wie ich meinte, lächerliches. Seltsamerweise packte mich heftiger Zorn auf meine Frau, die mir diese verdammte Lage aufgezwungen hatte. Ich blickte kurz zu dem Stoffgeschäft hinüber, in das niemand hineinging und aus dem niemand herauskam. Ich sagte: »Also zum letztenmal jetzt. Entweder Sie verraten mir, was hier vor sich geht, oder es ist mit meiner Geduld zu Ende.«

Er schwieg und schloß für einen Moment die Augen, wie aus Verzweiflung darüber, daß ich so hartnäckig war und nicht verstehen wollte. Mir kam der Gedanke an Mitleid, doch ich sagte mir, daß dies ein Mitleid ohne Sinn und Verstand wäre. Ich spürte nicht die kleinste Angst mehr, nur war der Mann mir plötzlich unerträglich lästig. Am liebsten wäre ich aufgestanden und hätte ihn hinausgezerrt und weggejagt. Es wäre zu schaffen gewesen, er war schmächtig und bestimmt schwächer als ich, vom Nachteil seiner Position ganz abgesehen. Doch wußte ich gleich, daß ich nicht der Mensch bin, so zu handeln.

Ich sagte: »Na schön, Sie wollen es nicht anders.«

Ich legte die Hand auf meinen Türgriff und hätte nicht gezögert auszusteigen, auch ohne festen Plan, wenn er nicht gerufen hätte: »Warten Sie.«

Ich wartete, denn es hatte sich angehört, als kündigte er eine Erklärung an. Er sah mich flehentlich an, ich habe kein besseres Wort für diesen Blick, und sein Mund öffnete sich wie der Mund von einem, der gleich zu sprechen anfängt. Doch er sagte wieder nichts. Ich bildete mir ein, daß er kaum merklich den Kopf schüttelte. Jedenfalls lag er da und schwieg und starrte mich an. Ich nahm meine Hand nicht von dem Türgriff und sagte: »Ich warte.«

Als sei er plötzlich zur Besinnung gekommen, kam Leben in ihn. Er richtete sich ein wenig auf, sagte immer wieder: »Warten Sie«, steckte eine Hand in die Tasche, fand nichts, suchte dann in einer anderen. Später erst kam ich mir sehr leichtsinnig vor, weil ich ihm so arglos zugeschaut hatte. Er hätte auch nach einer Waffe suchen können, er hätte so lange sein »Warten Sie« wiederholen können, bis er eine Pistole im Anschlag hielt oder meinetwegen auch ein Messer. Doch ich sah ihm nur ungeduldig zu. Als er nicht fand, was er suchte und wohl zu fürchten anfing, ich würde mir das nicht länger bieten lassen, sagte er: »Ich habe in einer Tasche Geld. Es sind mehr als dreihundert Mark. Wenn Sie mich fünf Minuten liegen lassen, können Sie alles haben. Dreihundert Mark für fünf Minuten, das lohnt sich doch.«

Er glaubte nun wohl, mich beruhigt zu haben, und suchte weiter. Was bildete der sich ein, mir diese Prämie auszusetzen, was glaubte er, in wessen Wagen er lag? Andererseits verstand ich, daß er für feine Überlegungen nicht in der Lage war. Dennoch dachte ich: Jetzt ist genug.

Er fand sein Geld. Er zerrte es aus der Gesäßtasche und hielt es mir entgegen, und ich spürte nur den einen Wunsch, diese quälende Situation zu beenden.

Heute finde ich es merkwürdig, daß mir damals erst so spät der Gedanke kam: Wo einer flüchtet, da muß es doch auch Verfolger geben. Als ich aus dem Fenster sah, brauchte ich nicht lange zu suchen. Einen Steinwurf weit in der Richtung, aus der der Mann gekommen war, standen drei Polizisten und einer in Zivil. Ich erschrak, ich erinnere mich an einen heftigen Herzstich; ich fand es sofort einleuchtend, daß es Polizisten waren, die den Mann verfolgten, wer denn sonst? Zwei von ihnen sahen sich aufmerksam auf der Straße um, der dritte unterhielt sich mit dem Zivilisten. Ich hatte keinen Zweifel, daß diese vier Personen und der Mann in meinem Auto zusammengehörten. Ich sah, daß einer der Polizisten auf ein Fenster irgendwo in der Höhe zeigte und daß der Mann in Zivil dorthin sah und dann den Kopf schüttelte. Mir fiel ein, daß ich seit einer Ewigkeit im Parkverbot stand. »Hier, nehmen Sie alles«, sagte der Mann.

Ich sagte: »Um Himmels willen, stecken Sie Ihr verdammtes Geld ein.« Dabei sah ich zum letztenmal sein Gesicht. Die Augen waren erschrocken, als wüßten sie genau, wen ich gesehen hatte. Ich schaute wieder zu den Verfolgern, die immer noch an jener Stelle standen. Sie schienen unschlüssig zu sein, so bildete ich mir ein, ob sie über den Damm gehen oder auf dieser Straßenseite bleiben sollten. Einer von ihnen trat an die nächste Haustür und wollte öffnen, sie war verschlossen. Da verstand ich, warum der Mann nicht in einem der vielen Häuser Zuflucht gesucht hatte: Alle waren zugeschlossen, für Fremde gab es Klingeln und Lautsprecher. Gern hätte ich gewußt, warum sie hinter ihm her waren, zu fragen hatte aber wenig Sinn. Mit Sicherheit hätte er in der Art der Verfolgten geantwortet: Wegen nichts. Außerdem war längst keine Zeit mehr dafür.

Die einzige Rettung für den Mann wäre gewesen, daß ich jetzt losfuhr. Niemand hätte mich hindern können, gemächlich an den vier vorbeizufahren, zum Stadtrand oder sonstwohin, und dort den Mann auf Nimmerwiedersehen abzuladen. Nicht etwa Rücksicht auf meine Frau hielt mich davon ab; der hätte ich es gegönnt, alleine dazustehen mit ihrem Stoff. Und eigentlich war es auch nicht Angst, obwohl das Herz mir gewaltig geklopft hätte bei einem solchen Unternehmen. Nur das wilde Durcheinander in meinem Kopf hinderte mich am Losfahren. Ich halte es nicht für übertrieben bedächtig, mit einer Handlung erst dann zu beginnen, wenn man sie auch für angebracht hält, und danach richtete ich mich. In meinem Gedankengewirr erkannte ich nur eine klare Frage: Wie komme ich dazu, dem Kerl zu helfen? Und dieser Einwand schien mir äußerst überzeugend, wie ein sicherer Hinweis. Alles andere ergab sich danach von selbst, eine plötzliche Klarheit beruhigte mich. Ich wußte auf einmal so genau, was nun zu tun war, ich sah so deutlich die vielen guten Gründe, die dafür sprachen, daß ich fast ausgerufen hätte: Ich weiß es ja!

Einem der Polizisten vor mir fiel es ein, in ein vorschriftsmäßig geparktes Auto hineinzusehen. Ich öffnete schnell meine Tür und stieg aus. Ich hörte den Mann atemlos fragen: »Was tun Sie?« Ich hob einen Arm und rief zu den Polizisten: »Hallo! Kommen Sie hierher, hier ist der Mann!«

Ich deutete in meinen Wagen hinein. Einen Augenblick lang standen sie alle still, meine Worte waren aber verstanden worden. Dann sah ich zwei Pistolen, die einer der Polizisten und der Zivilist in Händen hielten. Sie kamen angerannt, zu beiden Seiten des Wagens postierte sich je einer, ein dritter öffnete die noch geschlossene zweite Tür. Die Verhaftung ging wortlos vor sich, nur unter Keuchen. Der Zivilist winkte mit der Pistole, aber der Mann bewegte sich nicht, obwohl er den Befehl gesehen haben mußte. Zwei Polizisten ergriffen seine Beine und zogen ihn hinaus. Er tat sich weh am Kopf, wegen des Höhenunterschiedes von Auto und Bordsteinkante, er schrie nicht auf vor Schmerz. Dann stand er vom Pflaster auf.

Ich trat vom Damm auf den Bürgersteig, um den Verkehr nicht zu behindern. Ich vermutete, daß Fragen an mich gerichtet würden. Ich schaute den Zivilisten an, der mir wie der Anführer der Gruppe vorkam, doch er kümmerte sich nicht um mich. Ich hörte ein rasselndes Geräusch. Im selben Augenblick, da ich Handschellen um die Gelenke des Mannes sich schließen sah, traf mich mitten ins Gesicht Speichel. Das Blut muß mir zu Kopf geschossen sein. Die Hand eines Polizisten legte sich mir begütigend auf den Arm.

(1980)

Der Betriebsrat

Von dem Unglück wußten die Menschen in der Stadt bereits, noch ehe die ersten Kumpels der Nachtschicht gegen sieben Uhr morgens nach Hause gingen. Fast auf die Minute drei Uhr nachts war es, daß auf der fünften Sohle, in der fünften östlichen Abteilung in Flöz Sonnenschein das Hangende auf zwanzig Meter Streblänge niederbrach. Acht Männer hatte das Gebirge eingeschlossen, fünf konnten nach drei Stunden geborgen werden, verletzt, aber sonst wohlauf. Die Bergungsarbeit für die anderen drei Männer währte Stunden. Endlich, gegen elf Uhr mittags, wurden auch sie gefunden – tot.

Es war weiter nicht viel passiert. Ein Unglück – fünf Überlebende, drei Tote; es war also noch einmal gutgegangen. In den Abendstunden sprachen in der Stadt nur noch diejenigen von dem Unglück, die unmittelbar berührt oder betroffen waren. Rundfunk und Fernsehen blendeten in ihren Regionalsendungen die Unglücksmeldung ein. Warum sich groß erregen über drei Arbeiter, die der Berg erschlagen hat. In der Welt verändert sich täglich so viel, ganze Länder werden erschüttert, Städte zum Einsturz gebracht. Flüsse treten über ihre Ufer, Berge speien Feuer und Schwefel; warum sich dann erregen über drei Männer, die weiter nichts als das Opfer ihres Berufes wurden.

Im Ruhrgebiet gewöhnt man sich an solche Meldungen, sie gehören, wie der Staub, zum Alltag.

Zwölf Uhr.

Die Toten fuhren im Schacht tagan, im Büro waren Betriebsführung und Betriebsrat versammelt, um die reihum springende Frage zu erörtern, wer die Familien benachrichtigen solle. Immer ist das ein Weg, um den sich Vorgesetzte wie auch Freunde der Bemitleidenswerten zu drücken suchen, keiner will schließlich die ersten Ausbrüche des Schmerzes erleben und dann dastehen ohne Trost, wie ein Verbrecher, der in eine vorher fröhliche Wohnung das Entsetzen pflanzt.

Für zwei Besuche fanden sich schnell die Boten, für den dritten Weg meldete sich lange keiner, jeder der Anwesenden scheute vor diesem Besuch zurück, denn zwei Söhne jener Familie waren in drei Jahren in der Gruppe geblieben, und der letzte, ein Knappe ʋon einundzwanzig Jahren, lag nun in der Leichenhalle hinter der Waschkaue.

In die lähmende Stille sagte unvermittelt der Betriebsrat Brinkhoff: Ich werde gehen!

Er sagte es fest, wenn auch mit belegter Stimme, und er sah aufmerksam in die Maskengesichter seiner Kollegen, ob nicht im letzten Augenblick vielleicht einer da war, ihm diesen Gang abzunehmen. Aber die sieben Gesichter verrieten nur Erleichterung, weil sich einer gefunden hatte und nicht, wie so oft in den vergangenen Jahren, durch Loswurf bestimmt werden mußte.

Feige Bande, dachte er, große Fresse, wenn es um nichts geht, aber Schwanz einkneifen, wenn sie Worte finden sollen. Egal, ich habe mich nun mal gemeldet, aber ich darf auf keinen Fall das Fußballspiel heute nachmittag am Fernsehschirm versäumen.

Die Familie Haugk, die Brinkhoff aufzusuchen hatte, wohnte am Stadtrand in einer der vielen Siedlungen. Vater Haugk, wegen Staublunge seit einem Jahrzehnt Invalide, arbeitete in seinem Vorgarten. Brinkhoff bemerkte, wie der alte Haugk ab und zu die Harke sinken ließ, sich aufrichtete, die Augen beschirmte und die Straße hinabsah; die Straße, auf der Brinkhoff gekommen war.

Der Betriebsrat blieb an der Gartenpforte stehen: Tag Wilhelm! Schaff nicht so viel, laß für die anderen Tage auch noch was übrig.

Schönes Wetter heute. Wurde aber auch langsam Zeit.

Brinkhoff sagte es langsam und unbeteiligt.

Mein Gott, was hat es der Alte gut, dachte Brinkhoff, ist sein eigener Herr, kann tun und lassen, was er will. Auf keinen Fall darf ich das Fußballspiel versäumen.

Ach, sagte Haugk, Fritz, du bist es. Tag auch. Ja, das Unkraut wächst und wächst, da muß man schon jeden Tag ein wenig im Garten machen, wenn man Blumen von Unkraut unterscheiden will.

Ich darf auf keinen Fall das Fußballspiel versäumen, dachte Brinkhoff. Ob der Uwe mitspielt?

Wartest du auf jemand? fragte Brinkhoff.

Warten? Ja, mein Junge ist noch nicht da, hat Nachtschicht, und jetzt ist es gleich zwei Uhr. Macht wohl wieder eine Doppelschicht, der unvernünftige Kerl. Weißt du, der hat jetzt so ein lecker Mädchen, er will sich unbedingt ein Motorrad kaufen. Na, du weißt ja, wie das heute ist, die jungen Leute wollen raus, haben kein Interesse mehr für den Garten. Aber immer diese Überstunden, braucht er doch gar nicht, ich gebe ihm was von meiner Rente dazu.

Jaja, sagte Brinkhoff, und dachte an das in einer Stunde beginnende Fußballspiel am Fernsehschirm.

Aber die jungen Leute wollen natürlich mit dem Kopf durch die Wand, sagte der alte Haugk und war etwas ärgerlich dabei.

Welche Marke will er sich denn zulegen? fragte der Betriebsrat. Motorrad, dachte er, so ein Blödsinn. Wer kauft sich heutzutage noch ein Motorrad. Vier Räder sind vier Räder und ein Dach drüber ist ein Dach drüber. Ob der Uwe heute mitspielt?

Da darfst mich nicht fragen, Fritz, ich kenne mich da nicht aus. Eine italienische soll es sein. Ich sage dir, die letzten Abende saßen er und das Mädchen nur über Katalogen und Prospekten. Hinten, wo früher der Stall war, da hat er sich jetzt eine Garage ausgebaut, fein, sage ich dir. Sogar austapeziert hat er sie, mit Tapeten, die vom Tapezieren immer übrigbleiben. Ist ein bißchen scheckig geworden, die Garage, aber sonst ganz nett. Was die Jungen heute für Ideen haben. Haugk lächelte zufrieden.

Wenn wir so weiterquasseln, versäume ich noch das Länderspiel, dachte Brinkhoff, aber er sagte: Jaja. Wann will er sich die Knattermühle eigentlich holen? Ist sie teuer?

Nächste Woche hat er gesagt. Ich freue mich auch schon, er will mich dann immer zu Tauben- und Hühnerausstellungen fahren. Aber Knattermühle darfst du nicht sagen. Er sagt nämlich, seine Maschine sei die leiseste, die auf dem Markt ist. Das wird mit Phon gemessen, oder so ähnlich heißt das.

Mein Gott, dachte Brinkhoff, wie kann er so in den Tag leben, alle um ihn wissen es, keiner hat es ihm gesagt, ausgerechnet ich muß es sein, mußte mich noch freiwillig melden. So ein Unfug. Ob der Uwe heute mitspielt?

Was machst du eigentlich in unserer Gegend hier? fragte der alte Haugk plötzlich. Willst du Tauben kaufen?

Brinkhoff sah auf seine Uhr. Wenn es so weitergeht, dachte er, versäume ich noch das Fußballspiel.

Hast du Urlaub? fragte der alte Haugk wieder.

Nein, Wilhelm, den hatte ich schon im März, mußte mein Häuschen in Ordnung bringen. Naja, da nahm ich mir eben Urlaub.

Natürlich, Fritz, da kann man wenigstens über seiner Arbeit bleiben, ich habe das früher auch immer so gemacht. Und jetzt habe ich Zeit, viel Zeit...

Ja, dachte Brinkhoff, Invalide müßte man sein.

...Ich sage dir, was man so den lieben langen Tag alles machen kann. Keine Hetze mehr, keine Antreiber, kein los! los!, kein schneller! mehr, nicht mehr der Satz: nur keine Müdigkeit vortäuschen. Aber jetzt ist man kaputt, die Lunge macht nicht mehr so mit. Ich sage dir, mir ist schon wieder angst, wenn der Nebel kommt, der schnürt mir dann immer die Kehle zu. Von der Rente hat man nicht mehr viel. Wir sind ausgelaugt und verbraucht, wenn wir unser Alter erreicht haben. Aber was willst da machen, ist eben so.

Wir sind eben Arbeiter, sagte Brinkhoff und dachte bei sich, daß nicht immer die Antreiber schuld sind, auch die, die sich antreiben lassen.

Der Niggemeier verkauft seinen ganzen Schlag, der zieht in die Innenstadt. Weißt du, seine Frau hat das Haus ihres Onkels geerbt, da ziehen sie rein. Aber Tauben darf er da nicht halten. Du kannst billig zu Tauben kommen, der hat gute Flieger, hat schon viele Preise gewonnen. Ist auch kein Halsabschneider, der Niggemeier.

Was verlangt er denn für seine Tauben? fragte Brinkhoff. Wenn ich so weiterquaßle, versäume ich noch das Fußballspiel.

Wenn du willst, ich spreche mal mit ihm. Oder wir gehen gleich hin, er wohnt ja nur ein paar Häuser weiter. Das heißt, wenn du willst und Zeit hast...

Nein, Wilhelm, sagte Brinkhoff hastig, ich muß nämlich wieder mal so einen Gang machen, du weißt schon.

Um Gottes willen, Fritz, ist was passiert auf der Zeche? Der alte Haugk sah Brinkhoff von unten an.

Mein Gott, dachte Brinkhoff, so ahnungslos, wo hundert Menschen im Umkreis wissen, daß sein Sohn unter den Toten ist. Wie feige doch die Nachbarsbande sein kann, keiner hat es ihm gesagt.

Ja, Wilhelm, Flöz Sonnenschein, in der fünften östlichen Abteilung. Du kennst dich da ja aus von früher.

Was? Sonnenschein? Fünfte Osten? Jaja, Sonnenschein hatte schon immer ein schlechtes Gebirge. Zu meiner Zeit... jede Woche ein Bruch, es war wie verhext, man konnte noch so sicher bauen, immer kam was runter. Und zugemacht wurde das verdammte Flöz auch nicht, hatte doch die besten und billigsten Kohlen. Was kommt es schon auf ein paar Tote an oder auf ein paar Verletzte. Hauptsache viel und billig Kohlen, Hauptsache, die Kohlen stimmen. Das war immer so und bleibt auch so. Wir können nichts ändern. Gut, daß ich mit der Bande nichts mehr zu tun habe.

Haugk sah einem Bussardpaar zu. Schön, sagte er. Ich beobachte sie schon ein paar Tage. Muß wahnsinnig interessant sein, da oben einen Heiratsantrag anzubringen.

In der Zeitung stand, daß Uwes Aufstellung für das Spiel noch fraglich ist, hat eine alte Verletzung zu spüren bekommen, dachte Brinkhoff.

Aber, aber, rief der Alte plötzlich. Was hast du gesagt? Fünfte Osten? Fünfte Sohle? Aber... aber... da ist doch auch mein Junge. Du! Fritz! Was ist nun wirklich passiert?

Sein Junge war ein blendender Linksaußen. Wenn er in die richtigen Hände gekommen wäre, wer weiß, vielleicht bundesligareif. Jetzt könnte ich vor dem Fernsehschirm sitzen, hätte ich mich nicht freiwillig gemeldet.

Acht waren unter dem Bruch, Wilhelm, sagte der Betriebsrat schwer und sah interessiert dem Kreisen der Bussarde zu. Wie zwei Außenstürmer, sagte er unhörbar für Haugk vor sich hin.

Ja, acht waren unter dem Bruch, fünf konnten wir gleich rausholen, drei hat es erwischt. Ja, du weißt ja.

Der alte Haugk zündete seine Pfeife an. Er hatte keinen Tabak im Kopf der Pfeife, aber er entzündete Streichholz auf Streichholz, bis vor seinen Füßen so viele Hölzer lagen, daß sie einem ausgeworfenen Mikadospiel glichen. Wieder sah Haugk die Straße hinunter, auf der Brinkhoff gekommen war.

Drei hat es also erwischt, sagst du, drei. Drei! Fritz! Warum drei? Jaja, deshalb ist also mein Junge noch nicht da, deshalb. Jaja, so ist das also. Und nach einer Weile beklemmender Stille lachte Haugk.

So ist das also, Fritz. Du wolltest von Anfang an zu mir. Und ich Trottel dachte, du wolltest Tauben kaufen vom Niggemeier, wo er doch seinen ganzen Schlag verkauft.

Das Bussardpaar zog noch immer seine Kreise, der alte Haugk aber sah auf die vor seinen Füßen liegenden abgebrannten Streichhölzer. Jaja, sagte er wieder, Sonnenschein hatte schon immer ein schlechtes Gebirge, war mürbe wie Sandkuchen.

Ob er nun begriffen hat? Jetzt wird auch das Spiel anfangen. Ob der Uwe mitspielt?

Drei hat es also erwischt, sagst du... aber warum drei... warum nicht zwei... oder einen... oder gar keinen. Und er schrie plötzlich: Warum gar keinen?! Warum? Warum? Fritz! Warum? Weil die Herren nicht begreifen wollen, daß ein Mensch mehr wert ist als eine Tonne Kohlen? He! Ist es so? Ist es so?

Mein Gott, wie recht der Alte hat, dachte Brinkhoff, wie recht. Aber was soll man dagegen tun? Soll man die Arbeit abschaffen?

Haugk sah auf das Haus, aus dem seine Frau kam und die Straße hinabsah, ohne die beiden Männer an der Gartenpforte zu beachten. Auf der Straße sah man schon die ersten Kumpel der Frühschicht, sehr eilig, manche liefen Trab.

Die kommen alle noch früh genug an den Fernsehschirm, dachte Brinkhoff.

Aber Fritz, wie soll ich das meiner Frau sagen? Wie nur? Wie? fragte der Alte verzweifelt.

Hab auch schönen Dank, daß du gekommen bist, Fritz. Aber wie soll ich das nur meiner Frau sagen, wie nur, wie?

Ich werde zu ihr hineingehen, sagte Brinkhoff.

Bin ich denn verrückt? Mein Gott, wie komme ich dazu, er verlangt vielleicht noch, daß ich der ganzen Verwandtschaft Bescheid gebe.

Jetzt hat das Spiel angefangen.

Der alte Haugk nahm eine Schere und schritt auf einen übermannshohen Rittersspornstrauch zu.

Brinkhoff wartete, bis die Frau ins Haus gegangen war, dann säumte er hinterher. Im Flur roch es nach gebackenem Fisch, und er hörte, wie die Frau Töpfe und Pfannen hin und her schob. Lange blieb der Betriebsrat im Flur stehen, er atmete schwer, schließlich zählte er wie ein Kind an den Knöpfen seiner Jacke: soll ich, soll ich nicht, soll ich. Hastig stieß er die angelehnte Tür auf, und die Frau war etwas überrascht, statt Mann oder Sohn einem Fremden gegenüber zu stehen.

Ja? Bitte? Wollen Sie zu meinem Mann? Er ist im Garten ... aber, haben Sie nicht eben mit ihm gesprochen?

Jetzt muß ich es sagen, dachte er, schnell, damit es schnell vorbeigeht. Schnell, nur schnell.

Er sprach nicht. Er wollte auf die Frau zugehen und blieb doch auf der Schwelle stehen und drehte seinen Hut in der Hand, immer nur den Hut in der Hand ... immer nur den Hut in der Hand.

Betriebsrat Brinkhoff merkte, wie die Augen der Frau größer und größer wurden, wie sie auf einen Stuhl fiel. Dann schrie sie: Nein! Neinneinneinnein! Das ist nicht wahr!

Brinkhoff drehte sich schnell um und lief hinaus. Der Alte schnitt aus dem Rittersspornstrauch lange blaue Stengel, und er sagte zu Brinkhoff: Meine Schwägerin kommt gleich, sollte eigentlich schon hier sein. Holt die Blumen und meinen Spaten. Einen Pelzmantel hat sie, aber keinen Spaten.

Du kannst hineingehen! rief Brinkhoff im Vorbeilaufen.

Ja, Fritz, ja ... so ein lecker Mädchen hat er, so ein ...

Das Bussardpaar war verschwunden.

Als der Betriebsrat Brinkhoff wieder auf der Straße stand, war er schweißnaß, das Hemd klebte am Körper fest, durch die Brauen perlte der Schweiß. Dann schlurfte Brinkhoff die Straße hinunter. Es war niemand auf der Straße zu sehen, menschenleer war die Siedlung, und am Ende der Siedlung, wo auch die Straße ihr Ende fand, setzte sich Brinkhoff in das staubige Gras am Straßenrand und trocknete sein Gesicht.

Mein Gott, was sind das für Menschen, sitzen vor dem Fernsehschirm und glotzen dem Ball nach. Was sind das nur für Menschen, gucken und gucken und schreien sich heiser. Und ich...?

Ob der Uwe aufgestellt worden ist?

(1980)

BOTHO STRAUSS

Ilona M.

Amtsgericht Tiergarten. Prozeß einer Dealerin, Ilona M., 29, seit 1972 auf der Nadel, keine Berufsausbildung, Gelegenheits-Prostitution, Verstöße gegen das Betäubungsmittelgesetz, dreimal vorbestraft, seit einem halben Jahr in der Lehrter Frauenhaftanstalt, wo sie weiterhin fixt und dealt, sieht jetzt aus, als sei sie in einem »verhältnismäßig guten Zustand«, so die Vorsitzende, nachdem sie die Angeklagte zur Person vernommen und ihr Erscheinungsbild gemustert hat. Ilona ist klein, hat rötlich gefärbtes Haar, ein flaches, sehr bleiches Gesicht, Busen und Hintern sind angedickt, der Oberkörper sehr schmal, und die vollen, schweren Busentropfen scheinen nicht zu diesem vom Heroin ausgezehrten Körper zu passen, ein so mütterliches Appeal an diesem verlorenen Kind. Sie spricht sehr leise und eintönig, so daß sie der Staatsanwalt wiederholt ermahnen muß, die Stimme zu erheben, damit er deutlich hört, was er in hundert ähnlichen Fällen schon zu hören bekam, denn die Drogenabhängigen lügen alle, das weiß er, sie lügen alle die gleichen Lügen und geben sich therapiewillig, nur um ja noch eine Bewährung herauszukriegen. Die Richterin sagt: »Sie sprechen wirklich sehr leise. Sind Ihre Zähne nicht in Ordnung?« Ilona: »Die hab' ich mir in der Anstalt machen lassen.« Doch die Angeklagte spricht leise, nicht um besonders hilflos und bemitleidenswert zu erscheinen. Indem sie zu ihrer Person aussagt, dem nüchternen, keineswegs strengen Ton der Ermittlung folgt, enthüllt sich ihr die eigne reale Lage: ausweglos, kommt ihr zu Bewußtsein, was der schützende Jargon der Knast- und Dopeszene sonst vernebelt. Die Vorsitzende ist seit fast zwanzig Jahren mit Rauschgiftdelikten befaßt und im Milieu als ›Mutter Schult‹ gut bekannt. Die Verteidiger sehen es für günstig an, wenn in einem ihrer Fälle Mutter Schult die Verhandlung führt. Auf diesem verfluchten Gebiet, auf dem Strafandrohung nutzlos ist, kann vielleicht, wenn überhaupt noch irgend etwas, einzig das Bild der gütigen, der gütig und gewissenhaft mahnenden Mutter etwas ausrichten. Andererseits kann sie als Gesetzeshüterin keinen Kampf gegen die Krankheit der Sucht führen, es bleibt ihr gar nichts anderes übrig, als die totale Vergeblichkeit des Orts und der Handlung, in deren Mittelpunkt sie steht, insgeheim zuzugeben. Ihre Rechtsprechung klingt eher wie eine höchst verfremdete Form des Hilfe- und Schutzerbietens, das ihren Sorgen*kindern* gilt. Sie kennt selbstverständlich die Gefahren der Bewährung, weiß auch, wo, wie und mit welchen Erfolgschancen noch ein letzter Therapieversuch unternommen werden kann, und ihre richterliche Arbeit besteht im Grunde darin, gegen längst schon gefällte Todesurteile anzukämpfen.

Der Staatsanwalt ist ein junger kalter Herr, der in solchen Szenarien der Hoffnungslosigkeit den undankbaren Part des Verständnislosen zu spielen hat, daher nur noch das leere Klischee des Staatsanwalts darbietet, nicht mehr den Staat selbst vertritt, denn diesem ist bekanntlich an der Verurteilung von Drogensüchtigen wenig gelegen. In seinem Strafantrag versteigt er sich zu der Erklärung, die Angeklagte sei in eine Lage geraten, in der »niemand mehr zu retten« ist. Eine solche Bemerkung von unverhohlener Inhumanität kommt dann Ilonas Verteidiger gerade recht, dagegen kann er mit der gebotenen Schärfe sein Plädoyer führen.

Bis es dazu kommt, wird eine Zeugin vernommen. Ein Mädchen in Lederjacke, Jeans, Stiefeletten, langes gewelltes Haar, breit gedopt, die Lider senken sich immer wieder, die Arme führen seltsam runde, kraftlose Bewegungen aus. Die Richterin belehrt sie nachdrücklich darüber, daß sie jede Aussage verweigern kann, durch die sie sich selbst belasten würde. »Haben Sie verstanden?« fragt sie noch einmal, als prüfe sie das Gehör der Zeugin. Das Mädchen redet ebenso leise und eintönig wie die Angeklagte. Irgendwann aber dreht ihre Rede durch, kreist sie sinnentleert in immer denselben Sätzen. Der Staatsanwalt: »Wann haben sie Ihren letzten Schuß gesetzt?« Das Mädchen hätte um ein Haar gesagt: ›Gerade‹, da hat sich aber die Richterin geschwind eingeschaltet: »Ich habe den Verdacht, Herr Staatsanwalt, daß die Zeugin nicht vernehmungsfähig ist.«

Als sich das Gericht zur Beratung zurückzieht, geht die junge Protokollführerin, etwa mit der Angeklagten im gleichen Alter und ihr in Kleidung und Frisur ähnlich, hinaus auf den Gerichtsflur – da springt der Saalwachtmeister, der während der Verhandlung den ›Kicker‹ las, von seinem Stuhl auf, läuft ihr nach und will sie zurückzerren, denn er hat sie mit der Angeklagten verwechselt. Diese unterhält sich unterdessen mit zwei Freunden, die unter den Zuhörern sitzen und mehrmals in die Rede des Staatsanwaltes hineinmurrten. Auf den Zuschauerbänken sitzen im übrigen noch Schüler und Schülerinnen einer Sozialarbeiterschule mitsamt ihren rauh und dumpf wirkenden Lehrern. Ilona M. bekommt ein Jahr, sechs Monate ohne Bewährung. Nicht ohne Überraschung hört sie dann, daß das Gericht den jetzt bestehenden Haftbefehl aufhebt, daß sie mithin noch einmal Gelegenheit erhält, die letzte, wie Mutter Schult mit bitterer Sorge hervorhebt, sich sofort in eine Therapieeinrichtung zu begeben. Sechs Wochen bleiben ihr, bis sie zum Strafantritt erscheinen muß. Befindet sie sich zu diesem Zeitpunkt in der Therapie, wird ihr auf dem Gnadenweg die Strafe zur Bewährung ausgesetzt. Die Vorsitzende weiß, daß der Knast nichts hilft, und sie sagt es in ihrer Urteilsbegründung: Nirgendwo kommen Süchtige bequemer an ihren Stoff als in der Lehrter. Auch sie muß zugeben, daß sie in diesem Fall keine allzu großen Hoffnungen mehr hege. »Sie wissen ja«, fügt sie hinzu und benutzt einen Ausdruck aus dem Szene-Deutsch, »daß eine Drogensüchtige mit fast dreißig Jahren ein *fester Charakter* ist.«

Wenn man die furchtbare Aussichtslosigkeit und Todesbedrohung, die den Suchtkranken umgeben, zu spüren bekommt, kann man sich schwer nur in die Fragen nach den gesellschaftlichen Ursachen flüchten; man starrt fremd das nackte, souveräne Übel an, die real existierende Teufelsherrschaft. Diese schneidet bei einem anschließenden Gespräch mit den Freunden der Ilona eine weitere gemeine Fratze. Der junge Mann mit fahlem, narbigem Gesicht, mit großen, seidig schimmernden Augen, fünfmal vorbestraft wegen Rauschgiftdelikten, und seine Freundin, die auf Urlaub aus der Lehrter zur Verhandlung kam, nennen es schlimm, ausgesprochen schlimm, daß Ilona so Knall auf Fall entlassen und sofort auf freien Fuß gesetzt werden soll. Sie sind davon überzeugt, daß sie noch am selben Abend an den einschlägigen Orten zu finden sein wird. Die Frau sagt: »Wenn du solange in der Lehrter eingesessen hast ja, unter diesem Zwangsdruck, dann kommste raus ja, in deine Wohnung, weißte ja nicht mehr, wo das Telefon steht.« Eine Therapiestätte, die der Verteidiger erwähnt und für gut hält, nennt sie »'n Lacher, 'n Lacher is det«. Die Frau: »Die kommen ja alle wieder in die Lehrter von da. Klar is jeder froh, wenn er rauskommt. Wär auch froh, ich käm raus.«

Jedoch aus ihren Worten spricht das ganze Gegenteil von Sorge um ihre Freundin. Es spricht die Wut über eine geplatzte Geschäftsverbindung. Ilona war in der Anstalt eine wichtige Vertriebszweigstelle für ihren Drogenhandel.

Alle Sinne Geschäftssinn; kein Lächeln, keine Lüge, kein Handschlag, die nicht der Sucht dienten. Hier ist nichts mehr verfänglich und mehrdeutig. Die Sucht ist der eine Korridor, in den alle inneren und äußeren Regungen einlaufen. Sie verfolgt nicht die Ziele eines unbekannten Glücks. Die Erfüllung aller Wünsche ist manifest und wird immer wieder, monoton und unumwunden, erreicht. Die Tricks und Tarnungen auf diesem Weg, die Vortäuschung liebenswürdiger Gefühle, die Selbsttäuschung über die eigene Lage sind auf eine Weise durchsichtig, als wollten sie das Spiel mit verdeckten Absichten, an dem wir alle teilhaben, aufs gräßlichste karikieren. Obwohl uns der Suchtkranke vom freien Willen des Subjekts nurmehr den rohen Stummel zeigt, hat er doch eine bestimmte gesellschaftliche Verkleidung nötig. Dazu gehören das Untergrundgehabe, Kenntnisse von Adressen, geheimen Verbindungen und Treffpunkten, von Code-Namen und Jargon (den inzwischen schon die Behördensprache ohne Anführungszeichen benutzt), gehört dieser ganze Überwurf eines leisen Fanatismus ohne Botschaft, oft genug ein todschwarzer und samtweicher Umhang, der diese Fliehenden bedeckt, mit ihren bleichen Gesichtern, ihren für nichts Sichtbares geweiteten Pupillen, mit ihren faulen Zähnen und den dünnen einschläfernden, halb ausgewischten Stimmen, bei denen man verzweifelt fragt: Wer spricht? *Wer?*

Der Drogenabhängige bleibt eingehüllt in ein dichtes Geweb von Rhythmen und Regeln, Begegnungen und Geschäften, dem er sich ohne Fantasie, ohne Wahnsinn, ohne Weltschmerz überläßt, denn solange die Sache läuft, bleibt er tatsächlich wie kein zweiter verschont von den Ausgeburten des Imaginären.

(1981)

HERMANN BURGER

Die Wasserfallfinsternis
von Badgastein

Ein Hydrotestament in fünf Sätzen

›Die Wasserfallfinsternis von Badgastein‹ *ist die dritte von drei Erzählungen mit dem Titel* ›Blankenburg‹, *die im Herbst 1986 im S. Fischer Verlag erscheinen werden. Es sind allesamt Texte, die an eine höhere Instanz gerichtet sind:* ›Der Puck‹ *handelt von einem traumatischen Kindheitserlebnis und beschreibt eine Hadesfahrt unter einen Eisweiher, als Eismärchen gestaltet;* ›Blankenburg‹ *enthält sieben Briefe eines Leselosen an eine Bücherfürstin im Berner Oberland, die in ihren Antworten eine Therapie des* ›Morbus Lexis‹ *entwickelt.*

Wenn ein Mensch, Herr Kurdirektor, und sei es nur ein invalider Nachtportier namens Carlo Schusterfleck, ein Vetter Michel der Schöpfung, durch Zufall, den es zwar ebensowenig gibt wie den Laplaceschen Dämon, er allein wäre in der Lage, das Tierquälerische unserer Existenz zu entziffern, als Pionier, Kronzeuge und Kamikaze in eine noch nie dagewesene, in eine Naturkatastrophe sui generis verwickelt wird, ist es seine verdammte Pflicht, alle Kräfte, auch diejenigen seiner Krankheit, aufzubieten und ein umfassendes Geständnis abzulegen, so als hätte er anstelle des Zyklons gewütet, zugleich die Instanz einer nach oben unbegrenzt offenen Richter-Skala zu verkörpern, gerade als Krüppel, quod non est in actis, non est in mundo, was nicht in den Akten steht, ist für die Welt nicht vorhanden, also zu Protokoll zu geben, was er weiß, auf die Gefahr hin, daß man ihm im Austria-Haus, wo die Kurverwaltung von Badgastein residiert, kein Wort glaubt, dieweil er an seiner Aussage verblutet;

ansonsten, nicht wahr, gehört es ja zu den Tugenden unseres Standes, fortwährend beide Augen zuzudrücken und aufs Maul zu hocken, in der Nachtportierschule von Zürich, wo wir Fleven, Stadtstreicher, Pennbrüder und bankrotte Hausierer, vom Chef-Concierge des Grandhotels Baur au Lac, Raimund Ostertag, Ehrenvorsitzender des Clé d'or Suisse, in einem dreiwöchigen Abendkurs in die Geheimnisse unseres Metiers eingeweiht wurden, hämmerte man uns immer wieder den kapitalen Lehrsatz ein: Der Clavicularius verwaltet die Schlüssel zur Nacht und zum Gesundschlaf seiner Gäste, stumm wie ein Fisch, doch wachsam wie eine Eule zähmt er seine Zunge in sämtlichen Fremdsprachen, er hört alles und weiß von nichts, doch er, der Herumkommandierende, führt das Logbuch der Loge, er atmet als Aktuar der Kurruhe wie des Hotelklatschs;

was mich dermaßen enthusiasmierte, daß ich mich, noch bevor das Gerücht an unserem Institut zirkulierte, bei Direktor Kranewitter um den verwaisten Posten eines Nachtportiers im feudal verwitternden Gasteiner Hof bewarb, indem ich herauszustreichen wagte, ein Bechterew im fortgeschrittenen Zustand eigne sich besonders gut für den Schlafmützendienst, zum einen weil er, wenn auch als Negativreklame, die Kurgäste an die balneologischen Bodenschätze des vom Wildbad zum Weltbad avancierten Thermal-Monte-Carlo erinnere, sodann bringe er die Berufsbuckkelhaltung, die seine Konkurrenten erst mühsam erwerben müßten, als Bambuswirbelsäulensäuger von Haus aus mit, das, wenn man so wolle, absolute Gehör für primär chronische Polyarthritis, Spondylarthrosen, Weichteilrheumatismen etcetera, und letztlich verhinderten die berüchtigten Frühschmerzen, die man ohne weiteres dahingehend bestechen könne, schon nach Mitternacht einzusetzen, daß er das Vertuschungsarrivée eines spät einrückenden Roulette-Casanovas verschlafe;

natürlich, Herr Kurdirektor, wollte ich, jeder Schmerz ist sich selbst der nächste, nach Badgastein berufen werden, um nebenamtlich vom radonhaltigen Thermalwasser profitieren zu können, das in einem fünfzehn Kilometer langen unterirdischen Leitungssystem zirkuliert, worin ich mich, aber davon später, getäuscht haben sollte, hinzu kam, daß ich während meiner Orchesterdienerverweserzeit an der Zürcher Tonhalle zu einem Schubertianer hinter und unter der Bühne geworden war und mich besonders für das Schicksal der verschollenen Gasteiner Symphonie interessierte, die bekanntlich in jeder Biographie erwähnt wird, als missing link zwischen der Unvollendeten in h-Moll – o diese Baßkellereien im Allegro moderato – und der Großen in C-Dur, ohne daß auch nur ein einziger Ton je von einem menschlichen Gehör eingeatmet worden wäre;

kurz, der Posten wurde mir förmlich angedreht, Wach- und Kontrolldienst von elf Uhr abends bis sieben Uhr früh, Entlöhnung in Form von Speiseresten, Tagschlaf, Schweigegeldern und Kurnaturalien, als Sozialleistung die internationale Atmosphäre einer Fremdenfalle, Vertrag per Handschlag, so daß ich meine Stelle mitten in der Hochsaison, da mein Vorgänger Walberer das Opfer eines Raubüberfalls auf den Schmucksare des Gasteiner Hofs geworden war, antreten konnte, Pfaffenbichler, Concierge, Ombudsmann und Empfangschef in einem, führte mich in einer Schnellbleiche in meine Obliegenheiten ein und übertrug mir bereits am ersten August, dem schweizerischen Nationalfeiertag, die Schlüsselgewalt, Podgorsky, der polnische Barpianist, spielte für Carlo Schusterfleck, als Inthronisierungstusch sozusagen, den verjazzten Anfang unserer Nationalhymne, bevor er den Deckel zuklappte, und verabschiedete sich im Vestibül mit dem in der Sowjetunion für Nachtportiers gebräuchlichen Titel Notschnoj Schwejzar, Ende des ersten Satzes, Andante un poco non troppo.

Bis zur Wasserfallkatastrophe am 31. August, welche Sie, sehr geehrter Herr Kurdirektor, administrativ zunächst betrifft, sammelte ich als Kustos im Gasteiner Hof in etwa folgende Erfahrungen, fein säuberlich, sütterlinhaft, in eine Annex-Kladde zum Nacht- und Weckjournal gekritzelt, zuvörderst, daß an Schlaf überhaupt nicht zu denken war, Bechterew, Wladimir, hatte den Namen gestiftet, von Strümpell, Adolf, entdeckte den aufsteigenden Morbus, beginnend bei den Iliosakralgelenken, Marie, Pierre, Neurologe in Paris, die absteigende Spondylitis ankylosans, welche bei den Kopfgelenken ansetzt, ich schien die skandinavische Sonderform zu verkörpern, sogar als Patient noch ein Bastard, so oder so wälzte ich mich auf dem Begradigungsnotbett im Gepäckumgemach neben der Rezeption, unter der Sonnerie ständig hin und her, und wenn mir die Schwerarbeit des Entschlummerns zu gelingen schien, klingelte prompt der erste Nachtstörzer;

aufgerappelt im zerknitterten Kellnerfrack, dem Erbstück Walberers, die Sauerteigmiene des Beleidigten abgelegt, in die Gummikothurne gestiegen, welche die Schläge auf die Wirbelsäule dämpfen, die Mütze in die Stirn gedrückt, so hinkte ich in die Loge, deblockierte die Schwingtür, ließ die Alkoholfahne oder Radonwindhose in die Halle säuseln, harkte mit dem Krückstock den auswendig gewußten Zimmerschlüssel vom Postwabenfächer, küß die Hand, Frau Medizinalrat, keine besonderen Vorkommnisse, wünschen Frau Medizinalrat geweckt zu werden für ein Dreiviertelbad vor dem Frühstück, bitte sehr, ich entwickelte mich rasch zum perfekten Habe-die-Ehre-Kakadu, unter dem Käppi und den hexenschußartigen Schmerzen zum Gast empor –, doch nach Beendigung der Zeremonie um so befreiter an ihm herabblickend, bis auf die Fußspitzen, die alles verraten, ist man etwa der Schuhputzer, der Ausreibfetzen dieser Herrschaften;

und wenn der zum erblindeten Spiegelkabinett verkommene

kakanische Scherengitterfahrstuhl außer Betrieb war, für einen hydraulischen Elevator die Regel, welche die Ausnahme bestätigt, begleitete ich das gähnende Treppenfleisch, das die Unverschämtheit hatte, mir buona notte zuzuhauchen, bis zum ersten Podest, bemüht um Konversation, o ja, ich wußte mich mit Redensarten zu revanchieren, es mag wohl eine Dame die Treppe hinauffallen, wenn ein Narr darunter liegt, man fange oben an zu scheuern, wenn sich der Glanz der Stiege soll erneuern, wünsche wohl geruht zu haben, ich kassierte den Zungenschilling, der Bechterew – ist ja zugleich der gebrochene Almosenblick, um in der meinem Morbus angemessenen Halbbauchlage auf die Frühschmerzen, mein Kreuz, und den nächsten Kunden zu warten;

Schlag sieben endlich, ja, ich lernte wieder zählen in Badgastein, wenn ich vom rosig rasierten Pfaffenbichler in der vieuxpruneroten Livree mit den goldenen Reversstromlinien abgelöst wurde, schloß ich mich in der Anrichte der Kaffeeküche dem Personalfrühstück an, altbackene Semmeln, zu hart geratene Gipseier, während im Speisesaal das Frühstückspersonal um die Tischchen scharwenzelte, spülte mit der Maikäferbrühe und verkroch mich in die aufgelassene Lingerie in der Dependance, um meine Gymnastik zu absolvieren, die Klappschen Kriechübungen aus dem Vierfüßlerstand, mit den Fingern wandaufwärts klettern bis zur Bleistiftmarke, das wichtigste waren die Lungenetüden, denn, wie Sie wissen, Herr Kurdirektor, wird der Brustkorb durch den Sklerisierungsprozeß mehr und mehr zusammengedrückt, ein gürtelförmiger Schmerzpanzer, ein Organ bedrängt das andere, weil der Resonanzraum schrumpft, letztlich kommt es zu Panikausbrüchen von Herz, Leber und Niere, die Galle, mit der ich dieses Testament aufzeichne, wird schwärzer und schwärzer, im Endstadium gleicht der Bechterewtorso einem blank genagten Krummsaurierskelett und erinnert an ein paläolithisches Picknick, denn die Eingeweide haben sich selbst verzehrt;

dann aber, wenn es mir gelungen war, die Etagenkellner, Casserolenputzer und Bagagisten abzuschmettern, die mich alle für ihre Zwecke einspannen wollten, stand mir der ganze Kurort zur Verfügung, Carte blanche, so glaubte ich, ein bißchen dösen, ein bißchen schwadern, leider gab es, und Sie werden mein Präteritum noch fürchten lernen, einen widerhäkischen Paragraphen in der Kurverordnung, wonach es allen Bediensteten während der Hochsaison untersagt war, sich am thermischen Glücksspiel, so Kranewitter, zu beteiligen, der Bechterew-Zug im Heilstollen war für Wochen ausgebucht, im Dunstbad riß man sich um die kopffreien Kästen, die Solitärwannen im Souterrain blieben für die Gäste reserviert, das Militärhospiz befand sich im Umbau, die Fledermaus-, die Doktor-, die Chirurgenquelle, alles in allem 4,6 Millionen Liter 43 Grad warmes Radonwasser pro Tag, aber nicht für den Nachtportier Carlo, und dies, daß ich wie ein Schiffbrüchiger auf offener See verdursten sollte, raubte mir vollends den Schlaf, den man jeder Ratte am Tag gönnt, ich strolchte als Wahrzeichen der schlimmsten Rückenkrankheit durch Badgastein, von keinem bemitleidet, denn wer mich einherhinken sah als Diable boiteux, wähnte mich in Therapie, was mir noch blieb, war der Trinkbrunnen im Wasserfall-Lesesaal des Austria-Hauses, wo Grillparzers Gedicht ›Abschied von Gastein‹ an der Wand zu tönen schien, war, zum Glück, der Wasserfall selbst, Ende des zweiten Satzes, Notturno grave.

Was, mit Verlaub, Herr Kurdirektor, sind alle Hydroganten der Welt, an der Spitze der Angel in Venezuela mit 978 Metern Sturzhöhe, was die Sutherland-, die Viktoria-, die Niagara-Fälle, der Gavarnie und der Staubbach bei Lauterbrunnen gegen diese unsere, ich sage meine Ache, denn es war Liebe auf den ersten Blick, die in drei Kaskaden von der Pyrker-Höhe durch die tief ausgefräste Schlucht unter der Straubinger Brücke hinweg nach Badbruck hinunterdonnerte, vom Wasserboden oberhalb der Franzmeierschen Säge schäumten die Garben über den Bärentritt und um den Christuskopf ins erste Gletschermilchbecken, die naßglänzenden Klammwände verengen sich zur Port, gepreßt schoß der Stieber hervor und sprühte als tanzende Schleierhose über den senkrechten Felsabbruch, umtoste das Straubinger, dann wechselte man das Geländer und ließ sich mit den glitzernden Gischtbärten und Geisirwolken in den Abgrund und den Strudelkork von Grabenstätt spülen;

als wirbelsäulenverkrüppelter Ochsenschlepp kommt man ja nur schwer an solche Naturschauspiele heran, aber hier auf der bequemen Kommandobrücke mit dem Messingschild von Rotary International – Luftionisierung durch die Zerstäubung des Gießbaches – spannte ich meinen Thorax zum Bersten und kämpfte um jeden Zentimeter Horizont, himmelwärts verneigte sich der absteigende Typus, hier bewunderte ich, unerachtet meiner Iritis, die Regenbogensegmente über dem Schaum, ließ ich mich begischten und inhalierte das potenzierte Radonozon, die Sophienquelle entsprang ja mitten in der Schleierstufe, und um die Ecke am Hotel Straubinger verkündet die Gedenktafel des Wiener Musikvereins, daß Schubert hier die durch ein Mißgeschick verschollene Gasteiner Symphonie komponiert habe im Sommer 1825, zuerst die Unvollendete, dann die Verschollene, dachte ich, wenn sie sich nicht im dritten Satz der Großen verbirgt, doch mit C-Dur, der Czernyhottentottentonart, kam man dem ohrenbetäubend tumultuösen Wassertornado nicht bei, eigentlich bot sich nur E-Dur an, vier Kreuze, hart wie Zentralgneis;

und wenn ich bei Kräften war, mir ein Geselchtes in der Prälatur geleistet hatte, erklomm ich den Wasserfallsteig hinter dem kaisergelben Badeschloß, auch so eine Balneopathenruine, hielt inne beim Mittereck-Wehr, später auf der Schreckbrücke, wo ich dem Gesang der Geister in den Wassern lauschte, dann stieg ich von der Pyrker-Höhe zum sogenannten Echofelsen hinunter, unweit von Waggerls Geburtshaus Bergfriede, hier wurde das Rauschen des Bärenriegels an den konkaven Findling geworfen, und wenn man sich, etwa zwei Schritte vom Kandelaber entfernt, in den Brennpunkt des akustischen Spiegels stellte, hörte man das Tosen im Stein drin, auf dem in Antiqua-Lettern stand: ›Gastuna tantum una‹, es gibt nur ein Gastein, immer war ich von der Idee besessen, wenn es gelänge, Herr Kurdirektor, das verkorkste Kreuzrippengewölbe meines Bechterewbuckels in dieses Echo der Natur zu schmiegen, quasi in ihr Urgeräusch, müßte der Versteifungsprozeß zu stoppen sein, wirksamer als oben im Heilstollen, sollte das Thema der Verschollenen mitklingen;

das Rückentosen im Stein war meine Gasteiner Naturheil- ebenso wie meine Schubertforschungsmethode und kostete keinen Groschen, so daß ich mir ab sechzehn Uhr das Kurkonzert des Funeralienoperettenoktetts im Hufeisen des Kongreßhauses bei einem kleinen Braunen und einem krummen Hund zu Gemüte führen konnte, Wien bleibt Wien, tröstlich, dies hier oben schrammelselig versichert zu bekommen in dieser einmaligen Mischung aus Sinfoniettenramschkolportage und Provinzstehgeigervirtuosität, ein achtstimmiger Ohrenkaiserschmarren und Kontrapunktschmäh, der aber von den Bresthaften aus aller Herren Länder ohne Nebenwirkungen verdaut zu werden schien, so bunt wie das Arrangement ›Von Meister Lehar persönlich‹ waren die schlagobersdressierten, mit Nougat gespickten und von Sonnenschirmchen gekrönten Eisbecher;

Zeit genug, die Leute zu studieren, hatte ich traun fürwahr, und ich sage Ihnen, Herr Kurdirektor, habe die Ehre, daß Dominicus de Gravina, Seneca, Thukydides und Konsorten – der Laie borgt, das Genie stiehlt, Krankheit macht erfinderisch – gewaltig irrten mit der letztlich von Spinoza zum Strichwort erhobenen Ansicht:

»Solamen miseris socios habuisse malorum«, Trost für jeden im Leid ist es, Leidensgefährten zu haben, eher müßte es heißen, Solamen miserum... ein elender Trost ist es, denn es gibt keinen schlimmeren Konkurrenzkampf als die Naturheilrangelei von halbwissenschaftlichen und dennoch pflanzlich geschützten Patienten, die, in Wirklichkeit kerngesund, vom Wahn angesteckt sind, einer möglichen Spondylarthritis vorbeugen zu müssen, Gastein ist, vielmehr war ein Sammelbecken von Profil-Prophylaxis-Profit-Profi-Neurotikern, jeder versuchte, dem anderen das Radonwasser abzugraben, dabei wäre genug dagewesen, selbst für die Leibeigenen der Hotellerie, hundert Sekundenliter, man höre und staune, doch die Angst, von Gastuna stiefmütterlich behandelt zu werden, verwandelte die Touristen in eine beschwipste Thermalmeute rücksichtsloser Genesungsgewinnler, alle hatten das Goldflackern im Blick wie früher die Knappen am Radhausberg, Ende des dritten Satzes, Allegro assai tumultuoso.

So etwa ab zweiundzwanzig Uhr, wenn unten im Casino über dem Kesselfall das Roulette begann, wo der Heilsmachiavellismus im Glücksspiel seine Potenzierung fand, corriger la fortune, hielt ich mich in der kalten Küche des Gasteiner Hofs für meinen Einsatz bereit, schnappte mir einen Tafelspitz, ergötzte mich an Podgorskys Improvisationen, hörte die Champagnerpropfen knallen und das Gelächter in der Bar des Steirischen Engels, diese Aprèsradonkreuzfidelität als Geselligkeitskitsch, und freute mich schon auf die Stunde des Wolfs, wenn das Hotel so ausgestorben sein würde, daß ich mich in den Speisesaal mit den glastoten Pendeloques-Lüstern und den specklasurierten Wasserfallschinken schleichen und im Vestibülschein am Blüthner Schuberts Verschollener nachspüren konnte, als Bechterew über die Tasten gekrümmt, mit dem Dämpfpedal natürlich und immer gefaßt auf das Schellen der Nachtglocke oder das Summen der Sonnerie, es mußten, nach dem Versiegen der Unvollendeten, drei Sätze gewesen sein, drei Kaskadensprünge, in der Mitte vielleicht ein Scherzo mit einem larghettösen Trio, aber das Eröffnungsthema, Herr Kurdirektor, die dem Klopfmotiv von Beethovens Fünfter entsprechenden Wasserfalltakte;

item, als Bewegungstherapie gegen die Frühschmerzen hatte ich mir angewöhnt, gegen vier Uhr, wenn mit keinem Ruhestörer mehr zu rechnen war, einen – wenn auch illegalen – Rundgang durch die Hotelschlucht zu machen, schläft der Schillerhof, schläft das Kurhaus Jedermann, und an diesem besagten 31. August stieg ich zunächst zum Echofelsen hinauf, um den Ton im Stein abzunehmen für meine notturnale Rekonstruktion, doch mir fiel auf, als erstes, daß es für den Hochsommer zu dunkel war, Dämmerungsverspätung, würde ich notieren und melden müssen, zweitens vermißte ich zunehmend das Wasserfallrauschen, in der Hochsaison wurde die Ache nie gestaut, nachts sogar als Attraktion Nummer eins beleuchtet, dieses wunderbar gleichförmig traumlösende Crescendo des Wildpads, ja, man meinte, wenn man lange genug hinhörte, es schwelle an, jetzt verstummt, zumindest der Widerhall im erratischen Block aus der Würmeiszeit, ich schlug mit dem Krückstock dreimal an die Wölbung, Gastuna tantum una, das Urgeräusch blieb aus, aber die Messinglettern des Werbespruchs fielen wie schlecht befestigte Beileidsbuchstaben auf Kranzschleifen zu Boden, ein Haufen Zwiebelfische, eine zerstörte These;

so daß ich, unerachtet der Fersenstiche, hinüber hinkte zur Stiebenden Brücke in der Schreck, wo der Badberg und der Gamskarkogel zu jener Klammsteilstufe zusammenrücken, die der Gießbach in Jahrtausenden ausgeschliffen hat, nachzusehen, was los sei, mißrät die Kur, verkommt man zu einem Kuriosum, einem Ausbund an Neugierde, dieses opake Dämmerdunkel, kein Stern am Himmel, und da, nein, hatte man Worte, horribile dictu, sollte ich doch auf den Buckel fallen, er war versiegt, naßglänzend wie die Finsternis zur sechsten Stunde starrte mir die Maske der zerschundenen Natur entgegen, ein Georiß mitten durch Gastein, als hätte sich die Erde aufgetan, dieses Fremdengezücht zu verschlingen, ich sah nackt wie nie zuvor die Strudeltöpfe, Schmirgelkolke und Felsenschliffe im Zentralgneis, der hier besonders schroffzackig hervortritt, sah den blanken Christuskopf als schwarzgoldbleckenden Pyritschädel, spätige Sturzrinnen und zinkblendene Fräswunden, hier, wo die letzte Gletscherzunge über die Mittereck-Kante gelappt hatte, klaffte paläolithisch vorsintflutlich eine Selbstmordschrunde, das Uranpechherz mit einem Stich ins Violette, kein Zweifel, der Wasserfall hatte sich umgebracht, zurückgenommen die Bären-, die Schleier-, die Kesselkaskade, mir, Carlo Schusterfleck, eröffnete sich die Kluft eines Nottestaments, eigenhändige Schriftlichkeit genügt, also die Signatur der reziproken Überflutung, Missingwater, woher ich wußte, werfen Sie ein, Herr Kurdirektor, daß es ein Suizid als Staatsstreich der Natur war, nun, für Orohydrographie hatte ich schon immer ein Sensorium, als Bechterew für entzündliche Revolutionen des Skeletts dazu, wer ein solches Kreuz trägt, wird hellhörig für Umweltkatastrophen, Ökopleiten, sehnt sie, offen gestanden, förmlich herbei, jedes Ding, so Jakob Böhme, hat seinen Mund – ›De rerum signatura‹ – zur Offenbarung, die Schälle urständen aus der Essenz, hier in dieser

Kehle, Gargar, Cañon, Caille war sie verdorrt, und ich hörte, wie sich unten in der Entrischen Kirche, der Tropfsteinhöhle oberhalb der Gasteiner Klamm, ein Earthquarkgrollen löste, wie erdrutschartig ein Felsriegel zugeschoben wurde, um dieses Zufallsgeschlecht von Balneonausen in die Talwanne einzusperren und an den Ort des Verbrechens zu bannen, dem Zirbensterben konnte man ausweichen, weil man vor lauter kranken Bäumen den Wald nicht zu sehen brauchte, der Wasserfalleiche nicht, die Flüsse gehen den Völkern voran, die Wüsten folgen ihnen, Herr Kurdirektor, zu Ihren Händen diktierte mir die Ache folgendes Testament:

Erstens, aus Protest gegen die hirnwütige Ausbeutung der Gasteiner Therme, eines unter vielen Beispielen für den Raubbau der Menschheit an ihren Ressourcen, habe ich mich, die Gischtende, was mit Hilfe aller in mein Bett geleiteten Abwässer ein leichtes war, vergiftet und, wörtlich, aus dem Staub gemacht, und ich verfüge letztwillig, daß alle achtundvierzig Heilquellen mir nachfolgen und versiegen werden; zweitens, die Radium-Emanation, das eigentliche Wunder des Wildbads, wird rückgängig gemacht, die Tochtersubstanz, das Edelgas Radon, baut sich in den übriggebliebenen Tümpeln und Tankvorräten zur vollen Radioaktivität und unverminderten Strahlenschädlichkeit auf, womit der Weltkurort ab sofort zu einem Verseuchungszentrum erster Güte verkommt und ein für allemal erledigt ist; drittens, meine, die Missingwater-Finsternis oder Hydronox und -noxe wird andauern über die neunte Stunde hinaus, so daß unter den erwachenden Gästen eine Panik ausbricht, im Stollen dergestalt, daß der Bechterew-Zug im erkalteten Tunnel steckenbleibt und der plötzliche Kur- und Naturentzug zu einem kollektiven Klaustrophobie-Infarkt führt, dekompensierte Herz- und Kreislaufverhältnisse in der Tat, das ganze Tal aber von Dorfgastein über Hofgastein und Badgastein bis hinauf nach Sportgastein ist, gedacht, eine einzige Hochgebirgsangströhre, alle stürzen auf jenen Notausgang zu, der vermauert ist, die Krankheit, ja sogar das Recht auf Leiden haben die Enterbten verscherzt, der Schlaf, der ihnen noch verbleibt bis zum weckenden Frühschock, ist bereits der Zins des Todes; viertens, dir, Carlo Schusterfleck, der du mit mir untergehen wirst, erfülle ich einen, den letzten Wunsch, indem ich das Geheimnis der Verschollenen lüfte, Schubert hat die richtigerweise neunte Symphonie aus Gmunden mitgebracht und im Hotel Straubinger binnen drei Wochen vollendet, e-Moll, Andante non troppo, Scherzo und Allegro di molto, aber bei seiner wie immer überstürzten Abreise die Partitur im Zimmer vergessen, gefunden wurde sie vom Wirt und Gemeindepräsidenten von Badgastein, Veit Straubinger, der Noten lesen und somit erkennen konnte, daß Schubert das Finale mit einer für die Romantik noch unvorstellbaren Dissonanz, einem Riß durch das Gebäude abbrechen ließ und damit den Zusammenbruch – er, Schwammerl – des Kurorts prophezeite, worauf Straubinger die Blätter zerriß und in den Kesselfall streute; fünftens, dort unten auf dem Gneisgrund von Grabenstätt ist die komplette Gasteiner Symphonie in Neumen-Schrift, Punctum, Scandicus, Salicus, Flexa, Gnomo, Epiphonus und was der stenographischen Kürzel mehr sind, in den Fels geschliffen, freilich von keinem Geologen, Hydrologen oder Musikologen zu entziffern, weshalb ich dir rate, dich zur Beurkundung dieses Nottestaments, das zwei Zeugen unterschreiben werden, du als Notschnoj Schwejzar einerseits, als Bechterew andererseits, in den Wasserfallsaal zu setzen und Grillparzers Stanzenfresko ›Abschied von Gastein‹ auf dich wirken zu lassen, du wirst sie hören, die verschollen Geglaubte, wenigstens die ersten Takte, Ende des vierten Satzes, Allegro apocalittico.

Manche, so lernten wir in der Nachtportierschule bei Raimund Ostertag, haben einen Schlüssel zu aller Leute Hintertüren, nur nicht für die eigene, zum Glück, wie sich jetzt herausstellte, hatte ich mir rechtzeitig einen Passepartout für die signifikanten Lokalitäten des Kurorts zu verschaffen gewußt, so daß ich, nachdem ich der Blutsteinschrunze entlang zur Straubinger Brücke hinuntergestiegen war, ja, der Selbstmordglanz erinnerte mich an diesen Hämatiten, den die meisten Gäste als Brosche, Amulett oder Ring trugen, ohne Schwierigkeiten ins Austria-Haus eindringen und im ersten Stock verifizieren konnte, daß der Trinkbrunnen der Fledermausquelle zu sprudeln aufgehört hatte, es war kalt und gruftstill wie in einer marmornen Walhalla, ich setzte mich an eines der Lesepulte, mit dem Rücken zur andauernden Finsternis, es war nun die erste, nach abendländischer Zählung die sechste Stunde, schrieb das Testament ins reine beim Schein meiner Taschenlampe, und als ich die Urkunde ausgefertigt, mit meiner Unterschrift besiegelt hatte, begann das Gedicht an der Wand menetekelhaft aufzuflammen – ›Denn wie der Baum, auf den der Blitz gefallen / Mit einem Male strahlend sich verklärt‹ – natürlich, wie hatte ich das nur übersehen können – ›Und was euch so entzückt mit seinen Strahlen / Es ward erzeugt in Todesnot und Qualen‹ – Schubert hatte nicht, wie der Laie annehmen könnte, den Wasserfall, die drei Kaskaden vertont, sondern – ›Die Klippen, die sich ihm entgegensetzen / Verschönen ihn, indem sie ihn verletzen‹ – die Stanzen seines

Freundes aus dem Sommer 1818 – ›Was ihr für Lieder haltet, es sind Klagen / Gesprochen in ein freudenloses All‹ –, und erst als ich das begriffen hatte, Herr Kurdirektor – ›Und Flammen, Perlen, Schmuck, die euch umschweben / Gelöste Teile sind's von meinem Leben‹ –, daß der Komponist von der Terrassendynamik, von der majestätischen Freitreppe des dreimal wiederholten Reimpaares AB ausgegangen war, daß es die Künste sind, welche die Künste beflügeln,

hörte ich das Eingangsmotiv der Wasserfall-Symphonie, ertönte die Neumen-Signatur unten in Grabenstätt, aufsteigender Typus, Herr Kurdirektor, und siehe, was kein Schubertologe auch nur im entferntesten in Betracht zu ziehen gewagt hätte, es war eine Rosalie, ein Schusterfleck, es begann als tiefe Cello-Kantilene, verstärkt durch die Oktave der Bässe, und wurde zweimal hintereinander mit sämtlichen Begleitstimmen um eine Stufe höher transponiert, von der Kessel- auf die Schleier-, von der Schleier- auf die Bärenschwelle, vielmehr, weil, frei nach Kant, der Dietrich zu den Naturerscheinungen nicht in unserem reinen Denken liegt, von Doppelverstreppe zu Doppelverstreppe, ich aber, der verkrüppelte Habe-die-Ehre-Kakadu, besaß als einziger den Schlüssel zu Verschollenen,

ausgerechnet mir hatte Schubert, indem er einen Vetter Michel stehen ließ, ein, nein, Denkmal wäre zu hoch gegriffen, sagen wir uns, alle gebeutelten Nachtportiers der Welt hatte er in der neuen neunten Symphonie verewigt, und es war nur die Frage, wie man eine musikalische Flaschenpost aus einem kollabierenden Kurort hinausschleudern sollte, sicher nicht, indem man Alarm schlug, bei wem denn, bei der Feuerwehr, im Kraftwerk Böckstein, Sie, Herr Kurdirektor, aus dem Schlaf zu reißen, wäre das Verfehlteste gewesen, nein, der Weckdienst lag hinter mir, zu spät und doch noch Zeit genug, den Bösendorfer Flügel im Nebensaal, der ab und zu von Virtuosen dritten Ranges malträtiert wurde, in Ergänzung der Promenadenkonzerte, an die Fensterfront zu rücken und die Löcher aufzureißen, gesagt, getan, und ich hämmerte ohn Unterlaß die Cello-Kantilene der Verschollenen in die Finsternis, in der Hoffnung, daß vielleicht ein Schlafwagenpassagier des Hellas-Istanbul-Expresses, der um sechs Uhr siebzehn an Badgastein vorbeischnaubte, die Melodie, gerade weil er sich über die Dunkelheit wunderte, aufschnappen, nach Salzburg, womöglich nach Wien entführen und immer wieder vor sich hinpfeifen würde wie ein Volkslied, das so betörend herumschwirrt, daß es letztlich sogar den Stein eines Musikologen zu erweichen vermag und, sofern es zufällig ein Scnubertologe ist, zur Erkenntnis bringt: das ist sie; war denn die canzonaccia ›Rosalia mia cara‹ anders unter die Leute gekommen, nein, und was dieser Schnulze recht war, würde der Gasteiner Symphonie, zumindest dem Wasserfallmotiv, wohl billig sein dürfen, also gab ich mein Bechterewsches Frühkonzert, das erste meines Lebens, und war im übrigen gespannt darauf, was den Balneologen an lebensrettenden Sofortmaßnahmen einfallen würde beim Ausbruch der Panik, Ende des fünften Satzes, Vivace poco a poco accelerando.

(1985)

Die Autoren

ILSE AICHINGER (geb. 1921). *Spiegelgeschichte* in *Wo ich wohne*. Frankfurt 1963, 9–18. Mit freundlicher Genehmigung des S. Fischer Verlags, Frankfurt.

ALFRED ANDERSCH (1914–1980). *Die Letzten vom ›Schwarzen Mann‹* in *Sämtliche Erzählungen*. Zürich 1983, 37–42. Mit freundlicher Genehmigung des Diogenes Verlags, Zürich.

H. C. ARTMANN (geb. 1921). *Ein Wesen namens Sophia* in *Grammatik der Rosen. Gesammelte Prosa 2*. Salzburg, Wien 1979, 330–336. Mit freundlicher Genehmigung des Residenz Verlags, Salzburg, Wien.

INGEBORG BACHMANN (1926–1973). *Alles* in *Werke 2: Erzählungen*. München 1978, 138–158. Mit freundlicher Genehmigung des R. Piper Verlags, München.

JUREK BECKER (geb. 1937). *Das Parkverbot* in *Nach der ersten Zukunft. Erzählungen*. Frankfurt 1980, 165–174. Mit freundlicher Genehmigung des Suhrkamp Verlags, Frankfurt.

GOTTFRIED BENN (1886–1956). *Gehirne* in *Prosa und Autobiographie in der Fassung der Erstdrucke*. Frankfurt 1984, 19–23. Mit freundlicher Genehmigung der Verlagsgemeinschaft Klett-Cotta, Stuttgart.

WERNER BERGENGRUEN (1892–1964). *Der Schlafwandler* in *Das Buch Rodenstein*. Zürich 1950, 207–210. Mit freundlicher Genehmigung des Verlags Die Arche, Zürich.

THOMAS BERNHARD (geb. 1931). *Das Verbrechen eines Innsbrucker Kaufmannssohns* in *Die Erzählungen*. Frankfurt 1979, 80–94. Mit freundlicher Genehmigung des Suhrkamp Verlags, Frankfurt.

HEINRICH BÖLL (1917–1985). Nobelpreis 1972. *Der Mann mit den Messern* in *Gesammelte Erzählungen 1*. Köln 1981, 27–37. Mit freundlicher Genehmigung des Lamuv Verlags, Bornheim.

WOLFGANG BORCHERT (1921–1947). *Im Mai, im Mai schrie der Kuckuck* in *Das Gesamtwerk*. Reinbek 1949, 226–243. Mit freundlicher Genehmigung des Rowohlt Verlags, Reinbek.

BERTOLT BRECHT (1898–1956). *Die unwürdige Greisin* in *Gesammelte Werke 11. Prosa 1*. Frankfurt 1967, 315–320. Mit freundlicher Genehmigung des Suhrkamp Verlags, Frankfurt.

Hermann Broch (1886–1951). *Ein Abend Angst. Novelle* in *Novellen, Prosa, Fragmente.* Frankfurt 1980, 155–162. Mit freundlicher Genehmigung des Suhrkamp Verlags, Frankfurt.

HERMANN BURGER (geb. 1942). *Die Wasserfallfinsternis von Badgastein. Ein Hydrotestament in fünf Sätzen* in *Klagenfurter Texte zum Ingeborg-Bachmann-Preis 1985.* München 1985, 11–24. Mit freundlicher Genehmigung des S. Fischer Verlags, Frankfurt.

ELIAS CANETTI (geb. 1905). Nobelpreis 1981. *Der gute Vater* aus *Die Blendung.* München 1974, 405–417. Mit freundlicher Genehmigung des Carl Hanser Verlags, München, Wien

ALFRED DÖBLIN (1878–1957). *Der Dritte* in *Erzählungen aus fünf Jahrzehnten.* Olten 1977, 66–75. Mit freundlicher Genehmigung des Walter Verlags, Olten.

HEIMITO VON DODERER (1896–1966). *Im Irrgarten* in *Die Erzählungen.* München 1972, 218–223. Mit freundlicher Genehmigung des Biederstein Verlags, München.

FRIEDRICH DÜRRENMATT (geb. 1921). *Das Bild des Sisyphos* in *Aus den Papieren eines Wärters. Frühe Prosa.* Zürich 1980, 41–56. Mit freundlicher Genehmigung des Diogenes Verlags, Zürich.

LION FEUCHTWANGER (1884–1958). *Der Kellner Antonio* in *Panzerkreuzer Potemkin. Erzählungen.* Frankfurt 1985, 83–92. Mit freundlicher Genehmigung des Aufbau-Verlags, Berlin, Weimar.

HUBERT FICHTE (1935–1986). *Ein glücklicher Liebhaber* in *Aufbruch nach Turku. Erzählungen.* Hamburg 1963, 11–20. Mit freundlicher Genehmigung des S. Fischer Verlags, Frankfurt.

FRITZ RUDOLF FRIES (geb. 1935). *Das nackte Mädchen auf der Straße* in *Das nackte Mädchen auf der Straße. Erzählungen.* Frankfurt 1980, 113–120. Mit freundlicher Genehmigung des Suhrkamp Verlags, Frankfurt.

MAX FRISCH (geb. 1911). *Skizze* aus *Tagebuch 1946–1949* in *Gesammelte Werke in zeitlicher Folge 2.* Frankfurt 1986, 723–749. Mit freundlicher Genehmigung des Suhrkamp Verlags, Frankfurt.

BARBARA FRISCHMUTH (geb. 1941). *Haschen nach Wind* in *Haschen nach Wind.* Salzburg, Wien 1974, 74–108. Mit freundlicher Genehmigung des Residenz Verlags, Salzburg, Wien.

FRANZ FÜHMANN (1922–1984). *Die Gewitterblume* in *Erzählungen 1955–1975* Rostock 1980, 461–472. Mit freundlicher Genehmigung des Hinstorff Verlags, Rostock.

OSKAR MARIA GRAF (1894–1967). *Das Hochzeitsgeschenk* in *Kalendergeschich-*

ter. München 1978, 112–114. Mit freundlicher Genehmigung des Süddeutschen Verlags, München.

GÜNTER GRASS (geb. 1927). *Polizeifunk* unter dem Pseudonym Artur Knoff: *Geschichten*. Berlin 1968, 22–25. Mit freundlicher Genehmigung des Hermann Luchterhand Verlags, Darmstadt, Neuwied.

MAX VON DER GRÜN (geb. 1926). *Der Betriebsrat* in *Etwas außerhalb der Legalität und andere Erzählungen*. Darmstadt, Neuwied 1980, 27–35. Mit freundlicher Genehmigung des Hermann Luchterhand Verlags, Darmstadt, Neuwied.

PETER HANDKE (geb. 1942). *Das Umfallen der Kegel von einer bäuerlichen Kegelbahn* in *Der gewöhnliche Schrecken*. Hrsg. von P. H. Salzburg, Wien 1969, 120–130. Mit freundlicher Genehmigung des Residenz Verlags, Salzburg, Wien.

PETER HÄRTLING (geb. 1933). *Fast eine Anekdote* in *Der wiederholte Unfall. Erzählungen*. Stuttgart 1980, 44–51. Mit freundlicher Genehmigung des Autors.

MARLEN HAUSHOFER (1920–1970). *Der Wüstling* in *Schreckliche Treue. Erzählungen*. Düsseldorf 1968, 121–132. Mit freundlicher Genehmigung des Claassen Verlags, Düsseldorf.

HELMUT HEISSENBÜTTEL (geb. 1921). *Allmähliche Verfertigung des Charakters des Kollegen Hundekacke* in *Eichendorffs Untergang und andere Märchen*. Stuttgart 1978, 129–140. Mit freundlicher Genehmigung der Verlagsgemeinschaft Klett-Cotta, Stuttgart.

STEPHAN HERMLIN (geb. 1915). *Der Leutnant Yorck von Wartenburg* in *Lebensfrist. Gesammelte Erzählungen*. Berlin 1980, 43–62. Mit freundlicher Genehmigung des Verlags Klaus Wagenbach, Berlin.

HERMANN HESSE (1877–1962). Nobelpreis 1946. *Wenn der Krieg noch fünf Jahre dauert* in *Der Europäer. Gesammelte Erzählungen 3. 1909–1918*. Frankfurt 1977, 328–330. Mit freundlicher Genehmigung des Suhrkamp Verlags, Frankfurt.

STEFAN HEYM (geb. 1913). *Der Gleichgültige* in *Die richtige Einstellung und andere Erzählungen*. München 1977, 98–117. Mit freundlicher Genehmigung des C. Bertelsmann Verlags, München (alle Rechte der deutschen Ausgabe mit Ausnahme der Rechte der DDR).

PAUL HEYSE (1830–1914). Nobelpreis 1910. *Ein Ring* in *Romane und Novellen. Serie 2: Novellen. Band 22: Auf Tod und Leben und andere Novellen*. Stuttgart, Berlin 1909, 266–285.

WOLFGANG HILDESHEIMER (geb. 1916). *Das Atelierfest* in *Lieblose Legenden*. Frankfurt 1962, 114–127. Mit freundlicher Genehmigung des Suhrkamp Verlags, Frankfurt.

GERT HOFMANN (geb. 1932). *Die Fistelstimme* in *Klagenfurter Texte zum Ingeborg-Bachmann-Preis 1979*. München 1979, 15–31. Mit freundlicher Genehmigung des Autors.

HUGO VON HOFMANNSTHAL (1874–1929). *Reitergeschichte* in *Ausgewählte Werke 2: Erzählungen und Aufsätze*. Frankfurt 1957, 25–35. Mit freundlicher Genehmigung des S. Fischer Verlags, Frankfurt.

RICARDA HUCH (1864–1947). *Episode aus dem Dreißigjährigen Kriege* in *Gesammelte Werke 4*. Köln, Berlin 1967, 1101–1105. Mit freundlicher Genehmigung des Verlags Kiepenheuer & Witsch, Köln.

HANS HENNY JAHNN (1894–1959). *Unser Zirkus* in *Werke und Tagebücher 6: Prosa, Dramenfragmente*. Hamburg 1974, 114–116. Mit freundlicher Genehmigung des Verlags Hoffmann und Campe, Hamburg.

UWE JOHNSON (1934–1984). *Als Gesine Cresspahl ein Waisenkind war* in *Merkur 28*, 1974, 941–950 (mit geringfügigen Auslassungen in *Jahrestage 4*. Frankfurt 1983, 1447–1463. Mit freundlicher Genehmigung des Suhrkamp Verlags, Frankfurt.

GERT JONKE (geb. 1946). *Erster Entwurf zum Beginn einer sehr langen Erklärung* in *Klagenfurter Texte zum Ingeborg-Bachmann-Preis 1977*. München 1977, 15–29. (Dieser Text bildet jetzt in umgearbeiteter Fassung den Anfang des Romans *Der ferne Klang*. Salzburg, Wien 1979). Mit freundlicher Genehmigung des Residenz Verlags, Salzburg, Wien.

ERNST JÜNGER (geb. 1895). *Die Eberjagd* in *Sämtliche Werke 15: Erzählungen*. Stuttgart 1978, 353–362. Mit freundlicher Genehmigung der Verlagsgemeinschaft Klett-Cotta, Stuttgart.

FRANZ KAFKA (1883–1924). *Ein Hungerkünstler* in *Erzählungen*. Frankfurt 1976, 191–200. Mit freundlicher Genehmigung des S. Fischer Verlags, Frankfurt.

HERMANN KANT (geb. 1926). *Das Kennwort* in *Ein bißchen Südsee. Erzählungen*. Darmstadt, Neuwied 1979, 90–98. Mit freundlicher Genehmigung des Verlags Rütten & Loening, Berlin.

MARIE LUISE KASCHNITZ (1901–1974). *Lupinien* in *Ein Lesebuch. 1964–1974*. Frankfurt 1975, 11–17. Mit freundlicher Genehmigung des Suhrkamp Verlags, Frankfurt.

HERMANN KESTEN (geb. 1900). *Liebe* in *Die 30 Erzählungen*. München 1962, 189–196. Mit freundlicher Genehmigung des Autors.

ALEXANDER KLUGE (1932). *Der Betthase* in *Lernprozesse mit tödlichem Ausgang*. Frankfurt 1973, 11–15. Mit freundlicher Genehmigung des Suhrkamp Verlags, Frankfurt.

WOLFGANG KOEPPEN (geb. 1906). *Angst* in *Gesammelte Werke 3*. Frankfurt 1986, 237–246. Mit freundlicher Genehmigung des Suhrkamp Verlags, Frankfurt.

KARL KRAUS (1874–1936). *Die Grüßer* in *Die Fackel* Nr. 561–567, März 1921, 45–48. Mit freundlicher Genehmigung des Suhrkamp Verlags, Frankfurt.

GÜNTER KUNERT (geb. 1929). *Die Beerdigung findet in aller Stille statt* in *Die Beerdigung findet in aller Stille statt. Erzählungen*. München 1968, 99–110. Mit freundlicher Genehmigung des Carl Hanser Verlags, München, Wien.

ELISABETH LANGGÄSSER (1899–1950). *Der Torso* in *Ausgewählte Erzählungen*. Düsseldorf 1979, 184–188. Mit freundlicher Genehmigung des Claassen Verlags, Düsseldorf.

SIEGFRIED LENZ (geb. 1926). *Ein Haus aus lauter Liebe* in *Jäger des Spotts. Geschichten aus dieser Zeit*. Hamburg 1958, 56–67. Mit freundlicher Genehmigung des Hoffmann und Campe Verlags, Hamburg.

HEINRICH MANN (1871–1950). *Ehrenhandel* in *Novellen*. Düsseldorf 1976, 670–678. Mit freundlicher Genehmigung des Aufbau-Verlags, Berlin, Weimar.

THOMAS MANN (1875–1955). Nobelpreis 1929. *Schwere Stunde* in *Sämtliche Erzählungen*. Frankfurt 1963, 294–300. Mit freundlicher Genehmigung des S. Fischer Verlags, Frankfurt.

ADOLF MUSCHG (geb. 1934). *Ein ungetreuer Prokurist* in *Liebesgeschichten*. Frankfurt 1972, 7–22. Mit freundlicher Genehmigung des Suhrkamp Verlags, Frankfurt.

ROBERT MUSIL (1880–1942). *Die Portugiesin* in *Gesammelte Werke 6: Prosa und Stücke*. Reinbek 1978, 252–270. Mit freundlicher Genehmigung des Rowohlt Verlags, Reinbek.

ULRICH PLENZDORF (geb. 1934). *Dieser Salinger ist ein edler Kerl** aus *Die neuen Leiden des jungen W*. Frankfurt 1973, 31–38. Mit freundlicher Genehmigung des Suhrkamp Verlags, Frankfurt.

RAINER MARIA RILKE (1875–1926). *Die Turnstunde* in *Sämtliche Werke 8*. Frankfurt 1976, 601–609. Mit freundlicher Genehmigung des Insel Verlags, Frankfurt.

LUISE RINSER (geb. 1911). *Die kleine Frau Marbel* in *Die Erzählungen*.

Frankfurt 1985, 228–241. Mit freundlicher Genehmigung des S. Fischer Verlags, Frankfurt.

JOSEPH ROTH (1894–1939). *Barbara* in *Werke 3*. Köln 1976, 24–32. Mit freundlicher Genehmigung der Verlage Allert de Lange, Amsterdam, und Kiepenheuer & Witsch, Köln.

ARNO SCHMIDT (1914–1979). *Seltsame Tage* in *Sommermeteor. 23 Kurzgeschichten*. Frankfurt 1969, 34–38. Mit freundlicher Genehmigung des S. Fischer Verlags, Frankfurt.

ARTHUR SCHNITZLER (1862–1931). *Die Fremde* in *Meistererzählungen*. Frankfurt 1969, 205–212. Mit freundlicher Genehmigung des S. Fischer Verlags, Frankfurt.

WOLFDIETRICH SCHNURRE (geb. 1920). *Ausgeliefert* in *Erzählungen 1945–1965*. München 1977, 21–24. Mit freundlicher Genehmigung des Paul List Verlags, München.

JUTTA SCHUTTING (geb. 1937). *vier Uhr zwanzig* in *Sistiana. Erzählungen*. Salzburg, Wien 1976, 37–43. Mit freundlicher Genehmigung des Residenz Verlags, Salzburg, Wien.

ANNA SEGHERS (1900–1983). *Das Obdach* in *Erzählungen I. Auswahl 1926–1946*. Darmstadt, Neuwied 1977, 129–133. Mit freundlicher Genehmigung des Hermann Luchterhand Verlags, Darmstadt, Neuwied.

WALTER SERNER (1889–1942?). *Ein Meisterstück* in *Der isabelle Hengst. Sämtliche Kriminalgeschichten 1*. München 1979, 259–264. Mit freundlicher Genehmigung des Verlags Klaus G. Renner, München.

BOTHO STRAUSS (geb. 1944). *Ilona M.** in *Paare Passanten*. München 1981, 143–148. Mit freundlicher Genehmigung des Carl Hanser Verlags, München, Wien.

LUDWIG THOMA (1867–1921). *Die Vermählung* in *Die schönsten Romane und Erzählungen 1: Lausbubengeschichten und andere Erzählungen*. München 1978, 304–308. Mit freundlicher Genehmigung des R. Piper Verlags, München.

KURT TUCHOLSKY (1890–1935). *Enthüllung* in *Gesammelte Werke 5: 1927*. Reinbek 1975, 368–373. Mit freundlicher Genehmigung des Rowohlt Verlags, Reinbek.

MARTIN WALSER (geb. 1927). *Templones Ende* in *Ein Flugzeug über dem Haus und andere Geschichten*. Frankfurt 1980, 86–103. Mit freundlicher Genehmigung des Suhrkamp Verlags, Frankfurt.

ROBERT WALSER (1878–1956). *Luise* in *Das Gesamtwerk 2: Kleine Dichtungen, Prosastücke, Kleine Prosa*. Frankfurt 1978, 286–301. Mit freundlicher Genehmigung des Suhrkamp Verlags, Frankfurt.

OTTO F. WALTER (geb. 1928). *Ein Unglücksfall* in *Erfundene Wahrheit. Deutsche Geschichten 1945–1960*. Hrsg. von Marcel Reich-Ranicki. München 1980, 313–325. Mit freundlicher Genehmigung des Autors.

JAKOB WASSERMANN (1873–1934). *Nimführ und Willenius* in *Das Gold von Caxamalca. Erzählungen*. Leipzig 1985, 113–123. Mit freundlicher Genehmigung des Albert Langen–Georg Müller Verlags, München.

ERNST WEISS (1882–1940). *Die Herznaht* in *Die Erzählungen*. Frankfurt 1982, 329–340. Mit freundlicher Genehmigung des Suhrkamp Verlags, Frankfurt.

PETER WEISS (1916–1982). *Der Schatten des Körpers des Kutschers* in *Akzente 6*, 1959, 228–237. Mit freundlicher Genehmigung des Suhrkamp Verlags, Frankfurt.

FRANZ WERFEL (1890–1945). *Par l'amour* in *Erzählungen aus zwei Welten. Dritter Band*. Frankfurt 1954, 51–58. Mit freundlicher Genehmigung des S. Fischer Verlags, Frankfurt.

GABRIELE WOHMANN (geb. 1932). *Deutschlandlied*. in *Paarlauf. Erzählungen*. Darmstadt, Neuwied 1979, 284–291. Mit freundlicher Genehmigung des Hermann Luchterhand Verlags, Darmstadt, Neuwied.

CHRISTA WOLF (geb. 1929). *Blickwechsel* in *Gesammelte Erzählungen*. Darmstadt, Neuwied 1980, 5–23. Mit freundlicher Genehmigung des Hermann Luchterhand Verlags, Darmstadt, Neuwied.

WOLF WONDRATSCHEK (geb. 1943). *43 Liebesgeschichten* in *Früher begann der Tag mit einer Schußwunde*. München 1969, 67. Mit freundlicher Genehmigung des Carl Hanser Verlags, München, Wien.

CARL ZUCKMAYER (1896–1977). *Die Geschichte von einer Entenjagd* in *Erzählungen 1*. Frankfurt 1976, 37–49. Mit freundlicher Genehmigung des S. Fischer Verlags, Frankfurt.

ARNOLD ZWEIG (1887–1968). *Alter Mann am Stock* in *Novellen 2*. Berlin 1961, 187–196. Mit freundlicher Genehmigung des Aufbau-Verlags, Berlin, Weimar.

STEFAN ZWEIG (1881–1942). *Der Stern über dem Walde* in *Verwirrung der Gefühle. Erzählungen*. Frankfurt 1884, 7–18. Mit freundlicher Genehmigung des S. Fischer Verlags, Frankfurt.

Die mit einem Stern versehenen Titelformulierungen stammen vom Herausgeber.

Berühmte Autoren schreiben über Träume

Der Traum, die geheimnisvolle Sphäre zwischen Phantasie und Wirklichkeit, ist von jeher ein Thema, das Schriftsteller fesselt. Texte großer deutscher und ausländischer Autoren sind in diesem Buch gesammelt: Rainer Maria Rilke, Hermann Hesse, Ernest Hemingway, Doris Lessing, Berthold Brecht, Thomas Mann, Truman Capote, Patrick Süskind, Peter Handke, Italo Calvino und viele andere.

Heyne Taschenbuch
331 Seiten – 01/ 7793
Originalausgabe

Wilhelm Heyne Verlag München